LEABHAR NAN LITRICHEAN

Litir do Luchd-ionnsachaidh 1-200

Stèidhichte air na clàraidhean aig BBC Radio nan Gàidheal

air an sgrìobhadh is air an lìbhrigeadh le

RUAIRIDH MACILLEATHAIN

Do mo phàrantan, le gaol is taing

ISBN Number: **0-9551630-0-5/978-0-9551630-0-5**

Air fhoillseachadh le Clì Gàidhlig, 3 Sràid an Aonaidh, Inbhir Nis, Alba IV1 1PP

Published by Clì Gàidhlig, 3 Union Street, Inverness, Scotland IV1 1PP

121. Ramsay MacDonald had connections to the Highlands.
122. What's the Gaelic for "slogan"?
123. Who shot the first bullet of the Jacobite rebellion of 1745-6?
124. "Lungs" in place names and oral tradition.
125. Making a creel in the traditional way.
126. General George Wade made a significant impact on the Highlands.
127. More on General Wade, and the destruction of the original Fort George.
128. Culloden was the site of a famous battle, but what does the name mean?
129. What's the Gaelic for "delta"?
130. Enormous lumps of ice sometimes fall from the sky.
131. *Dòmhnall Ailean Dhòmhnaill na Bainich* was a celebrated bàrd.
132. A story of dishonest treatment of a "tourist".
133. The Beinn Eighe National Nature Reserve is 50 years old.
134. The Gaelic for MSP is BPA.
135. The 78th Highlanders refused to go to India.
136. Some thoughts regarding the words *cuilean* and *isean.*
137. Donald Mackinnon from Tiree was a famous sea captain.
138. Duncan MacPherson from Morvern wrote Gaelic poetry in New Zealand.
139. A little riddle for you to solve.
140. *Dòmhnall Donn* was a cattle thief on Loch Ness-side.
141. Two Jacobite Annas.
142. A ghost story from Glen Truim in Badenoch.
143. Scotland (probably) gave the great winter game of curling to the world.
144. There was a gold-rush at Kildonan in Sutherland in the 19th Century.
145. George Mallory once climbed in the Cuillin of Skye.
146. Place names in the Summer Isles provide some grammar lessons.
147. More on place names in Coigach, Wester Ross.
148. A tale of murder in Pàirc in Lewis.
149. Recollections from the island of Ulva.
150. In the woods of Mull with the late Ruairidh MacNeill.
151. An unusual link between two famous Alexander Mackenzies in Canada.
152. Canada's first Prime Minister and the trans-Canada railway.
153. A short story from Cape Breton Island.
154. *Sùlaisgeir* has a fascinating human history.
155. Which chemical element boasts a name derived from Gaelic?
156. Lord Leverhulme is a controversial figure in Lewis and Harris.
157. Crofters in Lewis raised their voices against Lord Leverhulme's plans.
158. Leverhulme turned his attention to Harris.
159. An old story from the Isle of Jura.
160. A story of a *corp crèadha* from Jura.
161. Some thoughts on proverbs.

162. Professor William MacGillivray wrote on the Gàidhealtachd and beyond.
163. Some thoughts on sweets and confectionery.
164. *Clach nan Tarbh,* Loch Lomond, has a fascinating heritage.
165. In 1746, gold bound for the Jacobites was intercepted in North Sutherland.
166. The great loss of Gaelic-speakers between 1911 and 1921.
167. John Mackenzie published an important anthology of Gaelic poetry.
168. Might a hidden stream in Inverness be the "marram grass burn"?
169. Some idiom connected to the word *creach.*
170. An ancient tale of love and longing from Little Bernera in Lewis.
171. Father Ronnie Burn was a well-known figure in remote glens.
172. Ronnie Burn learned Gaelic to fluency.
173. A story from the late *Nan Eachainn Fhionnlaigh* of Vatersay.
174. The time of the deer rut is very beautiful in the Gàidhealtachd.
175. The corncrake has different Gaelic names in different places.
176. Some Irish sugar packets carry Gaelic proverbs.
177. A small island off the east coast of Ireland is called "Ireland's Eye".
178. The Gaelic for "starboard" and "port" ...
179. An old Gaelic proverb and a bill in the Scottish Parliament.
180. The Gaelic names for the members of the crow family.
181. How makers of horror movies film flocks of bats in cemeteries.
182. The origin of the place name Clachnaharry.
183. The Caledonian Canal was a mammoth engineering project.
184. A story from Torridon which explains how *Allt a' Ghille* got its name.
185. An ancient Fenian tale from Glen Dochart.
186. The arrival of redwings foretells the coming of the winter snows.
187. Midwinter shinty matches have a long heritage.
188. There are several different ways to say in Gaelic that a person has died.
189. Did the ancient Greek navigator Pytheas visit Callanish?
190. Marjory Kennedy-Fraser became famous for her work on Gaelic song.
191. Marjory Kennedy-Fraser was in her teens when she started touring.
192. Marjory Kennedy-Fraser in Australia and North America.
193. Marjory Kennedy-Fraser started collecting songs of the islands in 1905.
194. Rev. Kenneth MacLeod co-operated with Marjory Kennedy-Fraser.
195. A link between a monument in Ross-shire and a battle in south India.
196. Another story from the late *Nan Eachainn Fhionnlaigh* of Vatersay.
197. A new dictionary gives the points of the compass in Gaelic.
198. The dative plural case in Gaelic has disappeared.
199. How to count trout.
200. Adam Ferguson was a significant figure in 18th Century Edinburgh.

LITIR 1

(An Cèitean 1999)

Do you know a Gaelic proverb equivalent to "the grass is greener on the other side of the fence"? Here's one ...

seanfhacal: *proverb;*
an-còmhnaidh: *always;*
farmad: *envy;*
miann: *desire;*
tha sin a' ciallachadh: *that means;* **gum b' fheàrr leis an lach:** *that the duck would prefer;* **eadhon ged a bhiodh an loch math dhi:** *even if the loch were good to her;*

far nach eil iad an-dràsta: *where they are not just now;*

Tha seanfhacal againn ann an Gàidhlig a tha cur nar cuimhne mar a bhios daoine an-còmhnaidh a' coimhead a-mach – le farmad – air na rudan a th' aig daoine eile: ***'S e miann na lacha an loch air nach bi i.*** Tha sin a' ciallachadh gum b' fheàrr leis an lach a bhith ann an àite eile – loch eile – air falbh bhon àite anns a bheil i an-dràsta eadhon ged a bhiodh an loch sin math dhi anns a h-uile dòigh. 'S e miann na lacha an loch air nach bi i. Ach, mar a tha fios againn uile, 's ann air daoine agus smuaintean dhaoine a bhios seanfhaclan a-mach, mar as trice. Tha an seanfhacal seo ag innse dhuinn gum b' fheàrr le daoine a bhith ann an àite far nach eil iad an-dràsta. Mar a th' aig muinntir na Beurla – *"the grass is greener on the other side of the fence".*

tha e furasta tuigsinn: *it is easy to understand;*
oidhcheannan: *nights;*
làithean: *days;*

Càirinis: *Carinish (N. Uist);*
Moireibh: *Moray;* **Ròghadail:** *Rodel (Harris);*
gabhaibh mo leisgeul: *excuse me;* **ma bheir mi fhìn beachd:** *if I give an opinion;* **mìos a' Chèitein:** *the month of May;*
lusan de gach seòrsa: *plants of all kinds;*
mìos na Bealltainne: *the month of Beltane;* **mìos seinn na cuthaige:** *the month of the singing of the cuckoo;* **cò dh'iarradh a bhith?:** *who would wish to be?;*

Tha e furasta tuigsinn carson a bhiodh beachd mar sin aig mòran ann an Alba bho àm gu àm, gu h-àraidh ann am **meadhan a' gheamhraidh** nuair a tha na h-oidhcheannan fliuch, fuar, dorch agus fada; agus nuair a tha na làithean fliuch, fuar, dorch agus goirid. Aig an àm sin, b' fheàrr le mòran, 's dòcha, a bhith anns a' Charibbean seach ann an Càirinis. No ann am Morocco seach Moireibh. No Rhodes an àite Ròghadail.

Ach gabhaibh mo leisgeul ma bheir mi fhìn beachd làidir an aghaidh gliocas an t-seanfhacail seo – aig an àm seo dhen bhliadhna co-dhiù. Ann am mìos a' Chèitein – mìos cho brèagha 's a th' againn – nuair a tha lusan de gach seòrsa a' nochdadh ann an coilltean is pàircean is monaidhean na Gàidhealtachd. Mìos na Bealltainne, nuair a tha an saoghal a' tighinn beò a-rithist an dèidh a' gheamhraidh fhada. Mìos seinn na cuthaige ann an coilltean is doireachan na h-Alba. Cò dh'iarradh a bhith ann an àite sam bith eile air an t-saoghal ach air a' Ghàidhealtachd anns a' Chèitean?

coireachan: *corries;*
sneachd: *snow*

'S toigh leam a bhith a' sreap gu coireachan nam beann aig an àm seo dhen bhliadhna. Chì mi sneachd air na mullaichean, a tha fhathast fuar is gaothach, ach faodaidh e bhith blàth agus ciùin anns na coireachan. Uaireannan bidh e cho blàth 's gum faod mi mo chuid aodaich a thilgeil dhìom airson a dhol a shnàmh ann an loch. Uill, airson diog no dhà co-dhiù! 'S dòcha gur ann glic a bhios an lach a theicheas gu loch eile nuair a nochdas mise!

ciùin: *calm;*
gum faod mi mo chuid aodaich a thilgeil dhìom: *that I can throw off my clothes;* **diog:** *second;* **a theicheas gu loch eile:** *which flees to another loch;*

Tha an Cèitean brèagha gu cinnteach. Ach tha aon rud eile ann a tha a' toirt toil-inntinn dhomh anns a' mhìos seo. 'S e sin gu bheil grunnan mhìosan a-nise air thoiseach oirnn anns am bi a' ghrian a' deàrrsadh, anns am bi mòran – mar a bhios mi fhìn – a' dèanamh air na beanntan airson toileachas fhaighinn am measg bòidhchead nàdarrach na h-Alba.

toil-inntinn: *mental pleasure, satisfaction;*
air thoiseach oirnn: *ahead of us*;
a' dèanamh air na beanntan: *making for the mountains;*
bòidhchead nàdarrach na h-Alba: *Scotland's natural beauty;*

Ach gu mì-fhortanach cha mhair an toil-inntinn fada. Goirid an dèidh dhomh tilleadh dhachaigh gach turas, bidh mi a' coimhead air a' mhap a-rithist, a' lorg àite eile far an tèid mi a choiseachd. Cha bhi mi toilichte dìreach a bhith a' dol don aon àite. Bidh mi an-còmhnaidh a' coimhead airson beanntan ùra.

cha mhair X: *X doesn't last;*
goirid an dèidh dhomh tilleadh dhachaigh: *shortly after my returning home*; **far an tèid mi a choiseachd:** *where I will go walking;*

A dh'aindeoin dè chanas mi, ma-tha, 's dòcha gu bheil mi car coltach ris na lachan a chì mi air sgèith thairis air an t-samhradh, eadhon anns a' mhìos seo fhèin, a' coimhead airson lochan ùra. 'S e miann Ruairidh a' bheinn air nach bi e. Mmm ...'s dòcha gu bheil an seanfhacal mun lach nas glice na bha mi a' dèanamh a-mach aig toiseach na litreach sa.

LTiR

a dh'aindeoin dè chanas mi: *despite what I say*; **air sgèith:** *on [the] wing;*

na bha mi a' dèanamh a-mach: *than I was making out;* **aig toiseach na litreach sa;** at the start of this letter.

Puing-chànain na Litreach: **meadhan a' gheamhraidh:** *the middle of the winter*; geamhraidh *is the genitive of* geamhradh, *winter.* An dèidh a' gheamhraidh fhada: *after the long winter. The compound preposition* an dèidh *commands the genitive case in the following noun.*

Seanfhacal na Litreach: **'S e miann na lacha an loch air nach bi i:** *the desire of the [wild] duck is [to be on] the loch where it [she] is not. The future tense is used here (rather than "*an loch air nach eil i"*) to denote the generalized, habitual nature of the observation. This is a common use of the future tense in Gaelic: cf* Bidh mi a' tighinn a Ghlaschu a h-uile latha*: I come to Glasgow every day.*

LITIR 2 *(An Cèitean 1999)*

What's the Gaelic for "spider"? The dictionaries say ***damhan-allaidh*** *but there is an alternative …*

bha mi a' bruidhinn an là roimhe ri X: *I was speaking to X the other day;* **luchd-siubhail:** *travelling people;* **a thogadh am measg X:** *who was raised among X;* **Cataibh:** *Sutherland;* **Ros:** *Ross (-shire);* **stòras:** *fund;* **Ailig Iain MacUilleim:** *Alec John Williamson;* **bu mhòr a chòrd e rium coinneachadh ris:** *I enjoyed greatly meeting him;*
mar sin air adhart: *and so on and so forth;* **bha na h-aon fhaclan aige 's a bh' aig a h-uile duine eile:** *he had the same words as everybody else;* **co-dhiù bha iad à X no Y:** *whether they were from X or Y;* **tìr-mòr:** *the mainland;* **damhan-allaidh:** *spider;*

poca-salainn: *spider (lit. bag of salt);* **A' Chomraich:** *Applecross;* **Siorrachd Rois:** *Ross-shire;*

chan eil càil a dh'fhios agam: I have no idea;
blas: *taste;*

le salann na bhroinn: *with salt inside it;*

chan fhada a bhiodh iad beò: *they wouldn't be alive long;*
a-mach air an doras: *out of the door;*
tha amharas agam: *I suspect;*
seanmhair: *grandmother;*

Bha mi a' bruidhinn an là roimhe ri fear a thogadh am measg luchd-siubhail na Gàidhealtachd ann an Siorrachdan Chataibh is Rois. Tha Gàidhlig bhrèagha aige, agus tha stòras de sheann sgeulachdan aige a tha cho math 's a th' aig duine ann an Alba an-diugh. Is esan Ailig Iain MacUilleim, agus bu mhòr a chòrd e rium coinneachadh ris.

Bha sinn a' bruidhinn mu na h-ainmean a bhiodh aig an luchd-siubhail airson beathaichean is lusan anns a' Ghàidhlig aca fhèin. *Aiteann* airson *juniper*, *taghan* airson *pine marten* is mar sin air adhart. Anns an fharsaingeachd, bha na h-aon fhaclan aige 's a bh' aig a h-uile duine eile a bha an làthair, co-dhiù bha iad à tìr-mòr no às na h-eileanan.

Ach thàinig sinn gu aon fhacal a bha rud beag eadar-dhealaichte. Dh'fhaighnich mi dheth dè a' Ghàidhlig a bh' aige air "spider". Bha càch an dùil gun canadh e *damhan-allaidh*, ach bha mise dhen bheachd gur dòcha gum biodh facal eadar-dhealaichte aige. Agus bha. *Poca-salainn*. 'S e an aon rud a th' aig mo chàirdean air a' Chomraich ann an Siorrachd Rois air tìr-mòr na Gàidhealtachd. Poca-salainn.

Chan eil càil a dh'fhios agam ciamar a fhuair beathach beag mar sin ainm mar phoca-salainn. Tha fhios nach e am blas a bh' ann. **Cha bhiodh duine ag ithe a leithid!** 'S dòcha gur e coltas a' chreutair a bh' ann. Donn no glas le uaireannan casan geala air, mar a bhiodh seann phoca le salann na bhroinn. Donn no glas, ach le dath geal an t-salainn a' nochdadh an siud 's an seo.

Co-dhiù cha b' urrainn do mo sheanmhair innse dhomh carson is e poca-salainn a bh' aice fhèin air a leithid de bheathach. Ach cha bu toigh leatha iad, agus chan fhada a bhiodh iad beò, neo co-dhiù am broinn an taighe, nuair a fhuair i lorg orra. Beò neo marbh, bhiodh iad air an tilgeil a-mach air an doras.

Tha amharas agam gu robh mo sheanmhair agus Ailig Iain MacUilleim eòlach air a' chèile. Bhiodh an

a' campachadh: *camping;*

is cinnteach gu robh feum aice air na rudan a dhèanadh an luchd-siubhail: *it is certain that she [would have] needed the things the travellers would make;*

an t-earrach: *spring (season);* **am foghar** *(autumn);*

seanchas: *chat, conversation;*

Easaidh Stiùbhart: *Essie Stewart;*

bho ghinealach gu ginealach thairis air linntean: *from generation to generation over centuries;*

thug ar còmhradh orm smaoineachadh: *our conversation made me think.*

bhiodh iad ag aontachadh: *they would agree;*

luchd-siubhail a' campachadh gu tric air a' Chomraich ann an àite ris an canar "An Caman". Chuir mo sheanmhair seachad bliadhnaichean mòra ann an dà bhaile nach eil ach mìle air falbh bhon Chaman, ma tha iad sin. Agus is cinnteach gu robh feum aice air na rudan a dhèanadh an luchd-siubhail, gu h-àraidh na rudan a dhèanadh iad le meatailt.

Ach tha mi 'n dùil nach e dìreach sin a thug an luchd-siubhail leotha don Chomraich, agus bailtean eile na Gàidhealtachd, eadar an t-earrach agus am foghar gach bliadhna. Thug iad cuideachd seanchas, naidheachdan, sgeulachdan, òrain is pìobaireachd. Agus bhiodh an còmhradh gu lèir ann an Gàidhlig.

Tha mòran de na seann sgeulachdan sin fhathast aig Ailig Iain MacUilleim, agus aig a charaid, Easaidh Stiùbhart, ach 's gann gu bheil iad aig duine sam bith eile a-nise. Mar sin bha mi dhen bheachd gu robh mi gu math fortanach a bhith ag èisteachd ri Ailig Iain ag innse dhuinn sgeulachdan mar "Am Mèirleach Bòidheach" no "Peadar Sgoilear" mar a chuala esan iad ann an teanta, no ri taobh teine, nuair a bha e òg. Sgeulachdan a chaidh bho ghinealach gu ginealach thairis air linntean. **Sgeulachdan cho Gàidhealach 's a ghabhas.**

Thug ar còmhradh orm smaoineachadh. 'S dòcha gu robh mo sheanmhair fhèin no cuid de mo shinnsirean air feadhainn de na sgeulachdan sin a chluinntinn aig an luchd-siubhail o chionn fhada. Agus thàinig aon smuain bheag thugam. 'S dòcha gu robh mo sheanmhair uaireigin cuide ris an luchd-siubhail nuair a nochd beathach beag le ochd casan nam measg. Ge bith de a' bheachd a bhiodh aca air, bhiodh iad ag aontachadh dè bh' ann. Chan e "damhan-allaidh", mar a chì sinn anns na faclairean, ach "poca-salainn". LTR

<u>**Puing-chànain na Litreach**</u>: a leithid: *the (its) like*; leithid *is usually preceded by a possessive pronoun, not by an article.* **Cha bhiodh duine ag ithe a leithid:** *a person would not eat its like;* a leithid de bheathach: *an animal like that. Other examples of its use would be:* chan fhaca mi a leithid a-riamh: *I never saw its like;* thug seinneadairean leithid Elvis Presley buaidh mhòr air òigridh: *singers like Elvis Presley had a big effect on young people.*

<u>**Gnàths-cainnt na Litreach**</u>: 's a ghabhas: *as can be/as is possible.* **Sgeulachdan cho Gàidhealach 's a ghabhas:** *stories as Highland (culturally Gaelic) as can be. This is a contraction of* agus a ghabhas a bhith *(as is possible to be) but in everyday speech it is invariably the contracted form which is used. The verb* gabh *is here used to denote what is possible.* Cha ghabh sin dèanamh: *that cannot be done.*

LITIR 3

(An t-Ògmhios 1999)

Do you recognise the unusual Gaelic phrase "tha mi dola"? No? Read on ...!

Is ann tric a tha sinn a' cluinntinn faclan ùra ann an Gàidhlig, dìreach mar a tha sinn ann am Beurla. A h-uile turas a nochdas rudeigin ùr, feumaidh faclan a bhith ann, ann an cànan sam bith, airson bruidhinn mu dhèidhinn. Bha là ann nuair nach cuala sinn na faclan *in-vitro fertilization* no *ath-ghiollachd niùclasach*. Cha robh a leithid de rud ann.

Uaireannan bidh daoine a' gabhail dragh mu fhaclan ùra, gu h-àraidh ma tha iad a' leum bho chànan gu cànan gun atharrachadh mòr sam bith orra. Mar eisimpleir, bidh muinntir na Frainge a' gabhail dragh mu leithid *weekend* a' nochdadh anns a' chànan aca fhèin. Agus tha an aon dragh ann an Alba mu leithid *telebhisean*, a thàinig don Ghàidhlig às a' Bheurla.

Ach seallaibh air an fhacal *telebhisean* ann an cànanan eile. Ann am Fraingis 's e *télévision*; ann an Eadailtis *televisione*. Leis an fhìrinn innse, 's e facal eadar-nàiseanta a th' ann, agus chan ann à freumhaichean Beurla a tha e a' tighinn co-dhiù, ach à dà fhacal ann an seann Ghreugais is Laideann a tha a' ciallachadh "fradharc fada".

Ach dè mu fhacal eile a tha a' nochdadh nas trice an-diugh ann an Gàidhlig – *ceapaire*? Do mhòran 's e *sandwich* a th' ann ann an Gàidhlig a cheart cho math ris a' Bheurla. Ged a rinn an ceathramh Iarla Sandwich ainmeil e, agus ged a ghabh na Frangaich am facal a-steach don chànan aca mar *sandwich*, bha seann fhacal Gàidhlig ann airson pìos arain le càise air – *ceapaire*. Agus 's e sin am facal a tha mòran ann an saoghal na Gàidhlig a' cleachdadh an-diugh, ann an Èirinn a cheart cho math ri Alba.

Anns an t-seann aimsir, bhiodh na Sàilich — na daoine ann an Cinn Tàile, air taobh siar na Gàidhealtachd — ag ithe ceapaire gun aran sam bith ann. Cha robh ann ach pìos mòr càise le dìreach ìm air. B' e sin an "Ceapaire Sàileach". Cha chanainn gum biodh e uabhasach math. 'S dòcha gur e an "ceapaire salach" a chanainn fhìn ris!

tric: *often;*

rudeigin: something;

bha là ann nuair nach cuala sinn: *there was a day when we didn't hear;* **ath-ghiollachd niùclasach:** *nuclear reprocessing;* **cha robh a leithid ann:** *such things didn't exist;* **mar eisimpleir:** *for example;* **muinntir na Frainge:** *the people of France;*

telebhisean: *television;*

freumhaichean: *roots;* **Greugais:** *Greek language;*

fradharc fada: *long vision;*

ceapaire: *sandwich;*

ceathramh: *fourth;* **Iarla:** *Earl;*

bha seann fhacal Gàidhlig ann airson pìos arain le càise air: *there was an old Gaelic word for a piece of bread with cheese on it;* **Sàilich:** *people of Kintail;*

cha chanainn: *I wouldn't say;* **salach:** *dirty;*

Co-dhiù, chuala mi facal ùr an là roimhe ann an Gàidhlig. Cha chreid mi gu bheil e anns na faclairean – fhathast, co-dhiù. "Dola". Cha robh ceangal sam bith aige le doilichean no liùdhagan. 'S ann rudeigin mar seo a chuala mi e. Bha boireannach anns a' chidsin, còmhla ri a nighinn òig. "Cha do ghlan thu na soithichean fhathast," thuirt a màthair, agus i a' coimhead air an t-sinc a bha làn thruinnsearan salach. "Ach tha mi dola," fhreagair an nighean.

doilichean no liùdhagan: *[modern] dolls or [more traditional] dolls;* **cha do ghlan thu na soithichean fhathast:** *you haven't cleaned the dishes yet;* **truinnsearan:** *plates.*

Chan e "tha mi coma" no "tha mi trang", ach "tha mi dola". Chuir mi seachad mionaid no dhà mus do thuig mi dè bha an tè òg a' ciallachadh. Bha i air an staidhre, agus dh'èigh a màthair oirre, "Cuir an t-aodach agad air falbh." Agus fhreagair an nighean, a tha na sgoilear ann an aonad Gàidhlig ann am baile mòr, "Tha mi dola, tha mi dola, tha mi dola!"

dh'èigh a màthair oirre: *her mother shouted to her;* **fhreagair an nighean:** *the daughter replied;* **thuig mi an uair sin:** *I then understood;*

Thuig mi an uair sin dè bha i a' ciallachadh. "Tha mi a' dol a dhèanamh an rud a tha sibh ag iarraidh..." No airson a dhèanamh goirid – "Tha mi a' dol a..." Tha mi làn-chinnteach gun tàinig sin às a' Bheurla mar eadar-theangachadh air "*I am going to...*" Tha mi a' dol a...

Tha iomadach rud ùr a' tighinn a-steach don chànan gach bliadhna, ach chan eil mi uabhasach measail air "dola". B' fheàrr leam gun canadh an nighean òg "Nì mi sin" no "Tha mi a' dol ga dhèanamh". Seadh – "tha mi a' dol ga dhèanamh." Mmm. 'S dòcha gum biodh e na bu Ghàidhealaiche nan canadh i "Tha mi dolga", ach 's e ceist mhòr eile a tha sin!

chan eil mi measail air: *I am not keen on;* **nì mi sin:** *I'll do that;* **tha mi a' dol ga dhèanamh:** *I am going to do it;* **'s dòcha gum biodh e na bu Ghàidhealaiche:** *perhaps it would be more Gaelic.*

LTR

<u>Puing-chànain na Litreach</u>: **is ann tric a tha sinn a' cluinntinn...:** *it is often that we hear...; this structure, beginning with "'s ann" is common in Gaelic and it can be used, among other things, to emphasise the following word. eg* 's ann <u>leamsa</u> a tha an leabhar sin: *that book is <u>mine</u>. Listen out for this structure in conversation and on the radio. The question form is "an ann...?" to which you would make the simple answer "'s ann" or "chan ann".* An ann aig an taigh a bha e? 'S ann.

<u>Gnàths-cainnt na Litreach</u>: **anns an t-seann aimsir:** *in olden times.* Aimsir *can refer to time or season, as well as its common meaning of "weather". Here it is in the dative case (because of the preposition "anns an") which causes a "t" to go before the "s" in "seann". This "s" is no longer sounded, and the word sounds like "teann". "Seann" is an unusual Gaelic adjective in that it precedes the noun.*

LITIR 4 *(An t-Ògmhios 1999)*

The oldest Scottish Gaelic text we have today was written in Aberdeenshire. Here's a fragment ...

Bha bàrd uaireigin a' fuireach ann an Eilean Phabaigh, eadar Na Hearadh agus Uibhist a Tuath, air an robh Niall Moireasdan mar ainm. Ann am fear de na h-òrain aige, bha na faclan seo: *Gun agam ach a' Ghàidhlig, 's pàirt dhith nach eil uil' agam.*

Bha am bàrd dhen bheachd, ged nach robh cànan sam bith aige ach a' Ghàidhlig, agus ged a **bha e math math air** faclan a chur ri chèile ann am bàrdachd, nach robh e eòlach air a' chànan gu lèir. 'S e duine glic a bh' ann. **Cha leig sinn a leas** ach sùil a thoirt air an fhaclair a rinn Eideard Dwelly airson tuigsinn gu bheil mòran fhaclan ann an Gàidhlig nach bi aig a h-uile duine a-chaoidh. Tha an aon rud fìor mu na faclan anns a' *Ghreater Oxford Dictionary* ann am Beurla.

Agus tha e fìor ri ràdh cuideachd gu bheil mòran fhaclan air a dhol à bith, anns a h-uile cànan. Cha robh a' Ghàidhlig anns an t-seann aimsir mar a tha i an-diugh. Agus tha e gu math inntinneach coimhead air an leabhar as sine a th' againn anns a bheil Gàidhlig na h-Alba sgrìobhte. 'S e sin *Leabhar Dheir*, neo mar a chanas iad ris ann am Beurla – *the Book of Deer.*

Cha robh e air a sgrìobhadh faisg air Eilean Phabaigh. Cha robh idir. Fhuair e ainm bho Sgìre Dheir, neo *Old Deer*, ann an Siorrachd Obair Dheathain, anns an robh manachainn Cheilteach anns an t-seann aimsir. Sgrìobh manach, neo manaich, an leabhar ann an Deir anns an naoidheamh linn, o chionn còrr is mìle bliadhna.

Ach chan eil an sgrìobhadh Gàidhlig cho sean sin. 'S ann an Laideann a bha an leabhar fhèin, a' gabhail a-steach pàirtean dhen Bhìoball agus sgrìobhaidhean eile co-cheangailte ri creideamh. Ach uaireigin anns an dàrna linn deug, chuir duine eile barrachd ris – sgrìobhaidhean Gàidhlig aig oirean nan duilleag agus ann am beàrnan bàna. Tha na faclan sin còrr is ochd ceud bliadhna a dh'aois, agus tha feadhainn aca doirbh dhuinn a thuigsinn an-diugh.

bàrd: *poet, bard;* **Eilean Phabaigh:** *Isle of Pabbay;* **Na Hearadh:** *Harris;* **Uibhist a Tuath:** *North Uist;* **air an robh Niall Moireasdan mar ainm:** *who was called Neil Morrison;* **gun agam ach a' Ghàidhlig:** *Gaelic is my only language;* **'s pàirt dhith nach eil uile agam:** *but I don't have a complete knowledge of it all;* **bàrdachd:** *poetry;* **'s e duine glic a bh' ann:** *he was a wise man;* **nach bi aig a h-uile duine a-chaoidh:** *that not everybody will ever know;* **tha e fìor ri ràdh:** *it is true to say;*

Leabhar Dheir: *The Book of Deer;*

Siorrachd Obair Dheathain: *Aberdeenshire;* **manachainn:** *monastery;* **manach, manaich:** *monk, monks;* **o chionn còrr is mìle bliadhna:** *more than a thousand years ago;* **'s ann an Laideann a bha an leabhar:** *the book was in Latin;*

aig oirean nan duilleag (*or* **nan duilleagan):** *at the edges of the pages;* **ann am beàrnan bàna:** *in blank spaces;*

eachdraidh tèile (tè eile): *the history of another one (manachainn is feminine);*

Tha iad ag innse sgeul mu eachdraidh na manachainn ann an Deir agus eachdraidh tèile air a' chosta mu thuath – ann an Obar Dobhair. Seo mar a thòisicheas e anns an t-seann Ghàidhlig: *Columcille agus Drostan mac Cosgreg a dalta tangator a hI mar ro alseg Dia doib gonic Abbordoboir...* No rudeigin mar sin. Gu fortanach tha sgoilearan a' chànain air eadar-theangachadh a dhèanamh air na seann fhaclan: *Thàinig Calum Cille agus Drostan mac Choscraich, a dheisciobal, às I, mar a threòraich Dia iad, gu ruige Obar Dobhair...* Tha Drostan fhathast air a chuimhneachadh anns an ear-thuath, agus ann an sgìrean eile, mar naomh. Agus tha sinn uile eòlach air Calum Cille, agus air Eilean Ì.

mar a threòraich Dia iad: *as God guided them;* **gu ruige Obar Dobhair:** *to Aberdour;* **tha Drostan air a chuimhneachadh:** *Drostan is remembered;* **naomh:** *saint;* **Eilean Ì:** *Iona.*

Ged a tha cuid a' gearan: although some complain

'S ann anns an leabharlann ann an Oilthigh Chambridge a tha Leabhar Dheir an-diugh. Ged a tha cuid a' gearan gu bheil e ann an Sasainn seach Alba, 's dòcha gur e sin a chùm an leabhar sàbhailte. Feumaidh sinn cumail nar cuimhne gu robh mòran seann leabhraichean air an sgrios aig àm an Ath-leasachaidh ann an Alba.

aig àm an Ath-leasachaidh: *at the time of the Reformation;*

Agus feumaidh sinn cumail nar cuimhne cuideachd gu robh a' Ghàidhlig uaireigin air a bruidhinn gu mòr ann an taobh sear na h-Alba, ann an Siorrachd Obair Dheathain. Bha mi ann am baile Obair Dheathain o chionn ghoirid agus thuirt fear rium nach robh a' Ghàidhlig air a bruidhinn anns an sgìre sin a-riamh. Agus cha robh e airson beachd eile a chluinntinn air a' chùis. Feumaidh nach cual' e mu Leabhar Dheir. Agus feumaidh nach robh e dhen aon bheachd ri bàrd glic Phabaigh, Niall Moireasdan – ge bith dè cho fiosrach 's a tha sinn mu rud sam bith, gu bheil mòran ann air nach eil sinn eòlach.

cha robh e airson beachd eile a chluinntinn: *he didn't want to hear another opinion;* **feumaidh nach cuala e:** *he couldn't have heard;* **air nach eil sinn eòlach:** *which we don't know.*

<u>Puing-chànain na Litreach</u>: bha e math math air: *he was very good at. There are different ways of strengthening an adjective in Gaelic. In some instances, particularly with simple adjectives, the word can be repeated. I once heard a conversation between two children which went like this (with outstretched arms):* Q: "an robh an t-iasg mòr? A: "Bha! Bha e mòr mòr mòr mòr mòr!" *Another way is to precede the adjective with another adjective eg* uabhasach brèagha: *terribly (very) beautiful. In Argyll* fiadhaich *(wild) is often used in the same way.* Bha e fiadhaich math: *it was very good.*

<u>Gnàths-cainnt na Litreach</u>: cha leig sinn a leas: *we don't need to. The "a" is dropped where the preceding word ends in a vowel eg* cha leag thu leas: *you don't need to.* Cha leig thu leas cabhag a dhèanamh – bidh càch fadalach co-dhiù: *you don't need to hurry – the others will be late anyway. In some dialects* leig *is replaced by* ruig *ie* cha ruig thu leas. Cha leig sinn a leas ach...: *we only need to...*

LITIR 5 *(An t-Ògmhios 1999)*

Thousands listened to a Gaelic lecture in Inverness in 1831. But it was something more macabre than the language that was the real attraction ...

anns an naoidheamh linn deug: *in the 19th Century;* **òraid:** *speech, lecture;* **Inbhir Nis:** *Inverness;* **stoirmeil:** stormy;

na h-uimhir: *so many;* **fear-rannsachaidh a bh' air tilleadh à dùthaich chèin:** *an explorer who had returned from a foreign country;*

murtair: *murderer;* **Ùisdean MacLeòid:** *Hugh MacLeod;* **Asainte:** *Assynt;* **Murchadh Grannd:** *Murdoch Grant;* **a' reic stuth:** *selling stuff;*

ghoid e airgead: *he stole money;*

Anns an naoidheamh linn deug, dh'èist eadar seachd is ochd mìle neach ann an Inbhir Nis ri òraid ann an Gàidhlig, a-muigh air latha fliuch, stoirmeil. Cha robh mòran a bharrachd na deich mìle neach a' fuireach anns a' bhaile aig an àm. Carson, ma-thà, a thàinig na h-uimhir a-mach mar sin? An e ministear a bha a' bruidhinn, no fear-rannsachaidh a bh' air tilleadh à dùthaich chèin? Chan e. 'S e murtair a bh' ann. Agus **bhathar a' dol ga chrochadh.**

Bha Ùisdean MacLeòid às Asainte ann an Cataibh. Bha e bliadhna air fhichead a dh'aois nuair a mhurt e fear, Murchadh Grannd, ann an Asainte anns a' bhliadhna ochd ceud deug is deich air fhichead (1830). Bha Grannd air a bhith a' dol bho thaigh gu taigh, a' reic stuth. Agus bha airgead aige. Mhurt MacLeòid e agus ghoid e airgead is stuth eile a bh' aige.

as t-earrach, anns a' Mhàrt: *in the spring, in March;* **cha b' fhada gus an robh X fo chasaid:** *it was not long until X was accused;* **as t-Sultain:** *in September;*

Thilg MacLeòid an corp ann an loch, agus chuir e clach mhòr air airson a chumail fon uisge. Ach bha seo as t-earrach, anns a' Mhàrt agus, nuair a thàinig an samhradh, dh'fhàs an loch eu-domhainn, agus chunnaic cuideigin an corp. Cha b' fhada gus an robh Ùisdean MacLeòid fo chasaid gum b' esan am murtair.

fear dhen luchd-fianais: *one of the witnesses;*

cha robh ach Gàidhlig aig a' chuid a bu mhò aca: *most of them spoke only Gaelic;* **sianar no seachdnar:** *six or seven people;*

Bha a' chùis gu bhith anns a' chùirt as t-Sultain ann am bliadhna a' mhuirt fhèin, ach bha dàil ann. Bha duilgheadas ann leis an diùraidh, agus an uair sin theich fear dhen luchd-fianais. Chaidh bliadhna seachad agus, mu dheireadh, nochd MacLeòid anns a' chùirt as t-Sultain, ochd ceud deug 's a h-aon deug air fhichead (1831), ann an Inbhir Nis. Bha mòran dhen chùis ann an Gàidhlig. Thug trì fichead duine 's a sia-deug (76) fianais anns a' chùirt, agus cha robh ach Gàidhlig aig a' chuid a bu mhò aca. Bha Beurla aig dìreach sianar no seachdnar.

ciontach: *guilty;* **mèirle:** *theft;*

Thairis air a' bhliadhna mus tàinig a' chùis gu cùirt, cha do dh'aidich Ùisdean MacLeòid idir gun do mhurt e Murchadh Grannd. Ach, a dh'aindeoin sin, chaidh an diùraidh na aghaidh. Bha e ciontach de mhèirle agus de mhurt. Agus, an dèidh sin, nuair a bha e air ais anns a'

dh'aidich e: *he admitted;*

croich: *gibbet;*

a' coimhead crochadh Ùisdein MhicLeòid: *watching Hugh MacLeod's hanging;*

fad còrr is cairteal na h-uarach: *for more than a quarter of an hour;* **a h-uile dàrna neach:** *every second person;*

nam bithinn beò ceud bliadhna eile: *if I were alive for another hundred years;* **cha chuirinn glainne uisge-bheatha ri mo bhilean:** *I wouldn't put a glass of whisky to my lips;* **feumaidh sinn a bhith onarach:** *we must be honest;* **nach math gu bheil na làithean sin seachad:** *isn't it good those days are over.*

phrìosan, agus nuair a bha fios aige gu robhar a' dol ga chrochadh, dh'aidich e am murt.

Thàinig là a' chrochaidh, an ceathramh latha fichead (24mh) dhen Dàmhair. Bha a' chroich ann an Inbhir Nis air a' chladach ann an sgìre an *Longman* faisg air an àite far a bheil pàirc mhòr sgioba ball-coise *Chaledonian Thistle* an-diugh. Bidh muinntir *Chaley Thistle* toilichte ma thèid trì mìle neach a choimhead gèam an-diugh. Ach bha seachd no ochd mìle ann a' coimhead crochadh Ùisdein MhicLeòid o chionn còrr is ceud gu leth bliadhna.

Mus d' fhuair e bàs, bha cothrom aig a' mhurtair bruidhinn ris an luchd-coimheid, agus rinn e sin, ann an Gàidhlig, fad còrr is cairteal na h-uarach. Bha Gàidhlig aig co-dhiù a h-uile dàrna neach ann an Inbhir Nis aig an àm. Agus dhiùlt MacLeòid a dhol gu a bhàs le Beurla air a bhilean.

Chan eil bàs duine gun ghràs duine, a rèir an t-seanfhacail, agus dh'iarr Ùisdean MacLeòid air an t-sluagh gun a bhith a' dol ceàrr mar a chaidh esan. "Uisge-beatha," thuirt e, "uisge-beatha, boireannaich, briseadh na Sàbaid agus cluich chairtean, 's iad sin a thug don deireadh seo mi. Nam bithinn beò ceud bliadhna eile, cha chuirinn glainne uisge-bheatha ri mo bhilean a-rithist."

Nuair a bheir sinn sùil air a' chùis an-diugh, feumaidh sinn a bhith onarach. Chan ann airson òraid Ghàidhlig a chluinntinn a chaidh suas ri ochd mìle neach ann, ach airson bàs fhaicinn. Nach math gu bheil na làithean sin seachad. LTR

Puing-chànain na Litreach: **bhathar a' dol ga chrochadh:** *he was going to be hanged.* Bhathar *is the impersonal form of the verb "to be" and is used to make the verb passive. In other words, the action is done without saying who did it. It is constructed by adding* thar *to* bha *(the past tense of the verb "to be"). This can also be done with* tha *and* bidh. Thathar a' deanamh cheapairean: *sandwiches are being made.* Bithear a' togail taigh: *a house will be built. In some dialects, the terminal "r" is replaced by "s" ie* bhathas, thathas, bitheas; *also* robhar...*g*u robhar a' dol ga chrochadh:...*that he was going to be hanged.*

Seanfhacal na Litreach: **Chan eil bàs duine gun ghràs duine:** *no man's death is without favour. When you say* "bàs", *make sure that you make the vowel a long one.* "Bas" *(with a short vowel and written without the accent) means the "palm of the hand". Failure to elongate the vowel could lead to an unfortunate misunderstanding! Note that gun lenites (or aspirates) the following consonant, if it is lenitable (ie for letters other than d, n and t). So we get* gun ghràs, *not* gun gràs. *The lenition, signified by an added "h", softens the sound of the g.*

LITIR 6

(An t-Ògmhios 1999)

Sloinneadh, cinneadh and Flora MacDonald's name in Gaelic ...

bana-ghaisgeach: *heroine;* **ainmeil:** *famous;* **air feadh an t-saoghail:** *throughout the world;* **Teàrlach Òg Stiùbhart:** *Bonnie Prince Charlie;* **saighdearan dearga:** *red-coats;* **Blàr Chùil Lodair:** *the battle of Culloden;*

Bha mi a' leughadh leabhar o chionn ghoirid mu bhana-ghaisgeach Ghàidhealach a tha ainmeil air feadh an t-saoghail. Ann am Beurla 's e "Flora MacDonald" a bh' oirre mar ainm, agus tha i ainmeil airson 's mar a chuidich i am Prionnsa Teàrlach Òg Stiùbhart nuair a bha e a' teicheadh bho na saighdearan dearga an dèidh Blàr Chùil Lodair.

coimhearsnachd: *community;* **'s i a' cheist a th' agamsa:** *the question I have;*

Ann an Gàidhlig **b' e a h-ainm**, no a sloinneadh, Fionnghal nighean Raghnaill 'ic Aonghais Òig. Tha sin car fada, 's dòcha, ach bha e a' ciallachadh fad' a bharrachd do na daoine a bha eòlach air a' choimhearsnachd anns an robh i a' fuireach na bha "Fionnghal Dhòmhnallach" no *Flora MacDonald.* Ach 's i a' cheist a th' agamsa mun chùis – ciamar a dh'atharraich Fionnghal ann an Gàidhlig gu *Flora* ann am Beurla?

do chuid de dh'ainmean pearsanta: *to some personal names;*

Tha rudeigin inntinneach air tachairt do chuid de dh'ainmean pearsanta ann an Gàidhlig, agus 's e seo eisimpleir math dhiubh. Dh'atharraich Fionnghal gu *Flora*, ach thàinig e air ais don Ghàidhlig a-rithist bhon Bheurla mar "Flòraidh". Agus an-diugh tha Flòraidh fada nas cumanta na Fionnghal mar ainm.

an aon seòrsa rud: *the same type of thing;* **o thùs:** *from the beginning;*

Tha an aon seòrsa rud air tachairt le cuid de na sloinnidhean ùra – na dàrna ainmean a chuir na Gàidheil orra fhèin airson sealltainn dè an cinneadh a bh' aca. Ainmean mar "Moireasdan". O thùs, b' e seo "Mac Ille Mhoire", agus chaidh e tarsainn don Bheurla mar *Morrison*. Ach an uair sin thill *Morrison* don Ghàidhlig mar "Moireasdan". Agus 's ann ainneamh a chluinneas tu Mac Ille Mhoire an-diugh. 'S e Moireasdan as cumanta.

Thachair an aon rud: *the same thing happened;*

Thachair an aon rud le Mac Fhionnla no Mac Fhionnlaigh. 'S e seo *Finlayson* ann am Beurla, agus tha sin air a dhol air ais don Ghàidhlig mar "Fionnlasdan". Thachair an aon rud le Mac Fhearghais, *Ferguson* agus Fearghasdan.

càirdeach (dhomh): *related (to me);*

Ach tha ainm no dhà ann nach eil furasta obrachadh a-mach. Tha cuimhn' agam air fear a bha càirdeach dhomh às a' Chomraich. 'S e a' chiad ainm a bh' air Fearchar. 'S e an cinneadh a bh' aige "Mac an Lèigh" agus mus deach e gu sgoil, bha e a' smaoineachadh gur e an t-ainm "ceart" a bh' air "Fearchar Mac an Lèigh". "Aaa!" thuirt an tidsear ris air a' chiad latha aig sgoil, agus e fhathast gun fhacal Beurla na cheann, "'S e "Farquhar Livingstone" a bhios ort ann am Beurla ma-thà!" Uill, cha do thuig Fearchar bhon latha sin gu latha a bhàis carson is e *Livingstone* a' Bheurla airson Mac an Lèigh. **Cha do thuig no mise** – chun an là an-diugh.

Ach air ais do dh'ainm na bana-ghaisgich – Fionnghal no Flòraidh Dhòmhnallach. 'S dòcha gu robh an t-ainm Flòraidh timcheall nuair a bha i fhèin beò. Tha fios againn gun do sgrìobh i a h-ainm ann am Beurla uaireannan F-L-O-R-Y, le Y aig an deireadh an àite A. Tha Flòraidh no dhà eile ann às na h-Eileanan Siar a tha cuideachd ainmeil, leithid an t-seinneadair Flòraidh NicNèill. Ach chanainn fhèin gur i Flòraidh Dhòmhnallach an tè as ainmeile.

Agus dh'fhàg sin gu do rinn mi mearachd o chionn ghoirid. Bidh mi uaireannan a' ceannach leabhraichean a-mach à catalog le bhith dìreach a' coimhead air na tiotalan. Agus anns a' chatalog chunnaic mi an tiotal – *Flora of the Western Isles*. Bha mi cinnteach gur e a bh' ann leabhar mu dhèidhinn *Flora MacDonald* fhèin. Bha i cho ainmeil 's nach leigeadh iad a leas *MacDonald* a chur anns an tiotal. Dhèanadh *Flora* a' chùis leis fhèin.

Ach gu mì-fhortanach, nuair a thàinig an leabhar, cha robh sgeul air Flòraidh. Cha robh ann ach rudan mar *Plantago lanceolata* agus *Ranunculus bulbosus*!

thuirt an tidsear ris air a' chiad latha aig sgoil: *the teacher said to him on the first day at school;* **bhon latha sin gu latha a bhàis:** *from that day to the day of his death;* **air ais do dh'ainm na bana-ghaisgich:** *back to the name of the heroine;* **leithid an t-seinneadair:** *such as the singer;* **dh'fhàg sin gun do rinn mi mearachd o chionn ghoirid:** *that caused me to make a mistake recently;* **nach leigeadh iad a leas *MacDonald* a chur anns an tiotal:** *that they didn't have to put MacDonald in the title;* **gu mì-fhortanach:** *unfortunately.*

<u>Puing-chànain na Litreach</u>: **B' e a h-ainm:** *her name was ... B' e is the past tense form of* 's e *and the "h" in front of* ainm *signifies it is "her" name. The masculine form would be* "B' e ainm ..." *Names are very different entities in traditional Gaelic communities from those in modern English-speaking society. The* sloinneadh *was originally a patronymic and still operates as such within the most traditional communities. But* sloinneadh *has also more recently come to mean a surname, as in English, and this usually equates to what was originally a* cinneadh, *or clan name. My family is split between two separate Gaelic communities and, since I live in a town, my traditional* sloinneadh *is of limited use to me today. My* cinneadh *is* MacIlleathain, *but if somebody were to ask me* "Dè an <u>sloinneadh</u> a th'ort?" *I would reply* "MacIlleathain" *unless I knew that he was specifically seeking my patronymic.*

<u>Gnàths-cainnt na Litreach</u>: **Cha do thuig no mise:** *I didn't understand either. This is a useful idiom. Look at the following example:* <u>Dòmhnall</u>: Am faca tu a' mhuc-mhara, a Chaluim? *(did you see the whale, Calum?).* <u>Calum</u>: Chan fhaca. *(No).* <u>Dòmhnall</u>: Chan fhaca no mise, ach thuirt Alasdair gu robh i mòr *(I didn't either but Alasdair said she was big).*

LITIR 7 *(An t-Iuchar 1999)*

Gregor Mendel – the original "GM" – was one of the fathers of genetics …

a' ciallachadh: *meaning;*

gine, gineachan: *gene, genes;*

ceangal: *tie, connection;*
saidheans: *science;*
gintinneachd: *genetics;*

An Ostair: *Austria;*
Poblachd nan Teagach: *the Czech Republic;*
rugadh e: *he was born;*

peasraichean: *peas;*

cùramach: *careful;*

gun seòrsa sam bith eile nan sinnsearachd: *without any other type in their ancestry;* **poilean:** *pollen;* **chuir e na sìl:** *he planted the seeds;* **tomhas:** *estimation, measurement;*

iongantach: *surprising;*

'S dòcha gu robh feadhainn eile air rudan mar sin fhaicinn: *perhaps some others had seen things like that;*

Dè tha na litrichean "GM" a' ciallachadh dhuibhse? Don chuid as motha de mhuinntir Bhreatainn, tha iad a' ciallachadh mar a bhios biadh air atharrachadh le bhith ag atharrachadh nan gineachan, no *genes. Genetically Modified*, mar a chanas iad.

Ach tha ceangal nas sine aig na litrichean GM do ghineachan agus don t-saidheans a bh' air a chruthachadh timcheall ghineachan – saidheans ris an canar *gintinneachd* – no *genetics*. 'S e am fear a dh'ionnsaich an toiseach mar a bhios gineachan ag obair – fear air an robh na litrichean G agus M mar a' chiad litir anns gach ainm aige. Gregor Mendel.

'S e manach a bh' ann an Mendel agus bha e a' fuireach ann am manachainn anns an Ostair, a tha a-nise mar phàirt de Phoblachd nan Teagach. Rugadh e anns a' bhliadhna ochd ceud deug is a dhà air fhichead (1822). Aig aois ceithir deug air fhichead (34), thòisich e air rannsachadh air lusan – air peasraichean a bha e a' cur ann an leas na manachainn.

Bha an rannsachadh aige sìmplidh gu leòr, ach 's e a bha math mu dheidhinn gu robh Mendel gu math cùramach. Aig an toiseach, bha e a' coimhead air dìreach aon rud – cho àrd 's a bha an lus. Fhuair e lusan àrda agus lusan beaga, an dà chuid gun seòrsa sam bith eile nan sinnsearachd. An uair sin chuir e poilean bho fhlùraichean an dàrna fir air flùraichean an fhir eile. Chuir e na sìl – na peasraichean – a thàinig às a sin, agus rinn e tomhas air cho àrd 's a bha na lusan ùra – an ath ghinealach, no *F1* mar a chanas iad. Agus bha iadsan air fad àrd.

An uair sin, dh'obraich Mendel leis an F1, agus rinn e an aon rud, a' cur poilean bho chuid de lusan air na flùraichean aig lusan eile. Agus dè thachair anns an ath ghinealach? Uill, rud a bha iongantach, 's dòcha. Bha feadhainn aca àrd a-rithist, dìreach mar a bha **am pàrantan**, ach bha feadhainn eile ann a bha beag – dìreach mar a bha na lusan beaga nan sinnsearachd.

'S dòcha gu robh feadhainn eile a bharrachd air Gregor Mendel air rudan mar sin fhaicinn. Ach rinn Mendel rudeigin sìmplidh nach do rinn duine sam bith

bha trì chairteil dhiubh àrd: *three-quarters of them were tall;*

bunaiteach: *basic, fundamental.*

gum biodh luchd-saidheans ceud bliadhna às dèidh a bhàis: *that scientists a hundred years after his death;*
gum biodh e mì-thoilichte mu dheidhinn: *that he would be displeased about it;*

gàrradh aineolais: *a wall of ignorance;*
ge bith dè thachras: *whatever happens;* **càite am bitheamaid?:** *where would we be?;* **as aonais:** *without it.*

eile roimhe. Chunnt e na lusan. Bha trì chairteil dhiubh àrd, is cairteal dhiubh beag. Thuig Mendel an uair sin gun gabhadh seo mìneachadh nan robh dà rud ann – dà ghine – airson àirde, le fear aca nas làidire na am fear eile. Agus 's ann às a sin a thàinig na riaghailtean bunaiteach air gintinneachd ris an canar an-diugh "Na Laghan Mendealach", às dèidh a' mhanaich.

Ach dè am beachd a bhiodh aig GM – Gregor Mendel – air biadh GM an-diugh, agus air an deasbad ann am Breatainn mu dheidhinn? Nuair a bha e a' dèanamh rannsachadh air na lusan aige, an robh beachd aige gum biodh luchd-saidheans ceud bliadhna às dèidh a bhàis a' cur ghineachan bhon aon seòrsa luis ann an lusan de sheòrsa eile? No, gu dearbh, bho bheathaichean gu lusan, is bho lusan gu beathaichean? Chanainn nach robh. Ach a bheil sin a' ciallachadh gum biodh e mì-thoilichte mu dheidhinn?

Tha an seanfhacal ag ràdh, **Nuair a bhriseas aon bhò an gàrradh, thèid a dhà-dheug a-mach air.** Bhris Gregor Mendel gàrradh aineolais o chionn còrr math is ceud bliadhna. 'S e an t-eagal a th' air mòran gun dèan an dusan bò eile cron mòr fhad 's a tha iad a' ruith mun cuairt gun smachd orra. Ge bith dè thachras, tha mi an dòchas nach gabh an sluagh droch bheachd air an t-saidheans a chruthaich Mendel. Càite am bitheamaid an-diugh às aonais? LTIR

Puing-chànain na Litreach: **am pàrantan:** *their parents. The possessive "their" can be given in two ways in Gaelic – firstly by using "aca" (at them).* Seall air a' chàr ùr aca! *(look at their new car!). A second way is to use "an".* eg Seall air a' chloinn - tha an sùilean gu lèir gorm *(look at the children – all of their eyes are blue).* Tha an leabhraichean air a' bhòrd *(their books are on the table). For ease of pronunciation "an" becomes "am" before certain consonants ie b, f, m, p).* Tha am prèasantan fon chraoibh *(their presents are under the tree). The "an" and "am" become "nan" and "nam" when we want to say "in their" ie* nan sinnsearachd *(in their ancestry);* bha na pinn nam pòcaidean *(the pens were in their pockets). Note that "pòcaidean" is not lenited. This allows you to distinguish it from "in my pockets" in which the noun is lenited ie* bha na pinn nam phòcaidean *(the pens were in my pockets).*

Seanfhacal na Litreach: **Nuair a bhriseas aon bhò an gàrradh, thèid a dha-dheug a-mach air:** *when one cow breaks the wall, twelve will go out (ie make their escape). In crofting areas* gàrradh *generally means a dry-stone wall, usually running around a house, garden or field. But it has also come to mean "garden" and this is its more common meaning in the towns. Another word for "garden" is* leas *which appears in this letter –* leas na manachainn *– the monastery garden. In some dialects this is* lios. *Lismore is* Lios Mòr *(great garden) - a fitting description of a fertile and beautiful island.*

LITIR 8

(An t-Iuchar 1999)

Ruairidh's imagination deceives him as he reads about a famous Gaelic ghost ...

Bha an oidhche dubh dorch. Bha i stoirmeil agus bha mi nam leabaidh, ag èisteachd ri fuaim na gaoithe taobh a-muigh na h-uinneig. Gu h-obann, chuala mi fuaim annasach. Bha cuideigin a' coiseachd taobh a-muigh an taighe. Cha chuala mi rud sam bith ach cnacail. **Bha dà bhròig a' gabhail ceum air an rathad.** Bha iad a' tighinn a dh'ionnsaigh an dorais mhòir. Agus ghabh mi eagal mo bheatha.

Bha an taigh agam air cliathaich cnuic, pìos beag air falbh o na taighean eile. A' coimhead a-mach air an uinneig, air oidhche mar sin, chan fhaicinn ach dorchadas. Dorchadas a' mhonaidh. Ach cha deach mi faisg air an uinneig. Bha an t-eagal mòr orm agus **bha mo chridhe a' frith-bhualadh mar chudaig ann am mias.**

'S e baile croitearachd a bh' ann, agus bho sheachdain gu seachdain is bho bhliadhna gu bliadhna cha do thachair mòran a chuireadh eagal air duine sam bith. Agus, mar bu trice, nan robh fear a' coiseachd anns an dorchadas taobh a-muigh an taighe, bhithinn air a dhol a-mach airson bruidhinn ris. Ach bha an oidhche seo eadar-dhealaichte.

'S e leabhar a bu choireach airson sin. Bha mi a' leughadh leabhar. Bha mo bhean air a dhol a-mach a dh'obair agus bhiodh e greis fhathast mus biodh i air ais, anns a' chàr. Bha mi nam aonar anns an leabaidh, a' leughadh leabhar – mu dheidhinn taibhs. 'S e mearachd mhòr a bha sin!

B' e cuspair an leabhair an taibhs ainmeil ris an canar *Am Fear Liath Mòr*, taibhs a bha a' fuireach air a' bheinn as àirde anns a' Mhonadh Ruadh, an dàrna beinn as àirde ann an Alba – Beinn Mac Duibh. B' e an sreapadair Tormod Collie a thug am Fear Liath Mòr gu aire a' mhòr-shluaigh an toiseach. Bha Collie na phroifeasair ann an Oilthigh Lunnainn agus bha e cuideachd na shreapadair uabhasach math. Aig coinneamh de Chlub a' Mhonaidh Ruaidh ann an Obar Dheathain ann an naoi ceud deug is còig ar fhichead (1925), dh'aidich e

gu h-obann: *suddenly;*

cnacail: *a crackling sound;*
a dh'ionnsaigh an dorais mhòir: *towards the front door;*
eagal mo bheatha: *great fear, the fright of my life;*
cliathaich cnuic: *the side of a hill;*

dorchadas: *darkness;*

cha do thachair mòran: *not much happened;*

eadar-dhealaichte: *different;*

a bu choireach airson (or **ri):** *responsible for (past tense);*
bha mi nam aonar: *I was by myself;*
taibhs: *ghost;*
mearachd: *mistake;*
ris an canar: *who is called;*

Am Monadh Ruadh: *the Cairngorms;*
s(t)reapadair: *climber;*
gu aire a' mhòr-shluaigh: *to the attention of the populace;*

gun do ghabh e eagal a bheatha air Beinn Mac Duibh bliadhnaichean roimhe sin, ann an ochd ceud deug, ceithir fichead 's a h-aon deug (1891).

bliadhnaichean roimhe sin: *years before that;*

Bha e na aonar a' tilleadh bho mhullach na beinne air latha ceòthach nuair a chuala e fuaim annasach. Airson gach trì no ceithir ceumannan a ghabhadh esan, bhiodh aona bhrag mhòr ann air a' chùlaibh, mar gu robh cas mhòr mhòr a' bualadh na talmhainn. Bha Collie a' smaoineachadh gur e famhair a bh' ann. Choimhead e, ach chan fhaca e rud sam bith. Ach chum am fuaim a dol. Mu dheireadh, ghabh e eagal cho mòr 's gun do ruith e sìos a' bheinn airson ceithir no còig mìle gun stad gus an do ràinig e a' choille.

ceòthach: *misty;*
brag: *sharp sound;*
mar gu robh cas mhòr mhòr a' bualadh na talmhainn: *as if a very large foot were hitting the ground;*
famhair: *giant;*

Tha mòran eile ann a bharrachd air Collie, a tha ag ràdh gum faca iad, no gun cuala iad, am Fear Liath Mòr. Thuirt aona bhoireannach gun do bhruidhinn e rithe – ann an Gàidhlig. Gu mì-fhortanach cha robh Gàidhlig aice, is cha do thuig i e!

cha do thuig i e: *she didn't understand him;*

Bha beachd aig muinntir an àite cò bh' ann anns an Fhear Liath Mhòr – agus innsidh mi sin dhuibh ann an litir eile. Ach, co-dhiù, 's e sin an stuth a bha mi a' leughadh nuair a chuala mi duine a' coiseachd taobh a-muigh na h-uinneig air an oidhche dhorch stoirmeil a bha sin. An uair sin chuala mi an doras mòr a' fosgladh agus thuig mi nach e taibhs a bh' ann idir, ach mo bhean. Bha i air tilleadh dhachaigh tràth, ach as aonais a' chàir. Tè dhonn bheag an àite Fear Liath Mòr, agus bha mi gu math taingeil! LTR

nuair a chuala mi duine a' coiseachd: *when I heard a person walking;*

tè dhonn bheag: *a small brown-haired female;*
taingeil: *grateful.*

<u>Puing-chànain na Litreach</u>: **Bha dà bhròig a' gabhail ceum air an rathad** *(two shoes were taking steps on the road).* Dà *changes the following noun in two ways – it lenites it, and it also puts it into the dative singular case (cf English which pluralises the noun). The dative case, by the way, is the one used with simple prepositions such as* aig *and* air. *This is simple with masculine words eg* dà bhòrd, dà chù. *But feminine words are <u>slenderised</u> in the dative singular, so we get* air an uinneig (*not* air an uinneag), ris a' ghealaich (*not* ris a' ghealach) *and* air an làimh (*not* air an làmh*). Thus two shoes is* dà bhròig (*not* dà bhròg). *Similarly,* mo dhà làimh *(my two hands). Learners should note, however, that many native speakers today no longer follow this "rule". Perhaps the salient lesson in this exercise is that you need to know the gender of nouns!*

<u>Gnàths-cainnt na Litreach</u>: **Bha mo chridhe a' frith-bhualadh mar chudaig ann am mias:** *my heart was palpitating like a cuddy in a basin. Think of a tiny, newly caught fish (a cuddy, which is a young saithe) flapping around in a basin which has little or no water in it, and you get a picture of the rapid but ineffectual palpitations of the author's heart!*

LITIR 9 *(An t-Iuchar 1999)*

The Kurds' struggle for recognition resonates in other countries ...

An Roinn Eòrpa: *Europe;* **a' dèanamh geur-leanmhainn air:** *persecuting;* **ballrachd:** *membership;*

ceann-suidhe: *president;* **cogadh Chosobho:** *the Kosovan war;* **mion-shluagh:** *minority population, ethnic group;* **An Tuirc**: *Turkey;* **a' cur na ceist:** *asking the question;* **air an cruthachadh às ùr:** *newly created;* **A' Chiad Chogadh:** *the First (World) War;* **bha na Curdaich ag iarraidh dùthaich dhaibh fhèin:** *the Kurds wanted a country of their own;* **Iorag:** *Iraq;* **Ioran:** *Iran;*

Às dèidh a' chogaidh: *after the war;* **feachd adhair:** *air force;*

an do rinn iad an dearbh rud?: *did they do the same thing?*

Bha e ceart gu leòr do NATO gnothach a ghabhail ri Cosobho: *it was okay for NATO to get involved in Kosovo;*

A bheil e ceart ri ràdh – ma tha thu nad cheannard air dùthaich anns an Roinn Eòrpa, no faisg air an Roinn Eòrpa – agus ma tha thu airson geur-leanmhainn a dhèanamh air mion-shluagh anns an dùthaich agad fhèin: faigh ballrachd ann an NATO an toiseach? Tha mi a' cur na ceist, as dèidh do NATO a' chùis a dhèanamh air a' Cheann-suidhe Mhilosevic ann an cogadh Chosobho, air sgàth 's gu bheil feadhainn ann an tè de dhùthchannan NATO a' cur na ceist cuideachd. 'S i an dùthaich sin an Tuirc. Agus 's e am mion-shluagh a th' aca anns an Tuirc, a tha a' cur na ceist – na Curdaich, no *Kurds*.

Tha eachdraidh dhuilich aig na Curdaich. Nuair a bha mòran de rìoghachdan beaga na Roinn Eòrpa air an cruthachadh às ùr às dèidh a' Chiad Chogaidh, bha na Curdaich ag iarraidh dùthaich dhaibh fhèin cuideachd. Ach cha d' fhuair iad i. Agus an-diugh tha na milleanan aca a' fuireach air talamh a bh' aca airson ceudan bhliadhnaichean – ach eadar còig dùthchannan eadar-dhealaichte – Iorag, Siria, Ioran, Airmìnia ... agus an Tuirc.

Às dèidh a' chogaidh ann an Iorag o chionn beagan bhliadhnaichean, chuir Ameireaga agus Breatainn casg air feachd adhair Iorag bho bhith a' dol thairis air dùthaich nan Curdach anns a' cheann a tuath. Bha sin air sgàth 's gu robh Saddam Hussein air geur-leanmhainn a dhèanamh air na Curdaich.

Ach an do rinn iad an dearbh rud nuair a chuir riaghaltas na Tuirc saighdearan gu dùthaich nan Curdach anns an Tuirc, far an do rinn iad fhèin geur-leanmhainn air an t-sluagh? Cha do rinn. Tha an Tuirc na ball de NATO.

Is tha an aon cheist a' nochdadh mu Chosobho. Bha e ceart gu leòr do NATO gnothach a ghabhail ri Cosobho agus ris a' gheur-leanmhainn a rinn na Searbaich ann an sin. Bha e ceart gu leòr dhaibh a ràdh gur ann airson math muinntir an àite a bha iad a' leigeil bomaichean air na Searbaich. Ach dè mu dheidhinn sluagh Curdach na Tuirc?

co-ionann ri: *the same as;* **suidheachadh:** *situation;* **air a bhith a' feuchainn ri deamocrasaidh a stèidheachadh:** *has been trying to establish democracy;* **nach eil e na amas dhaibh:** *that it is not their aim;* **aig bun na cùise:** *at the basis of the issue;* **ceannairceach:** *terrorist;* **ag aithneachadh:** *recognising;* **tha iad a' gabhail "X" orra:** *they call them "X";*
a' fàgail Chosobho air an dàrna taobh: *leaving Kosovo aside;*

poileasaidhean a thathar a' cur an sàs: *policies which are put into practice;*

air am beulaibh: *in front of them.*
fulangas: *suffering;*

Tha e ceart ri ràdh nach eil an suidheachadh anns an Tuirc co-ionann ri suidheachadh Chosobho no, gu dearbh, suidheachadh Iorag. Bho fhuair iad cuidhteas an t-arm mar riaghladairean ann an naoi ceud deug, ceithir fichead 's a trì (1983), tha an Tuirc air a bhith a' feuchainn ri deamocrasaidh a stèidheachadh anns an dùthaich. Agus tha iad a' cumail a-mach nach eil e na amas dhaibh cron sam bith a dhèanamh air na Curdaich. Tha iad dìreach a' strì an aghaidh ceannaircich – ris an canar am PKK – a th' air mìltean a mhurt. Ach, aig bun na cùise, 's e an duilgheadas a th' ann nach eil an riaghaltas ann an Ancara ag aithneachadh gur e sluagh fa leth a th' anns na Curdaich. Tha iad a' gabhail "Tuircich nam Beann" orra. Ach chan e sin beachd nan Curdach – no mòran aca, co-dhiù.

Agus, a' fàgail Chosobho air an dàrna taobh airson mionaid, **dè shaoileadh na Cuimrich** an-diugh nan canadh riaghaltas Bhreatainn nach robh a leithid de shluagh ann, is gur e dìreach "Sasannaich nam Beann" a bh' annta. Agus dè dhèanadh na Cuimrich mura robh cothrom aca an cànan a chleachdadh ann am foghlam is craoladh is beatha phoblach na dùthcha. Gu mì-fhortanach 's e poileasaidh mar sin a thathar a' cur an sàs fhathast anns an Tuirc.

Agus bu chòir do leasan a bhith ann an sin do riaghaltas na Tuirc. Tha dà rathad ann air am beulaibh – rathad Chosobho, far am bi bàs, is fulangas, is geur-leanmhainn ann, no rathad na Cuimrigh, far a bheil deamocrasaidh air **Cothrom na Fèinne** a thoirt don chànan is cultar mu dheireadh thall. **Saoil dè an rathad a ghabhas iad** ann an Ancara? LTR

<u>Puing-chànain na Litreach</u>: **Dè shaoileadh na Cuimrich?:** *What would the Welsh think?* Cuimreach *is a Welshman and this is pluralised as* Cuimrich. *You will meet this pluralisation elsewhere eg* bodach *(old man) becomes* bodaich *(old men);* fitheach *(raven) becomes* fithich *(ravens).* Shaoileadh *is the subjunctive mood of the verb* saoil *(think, suppose); it means "would think".* Shaoileadh tu …*(you would think …). You meet this verb again at the end of the letter –* **saoil dè an rathad a ghabhas iad?** *(what road do you think they will take?). It is often met with in conversation in the future tense, although it indicates a current state of thought:* saoilidh mi g' eil rudeigin ceàrr air *(I reckon there's something wrong with him).*

<u>Gnàths-cainnt na Litreach</u>: **Cothrom na Fèinne:** *a just opportunity, fair play. Long before the invention of cricket, the* Fianntan *or Fingalians had established the principle of fair play, allowing their enemies to pick up their swords before slaying them in battle!* Fèinne *is the genitive. This is still a common expression in Gaelic.*

LITIR 10

(An t-Iuchar 1999)

A couple of good Gaelic riddles ...

tlachd: *pleasure;* **tòimhseachan, tòimhseachain:** *riddle, riddles;* **cuspair:** *subject;* **a' tadhal:** *visiting;* **Geàrrloch:** *Gairloch;* **Ros an Iar:** *Wester Ross;* **bha mi air dìochuimhneachadh mu dheidhinn:** *I had forgotten about it;* **a' toirt sùil air:** *looking at;* **an ìre mhath:** *pretty much;* **'s e tuiteamas a bh' ann gu ...:** *it was by chance that ...;* **colbh:** *column;* **gu tur:** *completely, entirely;* **a' sireadh:** *seeking;* **rudeigin air choreigin:** *something or other;* **ùghdar:** *author;* **an t-Ollamh Urramach Alasdair Stiùbhart:** *the Reverend Doctor Alexander Stewart;* **bha e na leas:** *he was in his garden;* **nan toireadh esan ùbhlan dhi:** if he would give her apples; **fuasgladh:** *solution;* **còir:** *decent, good;* **spòrsail:**

A bheil sibh a' gabhail tlachd – mar a tha mise – bho thòimhseachain? Tha mi an dòchas gu bheil, oir 's e sin cuspair na Litreach an t-seachdain sa. Bha mi a' tadhal air duine as aithne dhomh ann an Geàrrloch turas, agus dh'innis e dhomh tòimhseachan a chòrd rium glan. 'S ann às an sgìre sin fhèin a bha e – à Ros an Iar. Co-dhiù, bha mi air dìochuimhneachadh mu dheidhinn gus an tàinig mi tarsainn air a-rithist, dìreach an t-seachdain sa chaidh.

Bha mi ann an leabharlann, a' toirt sùil air seann phàipearan-naidheachd. Agus ann am fear aca, a bha còrr is sia fichead (120) bliadhna a dh'aois, leugh mi an dearbh thòimhseachan, an ìre mhath mar a chuala mi e. Aig deireadh na litreach, bheir mi dhuibh e, agus faodaidh sibh smaoineachadh air – mus toir mi am fuasgladh dhuibh an ath sheachdain!

'S e tuiteamas a bh' ann gun do lorg mi an tòimhseachan sin, agus feadhainn eile a bha anns an dearbh cholbh anns a' phàipear-naidheachd. Bha mi a' coimhead airson rudeigin gu tur eadar-dhealaichte. Ach sin mar a tha e – dhòmhsa co-dhiù – **nuair a choimheadas mi** air seann phàipearan-naidheachd. 'S dòcha nach lorg mi an rud a bha mi a' sireadh, ach gheibh mi rudeigin air choreigin a chòrdas rium.

Bha na tòimhseachain anns an *Inverness Courier*, ann an colbh Beurla air an robh an tiotal *"Nether-Lochaber"*. Thug mi greis mus d' fhuair mi a-mach cò an t-ùghdar. 'S e ministear na h-eaglais a bh' ann – an t-Ollamh Urramach Alasdair Stiùbhart, agus bha e na shàr-Ghàidheal, a rèir choltais. Mhìnich e anns a' cholbh aige mar a fhuair e an tòimhseachan a leanas.

Bha e na leas, feasgar a bha seo, a' togail ùbhlan far craoibhe nuair a thàinig boireannach seachad. Le gàire, thuirt i ris a' mhinistear, nan toireadh esan ùbhlan dhi, gun innseadh ise dhàsan tòimhseachan nach b' urrainn dha fuasgladh fhaighinn air a shon. 'S e duine còir spòrsail a bh' ann, agus thug e ùbhlan dhi. Agus 's e seo na thubhairt i:

Chunnaic fear gun sùilean ùbhlan air a' chraoibh;
Cha tug e ùbhlan dhith, 's cha do dh'fhàg e ùbhlan oirre.

Canaidh mi sin a-rithist:
Chunnaic fear gun sùilean ùbhlan air a' chraoibh;
Cha tug e ùbhlan dhith, 's cha do dh'fhàg e ùbhlan oirre.

Ciamar a dh'fhaodadh sin a bhith? Uill, 's e seo am fuasgladh, agus chì sibh gur ann a' cleas leis na faclan "sùilean" agus "ùbhlan" a bha i. Cha robh ach aon sùil aig an duine; bha e leth-shùileach. Mar sin 's e fear gun "sùilean" a bh' ann, ged a bha fradharc aige. Agus cha robh air a' chraoibh ach dà ubhal. Thug e aon ubhal dhith; mar sin cha tug e "ùbhlan" dhith. Agus dh'fhàg e aon ubhal oirre; mar sin cha robh "ùbhlan" oirre - dìreach ubhal.

A, uill, 's dòcha gu robh i airidh air na h-ùbhlan. Chan ann tric a bhios fear no tè a' dèanamh cleas air ministear! Co-dhiù, chan ann mì-thoilichte a bha Maighstir Stiùbhart. Thòisich a' chùis deasbad air tòimhseachain Ghàidhlig air duilleagan an *Inverness Courier*, le mòran Ghàidheal a' sgrìobhadh don ùghdar, ag innse dha tuilleadh thòimhseachan.

Agus tha sin gam thoirt air ais do thòimhseachan mo charaid ann an Geàrrloch. Agus seo e:

Chaidh biadh gu dithis
Aig ceann Loch Maruibhe.
Dh'ith am biadh an dithis,
'S chaidh am biadh dhachaigh a-rithist.

Seo e a-rithist:
Chaidh biadh gu dithis etc.....

Dè bh' ann anns a' bhiadh, agus dè bh' ann anns an dithis?! Bheir mi am fuasgladh dhuibh an ath-sheachdain. Chun an uair sin, is mise, le meas...

sporting, fun-loving; **gun sùilean:** *without eyes;* **cha tug e ùbhlan dhith:** *he did not take apples off her* (craobh *is feminine);* **cha do dh'fhàg e ùbhlan oirre:** *he did not leave apples on her;* **ciamar a dh'fhaodadh sin a bhith?:** *how could that be?;* **leth-shùileach:** *one-eyed;*

ged a bha fradharc aige: *although he had sight;* **dh'fhàg e aon ubhal oirre:** *he left one apple on her;*

airidh air: *deserving of;* **a' dèanamh cleas air:** *playing a trick on.* **chan ann mì-thoilichte a bha Maighstir Stiùbhart:** *X was not displeased;*

tha sin gam thoirt air ais do thòimhseachan mo charaid: *that brings me back to my friend's riddle;*

bheir mi am fuasgladh dhuibh an ath-sheachdain: *I will give you the solution next week;*

Puing-chànain na Litreach: **Nuair a choimheadas mi:** *when I look. This is the Relative Future (ending in "as" or "eas"). It is used in various ways eg after* nuair *(when),* ma *(if),* ged a *(although).* Nuair a leughas mi an leabhar sin, bidh an t-eagal orm *(when I read that book I get scared)*; ma bhios esan ann, chan fhuirich mi *(if he is there, I won't stay)*; ged a chanas e gu bheil e sgìth, chan e an fhìrinn a th' aige *(although he says he is tired, he is not speaking the truth). Note that this structure is only used in affirmative statements.*

Tòimhseachan na Litreach: *The translation of the last riddle given is as follows: Food went to two at the head of Loch Maree, the food ate the two and the food went home again. Try to work it out before reading the next Litir!*

LITIR 11

(An t-luchar 1999)

Wildcats and eagles in Wester Ross ...

gu robh mi a-mach air: *that I was on about;*

Food went to two
At the head of Loch Maree.
The food ate the two,
And the food went home again.

cat fiadhaich: *wild cat;* **a chaidh a ghlacadh le**: *that was caught by;*
pùdach, isean: *young bird, chick;*

gun mhothachadh: *unconscious;* **bha coltas air mar gu robh e marbh:** *it (he) looked as if it was dead;* **dh'fhalbh an iolaire a dh'iarraidh biadh eile:** *the eagle left to seek other food;* **acrach:** *hungry;* **thàinig e thuige:** *it (he) recovered consciousness;*

bhithinn uabhasach toilichte am faighinn: *I would be delighted to receive them;* **an cois teacs na litreach:** *accompanying the text of the letter;*
mar as trice: *usually;*

adhar: *sky;* **seach aig a' chladach:** *rather than at the shore;*

Bidh cuimhne agaibh gu robh mi a-mach air tòimhseachain Ghàidhlig an t-seachdain 's a chaidh, agus gun tug mi fear dhuibh airson smaoineachadh air. Agus seo e a-rithist airson a chur nur cuimhne:

Chaidh biadh gu dithis
Aig ceann Loch Maruibhe.
Dh'ith am biadh an dithis,
'S chaidh am biadh dhachaigh a-rithist.

Uill, 's e a bh' ann anns a' bhiadh cat fiadhaich a chaidh a ghlacadh le iolaire – iolaire mhòr. Bha nead aig an iolaire gu h-àrd anns na creagan aig ceann Loch Maruibhe, ann an Ros an Iar. Agus anns an nead bha dà phùdach, no isean. B' e sin an "dithis".

Co-dhiù, nuair a chuir an iolaire mhòr an cat anns an nead, bha an cat gun mhothachadh. Bha coltas air mar gu robh e marbh. Agus dh'fhalbh an iolaire a dh'iarraidh biadh eile. Ach cha robh an cat marbh idir. Agus mus do rinn na h-iseanan acrach càil, thàinig an cat thuige. Mharbh e na h-iseanan, agus dh'ith e iad. Agus às dèidh sin, mus do thill an iolaire mhòr, theich an cat. Chaidh e sìos na creagan agus air ais dhachaigh.

Uill, tha e sìmplidh gu leòr, nach eil? Ach tha mi an dòchas nach do chuir e cus dragh oirbh thairis air an t-seachdain a dh'fhalbh, agus sibh a' smaoineachadh air **fad an t-siubhail**! Anns na mìosan romhainn, bho àm gu àm, bheir mi tòimhseachain eile dhuibh, agus ma tha gin agaibh fhèin a bu toigh leibh a chur thugam, bhithinn uabhasach toilichte am faighinn. Gheibh sibh an seòladh an cois teacs na litreach ann am **Paipear Beag an Eilein Sgitheanaich** an t-seachdain sa.

Ach air ais don iolaire. Tha trì seòrsaichean de iolaire againn ann an Alba. Mar as trice, ma chanas sinn dìreach "iolaire", 's i an *iolaire-bhuidhe*, no *golden eagle*, a tha sinn a' ciallachadh. Agus a bharrachd air *iolaire-bhuidhe* tha ainm eile ann air a son – an *iolaire-mhonaidh* air sgàth 's gum bi i, mar as trice, anns a' mhonadh, no anns an adhar os cionn a' mhonaidh, seach aig a' chladach.

tha teile ann a tha nas mò: *there is another one (fem.) that is larger;*
o chionn beagan bhliadhnaichean: *a few years ago;*
earball, a h-earball: *tail, its (her) tail;*

Ged a tha an iolaire-bhuidhe brèagha gun teagamh, tha teile ann a tha nas mò – an *iolaire-mhara* no *sea eagle*. Bidh fios agaibh uile, tha mi cinnteach, gun deach an t-eun mòr seo à bith ann an Alba, ged a chaidh a stèidheachadh a-rithist air taobh siar na Gàidhealtachd o chionn beagan bhliadhnaichean. Bidh a h-earball geal nuair a dh'fhàsas i sean gu leòr, agus 's ann air sgàth sin a thathar cuideachd a' gabhail *white-tailed eagle* oirre ann am Beurla. Airson an dearbh adhbhair, canaidh sin *iolaire-bhàn* rithe uaireannan ann an Gàidhlig.

air sgàth sin: *because of that;*

dè an treas iolaire a th' againn: *what is the third eagle we have?;*

Agus air sgàth 's gum faic sinn gu tric faisg air a' chladach i, 's e *iolaire-chladaich* ainm eile oirre ann an Gàidhlig. Agus, co-dhiù ann am bàrdachd, chaidh a h-ainmeachadh mar *iolaire-sùil-na-grèine*, ainm snog dha-rìridh. Ach dè an treas iolaire a th' againn ann an Alba? Uill, 's e sin an seòrsa ris an canar *osprey* ann am Beurla. Ann an Gàidhlig 's e *iolaire-iasgaich* a th' oirre, leis gur ann le bhith ag iasgach a ghlacas i biadh. No canaidh cuid *iolaire-uisge* rithe leis gum bi i a' fuireach faisg air lochan-uisge, a' neadachadh ann an seann chraobhan.

canaidh cuid X rithe: *some call it (her) X;* **lochan-uisge:** *fresh-water lochs;* **a' neadachadh:** *nesting;*

uaireigin: *at one time;*
pailt: *plentiful;*
a' sealg: *hunting;*

as coltaiche: *most likely.*
cait: *cats;*
àl, a h-àl: *offspring, her offspring;*

Mar sin, dè an seòrsa iolaire a ghlac an cat fiadhaich anns an tòimhseachan? Iolaire-mhara? Cuimhnichibh gu robh iad uaireigin pailt ann an Ros an Iar. Iolaire-uisge a chunnaic cat fhad 's a bha i a' sealg os cionn an locha? Chanainn fhèin gur e iolaire-bhuidhe as coltaiche, leis gu robh i a' sealg ann am monadh far am biodh cait a' fuireach. Agus bhiodh e fìor ri ràdh gur e iolaire mhì-fhortanach a bh' innte leis gun do chaill i a h-àl. Chun na h-ath-sheachdain.... LTR

__Puing-chànain na Litreach__: **Paipear Beag an Eilein Sgitheanaich**: *the little Skye paper, known in English as the West Highland Free Press. In the nominative case, Skye is* an t-Eilean Sgitheanach. *This, however, is the genitive case ie "of Skye". Both the masculine noun* (eilean) *and its accompanying adjective* (Sgitheanach) *are slenderised as is normal in the genitive, so we get* an Eilein Sgitheanaich. *Note that the initial "t" is dropped and note also the change in pronunciation. In the dative case eg "on Skye" we get* anns an Eilean Sgitheanach. *This is not slenderised, but the initial "t" disappears again. Look through the letter for other examples of slenderised words which are in the genitive case eg* a' mhonaidh, chladaich. *Why are these words in the genitive?*

__Gnàths-cainnt na Litreach__: **Fad an t-siubhail:** *all the time. (Lit. "all the journey"). This is a common expression although one also hears* fad na h-ùine *and* fad na tìde, *which mean effectively the same thing.*

LITIR 12

(An Lùnastal 1999)

Some animals can talk… even in Gaelic.

Thachair mi ri fear turas, air taobh siar na Gàidhealtachd, aig nach robh Gàidhlig, ged a bha i aig a dhithis phàrant. Cha robh fios agam air a sin agus, leis gu robh blas Gàidhealach aige ann am Beurla, dh'fhaighnich mi dheth, "A bheil Gàidhlig agaibh?" *"No,"* ars' esan rium, *"I got put off it as a young man – by a Gaelic-speaker."*

Dh'fhaighnich mi dheth gu dè bha e a' ciallachadh. "Uill," ars' esan, ann am Beurla, "chuir an duine sin an dearbh cheist orm, agus thuirt mi ris gun robh mi a' tuigsinn na Gàidhlig ach nach robh comas agam labhairt innte. Agus thuirt esan riumsa gu robh mi coltach ris a' chù aige. Bha an cù a' tuigsinn na Gàidhlig ged nach robh comas aigesan labhairt innte nas motha. Bhon uair sin thrèig mi a' Ghàidhlig."

'S e sgeul duilich a th' ann agus tha mi an dòchas nach eil Gàidheal sam bith an-diugh a' dèanamh dìmeas mar sin air duine de a leithid. Thàinig an còmhradh sin gu mo chuimhne an t-seachdain sa, às dèidh na thachair an t-seachdain sa chaidh anns na Stàitean Aonaichte. Chuala mi aithris gu bheil siompansaidh air Beurla ionnsachadh. Chan e dìreach tuigse a th' aige, ach comas labhairt.

Uill, 's e sin a tha an luchd-rannsachaidh a' cumail a-mach co-dhiù. Nuair a chanas an siompansaidh "aaaaugh" (no rudeigin mar sin), tha e coltach gu bheil e a' ciallachadh "uisge". Bu toigh leam cluinntinn dè chanadh e airson "uisge-beatha"!

Ach **cha chreid mise nach do rinn an luchd-rannsachaidh mearachd**, agus iad a' teagasg Beurla don t-siompansaidh. 'S e Gàidhlig a bu chòir a bhith aige. **Bhiodh e fada na b' fhasa dha**. Tha beagan Gàidhlig aig a h-uile siompansaidh, co-dhiù bha e ann an "sgoil" no nach robh. Tha cuimhne agam air turas a bha mi ann an Sutha Lunnainn faisg air cèidse nan siompansaidhean. Thàinig fear de na beathaichean thugam agus dh'iarr e orm biadh a thoirt dha – an seòrsa a gheibh sinn bho chearcan. "Ugh, ugh, ugh," thuirt e. Ach gu mì-fhortanach, cha robh ugh agam dha.

thachair mi ri fear: *I met a man;* **ged a bha i aig a dhithis phàrant** (or **phàrantan**)**:** *although both his parents had (spoke) it;*
ars esan: *he said;*

dh'fhaighnich: *asked;*

nach robh comas agam labhairt innte: *that I did not have the ability to speak in her ("Gàidhlig" is feminine);*
thrèig: *forsook, abandoned;*

sgeul duilich: *a sad story;* **a' dèanamh dìmeas air:** *showing disrespect, disregard for;*

siompansaidh: *chimpanzee;*

luchd-rannsachaidh: *researchers;*

Bu toigh leam cluinntinn dè chanadh e airson "uisge-beatha": *I would like to know what it says for "whisky";*

co-dhiù bha e ann an sgoil no (or **gus**) **nach robh:** *whether it (he) was in school or not;* **tha cuimhn' agam air:** *I remember;* **Sutha Lunnainn:** *London Zoo;* **ugh:** *egg;*

Agus nach eil e inntinneach mar a bhruidhneas na beathaichean ann an dòigh eadar-dhealaichte far a bheil cànan eadar-dhealaichte aig na daoine. Mar eisimpleir, canaidh cearcan ann an dùthaich na Beurla *"Chook, chook"*, ach ann an dùthaich na Gàidhlig, canaidh iad "Gog, gog." Agus seallaibh air caoraich. Ann an Sasainn, 's e *"Baa, baa"* a chanas iad. Ach cha chuala mi caora ann an Alba a' ràdh, *"Baa, baa"* a-riamh. Nuair a bhios iad a' mèilich ann an Alba, canaidh iad, "Mè, mè." Tha mi a' dèanamh dheth gur e sin buaidh na Gàidhlig orra.

Agus thachair mi ri fear turas aig an robh beathach a bha comasach air ceistean poilitigeach – seadh, poilitigeach – a fhreagairt. Chan e siompansaidh a bh' ann ach cat. Chaidh mi a chèilidh air an duine agus thuirt e rium, "Seall air a' chat seo. Cuiridh mi ceist air mu phoileataigs Àisia agus bheir e freagairt chiallach dhomh."

Uill, cha robh mi ga chreidsinn agus dh'innis mi sin dha. "Ceart, ma-thà," ars esan, "seall air seo." Agus chuir e an cat air uchd. "Cò," thuirt e ris a' chat (ged a bha e a' bruidhinn ann am Beurla),"cò an duine a bha os cionn arm nan Coimiunach air a' Mhàrsadh Fhada ann an Sìona ann an naoi ceud deug, dà fhichead 's a naoi (1949)?" Shlaod e earball a' chait, agus thug an cat an fhreagairt cheart. Choimhead e suas agus thuirt e *"Mao!"*

Bhuamsa, Ruairidh MacIlleathain, dùrachdan an t-samhraidh dhuibh uile...

mar a bhruidhneas na beathaichean ann an dòigh eadar-dhealaichte: *how the animals speak in different ways;*

a' mèilich: *bleating;*
tha mi a' dèanamh dheth gur e sin buaidh na Gàidhlig orra: *I reckon that is the effect of Gaelic on them;*
ceistean poilitigeach: *political questions;*

Àisia: *Asia;*
bheir e freagairt chiallach dhomh: *it (he) will give me a sensible answer;* **dh'innis mi sin dha:** *I told him that;* **chuir e an cat air uchd:** *he put the cat on his lap;* **arm nan Coimiunach:** *the Communist army;* **air a' Mhàrsadh Fhada:** *on the Long March;* **Sìona:** *China;* **shlaod e earball a' chait:** *he pulled the cat's tail;* **bhuamsa:** *from me (emphatic);*

<u>Puing-chànain na Litreach</u>: **Bhiodh e fada na b' fhasa dha:** *it would be much easier for it (him). The comparative form of furasta (fearasta, farasta) is "fasa" but it never sounds like "fasa" because the "f" is lenited and becomes soundless. In the present and future tenses of the indicative mood of the verb it is "nas fhasa" which sounds like "nah sassuh". If the verb is in the past tense or conditional mood, it is "na b' fhasa" which sounds like "nah bassuh".* Tha leughadh nas fhasa na sgrìobhadh: *reading is easier than writing.* Bidh sin nas fhasa: *that will be easier.* Bha e na b' fhasa dha ruith nuair a bha e òg: *it was easier for him to run when he was young (past, indicative*). Bhiodh e na b' fhasa dhaibh an taigh a pheantadh nan robh an turadh ann: *it would be easier for them to paint the house if the weather were dry.*

<u>Gnàths-cainnt na Litreach</u>: **Cha chreid mise nach do rinn an luchd-rannsachaidh mearachd:** *I reckon the researchers made a mistake. This phraseology is very common and often confuses the learner because of its apparent double negative.* Cha chreid mi gu bheil e deiseil fhathast: *I don't think it is ready yet.* Cha chreid mi nach eil e deiseil a-nis: *I think it is ready now.* Q: An e siud an duine thall? *(is that the man over there?)* A: Cha chreid mi nach e *(I think so).*

LITIR 13

(An Lùnastal 1999)

Which is the octopus's favourite Gaelic song?

fealla-dhà: *fun, joke;* **èibhinn:** *funny, amusing;* **cha robh e ach òg òg:** *he was only very young;* **bun-sgoil:** *primary school;* **ochd-chasach:** *octopus (lit. eight-legged);* **chan eil càil a dh'fhios agam:** *I have absolutely no idea;*

Thàinig an gille agam dhachaigh bhon sgoil latha a bha seo le fealla-dhà dhomh. Mar as trice 's e *jokes* Beurla a bhios aig a' chloinn, ach an turas seo bha rudeigin èibhinn aige ri ràdh ann an Gàidhlig. Cha robh e ach òg òg. Cha chreid mi nach robh e ann an Clas 2 anns a' bhun-sgoil. "Dè an t-òran Gàidhlig," dh'fhaighnich e, "as fheàrr leis an ochd-chasach, no *octopus*?"

"Chan eil càil a dh'fhios agam," fhreagair mi, "dè an t-òran as fheàrr leis an ochd-chasach?" Dhùin e a shùilean, mar gu robh e air an àrd-ùrlar aig a' Mhòd Nàiseanta, agus thòisich e air seinn.... "Teann a-nall 's thoir dhomh do làmh, do làmh, do làmh, do làmh, do làmh, do làmh, do làmh, do làmh." Bha e gu math toilichte leis fhèin agus cha b' urrainn dhomh ach gàire a dhèanamh.

cha b' urrainn dhomh ach gàire a dhèanamh: *I could do no other than laugh;*

An uair sin, dh'fhaighnich e dhìom gu dè bh' ann an seachd-chasach. "Chan eil càil a dh'fhios agam," arsa mise ris, a' smaoineachadh air a h-uile beathach air an robh mi eòlach, "dè th' ann ann an seachd-chasach?"

"Tha," ars esan, "ochd-chasach a th' air cas a chall!"

bha mi a' dol ga òrdachadh a-mach às mo shealladh: *I was going to order him out of my sight;*

Bha mi a' dol ga òrdachadh a-mach às mo shealladh, ach thuirt e rium gu robh pìos beag eile de dh'fhealla-dhà aige. Agus bha sin mu dheidhinn chasan cuideachd.

lannsair: *surgeon;* **euslainteach:** *patient;* **bha e air a bhith fon lannsa:** *he had been operated on (lit. under the scalpel);* **droch, deagh naidheachd:** *bad, good news;*

"**Siuthad, ma-thà**," thuirt mi ris, "innis do sgeul dhomh agus thalla!" Bha e mu dheidhinn lannsair agus euslainteach ann an ospadal. Bha an t-euslainteach air a bhith fon lannsa mu thràth. "Tha droch naidheachd agus deagh naidheachd agam dhut," thuirt an lannsair ris an euslainteach. "An toiseach: an droch naidheachd. **Thug sinn a' chas cheàrr dhìot.** Ach 's i an naidheachd mhath: às dèidh a h-uile rud, nach leig sinn a leas a' chas eile a thoirt dhìot idir!"

faodaidh sinn fealla-dhà a dhèanamh: we can make fun;

Faodaidh sinn fealla-dhà a dhèanamh mu dheidhinn chasan, gu h-àraidh leis gu bheil am facal *cas* neo, mar a tha e uaireannan, *cois* no *coise* a' nochdadh gu math tric ann an gnàthsan-cainnt. Canaidh sinn **cas a' falbh is cas a' fuireach** mu dheidhinn duine nach urrainn co-dhùnadh a dhèanamh. No gu robh taigh **an**

ged nach eil cas aig a' mhuir ann: *although the sea doesn't have a "cas";*

gnàths-cainnt: *figure of speech;* **fear as aithne dhomh:** a man I know; **a bha na fhear-naidheachd:** *who was a journalist;* **chuir e fòn:** *he phoned;* **freagarrach:** *suitable;* **an làrna-mhàireach:** *the next day;* **am biodh an duine eile ag èirigh tràth:** *would the other man be rising early;*

nach ann a' dèanamh dìmeas air a bha e: *that he was not showing him disrespect;* **nas aighearaich(e):** *happier, more cheery;* **bùth tàilleir:** *a tailor's shop;* **deise:** *suit;* **ochd òirlich na b' fhaide na an tèile:** *eight inches longer than the other one (feminine);* **bu toigh l' is leamsa:** *so would I (like to see a suit which is suitable for you!)*

cois na mara, ged nach eil cas aig a' mhuir ann. No **gun tug cuideigin a chasan leis.** Ach nach eil sinn uile a' toirt ar casan leinn?!

Uill, 's dòcha nach eil, agus tha cuimhn' agam air turas a dh'fhàg gnàths-cainnt anns an robh am facal *cas* no *cois* uabhas air fear as aithne dhomh a bha na fhear-naidheachd. Chuir e fòn don duine eile a bha seo mu dheidhinn mar a chaill am fear eile **a dhà chois** ann an tubaist. Cha robh e freagarrach bruidhinn aig an àm agus thuirt mo charaid gum fònadh e air ais air an làrna-mhàireach. Bha e airson faighinn a-mach am biodh an duine eile ag èirigh tràth anns a' mhadainn, gus am biodh fios aige cuin' a bhiodh e freagarrach fònadh. Ach 's e na thuirt e ris, "am bi thu **air do chois** trath?" Cho luath 's a thuirt e e, bha fios aige gu robh e air mearachd a dhèanamh. Gu fortanach thuig am fear eile nach ann a' dèanamh dìmeas air a bha e, ach gur e dìreach gnàths-cainnt nàdarrach a bh' ann.

Ach air ais gu smuaintean nas aighearaich. Air latha eile, thàinig mo nighean dhachaigh le fealla-dhà eile agus 's ann mu dheidhinn chasan a bha sin cuideachd. "Chaidh fear a-steach a bhùth tàilleir," thuirt i. "Bha aon chas aige ochd òirlich na b' fhaide na 'n tèile. "Bu toigh leam deise fhaicinn a bhiodh freagarrach dhomh,' thuirt e ris an tàillear.

"Bu toigh l' is leamsa!" fhreagair an tàillear.

__Puing-chànain na Litreach__: Cas *is feminine (*a' chas *= a foot, leg).* **Thug sinn a' chas cheàrr dhìot** *(we amputated the wrong leg).* Cas cheàrr *could also mean "left leg" but the context should make the meaning obvious. The dative is* cois. Air a' chois *(on the foot).* **A dhà chois** *(his two legs).* Air chois *also means "established".* Chuir iad a' bhuidheann air chois *(they established the group, organisation).* An cois *means "near" or "together with"; it governs the genitive case eg* **an cois na mara** *(beside the sea). The plural is* casan. **Thug e a chasan leis** *(he departed – lit. he took his feet with him). The genitive singular is* coise. *Football is* ball-coise. **Cas a' falbh is cas a' fuireach** *("a foot leaving and a foot staying") is said of somebody who cannot make up his mind. My friend asked the man who had lost his legs if he would be up and about but he used the figure of speech* **air do chois** *("on your foot") and, naturally, felt embarrassed when he realised what he had said.*

__Gnàths-cainnt na Litreach__: **Siuthad (ma-thà):** *Go on (then).* Siuthad *covers a multitude of meanings in English, eg get started, away with you, help yourself, speak up. It is often used to encourage the start of an activity.* Am faod mi am buntàta mu dheireadh fhaighinn no a bheil sibhse ga iarraidh, a Mhamaidh? *(may I have the last potato, Mummy, or do you want it?)* Siuthad – ith e, tha gu leòr agam *(go ahead – eat it, I have enough).*

LITIR 14

(An Lùnastal 1999)

Goats in proverb and landscape …

rubha: *point, promontory;*

os mo chionn: *above me;*

bha am mèilich ro mhaoth: *the bleating was too gentle, restrained;* **meann:** *kid goat;* **gobhar, goibhrean** (*also* **gobhair**)**:** *goat, goats;* **molach:** *hairy;* **air leth brèagha:** *very attractive;* **adharcan:** *horns;* **odhar:** *dun-coloured;* **bha làn-fhios agam:** *I had full knowledge;* **ann an èiginn:** *in distress;*

thàinig e a-steach orm: *the thought came to me;* **poca-cadail:** *sleeping bag;* **ainmean-àite:** *place-names;* **thagh:** *chose;* **Drochaid a' Bhanna:** *Bonar Bridge;* **blas:** *flavour, taste.* **ri a taobh:** *beside her (***creag** *is feminine);*

àm nam Fuadaichean: *the time of the (Highland) Clearances;* **Bainne nan gobhar, fo chobhar 's e blàth:** *the milk of the goats, foaming and warm;* **'s e chuir an spionnadh sna daoine a bha:** *that's what put the strength in the old people (the people that were);*

Bha mi a' campachadh an oidhche roimhe air rubha air taobh sear na Gàidhealtachd, **ri taobh a' chladaich**, ach air falbh o thaighean is bailtean, nuair a chuala mi mèilich air na creagan àrda os mo chionn. Bha e dubh dorch, agus chan fhaca mi am beathach a bha a' dèanamh an fhuaim. Ach bha fios agam nach e caora no uan a bh' ann. Bha am mèilich ro mhaoth! 'S e bh' ann *meann* – gobhar òg.

Tha buidheann de ghoibhrean molach a' fuireach ann an sin, air mullach na creige, agus tha iad air leth brèagha, le adharcan fada cama. Tha feadhainn aca donn. Tha cuid eile dubh, bàn is odhar. Ged a tha iad a' coimhead fiadhaich, cumaidh iad air falbh o dhaoine, agus bha làn-fhios agam nach ann ann an èiginn a bha am meann a bha seo, ged a bha e gu h-àrd air creag chas. Chan fhaicear beathach a tha nas fheàrr na gobhar ann a bhith a' sreap.

Thàinig e a-steach orm, agus mi nam laighe nam phoca-chadail, gu bheil càirdeas air a bhith ann eadar goibhrean is daoine air a' Ghàidhealtachd airson ùine mhòr mhòr. Chì sinn sin ann an ainmean-àite. Thagh mi mapa bho na sgeilpichean agam dìreach an-diugh fhèin – mapa de thaobh sear na Gàidhealtachd – agus bha mi an ìre mhath cinnteach gum biodh ainm air le "gobhar" ann. Agus bha – faisg air Drochaid a' Bhanna tha Creag a' Ghobhair ann, agus ri a taobh, Loch a' Ghobhair. Agus tha mi an dùil gum biodh ainmean-àite car coltach ri sin ann am mòran sgìrean eile air feadh na Gàidhealtachd.

Tha mi a' dèanamh dheth gur ann measail air goibhrean a bha na seann Ghàidheil, fada na bu mheasaile na bha iad air caoraich, co-dhiù na caoraich mhòra nuair a thàinig iadsan don Ghàidhealtachd aig àm nam Fuadaichean. Tha seanfhacal no dhà ann a dhearbhas am meas a bh' aig na daoine air na beathaichean sin. Mar eisimpleir, *Bainne nan gobhar fo chobhar 's e blàth, 's e chuir an spionnadh 's na daoine a bha.* Canaidh mi sin a-rithist gus an greimich sibh air. Bainne nan gobhar fo chobhar 's e blàth, 's e chuir an spionnadh sna daoine a bha.

is beag an spionnadh a chuir e annamsa: *little is the vigour it put in me;*

nas fhasa am bleoghain: *easier to milk;*

Uill, chan eil fhios agam fhìn mu dheidhinn sin. Dh'fheuch mi bainne ghobhar blàth aon turas agus is beag an spionnadh a chuir e annamsa! Feumaidh mi ràdh nach do chòrd am blas rium idir! Tha fhios gur ann air goibhrean na croite a bha an seanfhacal sin a-mach, seach goibhrean fiadhaich a' mhonaidh. Tha an fheadhainn air a' chroit nas fhasa am bleoghain co-dhiù!

Ach 's dòcha gu robh mi ag òl bainne ghobhar aig an àm chèarr anns a' bhliadhna. **'S ann anns a' Chèitean, no anns a' Mhàigh, as fheàrr a tha e**, a rèir choltais, co-dhiù ma tha thu ga chur gu feum mar leigheas airson tinneas. Seo seann rann Gàidhlig mu dheidhinn bainne ghobhar:

leigheas: *cure, treatment;* **tinneas:** *illness;* **creamh:** *wild garlic;* **òl an fhochair sin:** *drink along with that;* **bainne ghobhar bàn:** *white milk of goats;* **fo bhlàth:** *in bloom;* **feur ùr an earraich:** *the new grass of spring;*

Is leigheas air gach tinneas
Creamh is ìm na Màigh'.
Òl an fhochair sin
Bainne ghobhar bàn.

'S e *creamh* an lus ris an canar ann am Beurla *wild garlic,* a bhios fo bhlàth anns a' Mhàigh – mìos anns am bi feur ùr an earraich a' toirt deagh bhlas don bhainne agus ìm. Seo an rann a-rithist:

Is leigheas air gach tinneas
etc ...

mus d' fhuaradh am bainne: *before the milk was obtained.*

'S e an aon rud a chanainn mu dheidhinn sin gum bithinn an dòchas nach robh an gobhar fhèin ag ithe a' chreamha mus d' fhuaradh am bainne. No, gu cinnteach, cha bhiodh blas math air a' bhainne idir! LTiR

Puing-chànain na Litreach: **Ri taobh a' chladaich:** *beside the* shore. Ri taobh is a compound preposition, made up of two elements. *It is a general rule in Gaelic that compound prepositions command the genitive case in the following noun. Thus we get* ri taobh a' chladaich, *not* ri taobh an cladach. *Other examples of correct usage would be* ri taobh na h-aibhne *(not* ri taobh an abhainn*) and* ri taobh na h-uinneig *(not* ri taobh an uinneag*). Here are some other examples of compound prepositions at work in Gaelic:* air feadh na Gàidhealtachd *(throughout the Highlands),* os cionn na mara *(above the sea),* a rèir a' Phrìomhaire *(according to the Prime Minister),* mu thimcheall an togalaich *(around the building).*

Gnàths-cainnt na Litreach: **'S ann anns a' Mhàigh as fheàrr a tha e**: *it is in May that it is best. Note the construction of this sentence and compare it with the following examples.* 'S ann anns an Lùnastal as fheàrr a tha an t-sealg*: the hunting is best in August.* 'S ann an Alba as mò a chluinnear a' Ghàidhlig: *it is mostly in Scotland that Gaelic is heard.* 'S i an Ruis as mò a dh'fhuiling aig àm a' chogaidh*: it was Russia that suffered most during the war.*

LITIR 15 *(An Lùnastal 1999)*

How might you understand what animals are saying? Try white snake soup!

o chionn trì seachdainean: *three weeks ago;*

gun ionnsaich sinn an cànan acasan: *that we will learn their language;*

nathair gheal: *white snake;*

a thathar ag innse fhathast: *which is still told;*

Tiriodh: *Tiree;*

uaireigin: *at one time;*

a rèir na sgeòil: *according to the story;* **cò air bith...a dh'itheas a feòil:** *whosoever...eats her meat ("nathair" is feminine);* **brot:** *soup;*

beartach sanntach: *rich and greedy;*

sgoltadh domhain: *deep cleft;*

lùchairt: *palace;*

cidsin: *kitchen;* **brot nathrach:** *snake soup;* **sa bhad:** *immediately;*

fàileadh: *smell;* **a thug air am brot agus an fheòil fheuchainn:** *that made him try the soup and meat;* **bha iad cho blasta 's nach b' urrainn don phrionnsa sgur:** *they were so tasty that the prince couldn't stop;*

Bha mi a-mach, o chionn trì seachdainean, air mar as urrainn do chuid de bheathaichean cànan nan daoine a thuigsinn, agus uaireannan a bhruidhinn. Uill, tha dòigh eile ann airson coimhead air a' chùis. 'S dòcha gu bheil e nas fhasa, ma tha sinn airson bruidhinn ri beathaichean, gun ionnsaich sinne an cànan acasan. Ach ciamar a dh'ionnsaicheas duine cànan nan ainmhidhean?

Uill, 's dòcha le bhith a' lorg nathair gheal. Co-dhiù, tha sin a rèir seann sgeulachd a thathar ag innse fhathast ann an Tiriodh. Chan eil fhios agam co-dhiù tha nathraichean ann an Tiriodh an-diugh, no an robh a-riamh, ach chan eil sin gu diofar. 'S e seo fìor sheann sgeulachd a bh' air innse air feadh na Gàidhealtachd uaireigin.

A rèir na sgeòil, cò air bith a gheibh nathair gheal agus a nì brot leatha, agus a dh'itheas a feòil, agus a dh'òlas am brot, gheibh e comas còmhradh nan eun agus còmhradh nam beathaichean a thuigsinn. Anns an sgeulachd, tha prionnsa òg ann a tha a' fulang air sgàth rìgh beartach sanntach a tha a' dèanamh geur-leanmhainn air an t-sluagh. Latha a bha seo, dh'òrdaich an rìgh don phrionnsa a dhol a lorg nathair gheal dha.

Dh'fhalbh am fear òg agus thug e mìosan mus do lorg e dùthaich far an robh mòran nathraichean. Mu dheireadh thall, ann an sgoltadh domhain ann an creagan, lorg e tè gheal agus chaidh e dhachaigh leatha. Ged a bha am prionnsa uabhasach sgìth nuair a ràinig e lùchairt an rìgh, dh'òrdaich an rìgh dha dhol sìos don chidsin agus am brot nathrach a dhèanamh sa bhad. **Bha an rìgh coma ach gum faigheadh e am brot** agus feòil na nathrach airson a bhracaist.

Tha seanfhacal ann a chanas: **Is coma leis an rìgh Eòghainn, ach is coma le Eòghainn co-dhiù.** Tha fhios againn **gu robh an rìgh** anns an sgeulachd seo **coma mun phrionnsa,** ach **chan eil e cho cinnteach gu robh am prionnsa a cheart cho coma mun rìgh.** 'S dòcha gu robh, ach 's dòcha gur e dìreach acras, agus am fàileadh math, a thug air am brot agus an fheòil fheuchainn. Agus bha iad cho blasta 's nach b' urrainn don phrionnsa sgur gus an robh e air a h-uile criomag dhen fheòil ithe, agus a h-uile boinne dhen bhrot òl.

mhothaich e don rud a rinn e: *he realised what he had done;* **ann an cabhaig:** *in a hurry;*

O mo chreach! Mhothaich e don rud a rinn e agus bha an t-eagal air. Bhiodh fearg mhòr air an rìgh. Dh'fhalbh e a-mach agus thuirt e ris fhèin, "Càite am faigh mi nathair gheal eile ann an cabhaig?"

os a chionn: *above him;* **fitheach:** *raven;* **thuig e sa mhionaid:** *he understood immediately;*

Chuala e guth os a chionn. "Chan fhaigh thu an seo co-dhiù," thuirt an guth. Choimhead am prionnsa os a chionn agus chunnaic e fitheach ann an craobh. 'S e am fitheach a bha a' bruidhinn ris, agus thuig e sa mhionaid gu robh comas aige còmhradh nan eun agus còmhradh nam beathaichean a thuigsinn.

"Dè am fios a th' agadsa air mo ghnothach?" dh'fhaighnich am prionnsa.

's e an duine as fheàrr a choisinn an gliocas: *it's the best man that earned the wisdom;* **gabh air falbh ... mus tachair cron dhut:** *get away ... before harm befalls you;* **feachd:** *battle force;* **a' fuadachadh:** *expelling;* **roghainn:** *choice;* **Dualchas Nàdair na h-Alba:** *Scottish Natural Heritage;* **no brot a dhèanamh dhith?:** *or make soup of her?;* **dè dhèanadh sibhse?:** *what would <u>you</u> do?*

"Tha gu leòr," ars am fitheach, "tha mi fhìn is mo sheòrsa air a bhith a' cumail sùil ort. 'S e an duine as fheàrr a choisinn an gliocas. Gabh air falbh bhon àite seo mus tachair cron dhut."

Agus dh'fhalbh e. Aig deireadh na sgeòil, tha am prionnsa a' cruinneachadh feachd de bheathaichean agus tha iad a' fuadachadh an droch rìgh a-mach às an lùchairt aige, agus a-mach às an rìoghachd. Sgeulachd shnog gun teagamh, ach a bheil teachdaireachd innte dhuinn an-diugh? Uill, 's dòcha gu bheil – ma lorgas tu nathair gheal, bidh an roghainn agad fios a chur gu Dualchas Nàdair na h-Alba, no brot a dhèanamh dhith. Dè dhèanadh sibhse?!

<u>Puing-chànain na Litreach</u>: **Is coma leis an rìgh Eòghainn, ach is coma le Eòghainn co-dhiù.** *The king doesn't like Ewen, but Ewen couldn't care less. You might use this proverb to put down a detractor who has expressed a dim view of you.* Coma *means indifferent, not caring, being disagreeable towards.* Q: Dè do bheachd air a' Mhillennium Dome? *(what is your opinion of the Millennium Dome?)* A: Tha mi coma mu dheidhinn *(I am indifferent to it).* Is coma leam e: *I dislike it.* Coma leat, a bhalaich, cha leig thu leas a dhol ann! *(never mind, lad, you don't need to go there!)*. **Bha an rìgh coma mun phrionnsa** *(the king disliked the prince)*. **Chan eil e cinnteach gu robh am prionnsa a cheart cho coma mun rìgh** *(it is not certain that the prince disliked the king to the same degree).* **Bha an rìgh coma ach gum faigheadh e am brot** *(the king was indifferent to everything, except that he should get the soup ie. he had only one thing on his mind – the soup!)*

<u>Gnàths-cainnt na Litreach</u>: **O mo chreach!** *Alas! (lit. Oh, my ruin!) A common expression of woe which can be used both in a serious situation to express sadness, and also to express surprise or disapproval in light-hearted conversation. Also frequently heard are* "Mo chreach mhòr!" *and* "Mo chreach-sa thàinig!"

LITIR 16

(An t-Sultain 1999)

Why is a Tiree man called a Tiristeach, *when the island itself is* Tiriodh*? Here's a likely answer ...*

an t-seachdain sa chaidh: *last week;*
Tiriodh/Tiridhe: *Tiree;* **Earra-Ghàidheal:** *Argyll;*
feumaidh mi ràdh gun do chòrd e rium glan: *I must say that I enjoyed it immensely;*

An t-seachdain sa chaidh, dh'innis mi dhuibh mu sgeulachd - mu nathair gheal - a thathar ag innse fhathast ann an Tiriodh, ann an Earra-Ghàidheal, no, mar a chanas cuid ris, Tiridhe. Cha robh mi ann an Tiriodh ach aon turas, ach feumaidh mi ràdh gun do chòrd e rium glan. 'S e an samhradh a bh' ann agus bha am machair làn fhlùraichean de gach seòrsa is de gach dath. Ged nach eil beanntan ann, mar a tha ann an cuid mhath de na h-eileanan, tha tràighean ann a tha air leth brèagha. Tha na daoine laghach, agus tha pailteas Gàidhlig ann fhathast. Dè an còrr a dh'iarradh duine?!

air leth brèagha: *exceptionally beautiful;*
pailteas: *abundance;*

Ach tha aon rud mu dheidhinn Eilean Thiriodh a dh'fhàg ceist nam cheann airson ùine mhòr. Agus 's ann dìreach o chionn ghoirid a fhuair mi fuasgladh oirre. Tha mi a-mach air an fhacal a tha sinn a' cleachdadh, ann an Gàidhlig, airson bruidhinn mu dheidhinn duine a bhuineas do Thiriodh. Nise, canaidh sinn *Leòdhasach* ri fear a bhuineas do Leòdhas, *Uibhisteach* ri duine às Uibhist agus *Ìleach* ri neach às Ìle. Mar an ceudna, 's e *Niseach* duine à Nis agus *Sgalpach* duine à Sgalpaigh.

a fhuair mi fuasgladh oirre: *I got a solution for it;*
a bhuineas do ...: *who belongs to ...;*
mar an ceudna: *likewise;*

Tha an siostam sìmplidh gu leòr, nach eil? Shaoileadh tu, mar sin, gur e *Tiriodhach* a bhiodh againn air duine à Tiriodh. Ach chan e. An àite sin, canaidh sinn *Tiristeach* ris. 'S i a' cheist a bha nam cheann airson ùine mhòr – "carson?" Uill, shaoileadh tu, nan robh am facal seo a' leantainn an t-siostaim gur dòcha gu robh ainm eadar-dhealaichte air an eilean fhèin uaireigin – Tirist. Agus cha bhiodh tu fada ceàrr. Ach cha b' ann ann an Gàidhlig a bha e.

shaoileadh tu: *you would suppose;*
Tiristeach: *a Tiree man;*
gu robh ainm eadar-dhealaichte air an eilean: *that the island had a different name;*

Feumaidh mi mìneachadh. O chionn ghoirid thàinig mi tarsainn air an fhuasgladh. Bha mi a' leughadh leabhar ainmeil a bu chòir a bhith anns a h-uile taigh ann an Alba – *The Celtic Placenames of Scotland* le Uilleam MacBhàtair. 'S e sgoilear Gàidhlig air leth a bh' ann am MacBhàtair agus innsidh mi tuilleadh dhuibh mu dheidhinn ann an Litir eile. Ach, co-dhiù, thog MacBhàtair an dearbh cheist mu dheidhinn "Tiriodh".

feumaidh mi mìneachadh: *I must explain;* **thàinig mi tarsainn air:** *I came across;*
a bu chòir a bhith: *which should be;* **Uilleam MacBhàtair:** *William J Watson;*
sgoilear Gàidhlig air leth: *an exceptional Gaelic scholar;*

làmh-sgrìobhadh/làmh-sgrìobhaidean: *manuscript/ manuscripts;*
no rudeigin car coltach ri sin: *or something quite like that;*

Ann am fìor sheann leabhraichean is làmh-sgrìobhaidhean, ann an Gàidhlig agus Beurla, tha e follaiseach gur e "Tiriodh" no "Tiree", no rudeigin car coltach ri sin, a bh' air an eilean airson ùine mhòr mhòr. Anns an darna linn deug (12mh linn), mar eisimpleir, tha e air a litreachadh T-I-R-I-E-T-H ann an làmh-sgrìobhadh Beurla. Anns a' cheathramh linn deug (14mh) tha e air a litreachadh T-Y-R-I-A-G-E. **Chan eil guth air** "Tirist" no càil mar sin.

a' dìochuimhneachadh: *forgetting;* **o shean:** *in olden times;*
an t-uabhas ainmean-àite: *lots of place names;*
cha do dhìochuimhnich X: *X did not forget;*
Lochlannach/Lochlannaich: *Viking (or Scandinavian)/Vikings;* **seann Lochlannais:** *old Norse language;*

Ach tha sinn a' dìochuimhneachadh gu robh sluagh eile ann, o shean, a' fuireach anns na h-eileanan seo agus gu robh cànan eadar-dhealaichte acasan. Sluagh a dh'fhàg an t-uabhas ainmean-àite air feadh nan eilean. Uill, 's dòcha gu bheil sinne a' dìochuimhneachadh sin, ach cha do dhìochuimhnich Uilleam MacBhàtair. Tha mi a' bruidhinn, mura h-eil fios agaibh mu thràth, air na Lochlannaich. Agus **a rèir MhicBhàtair**, ann an seann Lochlannais – cànan nan Lochlannach – b' e an t-ainm a bh' aca air an eilean seo Tyrvist. T-Y-R-V-I-S-T. "Feumaidh," tha MacBhàtair ag ràdh anns an leabhar aige, "feumaidh gu bheil am facal a th' againn an-diugh – Tiristeach – airson duine a bhuineas do Thiriodh – a' tighinn bhon Lochlannais." Cò chanadh gu bheil e ceàrr?

cò chanadh gu bheil e ceàrr?: *who would say that he is wrong?*

iomadh-fhillte: *complex, many-faceted;*

Ach tha e inntinneach, nach eil, gu bheil an t-ainm airson an eilein a' tighinn bhon t-seann Ghàidhlig, ach gu bheil an t-ainm air na daoine a bhuineas don eilean a' tighinn bho chànan nan Lochlannach. Tha e a' sealltainn cho iomadh-fhillte 's a tha eachdraidh agus dualchas na h-Alba. LTIR

Puing-chànain na Litreach: **A rèir MhicBhàtair:** *according to Watson. Compound prepositions like* a rèir *command the genitive case in the following noun, and that includes personal names.* MhicBhàtair *is the genitive of* MacBhàtair. *Similarly* MhicLeòid *is the genitive of* MacLeòid. A rèir MhicLeòid: *according to MacLeod.* Mata *is the Gaelic for Matthew but we get* An Soisgeul a rèir Mhata – *the Gospel according to Matthew. Often the genitive of names is used simply to denote possession eg* Luinneag MhicLeòid *(MacLeod's song) by the poetess* Màiri Nighean Alasdair Ruaidh. Sliochd MhicCaluim: *MacCallum's descendants. Sometimes* Mhic *is shortened to* 'ic *("ichk"), particularly in genealogy eg* Iain mac Aonghais 'ic Ruairidh 'ic Alasdair Bhàin *(John son of Angus, son of Roddy, son of fair-haired Alexander).*

Gnàths-cainnt na Litreach: **Chan eil guth air:** *there is no mention of it.* Cha chuala mi guth air a-riamh: *I never heard mention of it.* Q: An do bhuannaich Rangers an-diugh? *(did Rangers win today?)* A: Cha chuala mi guth *(I never heard).* Cha robh guth air sin san òraid *(there was nothing about that in the lecture).*

LITIR 17 *(An t-Sultain 1999)*

Some people think Gaelic was never spoken in Caithness. They are very much mistaken ...

coimheadamaid: *let us look;* **Gallaibh:** *Caithness;* **siorrachd:** *county;* **as fhaide tuath:** *furthest north;* **ceàrn:** *district;* **comhairliche/comhairlichean:** *councillor/councillors;* **ceart:** *correct;* **ceàrr:** *wrong;*

tric: *often;*

chan eil an t-ainm sin iomchaidh an-diugh: *that name is not appropriate today;*

ceann an ear-thuath na siorrachd: *the north-east of the county;* **seallaibh air seo:** *look (plural) at this;* **air mo bheulaibh:** *in front of me;* **tha an t-uabhas dhiubh ann:** *there are lots of them;* **air am faighinn bho mhuinntir an àite:** *obtained from the local people;* **luchd nam mapaichean:** *the map people;* **mura robh an cànan aca:** *if they didn't have (speak) the language;* **ach a-mhàin anns an X:** *except in the X;* **loidhne dhìreach:** *straight line;* **Inbhir Theòrsa:** *Thurso;* **Inbhir Ùige:** *Wick;*

Coimheadamaid air an ainm-àite *Gallaibh*. Ann an dòigh, tha e mì-fhortanach gur e sin an t-ainm a th' againn airson na siorrachd as fhaide tuath air tìr-mòr na h-Alba. Tha e a' ciallachadh "ceàrn nan Gall", agus 's e Gall duine nach eil Gàidhealach, agus aig nach eil Gàidhlig. Ach nach robh Gàidhlig a-riamh aig muinntir Ghallaibh? A bheil na comhairlichean à Gallaibh, a tha a' cumail a-mach nach robh an cànan air a bruidhinn gu mòr ann a sin, ceart no ceàrr? Uill, tha iad ceàrr.

Ged is e *Lowlander* a bhios sinn a' ciallachadh mar as trice an-diugh le *Gall*, bha e tric a' ciallachadh, o shean, *Lochlannach* agus, nuair a chì sinn ainmean air a' mhap mar *Camas nan Gall*, tha fios againn gur e *Camas nan Lochlannach* a bhathar a' ciallachadh. Bha seann ainm air na h-Eileanan Siar: *Innse Gall* – Eileanan nan Lochlannach. Ach chan eil an t-ainm sin iomchaidh an-diugh air sgath 's gur iad na h-eileanan sin an t-àite as Gàidhealaiche a th' ann ann an Alba.

Ach dè mu dheidhinn Ghallaibh? Chan eil teagamh nach robh na Lochlannaich na bu làidire ann an sin na bha iad, can, ann an Cataibh. Agus ann am fìor cheann an ear-thuath na siorrachd, tha a' chuid as motha de na h-ainmean-àite a' tighinn bho Lochlannais, an àite Gàidhlig. Ach seallaibh air seo. Tha mi a' cur map de Ghallaibh air mo bheulaibh air a' bhòrd, agus seallaibh air na h-ainmean Gàidhlig – Blàr an Fhraoich, Monadh nan Càrn, Beinn Freacadain, Cnoc Alltan Iain Duinn, is mar sin air adhart. Tha an t-uabhas dhiubh ann. Ainmean glan Gàidhlig ann an Gallaibh air am faighinn bho mhuinntir an àite fhèin anns an naoidheamh linn deug (19mh linn). Ciamar a fhuair luchd nam mapaichean ainmean Gàidhlig bho na daoine mura robh an cànan aca?

Agus tha fianais eile ann gu robh Gàidhlig air a bruidhinn gu mòr ann an Gallaibh, ach a-mhàin anns an ear-thuath, agus ann an cuid de bhailtean, leithid Inbhir Ùige, far an robh a' Bheurla làidir. Tha aithris ann, a chaidh a sgrìobhadh tràth anns an ochdamh linn deug (18mh linn), a tha ag iarraidh oirnn smaoineachadh air loidhne dhìreach eadar Inbhir Theòrsa agus Inbhir Ùige. "'S e Beurla a th'aig a' chuid as motha gu sear air an loidhne," tha i ag ràdh, "[ach] air an taobh siar 's e Gàidhlig a th' aca. Anns an sgìre sin [air an taobh siar] feumaidh ministearan searmonachadh anns an dà chànan."

Ann am meadhan an ochdamh linn deug, sgrìobh ùghdar eile, "Tha deich sgìrean ann an Gallaibh, còig aca sin anns a bheilear a' bruidhinn Beurla dhen t-seòrsa Albannach, agus anns a' chòig eile nàdar de Ghàidhlig bhriste..." Aig deireadh an linn, ge-tà, a rèir an *Old Statistical Account*, bha a' Bheurla a' faighinn làmh-an-uachdair, ach a-mhàin ann an sgìre Mheaghrath anns an iar-thuath. Agus chùm crìonadh na Gàidhlig a dol. Ann an ochd ceud deug, ceithir fichead 's a h-aon deug (1891) cha robh ach ceithir mìle duine air fhàgail aig an robh Gàidhlig ann an Gallaibh, aona duine deug às gach ceud anns an t-siorrachd.

Ach, crìonadh ann no às, chan eil e fìor ri ràdh nach eil dualchas Gàidhealach aig Gallaibh. Agus carson a tha eòlas mar seo cudromach? Uill, tha luchd-taice na Gàidhlig ann an Gallaibh air spàirn mhòr a dhèanamh airson sgoil-àraich Ghàidhlig a chur air chois ann an Inbhir Theòrsa. Agus a-nise, tha cuid de chomhairlichean Ghallaibh a' cur na h-aghaidh, agus iad dhen bheachd nach robh a' Ghàidhlig a-riamh làidir anns an sgìre. Uill, tha mi an dòchas, aig a' cheann thall, **gun dèan eòlas a' chùis air aineolas.** LTR

gu sear air an loidhne: *east of the line;*

a' searmonachadh: *preaching;*

anns a bheilear a' bruidhinn Beurla: *in which English is spoken;*
làmh-an-uachdair: *the upper hand;* **Meaghrath:** *Reay;*

aona duine deug às gach ceud: *eleven percent of the population;*
crìonadh ann no às: *regardless of whether or not there has been (linguistic) decay*; **spàirn:** *effort;*
sgoil-àraich: *nursery school.*
aig a' cheann thall: *in the end (a Gaelic equivalent to "at the end of the day").*

<u>Puing-chànain na Litreach</u>: Gall means a foreigner, non-Gael or Scottish Lowlander. *In place names it is likely to mean Norseman, but in modern parlance it usually refers to a Lowlander. The plural is* Goill, *as is the genitive.* Bha coltas a' Ghoill air (*he looked like a Lowlander). The genitive plural is, as is common in Gaelic, the same as the nominative singular. Thus, on the map, we get* Camas nan Gall *(the bay of the Norsemen). The Lowlands are* A' Ghalltachd *(cf the Highlands – A'* Ghàidhealtachd). *The associated adjective is* Gallta *which means culturally Lowland and does not refer directly to landscape features.* 'S e òran Gallta a tha sin *(that's a Lowland song).*

<u>Gnàths-cainnt na Litreach</u>: **gun dèan eòlas a' chùis air aineolas:** *that knowledge will overcome ignorance.* Dèan a' chùis *means "achieve something" or "be victorious".* A bheil an càr a' dol a-nis? *(does the car go now?).* Tha, rinn mi a' chùis air *(yes, I fixed it).* Cò nì a' chùis anns an fharpais? *(who'll win the competition?*). An do thuig thu am bodach sin? *(did you understand that old man?).* O, rinn mi a' chùis *(oh, I managed).* Rinn Brasail a' chùis air Alba dhà gu h-aon (*Brazil defeated Scotland 2-1).*

LITIR 18

(An t-Sultain 1999)

Tibetan tea has its own attractions – but they are not immediately obvious!

tì, teatha: *tea;* **am b' fhèarr leibh X no Y?:** *would you (pl.) prefer X or Y?;* **àbhaisteach:** *normal;* **Tibèt, Tibèatanach:** *Tibet, Tibetan;* **Hiomàilia, Hiomàilitheach:** *Himalaya, Himalayan;* **bheir mi comhairle dhuibh:** *I will give you (pl.) advice;*
A h-uile turas a bha mi cuide ri: *every time I was in the company of;* **treubhan:** *tribes;*

taois: *dough;*

nuair a chluinneas sibh mo sgeul: *when you hear my story;*

Neapàl, Neapàil: *Nepal, of Nepal;* **bho thùs:** *originally;*

sneachd: *snow;* **bha mi a' coimhead air adhart ri rudeigin teth òl:** *I was looking forward to drinking something hot;* **muidhe, biota:** *churn;* **soitheach àrd fiodha le maide na bhroinn:** *a tall wooden vessel with a stick in it;* **dhòirt:** *poured;* **goileach:** *boiling;* **thòisich e air am maistreachadh:** *he started to churn them;*

A*m b' fheàrr leibh tì no cofaidh?* Tha a' cheist sin sìmplidh gu leòr, nach eil? Ach dè mu dheidhinn na ceist seo? "Am b' fheàrr leibh tì àbhaisteach no tì Thibèatanach?" Uill, mura robh sibh a-riamh anns a Hiomàilia, no ann an Tibèt fhèin, 's dòcha nach bi fios agaibh dè chanas sibh. Bheir mi comhairle dhuibh, ma-thà. Gabhaibh an tì àbhaisteach!

Nise, feumaidh mi ràdh gu bheil spèis mhòr mhòr agam do na Tibèatanaich agus an cultar. A h-uile turas a bha mi cuide ri Tibèatanaich no treubhan Hiomàilitheach aig a bheil cultar Tibèatanach, chòrd e rium glan. Tha na daoine laghach is modhail, ach làn spòrs is fealla-dhà cuideachd. Agus tha mòran dhen bhiadh aca glè mhath – rudan mar *momos* a chuireas iad ann am brot, agus rudan eile, car coltach ri sin, a tha iad a' dèanamh le taois.

Ach chan eil mi cho cinnteach idir mu dheidhinn dà rud a tha iad ag ithe agus òl – *tsampa* agus tì, no teatha. Thig mi gu *tsampa* aig deireadh na Litreach, agus tuigidh sibh carson nuair a chluinneas sibh mo sgeul mu dheidhinn na tì.

Bha mi ann an taigh ann an dùthaich nan *Sherpas*, ann an Neapàl, nuair a ghabh mi tì Thibèatanach. 'S ann à Tibèt a thàinig na *Sherpas* bho thùs, agus tha mòran chleachdaidhean aca fhathast a tha dìreach mar a th' aig Tibèatanaich eile. Air an latha sin **bha i cho fuar ris a' phuinnsean**, le sneachd anns a h-uile h-àite, agus bha mi a' coimhead air adhart ri rudeigin teth òl. Dh'fhaighnich fear an taighe dhìom, am bu toigh leam cupa tì agus thuirt mi ris gum bu toigh l'.

Thug am bodach a-mach nàdar de mhuidhe no biota, soitheach àrd fiodha le maide na bhroinn. Chuir e ann am meadhan an t-seòmair e agus dhòirt e uisge goileach ann. Chuir e rud no dhà eile ann agus, an uair sin, thòisich e air am maistreachadh. Bha e car coltach ri seann bhean air Ghàidhealtachd o chionn fhada a' dèanamh ìm.

deiseil: *ready, finished;*
dh'fhaighnich e: *he asked;*

Nuair a bha e deiseil, bhruidhinn am bodach rium ann an *Neapàili,* cànan nàiseanta Neapàil. "*Cup chiya, Sahib?*" dh'fhaighnich e – cupa tì?

gun lìonadh e an cupa: *that he would fill the cup;*
riamh roimhe: *ever before;* **no bhon uair sin nas mò:** *nor since that time either;*

"*Ali ali maatra dinus,*" arsa mise ris – "Dìreach rud beag" – ged a bha làn-fhios agam gun lìonadh e an cupa mòr a bha ri mo thaobh. Chuir mi an cupa ri mo bhilean agus dh'fheuch mi an tì. Uill, cha do dh'òl mi a leithid riamh roimhe, no bhon uair sin nas mò! Bha am blas, uill, eadar-dhealaichte! An àite bainne ùr, bidh iad a' cur seann ìm ann. Agus tha mi a' ciallachadh seann ìm – air a dhèanamh le bainne bho *yak* a chaidh a bhleoghain greis mhath roimhe sin. **Mar as brèin' an t-ìm, 's ann as fheàrr**, a rèir choltais.

cha b' e sin a-mhàin: *that was not all;*
smaoinich air mar bhrot: *think of it as soup;*

Agus cha b' e sin a-mhàin. Cuiridh iad ann, an àite siùcair, salann. Canaidh mi dìreach nach robh e ro mhath. Thuirt mo charaid, ri mo thaobh, agus e a' coimhead air m' aodann, "Na smaoinich air mar thì. Smaoinich air mar bhrot. Agus bi modhail nuair a thilleas am bodach."

thill: *returned;*
gu breugach: *untruthfully;*

"Deagh bhrot," thuirt mi rium fhìn, "deagh bhrot" (ged nach robh mi ga chreids'). Agus nuair a thill am bodach, dh'fhaighnich e dhiom an robh e math. "Bha," arsa mise ris gu breugach, "bha, gu dearbh." Agus lìon e an cupa a-rithist!

min-fhlùir eòrna air a ròstadh: *roasted barley flour;* **tha fàileadh math air gun teagamh:** *it smells good without doubt;* **bithear ga mheasgachadh le:** *it is mixed with;* **cha chan mi an còrr:** *I won't say anything else.*

Agus tha sin gam thoirt don *tsampa*. 'S e a th'ann min-fhlùir eòrna air a ròstadh. Tha fàileadh math air gun teagamh. Ach tha e ro thioram airson ithe, agus bithear ga mheasgachadh le – seadh – tì Thibèatanach. Cha chan mi an còrr. Chun na h-ath-sheachdain, mar a chanas muinntir Neapàil, Namaste!

<u>Puing-chànain na Litreach</u>: **Mar as brèin' an t-ìm, 's ann as fheàrr:** *the more rancid the butter, the better. The* "mar as ..., 's ann as ..." *expression in Gaelic is common and exceptionally useful. Note that it may be verbless, except for the Assertive Verb* (is). Bidh i teth a-màireach *(it will be hot tomorrow).* Math dha-rìreabh – mar as teotha, 's ann as fheàrr *(excellent - the hotter the better). It is common in proverbs. If you are male, getting a little long in the tooth and suffering uncomplimentary comments from the younger generation, you might say:* Mar as sine am boc, 's ann as cruaidh' an adharc *(the older the buck, the harder the horn). It also works with additional verbs eg:* Mar as moth' a gheibh an cù, 's ann as moth' a dh'iarras e *(the more the dog gets, the more he wants).*

<u>Gnàths-cainnt na Litreach</u>: **bha i cho fuar ris a' phuinnsean:** *lit. it was as cold as (the) poison; ie. it was exceptionally frigid.*

LITIR 19

(An t-Sultain 1999)

Scottish and Irish Gaelic are very close – but the differences can make for fun!

Gaeltacht Thìr Chonaill: *the Donegal Gaeltacht;* **thàinig mi tarsainn air an t-seanfhacal a leanas:** *I came across the following proverb;* **anns a' mhionaid:** *immediately;* **dè cho coltach 's a tha:** *how similar are;*

gun d' fhuair iad cuidhteas sin air sgàth adhbharan poilitigeach: *that they got rid of that for political reasons;* **crìochan:** *borders, boundaries;* **ann an iomadach dòigh:** *in many ways;*

nach gabh mearachdan dèanamh: *that mistakes cannot be made;* **thall:** *over there;*

faiceallach: *careful;*

aosta: *old;*
bleigeard: *lout;*

gu dòigheil: *well, contented;*

bòidheach: *beautiful;*

irioslachd: *humility;*

Bha mi ann an Èirinn o chionn ghoirid ann an Gaeltacht Thìr Chonaill, sgìre anns an iar-thuath far a bheil an cànan, Gaeilge, gu math làidir. Thàinig mi tarsainn air an t-seanfhacal a leanas ann an sin agus tuigidh sibh anns a' mhionaid, nuair a chluinneas sibh e, dè cho coltach 's a tha an dà chànan, agus an dà chultar, ann an Alba agus Èirinn: *Is feárr carad sa g-cúirt na bonn sa sparán.*

Uill, nach eil sinn fhèin ann an Alba ag ràdh an dearbh rud. **Is fheàrr caraid sa chùirt na crùn san sporan.** 'S dòcha gur e "crùn" a chanadh na h-Èireannaich fhèin uaireigin, agus gun d' fhuair iad cuidhteas sin air sgàth adhbharan poilitigeach. Cò aige tha fios. Ach, a dh'aindeoin crìochan poilitigeach **a chaidh a thogail** eadar Alba is Poblachd na h-Èireann anns an fhicheadamh linn, chan eil teagamh nach eil an dà dhùthaich, agus an dà Ghàidhlig, faisg air a chèile ann an iomadach dòigh.

Chan eil sin a' ciallachadh, ge-tà, nach eil diofar ann agus nach gabh mearachdan dèanamh bho àm gu àm nuair a tha Albannach thall ann an Èirinn, agus e a' feuchainn ri Gaeilge a labhairt. Tha cuid de na faclan Gàidhlig againne cuideachd aig na h-Èireannaich ach le ciall rudeigin eadar-dhealaichte orra. Agus feumaidh tu bhith gu math faiceallach!

Am facal "bodach", mar eisimpleir. Mar as trice, ann an Alba, tha sin a' ciallachadh "fear aosta". Ach chan eil a' chiall sin aig an fhacal ann an Èirinn. An àite sin, tha e a' ciallachadh "bleigeard". Agus feumaidh tu a bhith faiceallach ann an Èirinn leis an fhacal "dòigheil". Chuir boireannach Èireannach ceist air fear Albannach a bha còmhla rium – "Caidé mar atá tú?", no "Ciamar a tha thu?" Thuirt e "Tá mé go dóigheil" no "Tha mi gu dòigheil" agus chuir sin stad air a' chòmhradh buileach. Tha "dòigheil" a' ciallachadh "brèagha" no "bòidheach" ann an Èirinn agus bha a' bhan-Èireannach a' smaoineachadh gu robh mo charaid ag ràdh gu robh e dìreach bòidheach! Agus nach robh irioslachd sam bith aige!

taigh-seinnse: *pub;*

gasta, còir, laghach: *nice;*

lùth-chleasaiche: *athlete;*

cha mhòr nach do rinn mi mearachd mhòr: *I almost made a big mistake;*

Rinn mi fhìn rudeigin car coltach ri sin nuair a bha mi a' bruidhinn ri tè ann an taigh-seinnse. Thug mi iomradh air boireannach eile agus thuirt mi ris a' bhan-Èireannach gur e "bean ghasta" no "boireannach gasta" a bh' anns an teile. Bha mi a' ciallachadh gu robh i còir, laghach. Ach, ann an Èirinn, tha "gasta" a' ciallachadh "luath, sgiobalta". Smaoinich a' bhan-Èireannach gu robh mi a' ciallachadh gu robh an tèile na boireannach luath – mar a bhiodh Sonia O' Suileabháin, an lùth-chleasaiche. Ach nas miosa na sin, faodaidh "bean ghasta" cuideachd a bhith a' ciallachadh *"fast woman"*, leis an droch chiall mar a th' aca ann am Beurla. Cha mhòr nach do rinn mi mearachd mhòr!

fealla-dhà: *fun;* cha ghabh iad dragh mòr sam bith: *they don't take any great offence;*

a' bhòn-uiridh: *the year before last.*

ach a-mhàin: *except;* nach bruidhneadh aon neach Gàidhlig rithe: *that not one person would speak Gaelic to her.*

Ach canaidh mi aon rud mu dheidhinn nan Èireannach: tha iad math air spòrs is fealla-dhà a dhèanamh, agus cha ghabh iad dragh mòr sam bith mu mhearachd no dhà mar sin. Agus tha iad nas fheàrr na tha muinntir na Gàidhealtachd againne ann a bhith a' cumail a dol leis a' Ghaeilge an àite a bhith a' tionndadh gu Beurla. Thuirt boireannach ann an Tìr Chonaill rium gu robh Alba brèagha brèagha agus gun do chòrd a làithean-saora a' bhòn-uiridh anns na h-Eileanan Siar agus anns an Eilean Sgitheanach rithe gu mòr, ach a-mhàin aon rud. 'S e sin nach bruidhneadh aon neach Gàidhlig rithe anns na h-eileanan air fad, ach a-mhàin aig Sabhal Mòr Ostaig. Gu fortanach, cha b' e sin an seòrsa fàilte a fhuair mi fhìn ann an Gaeltacht Thìr Chonaill.

Puing-chànain na Litreach: **a chaidh a thogail:** *which were built, constructed. The verb* rach, *"go", may be used with a lenited verbal noun to form passives. To fully understand this you will need to consult a grammar book or a Gaelic teacher, but some examples will show how it works eg the verb* dèan, *"do, make". The Verbal Noun is* dèanamh *eg* Tha mi a' deanamh tì agus cofaidh *(I am making tea and coffee). Using* rach *we can make the following:* Thèid an cofaidh a dhèanamh *(the coffee will be made),* chaidh an cofaidh a dhèanamh *(the coffee was made),* thuirt e gun deach an cofaidh a dhèanamh *(he said the coffee was made). It also works in the conditional eg* rachadh an lùchairt a thogail *(the palace would be built). Note also the following examples:* Chaidh mo thogail ann an Alba *(I was brought up in Scotland);* chaidh a thogail ann am Beàrnaraigh *(he/it [masc] was brought up/built in Berneray);* chaidh a togail an sin *(she/it [fem] was brought up, built there).*

Seanfhacal na Litreach: **Is fheàrr caraid sa chùirt na crùn san sporan:** *a friend in the court is better than a crown in the purse. This proverb is still in common use.*

LITIR 20

(An Dàmhair 1999)

Here's what you might hear in a Gaelic weather forecast ...

chan fhada gus am bi: *it's not long until;* **Bodach na Sìde:** *the Weatherman;* **briathrachas:** *vocabulary;* **nach robh gu mòran feum:** *that wasn't of much use;* **thairis air mìosan an t-samhraidh:** *over the summer months;* **foghar:** *autumn;* **fuachd:** *cold;* **stoirmean:** *storms;* **uisge is ceò:** *rain and mist;* **banacharaid:** *female friend (or relative);* **mar a bha i, mar a tha i agus mar a bhitheas i:** *as it was, so it is and so it shall be;* **ràith:** *season;* **mus deach i don eilean:** *before she went to the island;*

taobh a-staigh deich mionaidean: *inside ten minutes;* **thug i sgàilean leatha:** *she took an umbrella with her;* **gu beag feum:** *of little use;* **ro-shealladh na h-aimsir:** *the weather forecast;* **An Gearasdan:** *Fort William;* **Beinn Nibheis:** *Ben Nevis;* **tha an t-uisge gu bhith ann:** *it is about to rain;*

flin: *sleet;* **clachan-meallain:** *hailstones;* **'s fhiach sùil a thoirt air:** *it's worth looking at;*

a' chuid mhòr de dh'Alba: *most of Scotland;* **greisean grianach:** *sunny spells;* **sgòthach:** *cloudy;* **beul na h-oidhche:** *dusk;* **gu h-àraid** (*or* **gu h-àraidh**): *particularly;*

Chan fhada gus am bi "Bodach na Sìde" a' cur briathrachas eile aige gu feum – briathrachas nach robh gu mòran feum thairis air mìosan an t-samhraidh. 'S e sin briathrachas sìde a' gheamhraidh. Seadh, a chàirdean. Tha am foghar ann agus chan fhada gus am bi fuachd is stoirmean a' gheamhraidh a' bualadh oirnn a-rithist.

'S ann tric a bhios sinn a' bruidhinn air an aimsir ann an Alba agus chanainn gu bheil mòran fhaclan againn ann an Gàidhlig mu dheidhinn coltas na sìde. Gu h-àraidh mu dheidhinn uisge is ceò! Mar a bha i, mar a tha i agus mar a bhitheas i. Bha banacharaid agam às Astràilia **a-bhos an seo** o chionn ghoirid. Bha i anns an Eilean Sgitheanach airson a' chiad turais, agus thuirt i gu robh i air a chluinntinn, mus deach i don eilean, gu robhar a' faighinn gach ràith dhen bhliadhna taobh a-staigh latha. Ach an dèidh dhi bhith anns an eilean airson seachdain, thuirt i rium gu robh sin fada ceàrr. "Bithear a' faighinn gach ràith taobh a-staigh deich mionaidean!" thuirt i. Thug i sgàilean leatha don eilean ach bha e gu beag feum air sgàth na gaoithe. Cha b' fhada gus an deach a bhriseadh ann an stoirm.

Agus fhad 's a tha mi a-mach air aimsir taobh siar na Gàidhealtachd, tha mi an dùil gun cuala sibh mar-thà ro-shealladh na h-aimsir anns a' Ghearasdan, fear de na bailtean as fhliuiche ann an Alba. Uill, mura cuala, seo e. Mura faic thu Beinn Nibheis, tha an t-uisge ann; ma chì thu a' bheinn, tha an t-uisge gu bhith ann!

Ach mus nochd faclan a' gheamhraidh aig Bodach na Sìde, rudan mar "sneachd", "flin" agus "clachan-meallain", 's fhiach sùil a thoirt air mar a bhios luchd-naidheachd Radio nan Gàidheal ag aithris na sìde. Seo na bh' air prìomh phrògram naidheachd na maidne, ris an canar "Aithris na Maidne", o chionn ghoirid:

Bidh a' chuid mhòr de dh'Alba tioram le greisean grianach an còrr dhen latha. Ach bidh i sgòthach ro bheul na h-oidhche ann an cuid de sgìrean mun iar, shìos mu Earra-Ghàidheal agus gu h-àraid anns na h-Eileanan Siar agus anns an iar-thuath. Leanaidh i mar sin tron oidhche, le frasan anns an iar-thuath agus anns na h-Eileanan Siar. Ruigidh i trì-deug no ceithir-deug Celsius tron latha an-diugh ach bidh i fuar a-nochd, a' tuiteam gu dìreach trì no ceithir Celsius. A' coimhead romhainn gu deireadh na seachdonach – blàth, tioram, grianach a-màireach, ach gum bi am fìor cheann a tuath agus an iar-thuath sgòthach le corra fhras. Agus Là na Sàbaid, bidh i nas sgòthaiche le frasan anns a h-uile h-àite, agus bidh a' ghaoth an àirde beagan.

a' coimhead romhainn gu deireadh na seachdonach: *looking ahead (before us) to the end of the week (*na seachdaineach *is an alternative to* na seachdaine*);* **corra fhras:** *an occasional shower;* **nach math an naidheachd:** *isn't it good news;*

Nach math an naidheachd a bh' aig Bodach na Sìde an turas sin, agus e ag innse dhuinn gum biodh a' chuid mhòr de dh'Alba tioram le greisean grianach. 'S ann ainneamh a chluinneas sinn na faclan sin anns na beagan mhìosan romhainn, gu mì-fhortanach. Mar as trice, cluinnidh sinn gum bi a' chuid mhòr de dh'Alba fliuch is fuar. Bidh sinn beò an dòchas, ge-tà, gum faigh sinn corra shealladh dhen ghrèin bho àm gu àm!

bidh sinn beò an dòchas: *we live in hope;* **corra shealladh dhen ghrèin:** *an occasional glimpse of the sun;*

Ach bha uair ann a chuala mi aithris mu choltas na h-aimsir air rèidio, ann an Gàidhlig, a bha gu math eadar-dhealaichte bho na tha romhainn anns a' gheamhradh seo. Chaidh i rudeigin mar seo. *Bidh i blàth is tioram is grianach fad an latha an-diugh. Ruigidh i mu chòig deug ar fhichead (35) Celsius,* ***aig a' char as blàithe****, agus bidh a' ghaoth aotrom.* Agus càite an robh seo? Uill, feumaidh mi bhith onarach. Cha b' ann an Alba a bha e, ach air a' phrògram Gàidhlig ann am Melbourne ann an Astràilia!

Feuch gun cum sibh blàth anns an t-seachdain romhainn ... (LTIR)

Puing-chànain na Litreach: **a-bhos an seo:** *over here. This is the opposite to* thall, *over there. Both* thall *and* a-bhos *indicate that the individual's or object's movement has ceased. If you want to indicate current movement towards or away, you have to use* a-nall *and* a-null. Seall air an duine thall an siud *(look at the man over there);* dè cho fad 's a tha thu a-bhos? *(how long are you here? – said to somebody who lives elsewhere);* bha e a' fuireach thall an Canada an-uiridh *(he was living over in Canada last year);* 's fheàrr leam a bhith a-bhos an seo as t-samhradh *(I prefer to be here in the summer). Both are contained in the common phrase* thall 's a-bhos *(here and there).*

Gnàths-cainnt na Litreach: **aig a' char as blàithe:** *at the warmest.* Aig a' char as *is the easiest and neatest way of saying "at the greatest extent" of almost anything; it is used in conjunction with the comparative form of the appropriate adjective eg* cosgaidh e còig nota deug aig a' char as àirde *(it will cost £15 at the most);* bidh e trì meatair aig a' char as fhaide *(it will be 3m at the longest);* bidh agad ri feitheamh dà uair a thìde aig a' char as miosa *(you will have to wait for 2 hours at worst).*

LITIR 21 *(An Dàmhair 1999)*

Here's what to do if Cailleach a' Chràthaich grabs your hat!

cailleach-oidhche: *owl;* **cailleach-dhubh:** *nun;*

cinneadh: *clan, race;*

cha leig i leas a bhith aosta: *she doesn't need to be old;* **làrach:** *site of building;* **Eilean Leòdhais:** *Isle of Lewis;*

Beinn a' Bhadhla: *Benbecula;*

bòcan: *evil spirit, goblin;* **ann an cruth seann bhoireannaich:** *in the shape of an old woman;* **uaigneach:** *deserted, lonely, remote;* **a' toirt ionnsaigh air luchd-siubhail:** *attacking travellers;* **Gleann Urchardain:** *Glenurquhart;* **Gleann Moireasdan:** *Glenmoriston;* **gu siar air Loch Nis:** *west of Loch Ness;* **choisinn X cliù dhi fhèin:** *X won a reputation for herself;* **annasach:** *unusual;*

bonaid, bonaidean: *bonnet, bonnets (headwear of men and women);* **thachair sin iomadh turas:** *that happened many times;* **gràin:** *hatred;*

Bidh sibh eòlach air an fhacal *cailleach.* Mar as trice an-diugh, 's e seann bhoireannach a tha sinn a' ciallachadh, ach tha ciall no dhà eile air, a bharrachd air a sin. 'S e *cailleach-oidhche*, mar eisimpleir, seòrsa de dh'eun a thig a-mach anns an dorchadas. Agus dè mu dheidhinn *cailleach-dhubh*? Chan e seann bhoireannach a bhuineas do chinneadh dubh a tha sin a' ciallachadh, ach boireannach sam bith a tha ann an comann sònraichte anns an Eaglais Chaitligich. *Nun* ann am Beurla. Agus cha leig i leas a bhith aosta.

Tha seann làrach fhathast ri fhaicinn ann an Sgìre Ùige ann an Eilean Leòdhais ris an canar *Taigh nan Cailleachan-Dubha*. Sin àite far an robh cailleachan dubha a' fuireach o shean, nuair a bha sluagh an eilein fhathast Caitligeach. Agus tha baile ann am Beinn a' Bhadhla air a bheil *Baile nan Cailleach* far an robh cailleachan dubha a' fuireach uaireigin. Ann am Beurla 's e *Nunton* a th' air.

Ach tha *cailleach* cuideachd a' ciallachadh nàdar de dhroch spiorad, no bòcan, ann an cruth seann bhoireannaich, a bha a' fuireach anns a' mhonadh ann an àite uaigneach agus a bha a' toirt ionnsaigh air luchd-siubhail. Bha tè aca anns a' mhonadh eadar Gleann Urchardain agus Gleann Moireasdan, gu siar air Loch Nis, ann an àite a tha fhathast gun rathad. 'S e *An Cràthach* a th' air an àite agus choisinn a' chailleach cliù – droch chliù – dhi fhèin mar *Chailleach a' Chràthaich*.

A rèir beul-aithris na sgìre, bha i a' fuireach ri taobh Loch a' Chràthaich agus airson bhliadhnaichean bhiodh i a' toirt droch ionnsaigh air daoine a thug an rathad sin eadar an dà ghleann. Ach 's e an rud a bha annasach mu deidhinn an dòigh 's a bhiodh i a' muirt dhaoine. Chan ann le sgian no gunna a bheireadh i ionnsaigh orra idir. Bhiodh i a' goid am bonaidean. An uair sin bhiodh i a' dannsadh air a' bhonaid gus an nochdadh toll ann. Goirid as dèidh sin, **gheibheadh an duine**, a bh' air a bhonaid a chall, **bàs.**

Thachair sin iomadh turas, gu h-àraidh do fheadhainn a bhuineadh do Chloinn 'ic a' Mhaoilein, no do Chloinn 'ic Dhòmhnaill. Tha e coltach gu robh gràin aig a' chaillich air an dà chinneadh sin, ged nach eil fhios an-diugh carson. Tha seann òran, a rinn Dòmhnallach air choreigin, a' toirt iomradh oirre.

Cha tèid mi an rathad, a dh'oidhche no latha.
Chan eil deagh bhean an taighe sa Chràthach.
Tha i trom air mo chinneadh, gam marbhadh 's gam milleadh.
'S gun cuireadh Dia spiorad nas fheàrr ann.

Ach, mu dheireadh, rinn fear tapaidh a' chùis air a' chaillich, agus 's e Dòmhnallach a bh' ann. Bha e a' coiseachd seachad air a' Chràthach, nuair a leum a' chailleach air le droch rùn. Bha iad am bad a chèile greis mus do ruith a' chailleach air falbh le a bhonaid.

Ach bha fios aig an Dòmhnallach gu robh e ann an cunnart a bheatha agus **ruith e an dèidh na caillich** mar am peilear. Thug e grèim oirre agus bha sabaid uabhasach ann eadar an dithis gus an do shàth e le sgian i. Gu fortanach dha, cha robh toll anns a' bhonaid. Agus leis gu robh a' chailleach marbh, bha muinntir an àite saor gus a dhol seachad air a' Chràthach a-rithist.

Mar a bhios feadhainn a' dèanamh chun an latha an-diugh. Agus ma chuireas iad am bonaidean dhiubh nuair a tha iad faisg air a' Chràthach, an ann saobh-chràbhach no dìreach glic a tha iad? Faodaidh bonaid sam bith a bhith air a sguabadh air falbh leis a' ghaoith shuas anns a' mhonadh sin.

Mar a chanadh muinntir an àite sin, 's dòcha: guma fada beò sibh is bonaid air ur ceann!

LTR

Dòmhnallach air choreigin: *some MacDonald or other:*

tha i trom air mo chinneadh: *she is tough on my clan;* **'s gun cuireadh Dia spiorad nas fheàrr ann:** *O that God would replace her with a better spirit;* **nuair a leum a' chailleach air le droch rùn:** *when the hag leaped on him with evil intent;* **bha iad am bad a chèile:** *they were fighting (specifically by grabbing each other by the hair);* **bha e ann an cunnart a bheatha:** *he was in mortal danger;* **mar a' pheilear:** *like a (the) bullet;* **gus an do shàth e le sgian i:** *until he stabbed her with a knife;*
saobh-chràbhach: *superstitious;* **glic:** *wise.*
air a sguabadh air falbh: *swept away;* **guma fada beò sibh is bonaid air ur ceann!:** *long may you live with a bonnet on your head!*

<u>Puing-chànain na Litreach</u>: **ruith e an dèidh na caillich:** *he ran after the hag.* Cailleach *is a feminine word and is here in the genitive case following the compound preposition* an dèidh. *It is* a' chailleach *in the nominative. The genitive form loses the initial lenition and develops a slenderised ending. The terminal "e", once universal, is often omitted today. Thus we get* Beinn na Caillich *in Skye, rather than* Beinn na Cailliche. *Similarly,* a' Ghàidhlig *becomes* na Gàidhlig(e) *in the genitive and we have* Comunn na Gàidhlig *rather than* Comunn na Gàidhlige. *Note also that because* cailleach *is feminine, it is slenderised in the dative case where there is an article present. Thus* aig a' chaillich, *not* aig a' chailleach.

<u>Gnàths-cainnt na Litreach</u>: **gheibheadh an duine bàs:** *the man would die. Using the verb* "faigh", *get, with the noun* "bàs" *is one of several ways to indicate that death is occurring eg* fhuair i bàs *(she died),* gheibh iad bàs *(they will die).*

LITIR 22 *(An Dàmhair 1999)*

A major tsunami appears to have hit Scotland thousands of years ago …

Tha a' bhliadhna seo air a bhith gu math dona airson crithean-talmhainn. Anns an Tuirc agus ann an Taiwan chaill na mìltean am beatha nuair a thuit togalaichean àrda orra. Ach nuair a tha crith-thalmhainn ann, chan ann dìreach anns na bailtean mòra, far a bheil togalaichean àrda, a tha an cunnart. Faodaidh e bhith gu math cunnartach air a' chladach cuideachd. 'S e as coireach ri sin rud ris an canar *tsunami.*

'S e facal Iapanach a th' ann an *tsunami*, agus 's e am facal as fheàrr a th' ann airson a leithid. Ann am Beurla bithear a' bruidhinn air *tidal wave*, ach **chan eil gnothach sam bith aig an tìde-mhàra ri tsunami**. 'S e crith-thalmhainn a tha ag adhbharachadh tsunami, ach crith-thalmhainn fon mhuir, is chan ann air tìr.

Bidh sibh a' smaoineachadh, 's dòcha, leis gu bheil uachdar na talmhainn cho seasmhach ann an Alba, nach tachradh tsunami ann an seo uair sam bith. Uill, mas e sin ur beachd, tha sibh ceàrr, a rèir choltais. Ged nach eil iad a' tachairt ann an seo ach ainneamh, tha iad air a bhith ann bho àm gu àm.

O chionn còig bliadhn' deug air fhichead (35), lorg dithis às Oilthigh Dhùn Èideann gainmheach fo uachdar na talmhainn faisg air a' bhaile. Shaoil iad gur e tuil a bu choireach – tuil aibhne – is gur iad uisgeachan aibhne a ghluais a' ghainmheach agus a dh'fhàg ann an sin i. Cha robh iad dhen bheachd **gu robh gnothach sam bith aig a' mhuir rithe.**

Ach tro thìde lorg feadhainn eile gainmheach dhen aon seòrsa suas is sìos costa sear na h-Alba. Agus bha fosailean innte a bh' air tighinn bhon mhuir. Tha e coltach gun deach an tilgeil air cladach na h-Alba aig an aon àm le **tuinn mhòra mhòra** o chionn còrr is seachd mìle bliadhna. Ach dè dh'adhbharaich na tuinn mhòra? Uill, a rèir choltais, tsunami.

Bha crith-thalmhainn anns a' chuan eadar Nirribhidh agus Innis Tìle. Ghluais pàirt de ghrunnd na mara a bha cho mòr ri Alba, agus dh'adhbharaich sin fairge mhòr – nas motha na 'n stoirm as miosa a chunnaic sinne a-riamh. Ann an Alba bha na tuinn sia meatairean na b' àirde na ìre làn na mara.

gu math dona: *very bad;* **crith-thalmhainn, crithean-talmhainn:** *earthquake, earthquakes;* **chaill na mìltean am beatha:** *thousands lost their lives;* **togalaichean:** *buildings;* **faodaidh e bhith gu math cunnartach:** *it can be extremely dangerous;* **Iapanach:** *Japanese:*

ag adhbharachadh: *causing;*

seasmhach: *stable;*

ainneamh: *rare, rarely;* **Oilthigh Dhùn Èideann:** *Edinburgh University;* **gainmheach:** *sand;* **tuil:** *flood;* **costa sear na h-Alba:** *the east coast of Scotland;* **fosailean:** *fossils;* **tha e coltach gun deach a thilgeil:** *it appears it was thrown:* **o chionn còrr is seachd mìle bliadhna:** *over seven thousand years ago;* **anns a' chuan eadar Nirribhidh agus Innis Tìle:** *in the ocean between Norway and Iceland;* **grunnd na mara:** *the sea bed;* **dh'adhbharaich sin fairge mhòr:** *that caused a great sea;*
na b' àirde na ìre làn na mara: *higher than the high-tide mark;*

Agus tha fianais aig luchd-saidheans gun do thachair an tsunami as t-fhoghar. Ciamar a tha iad a' dèanamh sin a-mach? Uill, gu sìmplidh. Bha na tuinn cho mòr 's gun do rinn iad milleadh air tìr far an robh lusan is craobhan a' fàs. Agus chaidh measan a thiodhlacadh anns a' ghainmhich a chaidh a thilgeil air tìr leis an fhairge. Measan a bhios abaich dìreach as t-fhoghar.

Tha mi toilichte nach robh mi ann airson an tsunami sin fhaicinn. Ach 's dòcha gu robh daoine ann an Alba aig an àm agus as t-fhoghar tha deagh theans ann gu robh iad faisg air a' chladach. 'S dòcha gun do chaill feadhainn am beatha. Chuala mi naidheachd mu dheidhinn geòlaiche – eòlaiche-chreagan – a bh' air cladach ann an Alasga là a bha seo, nuair a chunnaic e rudeigin annasach a' tachairt anns a' mhuir. "Mo chreach," thuirt e ris fhèin, "tha tsunami a' tighinn." Agus ruith e air falbh bhon chladach cho luath 's a b' urrainn dha. Mura b' e gu robh eòlas sònraichte aige, bha a' mhuir air a dhol thairis air agus a bhàthadh. Ach cha robh eòlas mar sin aig na daoine o chionn seachd mìle bliadhna.

Agus an tachair tsunami a-rithist ann an Alba air sgàth gluasad grunnd na mara faisg air Nirribhidh? Tachraidh – ach 's dòcha gum bi e greis fhathast. Agus gheibh sinn rabhadh ro-làimh – co-dhiù dà uair a thìde mus ruig na tuinn mhòra Alba. Bidh sinn beò an dòchas nach tachair e, ma-thà, aig dà uair sa mhadainn.

LTR

chaidh measan a thiodhlacadh: *fruit were buried;* **abaich:** *ripe;* **tha deagh theans ann:** *there is a good chance;* **geòlaiche, eòlaiche-chreagan:** *geologist;* **Alasga:** *Alaska;* **annasach:** *unusual;* **greis:** *a while.* **cho luath 's a b' urrainn dha:** *as quickly as he could;* **mura b' e gu robh eòlas sònraichte aige, bha a' mhuir air a dhol thairis air agus a bhàthadh:** *if it had not been for his special knowledge, the sea would have engulfed him and drowned him;* **gheibh sinn rabhadh ro-làimh:** *we will get a warning beforehand;* **mus ruig na tuinn X:** *before the waves reach X;*

Puing-chànain na Litreach: **tuinn mhòra mhòra:** *very large waves. The singular is* tonn mòr. *As* tonn *is pluralised by slenderising its terminal (in this case only) vowel, the attributive adjective is lenited in the plural. This is a general rule in Gaelic. If the adjective ends in a consonant and has only one syllable, we add a terminal "a". Thus* cù mòr *becomes* coin mhòra *(big dogs);* each dubh *becomes* eich dhubha *(black horses);* boireannach beartach *becomes* boireannaich bheartach *(wealthy women);* gèadh glas *becomes* geòidh ghlasa *(greylag geese). In some places,* tonn *is pluralised, not by slenderisation but by a terminal "an". In this case the lenition of the attributive adjective no longer applies and we get* tonnan mòra, *not* tonnan mhòra.

Gnàths-cainnt na Litreach: **chan eil gnothach sam bith aig an tìde-mhara ri tsunami:** *a tsunami has nothing to do with the tide. …***gu robh gnothach sam bith aig a' mhuir rithe** *(that the sea had anything to do with it [fem]).* Gnothach *(business, matter, affair) is employed in many contexts. This is one of its commonest uses.* An robh gnothach sam bith agad ri sin? *(were you involved in that at all?)*

LITIR 23 *(An Dàmhair 1999)*

There's a surprising link between the cell nucleus and the Battle of Culloden ...

ceangal: *connection;* **Blàr Chùil Lodair:** *the Battle of Culloden;* **niùclas:** *nucleus;* **cealla:** *cell:* **cha mhòr:** *almost;* **gach rud fon ghrèin a tha beò:** *everything under the sun which is alive;* **chan eil e follaiseach sa mhionaid:** *it's not immediately obvious;* **dùthaich a bhreith:** *the land of his birth;* **Montròs:** *Montrose;* **Machair Aonghais:** *the plain of Angus;* **Teàrlach Òg Stiùbhart:** *Bonnie Prince Charlie;* **cheadaich an Eaglais ùrnaighean airson Rìgh Hanobhairianach na h-Alba:** *the Church gave permission for prayers (to be said) for the Hanoverian King of Scotland;* **dhiùlt dithis phearsaichean na h-Eaglais gabhail ri sin:** *two Church figures refused to accept that;* **cha do ghabh X mòran ghnothaich ri poileataigs:** *X had little to do with politics;* **Eòlas-nàdair:** *Natural History;*

chuir e seachad còig bliadhna: *he spent five years;* **a bha a' dol a dh'atharrachadh a bheatha gu tur:** *that was going to change his life completely;* **thàinig e gu aire Ceann-suidhe a' Chomainn Rìoghail:** *he came to the attention of the president of the Royal Society;* **lus-eòlaiche:** *botanist;*

Dè an ceangal a th' ann eadar Blàr Chùil Lodair agus an niùclas a th' anns gach cealla (cha mhòr) anns gach rud fon ghrèin a tha beò? Chan eil e follaiseach sa mhionaid gu bheil ceangal sam bith ann, a bheil? Ach tha, agus seo e: Raibeart MacIlleDhuinn. "Cò?" tha sibh a' faighneachd. Raibeart MacIlleDhuinn – no *Robert Brown* ann am Beurla – Albannach a bu chòir a bhith fada nas ainmeile na tha e ann an dùthaich a bhreith.

Rugadh e ann am Montròs air Machair Aonghais anns a' bhliadhna seachd ceud deug, trì fichead 's a trì-deug (1773). **Bha athair na mhinistear anns an Eaglais Easbaigich agus 's e Seumasach a bh' ann.** 'S e Seumas a bh' air mar ainm cuideachd. Nuair a chaochail Teàrlach Òg Stiùbhart, cheadaich an Eaglais ùrnaighean airson Rìgh Hanobhairianach na h-Alba airson a' chiad turais. Ach dhiùlt dithis phearsaichean na h-Eaglais gabhail ri sin agus b' e Seumas MacIlleDhuinn, athair Raibeirt, fear dhiubh.

Co-dhiù, cha do ghabh Raibeart mòran gnothaich ri poileataigs. Bha ùidh mhòr aige ann an Nàdar. Ghluais a theaghlach a Dhùn Èideann agus chaidh e don oilthigh anns a' bhaile sin a dh'ionnsachadh dotaireachd. Ach, ged is e oileanach meidigeach a bh' ann, 's ann tric a rachadh e a dh'òraidean le Proifeasair Eòlais-nàdair an Oilthigh, an t-Ollamh Urramach Iain Walker. An ceann greis, bha Raibeart a-muigh, a' cruinneachadh lusan dha. Agus aig aois ochd bliadhn' deug, sgrìobh e a chiad phàipear saidheansail, air lusan Siorrachd Aonghais, do Chomann Eòlais-nàdair Dhùn Èideann.

Chuir e seachad còig bliadhna leis an arm ann an Èirinn, agus an uair sin fhuair e cuireadh a bha a' dol a dh'atharrachadh a bheatha gu tur. Thàinig e gu aire Ceann-suidhe a' Chomainn Rìoghail ann an Lunnainn, Sir Iòsaph Banks, a bh' air a bhith cuide ris a' Chaiptean Seumas Cook ann an Astràilia bliadhnaichean roimhe sin. Bha Banks a' coimhead airson lus-eòlaiche a rachadh a dh'Astràilia air an t-soitheach an *Investigator,* a bha a' dol a dhèanamh rannsachadh mòr air cladach na dùthcha.

cuireadh: *invitation;*

Thug Banks cuireadh do Raibeart agus **cha b' e ruith ach leum dha gabhail ris**.

Bha an *Investigator* air falbh airson ceithir bliadhna agus chuir Raibeart seachad mòran ùine a' cruinneachadh lusan is beathaichean, is a' rannsachadh Nàdar ann an Astràilia. Tha e air a chuimhneachadh fhathast ann an abhainn – *Brown's River* – ann an Tasmania, agus 's e e fhèin a chuir ainmean Laideann air mòran lusan Astràilianach, ainmean a th' orra fhathast. Nuair a thill e a Bhreatainn chuir e leabhar mòr ri chèile mu dheidhinn lusan Astràilia.

tha e air a chuimhneachadh fhathast: *he is still remembered;*

a' chuid mhòr dhen chòrr de a bheatha: *the greater part of the rest of his life;* **ri linn:** *in his time, in his day;* **maicreasgop:** *microscope;*
b' esan a' chiad duine a rinn tuairisgeul de: *he was the first person to describe;*
beag bìodach: *tiny;*
lionn: *liquid;*
aig fois: *at rest, motionless;*

Chuir e seachad a' chuid mhòr dhen chòrr de a bheatha ann an Lunnainn. Tro thìde, choisinn e cliù dha fhèin mar an lus-eòlaiche a b' fheàrr, ri linn, air an t-saoghal, gu h-àraidh leis a' mhaicreasgop. B' esan a' chiad duine a dh'aithnich gu bheil an niùclas anns a h-uile cealla ann an lusan. B' esan a' chiad duine a rinn tuairisgeul dhen ghluasad am broinn cealla ris an canar *sruthadh saighteoplasmach* no *cytoplasmic streaming*. Agus tha e air a chuimhneachadh an-diugh anns an dòigh sa bheil rudan beaga bìodach a' gluasad ann an uisge, no lionn sam bith, ged a tha an lionn fhèin aig fois. 'S e sin *Gluasad MhicIlleDhuinn* no *Brownian Motion*. Duine ainmeil dha-rìridh, ri a linn, agus tha e duilich nach eil barrachd Albannach eòlach air ainm an-diugh.

cha mhòr nach do dhìochuimhnich mi: *I almost forgot;* **air an latha dhòrainneach sin a thug Cogadh nan Seumasach gu crìch:** *on that painful day which brought the Jacobite War to an end.*

Ach cha mhòr nach do dhìochuimhnich mi innse dhuibh gu dè an ceangal a bh' aige ri Blàr Chùil Lodair. Uill, bha a sheanair, Iain MacIlleDhuinn, na Sheumasach agus lean e am Prionnsa don deireadh nuair a chaill e a bheatha, cuide ri mòran eile, air an latha dhòrainneach sin a thug Cogadh nan Seumasach gu crìch. LTIR

<u>Puing-chànain na Litreach</u>: **Bha athair na mhinistear anns an Eaglais Easbaigich agus 's e Seumasach a bh' ann:** *His father was a minister in the Episcopalian Church and he was a Jacobite. This sentence shows the two ways of describing a person's character, identity or profession – by using the Assertive Verb* ('s e Seumasach a bh' ann) *and using the verb "to be" combined with* ann an (bha athair na mhinistear). Ann an *is combined in the second example with a possessive pronoun and is thus disguised* as nam. Tha mi nam thidsear *(lit. I am in my teacher; ie I am a teacher).* A bheil thu nad thidsear? *(are you a teacher?).* Tha e na thidsear *(he is a teacher);* tha i na tidsear *(she is a teacher);* tha sinn nar tidsearan *(we are teachers);* 'eil sibh nur tidsearan? *(are you teachers?);* tha iad nan tidsearan *(they are teachers).*

<u>Gnàths-cainnt na Litreach</u>: **Cha b' e ruith ach leum dha gabhail ris**: *he didn't delay an instant in accepting (lit. it wasn't running but jumping). A common expression which sometimes just exists as the simple statement* cha b' e ruith ach leum.

LITIR 24 *(An Dàmhair 1999)*

Skye and Calcutta might both get a lot of rain, but an umbrella is more useful in Calcutta. And that's even when it's dry …

Anns an litir o chionn mìos bha mi ag innse dhuibh mu bhoireannach à Astràilia as aithne dhomh a thug sgàilean, no sgàil-uisge, leatha don Eilean Sgitheanach. Cha do mhair e slàn ach dà latha mus deach a bhriseadh ann an stoirm. Agus bheirinn comhairle do dhuine sam bith a tha a' tighinn don Ghàidhealtachd bho dhùthaich eile gun a bhith a' toirt sgàilean leis. Còta gu cinnteach, ach chan eil sgàilean gu mòran feum nuair a tha a' ghaoth làidir mar a bhios i gu tric air a' Ghàidhealtachd.

Ach tha sgàileanan gu mòran feum ann an dùthchannan eile far am bi tòrr uisge ann, ach far nach bi cus gaoithe ann aig an aon àm. Ann an ceann a deas is taobh sear Àisia, mar eisimpleir, bidh mòran gan cleachdadh gu h-àraidh anns an ràith fhliuch, no *monsoon* mar a chanas iad. Chìthear manaich Bhudastach ann an Thailand ann an earradh cròch no orains, a' coiseachd na sràid, is chan eil càil aca nan làmhan ach sgàilean snasail dubh.

Agus anns na beanntan gu tuath air na h-Innseachan, far a bheil daoine, anns an fharsaingeachd, gu math bochd, 's ann tric a chìthear bodach a' coiseachd tro bhealach àrd, eadar craobhan *rodaideandron*, gun bhrògan air a chasan is le glè bheag a dh'aodach air. Ach bidh e a' toirt sgàilean leis fo achlais mar a bhios muinntir nan oifisean mòra ann an Lunnainn gach madainn is feasgar.

Mar a shaoileadh sibh, 's ann airson an cumail fhèin tioram a tha a' mhòr-chuid a' giùlain sgàilean leotha. Ach gu deas air na beanntan anns na sgìrean teth is fliuch, gu h-àraidh ann an taobh sear nan Innseachan faisg air Bàgh Bheangàil, tha adhbhar a bharrachd ann. Cha do smaoinich mi air a seo gus an cuala mi còmhradh air an rèidio turas le boireannach à baile faisg air Calcutta.

Bha am fear-naidheachd a bha a' dèanamh an agallaimh air mothachadh do rud annasach fhad 's a bha e anns an sgìre sin. Bhiodh mòran de mhuinntir an àite a' coiseachd timcheall le sgàileanan. Agus bhiodh na sgàileanan suas fosgailte, os an cionn. Ach 's e an rud a chuir iongnadh air nach robh an t-uisge ann aig an

o chionn mìos: *a month ago;* **boireannach as aithne dhomh:** *a woman I know;* **sgàilean, sgàil-uisge:** *umbrella;* **cha do mhair e slàn ach dà latha:** *it only remained intact for two days;* **gun a bhith a' toirt sgàilean leis:** *not to bring an umbrella with him;* **gu mòran feum:** *of much use;*
mar eisimpleir: *for example;* **bidh mòran gan cleachdadh:** *many (people) use them;* **ràith:** *season;* **chìthear manaich Bhudastach ann an earradh cròch no orains:** *Buddhist monks are seen in saffron or orange robes;* **snasail:** *neat, elegant:* **gu tuath air na h-Innseachan:** *to the north of India;* **bealach:** *mountain pass;*

fo achlais: *under his arm;*

gu deas air na beanntan: *to the south of the mountains;* **Bàgh Bheangàil:** *the Bay of Bengal;* **adhbhar:** *reason;* **gus an cuala mi:** *until I heard;* **bha am fear-naidheachd a bha a' dèanamh an agallaimh air mothachadh do rud annasach:** *the journalist who was doing the interview had noticed something unusual;*

iongnadh: *surprise;* **a dh'aindeoin sin:** *despite that;*

follaiseach: *obvious;* **airson ar dìon:** *to protect us;*

no a' ghrian na bu mhotha: *or the sun either;* **a tha a' cur dragh oirnn:** *that annoys us;*

nathair, nathraichean: *snake, snakes;*

puinnseanta (*or* **puinnsean-ach):** *poisonous;* **fodhpa:** *below them;* **a fiaclan:** *her teeth (*nathair *is feminine);* **tha deagh choth-rom agad faighinn air falbh:** *you have a good opportunity to get away;* **gheall mi dhuibh gun toirinn tòimhseachan dhuibh:** *I promised I would give you a riddle;* **airson crìoch a chur air:** *to finish.*

àm! Bha e tioram ach, a dh'aindeoin sin, bha na sgàileanan suas.

"Carson a tha sin?" dh'fhaighnich e dheth fhèin, agus 's e sin a' cheist a chuir e air a' bhoireannach air an rèidio.

"Uill, nach eil e follaiseach?" fhreagair am boireannach, "Tha airson ar dìon."

"Ach cha robh an t-uisge ann," thuirt am fear eile, "no a' ghrian na bu mhotha" (leis gu robh e sgòthach).

"O," ars' am boireannach, "chan e uisge no grian a tha a' cur dragh oirnn."

"Uill," thuirt am fear-naidheachd, "dè tha a' cur dragh oirbh ma-thà?"

"Tha," ars' ise, "nathraichean."

Aig an àm seo dhen bhliadhna, tha e coltach, bidh na nathraichean puinnseanta ris an canar *cobras* a' leum a-mach às na craobhan air daoine a tha a' coiseachd fodhpa. Ach ma tha sgàilean os do chionn, chan fhaigh an nathair a fiaclan annad agus tha deagh chothrom agad faighinn air falbh. **Mas breug bhuam e, is breug thugam e**!

O chionn greis gheall mi dhuibh gun toirinn tòimhseachan dhuibh bho àm gu àm. Agus airson crìoch a chur air an litir an t-seachdain sa, ged nach eil ceangal aige do nathraichean no sgàileanan, seo fear eile.

Is mi mi fhìn, is mi gach duine,
Ach sgrìob mo dhruim, 's cha mhi duin' idir.

Seo e a-rithist: *Is mi mi fhìn, etc.*

Uill, faodaidh sibh smaoineachadh air agus innsidh mi dhuibh de th' ann an ath-sheachdain.

LTR

Puing-chànain na Litreach: **Is mi mi fhìn, is mi gach duine, ach sgrìob mo dhruim 's cha mhi duin' idir.** *Literally this means "I am myself, I am each person, but scratch my back and I'm nobody." The negative form of the Assertive Verb –* cha mhi *(I am not, the opposite to* "is mi"*) is most often used in response to the question* "an tu?" *or* "an tusa" *(are you?).* Gabh mo leisgeul, an tusa Iain Mac a' Ghobhainn? *(excuse me, are you John Smith*?). Cha mhi, is mise a bhràthair, Alasdair *(no, I am his brother, Alasdair).*

Gnàths-cainnt na Litreach: **Mas breug bhuam e, is breug thugam e:** *lit. if it is a lie from me, it is a lie to me ie. I am only relating what I have heard and cannot affirm its veracity.*

LITIR 25

(An t-Samhain 1999)

Do you like what you see when you look in the mirror ...?!

An robh sibh a' coimhead anns an sgàthan an-diugh? Tha fhios gu robh – a' chiad char anns a' mhadainn, agus sibh a' cur ur falt ceart airson a dhol a dh'obair, no don sgoil, no airson coimhead brèagha do chàch aig bòrd na bracaist. Agus dè chunnaic sibh anns an sgàthan? Nàdar de Phierce Brosnan, 's dòcha, no faileas brèagha mar a chitheadh Catherine Zeta-Jones? Uill, tha fhios a'm air aon rud: chanamaid uile an aon rud mu dheidhinn: "Chunnaic mi mi fhìn."

Tha mi an dòchas gu bheil sibh air obrachadh a-mach gur ann air tòimhseachan na seachdain sa chaidh a tha mi a' bruidhinn. A bheil cuimhne agaibh air? Seo mar a chaidh e:

Is mi mi fhìn, is mi gach duine,
Ach sgrìob mo dhruim, 's cha mhi duin' idir.

Agus 's e sgàthan a bh' ann. Tha faileas de gach duine a' nochdadh ann nuair a sheasas gach duine mu a choinneamh. Ach ma sgrìobas tu druim an sgàthain, far a bheil am peant airgid, caillidh e a chomas faileas ceart a dhèanamh agus, an uair sin, cha nochd d' fhaileas ann idir nuair a sheasas tu mu a choinneamh. Bha e sìmplidh, nach robh?!

Chan aithne dhomh gu bheil am facal "sgàthan" a' nochdadh gu tric idir ann an gnàthsan-cainnt no seanfhaclan Gàidhlig, ach 's aithne dhomh aon seanfhacal anns a bheil e. Agus, nam bheachd-sa, tha an seanfhacal sin gu math ciallach, agus gu math snog. ***Is math an sgàthan sùil caraid***. Tha e a' ciallachadh **gum faod sinn deagh ìomhaigh fhaicinn dhinn fhèin** ann an sùilean caraid. Chì sinn tro shùilean caraid mar a chì daoine eile sinne.

Agus nach e sin an gnothach air an robh am bàrd ainmeil Gallta, Raibeart Burns, a' meòrachadh nuair a sgrìobh e a dhàn, *To a Louse*. *"O wad some Pow'r the giftie gie us,"* sgrìobh e, *"tae see oursels as ithers see us."*

Tha an sgàthan a' nochdadh gu tric ann am beul-aithris na Roinn Eòrpa, agus, mar as trice, tha e gu math onarach,

sgàthan: *mirror;* **a' chiad char anns a' mhadainn:** *first thing in the morning;* **falt:** *hair;* **càch:** *the others (in a group or family);* **nàdar de Phierce Brosnan:** *a Pierce Brosnan-type (of reflection);* **tha fhios a'm** ("a'm" is short for "agam" and is very common in speech): *I know;* **chanamaid uile:** *we would all say;* **chunnaic mi mi fhìn:** *I saw myself;* **tòimhseachan na seachdain sa chaidh:** *last week's riddle;*
faileas, d' fhaileas: *reflection, your (sing) reflection:* **a' nochdadh:** *appearing;* **mu (a) choinneamh:** *opposite, in front of it (masc);* **caillidh e a chomas:** *it (masc) loses its ability;*

mar a chì daoine eile sinne: *as other people see us;*
nach e sin an gnothach air an robh X a' meòrachadh: *isn't that the matter on which X was meditating;*

's dòcha nas onaraiche na tha daoine. Agus chan eil an sgàthan diùid. Bidh e ag innse na fìrinn, co-dhiù tha sin a' toileachadh an duine a tha a' coimhead ann no nach eil.

diùid: *shy;*
co-dhiù tha sin a' toileachadh X no nach eil: *whether that pleases X or not;*
a chaidh a chruinneachadh: *which was collected;*
troich: *dwarf;*

Bidh sibh uile eòlach air an t-seann sgeulachd Ghearmailtich a chaidh a chruinneachadh leis na bràithrean Iacob agus Wilhelm Grimm. Ann an Gàidhlig 's e *Ròs Bhàn agus na Seachd Troichean* a th' oirre; ach 's dòcha gum bi sibh eòlach oirre mar *Snow White and the Seven Dwarves.*

olc: *evil;*
tha X a' tighinn gu ìre: *X reaches maturity;*
am boinne-fala a bu mhaisiche: *lit. the most beautiful drop of blood – this is an old Gaelic expression, found in traditional stories, for a woman of exquisite beauty;*
an tè a bu bhòidhche: *the most beautiful woman;*

Anns an sgeulachd sin, tha sgàthan ann a tha ag innse don Bhanrigh olc gur ise am boireannach as brèagha a th' ann. Agus tha sin ga toileachadh. Ach an ceann greis, tha an tè òg, Ròs Bhàn, a' tighinn gu ìre agus tha ise, a rèir choltais, cho brèagha ris an tè ainmeil anns na sgeulachdan againn fhèin – Deirdre. Chanadh iad mu dheidhinn Deirdre gur ise am boinne-fala a bu mhaisiche a bh' ann eadar grian agus talamh agus nach do rugadh tè a-riamh a bha cho maiseach rithe.

Uill, chan eil fhios a'm, ach 's dòcha gu robh Ròs Bhàn cho brèagha ri Deirdre. Co-dhiù, b' e sin beachd an sgàthain – gur i Ròs Bhàn an tè a bu bhòidhche air an t-saoghal gu lèir. Agus, anns an sgeulachd, nuair a dh'fhaighnicheas a' Bhanrigh dhen sgàthan cò as maisiche a th' ann, tha an sgàthan a' freagairt, "Ròs Bhàn". Chan eil a' Bhanrigh toilichte.

feargach: *angry.*
mar dhearbhadh gu robh i coma: *as proof that she was indifferent (to the mirror's opinion).*

Ach 's dòcha, an àite a bhith a' fàs feargach mu bheachd an sgàthain, gu robh còir aig a' Bhànrigh a ràdh ris gu robh i coma. Dh'fhaodadh i seanfhacal eile a ràdh ris an sgàthan mar dhearbhadh gu robh i coma – ***Cha toir a' bhòidhchead goil air a' phoit.*** LTIR

Puing-chànain na Litreach: **gum faod sinn deagh ìomhaigh fhaicinn (dhinn fhèin):** *that we can see a good (ie accurate) image (of ourselves). When a clause contains two verbs, the second, in the form of a (lenited) verbal noun, generally goes at the end* eg am faod mi a' cheist a fhreagairt? *(may I answer the question?)* ***NOT*** am faod mi freagairt a' cheist? *Similarly,* an urrainn dhut sin a dhèanamh? *(can you do that?)* ***NOT*** an urrainn dhut dèanamh sin? *Note that with* rach *("go") this inversion does not take place* eg tha mi a' dol a dhèanamh sin *(I am going to do that)* NOT tha mi a' dol sin a dhèanamh.

Seanfhaclan na Litreach: **Is math an sgàthan sùil caraid:** *a friend's eye is a good mirror.* **Cha toir a' bhòidhchead goil air a' phoit:** *beauty won't boil the pot. In other words, beauty is not everything.*

LITIR 26 *(An t-Samhain 1999)*

Why does an image of a cockerel appear on packets of Kellogg's Corn Flakes? Read on ...!

pacaid: *packet;* **bleideagan arbhair:** *lit. corn flakes (but most people would say "corn flakes");* **anns an ùine bhig a dh'fhalbh:** *in the recent past;* **cha robh fios no agamsa:** *I didn't know either;* **pàiste:** *child;* **bobhla:** *bowl;* **bracaist:** *breakfast;*

An do cheannaich sibh pacaid de *Bhleideagan Arbhair* anns an ùine bhig a dh'fhalbh? O – gabhaibh mo lethsgeul. Nach eil fios agaibh de th' ann ann am *Bleideagan Arbhair*? A, uill, cha robh fios no agamsa gus an cuala mi aig pàiste e. Bha e a' bruidhinn mun stuth a chuireas tu ann am bobhla airson do bhracaist. Bha e a' ciallachadh *Corn Flakes*. Ach 's dòcha gun can mise dìreach *Corn Flakes* fhèin.

coileach: *cockerel;*

An do mhothaich sibh a-riamh gu bheil rudeigin air gach pacaid de *Chorn Flakes*, co-dhiù nuair nach eilear a' sanasachd airson *Star Wars* no gnothach dhen t-seòrsa. 'S e eun a th' ann – coileach. Ach carson a tha a' chompanaidh a tha a' dèanamh *Corn Flakes* – Kelloggs – a' cur a leithid de dh'eun air na pacaidean aca? Uill, chuala mi stòiridh mu dheidhinn sin agus innsidh mi dhuibh i ann am mionaid.

stòiridh: *story;*

mo chuairt don Chuimrigh: *my trip to Wales;* **mar a theirear:** *as it is called;* **abair thusa gu bheil X brèagha:** *an idiomatic translation would be "X is wonderfully beautiful";* **a bharrachd air a bòidhchead:** *in addition to her beauty (*sgìre *is fem.);*

Ach an toiseach, tha mi airson innse dhuibh mu dheidhinn mo chuairt o chionn ghoirid don Chuimrigh. Bha mi anns a' cheann a tuath, ann an *Snowdonia* mar a theirear anns a' Bheurla, agus abair thusa gu bheil an dùthaich sin brèagha. Ach a bharrachd air a bòidhchead, tha an sgìre gu math inntinneach do Ghàidheil na h-Alba. Chì sinn, ann an sin, mar a dh'fhaodadh suidheachadh na Gàidhlig a bhith ann an Alba nan robh sinne cho làidir mu dheidhinn ar cànain 's a tha na Cuimrich mu dheidhinn a' chànain aca fhèin.

a' Chuimris: *the Welsh language;*
soidhne, soidhnichean: *sign, signs;* **dà-chànanach:** *bilingual;* **ag aontachadh:** *agreeing;* **litreachadh:** *spelling;*

Chuala mi an t-uabhas Cuimris air a bruidhinn air na sràidean agus ann am bùthan. Bha i ri faicinn air soidhnichean dà-chànanach air feadh an àite. Agus far nach robh muinntir an àite ag aontachadh ris an litreachadh air na soidhnichean Cuimreach, bha iad air peant a chur thairis orra. 'S cinnteach gum biodh iad gu math trang air na soidhnichean Gàidhlig ann an Alba!

Tha a' Chuimris agus a' Ghàidhlig gu math eadar-dhealaichte o chèile, agus **cha b' urrainn dhomh bun no bàrr a dhèanamh dhen chòmhradh** a chuala mi. Ach chunnaic mi corra fhacal, an siud 's an seo, air soidhnichean agus air a' mhap, a bha a' toirt faclan Gàidhlig gu mo chuimhne. Mar eisimpleir, canaidh iad *traeth* airson tràigh, *craig* airson creag, *afon* airson abhainn agus *mawr* airson mòr. Canaid iad *moel* airson maol, *amser* airson aimsir, nuair a tha i a' ciallachadh "tìm" co-dhiù, agus, far an can sinne "prìomh", canaidh iadsan *prif*.

aire, m' aire: *attention, my attention;*

Ach thog aon fhacal m' aire gu h-àraidh. B' e sin am facal aca airson "coileach" – *ceiliog*. Nuair a chunnaic mi sin, smaoinich mi gu robh e car coltach ris an fhacal Ghàidhlig. *Ceiliog*, coileach. Ach a bharrachd air a sin, thug e air ais do mo chuimhne an stòiridh a chuala mi, **ann am badeigin**, o chionn fhada, mun *Chorn Flakes*. Agus mas math mo chuimhne, seo mar a chuala mi e.

mas math mo chuimhne: *if my memory serves me correctly;* **nuair a chruthaich e X:** *when he invented X;*

Bha Mgr Kellogg a' coimhead airson dealbh a chuireadh e air a' phacaid nuair a chruthaich e *Corn Flakes* o chionn fhada. Bha Cuimreach ag obair dha, agus thuirt esan ri Kellogg, "Carson nach cuir sibh coileach oirre?"

carson fon ghrèin a chuirinn X oirre?: *why on earth (lit. under the sun) would I put X on it (fem.)?;* **uabhasach fhèin coltach ri:** *very like;*

"Carson fon ghrèin a chuirinn coileach oirre?" dh'fhaighnich am fear eile.

"Uill," thuirt an Cuimreach, "tha an t-ainm Kellogg uabhasach fhèin coltach ris an fhacal airson coileach anns a' chànan againn fhèin – *ceiliog*. Mar sin, bhiodh e glè shnog nan cuireadh sibh dealbh de choileach air a' phacaid." Dh'aontaich Kellogg ris agus 's e coileach a th' air a' phacaid fhathast. Mas breug bhuam e, is breug thugam e!

cànan nan Cuimreach: *the language of the Welsh.*

Fàgaidh mi sibh le smuain eile mu dheidhinn eòin agus cànan nan Cuimreach. Tha eun ann a tha dubh is geal, agus air a bheil ainm ann am Beurla a thàinig gu dìreach bhon Chuimris. Dè th' ann? Innsidh mi sin dhuibh an ath-sheachdain.

<u>Puing-chànain na Litreach</u>: **Ann am badeigin:** *in some place. The terminal* -eigin*, meaning "some", is extremely useful.* Bad *is a place*; badeigin *is some place. Other examples are* àiteigin *(some place),* cuideigin *(some person),* rudeigin *(something). We can add* "air choreigin" *(or other). Thus we get* cuideigin air choreigin *(somebody or other).* Bhris cuideigin an uinneag *(someone broke the window)* Cò? *(who?)* Chan eil fhios a'm – bleigeard air choreigin *(I don't know – some lout or other). Note that, in the case of* "badeigin, rudeigin, (air) choreigin", *we have compound words, made of two elements, which do not follow the usual* "leathann ri leathann, caol ri caol" *spelling rule.*

<u>Gnàths-cainnt na Litreach</u>: **Cha b' urrainn dhomh bun no bàrr a dhèanamh dhen chòmhradh:** *I couldn't make head nor tail of the conversation.*

LITIR 27

(An t-Samhain 1999)

Did Saint Columba really see the *<u>Loch</u>* *Ness monster ...?*

Bidh cuimhne agaibh gu robh mi a' dol a dh'innse dhuibh an t-seachdain sa gu dè an t-eun dubh is geal air a bheil ainm ann am Beurla a thàinig gu dìreach bhon Chuimris. Uill, 's e am *penguin* a th'ann. Ann an Cuimris, tha *pen* a' ciallachadh *ceann* agus tha *gwyn* a' ciallachadh *geal* no *fionn. Pen-gwyn.* Tha e coltach gu robh Cuimreach air choreigin am measg a' chiad fheadhainn a chaidh don Antartaig à Breatainn, ceudan bliadhna air ais, agus gun do chuir e an t-ainm sin air na h-eòin. Agus gun tàinig sin tarsainn don Bheurla aig an àm sin.

fionn: *fair;* **am measg a' chiad fheadhainn:** *among the first (people);* **An Antartaig:** *the Antarctic;* **gun tàinig sin tarsainn don Bheurla:** *that that came over to English;*

Thàinig an gnothach seo gu m' aire nuair a bha mi ann am bun-sgoil far a bheilear a' teagasg tro mheadhan na Gàidhlig. Cha robh mi eòlach air facal sam bith airson *penguin* ann an Gàidhlig ach *penguin* fhèin. Ach air a' bhalla anns an sgoil sin, bha dealbhan a rinn na sgoilearan de bheathaichean anns an Antartaig. Agus fo dhealbh de dh'eun dhen t-seòrsa sin bha an tiotal: *Ceann-fionn.* Bha cuideigin air a' Chuimris eadar-theangachadh don Ghàidhlig. Pen-gwyn: ceann-fionn. Chan eil fhios a'm an tuigeadh bodach ann am Bràgair, ge-tà, gur e ceann-fionn penguin.

bha X air a' Chuimris eadar-theangachadh: *X had translated the Welsh;* **Bràgair:** *Bragar (in Lewis);*

Ach, air falbh bhon Antartaig, tha mi a' faicinn gu bheil fear à Sasainn, a th' air a bhith a' rannsachadh Uilebheist Loch Nis, dìreach air a bhith anns na Stàitean Aonaichte airson sreath òraidean a thoirt air "Nessie" thall an sin. Thug Pòl MacEanraig leabhar a-mach o chionn ghoirid, air a bheil *Encyclopaedia of the Loch Ness Monster.* Cha do leugh mi an leabhar, ach chaidh aithris a dhèanamh air ann am pàipear-naidheachd air a' Ghàidhealtachd mar "chlàr aibidileach dhen chùis ... bho shealladh Chaluim Chille [dhen uilebheist] ann an 565 gu rannsachaidhean an latha an-diugh." Tha e inntinneach cho tric 's a tha Calum Cille air a thoirt a-steach don ghnothach airson barrachd creideis a thoirt dha. Gu h-àraidh leis nach robh mòran aithrisean ann eadar a linn-san agus na Tritheadan anns an fhicheadamh linn. Ach an e uilebheist Loch Nis a chunnaic an naomh?

Uilebheist Loch Nis: *the Loch Ness Monster;* **Na Stàitean Aonaichte:** *the United States;* **sreath òraidean:** *a series of lectures:* **Pòl MacEanraig:** *Paul Harrison;* **clàr aibidileach:** *alphabetised record;* **rannsachaidhean:** *explorations;* **airson barrachd creideis a thoirt dha:** *to give it (masc.) more credibility;* **eadar a linn-san agus na Tritheadan anns an fhicheadamh linn:** *between his day and the Thirties in the 20th century;*

Rachamaid air ais don aithris a sgrìobh Naomh

b' esan naoidheamh Aba Ì: *he was the 9th Abbot of Iona;*

beannaichte: *blessed;* **dùthaich nan Cruithneach:** *the land of the Picts;* **na h-aibhne:** *of the river;* **gun tug X grèim air agus gun do rinn e cron air:** *that X took grip of and mauled;* **dh'èirich an t-uilebheist bho ghrunnd na h-aibhne:** *the monster rose from the river bed;* **ann an ainm Dhè:** *in the name of God;*

tha mi searbh de: *I am fed up of;* **cha chreid mi gun cualas guth air X:** *I don't think that a mention was heard of X;* **fàgaidh mi sin agaibh fhèin:** *I will leave that up to you (note the "p" sound between* agaibh *and* fhèin*; it is sometimes written* agaibh p-fhèin*).*

Adamnan air a' chùis. B' esan naoidheamh Aba Ì agus sgrìobh e an leabhar *Vita Sancti Columbae*, Beatha Naoimh Chaluim Chille, ann an Laideann, aig deireadh an t-seachdamh linn.

"... air latha eile," sgrìobh e, "nuair a chuir an duine beannaichte seachad grunn làithean ann an dùthaich nan Cruithneach, b' fheudar dha a dhol tarsainn Abhainn Nis. Nuair a ràinig e a bruach, chunnaic e cuid de mhuinntir an àite, agus iad a' tiodhlacadh duine truagh. Thuirt iad gun tug bèist na h-aibhne grèim air, agus gun do rinn e cron air, fhad 's a bha e a' snàmh goirid roimhe sin." A rèir Adamnan, dh'iarr Calum Cille air fear de a chompanaich a dhol a shnàmh agus, nuair a dh'èirich an t-uilebheist bho ghrunnd na h-aibhne le droch rùn, gun do dh'òrdaich an naomh dha teicheadh ann an ainm Dhè.

'S e an rud a bu chòir dhuinn mothachadh mun sgeulachd seo nach ann ann an Loch Nis a bha an t-uilebheist seo idir, ach anns an abhainn. Tha fhios a'm gu bheil an dà rud ceangailte ri chèile, 's gu bheil an abhainn a' sruthadh a-mach às an loch. Ach tha mi searbh de bhith a' cluinntinn gur e Uilebheist Loch Nis a chunnaic Calum Cille. Cha b' e, ach Uilebheist na h-Aibhne.

Agus bhon uair sin cha chreid mi gun cualas guth air Uilebheist Abhainn Nis. **Is beag an t-iongnadh**, 's dòcha. 'S e duine cumhachdach a bh' ann an Calum Cille. Ach an robh uilebheist anns an loch aig an àm sin, agus, ma bha, a bheil gin air fhàgail an-diugh? Uill, fàgaidh mi sin agaib' fhèin.

LTiR

Puing-chànain na Litreach: **Rachamaid air ais don aithris a sgrìobh Naomh Adamnan:** *let us go back to the report that Saint Adomnan wrote. Have you been confused by constructions like* rachamaid *or* bhitheamaid *or* coisicheamaid? *They are formed by adding* –(e)amaid *to the root of the appropriate verb. They always refer to the 1st person plural and can mean either "let us ..." or "we would ..." They can be differentiated by looking at (or listening to) the beginning of the word. If it is lenited, it means "we would ..."; if it is not lenited, it means "let us..." Here are some examples:* Bhitheamaid *(we would be)*, bitheamaid *(let us be)*; choisicheamaid *(we would walk)*, coisicheamaid *(let us walk)*; dhèanamaid *(we would do, make)*, dèanamaid *(let us do, make);* bhuaileamaid *(we would hit, strike)*, buaileamaid *(let us hit, strike).*

Gnàths-cainnt na Litreach: **Is beag an t-iongnadh:** *it is of little wonder.*

LITIR 28

(An t-Samhain 1999)

Fionnlagh Dubh was the first known "Munroist" – but his visit to the mountain named after him was a bloody one …

Bha mi ann an dùthaich Fhionnlaigh Dhuibh o chionn ghoirid agus abair gun do chòrd e rium. Bha a' mhadainn na fèath agus cha robh neul anns an adhar agus, feasgar, ged a dh'fhàs i sgòthach, bha i fhathast socair ciùin, fiù 's aig còrr is trì mìle troigh os cionn na mara. Bidh sibh a' tuigsinn gu bheil beanntan gu leòr ann an dùthaich Fhionnlaigh Dhuibh.

bha a' mhadainn na fèath: *the morning was calm;* **neul:** *cloud;* **sgòthach:** *cloudy;* **socair ciùin:** *mild and windless;* **Fionnlagh Dubh, dùthaich Fhionnlaigh Dhuibh:** *Black Finlay, Black Finlay's country. *The preferred spelling of the name today is Fionnlagh but it was commonly Fionnladh, which is why the mountain is Beinn Fhionnlaidh on the maps. A more accurate rendering of the name, according to its pronunciation, in many mainland areas, would be Fionnla, which explains the anglicised form Benula;*
murtair: *murderer;*
frith-ainm: *nickname;*
gur e X as coireach airson sin: *that X is responsible for that;* **Gleann Afraig:** *Glen Affric;* **coilltear is geamair:** *forester and gamekeeper:*
chaidh iad a-mach air a chèile: *they fell out with each other;* **saighead:** *arrow;* **boghadair:** *archer, bowman;*
feumaidh gun do thachair seo: *this must have happened;*
beul-aithris: *oral tradition;*
coire cas: *a steep corrie;*

sreapadairean: *climbers*;

Ach tha deagh amharas agam gu bheil sibh a' smaoineachadh an-dràsta, "Cò am Fionnlagh Dubh a tha sin air a bheil Ruairidh MacIlleathain a-mach?" Uill, duine a bu chòir a bhith rudeigin ainmeil ann an Alba, chan ann dìreach **am measg nan Gàidheal**, ach air feadh Alba gu lèir. Innsidh mi dhuibh carson an ceann mionaid no dhà.

Chan eil mi ag ràdh, ge-tà, gur e duine math a bh' ann. Leis an fhìrinn innse, 's e murtair a bh' ann. Chan eil fhios a'm an e sin as coireach gun d' fhuair e am frith-ainm "Fionnlagh Dubh". 'S dòcha gur e dìreach gu robh falt dubh aige as coireach airson sin.

Bha Fionnlagh beò aig deireadh an t-siathamh linn deug ann an Gleann Afraig. Bha e ag obair do MhacCoinnich Gheàrrloch mar choilltear is geamair. Latha a bha seo, thachair e ri fear Dòmhnallach air mullach nam beann. Chaidh iad a-mach air a chèile, agus mharbh Fionnlagh am fear eile le saighead. 'S e boghadair math a bh' ann.

Feumaidh gun do thachair seo faisg air mullach dà bheinn air a bheil Màm Sabhail agus Càrn Eige. Tha iad le chèile còrr is trì mìle is ochd ceud troigh a dh'àirde. Tha mi ag ràdh "feumaidh" air sgàth 's gu bheil fios againn – co-dhiù bho bheul-aithris – gun do thilg Fionnlagh corp an fhir eile anns an Loch Uaine. Agus tha an loch sin ann an coire cas eadar an dà bheinn.

Chaidh beinn faisg air làimh ainmeachadh airson Fhionnlaigh, agus 's e Beinn Fhionnlaidh* a th' oirre fhathast, ged nach eil mi cinnteach co-dhiù tha fios aig mòran de shreapadairean no luchd-coiseachd carson a

Clann Choinnich: *Mackenzies;* **Gleanna Garadh:** *Glen Garry;*

tha an t-ainm sin oirre. Co-dhiù, thòisich am murt cogadh eadar Clann Choinnich agus na Dòmhnallaich à Gleanna Garadh a mhair còrr is fichead bliadhna. Agus dh'fheuch na Dòmhnallaich ri Fionnlagh a mhurt grunn tursan.

air a thòir: *to look for him, in pursuit of him;* **rinn bean Fhionnlaigh a' chùis air a h-uile duine aca ach aon:** *Finlay's wife defeated all of them except one;*

A rèir beul-aithris, chaidh dusan duine a-mach air a thòir, ach rinn bean Fhionnlaigh a' chùis air a h-uile duine aca ach aon fhear le puinnsean. Nuair a chuala ceann-cinnidh nan Dòmhnallach an naidheachd, **bha an caothach air**. Chuir e dusan duine eile a dh'ionnsaigh Fhionnlaigh, ach rinn Fionnlagh a' chùis orra le a bhogha. Thachair an aon rud a-rithist agus a-rithist agus, mu dheireadh, chan e saighdear a rinn a' chùis air Fionnlagh, ach lighiche.

tinn: *ill;* **lighiche:** *doctor, physician;* **snàthad:** *needle;* **shàth e:** *he stabbed;* **eanchainn:** *brain;* **airson leigheas a dhèanamh air:** *to cure him;* **ach an trustar!:** *but the horrid man!;* **is meilis** (*or* **milis**) **an deoch a thug thu dhomh:** *sweet is the drink you gave me;*

Latha a bha seo bha Fionnlagh tinn agus thàinig an dotair airson leigheas a dhèanamh air. Ach an trustar! Thug an dotair, a bha na Dhòmhnallach, snàthad mhòr fhada a-mach agus shàth e tro chluas Fhionnlaigh i agus a-steach do eanchainn. Fhad 's a bha e a' bàsachadh, chaidh fuil a-steach a bheul Fhionnlaigh, agus b' iad na faclan mu dheireadh aige "Is meilis an deoch a thug thu dhomh."

chan iad na Rothaich a bha air aire Fhionnlaigh ... ach na Dòmhnallaich: *it was not the Munros but the MacDonalds which were subject to Finlay's attention.*

Air sgàth na h-eachdraidh sin, tha deagh adhbhar ann airson Fionnlagh Dubh a bhith air a chuimhneachadh le Gàidheil. Ach carson a bhiodh Goill an latha an-diugh a' toirt spèis dha cuideachd? Uill, airson an adhbhair seo: b' esan a' chiad duine ann an Alba a th' air a chuimhneachadh le cinnt a chaidh gu mullaichean àrda a bhuineas do na beanntan Rothach, na *Munros* – an fheadhainn nas àirde na trì mìle troigh. Ach feumaidh mi ràdh nach iad na Rothaich a bha air aire Fhionnlaigh fhèin aig an àm ach na Dòmhnallaich! LTR

<u>Puing-chànain na Litreach</u>: **am measg nan Gàidheal:** *among the Gaels. Here is an example of a noun in the genitive case following a compound preposition, in this case* am measg. *Note that the genitive plural, as is common in Gaelic, is identical to the nominative singular form of the noun. So, although the nominative plural of* Gàidheal *is* Gàidheil, *the genitive plural, with the article, is* nan Gàidheal. *Thus we get* am measg nam Frangach *(among the French),* NOT am measg na Frangaich, *and* am measg nam bodach *(among the old men),* NOT am measg na bodaich.

<u>Gnàths-cainnt na Litreach</u>: **Bha an caothach air:** *he was very angry.* Caothach (*or* cuthach) *means extreme anger or insanity. It is stronger than* fearg *and it can be made even stronger by associating it with the colour red (note the lenition).* Bha an dearg-chaothach air *(he was incandescent with rage).*

LITIR 29

(An Dùbhlachd 1999)

How did Lochmaddy in North Uist get its name?

madadh: *dog, wild dog (but also a large mussel);* **madadh-allaidh:** *wolf;* **madadh-ruadh, sionnach:** *fox;* **a cheart cho pailt:** *just as plentiful;*

sealgairean: *hunters;* **trang:** *busy;*

uaireigin: *at one time;* **Gàidhlig Arainn:** *the Gaelic of Arran;* **mar bu trice:** *usually (in the past);*

chan e nach tuig X: *it's not that X don't understand;*

dòbhran, bèiste dhubh: *otter;* **dobhar-chù:** *otter, beaver;*

bìobhair: *beaver;*

gur e X a bhathar a' ciallachadh: *that it was X which was meant;*
loch-mara: *sea loch;*
cladach an locha: *the shore of the loch;*

Bidh sibh eòlach, tha mi cinnteach, air an fhacal *madadh*. Tha am *madadh-allaidh* ann agus am *madadh-ruadh* — no *sionnach*, mar a chanas cuid. Tha na madaidhean-ruadha pailt, a cheart cho pailt, 's dòcha, anns na bailtean mòra 's a tha iad a-muigh air an dùthaich. 'S dòcha gu bheil iad nas sàbhailte anns na bailtean mòra far nach eil na sealgairean cho trang!

Ged as e *cù* am facal a th' againn an-diugh ann an Gàidhlig na h-Alba airson *dog*, bha *madadh* a' ciallachadh an aon rud uaireigin. Agus ann an Gàidhlig Arainn, nuair a bha i fhathast beò, 's e *madadh* a chanadh na daoine airson *dog* mar bu trice, seach *cù*. Agus ann an Èirinn, 's e *madra* a chanas iad airson *cù* fiù 's san latha an-diugh.

Chan e nach tuig Gàidheil na h-Èireann am facal *cù,* ach, mar as trice, tha e ceangailte ri facal eile, mar a tha *madadh* againne ann an leithid *madadh-allaidh* no *madadh-ruadh*. 'S e eisimpleir dhen a sin *dobhar-chù*. Tha na faclan a' ciallachadh "cù an uisge", agus ann an Alba canaidh sinne, mar as trice, *dòbhran* no *bèiste dhubh* ris a' bheathach sin. Tha am facal *dobhar-chù* againne cuideachd, ge-tà, ach tha e a' ciallachadh dà bheathach eadar-dhealaichte – an dòbhran fhèin no beathach a tha a' tilleadh a dh'Alba an dèidh ceudan bhliadhnaichean – am bìobhair.

Ach air ais gu *madadh*. Tha corra àite air a' Ghàidhealtachd far a bheil e ann an ainmean-àite. Àiteachan mar *Cnoc a' Mhadaidh* is *Preas a' Mhadaidh* ann an Siorrachd Rois, agus tha mi a' dèanamh dheth gu bheil a' chuid as motha de na h-ainmean sin gu math sean, agus gur e am madadh-allaidh a bhathar a' ciallachadh. Ach tha aon àite ann far a bheil an t-ainm a' cur beagan dragh orm fhathast. 'S e sin *Loch nam Madadh* – no *Lochmaddy* – loch-mara agus baile air cladach an locha ann an Uibhist a Tuath.

Leugh mi o chionn fhada gu robh seo a' ciallachadh ann am Beurla *loch of the wild dogs* – Loch nam Madadh.

an robh coin de sheòrsa air choreigin uaireigin pailt?: *were dogs of some sort plentiful at one time?;*
beul an locha: *the mouth of the loch;*
mar a bhiodh coin a' dìon taigh am maighstir: *as dogs would protect their master's house;*

Ach a bheil? Agus ma tha, carson? An robh coin de sheòrsa air choreigin uaireigin pailt ann an Uibhist a Tuath?

An uair sin, fhuair mi a-mach gun d' fhuair an loch ainm bho chreagan a tha faisg air a bheul, agus a tha a' dìon beul an locha mar a bhiodh coin a' dìon taigh am maighstir. Tha trì aca ann: am Madadh Beag, am Madadh Mòr agus am Madadh Gruamach. An e sin e, ma-thà? A bheil Loch nam Madadh a' ciallachadh *loch of the dog-like rocks*? Mmm.

Uill, 's e sin am beachd a bh' aig W.C. MacCoinnich, ceart gu leòr, anns an leabhar aige, *Scottish Place Names,* a chaidh fhoillseachadh ann an **naoi ceud deug, trithead 's a h-aon** – no naoi ceud deug 's a h-aon deug air fhichead (1931) mas fheàrr leibh. Ach, o chionn ghoirid, **bha mi a' toirt sùil air** leabhar nas sine na sin, *Gaelic Names of Beasts etc*, a chaidh a sgrìobhadh le Alasdair Foirbeis às an Eilean Sgitheanach, agus a chaidh fhoillseachadh ann an naoi ceud deug 's a còig (1905).

Alasdair Foirbeis: *Alasdair Forbes;* **feusgan, feusgain:** *mussel, mussels;* **sgeir, sgeirean:** *sea-rock, rocks which are covered at high tide;* **a chaidh fhoillseachadh:** *which was published;*
cha bu mhath leam a ràdh cò tha ceart is cò tha ceàrr: *I wouldn't like to say who is right and who is wrong;*
fàgaidh mi sin aig muinntir Loch nam Madadh fhèin: *I will leave that to the people of Lochmaddy themselves.*

'S e an rud a th' ann gu bheil ciall eile air an fhacal *madadh*. 'S e sin "feusgan mòr". Agus tha Alasdair Foirbeis ag innse dhuinn gun d' fhuair Loch nam Madadh ainm leis gu robh na madaidhean seo – na feusgain – uabhasach pailt air trì creagan, no sgeirean 's dòcha, air ceann a deas an locha. *Loch of the big mussels,* ma-thà? Uill, cha bu mhath leam a ràdh cò tha ceart is cò tha ceàrr. Fàgaidh mi sin aig muinntir Loch nam Madadh fhèin! LTIR

Puing-chànain na Litreach: **naoi ceud deug, trithead 's a h-aon:** *1931. I recommend learning both numerical systems. The old one, based on twenties, is the one generally used and understood by native speakers (although dates and years are often given in English) and it is still in general use in literature and the media. The decimal system is the one used in Gaelic-medium education (although it is not entirely new, as many of the words are to be found in old dictionaries). It is quicker and easier for mathematics at school and it allows us a neater way of naming the "odd" decades. For example* anns na Tritheadan *means "in the Thirties". Without this, it is simpler for Gaelic-speakers to use the English and say* "anns na Thirties" *which is what many native speakers would say. Similarly* aig deireadh nan Caogadan *(at the end of the Fifties);* aig toiseach nan Seachdadan *(at the start of the Seventies);* rugadh e anns na Naochadan *(he was born in the Nineties).*

Gnàths-cainnt na Litreach: **Bha mi a' toirt sùil air:** *I was looking at.*

LITIR 30 *(An Dùbhlachd 1999)*

More on Lochmaddy … and hermit crabs …

Loch nan Con: *Loch of the Dogs;* **Loch nam Feusgan Mòra:** *Loch of the Big Mussels (Maddies);* **bhon uair sin tha mi air a bhith a' rannsachadh nas fhaide air ais ann an eachdraidh nan eilean:** *since then I have been researching further back in the history of the islands;*
Sgitheanach: *Skyeman;*

na h-uimhir de dh'fheusgain mhòra: *lots of big mussels;*
coin fhiadhaich de sheòrsa sam bith: *wild dogs of any sort;*

partan, portan: *shore crab;*

inntinneach: *interesting;*

rugadh is thogadh e: *he was born and brought up;* **Eilginn:** *Elgin;* **Moireibh:** *Moray;*

partan-tuathal: *hermit crab;* **slige:** *shell,carapace;*

Bidh cuimhne agaibh gu robh mi ag innse dhuibh, an t-seachdain sa chaidh, mu Loch nam Madadh ann an Uibhist a Tuath, agus gu robh ceist ann an robh an t-ainm a' ciallachadh "Loch nan Con" no "Loch nam Feusgan Mòra". Uill, bhon uair sin tha mi air a bhith a' rannsachadh nas fhaide air ais ann an eachdraidh nan eilean agus thàinig mi tarsainn air leabhar ainmeil a chaidh a sgrìobhadh leis an Sgitheanach Màrtainn Màrtainn ann an sia ceud deug, ceithir fichead 's a còig-deug (1695) no mar sin. 'S e an t-ainm a th'air *Description of the Western Isles of Scotland.*

Seo na chanas Màrtainn mu dheidhinn Loch nam Madadh: "Tha an t-ainm a' tighinn bho thrì creagan taobh a-muigh beul an locha air an taobh a deas. 'S e 'madaidhean' a th' orra mar ainm air sgàth 's gu bheil na h-uimhir de dh'fheusgain mhòra, ris an canar 'madaidhean', a' fàs orra." Mar sin, tha e coltach nach eil ceangal sam bith ann eadar Loch nam Madadh agus coin fhiadhaich de sheòrsa sam bith.

Sgrìobh Màrtainn gu robh an loch-mara sin ann an dà phàirt – Loch nam Madadh air an taobh a deas, agus Loch Partan air an taobh a tuath. 'S e "Loch Portain" a th' air a sin an-diugh, ach tha *partan* agus *portan* a' ciallachadh an aon rud – *shore crab*, mar a chanas iad ann am Beurla.

Tha am facal *partan* gu math inntinneach dhomh fhìn, leis gu bheil cuimhne agam air rud no dhà a chanadh mo sheanair, taobh mo mhàthar, nuair a bha mi glè òg. Rugadh is thogadh e ann an Eilginn, ann am Moireibh, agus cha robh facal Gàidhlig aige. Uill, 's dòcha nach eil sin buileach fìor. **Bhiodh facal no dhà de Ghàidhlig a' nochdadh an lùib a chuid Beurla**. Agus cha robh am facal *crab* aige. Chanadh e *partin* na àite. Rudan mar *"look at the wee partin under the rock."* Tha e follaiseach gur e sin dìreach am facal "partan" a chaidh thairis don Bheurla bhon Ghàidhlig.

Tha seanfhacal ann a chanas ***'S fheàrr am partan-tuathal na bhith gun fhear-taighe.*** 'S e a th' ann ann am

slige-mhaoraich: *shell of a shellfish ie mollusc;*

tha mi a' dèanamh dheth: *I reckon;* **boireannach beartach aig an robh taigh a phòs fear bochd aig nach robh taigh:** *a wealthy woman with a house who married a poor man who did not have a house;* **bhiodh an dithis a' dèanamh dachaigh:** *the two of them would make a home;* **a chaidh a dhèanamh le creutair eile:** *which was made by another creature;* **leatha fhèin gu h-aonaranach 's gun duine:** *by herself, lonely, without a husband;*

anns an robh partan an sàs: *in which a crab was involved;* **bhiodh an darna tè a' goid stuth a-mach à baga na tèile:** *the first one (we say "the second one" in Gaelic) would steal stuff from the other's bag;* **Tha an Donas nad bhaga!:** *The Devil is in your bag!*

partan-tuathal an seòrsa aig nach eil slige chruaidh. An àite slige a dhèanamh dha fhèin, bidh e a' cleachdadh seann shlige-mhaoraich a lorgas e air a' chladach no air a' ghrunnd. Bidh sibh eòlach air ann am Beurla mar *hermit crab.* Partan-tuathal.

Seo an seanfhacal a-rithist: 'S fheàrr am partan-tuathal na bhith gun fhear-taighe. Tha mi a' dèanamh dheth gur e boireannach a chanadh sin, 's dòcha boireannach beartach aig an robh taigh a phòs fear bochd aig nach robh taigh. Agus 's dòcha nach robh deagh bheachd aig muinntir an àite air an duine. Bhiodh an dithis a' dèanamh dachaigh ann an taigh a' bhoireannaich mar a bhios partan-tuathal a' dèanamh dhachaigh ann an slige a chaidh a dhèanamh le creutair eile. Ach b' fheàrr leis a' bhoireannach suidheachadh mar sin a bhith aice na bhith a' fuireach leatha fhèin gu h-aonaranach 's gun duine. 'S fheàrr am partan-tuathal na bhith gun fhear-taighe.

Tha am facal "tuathal" gu math gu math inntinneach, agus bheir sinn sùil air a chiall anns an ath litir. Ach fàgaidh mi an-dràsta sibh le seann stòiridh beag anns an robh partan an sàs. Bha dithis bhoireannach a' fuireach còmhla, ach bhiodh an darna tè a' goid stuth a-mach à baga na tèile. Mar sin, chuir an tèile partan beò anns a' bhaga aice. An ath thuras a thachair mèirle, ghreimich am partan gu cruaidh air corrag a' mhèirlich le ìne. "Aaa!" dh'èigh i, "tha an Donas nad bhaga."

"Tha," thuirt an teile, "nuair a tha thus' ann!"

<u>Puing-chànain na Litreach</u>: **Bhiodh facal no dhà de Ghàidhlig a' nochdadh an lùib a chuid Beurla:** *one or two words of Gaelic would appear in his English.* An lùib *means "involved with, mixed with" but the main point to make here is the use of* cuid. *It is a simple word but has a phenomenal number and variety of applications. In this usage it means "an individual portion" ie "in <u>his</u> English" (rather than anybody else's). It is often used in conjunction with the nouns* aodach *and* clann*; the noun will be in the genitive.* Bha iad am measg mo chuid aodaich *(they were among my clothes);* Bidh Uilleam is Màiri ann, agus an cuid cloinne *(William and Mary will be there, and their children*). Tha pàrantan airson 's gum bi an cuid cloinne fallain *(parents want their children to be healthy).* Sin Calum agus a chuid mhac *(there is Calum and his sons*); sin Ealasaid agus a cuid mhac *(there is Elizabeth and her sons).*

<u>Seanfhacal na Litreach</u>: **'S fheàrr am partan-tuathal na bhith gun fhear-taighe:** *better the hermit crab than to be without a man of the house (ie a husband). An interpretation of this is given in the text of the Litir.*

LITIR 31

(An Dùbhlachd 1999)

Why does deas mean "right" and "south" ...?

gheall mi dhuibh gun innsinn tuilleadh dhuibh: *I promised you (pl) that I would tell you more;* **a tha ri lorg:** *that is to be found;* **partan-tuathal:** *hermit crab;* **air leth:** *particularly;* **co-cheangailte (ri):** *connected (to);* **sealladh:** *view;* **o shean:** *of old;* **an cruinne-cè:** *the world;* **mus robh X air gnothach a ghabhail ri Y:** *before X had become involved with Y;* **Crìosdachd:** *Christianity;* **stèidhichte air duine a sheasadh ann am meadhan cearcaill:** *based upon a man who would stand in the middle of a circle;* **air a bheulaibh:** *in front of him;* **air a chùlaibh:** *behind him;* **a dh'ionnsaigh na h-àird an ear/an iar/a deas/a tuath:** *towards the east/west/south/north;* **às do dhèidh:** *after you;* **togaibh ur làmh dheas:** *lift your right hand;* **draoidh:** *druid;*

combaist: *compass;*

Gheall mi dhuibh, a chàirdean, gun innsinn tuilleadh dhuibh an t-seachdain sa mu dheidhinn an fhacail *tuathal* a tha ri lorg ann am *partan-tuathal.* 'S e facal air leth inntinneach a th' ann air sgàth 's gu bheil e co-cheangailte ris an t-sealladh a bh' aig na Gàidheil, o shean, air a' chruinne-cè.

Mus robh na Gàidheil air gnothach a ghabhail ri Crìosdachd, nuair a bha iad fhathast nam pàganaich, bha sealladh aca air an t-saoghal a bha stèidhichte air mar a sheasadh duine ann am meadhan cearcaill, a' coimhead a-mach a dh'ionnsaigh na h-àird an ear, an àird far am bi a' ghrian ag èirigh. Bhiodh an àird an ear air a bheulaibh, agus bhiodh an àird an iar air a chùlaibh. Agus 's e sin a bha na faclan sin a' ciallachadh anns an t-seann Ghàidhlig – *an ear*, air do bheulaibh, agus *an iar*, a' tighinn às do dhèidh.

Nise, ma tha sibh nur suidhe an-dràsta, èirichibh gur casan. **Greasaibh oirbh!** Greasaibh oirbh! Seadh, tha sin nas fheàrr. Nise, smaoinichibh air combaist. Coimheadaibh a-mach a dh'ionnsaigh na h-àird an ear, mar a bhiodh an seann draoidh. Togaibh ur làmh dheas. Tha mi an dòchas gu bheil an tè cheart agaibh! 'S e sin *deas*, agus 's e sin ur làmh dheas. Tha *deas* ann an Gàidhlig a' ciallachadh an dà chuid, *right* agus *south. South Uist*, Uibhist a Deas. *South Africa*, Afraga a Deas.

Ach dè tha air do làimh chlì air a' chombaist? 'S e sin an àird a tuath. An latha an-diugh, 's e *clì* no *ceàrr* a chanas sinn **anns a' Ghàidhlig Albannaich** airson *left.* Ach o shean, bha am facal *tuath* a' ciallachadh *left* a bharrachd air *north.*

Nise, cumaibh air ur casan agus smaoinichibh air a' ghrèin agus air slighe na grèine tron adhar. Bidh i ag èirigh anns an àird an ear, bidh i a' gluasad a dh'ionnsaigh na h-àird a deas agus, mu dheireadh, thèid i fodha anns an àird an iar. Anns a' mhadainn, agus tha seo cudromach, anns a' mhadainn, aig toiseach an latha, bidh i a' dol a dh'ionnsaigh na h-àird a deas. Canaidh sinn gur ann *deiseil* a tha i a' dol. Tha *deiseil* a' ciallachadh "a' dol air slighe na grèine" no, mar as fheàrr a thuigeas daoine an-diugh e, 's dòcha, "air slighe spòg an uaireadair." Agus tha *tuathal* a' dol calg-dhìreach an aghaidh sin. Tha *tuathal* a' ciallachadh "a' gluasad an aghaidh na grèine" no "an aghaidh an uaireadair".

canaidh sinn gur ann *deiseil* a tha i a' dol: *we say that she is going sunwise;* **slighe na grèine:** *the route of the sun;* **tha X a' dol calg-dhìreach an aghaidh sin:** *X goes directly against that (ie it is an opposite);* **an aghaidh na grèine:** *anti-sunwise;* **ullamh:** *ready, finished;* **crìochnaichte:** *finished;* **gasta:** *nice;* **snasail:** *elegant;*

Ach tha ciall no dhà eile air na faclan seo, *tuathal* agus *deiseil,* no *deas*. Bidh fios agaibh gu bheil *deiseil* a' ciallachadh "ullamh" no "crìochnaichte". Ach tha am facal eile a tha càirdeach dha, *deas,* cuideachd a' ciallachadh "gasta", no "snasail" no "sgileil le do chuid làmhan". Tha *deas* co-cheangailte ri *dexter* ann an Laideann. Tha am facal Beurla *dexterous* a' tighinn às an Laidinn.

Agus tha *tuathal* a' dol an aghaidh *deiseil* agus *deas* anns an t-seagh seo cuideachd. Tha e a' ciallachadh "deireannach" no "ceàrr" no "troimh-a-chèile" no "gun a bhith ro sgileil no sgiobalta". Carson, ma-thà, as e *partan-tuathal* a chanas sinn ri *hermit crab*? An e gu robhar a' dèanamh dheth gum biodh am partan-tuathal a' gluasad an aghaidh slighe na grèine, no an ann dìreach air sgàth 's gur e beathach car neo-àbhaisteach – beathach "ceàrr" – a th' ann?

anns an t-seagh seo: *in this way;* **deireannach:** *slow, backward;* **ceàrr:** *wrong, awkward;* **gu robhar a' dèanamh dheth:** *that it was being made out;* **neo-àbhaisteach:** *unusual.*

Chan eil mi buileach cinnteach mu dheidhinn sin, ach tha mi cinnteach mu dheidhinn aon rud. 'S e sin gu bheil tòrr ri ionnsachadh mu dheidhinn dualchas na Gàidhlig bhon dà fhacal sin – *tuathal* agus *deiseil.* Agus bheir sinn sùil a bharrachd air *deiseil* anns an ath litir. Ach, an-dràsta, tha mi deiseil! LTIR

gu bheil tòrr ri ionnsachadh mu dheidhinn dualchas na Gàidhlig: *that there is much to learn about the Gaelic heritage;* **tha mi deiseil:** *I am finished.*

Puing-chànain na Litreach: **anns a' Ghàidhlig Albannaich:** *in (the) Scottish Gaelic. In Litir 8 we looked at the slenderisation of feminine nouns in the dative case. Here is another example, but this time look out for the adjective, not the noun (which already has a slender vowel at the end of the word). You will see that the adjective is* Albannaich, *not* Albannach. *It is slenderised because* Gàidhlig *is a feminine noun and the adjective also follows the rule. A more obvious example is* air do làimh dheis *(on your right hand).* Deas *is lenited and slenderised to* dheis. *Here are some examples in which only the adjective is slenderised, because the noun already has a slender ending (to the ear):* anns an Eaglais Bhric *(in Falkirk ie the speckled church);* leis a' phìob mhòir *(with the great pipe ie Highland bagpipes);* anns a' Ghàidhlig Mhanainnich *(in [the] Manx Gaelic).*

Gnàths-cainnt na Litreach: **Greasaibh oirbh!** *Hurry up! (pl.). The singular or familiar form is* greas ort!

LITIR 32

(An Dùbhlachd 1999)

How do you say "left-handed" in Gaelic?

co-cheangailte ri: *connected to;* **clì:** *left;* **ma dh'fhaodas mi sin a ràdh:** *if I may (be permitted) to say that*; **leis a' chearraig:** *left-handed (the more common term in the northern Gàidhealtachd; in southern parts, notably the islands of Argyll,* ciotach *is more common);* **ciotach:** *left-handed;* **chan eil càil ceàrr orra:** *there is nothing wrong with them (lit. on them);*

Bidh cuimhne agaibh bhon t-seachdain sa chaidh gu bheil am facal *deiseil* co-cheangailte ris an làimh dheis agus ri rudan matha. Ach, air an làimh eile, ma dh'fhaodas mi sin a ràdh, chan eil rudan matha co-cheangailte ris an làimh chlì. Agus tuigidh mi carson a tha daoine a tha leis a' chearraig no a tha *ciotach*, mar a chanas iad ann an ceann a deas na Gàidhealtachd, a' gabhail dragh mu dheidhinn sin.

Chan eil càil ceàrr orra ach gu bheil an làmh cheàrr aca nas sgileile na 'n làmh dheas. Agus seallaibh mar a tha am facal *ceàrr* a' ciallachadh *left* agus *wrong.* Ach tha an aon rud fìor ann an cànanan eile. 'S e *ciotach* a bha am facal *sinister* a' ciallachadh o thùs ann an Laideann.

airson 's gum biodh deagh fhortan aca: *so that they would have good luck;*

Bidh cuimhne agaibh cuideachd gu robh an làmh dheas co-cheangailte ri slighe na grèine tron adhar – slighe ris an can sinn *deiseil*. Agus bha mòran chleachdaidhean o shean aig ar sinnsirean anns am biodh iad a' gluasad gu deiseil **a dh'aona ghnothach** airson 's gum biodh deagh fhortan aca.

ag iomradh: *rowing;*

Nuair a gheibheadh daoine bochda airgead bho chuideigin, **rachadh iad trì tursan deiseil timcheall an duine mar bheannachd air**. Nuair a rachadh iasgairean gu muir, bhiodh iad ag iomradh a' bhàta gu deiseil an toiseach. Agus mura dèanadh iad sin, bhiodh iad dhen bheachd gum biodh droch fhortan aca air an latha sin. Chanadh feadhainn an-diugh gur ann saobh-chràbhach a bha na seann daoine is gu robh na cleachdaidhean sin a' buntainn ri linn nuair a bha na Gàidheil nam pàganaich. Ach gun teagamh bha iad a' creidsinn ann an rudan mar sin gu làidir.

saobh-chràbhach: *superstitious;* **cleachdaidhean:** *practices;* **a' buntainn ri linn nuair a bha na Gàidheil nam pàganaich:** *belonging to a time when the Gaels were pagans;* **ifrinn:** *hell;* **fuar reòthte:** *cold and frozen;* **bhon ifrinn theth anns a bheilear a' creidsinn an-diugh:** *from the hot hell which is believed in today;*

Anns an linn sin, bhathar a' creidsinn gu robh ifrinn anns a' cheann a tuath agus, mar sin, gu robh ifrinn fuar reòthte. Tha sin gu math eadar-dhealaichte bhon ifrinn theth anns a bheilear a' creidsinn an-diugh. Agus bha daoine a' creidsinn gun d' rachadh iad (no gun d' rachadh an nàbaidhean co-dhiù!) sìos a dh'ifrinn agus, leis a sin, bha iad a' coimhead air an àird a tuath mar àite ìosal. Agus chanadh iad, "Tha mi a' dol sìos gu tuath" no "Tha mi a' dol suas gu deas" agus chan e "suas gu tuath" agus "sìos gu deas" mar a chanar, anns an fharsaingeachd, ann am Beurla. Agus cluinnidh tu fhathast daoine ann an taobh siar Leòdhais ag ràdh ann an Gàidhlig gu bheil iad a' dol "sìos a Nis", sgìre ann am fìor cheann a tuath an eilein.

taobh siar Leòdhais: *the west side of Lewis;*

Ach 's dòcha gu robh an aon rud fìor uaireigin ann am Beurla, agus gur e luchd nam mapaichean a th' air dealbh dhen t-saoghal a thoirt dhuinn anns a bheil an àird a tuath aig a' cheann shuas agus an àird a deas aig a' bhonn. Bidh daoine ann an Essex is Hertfordshire, mar eisimpleir, ag ràdh gu bheil iad a' dol *up to London*, ged a tha iad a' fuireach gu tuath air Lunnainn. Tha mi a' dèanamh dheth gur e seann chleachdadh a tha sin, agus gu bheil e a' dol à bith ann an Sasainn, dìreach mar a tha e ann an Gàidhealtachd na h-Alba.

luchd nam mapaichean: *the mapmakers;*

gu tuath air Lunnainn: *north of London;*
gu bheil e a' dol à bith: *it is disappearing (going out of existence);*

Ach bu toigh leam tilleadh don fhacal *ciotach* agus fàgaibh mi sibh an t-seachdain sa le ceist. Bha laoch Gàidhealach ann anns an t-seachdamh linn deug a bha gu math ainmeil. Agus bha e ciotach. Agus tha frith-ainm air ann am Beurla, a bharrachd air Gàidhlig, a tha a' comharrachadh sin. Agus bha an gille aige na b' ainmeile fiù 's na esan airson gaisge. Cò iad? Innsidh mi sin dhuibh anns an ath litir, a' chiad tè anns a' bhliadhn' ùir. Roimhe sin, ge-tà, Nollaig Chridheil agus Bliadhna Mhath Ùr dhuibh uile. LTR

laoch: *hero, champion;* **frith-ainm:** *nickname;*
gaisge: *heroism;*
an gille aige: *his son;*
roimhe sin: *before that;*
Nollaig Chridheil agus Bliadhna Mhath Ùr dhuibh uile: *a Merry Christmas and Happy New Year to you all.*

Puing-chànain na Litreach: **rachadh iad trì tursan timcheall an duine mar bheannachd air:** *they would go three times sunwise around the man as a blessing for (on) him. Do you remember* rachamaid *("let's go") in Litir 27?* Rachadh *is built on the same root –* rach *(go) – and is in the conditional mood as is suggested by the –*adh *ending.* Rachadh iad *means "they would go".* Rachamaid *is also the first person plural in the conditional, meaning "we would go" (but the context will tell you which is meant).* Rachamaid don Fhraing nan robh airgead gu leòr againn *(we would go to France if we had enough money). The first person singular is* rachainn *(I would go).* Rachainn dhachaigh nan robh càr agam *(I would go home if I had a car). You may be thinking "How on earth do we get* a' dol *(going),* chaidh *(went) and* thèid *(will go) from a root like* rach?" *The answer is that it is one of Gaelic's ten irregular verbs (which are better viewed as a challenge than a threat!).*

Gnàths-cainnt na Litreach: **a dh'aona ghnothach:** *deliberately.*

LITIR 33 *(Am Faoilleach 2000)*

Colla Ciotach was a MacDonald, and a notable warrior in Colonsay and elsewhere ...

Fàilte oirbh, a chàirdean, gu Litir trì deug air fhichead no, anns an t-siostam ùr, trithead 's a trì (33). Tha mi an dòchas gu bheil sibh uile gu dòigheil, sunndach. Chan eil fhios a'm dè cho math 's a tha ur cuimhne ach, anns an Litir mu dheireadh agam, latha ron Nollaig, chuir mi ceist oirbh. Cò e an seann ghaisgeach Gàidhealach a bha leis a' chearraig no, mar a chanas iad anns an sgìre aige fhèin, a bha *ciotach*? Agus a th' air a chuimhneachadh airson sin.

gu dòigheil, sunndach: *in good temper and good spirits;*

leis a' chearraig: *left-handed;* **ciotach:** *left-handed, ambidextrous;* **agus a th' air a chuimhneachadh airson sin:** *and is remembered for that;*

Uill, 's i an fhreagairt *Colla Ciotach* no, ann am Beurla, *Colkitto*. Rugadh Colla Ciotach ann an Aontrom, ann an ceann a tuath na h-Èireann, anns a' bhliadhna còig ceud deug, trì fichead 's a deich, no còig ceud deug is seachdad (1570). Bha e na bhall de Chlann Dòmhnaill agus thugadh e, na òige, a dh'Eilean Cholasa ann an Earra-Ghàidheal. Agus **thogadh e ann an Colasa.**

Aontrom: *Antrim;* **bha e na bhall de Chlann Dòmhnaill:** *he was a member of Clan Donald;* **na òige:** *in his youth;* **Colasa:** *Colonsay (traditionally, the spelling was* Colbhasa*, but the people of the island today prefer* Colasa*);* **Earra-Ghàidheal:** *Argyll;* **ùghdar:** *author;*

Anns an leabhar "Colkitto!", tha an t-ùghdar, Kevin Byrne, a tha a' fuireach ann an Colasa, a' dèanamh dheth gur dòcha nach ann ciotach a bha Colla ma tha sinn a' smaoineachadh gu bheil am facal a' ciallachadh dìreach *left-handed*, ach gu robh e comasach air claidheamh a thogail le a dhà làimh. Bha e a cheart cho math le a làimh chlì 's a bha e le a làimh dheis. *Ambidextrous,* mar a chanas iad ann am Beurla.

claidheamh: *sword;* **bha e a cheart cho math le a làimh chlì 's a bha e le a làimh dheis:** *he was just as good with his left hand as he was with his right hand;*

Co-dhiù, cha robh cùisean sìtheil air a' Ghàidhealtachd aig toiseach an t-seachdamh linn deug nuair a bha Seumas VI na Rìgh agus, an dèidh strì mhòr, thug an Rìgh Colasa do Ghilleasbaig Caimbeul, seachdamh Iarla Earra-Ghàidheal. Cha b' e sin deireadh na strì, ge-tà, agus ann an sia ceud deug 's a còig-deug (1615), thug na Caimbeulaich ionnsaigh air na Dòmhnallaich ann an caisteal ann an Ìle. **Bha Colla Ciotach am broinn a' chaisteil**.

Iarla: *Earl;* **Caimbeul:** *Campbell;* **thug X ionnsaigh air Y:** *X attacked Y;*

Chaill na Dòmhnallaich am batail, ach fhuair Colla air falbh air an oidhche ann an bàta beag cuide ri fichead duine eile. Bha am bàta, ge-tà, ag aoidion agus b' fheudar dhaibh stad airson greis air tìr. Fhuair na Caimbeulaich greim air sianar dhen sgioba ann an sin, ach fhuair Colla air falbh a-rithist.

batail: *battle;* **ag aoidion:** *leaking;* **b' fheudar dhaibh stad:** *they had to stop;* **sianar:** *six people;* **sgioba:** *crew, party;*

a' togail creach: *plundering;* **Proifeasair de Cheilteis:** *Professor of Celtic;* **a bhuineadh do Cholasa:** *who belonged to Colonsay;*
bha e cho teòma leis a' ghunna is a bha e leis a' chlaidheamh: *he was as adept with a (the) gun as he was with a (the) sword;* **thàinig e gu rèite nach dèanadh e an tuilleadh aimhreit, nan leigeadh iad leis a dhol dhachaigh:** *he came to an agreement that he would cause no further trouble if they let him go home;* **nàmhaid:** *enemy;* **Calum Mac-a-phì:** *Malcolm MacFie (or MacDuffie);* **am falach:** *hidden;* **mar a b' fheàrr a b' urrainn dha:** *as best he could;* **Leab' Fhalaich Mhic-a-phì:** *(lit.) MacFie's (or MacDuffie's) Hiding Bed;*

slàn leibh: *cheerio, farewell.*

Airson greis chùm Colla a dol air feadh nan eilean, a' togail creach, agus a' toirt ionnsaigh air na Caimbeulaich. A rèir a' chiad Phroifeasair de Cheilteis ann an Oilthigh Dhùn Èideann, Dòmhnall MacFhionghain, a bhuineadh do Cholasa, "bha e cho teòma leis a' ghunna is a bha leis a' chlaidheamh." Mu dheireadh, ge-tà, chaidh cùisean na aghaidh, agus thàinig e gu rèite leis an riaghaltas nach dèanadh e an tuilleadh aimhreit, nan leigeadh iad leis a dhol dhachaigh a Cholasa.

Chaidh e dhachaigh ach bha nàmhaid aige anns an eilean – fear Calum Mac-a-phì, ceann-cinnidh Clann 'ic-a-phì ann an Colasa. A rèir beul-aithris, chaidh Colla agus feadhainn eile a bhuineadh do Chlann Dòmhnaill an tòir air Mac-a-phì agus b' fheudar dha a dhol am falach mar a b' fheàrr a b' urrainn dha. Tha cuimhne aig muinntir Cholasa fhathast air cuid de na h-àiteachan far an deach e am falach am measg nan creag. Tha an t-aon ainm orra uile – *Leab' Fhalaich Mhic-a-phì*, sin *Leabaidh* Fhalaich Mhic-a-phì, an Leabaidh far an deach Mac-a-phì am falach.

Agus tha cuimhne aig muinntir an eilein cuideachd air an àite far an do chuireadh Mac-a-phì gu bàs, le Colla Ciotach agus a chàirdean. Anns an ath litir, bheir sinn sùil a-rithist air Colla, agus air a mhac, a tha cuideachd gu math ainmeil ann an eachdraidh na Gàidhealtachd, Alasdair Mac Cholla. Chun an uair sin, slàn leibh.

LTIR

Puing-chànain na Litreach: **Thogadh e ann an Colasa:** *he was raised (brought up) in Colonsay. In Litir 19 we looked at using* chaidh *with the verbal noun to make past passives. Here is another way, and it's a bit neater. Take the root of the verb, lenite it and add* –adh *or* –eadh *(according to the spelling rule).* Tog *becomes* thogadh. Thogadh mi ann an Glaschu *(I was raised in Glasgow).* Cuir *becomes* chuireadh *eg* far an do chuireadh Mac-a-phì gu bàs *(where MacFie was put to death). Finding the root can be more complicated with irregular verbs.* Beir (a' breith) *becomes* rugadh: rugadh Colla Ciotach ann an Aontrom *(Colkitto was born in Antrim);* thoir (a' toirt) *becomes* thugadh: thugadh e a Cholasa *(he was taken to Colonsay.*

Gnàths-cainnt na Litreach: **Bha Colla Ciotach am broinn a' chaisteil:** *Colkitto was in the castle.* Broinn *is the dative of* brù, *a belly, and* am broinn *literally means "in the belly" (with the following noun in the genitive). Use this phrase only when you mean that something is physically inside something else. It cannot be used for something which is conceptually "inside" something else. If you want to say "within the next week" you should not say* "am broinn na seachdain a tha romhainn"; *you should say* "taobh a-staigh na seachdain a tha romhainn".

LITIR 34

(Am Faoilleach 2000)

Alasdair Mac Cholla was one of the greatest of Gaelic warriors ...

An t-seachdain sa chaidh, dh'fhàg sinn Colla Ciotach ann an Colasa, agus e a' cur Calum Mac-a-phì gu bàs. Uill, an dèidh sin, bha cùisean na bu shìtheile do Cholla airson bhliadhnaichean. Ach, mu dheireadh, ann an sia ceud deug is naoi deug air fhichead (1639), thàinig an strì eadar an Rìgh, Teàrlach I, agus Clèirich na h-Alba, **na Pròstanaich a bha an aghaidh Easbaigeachd** anns an Eaglais, gu cogadh.

ciotach: *ambidextrous (or left-handed);* **na bu shìtheile:** *more peaceful (past tense);* **an strì:** *the strife, struggle;* **Teàrlach I:** *Charles the First;* **Clèirich:** *Presbyterians;*

Bha Colla Ciotach na Chaitligeach agus cha robh e deònach ainm a chur air a' Chùmhnant a bha ag iarraidh Eaglais Chlèireach a stèidheachadh gu neo-eisimeileach bhon Rìgh. Air sgàth sin, chaill e a chuid fearainn ann an Colasa agus chaidh a chur don phrìosan le Iarla Earra-Ghàidheal. Dh'fhalbh cuid de a chàirdean, ge-tà, a dh'Èirinn. Nam measg bha an treas mac aige, Alasdair. Alasdair Mac Cholla.

bha X na Chaitligeach: *X was a Catholic;* **cha robh e deònach ainm a chur air a' Chùmhnant:** *he was not willing to put his name on the Covenant;* **neo-eisimeileach:** *independent;* **chaill e a chuid fearainn:** *he lost his land;*

Bha Colla na dhuine mòr ach bha Alasdair na bu mhotha buileach. Bha e sia troighean is sia òirlich a dh'àirde, agus bha e uabhasach làidir. Bha e ciotach, mar a bha athair, agus a rèir beul-aithris, nuair a bha uaislean na h-Èireann air tighinn cruinn airson ceannard a thaghadh don arm aca ann an Alba, arm a bhiodh a' sabaid airson an Rìgh an aghaidh muinntir a' Chùmhnaint, leum Alasdair gu chasan.

bha Alasdair na bu mhotha buileach: *Alasdair was even bigger;* **sia troighean is sia òirlich:** *six feet and six inches;*

Aig an àm sin, 's e an duine a bu làidire a chleachdadh claidheamh a bhiodh air a thaghadh mar cheannard an airm. Bha dithis Èireannach ann a bha an dùil gur iadsan a rachadh a thaghadh. Ach bha smuain eile aig Alasdair Mac Cholla. "Dè an gàirdean as làidire a th' ann?" dh'fhaighnich na h-uaislean. "Seo e!" dh'èigh Alasdair agus tharraing e a chlaidheamh às a thruaill le a làimh dheis.

's e an duine a bu làidire a chleachdadh claidheamh a bhiodh air a thaghadh: *it was the strongest man who would wield a sword who would be chosen;* **gàirdean:** *arm;* **tharraing e a chlaidheamh às a thruaill:** *he drew his sword from its scabbard;*

"Is càite a bheil an ath ghàirdean as làidire?" dh'fhaighnich na h-uaislean. "Seo e!" dh'èigh Alasdair, agus chuir e a chlaidheamh na làimh chlì; bha e ciotach, cuimhnich. Cha robh duine deònach a dhol na aghaidh agus chaidh Alasdair a thaghadh mar cheannard an airm.

uaislean: *nobles;*

Marcais Mhontròis: *The Marquis of Montrose;* **choisinn X cliù dha fhèin:** *X won a reputation for himself;* **taobh a-staigh bliadhna:** *within a year;* **batailean:** *battles;* **Allt Èireann:** *Auldearn;* **Inbhir Lòchaidh:** *Inverlochy;* **Loch Abar:** *Lochaber;*

Dh'obraich e fhèin agus Montròs, Marcais Mhontròis, còmhla ann an arm an Rìgh, agus choisinn Alasdair cliù dha fhèin, gu h-àraidh am measg nan Gàidheal Caitligeach, mar fhear de na gaisgich a bu làidire a bh' ann a-riamh. Taobh a-staigh bliadhna rinn iad a' chùis air arm muinntir a' Chùmhnaint sia tursan, agus tha mòran fhathast a' cuimhneachadh dhà de na batailean sin – aig Allt Èireann, gu sear air Inbhir Nis, agus ann an Inbhir Lòchaidh ann an Loch Abar.

tarsainn bealaich àrda: *across high passes;* **gun fhiosta do X:** *with X completely unaware;*

Ghabh Blàr Inbhir Lòchaidh àite ann am meadhan a' gheamhraidh às dèidh do dh'arm Mhontròis a dhol gu cabhagach tarsainn bealaich àrda anns na beanntan. Thàinig iad a-mach às na beanntan gun fhiosta do dh'arm nan Caimbeulach, agus rinn iad a' chùis orra gu furasta. Chaill na Caimbeulaich mìle is trì cheud duine air an latha sin.

Bha sin ann an sia ceud deug, dà fhichead 's a còig (1645), an dearbh bhliadhna 's a fhuair Colla a-mach às a' phrìosan. Cha b' fhada gus an robh Colla a' toirt taic do dh'Alasdair **ged a bha e a-nise gu math sean.**

thàinig saoghal an dithis gu crìch: *the lives of the two men came to an end;* **chaidh a chrochadh:** *he was hanged;* **Cinn Tìre:** *Kintyre;*

Thàinig saoghal an dithis gu crìch anns an aon bhliadhna, dìreach dà bhliadhna às dèidh Blàr Inbhir Lòchaidh. Fhuair na Caimbeulaich grèim air Colla, agus chaidh a chrochadh air cnoc gu tuath air an Òban. Chaill Alasdair batail ann an Cinn Tìre, agus theich e a dh'Èirinn, far an deach a mharbhadh le saighdearan Sasannach.

dìleab mhòr eachdraidheil: *a great historical legacy;* **a chluinnear fhathast:** *which is still heard.*

Dh'fhàg an dithis dìleab mhòr eachdraidheil don Gàidhealtachd, ach tha Alasdair Mac Cholla air a chuimhneachadh cuideachd leis gun do dh'fhàg e seanfhacal dhuinn ann an Gàidhlig, a chluinnear fhathast. Agus innsidh mi sin dhuibh an ath-sheachdain. LTR

Puing-chànain ghràmair na Litreach: **na Pròstanaich a bha an aghaidh Easbaigeachd:** *the Protestants who were against Episcopacy. If you don't know what the Gaelic is for episcopacy, but you do know that* easbaig *means "bishop", it is a fair bet that you will get "episcopacy" by adding* –eachd *to the end of* easbaig; *and even if it is not right, you will probably be understood. Here are some other examples:* draoidh *(druid),* draoidheachd *(sorcery, magic);* fiaclair *(dentist),* fiaclaireachd *(dentistry);* cìobair *(shepherd),* cìobaireachd *(shepherding).*

Gnàths-cainnt na Litreach: **ged a bha e a-nise gu math sean:** *although he was now very old.* Gu math" *is used to strengthen an adjective in a similar way to* uabhasach *(although it is not as strong).* Bha mi gu math toilichte *(I was pretty pleased);* bha Seumas gu math sgìth an dèidh latha anns a' mhonadh *(James was very tired after a day on the hill).*

LITIR 35 *(Am Faoilleach 2000)*

A famous Gaelic proverb was created at the Battle of Auldearn in 1645 ...

Tha seanfhacal againn ann an Gàidhlig a tha trì cheud, leth-cheud 's a còig bliadhna a dh'aois agus a tha ri chluinntinn fhathast. Tha fios againn, co-dhiù ma chreideas sinn beul-aithris, cuine is càite a chaidh a chruthachadh, agus, gu dearbh, cò e a chruthaich e. ***'S truagh nach bu cheàird gu lèir sibh an-diugh.***

cuine is càite a chaidh a chruthachadh: *when and where it was created;*

'S e Alasdair Mac Cholla Chiotaich, an gaisgeach Gàidhealach a bha a' sabaid ri taobh Mhontròis, a thuirt na faclan sin, aig Blàr Allt Èireann ann an 1645. A rèir choltais, bha Alasdair ann am fìor chunnart a bheatha, agus e air a chuairteachadh le nàimhdean. Chunnaic fear eile, **ceàrd** air an robh Stiùbhart mar ainm, agus a bhuineadh do dh'Athall ann an Siorrachd Pheairt, an staing anns an robh Alasdair agus ruith e ga ionnsaigh airson a chuideachadh. Bha e cho teòma leis a' chlaidheamh mhòr aige 's gun do theich na saighdearan a bha a' toirt ionnsaigh air Alasdair.

Blàr Allt Èireann: *the Battle of Auldearn;* **bha X ann am fìor chunnart a bheatha:** *X was in real danger of (losing) his life;* **Athall:** *Atholl;* **Siorrachd Pheairt:** *Perthshire;* **Stiùbhart, Stiùbhartach:** *Stewart;* **staing:** *difficulty (lit. ditch);* **ruith e ga ionnsaigh airson a chuideachadh:** *he ran to him to help him;* **bha e cho teòma leis a' chlaidheamh mhòr aige:** *he was so skilful with his claymore;* **theich:** *fled;* **feumaidh sinn cuimhneachadh gun do dh'fhuiling X droch chliù aig an àm:** *we must remember that X suffered from a bad reputation at the time;* **aideachadh:** *admitting;*

Thug Alasdair taing dha agus dh'fhaighnich e dheth cò e agus cò às a bha e. Nise, feumaidh sinn cuimhneachadh gun do dh'fhuiling luchd-siubhail na Gàidhealtachd, no na *ceàrdan* mar a bh' aca orra, droch chliù aig an àm (agus airson ùine mhòr às a dhèidh). Agus nuair a fhuair an dithis cothrom bruidhinn, cha robh an Stiùbhartach deònach innse cò e. Is, gu dearbh, cha robh e deònach aideachadh gur e ceàrd a bh' ann. Ach chùm Alasdair a' faighneachd agus, mu dheireadh, dh'aidich an duine eile gur e ceàrd a bh' ann.

Agus a' tionndadh do na saighdearan eile aige, thuirt Alasdair riutha, "'S truagh nach bu cheàird gu lèir sibh an-diugh." Uill, 's e sin an stòiridh co-dhiù, ged a chì thu an seanfhacal ann an cruth rudeigin diofraichte uaireannan – "'S truagh nach bu cheàird sinn gu lèir an-diugh" mar gu robh Alasdair a' bruidhinn air fhèin a bharrachd air na saighdearan aige. Chan eil e gu diofar. Seasaidh an seanfhacal mar fhianais air a' phàirt a ghabh an luchd-siubhail anns a' bhatail sin, agus ann am mòran tachartasan eile ann an eachdraidh na Gàidhealtachd.

chan eil e gu diofar: *it makes no difference;* **tachartasan:** *happenings;* **fàgamaid X air an dàrna taobh:** *let's leave X aside;*

Ach fàgamaid Alasdair Mac Cholla agus an luchd-

bu mhath leam ur n-aire a tharraing: *I would like to draw your attention;* **maorach:** *shellfish;* **a thathar a' dol a dh'àrach ma thèid gu math leotha:** *which will be reared (ie on a shellfish farm) if all goes well;* **cluas-mhara:** *abalone (lit. sea-ear);* **cha mhòr gu bheil:** *there is hardly;* **blasta:** *tasty;*

tha deagh theans ann: *there is a good chance;* **cha d' fhuair mi lorg air:** *I have not (did not) found it;*

tha an t-slige a' coimhead coltach ri cluas: *the shell looks like an ear;*

bu toigh leam soraidh a leigeil leibh: *I would like to bid you farewell.*

siubhail air an dàrna taobh. Bu mhath leam ur n-aire a tharraing do dh'aithris ann am pàipear-naidheachd o chionn ghoirid mu dheidhinn maorach a thathar a' dol a dh'àrach ann an Alba, ma thèid gu math leotha – a' chluas-mhara. Chaidh feadhainn àrach ann an Loch nan Uamh, faisg air Mòrar, agus chaidh glè mhath dhaibh a dh'aindeoin 's gur ann do dhùthchannan nas blàithe a bhuineas iad. Agus carson a tha mi cho toilichte mu dheidhinn na naidheachd seo? Uill, cha mhòr gu bheil biadh sam bith eile ri fhaighinn a tha cho blasta ris a' chluais-mhara.

Tha deagh theans ann nach bi sibh eòlach air ainm a' chreutair seo, agus gu dearbh, cha d' fhuair mi lorg air ann am faclair Albannach sam bith. Ach canaidh na h-Èireannaich cluas-mhara ris, agus ann an corra chànan eile, 's e sin a tha an t-ainm a' ciallachadh. Agus chanainn gur e sin an t-ainm as ciallaiche a dh'fhaodadh a bhith againn anns a' chànan againn fhèin. Tha an t-slige, agus chan eil ann ach an aon tè, a' coimhead coltach ri cluas. Ann am Beurla 's e *abalone* a chanas iad ris, mar is trice, ach cluinnidh tu *ear shell* ann an corra àite cuideachd.

Innsidh mi tuilleadh dhuibh mu dheidhinn na cluaise-mara anns an ath litir, ach bu toigh leam soraidh a leigeil leibh an t-seachdain sa le fuaim … Dè an ceangal a th' ann eadar a' chluas-mhara agus am fuaim seo? Airson faighinn a-mach, bithibh anns an èisteachd an ath-sheachdain! (LTIR)

<u>Puing-chànain na Litreach</u>: *The word for a tinker,* **ceàrd** *(see note on pejoration below) is related to that for a smithy,* ceàrdach. *Both are related to* ceàird, *a trade, profession or craft.* Ceàrd *can also mean a smith eg* ceàrd-òir *(goldsmith),* ceàrd-airgid *(silversmith),* ceàrd-staoin *(tinsmith). Travellers traditionally worked on tin and other metals and the name* ceàrd *(pl.* ceàrdan, ceàrdannan*) stuck. A* ceàrdach *is a place where the* ceàrd *(ie the smith) carries out his work. You will sometimes hear trades unions referred to as* aonaidhean-ciùird, *employing a genitive form of* ceàird.

<u>Seanfhacal na Litreach</u>: **'S truagh nach bu cheàird gu lèir sibh an-diugh**: *it's a pity you were not all tinkers today.* Ceàird *is an old plural form and is lenited after* nach bu *(as in* cha bu mhise *– it was not me). The reason for Alasdair Mac Cholla making the statement is explained in the Litir. It should be noted that the word* ceàrd *(as with the English "tinker") is seen as somewhat pejorative today and that* neach-siubhail *or* luchd-siubhail *(traveller, travellers) is preferred.*

LITIR 36

(Am Faoilleach 2000)

Ruairidh introduces us to the Tasmanian Devil …

greannach: *ill-tempered;* **nach ist thu!:** *won't you be quiet!;* **diabhal, diabhlaidh:** *devil, devilish;* **cuiridh mi geall:** *I bet;*

O gabhaibh mo leisgeul. Uill, cha b' e mise a bha a' dèanamh an fhuaim, greannach 's ged a tha mi uaireannan. … Nach ist thu! … Tha sin nas fheàrr. Tha e air ais na bhogsa a-nise mar bu chòir.

Nach e fuaim diabhlaidh a bh' ann? Agus dè am beathach a bha ga dhèanamh? Uill, cuiridh mi geall nach eil mòran agaibh air a leithid fhaicinn, no a chluinntinn, a-riamh, leis nach eil e ri lorg ach ann an aon eilean air an t-saoghal, agus tha sin fad' air falbh o Bhreatainn. Agus timcheall an dearbh eilein, tha am maorach air an robh mi a' bruidhinn an t-seachdain sa chaidh, a' chluas-mhara, no *abalone*, gu math pailt. (Bidh sibh a' cuimhneachadh gu bheilear a' smaoineachadh mun chluas-mhara àrach ann an Alba.) Agus dè an t-eilean a th' ann far a bheil an dà chuid seo? Uill, àite air a bheil mi fhìn gu math eòlach, leis **gu robh mi a' fuireach ann iomadach bliadhna** – Tasmania.

timcheall an dearbh eilein: *around that very same island;* **maorach:** *shellfish;* **cluas-mhara:** *abalone;* **an dà chuid seo:** *both these things;*

'S e am beathach greannach mamail beag ris an canar an Diabhal Tasmàinianach, no *Tasmanian Devil*. Ged a bha e uaireigin ri lorg air tìr-mòr Astràilia, chan fhaighear a-nise e ach ann an Tasmania fhèin. Tha e dubh, le ceann mòr is fiaclan biorach. Agus tha e beag, cho mòr ri cù *corgi*. Ach **cha bhiodh a' Bhanrigh a' coimhead cho rìoghail le diabhal na cois 's a tha i le corgi**, chanainn! 'S dòcha gum faigheadh i barrachd spèis, ge-tà, ann an dùthchannan eile nuair a bha i a' tadhal orra! Faodaidh an diabhal a bhith gu math fiadhaich.

mamail: *mammal;* **tìr-mòr Astràilia:** *the mainland of Australia;* **biorach:** *sharp;* **cho mòr ri cù corgi:** *as big as a corgi dog;* **spèis:** *respect;* **faodaidh an diabhal a bhith gu math fiadhaich:** *the (Tasmanian) devil can be pretty wild;* **cèidse:** *cage;* **sù:** *zoo;* **airson a ghuth a chlàradh le inneal-clàraidh is maicreafòn:** *to record its (masc) voice with a recording device and microphone;* **bu chòir dhut a bhith sàbhailte:** *you should be safe;* **ma stadas tu, bidh an**

O chionn bliadhna bha mi ann an cèidse mhòr, ann an sù, ann an Tasmania, còmhla ri diabhal airson a ghuth a chlàradh le inneal-clàraidh is maicreafòn. "Cum a dol a ghluasad," thuirt am fear-stiùiridh rium, "bu chòir dhut a bhith sàbhailte mar sin."

"Bu chòir?" dh'fhaighnich mi. Cha robh mi ro chinnteach co-dhiù bu chòir dhomh bhith anns a' chèidse idir.

"O, aidh," ars am fear eile, "ach ma stadas tu, bidh an diabhal a' smaoineachadh gur e ablach a th' annad."

diabhal a' smaoineachadh gur e ablach a th' annad: *if you stop, the devil will think you are carrion (but* ablach *can also be used as an extremely impolite term for another human being, hence the following sentence which is a joke at my own expense);* **ablaich is closaichean:** *carrion and carcases;* **a h-uile corrag is òrdag agam:** *all of my fingers and toes;* **leathar:** *leather;*

fo ìsle-mhara: *below low tide mark;* **dàibheadh:** *diving;* **snorgal:** *snorkel;*

an ceum as duilghe: *the most difficult step;* **còcaireachd:** *cooking;* **pronnadh:** *bashing (to tenderize);* **ròstadh:** *roasting;*
cho cruaidh ri leathar: *as tough as leather.*

"Dìreach mar mo charaidean aig an taigh," smaoinich mi rium fhìn.

"'S e ablaich is closaichean as motha a dh'itheas iad," thuirt am fear-stiùiridh rium. "Feòil nach eil a' gluasad, 's e biadh a th' ann dhaibh. Na stad!"

Uill, ghabh mi a chomhairle agus tha mi ann an seo fhathast, agus a h-uile corrag is òrdag agam cuideachd. Tha iad gu math measail, na diabhalan, air corragan dhaoine, mar a tha iad air an leathar a gheibhear ann am brògan. Ach 's fheàrr leamsa, feumaidh mi ràdh, na cluasan-mara. Tha an diabhal a' fuireach anns na coilltean; tha a' chluas-mhara ri lorg faisg air làimh air creagan anns a' mhuir, faisg air a' chladach ach fo ìsle mhara. Feumaidh tu dàibheadh air an son le snorgal.

Ach tha iad furasta gu leòr fhaighinn. Cha leig thu leas ach sgian a thoirt leat airson am faighinn far nan creag. Agus chan eil iad a' sabaid air ais mar a bhiodh diabhal.

Ach a-nise an ceum as duilghe – an còcaireachd. Feumaidh tu an fheòil a phronnadh is an uair sin a ròstadh gu math sgiobalta. Ma nì thu gu ceart e chan eil biadh nas fheàrr ann. Ach ma ròstas tu ro fhada i, thig i a-mach cho cruaidh ri leathar. Gun fheum sam bith do dhuine – ach 's dòcha fhathast na bhiadh math do dhiabhal dubh acrach greannach ann an coilltean Thasmania. LTR

<u>Puing-chànain na Litreach</u>: **[bha] mi a' fuireach ann iomadach bliadhna:** *I was living there (for) many years. In many instances plural concepts in Gaelic involve the use of the singular form of the noun, where the plural form is used in English. A good example is* iomadach *(or* iomadh) bliadhna. *Similarly,* corra uair *(on some occasions). Other examples are* fichead turas *(twenty times), NOT* fichead tursan; dà fhichead duine *(forty men), NOT* dà fhichead daoine; mìle beannachd *(a thousand blessings), NOT* mìle beannachdan. *The same applies to* cia mheud? *(how many?)* Cia mheud gille a chunnaic thu? (how many lads did you see?).

<u>Gnàths-cainnt na Litreach</u>: **Cha bhiodh a' Bhanrigh a' coimhead cho rìoghail le diabhal na cois 's a tha i le corgi:** *the Queen would not look as royal with a devil along with her as she does with a corgi. This is one of the idiomatic uses of* cas *which we looked in Litir 13.* Na cois *literally means "at her foot", but it can be used to mean "in her company, along with her". For a male person, we say* na chois. Chunnaic mi an Rìgh agus bha cù na chois *(I saw the King and he had a dog with him). The plural is* nan cois. Bha trì coin nan cois *(they had three dogs with them.)*

LITIR 37

(An Gearran 2000)

Here are Gaelic names for the fingers …

Tha e iongantach na th' ann de dh'ainmean, ann an Gàidhlig, airson corragan-làimhe agus corragan-coise. Tha mi an dòchas gu bheil sibh a' tuigsinn gu bheil mi a' ciallachadh *fingers* agus *toes*. 'S dòcha, gu ruige seo, gu bheil sibh air *corrag* a chluinntinn airson *finger* agus *òrdag* airson *toe* ach chan eil e cho sìmplidh sin.

tha e iongantach na th' ann de dh'ainmean: *it is surprising how many names there are;*

Faodaidh corrag a bhith a' ciallachadh tè de na meòir-làimhe no tè de na meòir-choise. Tuigidh sibh gu bheil *meur* cuideachd a' ciallachadh *finger* no *toe*. Ach **chan ionann e do na meòir reamhar** aig taobh do làimhe no aig taobh do choise. 'S e am facal a th' againn airson sin *òrdag*. Tha òrdag a' ciallachadh *thumb* no *big toe*. Ordag-làimhe no òrdag-coise.

meur: *finger, toe, branch;* **meòir** (also **meuran**): *fingers, toes, branches;* **reamhar:** *fat, thick;* **seallamaid:** *let us look;* **tòisicheamaid:** *let us start;* **fàinne:** *ring (for finger);* **a' tilleadh:** *returning;* **rannan cloinne:** *children's (nursery) rhymes.* **na diofar ainmean:** *the different (varied) names;* **mar a theirear ann am Beurla:** *as is said in English;*

'S dòcha gur e an rud as inntinniche a th' ann mu dheidhinn nan ainmean a th' againn airson òrdagan is corragan ann an Gàidhlig na diofar ainmean a th' air na corragan-làimhe. Seallamaid orra. Tòisicheamaid leis an òrdaig. An ath chorrag, am *first finger* mar a theirear ann am Beurla, 's e sin an *sgealbag* no *sgolbag* no *sgolabag* no *sgolagag* no *calgag*! Tha fhios gu bheil ainmean eile ann air a son cuideachd.

Tha an dearbh rud fìor mu dheidhinn nan corrag eile. Tha tòrr ainmean ann air gach tè nuair a choimheadas tu air feadh Gàidhealtachd na h-Alba. A' chorrag mhòr anns a' mheadhan, mar eisimpleir. 'S e sin *meur a' mheadhain* no *fionna-fad* neo, mar a dh'ionnsaicheas pàistean ann an cròileagain i san latha an-diugh, *Fionnlagh Fada* no *Màiri Fhada*. Agus tha i fada, nach eil — nas fhaide na na corragan eile.

tha an dearbh rud fìor: *the very same thing is true;* **tha tòrr ainmean ann air gach tè nuair a choimheadas tu air feadh Gàidhealtachd na h-Alba:** *each one (fem) has many names when you look throughout the Scottish Gàidhealtachd;*

A' gluasad don ath chorraig – am meur air am bi cuid a' cur fàinne - 's e sin *mac-an-aba*. Ach chan eil càil a dh'fhios agam carson is e mac-an-aba a th' oirre. Ann an cuid de dh'àiteachan 's e *màthair na lùdaig* a th' oirre oir 's e *an lùdag* no *lùdan* a chanas sinn ris a' chorraig mu dheireadh, an tè as lugha. An lùdag bheag.

Nise, an e pàrant a th' annaibh? A bheil ur clann òg is

an e pàrant a th' annaibh?: *are you a parent?;*

seo rann a bhios feumail dhuibh ... agus a chòrdas ris a' chloinn: *here is a verse (nursery rhyme) which will be useful to you ... and which the children will enjoy;* **a' cantainn na rainn:** *saying the verse;* **seo an tè a leag an sabhal:** *this is the one that demolished the barn;* **seo an tè a ghoid na sìl:** *this is the one that stole the seeds;* **seo an tè a sheas ag amharc:** *this is the one that stood and watched;* **seo an tè a ruith air falbh:** *this is the one that ran away;* **seo an tè bheag a b' fheudar dhi a phàigheadh air fad:** *this is the little one that had to pay for it all;*
bidh sibh eòlach air tè dhiubh sin: *you will know one of them;* **ma tha sibh nur ball de:** *if you are a member of;*

anns an t-seagh sin: *in that sense;*

a bheil Gàidhlig aca? Tha mi an dòchas gu bheil! Uill, seo agaibh rann a bhios feumail dhuibh, tha mi an dùil, agus a chòrdas ris a' chloinn. Bidh sibh a' tòiseachadh leis an òrdaig agus a' dol a dh'ionnsaigh na lùdaig, a' togail gach corraig ann an òrdugh agus a' cantainn na rainn aig an aon àm.

Seo mar a tha e a' dol: *Seo an tè a leag an sabhal, seo an tè a ghoid na sìl, seo an tè a sheas ag amharc, seo an tè a ruith air falbh, is seo an tè bheag a b' fheudar dhi a phàigheadh air fad.*

Canaidh mi a-rithist e: Seo an tè a leag an sabhal, seo an tè a ghoid na sìl, seo an tè a sheas ag amharc, seo an tè a ruith air falbh, is seo an tè bheag a b'fheudar dhi a phàigheadh air fad.

Tha e math na rannan cloinne sin a chumail a dol, nach eil? Ach bu mhath leam ur fàgail an t-seachdain sa le bhith a' tilleadh don fhacal *meur.* Tuigidh sibh gu bheil e a' ciallachadh corrag, ach tha ciall no dhà eile aige cuideachd, agus bidh sibh eòlach air tè dhiubh sin ma tha sibh nur ball dhen Chomunn Ghàidhealach. Tha an Comunn air a dhèanamh suas le diofar mheòir, no *branches*, ann an diofar sgìrean. Chì sibh meòir cuideachd air craobhan, leis gu bheil e a' ciallachadh *branches* anns an t-seagh sin cuideachd.

Ach tha facal eile ann airson meur craoibhe, agus bheir sinn sùil air a sin, agus air rann shnog eile do chloinn, an ath-sheachdain.

LTIR

<u>Puing-chànain na Litreach</u>: *Do you notice how* òrdag, corrag *and* lùdag *often ended up, in the Litir, with –*aig *endings? This slenderisation happens in both the dative singular and genitive singular cases. The dative (the case used with simple prepositions) changes in this manner because all three words are feminine (a common feature of words which end in –*ag*). For example,* a' gluasad don ath chorraig *(moving to the next finger);* a chanas sinn ris a' chorraig mu dheireadh *(which we call the last finger);* bidh sinn a' tòiseachadh leis an òrdaig *(we will start with the thumb). The genitive occurs in the following examples:* màthair na lùdaig *(lit. the mother of the little finger);* a dh'ionnsaigh na lùdaig *(towards the little finger; the genitive follows a compound preposition);* a' togail gach corraig *(lifting each finger; the genitive follows a verbal noun).*

<u>Gnàths-cainnt na Litreach</u>: **chan ionann e (do na meòir reamhar):** *it is not the same (for the fat digits).*

LITIR 38

(An Gearran 2000)

Here's a good rhyme to teach children how to count to ten ...

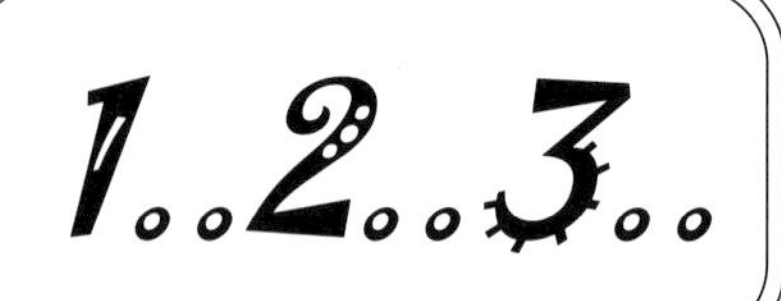

gheall mi ... gun toirinn dhuibh: *I promised that I would give you;* **meur craoibhe, geug:** *branch;*

rann cunntaidh: *a counting rhyme;*

a' ruith 's a' leum air feadh a' ghàrraidh: *running and jumping throughout the garden;* **gus am fàs sinn sgìth:** *until we get tired;*
togaidh sinne bothan beag: *we will build a little bothy;*

slat: *rod;* **sreang:** *string;*

facal brèig: *a lie (untruth);*
gun do chunnt mi fichead starrag: *that I counted twenty hoodies;*
a' mothachadh: *noticing;*
mar a bhiodh nàdarrach dhomh: *as would be natural for (to) me;*

fèath: *calm weather;*

Gheall mi dhuibh an t-seachdain sa chaidh gun toirinn dhuibh facal eile airson meur craoibhe. Uill seo e: *geug.* Thuirt mi cuideachd gun innsinn dhuibh rann shnog a bhios freagarrach do chloinn, a bharrachd air luchd-ionnsachaidh na Gàidhlig. Seo e a-nise, agus **cumaibh cluas ri claisneachd** airson an fhacail *geug.* 'S e rann cunntaidh a th' ann, agus tha e a' tòiseachadh le aon agus a' dol suas gu aon-deug.

Aon, dhà, trì, an cat, an cù 's mi fhìn
A' ruith 's a' leum air feadh a' ghàrraidh
Gus am fàs sinn sgìth.

Ceithir, còig, sia, uisge no gaoth no fèath,
Togaidh sinne bothan beag
Le clachan agus crèadh.

Seachd, ochd, naoi, gheibh mi slat is sreang,
'S thèid mi dh'iasgach anns an abhainn
Gus an tig an oidhch'.

Deich is a h-aon deug, chan e facal brèig
Gun do chunnt mi fichead starrag
Is iad nan suidhe air geug.

Bidh sibh a' mothachadh gun tuirt mi "a h-aon deug" is chan e "a h-aon deug" mar a bhiodh nàdarrach dhomh. Rinn mi sin gus am biodh e a' dèanamh rann le *brèig.* Ach ann an cuid de dh'àiteachan, leithid Earra-Ghàidheal, 's e sin a chanas na daoine gu nàdarrach co-dhiù. Aon-deug, dhà-dheug, trì-deug is mar sin air adhart. Agus an àite *sia*, canaidh iad *sè.* Airson sia-deug, canaidh iad sè-deug. Ach na gabhaibh dragh. Tuigidh daoine air feadh na Gàidhealtachd thu ma chanas tu "sia-deug".

Chan eil fhios a'm am bi sibh eòlach air an fhacal *fèath.* Chan eil e uabhasach feumail aig an àm seo dhen

ro-shealladh na h-aimsir: *the weather forecast;* **bidh i na fèath an-diugh:** *it will be calm today;* **'s truagh nach eil sinn ga chluinntinn nas trice:** *it's a pity we don't hear it more often;*

cruth: *form;*

nas luaithe: *faster;*

an do mhothaich sibh X?: *did you notice X?;* **aig an fhìor dheireadh:** *at the very end;* **ann an cuid de chèarnaidhean na Gàidhealtachd:** *in some parts of the Gàidhealtachd;* **stòiridh:** *story;* **nuair a thig sibh tarsainn air:** *when you come across;* **thoiribh an aire:** *be careful (look out);* **'s dòcha nach tuig an luchd-leughaidh gu robh sibh dìreach a' gabhail fois ann an coille:** *perhaps the readers will not understand that you were just resting in a wood.*

bhliadhna! Tha e a' ciallachadh aimsir chiùin, nuair nach eil gaoth ann. Ma dh'èisteas sibh ri ro-shealladh na h-aimsir, no na sìde, air na programan naidheachd air Radio nan Gàidheal, cluinnidh sibh rudan mar "Bidh i na fèath an-diugh", a' ciallachadh nach bi gaoth mhòr sam bith ann. 'S truagh nach eil sinn ga chluinntinn nas trice!

Tha mi cinnteach gum bi sibh eòlach, ge-tà, air an fhacal *bothan*. Tha amharas agam gun tàinig e bhon fhacal Beurla *booth* bho thùs mar *both*. Bothan – both beag. Tha e fhathast againn ann an cruth rudeigin eadardhealaichte mar *bùth*, ach tha bothan, a rèir choltais, air a dhol air ais don Bheurla a-rithist mar *bothy*.

Seo an rann a-rithist, beagan nas luaithe an turas seo:

Aon, dhà, trì, an cat, an cù 's mi fhìn etc ...

An do mhothaich sibh am facal *geug*, aig an fhìor dheireadh? Agus dè bha oirre? Fichead starrag. 'S e a th' ann an starrag eun mòr dubh is glas. Canaidh feadhainn feannag ghlas ris no *hooded crow* ann am Beurla. Cluinnidh tu "Starrag" mar fhrith-ainm no far-ainm air daoine ann an cuid de chèarnaidhean na Gàidhealtachd.

Ach ma tha thu a' leughadh seann stòiridh no bàrdachd Ghàidhlig, bithibh faiceallach nuair a thig sibh tarsainn air an fhacal "geug". A bharrachd air *branch*, tha e, no bha e, cuideachd a' ciallachadh "boireannach òg bòidheach". Is ma tha sibh a' sgrìobhadh bàrdachd sibh fhèin, thoiribh an aire. Ma sgrìobhas sibh gu robh sibh nur "laighe fo gheugan brèagha", 's dòcha nach tuig an luchd-leughaidh gu robh sibh dìreach a' gabhail fois ann an coille air latha samhraidh!

<u>Puing-chànain na Litreach</u>: **Is iad nan suidhe air geug:** *who were sitting on a branch. Using* agus *(abbreviated as* is*) allows you to avoid the full verbal form which, in this case, would have been* "a bha nan suidhe air geug". *Here are other examples:* chunnaic mi dà bhò, agus cuileagan timcheall orra *(I saw two cows which were surrounded by flies);* bha an car air stad, agus e air ruith a-mach à peatrail *(the car had stopped because it had run out of petrol).*

<u>Gnàths-cainnt na Litreach</u>: **cumaibh cluas ri claisneachd:** *keep your ears open (lit. keep your ear to hearing).*

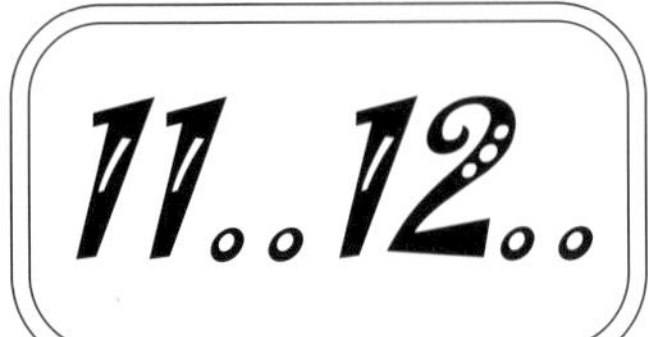

LITIR 39

(An Gearran 2000)

A counting rhyme from 11 to 20 ...

Bidh sibh a' cuimhneachadh, **thairis air a' cheala-deug a dh'fhalbh**, gun tug mi dà rann cloinne dhuibh. Tha mi a' dol a chur crìoch air an t-sreath an-diugh le rann cunntaidh eile. Tha an tè seo gar toirt suas bho dhà-dheug gu fichead. Agus mar a rinn mi an t-seachdain sa chaidh, 's e "deug" a chanas mi an àite "deug". Seo e:

Dhà-dheug agus trì-deug,
fhuair na mèirlich fìor-leug
nuair a bhris iad a-steach don chaisteal
ann am baile Strìmeig.

Ceithir-deug 's a còig-deug,
cheannaich Iain bò bheag;
fhuair e ìm is gruth is bàrr
is dh'òl na cearcan tòrr mèig

Sia-deug agus seachd-deug,
dheasaich Anna breacag.
Thugadh i air falbh on bhòrd.
Cò ghoid i? Cha robh beachd aic'.

Ochd-deug, naoi-deug, fichead,
thall air cùl an lios ud
fhuaireadh nead le uighean gorm -
's mòr mo dhèidh nach bris iad.

Bheir sinn sùil air cuid de na faclan anns an rann. 'S e a th'ann am *fìor-leug* rudeigin beag prìseil mar dhaoimean no seud de sheòrsa eile. Uaireannan 's e dìreach *leug* a chì sibh agus, ann am bàrdachd, bidh e uaireannan a' ciallachadh boireannach brèagha. Ach chan eil càil a dh'fhios agam ca 'il baile Strìmeig, is cha d' fhuair mi lorg air air map sam bith. 'S dòcha nach eil e ann an àite sam bith ach anns an inntinn fhèin.

Tha an dàrna earrann a-mach air obair a' bhainne. Às dèidh dha a' bhò a cheannach, fhuair Iain ìm is gruth is

tha mi a' dol a chur crìoch air: *I am going to finish;* **tha [i] gar toirt suas bho X gu Y:** *it takes us up from X to Y;* **an t-seachdain sa chaidh:** *last week;*

mèirlich: *burglars, robbers;* **fìor-leug, leug, seud:** *jewel, precious stone;* **nuair a bhris iad a-steach don chaisteal:** *when they broke into the castle;*
cheannaich: *bought;*
dh'òl na cearcan tòrr mèig: *the hens drank much whey;*

dheasaich: *prepared, cooked;* **thugadh i air falbh on bhòrd:** *it was taken away from the table;* **cò ghoid i?:** *who stole it?;* **cha robh beachd aice:** *she didn't know (she didn't have an opinion);* **thall air cùl an lios ud:** *over behind yonder garden;* **fhuaireadh nead le uighean gorm(a):** *a nest was obtained with blue eggs (in it);* **'s mòr mo dhèidh nach bris iad:** *great is my desire that they shall not break;* **daoimean:** *diamond;* **uaireannan:** *sometimes;*
chan eil càil a dh'fhios agam ca 'il X: *I have no idea where X is;* **inntinn:** *mind;*

bàrr. 'S e a th'ann an *gruth* an stuth tiugh geal a gheibhear nuair a dh'atharraicheas bainne, no nuair a bhinndicheas e. Tha gruth a' ciallachadh *curds.* 'S e a' Ghàidhlig air *curdling binndeachadh.* Agus tha fhios agaibh dè tha bàrr a' ciallachadh, nach eil? An rud a thig am bàrr, a thig suas don uachdar. Ann am bainne, **'s e an rud a thig am bàrr** – am bàrr – no mar a theirear ann am Beurla, *the cream.* Agus 's e facal cumanta eile air a shon *uachdar.*

tiugh: *thick;*

nuair a bhinndicheas e: *when it curdles;*

mar a theirear ann am Beurla: *as is said in English;*

Ach dè mu dheidhinn an fhacail *mèag*? 'S e sin an stuth a th' air fhàgail nuair a chuireas tu an gruth air an darna taobh. *Whey*, mar a theirear ann am Beurla – mèag no meug no meòg.

dè mu dheidhinn?: *what about?;* **nuair a chuireas tu an gruth air an dàrna taobh:** *when you discard the curds;*

Agus dheasaich Anna *breacag.* 'S e sin cèic no bonnach no *pancake*. Agus an loidhne mu dheireadh - 's mòr mo dhèidh nach bris iad. Tha sin a' ciallachadh gu bheil mi ag iarraidh gu mòr nach bris na h-uighean gorma anns an nead. Canaidh mi an duan air fad a-rithist, beagan nas luaithe na 'n turas mu dheireadh:

duan: *ditty.*

Dhà-dheug agus trì-deug,
fhuair na mèirlich fìor-eug etc...

Agus is mòr mo dhèidh, ma tha sibh nur pàrant, gum feuch sibh ris na rannan a thug mi dhuibh ionnsachadh is gun innis sibh do ur cuid cloinne iad nuair a tha iad aig an aois cheart. Nuair a smaoinicheas sibh air duain Bheurla mar "four and twenty blackbirds" agus an spòrs a ghabh sibh le sin nuair a bha sibh òg, nach biodh e math an aon seòrsa spòrs a bhith aig ur cloinn le Iain 's a bhò agus na mèirlich a ghoid an fhìor-leug agus a' bhreacag. Beannachd leibh.

ma tha sibh nur pàrant: *if you are a parent;*

nach biodh e math an aon seòrsa spòrs a bhith aig ur cloinn: *wouldn't it be good for your children to have the same type of fun;*

LTR

<u>Puing-chànain na Litreach</u>: **Thairis air a' cheala-deug a dh'fhalbh:** *over the past fortnight (ie the fortnight that left).* Ceala-deug *is a corruption of* ceithir latha deug *(14 days) and is more commonly used in speech than the equivalent* dà sheachdain *(2 weeks). Another equivalent form is* cola-deug *which is a corruption of* còig latha deug *(15 days), although today it means the same as* ceala-deug. Càite am bi thu an ceann ceala-deug? *(where will you be in a fortnight's time?).*

<u>Gnàths-cainnt na Litreach</u>: **'s e an rud a thig am bàrr ... :** *the thing that comes to the surface is...* Bàrr *has many meanings but this is a common one. It can also be used conceptually eg* Thàinig e am bàrr an-raoir gu robh X ri cealg *(it became known last night, ie it came to the surface, that X was involved in deceit).*

LITIR 40

(An Gearran 2000)

Who was the first man from Scotland to reach North America ...?

a chòrd rium glan: *which I enjoyed immensely;*

Lochlannaich: *Vikings (or modern Scandinavians);* **tràillean:** *slaves;* **Ameireaga a Tuath:** *North America (Ameireagaidh in dative);* **stòiridh:** *story;* **chan urrainn a bhith cinnteach às a sin:** *one can't be certain of that;* **Albannach air choreigin:** *some Scot or other;* **bàta Naoimh Bhriannain:** *St Brendan's boat;* **Arcaibh:** *Orkney;*

dh'fhaodamaid: *we could;*

chaidh Iarla a dhèanamh dheth: *he was made an Earl;*

thar a' chuain le dusan long: *over the ocean with a dozen ships (*thar commands the genitive*);* **Alba Nuadh:** *Nova Scotia;* **Eadailteach:** *Italian;* **cala:** *harbour;* **Eilean Cheap Bhreatainn:** *Cape Breton Island;* **nach robhar a' dèanamh às dèidh a' cheathramh linn deug:** *which was not*

Bha mi a' leughadh leabhar an latha eile a chòrd rium glan. **Leabhar do chloinn a th' ann**, air a bheil *Sràid na h-Eala*. Chaidh a sgrìobhadh le Mairi Anna NicDhòmhnaill agus tha e mu dheidhinn dithis chloinne a th' air an toirt air falbh o Alba le Lochlannaich anns an t-seann aimsir. Tha iad nan tràillean agus tha iad a' dol a dh'Ameireagaidh a Tuath leis na Lochlannaich.

Chan eil an stòiridh fìor, ach nan robh, 's dòcha gur e a bh' annta a' chiad fheadhainn às Alba a chaidh a-riamh a dh'Ameireagaidh. Ach chan urrainn a bhith cinnteach às a sin. 'S dòcha gu robh Albannach air choreigin am measg nan Gàidheal Èireannach air bòrd bàta Naoimh Bhriannain fada ro linn nam maraichean Lochlannach.

Ach **tha cuid a' cumail a-mach** gur e a' chiad duine às Alba a chuir a chas air tìr ann an Ameireagaidh a Tuath fear Henry St Clair às Arcaibh. Thuirt mi "a' chiad duine às Alba" seach "a' chiad Albannach" agus innsidh mi dhuibh carson ro dheireadh na litreach.

Dh'fhaodamaid an t-ainm Gàidhealach, Eanraig Mac na Ceàrdaich, a chur air, ach cha b' e Gàidheal a bh' ann, agus mar sin, canaidh mi "Henry St Clair" ris. B' e St Clair Iarla Arcaibh, a' chiad duine air an robh an tiotal sin. Chaidh Iarla a dhèanamh dheth ann an trì cheud deug, trì fichead 's a naoi-deug (1379).

Bha mi ann an Arcaibh o chionn ghoirid agus chuala mi ann an sin mu dheidhinn St Clair. **Tha na h-Arcaich a' cumail a-mach** gun do sheòl e thar a' chuain le dusan long is dhà no thrì cheud duine anns a' bhliadhna trì cheud deug, ceithir fichead 's a h-ochd-deug. Ràinig iad tìr air an taobh thall, agus **thathar a' dèanamh dheth** gur e Alba Nuadh a bh' ann. Ach a bheil fianais sam bith aca?

Uill, beagan. Bha fear Eadailteach còmhla ri St Clair, air an robh Antonio Zen mar ainm, agus sgrìobh e mu dheidhinn a' ghnothaich. Chaidh seann ghunna a lorg ann an cala ann an Eilean Cheap Bhreatainn – gunna de sheòrsa nach robhar a' dèanamh às dèidh a' cheathramh linn deug.

manufactured after the 14th Century;
air an deach ìomhaigh de ridire a shnaigheadh: *on which an image of a knight was engraved;*
Sir Seumas Gunna: *Sir James Gunn;*
a bha càirdeach do: *who was related to;*
cill: *religious cell,chapel;*

arbhar Innseanach: *maize;*

gu ruige Ameireaga: *to America;*

cha mhòr: *almost;*

na bu tràithe: *earlier;* **ri linn:** *in his day;* **smachd:** *control;*
a' smachdachadh: *controlling.*

mas fhìor: *if it's true.*

Thathar a' smaoineachadh gun do chuir St Clair seachad geamhradh ann an Alba Nuaidh mus do sheòl gu deas, gu Massachusetts, agus an uair sin dhachaigh. Faisg air baile Westford ann am Massachusetts tha clach air an deach ìomhaigh de ridire a shnaigheadh. Thathar a' dèanamh dheth gun deach a dhèanamh ann am meadhan a' cheathramh linn deug. Tha cuid a' dèanamh dheth gur e a th' ann Sir Seumas Gunna, fear à Gallaibh a bha càirdeach do Henry St Clair.

Agus ann an Alba, anns an t-seann chill ris an canar an Rosslyn Chapel, faisg air Dùn Èideann, tha ìomhaighean ann de lusan Ameireaganach, a' gabhail a-steach arbhar Innseanach, air an snaigheadh ann an cloich. Ach, agus seo an rud inntinneach, chaidh a' chill a thogail leth-cheud bliadhna mus do sheòl Crìsdean Columbus gu ruige Ameireaga. 'S e treas Iarla Arcaibh a thog i.

Uill, sin e, a rèir nan Arcach. Dìochuimhnich Columbus. Bha Henry St Clair ann cha mhòr ceud bliadhna roimhe. A' chiad duine às Alba a chaidh ann le cinnt, no às Alba mar a tha i an-diugh. Thuirt mi na bu tràithe nach e Albannach a bh' ann. Ri linn bha Arcaibh fhathast fo smachd na Danmhairg, a bha an uair sin cuideachd a' smachdachadh Nirribhidh. Agus cha tàinig na h-Eileanan Arcach fo smachd na h-Alba gus an do ghabh Rìgh Seumas III thairis iad trì fichead bliadhna às dèidh do St Clair a chasan, mas fhìor, a chur air tìr ann an Ameireagaidh a Tuath.

LTR

<u>Puing-chànain na Litreach</u>: **('S e) leabhar do chloinn a th' ann** *(in conversation* 's e *is sometimes left out): it's a book for children. The feminine singular noun* clann (a' chlann) *becomes* cloinn *in the dative.* Do *lenites it, so we get* do chloinn. *With the articles we would get* don chloinn. Thoir seo don chloinn *(give this to the children);* tha beachd aig a' chloinn air a h-uile nì *(the children have an opinion on everything). The Litir also contains the phrase* dithis chloinne *(two children).* Cloinne *(of children) is the genitive form which is used with numerical nouns like* dithis *and* triùir. Bha mi a' teagasg na cloinne *(I was teaching the children);* seo leabhraichean na cloinne *(here are the children's books).*

<u>Gnàths-cainnt na Litreach</u>: **tha na h-Arcaich a' cumail a-mach***: the Orcadians maintain (make out, claim).* Tha cuid a' cumail a-mach *(some people reckon, claim). A common phrase, as is* a' dèanamh dheth, *which has a similar meaning.* **Thathar a' dèanamh dheth** *(it is reckoned).*

LITIR 41

(Am Màrt 2000)

Gaelic tradition, like other cultures, recognises the cleverness of the fox ...

Tha samhla ann an Gàidhlig a chluinnear bho àm gu àm: ***cho carach ris a' mhadadh-ruadh***. No ***cho carach ris an t-sionnach***. Bidh cuimhne agaibh bho Litir eile gu bheil madadh-ruadh agus sionnach a' ciallachadh an aon rud – *fox* ann am Beurla. Tha cliù aig an t-sionnach mar bheathach carach. Tha e doirbh an gnothach a dhèanamh air sionnach.

cliù: *reputation;* **tha e doirbh an gnothach a dhèanamh air:** *it is hard to defeat,take a rise out of;* **beul-aithris:** *oral tradition;*

Sin mar a tha e ann am beul-aithris co-dhiù. Tha mòran seann sgeulachdan ann anns a bheil sionnach a' dèanamh a' ghnothaich air beathach eile. Agus tha e coltach gu bheil beagan dhen fhìrinn ann an cuid aca. Mar eisimpleir, chaidh innse do dh'fhear a bha a' cruinneachadh beul-aithris Ghàidhlig anns an naoidheamh linn deug gum faca seann duine sionnach a' sealg turas ann an loch far an robh lachan gu leòr. Chuir e bad fraoich na bheul, gus nach fhaiceadh na lachan e, agus shnàimh e a-mach gu meadhan an locha. Mar sin, fhuair e am measg nan lachan gun fhiosta dhaibh. An uair sin leig e am fraoch às a bheul, agus mharbh e dà lach. B' esan am balgair!

a' cruinneachadh: *collecting;* **far an robh lachan gu leòr:** *where there were plenty of ducks;* **bad fraoich:** *a clump of heather;* **gus nach fhaiceadh na lachan e:** *so that the ducks wouldn't see him;* **shnàimh:** *swam;* **gun fhiosta dhaibh:** *without their knowledge;* **b' esan am balgair!:** *it's him that was the wily rogue! (but* balgair *also means fox);* **ladarna:** *impudent;* **mì-onarach:** *dishonest;* **deargannan:** *fleas;*

Agus sin facal eile airson sionnach: balgair. Ach tha e cuideachd a' ciallachadh duine a tha carach no ladarna no mì-onarach no dìreach gun fheum. Balgair.

Tha stòiridh eile ann mu dheidhinn an t-sionnaich a tha a' sealltainn cho glic 's a tha e. Bidh na madaidhean sin a' faighinn deargannan orra mar a bhios gach beathach eile dhen t-seòrsa. Agus tha deargannan a' cur dragh mòr air na beathaichean air a bheil iad a' fuireach. Bhiodh na seann daoine ag ràdh gu robh **dòigh shònraichte aig an t-sionnach faighinn cuidhteas iad**. Bhiodh an sionnach a' coimhead timcheall airson pìos clòimhe a thàinig bho chaora. Mar a tha fios agaibh, bidh caoraich a' fàgail clòimh air creagan is gàrraidhean is feansaichean, is air feadh an àite.

airson pìos clòimhe a thàinig bho chaora: *for a piece of wool that came from a sheep;* **ga leigeil fhèin sìos anns an uisge gu slaodach, earball an toiseach:** *immersing himself slowly in water, tail first;* **a' teicheadh:** *fleeing;*

Bhiodh an sionnach a' cur na clòimhe na bheul is a' dol sìos a dh'abhainn. Bhiodh e a' dol a-steach don abhainn, agus ga leigeil fhèin sìos anns an uisge gu slaodach, earball an toiseach. Bhiodh na deargannan a' teicheadh bhon uisge

a dh'ionnsaigh ceann an t-sionnaich: *towards the fox's head;*

suas a dh'ionnsaigh ceann an t-sionnaich. Chumadh an sionnach a' dol ga leigeil fhèin na b' ìsle is na b' ìsle gus nach robh càil os cionn an uisge ach a shròn, a bheul agus am pìos clòimhe. Mu dheireadh, fhad 's a bha sròn an t-sionnaich a' dol fon uisge, leumadh na deargannan air a' chlòimh, leigeadh an sionnach a' chlòimh às a bheul, agus dh'fhalbhadh na deargannan leis an t-sruth, sìos an abhainn. Abair beathach glic!

dh'fhalbhadh na deargannan leis an t-sruth: *the fleas would leave with the current;* **làmh-an-uachdair:** *the upper hand;* **bha foghlam aig a' mhadadh-allaidh:** *the wolf was educated;*

Agus is toigh leam an sgeulachd mun dòigh anns an d' fhuair an sionnach làmh-an-uachdair air a' mhadadh-allaidh. Bha foghlam aig a' mhadadh-allaidh ach cha robh foghlam aig an t-sionnach idir. Agus bha am madadh-allaidh na bu mhotha 's na bu làidire.

an urrainn dhut an t-ainm air crudha an eich a leughadh?: *can you read the name on the horse's shoe?;*

Co-dhiù, latha a bha seo, bha iad air chuairt còmhla agus chunnaic iad each mòr. Thuirt an sionnach ris a' mhadadh-allaidh, "An urrainn dhut an t-ainm air crudha an eich a leughadh?"

"Chan eil fhios a'm," fhreagair am madadh-allaidh, "a bheil ainm air?"

"O, tha," ars an sionnach," agus leis gu bheil foghlam agad, bidh comas agad a leughadh."

na b' fhaisge 's na b' fhaisg' air: *closer and closer to;* **bhreab:** *kicked;* **chan eil mise nam sgoilear agus cha bu toigh leam a bhith:** *I am not a scholar and I wouldn't like to be.*

Chaidh am madadh-allaidh na b' fhaisge 's na b' fhaisg' air an each. Gach turas a thogadh an t-each cas, dh'fheuchadh am madadh-allaidh ris na bha sgrìobhte air a' chrudha a leughadh. Mu dheireadh thall, nuair a bha e ro fhaisg, thog an t-each a chas agus bhreab e am madadh-allaidh air a cheann gu cruaidh. "O," ars an sionnach, "chan eil mise nam sgoilear agus cha bu toigh leam a bhith!"

LTIR

<u>Puing-chànain na Litreach</u>: (bha) **dòigh shònraichte aig an t-sionnach faighinn cuidhteas iad:** *the fox had a special way of getting rid of them. The phrase* faigh cuidhteas *is very useful.* Fhuair mi cuidhteas an leabhar *(I got rid of the book);* cuine a gheibh thu cuidhteas e? *(when will you get dispose/get rid of it?). In some dialects it is* faigh cuidhteas de *eg* fhuair mi cuidhteas dhen chàr agam *(I got rid of my car). The word order should never be reversed; cuidhteas should always immediately precede the noun or pronoun which it qualifies eg* Tha mi a' feuchainn ri faighinn cuidhteas iad *NOT* Tha mi a' feuchainn ri cuidhteas fhaighinn iad.

<u>Gnàths-cainnt na Litreach</u>: **cho carach ris a' mhadadh-ruadh** *or* **cho carach ris an t-sionnach:** *as wily as the fox.*

LITIR 42

(Am Màrt 2000)

A glimpse of Donnchadh Ban's poetical praise of foxes ...

An t-seachdain sa chaidh, thug sinn sùil air an t-sionnach, no madadh-ruadh. Agus bidh cuimhne agaibh gu robh facal eile ann air a shon – *balgair.* Tha e inntinneach mar a tha beachdan nan Gàidheal air an t-sionnach air atharrachadh thairis air ùine. Ged nach eil muinntir na Gàidhealtachd cho measail air sealg nan sionnach mar spòrs 's a tha daoine ann an ceàrnaidhean eile de Bhreatainn, agus ged a tha an fheadhainn a tha gan sealg ag obair gu tric leotha fhèin gun dùdach no còta dearg, **chan eil croitearan is sionnaich mòr aig a chèile**. Tha adhbhar math airson sin – caoraich.

Ach cha robh e mar sin a-riamh, agus bha àm ann nuair a bha spèis na bu mhotha aig na Gàidheil air sionnaich na th' aca san latha an-diugh. Bu mhath leam pìos bàrdachd – seann bhàrdachd – a leughadh dhuibh mar shamhla dhen sin. 'S e an t-ainm a th' air an dàn *Òran nam Balgairean*:

Mo bheannachd aig na balgairean,
A chionn bhith sealg nan caorach
An iad na caoraich cheann-riabhach
Rinn aimhreit feadh an t-saoghail?
Am fearann a chur fàs oirnn,
'S am màl a chur an daoiread*?*

Cha robh am bàrd uabhasach measail air caoraich, an robh*? Mo bheannachd aig na balgairean*, tha e ag ràdh. 'S e *mo mhallachd air na balgairean* as buailtiche a chluinneadh tu an-diugh! Ach nuair a chaidh an dàn seo a sgrìobhadh bha treudan mòra chaorach a' tighinn a-steach don Ghàidhealtachd, agus a' cur às don t-seann dòigh-beatha. Cha robh na Gàidheil measail air caoraich an uair sin, mar a tha iad an-diugh.

Tha am bàrd a' coireachadh nan caorach airson fearann fàs a dhèanamh agus airson am màl a bha daoine a' pàigheadh a dhèanamh daor no, mar a sgrìobh e fhèin, am màl a chur an daoiread. Gu dearbh, aig an àm sin, chan iad na balgairean a bha a' dèanamh aimhreit feadh an t-saoghail (no feadh na Gàidhealtachd co-dhiù) ach na caoraich.

thairis air ùine: *over time;* **cho measail air sealg:** *as keen on hunting;* **ceàrnaidhean:** *districts;* **leotha fhèin gun dùdach no còta dearg:** *by themselves without a bugle or red coat;* **caoraich:** *sheep (pl.);* **cha robh e mar sin a-riamh agus bha àm ann:** *it wasn't always like that and there was a time;* **mar shamhla dhen sin:** *as an example of that;* **dàn:** *poem;* **beannachd:** *blessing;* **a chionn bhith sealg nan caorach:** *because (they) hunt the sheep;*
an iad na caoraich cheann-riabhach (a) rinn aimhreit feadh an t-saoghail?: *is it the brindled-headed sheep which created disorder throughout the world?;* **am fearann a chur fàs oirnn:** *turning the land to desolation;* **mallachd:** *curse;* **as buailtiche a chluinneadh tu an-diugh:** *which you would most likely hear today;* **treudan:** *flocks;*
a' coireachadh: *blaming;*

Donnchadh Bàn Mac an t-Saoir: *Duncan Ban MacIntyre;* **chaochail e:** *he died;*

Agus cò am bàrd a sgrìobh na faclan seo? Uill, duine a tha gu math ainmeil – Donnchadh Bàn Mac an t-Saoir, no Donnchadh Bàn nan Òran. Rugadh e ann an seachd ceud deug, is ceithir ar fhichead (1724) agus chaochail e ann an ochd ceud deug is a dhà-dheug (1812). Ann an *Òran nam Balgairean* thug e droch bheachd air na caoraich agus deagh bheachd air na sionnaich a bha gam marbhadh. Seo mar a tha an dàn a' tighinn gu crìch:

a' tighinn gu crìch: *coming to an end;* **a chuireas cù gan ruagadh:** *who sends a dog in pursuit of them;* **guma slàn na cuileanan:** *health to the (fox) cubs;* **nam faigheadh iad mo dhùrachd, cha chùram dhaibh cion saoghail:** *if they got as I wished, they would have no worries over a lack of a long life;* **bhiodh piseach air an òigridh, is bhiodh beò gus am marbhadh aois iad:** *the youngsters would be successful and alive until old age killed them;*

Is diombach air an duine mi
A nì na sionnaich aoireadh;
A chuireas cù gan ruagadh,
No thilgeas luaidhe chaol orr'.
Guma slàn na cuileanan
Tha fuireach ann an saobhaidh -
Nam faigheadh iad mo dhùrachd,
Cha chùram dhaibh cion saoghail.
Bhiodh piseach air an òigridh
Is bhiodh beò gus am marbhadh aois iad.

'S dòcha gu bheil facal no dhà ann an sin air nach eil sibh eòlach. Tha *diombach* a' ciallachadh mì-thoilichte. *Is diombach air an duine mi* – tha mi mì-thoilichte leis an duine, a *nì na sionnaich aoireadh*, a bhios a' toirt mallachd air na sionnaich. Agus *a thilgeas luaidhe chaol orra*? Uill, tha *luaidh chaol* a' ciallachadh *lead shot*. Ma thilgeas tu luaidh chaol, tha thu a' losgadh air rudeigin le gunna.

mullaichean: *summits;* **Càrn na Saobhaidh:** *hill of the fox's den;* **sgìre a' Mhonaidh Lèith:** *the district of the Monadh Liath.*

Agus dè mu dheidhinn an fhacail *saobhaidh*? Tha sin a' ciallachadh àite far am bi beathach fiadhaich, gu h-àraidh sionnach, a' fuireach. Anns a' Mhonadh Liath, faisg air Inbhir Nis, mar eisimpleir, tha co-dhiù ceithir mullaichean air a bheil *Càrn na Saobhaidh* mar ainm. Ach 's ann do cheàrnaidh fada bho sgìre a' Mhonaidh Lèith a bhuineadh Donnchadh Bàn. Agus bheir sinn sùil a bharrachd air a bheatha, agus air a chuid bàrdachd, an ath-sheachdain.

Puing-chànain na Litreach: **am màl a chur an daoiread:** *(which) increased the rent. Instead of saying* a dhèanamh nas daoire, *you can say* a chur an daoiread, *where* –(a)d *is added to the end of the comparative form of the adjective* (nas daoire). *Other reasonably common examples are* lughad (beag/nas lugha) *and* miosad (dona/nas miosa). Chaidh na h-èisg an lughad thairis air ùine *(the fish got smaller over time).* Tha i air a dhol am miosad *(she has got worse).*

Gnàths-cainnt na Litreach: **chan eil croitearan is sionnaich mòr aig a chèile:** *crofters and foxes are not friendly, do not like each other.*

LITIR 43 *(Am Màrt 2000)*

Donnchadh Bàn praised the beauty of nature in his home country …

Donnchadh Bàn Mac an t-Saoir: *Duncan Ban MacIntyre;* **Gleann Urchaidh:** *Glen Orchy;*
Blàr na h-Eaglaise Brice: *The Battle of Falkirk (Falkirk is* An Eaglais Bhreac)*;*

arm a' Phrionnsa: *the Prince's army;* **chaidh an latha leis na Seumasaich:** *the day went with the Jacobites;* **Mailisidh Earra-Ghàidheal:** *the Argyll Militia;* **Rìgh Deòrsa:** *King George;*

tha do bhràighe mar an neòinean: *your bosom is like the daisy;* **taitneach:** *pleasant, nice;* **do chneas mar an èiteag:** *your skin like the precious white stone;* **corp seang mar chanach an t-slèibh:** *[your slender body like the bog-cotton;* **ìomhaighean co-cheangailte ri nàdar:** *images connected to nature;*

Rugadh am bàrd, Donnchadh Bàn Mac an t-Saoir, ann an Gleann Urchaidh ann an Earra-Ghàidheal ann an seachd ceud deug, is ceithir ar fhichead (1724). 'S e a' chiad phìos a sgrìobh e a th' againn fhathast *Òran do Bhlàr na h-Eaglaise Bric.*

Ghabh Blàr na h-Eaglaise Brice àite anns an Fhaoilleach, seachd ceud deug, dà fhichead 's a sia (1746), nuair a bha Donnchadh ceithir bliadhna fichead a dh'aois. Thachair e nuair a bha arm a' Phrionnsa a' tilleadh gu tuath as dèidh a bhith ann an Sasainn. Chaidh an latha leis na Seumasaich, ach bha Donnchadh air an taobh eile ann am Mailisidh Earra-Ghàidheal, a' sabaid airson Rìgh Deòrsa. Chanainn gu robh e air a bhith na bu thoilichte còmhla ris a' Phrionnsa.

Ach 's ann airson òrain ghaoil agus òrain nàdair a tha Donnchadh ainmeil, seach bàrdachd-cogaidh. Sgrìobh e corra phìos mu bhean, "Màiri bhàn òg". *Tha do phòg mar ùbhlan gàrraidh, 's tha do bhràighe mar an neòinean,* is rudan taitneach mar sin. Agus ann an dàn eile:

Do chneas mar an èiteag, glè-ghlan, fallain,
Corp seang mar chanach an t-slèibh …

Chì sibh gu robh Donnchadh a' cleachdadh ìomhaighean co-cheangailte ri nàdar agus, a bharrachd air gaol, 's e nàdar a bu mhotha a ghluais e gu bàrdachd. Bha e ag obair bliadhnaichean mar choilltear airson Iarla Bhràghad Albann no, mar a chanadh na Gàidheil ris, Mac Cailein 'ic Dhonnchaidh. Dh'obraich e cuideachd do Mhac Cailein Mòr, Diùc Earra-Ghàidheal.

Nuair a bha e ag obair do Mhac Cailein 'ic Dhonnchaidh, chuir e seachad mòran tìde ann an dà àite a bha e a' dol a dhèanamh ainmeil le bhàrdachd – Beinn Dòrain agus Coire Cheathaich. Tha *ceathach* a' ciallachadh *ceò*. Coire Cheathaich, no Coir' a' Cheathaich – Coire a' Cheò – *the misty corrie.*

Is toigh leam an dàn aige, air a bheil "Coire Cheathaich" mar ainm, airson trì adhbharan. Tha e làn fhaclan brèagha is tha e a' ruith gu math mar bhàrdachd. Tha e cuideachd a' sealltainn cho mòr 's a bha gràdh Dhonnchaidh do dh'àrainneachd na Gàidhealtachd. Agus an treas rud: **tha e a' dol leis a' bheachd agam fhìn** gu bheil sinn a' toirt cus spèis anns an latha an-diugh do na mullaichean, is nach eil sinn a' toirt spèis gu leòr do na coireachan. Chanainn fhìn gu bheil na coireachan am measg nan rudan as motha a tha a' sònrachadh àrainneachd na h-Alba...

'S e Coire Cheathaich nan aighean siùbhlach
An coire rùnach as ùrar fonn,
Gu lurach, miadh-fheurach, mìn-gheal, sùghar
Gach lusan flùir bu chùbhraidh leam ...

Ach bu toigh le Donnchadh na mullaichean cuideachd. *An t-urram thar gach beinn aig Beinn Dòrain*, sgrìobh e mun bheinn a b' fheàrr leis, *Na chunnaic mi fon ghrèin, 's i bu bhòidhche leam...* Agus ged a dh'fhàg e Earra-Ghàidheal, agus ged a chuir e seachad iomadach bliadhna ann am baile mòr Dhùn Èideann, baile air an robh e gu math measail, cha do bhris e a-riamh na ceanglaichean spioradail a bh' aige do thìr nam beann.

Bha e trì fichead 's a h-ochd-deug nuair a sgrìobh e *Cead Deireannach nam Beann*, mu dheidhinn Beinn Dòrain:

B' e sin an sealladh èibhinn
Bhith 'g imeachd air na slèibhtibh
Nuair bhiodh a' ghrian ag èirigh
'S a bhiodh na fèidh a' langanaich.

Sgrìobh Donnchadh Bàn marbhrann dha fhèin – airson duine a bhiodh na sheasamh air a lic, agus am bàrd marbh, fon fhòid. *Gabh mo chomhairle 's bi glic,* sgrìobh e, *cuimhnich tric gun tig am bàs.* Uill, thàinig am bàs air Donnchadh ach dh'fhàg e dìleab phrìseil dhuinn às a dhèidh, dìleab a bhios beò fhad 's a mhaireas cànan nan Gàidheal.

LTIR

gu bheil sinn a' toirt cus spèis anns an latha an-diugh do na mullaichean: *that we give too much esteem today to the summits;* **a tha a'sònrachadh àrainn-eachd na h-Alba:** *which characterize the environment of Scotland;* **aighean siùbhlach:** *wandering hinds;* **rùnach:** *beloved;* **ùrar fonn:** *fresh delight;* **lurach:** *lovely;* **miadh-fheurach:** *abounding in meadow grass;* **mìn-gheal:** *soft and fair;* **sùghar:** *succulent;* **gach lusan flùir bu chùbhraidh leam:** *every little flowering plant which was pleasantly fragrant (to me);* **an t-urram thar gach beinn aig X:** *esteem above all other mountains to X;* **'s i bu bhòidhche leam:** *she was the most beautiful to me (*beinn *is feminine);* **Cead Deireannach nam Beann:** *Last Farewell to the Bens;* **b' e sin an sealladh èibhinn:** *that was the delightful view;* **marbhrann:** *epitaph;* **fon fhòid** (*or* fon fhòd): *buried (lit. under the turf);* **fhad 's a mhaireas cànan nan Gàidheal:** *as long as the language of the Gael survives.*

Puing-chànain na Litreach: **bhith ag imeachd air na slèibhtibh:** *to be journeying on the hills, moors. Today we say* air na slèibhtean. *The* –(a)ibh *ending is characteristic of the old dative plural, now only generally found in poetry, songs, old stories and proverbs; it has died off in modern usage. You will come across it in such phrases as* guma slan do na fearaibh *(health to the men) and* bha na h-eòin air na crannaibh *(the birds were on the trees).*

Gnàths-cainnt na Litreach: **tha e a' dol leis a' bheachd agam fhìn:** *it concurs with my own opinion.* Chan eil mi a' dol leat idir *(I do not agree with you at all.)*

LITIR 44

(Am Màrt 2000)

How do you call somebody a "blabbermouth" in Gaelic? Here's a suggestion!

cus: *too much;* **gun mòran brìgh:** *without much meaning, substance;* **clabair, clabaire:** *blabberer;* **clabaireachd:** *blabber, babble;*

Dè a' Ghàidhlig a th' air *blabberer*, neach a bhruidhneas cus agus 's dòcha gun mòran brìgh? Uill, tha diofar fhaclan ann a dh'fhaodadh tu a chleachdadh. Nam measg, tha *clabair* no *clabaire.* Chanadh tu mu dhuine gur e fìor chlabair a th' ann no gu bheil e na chlabair. No gu bheil e ri *clabaireachd*.

Tha am facal *clabair* a' tighinn bhon fhacal *clab* a tha a' ciallachadh beul mòr fosgailte. Ma tha cuideigin, mar eisimpleir pàiste, a' bruidhinn riut gun sgur, dh'fhaodadh tu ràdh ris no rithe - ***'S ann ort a tha an clab*** – a' ciallachadh gu bheil e no i a' bruidhinn cus. Agus a' cur dragh ort!

Agus **bhon ainmear *clab*, tha sinn a' faighinn a' bhuadhair *clabach*.** Ma tha cuideigin clabach, tha beul mòr aige, no bilean mòra, no tha e a' bruidhinn cus. Agus tha facal airson boireannach a bhruidhneas cus no aig a bheil beul mòr – *clabag*.

luath-bheulach, luath-bhileach, luath-chainnteach: *talkative, gossipy;* **mar gum biodh:** *as it were;*

Is tha facal no dhà eile ann cuideachd airson daoine a bhios a' labhairt cus. Mar eisimpleir, *luath-bheulach* no luath-bheulach. Luath leis a' bheul, mar gum biodh. Cluinnidh tu cuideachd *luath-bhileach*. Luath leis na bilean. Tha na faclan sin a' dèanamh ciall, nach eil? Agus tha facal eile dhen t-seòrsa ann cuideachd – *luath-chainnteach*. Luath leis a' chainnt.

leis an fhìrinn innse: *to tell the truth;* **tha caochladh eadar-theangachaidhean ann:** *there are various translations;* **nuadh-Bheurla:** *modern English;* **tha deagh theans ann gum bi fear agaibh:** *there is a good chance you will have one;* **tha beartas cànain ri lorg air na duilleagan aige:** *linguistic riches are to be found on its pages;*

Gheibh sibh tòrr fhaclan mar sin ann am faclairean Gàidhlig, ach bu mhath leam leabhar a mholadh dhuibh a tha gu math feumail do luchd-ionnsachaidh na Gàidhlig. Tha e sgrìobhte ann an Gàidhlig air fad, ach tha eadar-theangachadh ann am Beurla a tha furasta gu leòr fhaighinn. Leis an fhìrinn innse, tha caochladh eadar-theangachaidhean ann, ann an seann Bheurla no nuadh-Bheurla. Agus tha deagh theans ann gum bi fear agaibh anns an taigh mar-thà. Chaidh am fear Gàidhlig a sgrìobhadh o chionn fhada agus tha beartas cànain ri lorg air na duilleagan aige. Agus dè an leabhar a tha mi a' ciallachadh? Uill, am fear as motha a th' air a reic air an t-saoghal gach bliadhna. Am Bìoball.

Tha leabhar anns a' Bhìoball ris an canar Gnìomhara nan Abstol. Tha e anns an Tiomnadh Nuadh, an dèidh Leabhar Eòin. Ann an Caibideil a seachd-deug, tha an t-abstol Pòl anns an Àithne, no Athens, am measg nan Iùdhach is nan Greugach. Tha e ri deasbaireachd leis na daoine sin mu dheidhinn creideamh. Mu dheidhinn Dhè is mu dheidhinn Ìosa is gnothaichean dhen t-seòrsa.

Bha na daoine a bha ri deasbaireachd na aghaidh dhen bheachd gu robh Pòl a' labhairt cus, gu robh cus aige ri ràdh, agus nach sguireadh e a' labhairt. Agus dè am facal a th' air a chleachdadh anns a' Bhìoball airson sin? Uill, seo e: *bith-bhriathrach*. Bha na feallsanaich Ghreugach dhen bheachd gu robh Pòl bith-bhriathrach. Ma tha Bìoball Gàidhlig agaibh fhèin, gheibh sibh lorg air an fhacal ann an earrann a h-ochd-deug.

Chì sibh cho furasta 's a tha e faclan mar sin a chruthachadh ann an Gàidhlig. Tha *briathar* a' ciallachadh facal. Tha *briathran* a' ciallachadh faclan. Ma tha duine *briathrach,* tha gu leòr aige ri ràdh. Ma tha e bith-bhriathrach, cha sguir e bhruidhinn!

Ma chì sibh *bith* ann am facal dà-fhillteach mar seo, tha e a' ciallachadh *ever* no *always*. Bith-bhriathrach – *always talking.* Chan fhaod mise a bhith bith-bhriathrach, ge-tà, co-dhiù air a' phrògram seo. Tha an ùine agam a' tighinn gu crìch. Ach fàgaidh mi sibh an t-seachdain sa le ceist. Dè a' Ghàidhlig a chuireadh sibh air *perennial plant*, an fheadhainn nach bàsaich a h-uile bliadhna no fiù 's a h-uile dàrna bliadhna? Innsidh mi dhuibh dè th' ann an ath-sheachdain.

am fear as motha a th' air a reic: *the one of which the greatest number is sold;*
Am Bìoball: *The Bible;*
Gnìomhara nan Abstol: *The Acts of the Apostles;* **an Tiomnadh Nuadh:** *The New Testament;* **Leabhar Eòin:** *The Book of John;* **caibideil:** *chapter;* **am measg nan Iudhach is nan Greugach:** *among the Jews and Greeks;* **deasbaireachd:** *disputation;* **mu dheidhinn Dhè is mu dheidhinn Ìosa:** *about God and about Jesus;*
bha na feallsanaich Ghreugach dhen bheachd gu robh Pòl bith-bhriathrach: *the Greek philosophers were of the opinion that Paul was a babbler (babbler is given as the English equivalent in some Bibles);*
earrann: *verse;*
briathar, briathran: *word, words;* **briathrach:** *talkative;*
dà-fhillteach: *made of two parts;*
bith-bhriathrach: *interminably talkative;*
a' tighinn gu crìch: *coming to an end.*

<u>Puing-chànain na Litreach</u>: **bhon ainmear *clab*, tha sinn a' faighinn a' bhuadhair *clabach***: *from the noun* clab, *we get the adjective* clabach. *Can you discuss grammatical points in Gaelic, or do you have to revert to English? Here is a little grammatical terminology to help you:* Ainmear *is a noun,* gnìomhair *a verb and* buadhair *an adjective.* Tuiseal *means case and* ginideach *is genitive. So instead of saying to your teacher "Is that word in the genitive case", why not try saying* "A bheil am facal sin anns an tuiseal ghinideach?" *How would you say "The genitive case is very important in Gaelic"? (I hope you realise that it is!)*

<u>Gnàths-cainnt na Litreach</u>: **'S ann ort a tha an clab**: *You are a real chatterbox (lit. it is on you that is the big open mouth).*

LITIR 45

(Am Màrt 2000)

Which common plant is known as the "noon-flower" in Gaelic ...?

An t-seachdain sa chaidh, chuir mi ceist oirbh: dè a' Ghàidhlig a th' air *perennial plant*, an seòrsa a bhios beò fad grunn bhliadhnaichean no iomadh bliadhna? Uill, dh'fhaodadh tu *lus bith-bheò* a ràdh ris. Tha *bith-bheò* na bhuadhair a tha a' ciallachadh beò airson ùine mhòir no beò gu **sìorraidh**. Uill, chan eil rud sam bith beò gu sìorraidh. Ach tha lusan bith-bheò beò airson ùine mhòir.

lus bith-bheò: *perennial plant;* **tha *bith-bheò* na bhuadhair:** *bith-bheò is an adjective;*

Nuair a bha mi a' fuireach ann an Astràilia bha mi gu math measail air lus beag a tha a' fàs gu h-àrd anns na beanntan. Tha flùr air a tha uabhasach snog. Tha e buidhe agus, leis gu bheil e tioram mar phàipear, tha e a' maireachdainn airson ùine mhòir mhòr fiù 's nuair a tha e air a spìonadh.

tha e a' maireachdainn airson ùine mhòir mhòir fiù 's nuair a tha e air a spìonadh: *it lasts for a long long time even when it is picked;* **dè a' Ghàidhlig a chuireamaid air?:** *what would we call it in Gaelic (lit. what is the Gaelic we would put on it)?;* **neòinean:** *daisy;* **neòinean bith-bhuan:** *everlasting daisy;* **buan:** *lasting, durable;*

Canaidh daoine ann am Beurla *everlasting daisy* ris. Agus dè a' Ghàidhlig a chuireamaid air? Uill, 's i a' Ghàidhlig air *daisy neòinean*. Agus dè a' Ghàidhlig airson *everlasting*? Uill, chanainn gun dèanadh dà fhacal a' chùis – *sìorraidh*, no *bith-bhuan*. Dh'fhaodadh gur i a' Ghàidhlig as fheàrr air an lus *neòinean bith-bhuan*.

Canaidh sinn *buan* ri rudan a bhios a' seasamh airson ùine mhòir. Chanadh na seann daoine air a' Ghàidhealtachd ***cruaidh mar an fhraoch is buan mar a' ghiuthas***. Uaireannan, cluinnidh sibh an dà fhacal, *sìorraidh* agus *buan*, còmhla. Mar eisimpleir, nuair a tha thu a' ciallachadh *for ever and ever*, dh'fhaodadh tu ràdh *gu sìorraidh buan*.

gu sìorraidh buan: *forever and ever;*

Chan eil flùraichean nan neòineanan Albannach bith-bhuan, ged a tha na lusan fhèin bith-bheò. Agus tha an t-ainm air an lus ann an Laidinn ag innse gu bheil an lus bith-bheò. 'S e *Bellis perennis* a th' air; tha sin a' ciallachadh *bòidhchead bhith-bheò*. Ainm snog, nach e?

Tha na h-ainmean airson an luis seo, ann am Beurla agus Gàidhlig, gu math inntinneach cuideachd. Tha *daisy* a' tighinn bho *day's eye*; tha mi a' dèanamh dheth gur e as coireach airson sin gu bheil am flùr a' fosgladh anns a' mhadainn agus a' dùnadh aig ciaradh an fheasgair, agus gu bheil e car coltach ri sùil. Ann an Gàidhlig tha an t-ainm *neòinean* co-cheangailte ris an t-seann fhacal Gàidhlig *nòin* a tha a' ciallachadh meadhan-latha no *noon* ann am Beurla. An neòinean – *the noon flower.*

Ach ann an Èirinn tha nòin a' ciallachadh *feasgar*. Agus canaidh muinntir na h-Eireann *tráthnóna* – àm an fheasgair – far an canamaid fhèin *feasgar*.

Ach nach eil e car annasach gu bheil nòin a' ciallachadh feasgar ann an Èirinn agus meadhan-latha an seo? Uill, tha e coltach gur iad na h-Èireannaich a tha nas fhaisge air an t-seann chiall. Thàinig nòin bhon fhacal Laidinn *nona* a tha a' ciallachadh "an naoidheamh uair". Sin an naoidheamh uair air an uaireadair bho thoiseach an latha. Agus, anns an t-seann aimsir, bha an naoidheamh uair dhen latha aig trì uairean feasgar.

Ach mus fhàg sinn nòin, dè a' Ghàidhlig a th' air *solar eclipse*? Bha a leithid againn an-uiridh, agus 's e *dubhadh na grèine* a bha daoine ag ràdh. Ach, o shean, bha facal eile ann – *nòin-dhorchadh – the noon-darkening.* Chan eil an dorchadh ann fada don chuid as motha de dhaoine. Ach tha do aon bhuidheann – an fheadhainn a th' air an dèanamh dall le bhith a' coimhead air a' ghrèin. Dhaibhsan, gu mì-fhortanach, tha an nòin-dhorchadh bith-bhuan.

LTIR

tha mi a' dèanamh dheth gur e as coireach airson sin gu bheil am flùr a' fosgladh anns a' mhadainn…: *I reckon that it is that the flower opens in the morning that is responsible…;* **gu bheil X a' dùnadh aig ciaradh an fheasgair:** *that X closes at dusk;*

gur iad na h-Èireannaich a tha nas fhaisge air an t-seann chiall: *that it is the Irish who are closer to the old meaning;* **an naoidheamh uair air an uaireadair bho thoiseach an latha:** *the ninth hour on the watch from the beginning of the day;* **anns an t-seann aimsir:** *in olden times;* **dubhadh na grèine, nòin-dhorchadh:** *solar eclipse;* **an fheadhainn a th' air an dèanamh dall:** *the ones who are made blind;* **dhaibhsan, gu mì-fhortanach, tha an nòin-dhorchadh bith-bhuan:** *for them, unfortunately, the darkening of the noon (eclipse) is everlasting.*

Puing-chànain na Litreach: *The word* **sìorraidh** *(eternal, everlasting) is related to* sìor *which means continual or perpetual. Sìor can precede a noun or a vowel (in which case it lenites a lenitable consonant) eg* tha e a' sìor dhol am meud *(it is continually getting bigger);* tha i a' sìor amharc air *(she is perpetually staring at him).* Tha e sìor-iarraidheach *(he is always asking for things). And* sìor-bhuan *means the same as* bith-bhuan, *ie eternal, everlasting. Another word with the same meaning is* sìor-mhaireannach. *The noun,* sìorraidheachd, *is a good word for eternity or immortality. Remember that in all these words the first "i" is a long one.* Sìorraidh *(SHEE-uh-ree) should not be confused with the word* siorraidh *(SHIR-ee), which is used for "sheriff" in some dialects; the "i" in the latter is short.*

Seanfhacal na Litreach: **Cruaidh mar an fhraoch is buan mar a' ghiuthas***:* *hard as the heather, lasting as the pine.*

LITIR 46

(An Giblean 2000)

Where do we find monolingual Gaels today ...?

Thathar ag ràdh gu tric nach eil a leithid de rud ann an-diugh mar Ghàidheal aona-chànanach. Agus uaireannan cluinnear daoine, agus iad ag ràdh, "Dè feum a th' ann anns a' Ghàidhlig – **tha Beurla aig a h-uile mac màthar** ann an Alba co-dhiù." Uill, tha iomadh rud a b' urrainn dhomh ràdh mu dheidhinn sin. Ach canaidh mi dìreach seo – nach eil e ceart gu bheil Beurla mhath choileanta aig a h-uile duine, a h-uile mac màthar ma thogras sibh, anns an dùthaich seo.

aona-chànanach: *monolingual;* **cluinnear (daoine):** *(people) are (will be) heard;* **tha iomadh rud a b' urrainn dhomh ràdh:** *there are many things I could say;* **coileanta:** *complete, perfect;*

Tha dà bhuidhinn ann anns am faighear daoine a tha nas comasaiche air a' Ghàidhlig na tha iad air a' Bheurla – feadhainn òga agus seann daoine. Tha fios agam gu bheil cuid de luchd-èisteachd a' phrògraim seo ag ionnsachadh na Gàidhlig air sgàth 's gu bheil oghaichean aca anns na h-Eileanan Siar, oghaichean òga nach eil aig sgoil agus aig nach eil deagh Bheurla fhathast.

anns am faighear daoine: *in which people are found (obtained);* **oghaichean:** *grandchildren;*

Agus dè mu dheidhinn seann daoine? Uill, tha cuimhne agam air duine no dithis nam òige fhèin, air tìr-mòr na Gàidhealtachd ann an Siorrachd Rois, aig an robh glè bheag dhen Bheurla. Ach tha iad air falbh a-nise. Tha aon àite ann fhathast, ge-tà, far an tig thu tarsainn air seann Ghàidheil a th' air mòran dhen Bheurla aca a chall. An t-ospadal.

far an tig thu tarsainn air X: *where you come across X;*

Chuala mi mu dheidhinn fear a chaochail o chionn ghoirid, agus 's e sin a thachair dhàsan. Bha Gàidhlig mhath aige, ged a bha e air a bhith a' fuireach taobh a-muigh na Gàidhealtachd airson ùine mhòir. Ach cha b' e sin a bheachd fhèin. Thuirt e rium gu robh e a' cleachdadh cus fhaclan Beurla air sgàth 's gu robh e a' dìochuimhneachadh nam faclan Gàidhlig.

Uill, 's e rud annasach a tha anns an inntinn, ach ghabh an duine còir seo stròc agus b' fheudar dha a dhol don ospadal. Chan eil fhios a'm co-dhiù 's e an stròc a bu choireach, no dìreach aois, ach anns na seachdainean mu dheireadh aige, agus e na laighe anns an ospadal, chaill e a chuid Beurla gu lèir. Cha b' urrainn dha ach Gàidhlig a bhruidhinn.

cha b' e sin a bheachd fhèin: *that was not his own opinion;* **ghabh X stròc:** *X suffered (took) a stroke;* **b' fheudar dha a dhol don ospadal:** *he had to go to hospital;* **co-dhiù 's e an stròc a bu choireach:** *whether the stroke was responsible;* **chaill e a chuid Beurla gu lèir:** *he lost all his English;*

Nise, bhiodh sin dona gu leòr ann an Alba, gu h-àraidh air a' Ghalltachd, ach bha an duine bochd seo fada bho Alba. Bha e ann an Astràilia, agus mar a thuigeas sibh, cha robh Gàidhlig aig gin dhen luchd-obrach anns an ospadal. Gu fortanach dha, ge-tà, bha Gàidheal eile a' fuireach anns an dearbh bhaile, a bha eòlach air, agus rachadh esan a chèilidh air gu tric. Agus bhiodh cothrom dha eadar-theangachadh a dhèanamh airson nan nursaichean.

mar a thuigeas sibh: *as you will understand;*

rachadh esan a chèilidh air gu tric: *he would often go to visit him;*

Cha chreid mi gu bheilear a' tuigsinn cho cumanta 's a tha suidheachaidhean mar seo, agus thug e bliadhnaichean mus do dh'aontaich luchd-stiùiridh Ospadal an Rathaig Mhòir, ann an Inbhir Nis, anns am bi mòran Ghàidheal a' cur seachad ùine, Radio nan Gàidheal a chur air siostam rèidio an ospadail. Tha mi toilichte gu bheil iad air sin a dhèanamh a-nise.

cha chreid mi gu bheilear a' tuigsinn: *I don't think it is understood;* **thug e bliadhnaichean mus do dh'aontaich X:** *it took years before X agreed;*

gu bheil iad air sin a dhèanamh a-nise: *that they have now done that;*

Tha mi toilichte cuideachd gun do dh'fhoillsich buidheann de dh'oileanaich ann an Steòrnabhagh, a tha a' trèanadh airson a bhith nan nursaichean, leabhar beag o chionn ghoirid, anns a bheil abairtean Gàidhlig a bhios feumail ann an ospadal. Tha mi an dòchas gum faigh nursaichean is dotairean aig nach eil Gàidhlig cothrom an leabhar fhaighinn, gu h-àraidh ma tha iad ag obair air a' Ghàidhealtachd no anns na h-Eileanan. 'S e an t-ainm a th' air an leabhar *Tha mi a' dol a chur a-mach.* Cò aige tha fios nach biodh e feumail air bòrd bàta cuideachd! Co-dhiù, bheir sinn sùil air cuid de na h-abairtean a tha na bhroinn an ath-sheachdain.

a tha a' trèanadh airson a bhith nan nursaichean: *who are training to be nurses;*

tha mi a' dol a chur a-mach: *I am going to be sick;* **cò aige tha fios nach biodh e feumail air bòrd bàta cuideachd:** *who knows, it might be useful on board a boat as well.*

LTIR

Puing-chànain na Litreach: *A point about pronunciation this week: have you mastered the Gaelic "l's" yet? It is one of the most difficult consonants for a learner to perfect but there are two words in this week's Litir which should be useful to try with your Gaelic teacher as they represent two important types of "l"* – ospadal *and* Gàidheal. *In both words, in the nominative singular case, the terminal "l" is a broad one. But in the nominative plural and genitive singular cases, the "l" is slenderised and the tongue moves forward in the mouth, making more distinct contact with the teeth. The spelling is altered to show the sound change – to* ospadail *and* Gàidheil. *This seeming subtlety of consonant change is actually not subtle at all to the Gaelic ear and, if not employed properly, can lead to misunderstanding. Try saying "ceannardan nan ospadal" (the hospitals' heads) and then "ceannardan an ospadail" (the hospital's heads) and you will see how important it is to get this sound right.*

Gnàths-cainnt na Litreach: **Tha Beurla aig a h-uile mac màthar:** *every Tom, Dick and Harry speaks English.*

LITIR 47

(An Giblean 2000)

What's the Gaelic for nurse ...?

Tha mo cheann goirt. Tha mo shùil goirt. Tha mo bheul goirt. Nise, mus tòisich sibh a' smaoineachadh gu robh mi a' sabaid a-raoir, feumaidh mi innse dhuibh gu bheil mi dìreach a' leughadh abairtean à leabhar. 'S e an t-ainm a th' air an leabhar *Tha mi a' dol a chur a-mach* agus chaidh a dhèanamh airson daoine a tha ag obair ann an ospadail far am bi Gàidheil ann mar euslaintich.

Tha an leabhar glè thaitneach. Tha e làn dealbhan dathte agus abairtean feumail. Agus bu mhath leam an fheadhainn a rinn e a mholadh. Is iad còignear bhoireannach – ceathrar oileanach a tha a' trèanadh airson a bhith nan nursaichean ann an Steòrnabhagh, agus tèile a tha gan teagasg.

Chanainn gu bheil an leabhar seo gu math feumail do luchd-ionnsachaidh na Gàidhlig, fiù 's ma tha iad cho fallain ri breac. Tha cuid de na h-abairtean na bhroinn cumanta anns an dachaigh, a bharrachd air an ospadal, gu h-àraidh ma tha clann a' fuireach ann. Rudan mar *tha mi ag iarraidh deoch* no *tha an t-acras orm* no *tha feum agam air an toilet*.

Agus tha abairt no dhà ann a mholainn do phàrantan nuair a thig latha nam màthraichean no 's dòcha a h-uile madainn Didòmhnaich. Rudan mar *tha mi a' faireachdainn sgìth* agus *tha mi ag iarraidh cluasag eile*. Agus fear a bhios feumail don chloinn nuair a thig iad a dh'ionnsaigh leabaidh am pàrant a' chiad char madainn Didòmhnaich – *seo cupa teatha dhuibh*. Hmm. **Leis an fhìrinn innse**, chan eil cuimhn' a'm cuine a fhuair mi sin mu dheireadh. Nan robh mi ag iarraidh a leithid, agus mi **a' feitheamh ris a' chloinn èirigh leotha fhèin**, dh'fheumainn fuireach nam leabaidh gu meadhan-latha!

Tha dìreach aon abairt anns an leabhar a tha mi an dùil nach biodh feumail anns an dachaigh: *seall – cnàmhan briste*. Uill, tha mi an dòchas nach biodh e feumail anns an dachaigh agaibhse!

goirt: *sore;*

abairt, abairtean: *phrase, phrases;* **far am bi Gàidheil ann mar euslaintich:** *where Gaels are patients;* **tha an leabhar glè thaitneach:** *the book is very agreeable, pleasant;* **dealbhan dathte:** *coloured pictures;* **bu mhath leam an fheadhainn a rinn e a mholadh:** *I would like to praise the people who made it;*
oileanach: *student;*
cho fallain ri breac: *as healthy as a trout (equivalent to "as fit as a fiddle");*
cumanta: *common;*

tha abairt no dhà ann a mholainn do phàrantan: *there are one or two phrases in it which I would recommend to parents;* **tha mi ag iarraidh cluasag eile:** *I want another pillow;* **a' chiad char madainn Didòmhnaich:** *first thing Sunday morning;*

dh'fheumainn fuireach nam leabaidh gu meadhan-latha: *I would need to stay in my bed till noon;*
seall – cnàmhan briste: *look – broken bones;*

nurs, banaltram: *nurse;*

'S e am facal a tha anns an leabhar airson nurse *nurs* – agus 's e sin as cumanta san latha an-diugh. Bidh sinn a' bruidhinn air nurs is nursaichean. Ach cluinnidh sibh cuideachd facal nas sine na sin: *banaltram*. O shean, 's e *bean-altraim* a bh' ann, boireannach a bhiodh a' togail clann aig cuideigin eile. 'S e *altramas* facal airson *nursing.* Bean-altraim – banaltram.

an canamaid: *would we say?*

iolra: *plural;*

thathar a' dèanamh an fhacail iolra le bhith a' cur –*an* aig an deireadh: *the word is made plural by putting -an at the end;*

tha e a' cur euslainteach gu cadal le bhith a' slaiceadh air le làimh: *he is putting a patient to sleep by hitting him with his hand;*

Tha dà rud ann a tha inntinneach mu dheidhinn an fhacail sin an latha an-diugh. Ma 's ann air *male nurse* a tha sinn a' bruidhinn, an canamaid *banaltram*? 'S dòcha gu bheil e nas fhasa *nurs* a ràdh ris. Agus dè chanas sinn ma tha barrachd na aon bhanaltram ann? Uill, tha sin air atharrachadh tro thìde. 'S e am facal iolra, no *plural*, air bean, *mnathan*. Agus anns an t-seann aimsir, chanadh daoine *mnathan-altraim*. Ach, mar as trice an latha an-diugh, thathar a' dèanamh an fhacail iolra le bhith a' cur *–an* aig an deireadh. *Banaltraman.*

Tha aon dealbh anns an leabhar a tha a' còrdadh rium glan. 'S e dotair a th' ann agus tha e a' cur euslainteach gu cadal le bhith a' slaiceadh air le làimh mar a bhios iad a' dèanamh ann an *karate*. 'S e an t-ainm a th' air an Dotair K. Fu. Tha fhios gur e Kung a' chiad ainm a th' air!

tha e a' cur nam chuimhne turas a thachair mi ri fear anns an dreuchd sin: *he reminds me of an occasion when I met a man in that profession;* **facal math, chanainn:** *a good word, I would say.*

Tha an Dr. Fu na *senior anaesthetist*, a rèir an leabhair, agus tha e a' cur nam chuimhne turas a thachair mi ri fear anns an dreuchd sin a bha ag ionnsachadh na Gàidhlig. Agus bha facal Gàidhlig aige airson *anaesthetist.* Facal math, chanainn. Agus an ath-sheachdain, innsidh mi dhuibh dè bh' ann. LTR

Puing-chànain na Litreach: **A' feitheamh ris a' chloinn èirigh leotha fhèin:** *waiting for the children to get up by themselves. Are you intimate with all the phases of the prepositional pronouns associated with "le"? They are* leam, leat, leis, leatha, leinn, leibh, leotha. *You will sometimes see the last written* leò. *The appropriate prepositional pronoun followed by* fhèin can mean by myself, yourself, himself etc. Bha mi leam fhìn (*or* fhèin): *I was by myself.* An robh thu leat fhèin?: *were you by yourself?* Rinn a' chlann sin leotha fhèin gun taic sam bith bhom pàrantan: *the children did that by themselves without any help from their parents.*

Gnàths-cainnt na Litreach: **Leis an fhìrinn innse:** *to tell the truth.*

LITIR 48 *(An Giblean 2000)*

What's the link between anaesthetics and Gaelic poetry from the Cairngorms ...?

O chionn trì bliadhna no mar sin, thàinig duine a-steach gu clas Gàidhlig a bha mi a' cumail ann an Inbhir Nis agus thòisich sinn air bruidhinn ri chèile. Bha e ag ionnsachadh na Gàidhlig ach cha robh e fileanta is, mar sin, chuir mi ceistean sìmplidh air. "Cò às a tha sibh?" is "Dè cho fada 's a tha sibh air a bhith a' fuireach ann an Inbhir Nis?". Ceistean mar sin.

o chionn trì bliadhna no mar sin: *three years ago or thereabouts;*

chuir mi ceistean sìmplidh air: *I asked him simple questions;*

An uair sin, dh'fhaighnich mi dheth "Dè an obair a th' agaibh?" agus fhreagair e, "Tha mi nam phràmhaiche."

tha mi nam phràmhaiche: *I am an anaesthetist;*

"O, seadh," arsa mise, "tha sin math. Um, uill, a bheil sibh nur pràmhaiche math?"

"Tha," fhreagair e, "cha chreid mi nach eil. No tha mi an dòchas gu bheil co-dhiù!"

cha chreid mi nach eil: *I think so;*

"Tha is mise," thuirt mi, "ach feumaidh mi aideachadh nach eil mi a' tuigsinn dè th' ann ann am pràmhaiche."

feumaidh mi aideachadh: *I must admit;*

"O, tha mi duilich," ars' esan, "ach 's e sin a' Ghàidhlig air *anaesthetist.*"

"Uill, 's math fios a bhith agam air a sin!" thuirt mi le gàire. Chan eil latha a' dol seachad 's nach eil mi ag ionnsachadh rudeigin!

's math fios a bhith agam air a sin: *it's good (for me) to know that;*

Bha an duine seo ag obair ann an Ospadal an Rathaig Mhòir ann an Inbhir Nis, agus nuair a thàinig e don chlas air an t-seachdain às dèidh sin, thug e dhomh lethbhreac de dhuilleagan a-mach à faclair beag a chaidh a chruthachadh le buidheann ris an canar Comann Gàidhlig Seirbheis na Slàinte. 'S e an t-ainm a th' air an leabhar bheag *Faclair Gàidhlig do Lighichean 's do Bhanaltraman.*

Ospadal an Rathaig Mhòir: *Raigmore Hospital;* **lethbhreac:** *copy;*

a chaidh a chruthachadh le X: *which was made (created) by X;*

Agus lorg mi na faclan air a' chiad duilleig. *Anaesthetic – pràmhan. Anaesthetist – pràmhaiche.* Uill, tha na faclan sin a' dèanamh ciall, ged as iad na faclan Beurla as cumanta a chluinneas tu ann an còmhradh Gàidhlig. Tha *pràmh* a' ciallachadh cadal, no tàmh no fois. Ma tha thu fo phràmh, tha thu nad chadal. Ma tha thu a' gabhail pràmh, tha thu a' gabhail fois no a' faighinn cadal airson greis. Tha pràmh cuideachd a' ciallachadh bròn no mulad.

cadal: *sleep;* **tàmh, fois:** *rest,inactivity(but* tàmh *also appears in the bàrdachd and here it means "to dwell");* **bròn:** *sorrow;* **mulad:** *grief;*

Uilleam Mac a' Ghobhainn, no Uilleam Ruigh 'n Uidhe: *William Smith (or Gow), or William of Rynuie (this being his home locality, the name meaning "the shieling of the way";* **Obar Neithich:** *Abernethy;* **Am Monadh Ruadh:** *The Cairngorms;*

Nuair a chluinneas mi am facal pràmh, 's ann tric a tha mi a' smaoineachadh air bàrd a bha uaireigin ainmeil air a' Ghàidhealtachd, Uilleam Mac a' Ghobhainn, no Uilleam Ruigh 'n Uidhe, a bha beò anns an ochdamh linn deug. Bha esan às Obar Neithich, làimh ris na beanntan brèagha ris an can sinn Am Monadh Ruadh.

Gleann an Doire: *Glen Derry;*

Bàideanach is Srath Spè: *Badenoch and Strathspey*.

Bha Uilleam na shealgair agus chuir e seachad mòran ùine anns na beanntan sin. 'S e an t-àite a b' fheàrr leis Allt an Lochain Uaine ann an Gleann an Doire agus sgrìobh e dàn mu dheidhinn a bha uaireigin ainmeil air feadh na Gàidhealtachd, ach gu h-àraidh ann am Bàideanach is Srath Spè. Seo a' chiad rann dheth:

Aig Allt an Lochain Uaine,
Gun robh mi uair a' tàmh,
'S ged a bha an t-àite fuar,
Bha an fhàrdach fuathasach blàth.
Ged thigeadh gaoth o thuath orm,
Is cathadh luath on àird,
Bhiodh Allt an Lochain Uaine
Le fhuaim gam chur gu pràmh.

bha an fhàrdach fuathasach blàth: *the dwelling (ie bothy) was very warm (*fuathasach *is an alternative to* uabhasach*);* **bhiodh Allt an Lochain Uaine le fhuaim gam chur gu pràmh:** *the burn of the green lochan, with its noise, would send me to sleep;*

Chì sibh gu robh am bàrd gu math measail air Nàdar, agus tha e follaiseach gun do ghabh e tlachd mhòr bho bhith a-muigh anns na beanntan, **fiù 's nuair a bha cur is cathadh ann**.

dè an dòigh a b' fheàrr leibh fhèin?: *which method would you prefer?;*

gur ann a' taobhadh le X a tha mise: *that I am siding with X.*

Agus dè an dòigh a b' fheàrr leibh fhèin a bhith air ur cur fo phràmh? Le pràmhaiche proifeasanta ann an ospadal, a chleachdas gasaichean mì-nàdarrach? No le **fuaim binn nàdarrach Allt an Lochain Uaine** anns a' Mhonadh Ruadh? Uill, chan eil fhios a'm dè ur beachd fhèin, ach feumaidh mi ràdh gur ann a' taobhadh le Uilleam Ruigh 'n Uidhe a tha mise. Beannachd leibh.

<u>Puing-chànain na Litreach</u>: **fuaim binn nàdarrach Allt an Lochain Uaine:** *the melodious natural sound of the burn of the green lochan. Here we have a series of three nouns interspersed with adjectives. If we dispense with the adjectives, we are left with* "fuaim Allt an Lochain". *In English, this would be "<u>the</u> noise <u>of the</u> burn <u>of the</u> lochan." Do you notice that all three nouns carry the article in English and that the latter two are in the genitive case? In Gaelic, however, in a series of nouns only the last noun carries the article and, generally speaking, only the last noun is in the genitive form (*lochain *instead of* lochan*). So we might have* fuaim an uillt *(the sound of the burn) but* fuaim allt na beinne *(the sound of the burn of the mountain).*

<u>Gnàths-cainnt na Litreach</u>: **fiù 's nuair a bha cur is cathadh ann:** *even when it was snowing and drifting.* Cur *(here a noun meaning "snow") can also be used as a verb.* Tha i a' cur sneachda *(it is snowing).*

LITIR 49 *(An Giblean 2000)*

A tale of two clan chiefs and two castles in need of repair ...

ceann-cinnidh: *clan chief;* **'s e as coireach airson sin gu bheil iad air dà dhòigh eadar-dhealaichte a thaghadh:** *the reason for that is that they have chosen two different methods;* **obair-càraidh:** *repair work;* **shaoil MacLeòid Dhùn Bheagain gur e an dòigh a b' fheàrr a bh' aige airson pàigheadh:** *MacLeod of Dunvegan thought that his best way of paying;* **An Cuiltheann:** *the Cuillins (modern spelling;the bàrd Sorley MacLean wrote "Cuilithionn". Note it is singular in Gaelic);* **thug e an caisteal aigesan seachad do X:** *he gave his castle to X;* **chan eil fhios a'm co-dhiù tha diofar fheallsanachd ann eadar gach cinneadh sin:** *I don't know if each of those clans has a different philosophy;* **gu robh uair ann nuair a bha X is Y a-mach air a chèile gu dubh:** *that there was a time when X and Y were at loggerheads;* **nuair a bha MacNèill fo fhiachaibh do MhacLeòid:** *when MacNeil was in debt to MacLeod;* **bha aig MacNèill ri còrr is leth-cheud punnd Albannach a phàigheadh:** *MacNeil had to pay £50 Scots (we say* not *rather than* punnd *for "pound" today);* **teachdaire:** *messenger;*

Tha e inntinneach **mar a tha daoine air a bhith a' dèanamh coimeas o chionn ghoirid eadar dà cheann-cinnidh** aig a bheil seann chaisteal anns na h-eileanan – MacLeòid Dhùn Bheagain agus MacNèill Bharraigh, no MacNìll mar a chanas muinntir Bharraigh fhèin. 'S e as coireach ri sin gu bheil iad air dà dhòigh eadar-dhealaichte a thaghadh airson obair mhòr, obair-càraidh, a dhèanamh air an caistealan.

Shaoil MacLeòid Dhùn Bheagain gur e an dòigh a b' fheàrr a bh' aige airson pàigheadh airson na h-obrach an Cuiltheann, na beanntan brèagha ann an ceann a deas an Eilein Sgitheanaich, a reic airson deich millean not. Le airgead mar sin, dh'fhaodadh e obair gu leòr a dhèanamh air Caisteal Dhùn Bheagain.

Ach bha dòigh eile aig MacNèill. Thug e an caisteal aigesan seachad don bhuidhinn nàiseanta *Historic Scotland* air màl airson ceud bliadhna. Agus cha bhi aig *Historic Scotland* ri pàigheadh ach not agus botal uisge-bheatha do MhacNèill gach bliadhna. Tha mi a' tuigsinn gum faod MacNèill taghadh a dhèanamh air an uisge-bheatha, ge-tà, gus dèanamh cinnteach gur e fear math a th' ann!

Nise, chan eil fhios a'm co-dhiù tha diofar fheallsanachd ann, no co-dhiù bha diofar fheallsanachd ann, eadar gach cinneadh sin a thaobh airgead. Ach **bha mi ann am Barraigh o chionn ghoirid** agus fhuair mi a-mach gu robh uair ann nuair a bha ceann-cinnidh Clann 'ic Leòid agus ceann-cinnidh Clann 'ic Nèill a-mach air a chèile gu dubh mu dheidhinn airgead.

Thachair e anns a' bhliadhna sia ceud deug, trì fichead 's a còig-deug (1675), nuair a bha MacNèill fo fhiachaibh do MhacLeòid. Bha aig MacNèill ri còrr is leth-cheud punnd Albannach a phàigheadh don fhear eile; bha sin co-ionann ri faisg air còig puinnd Shasannach. Agus chuir MacLeòid sgioba a dh'ionnsaigh Bharraigh airson an t-airgead fhaighinn air ais. Cha b' e sin a-mhàin, ach bha teachdaire bhon Rìgh còmhla riutha. Bha an Rìgh, Teàrlach II, a' taobhadh le MacLeòid.

Bàgh a' Chaisteil: *Castlebay;*
glaiste: *locked;*

sgillinn: *penny;*

fhuair bràthair aig MacNèill greim air X: *a brother of MacNeil got hold of X;* **ghoid e:** *he stole;* **rabhadh:** *warning;*

fhuaradh MacNèill neoichiontach: *MacNeil was found not guilty;*

bha an caisteal a' tuiteam às a chèile: *the castle was falling apart;* **cha leig X a leas càil a phàigheadh:** *X need not pay anything;* **de nì MacLeòid mura tèid aige air an Cuiltheann a reic?:** *what will MacLeod do if he does not manage to sell the Cuillins?*

Nuair a ràinig iad Bàgh a' Chaisteil, dh'fheuch sgioba MhicLeòid ri faighinn a-steach don chaisteal, ach bha an geata glaiste. Agus chan e fàilte a fhuair iad, ach clachan air an cinn bho gu h-àrd. Cha robh MacNèill a' dol a phàigheadh sgillinn. Agus nuair a dh'fhalbh na Sgitheanaich, thàinig na Barraich às an dèidh. B' fheudar do sgioba MhicLeòid a dhol air tìr ann an eilean beag faisg air Barraigh. Anns an eilean sin, fhuair bràthair aig MacNèill greim air teachdaire an Rìgh. Ghoid e na pàipearan aige, agus thug e rabhadh dha gun a bhith a' tilleadh a Bharraigh.

Uill, cha robh e glic a bhith a' dèiligeadh anns an dòigh sin ri teachdaire bhon Rìgh. Agus, ann an sia ceud deug, trì fichead 's a naoi-deug (1679), b' fheudar do MhacNèill, a bhràthair agus feadhainn eile nochdadh anns a' chùirt ann an Dùn Èideann. Fhuaradh MacNèill neoichiontach, ach fhuaradh a bhràthair ciontach agus b' fheudar dha mìle punnd Albannach a phàigheadh. Tha fhios gur e MacNèill fhèin a phàigh e. Agus chaidh pàirt mhòr dhen airgead, faisg air seachd ceud punnd, do MhacLeòid Dhùn Bheagain.

Agus seo rud a tha inntinneach mu dheidhinn a' ghnothaich. Mu fhichead bliadhna às dèidh cùis na cùirte, dh'fhàg MacNèill a chaisteal airson a dhol a dh'fuireach air tìr-mòr Bharraigh. Bha an caisteal a' tuiteam às a chèile. Cò aige tha fios nach robh an t-airgead a chaill e do MhacLeòid mar phàirt dhen adhbhar nach b' urrainn dha pàigheadh airson a chàradh.

Co-dhiù, an-diugh cha leig MacNèill a leas càil a phàigheadh airson a chaisteal a chàradh. Nì Historic Scotland e. Ach dè nì MacLeòid mura tèid aige air an Cuiltheann a reic? LTR

Puing-chànain na Litreach: **bha mi ann am Barraigh o chionn ghoirid:** *I was recently in Barra. Do you understand why we say ann am Barraigh and not* anns a' Bharraigh? *If, in the nominative case, a place-name carries the article, we say* anns a' *(ie "in the");if it does not, we say* ann an (*or* ann am). *Oban is* an t-Oban, *so we say* anns an Oban. *Fort William is* an Gearasdan, *so we say* anns a' Ghearasdan. *But Glasgow is just* Glaschu, *so we say* ann an Glaschu. *The same principle operates with names of countries. France is* an Fhraing, *so we say* anns an Fhraing; *"in the United States" is* anns na Stàitean Aonaichte. But *"in Australia"* (Astràilia, *no article) is* ann an Astràilia *and "in England" (*Sasainn, *no article) is* ann an Sasainn.

Gnàths-cainnt na Litreach: **mar a tha daoine air a bhith a' dèanamh coimeas eadar dà cheann-cinnidh:** *how people been making comparisons between two clan chiefs.* A' deanamh coimeas eadar X agus Y: *comparing X and Y.*

LITIR 50 *(An Cèitean 2000)*

Mingulay was once a great place for Gaelic story-tellers ...

Tha mòran a' dèanamh gàirdeachas gun do cheannaich Urras Nàiseanta na h-Alba Eilean Mhiughalaigh o chionn ghoirid. Mura h-eil sibh ro eòlach air na h-Eileanan a-Muigh, tha Miughalaigh gu deas air Barraigh. 'S e *Mingulay* a th' air ann am Beurla. 'S ann le buidheann de chroitearan a bha an t-eilean, agus eileanan eile faisg air, agus **chaidh an reic air fad** don Urras Nàiseanta.

Uill, tha sin glè mhath gu ìre. Chan eil teagamh nach dèan an t-Urras obair mhath ann a bhith a' glèidheadh nan eun-mara a tha pailt ann, agus ann a bhith a' coimhead às dèidh àrainneachd nàdarrach an eilein. Agus 's dòcha gun dèan iad obair air na tobhtaichean cuideachd, mar a rinn iad ann an Hiort. Tuigidh sibh nach eil duine a' fuireach ann am Miughalaigh an-diugh. Dh'fhàg an fheadhainn mu dheireadh ann an naoi ceud deug 's a dhà-dheug (1912).

Ach tha aon phàirt de dhìleab Mhiughalaigh nach urrainn don Urras Nàiseanta a bheothachadh às ùr: an cànan agus an cultar a bha na lùib. Anns an naoidheamh linn deug, bha Miughalaigh na àite fìor mhath airson aithris sgeulachdan. Agus 's e an duine a b' fheàrr a bh' anns an eilean, co-dhiù timcheall meadhan an linn, fear Ruairidh MacNèill, no Ruairidh Dhòmhnaill.

Bidh sibh eòlach, tha mi an dòchas, air an t-sreath leabhraichean le Iain Òg Ìle, John Francis Campbell, air a bheil *Popular Tales of the West Highlands.* Bha fear eile às Ìle, Eachann MacIlleathain, am measg an fheadhainn a chruinnich beul-aithris dha, agus fhuair e grunn sgeulachdan bho Ruairidh MacNèill ann am Miughalaigh.

Seo beagan de na sgrìobh MacIlleathain mu dheidhinn an sgeulaiche: *Bidh e a' dol timcheall ceannruisgte is casruisgte agus thathar ag ràdh nach do chuir e brògan air bho chionn leth-cheud bliadhna. Bidh e ag innse a chuid sgeulachdan le brìgh anabarrach ... cleachdaidh e dàil is anail is àrdachadh is ìsleachadh a ghutha airson faireachdainn a lìbhrigeadh mar gu robh e air trèanadh fhaighinn bho na h-actairean a b' fheàrr ri linn...*

Na h-Eileanan a-Muigh: *the Outer Isles (colloquial);* **croitearan:** *crofters;* **tha sin glè mhath gu ìre:** *that's OK as far as it goes;* **a' glèidheadh:** *conserving;* **eun-mara:** *seabird;* **pailt:** *plentiful;* **ann a bhith a' coimhead às dèidh àrainneachd nàdarrach an eilein:** *in caring for the island's natural environment;* **tobhtaichean:** *ruined houses;* **Hiort:** *St Kilda;* **dìleab:** *legacy;* **nach urrainn do X a bheothachadh às ùr:** *that X cannot bring back to life;* **aithris sgeulachdan:** *telling of (orally-transmitted) stories;* **bha X am measg an fheadhainn a chruinnich beul-aithris dha:** *X was among those who collected oral tradition for him;* **ceannruisgte:** *bareheaded;* **casruisgte:** *barefooted;* **bidh e ag innse a chuid sgeulachdan le brìgh anabarrach:** *he tells his stories with exceptional effect;* **cleachdaidh e dàil is anail is àrdachadh is ìsleachadh a ghutha airson faireachdainn a lìbhrigeadh:** *he uses delay and breath and a raising and lowering of his voice to deliver expression;* **ri linn:** *in his day;*

Chuir Iain Òg Ìle e fhèin ùine seachad ann am Miughalaigh cuide ri Alasdair MacIlleMhìcheil, a tha ainmeil airson cruinneachadh eile de bheul-aithris na Gàidhlig, *Carmina Gadelica*. Bha iad glaiste anns an eilean le stoirm ann an ochd ceud deug, trì fichead 's a h-aon-deug (1871), agus tha fhios gu robh cothrom gu leòr aca còmhradh ri Ruairidh MacNèill.

bha iad glaiste anns an eilean le stoirm: *they were stormbound on the island;*

Seo beagan de na sgrìobh MacIlleMhìcheil mu dheidhinn bliadhnaichean as dèidh làimh: Bha MacNèill an uair sin ceithir fichead bliadhna 's a dhà-dheug (92). Cha robh e air a bhith tinn a-riamh, cha robh brògan air a bhith air a chasan a-riamh, agus cha robh e air tì a ghabhail a-riamh ... *Na òige bha e na eunadair air leth, a' gluasad gu sgiobalta air creagan ochd ceud troigh os cionn na mara, far an cuireadh an t-eagal dàil air gobhar no cat...*

eunadair: *hunter of birds, wildfowler;*

Cha do rugadh MacNèill ann am Miùghlaigh, ge-tà. Bhuineadh e do Bharraigh, ach chaidh e fhèin is a theaghlach gu ruige Miughalaigh ann an ochd ceud deug is còig air fhichead (1825) nuair a chaidh am fuadachadh. Bha e cliùiteach am measg nan eileanach airson cho math 's a bha e air sgeulachdan aithris. 'S dòcha, ge-tà, gu robh aon duine anns an eilean nach robh cho measail sin air – an greusaiche!

Ged a bha e a' fuireach ann an eilean beag iomallach, bhuineadh na sgeulachdan aige do dhualchas farsaing na Gàidhealtachd. Bha aon tè aige air a bheil feadhainn eòlach an-diugh fhathast: Sgeulachd a' Ghille Charaich, Mac na Bantraich. Bheireadh i còrr is leth-uair a thìde ri a h-aithris air fad. Ach bheir sinn sùil air criomag aiste an ath-sheachdain.

chaidh X gu ruige Miughalaigh: *X went to Mingulay;* **cliùiteach:** *renowned;* **greusaiche:** *shoemaker;* **iomallach:** *remote, on the edge;* **bhuineadh X do dhualchas farsaing na Gàidhealtachd:** *X belonged to the broad heritage of the Gaidhealtachd;* **Sgeulachd a' Ghille Charaich, Mac na Bantraich:** *the Story of the Shifty Lad, the Widow's Son;* **criomag:** *fragment;*

LTIR

Puing-chànain na Litreach: **chaidh an reic air fad**: *they were all sold. In Litir 19, we looked at the use of the verb* rach, *"go" with a verbal noun to produce a passive. This is an example of the 3rd person plural, as is* chaidh am fuadachadh *(they were cleared). The verbal noun remains unlenited. Thus we say* chaidh an ceannach *(they were bought),* chaidh an togail *(they were built). But here is an important point: The verbal noun is lenited if the subject of the clause is a noun, rather than a (hidden) pronoun. So we say* chaidh na h-uinneagan a bhriseadh an-dè *(the windows were broken yesterday) but* seall air na h-uinneagan; chaidh am briseadh an-dè *(look at the windows; they were broken yesterday).*

Gnàths-cainnt na Litreach: **tha mòran a' deanamh gàirdeachas:** *many are expressing pleasure, rejoicing.*

LITIR 51

(An Cèitean 2000)

A little of the traditional story "Sgeulachd a' Ghille Charaich, Mac na Banntraich"...

An t-seachdain sa chaidh, gheall mi dhuibh gun innsinn dhuibh criomag de sheann sgeulachd an t-seachdain sa. 'S e an t-ainm a th' oirre Sgeulachd a' Ghille Charaich, Mac na Banntraich. Agus seo am pàirt far a bheil an gille carach a' dèanamh a' chùis air a' bhuachaille. Aig toiseach gnothaich, **bu chòir dhomh mìneachadh gu robh an gille carach air a chur roimhe a bhith na mhèirleach** agus gu robh e a' fuireach còmhla ri fear a bha a' teagasg nan sgilean sin dha – an gadaiche dubh.

Sgeulachd a' Ghille Charaich, Mac na Banntraich: *the Story of the Shifty Lad, the Widow's Son;* **far a bheil X a' dèanamh a' chùis air Y:** *where X gets the better of Y;*

Co-dhiù, bha fear beartach anns a' bhaile a fhuair cuireadh a dhol gu banais agus dh'iarr e air a' bhuachaille aige falbh don mhonadh airson caora a thoirt dhachaigh mar phreusant bainnse. Nise, bha an gille carach a' cumail sùil air a' bhuachaille, agus thuirt e ris a' ghadaiche dhubh, "**Cuiridh mi geall gun goid mi a' chaora** sin mus ruig am buachaille an taigh aige." Agus dh'fhalbh e a-mach. Bha aig a' bhuachaille ri dhol tro choille agus ruith an gille carach air thoiseach air. Shalaich e tè de na brògan aige agus dh'fhàg e ann am meadhan an rathaid i. An uair sin chaidh e am falach.

gadaiche: *thief, robber;*

banais: *wedding;*
buachaille: *herdsman;*
mus ruig am buachaille an taigh aige: *before the herdsman reaches his house;* **bha aig a' bhuachaille ri dhol tro choille:** *the herdsman had to go through a wood;* **ruith X air thoiseach air:** *X ran ahead of him;* **shalaich e:** *he dirtied;* **chaidh e am falach:** *he hid;*

Nuair a ràinig am buachaille a' bhròg, thuirt e, "Nam biodh do lethbhreac ann, thogainn thu is ghlanainn thu." Ach cha robh aon bhròg gu mòran feum dha, gu h-àraidh leis gu robh i salach, agus chaidh e seachad oirre.

nam biodh do lethbhreac ann, thogainn thu is ghlanainn thu: *if the other one of your pair was here, I would pick you up and clean you;* **gu mòran feum dha:** *of much use to him;*

Bha an gille carach air a h-uile facal dhen sin a chluinntinn. Thog e a' bhròg shalach, is ruith e mar a' pheilear tron choille gus am faigheadh e air thoiseach air a' bhuachaille a-rithist. An uair sin, chuir e a bhròg eile ann am meadhan an rathaid. Nuair a ràinig am buachaille an t-àite, thuirt e ris fhèin, "'S e seo lethbhreac na bròige salaich." Dh'fhàg e a' chaora ann an sin, agus ruith e air ais airson a' bhròg shalach a thogail gus am biodh paidhir aige. Agus fhad 's a bha e air falbh, ruith an gille carach a-mach às a' choille, thog e

ruith e mar a' pheilear: *he ran like the wind (lit. like the bullet);*

gus am biodh paidhir aige: *so that he would have a pair;*

an darna bròg agus a' chaora agus theich e dhachaigh gu luath.

theich e: *he fled.*

Uill, cha robh an duine beartach ro thoilichte, ach dh'iarr e air a' bhuachaille a dhol a-mach don mhonadh a-rithist airson gobhar fhaighinn. Agus nuair a chunnaic an gille carach am buachaille, thuirt e ris a' ghadaiche dhubh, "Cuiridh mi geall gun tèid agam air an gobhar a ghoid bhuaithe mus ruig e an taigh aige."

dh'iarr e air a' bhuachaille a dhol a-mach don mhonadh a-rithist: *he asked the herdsman to go out to the hill again;*

A-rithist, b' fheudar don bhuachaille a dhol tron choille agus ruith an gille carach air thoiseach air. Chaidh e am falach agus, nuair a bha am buachaille faisg air, thòisich e air mèilich, a' dèanamh fuaim mar a bhios caora. "O," ars' am buachaille ris fhèin, "'s e sin a' chaora a chaill mi an-dè." Cheangail e an gobhar ri craobh, agus dh'fhalbh e a lorg na caorach. Agus fhad 's a bha e air falbh, ghoid an gille carach an gobhar agus chaidh e dhachaigh leis. 'S e a bha carach, seòlta gun teagamh!

thòisich e air mèilich: *he started to bleat;*
's e sin a' chaora a chaill mi an-dè: *that's the sheep I lost yesterday;*
's e a bha carach, seòlta gun teagamh: *it's him that was shifty and cunning without doubt;*

Tha an sgeulachd a' leantainn, leis a' ghille charach a' dèanamh a' chùis air mòran eile. Ach bha a mhàthair air a bhith ri fàidheadarachd mu dheidhinn a bhàis nan cumadh e a' dol mar mhèirleach. Thuirt i gun d' rachadh a chrochadh ann an Èirinn. Agus, anns an sgeulachd, tha an gille carach a' dol a dh'Èirinn. Ach dè thachras dha mu dheireadh? Uill, mholainn gun leugh sibh an sgeulachd fhèin ann am *Popular Tales of the West Highlands*, Leabhar a h-Aon. Tha i an dà chuid ann am Beurla is Gàidhlig agus chan eil rian nach còrd i ribh.

bha a mhàthair air a bhith ri fàidhearachd mu dheidhinn a bhàis: *his mother had been prophesying about his death;*
gun d' rachadh a chrochadh ann an Èirinn: *that he would be hanged in Ireland;*
chan eil rian nach còrd i ribh: *there is no way you will not enjoy it.*

Puing-chànain na Litreach: **bu chòir dhomh mìneachadh gu robh an gille carach air a chur roimhe a bhith na mhèirleach:** *I should explain that the shifty lad had determined on being a robber. If we look at this expression in the past tense, it is* chuir e roimhe – *he put in front of him. It is an idiomatic Gaelic equivalent to "he made up his mind to .." and should be employed rather than the English-influenced* rinn e suas inntinn *which is not a Gaelic idiom. To employ this phrase you must have a good grasp of the prepositional pronouns associated with* ro *(before) – ie* romham, romhad, roimhe, roimhpe, romhainn, romhaibh and romhpa. *Here are two other examples:* chuir mi romham a bhith nam fhiaclair *(I decided to become a dentist);* chuir i roimhpe cuideam a chall *(she decided to lose weight).*

Gnàths-cainnt na Litreach: **cuiridh mi geall gun goid mi a' chaora:** *I bet I'll steal the sheep.*

LITIR 52 *(An Cèitean 2000)*

Did you know that Pontius Pilate is reputed to have been born in Scotland?

Chan eil mi buileach cinnteach cuine a tha Pontius Pilat a' nochdadh airson a' chiad turas anns a' Bhìoball, ach tha e ri lorg tràth anns an Tiomnadh Nuadh ann an Leabhar Mhata, caibideil seachd air fhichead, earrann a dhà. Sin nuair a tha ceannardan nan sagart agus an t-sluaigh air grèim fhaighinn air Ìosa.

An Tiomnadh Nuadh: *the New Testament;* **Caibideil:** *Chapter;* **Earrann:** *Verse;* **sagart:** *priest;*

Seo mar a tha an earrann sin anns an t-seann Bhìoball Ghàidhlig: "Agus air dhaibh [Iosa] a cheangal, thug iad leotha e, agus thug iad thairis e do Phontius Pilat an t-uachdaran." Tha e inntinneach gur e *uachdaran* a th' air mar thiotal. Tha sinn eòlach air an fhacal an-diugh mar a' Ghàidhlig air *landlord.* Ach, o shean, bha e a' ciallachadh "duine a bh' air an uachdar" – duine a bha os cionn daoine eile. *Governor, ruler, chief,* agus *landlord.* Ann an Èirinn, 's e sin am facal a th' aca airson an cinn-suidhe – *Uachtarán na hÉireann.*

air dhaibh Ìosa a cheangal: *after tying Jesus;* **thug iad leotha e:** *they took him with them;* **thug iad thairis e do Phontius Pilat:** *they gave him to Pontius Pilate;*

Tha diofar bheachdan air Pontius Pilat am measg Chrìosdaidhean agus Iùdhach an-diugh. **Tha cuid a' cur sìos air** airson mar a leig e le Ìosa a bhith air a sgiùrsadh 's air a cheusadh. Ach tha cuid eile ga mholadh airson mar a sheas e an aghaidh a' phobaill an toiseach. Ann an Etiòpia, tha mòran de na Crìosdaidhean a' coimhead air mar naomh.

Crìosdaidhean: *Christians;* **Iùdhaich:** *Jews;* **a' sgiùrsadh:** *lashing;* **a' ceusadh:** *crucifying;* **tha cuid eile ga mholadh airson mar a sheas e an aghaidh a' phobaill:** *others commend him for standing against the people;* **Etiòpia:** *Ethiopia;* **naomh:** *saint;*

Ann am *Bìoball na Cloinne*, leabhar de dh'earrannan às a' Bhìoball ann an Gàidhlig shìmplidh, seo am pìos mu dheidhinn mar a sheas Pilat, airson greis, an aghaidh an t-sluaigh a bha ag iarraidh Ìosa a cheusadh:

Dh'fhuirich Ìosa sàmhach. Cheasnaich Pilat e, ach chan fhaigheadh e coire dha. "Leigidh sinn air falbh e!" ars' esan, oir bha e na chleachdadh aon duine a leigeil saor às a' phrìosan aig àm na Càisge.

"Leig às Barabas!" dh'èigh an sluagh, "agus ceus Iosa!"

Bha fios aig Pilat gu robh cunnart ann gun dèanadh iad buaireadh mòr nan deigheadh esan nan aghaidh. Thuirt e, ged nach b' e sin a roghainn fhèin, gum faodadh Ìosa a bhith air a sgiùrsadh mus deigheadh e chun a' chrainn-cheusaidh.

chan fhaigheadh e coire dha: *he could not find fault with him;* **bha e na chleachdadh aon duine a leigeil saor às a' phrìosan aig àm na Càisge:** *it was the custom to release one prisoner at Easter;* **bha cunnart ann gun dèanadh iad buaireadh nan deigheadh esan nan aghaidh:** *there was danger that they would cause a riot if he went against them;* **roghainn:** *choice;*

Gleann Lìomhann: *Glen Lyon;* **Fartairchill:** *Fortingall;* **bha athair air a chur a dh'ionnsaigh Alba le Ìompaire na Ròimhe:** *his father was sent to Scotland by the Emperor of Rome;* **dh'iarr X air Y rèite a dhèanamh le Z:** *X asked Y to make a (peace) deal with Z;* **rugadh leanabh-gille dha:** *a baby boy was born to him;*
susbaint: *substance;*

nach robh cus eòlais aca air an sgeul tràth anns an fhicheadamh linn: *that they didn't know too much about the story early in the twentieth century;*

a bhuineadh don sgìre; *who belonged to the area;*
cha chuala mi guth air X a-riamh: *I never heard of X;* **ach feumaidh gum bi thu a' dol don Eaglais:** *but you (surely) must go to Church;*

Bidh beachd agaibh fhèin air Pilat agus na rinn e. Ach bu mhath leam sùil aithghearr a thoirt air eachdraidh an duine fhèin. Agus gu h-àraidh air toiseach a bheatha air sgàth 's gu bheil cuid ann an Alba dhen bheachd gun do rugadh e an seo. A rèir beul-aithris à Gleann Lìomhann, rugadh Pilat ann an àite ris an canar an Dùn Geal faisg air Fartairchill. Bha athair air a chur a dh'ionnsaigh Alba le Ìompaire na Ròimhe, Caesar Augustus. Dh'iarr an t-Ìompaire air athair Phontius rèite a dhèanamh le Rìgh nan Albannach. Agus fhad 's a bha e ann an Alba, rugadh leanabh-gille dha. Agus b' e sin Pontius.

Chan eil fhios a'm a bheil susbaint sam bith ann a sin, agus chan eil fhios a'm a bheil muinntir Ghlinn Lìomhainn ga chreidsinn an-diugh. Gu dearbh, tha e coltach nach robh cus eòlais aca air an sgeul tràth anns an fhicheadamh linn, co-dhiù a rèir stòiridh èibhinn a tha an sgrìobhadair Seton Gordon ag innse anns an leabhar aige, *Highways and Byways in the Central Highlands.*

Bha fear a bha seo a' tadhal air an sgìre, agus e a' coimhead airson an làraich far an do rugadh an t-uachdaran Ròmanach. Dh'fhaighnich e de dh'fhear a bha ag obair air an rathad, agus a bhuineadh don sgìre, càite an do rugadh Pontius Pilat. "Cha chuala mi guth air an duine sin a-riamh," fhreagair fear an rathaid.

"Ach feumaidh," thuirt am fear-turais, "feumaidh gum bi thu a' dol don Eaglais."

"O, bithidh," fhreagair an duine eile. "**Bithidh, ach chan eil esan anns a' choitheanal agamsa**!"

<u>Puing-chànain na Litreach</u>: **Bithidh, ach chan eil esan anns a' choithional agamsa**: *Oh, yes, but he is not in my congregation. Are you familiar with the spelling conventions regarding* bidh, bithidh *and* bi? *They are all forms of the Future Tense of the Indicative Mood of the verb "to be". The Independent Form, used in making a straightforward statement, is* bidh. *Eg* Bidh mi còmhla riut ann am mionaid *(I will be with you in a minute). The Dependent Interrogative Form is* bi *eg* Am bi thu aig an taigh a-nochd? *(will you be at the house tonight?);* Nach bi thu an seo? *(will you not be here?).* Bithidh *is an alternative to* bidh, *used when the word is being stressed eg Q:* nach bi thu aig a' bhùth Disathairne? *(won't you be at the shop on Saturday?) A:* Bithidh! Bidh mi ann a h-uile Disathairne.

<u>Gnàths-cainnt na Litreach</u>: **tha cuid a' cur sìos air**: *some (people) condemn him.* A' cur sìos air: *censuring, denouncing.*

LITIR 53

(An Cèitean 2000)

Did Galgacus deliver his speech to the Caledonians at Mons Graupius in Gaelic?

a mhuinntir mo dhùthcha agus mo cho-shaighdeara!: *my countrymen and companions in arms! (vocative);*

A mhuinntir mo dhùthcha agus mo cho-shaighdeara! Adh'èigh an ceannard Albannach, Galgacus, air an arm aige nuair a bha iad a' dèanamh deiseil airson sabaid an aghaidh nan Ròmanach. Bha sin, a rèir aithris, anns a' bhliadhna ceithir fichead 's a ceithir (84) no ceithir fichead 's a còig (85) às dèidh Chrìosda aig àite air an robh "Mons Graupius" mar ainm.

am feum a th' againn air buille tarbhach a bhualadh: *the need we have to strike a telling blow;* **truaill:** *scabbard;*

tha mi a' mothachadh dòchas aoibhneach ag èirigh suas nam inntinn: *I feel pleasant hope rising in my mind;*

Lean Galgacus air mar seo: "**Nuair a tha mi a' toirt fa-near an adhbhair gun do tharraing sinn ar claidhnean**, agus am feum a th' againn air buille tarbhach a bhualadh, mus cuir sinn a-rithist anns an truaill iad, tha mi a' mothachadh dòchas aoibhneach ag èirigh suas nam inntinn, **gum bi, air an latha an-diugh, slighe air a fosgladh chum saorsa Bhreatainn a thoirt air ais**..."

òraid: *lecture, speech;* **sabaid:** *fighting;*

Uill, cha deach an latha cho math 's a bha e an dòchas. 'S dòcha gu robh Galgacus na b' fheàrr air òraidean na bha e air sabaid! Lorg mi an òraid ann an seann leabhar Gàidhlig a chaidh fhoillseachadh ann an ochd ceud deug is a trì-deug (1813). Chaidh a sgrìobhadh le fear P. MacPhàrlain. Chan eil fhios a'm cò bh' ann no dè a' chiad ainm a bh' air. Pàdraig, 's dòcha, no Pòl? Co-dhiù, dìreach ron òraid fhèin, sgrìobh MacPhàrlain tiotal air a son: "Brosnachadh Ghalgacuis, ceann-feadhna nan Gàidheal, nuair a bha iad a' dol a chur cath ri feachd na Ròimhe."

brosnachadh Ghalgacuis, ceann-feadhna nan Gàidheal, nuair a bha iad a' dol a chur cath ri feachd na Ròimhe: *the exhortation of Galgacus, the chief of the Gaels, when they were going to battle the army of Rome;*

dha-rìribh: *truly;*

Cruithnis: *Pictish language;* **Cruithneach:** *Pict;*

luchd-eachdraidh: *historians;*

Mmm. Ceann-feadhna nan Gaidheal? An robh Galgacus dha-rìribh a' bruidhinn Gàidhlig air an latha sin? Chanadh a' chuid as motha de luchd-eachdraidh an-diugh nach robh. Bhiodh e na bu choltaiche gu robh e a' bruidhinn Cruithnis, cànan nan Cruithneach. Ach càite an d' fhuair MacPhàrlain na faclan aig Galgacus, air an do chuir e fhèin Gàidhlig aig toiseach an naoidheamh linn deug?

'S e an fhreagairt: bho Chornelius Tacitus, fear de luchd-eachdraidh na Ròimhe, a bha na dhuine òg nuair a thachair Blàr Mhons Ghraupius. Sgrìobh Tacitus leabhar mun uachdaran Ròmanach, Agricola, a bha na riaghladair air Breatainn airson seachd bliadhna agus a bha os cionn

uachdaran: *leader, governor;* **feumaidh gun do dh'eadar-theangaich X...:** *X must have translated...;* **nuair a nì iad fàsach, canaidh iad sìth ris:** *when they make a wilderness, they call it peace (the famous statement on the Pax Romana);* **pongail:** *precise, pointed, articulate;* **blàr, batail:** *battle;* **riaghladair:** *governor, administrator;* **carbadan:** *chariots;* **marc-shluagh:** *cavalry;* **bha cabhlach mòr Ròmanach aig muir, a' cumail biadh is bathar ris na saighdearan:** *there was a large Roman fleet at sea, supplying food and goods to the soldiers;* **Laideann:** *Latin;* **Siorrachd Obair Dheathain:** *Aberdeenshire;* **Moireibh:** *Moray;* **'s dòcha nach bi fios againn a-chaoidh:** *we will perhaps never know;* **dìleab:** *legacy;* **'s e sin as coireach nach eil facal Gàidhlig againn airson Grampian:** *that is why we do not have a Gaelic word for Grampian.*

arm nan Ròmanach aig Mons Graupius. Sgrìobh e ann an Laidinn, agus feumaidh gun do dh'eadar-theangaich MacPhàrlain don Ghàidhlig e.

'S e Tacitus a sgrìobh an earrann ainmeil mu dheidhinn nan Ròmanach a chluinnear gu math tric ann an diofar chànanan – "...ubi solitudinem faciunt, pacem appellant..." – *nuair a nì iad fàsach, canaidh iad sìth ris.* Chan eil fhios a'm an robh Galgacus cho pongail sin agus, co-dhiù, cha do rinn na faclan aige diofar mòr sam bith air latha a' bhatail. Bha arm na b' fheàrr aig na Ròmanaich. Ged a bha carbadan aig na h-Albannaich, rinn marc-shluagh nan Ròmanach a' chùis orra. Agus bha cabhlach mòr Ròmanach aig muir, a' cumail biadh is bathar ris na saighdearan.

Chan eil fios le cinnt aig duine an-diugh càite an robh Mons Graupius. Tha *mons* a' ciallachadh beinn no monadh ann an Laidinn. Ach chan eil fios aig duine dè bha *Graupius* a' ciallachadh. Tha a' chuid as motha de sgoilearan dhen bheachd gur ann anns an ear-thuath a bha e, 's dòcha ann an Siorrachd Obair Dheathain no Moireibh. Tha beachd ann cuideachd gu robh e ann an Inbhir Nis. 'S dòcha nach bi fios againn a-chaoidh air a sin.

Dh'fhàg Tacitus dìleab eile againn cuideachd. Tha e coltach nach do leugh fear-eachdraidh eile Mons Graupius gu ceart, agus sgrìobh e fhèin e mar "Mons Grampius". Agus 's ann às a sin a thàinig am facal *Grampian* ann am Beurla – fada mus robh guth air stèisean telebhisein. Agus 's e sin as coireach nach eil facal Gàidhlig againn airson Grampian ach Grampian fhèin.

Puing-chànain na Litreach: **gum bi, air an latha an-diugh, slighe air a fosgladh chum saorsa Bhreatainn a thoirt air ais:** *that, today, there will be a way opened for Britain's freedom to be given back. The preposition* air *can be used in conjunction with a verbal noun to make a passive verb eg* gum bi slighe air a fosgladh *(that a way will be opened). Note that the "a" in front of the verbal noun is a possessive pronoun and that the correct one must be used, with the appropriate lenition of the verbal noun (*slighe *is a feminine singular noun). Here are some examples:* bha mi air mo bhualadh *(I was struck);* bidh thu air do shàrachadh *(you will be harassed);* bha e air a chumail air ais *(he was kept back);* bha sibh air ur mealladh *(you were deceived);* bidh iad air am fosgladh *(they will be opened).*

Gnàths-cainnt na Litreach: **nuair a tha mi a' toirt fa-near an adhbhair gun do tharraing sinn ar claidhnean**: *when I consider the reason we drew our swords.* A' toirt fa-near: *considering, putting under consideration.*

LITIR 54

(An t-Ògmhios 2000)

Where was the last wolf in Scotland killed .. and how ..?

Bhiodh na seann daoine air a' Ghàidhealtachd ag ràdh, "**Nuair a thèid thu air chèilidh air madadh-allaidh, thoir do chù leat**." Deagh chomhairle, chanainn, agus bidh sibh a' tuigsinn gu robhar a' bruidhinn air barrachd na dìreach madadh-allaidh. Bha iad a' cleachdadh a' mhadaidh-allaidh mar shamhla de chunnart, ged a tha deasbad ann co-dhiù tha iad dha-rìribh cunnartach do dhaoine.

deagh chomhairle, chanainn: *good advice, I would say;* **bidh sibh a' tuigsinn gu robhar a' bruidhinn air barrachd na dìreach madadh-allaidh:** *you will understand that more than just a wolf was being talked about;* **mar shamhla de chunnart:** *as a symbol of danger;* **cumanta:** *common;* **o shean:** *in olden times;* **cuine a chaidh am fear mu dheireadh a mharbhadh?:** *when was the last one killed?;* **a-chaoidh:** *ever;*

Bha na seann Ghàidheil eòlach gu leòr air a' mhadadh-allaidh, agus e cumanta air feadh na Gàidhealtachd o shean. Ach cuine a chaidh am fear mu dheireadh a mharbhadh? Agus càite? Agus cò rinn an gnothach? Uill, leis an fhìrinn innse, cha bhi fios againn le cinnt air a sin a-chaoidh. Tha beul-aithris bho ghrunn àiteachan mu dheidhinn agus bu mhath leam sùil a thoirt air stòiridh bho dhà àite.

bàillidh: *factor;* **Oighreachd Àird Rois:** *Ardross estate;* **Sgìre Rois Chuithne:** *the Parish of Rosskeen;* **tha fhios gu robh e onarach 's nach innseadh e breug sam bith:** *I'm sure he was honest and that he would not tell a lie (given that his name was Ruairidh MacIlleathain!);*

Bha fear Ruairidh MacIlleathain na bhàillidh air Oighreachd Àird Rois faisg air Alanais ann an Ros an Ear agus thug e seachad òraid mu dheidhinn Sgìre Rois Chuithne aig Comunn Gàidhlig Inbhir Nis ann an ochd ceud deug, ceithir fichead 's a sia (1886). Nise, le ainm mar sin, tha fhios gu robh e onarach 's nach innseadh e breug sam bith! Co-dhiù, bha esan dhen bheachd gu robh am madadh-allaidh mu dheireadh ann an Alba air a mharbhadh anns an sgìre sin aig toiseach an ochdamh linn deug. Agus seo mar a thachair e.

greideal: *girdle;* **bonnach:** *bannock;*

a' sgròbadh na talmhainn: *scraping the ground;* **thug i sgleog do X:** *she gave X a clout;*

Bha cailleach a-muigh aig ceithir uairean sa mhadainn air Latha na Bliadhn' Ùire. Bha i a' dol gu taigh a nàbaidh airson greideal fhaighinn. Cha robh greideal aice fhèin agus bha i airson bonnach a dhèanamh dhi fhèin. Nuair a bha i a' tilleadh dhachaigh, chunnaic i am madadh-allaidh ann am meadhan an rathaid, a' sgròbadh na talmhainn. Ghabh i eagal, ach an àite ruith air falbh, thug i sgleog don mhadadh-allaidh air a dhruim leis a' ghreideal. An uair sin ruith i air falbh.

Dh'innis i do fheadhainn eile dè bh' air tachairt agus thàinig iad a-mach airson a cuideachadh. Bha am madadh-allaidh air a ghoirteachadh agus cha b' urrainn dha ruith air falbh. Agus rinn na daoine dochann air gus an d' fhuair e bàs.

rinn na daoine dochann air gus an d' fhuair e bàs: *the people beat it until it died (masc.);*

Uill, 's dòcha gu bheil sin fìor, ach tha e car coltach ri sgeulachdan eile mu bhàs a' mhadaidh-allaidh mu dheireadh. Tha ainmean-àite a' cur taic ris, ge-tà. Chaidh am preas far an do thachair e ainmeachadh mar Phreas a' Mhadaidh, agus tha cnoc faisg air an àite air a bheil Cnoc a' Mhadaidh fhathast, far an robh saobhaidh aig a' mhadadh-allaidh, a rèir Ruairidh MhicIlleathain.

Preas a' Mhadaidh: *the wolf's thicket;* **saobhaidh:** *animal's den;*

Ach tha sgeulachd eile ann a tha gu math inntinneach mu bhàs a' mhadaidh-allaidh mu dheireadh, is tha sin à Siorrachd Inbhir Nis. Bha fear MacCuidhein a' fuireach aig ceann shuas Shrath Èireann anns a' Mhonadh Liath. B' e Mac an Tòisich a cheann-cinnidh.

Srath Èireann: *Strathdearn;* **ceann-cinnidh:** *clan chief;*

Dh'iarr Mac an Tòisich air na fir aige tighinn cruinn airson cur às do mhadadh-allaidh dubh a bh' air dithis chloinne a mharbhadh. Thàinig iad uile cruinn aig an àm a chaidh iarraidh orra, ach a-mhàin aon duine – MacCuidhein. Bha e fadalach, agus cha robh an ceann-cinnidh toilichte.

Mu dheireadh, nochd MacCuidhein agus fhuair e trod bho Mhac an Tòisich airson a bhith fadalach. "Ciod i a' chabhag?" dh'fhaighnich MacCuidhein. Bha sàmhchair ann airson tiotan, agus mus tuirt an ceann-cinnidh càil eile, dh'fhosgail MacCuidhein a chuid aodaich agus thug e a-mach ceann dubh fuilteach a' mhadaidh-allaidh mu dheireadh ann an Alba. "Sin e dhuibh," thuirt MacCuidhein agus thilg e air an talamh e aig casan Mhic an Tòisich. LTIR

thàinig iad uile cruinn aig an àm a chaidh iarraidh orra: *they all gathered together at the time requested of them;*
trod: *a scolding;* **sàmhchair:** *silence;* **tiotan:** *moment;* **fuilteach:** *bloody;* **thilg e:** *he threw;* **ciod i a' chabhag?:** *what's the hurry?;* **dh'fhosgail MacCuidhein a chuid aodaich:** *Macqueen opened his clothing;* **sin e dhuibh:** *there it is for you.*

Puing-chànain na Litreach: **mu dheireadh, nochd MacCuidhein agus fhuair e trod bho Mhac an Tòisich airson a bhith fadalach:** *in the end, Macqueen arrived and was scolded by Mackintosh for being late. There are subtle differences between the Gaelic words and expressions which equate to "late" in English. If it is late at night, it is* anmoch, *which is the opposite of* moch, *early. He came home late (ie after midnight):* thàinig e dhachaigh anmoch. *If you wish to say that somebody is late for an appointment or meeting, the best word to use is* fadalach. *Mackintosh's men probably gathered in the morning and Macqueen was* fadalach. *If you are "running late", in other words, if you are behind schedule in general terms, it is best to say that you are* air dheireadh. Tha mi duilich, ach tha mi air dheireadh le m' obair *(I'm sorry, but I'm behind with my work). But note that "the late Donald MacLeod" (ie deceased), is* Dòmhnall MacLeòid nach maireann.

Seanfhacal na Litreach: **nuair a thèid thu air chèilidh air madadh-allaidh, thoir do chù leat**: *when you go to visit a wolf, take your dog with you.*

LITIR 55

(An t-Ògmhios 2000)

Which Scottish mountain bird is known in Gaelic as a "fool" ..?

tha dealbh agam dhen ghille agam: *I have a picture of my son;* **taigh-òsta:** *hotel;*

Tha dealbh agam, aig an taigh, dhen ghille agam air beulaibh taigh-òsta ann am baile beag anns an Fhraing. 'S e an rud a thog m' aire mun taigh-òsta seo an t-ainm a bh' air – Hotel Amadon.

amadan: *fool;*

'S dòcha gur e "amadan" a chanadh na Frangaich; chan eil fhios a'm. Ach dhòmhsa mar Ghàidheal, 's e "amadan" a bh' ann agus, mar a thuigeas tu, bha an gille agam a' dèanamh gàire nuair a thog mi dealbh dheth leis a' chamara. Bha mi ag ràdh ris gum b' esan an duine a b' fheàrr anns an teaghlach a rachadh anns an dealbh, leis na bha sgrìobhte air an t-sanas, ach chan eil mi cinnteach an robh e fhèin ag aontachadh!

gàire: *smile;* **gum b' esan an duine a b' fheàrr a rachadh anns an dealbh:** *that he was the best person to (who would) go in the photograph;* **ag aontachadh:** *agreeing;*

Nochdaidh am facal *amadan* tric is minig ann an seanfhaclan. Mar eisimpleir, canaidh daoine mu amadan: ***Bhiodh meas duine ghlic air nam biodh e na thost***. **Tha fhios gu bheil mòran fìrinne ann an sin**. Ach, air an làimh eile, tha seanfhacal eile ann a tha a' toirt sealladh eadar-dhealaichte air a' chùis: ***Is minig a thàinig comhairle ghlic à ceann amadain.***

tric is minig: *very frequently;* **bhiodh meas duine ghlic air nam biodh e na thost:** *he would be considered a wise man if he kept quiet;* **air an làimh eile:** *on the other hand;*

Bha mi shuas air na beanntan o chionn ghoirid, agus chunnaic mi grunn amadan. Nise, mura h-eil sibh measail air coiseachd nam beann, 's dòcha gu bheil sibh a' smaoineachadh gum faca mi luchd-coiseachd eile! Uill, feumaidh mi ràdh nach fhaca! Leis an fhìrinn innse, far an robh mi, chan fhaca mi duine eile, ach a-mhàin mo chompanach, airson dà latha.

ach a-mhàin mo chompanach: *except for my companion;*

Ach bha na h-amadain ann! Bidh sibh a' tuigsinn nach e daoine a bha anns na h-amadain sin, ach beathaichean – eòin. Tha mi a' bruidhinn air an *amadan-mòintich* – eun beag brèagha a tha ri fhaicinn air mullaichean àrda beanntan na h-Alba as t-samhradh agus as t-fhoghar gach bliadhna. Ann am Beurla, 's e *dotterel* a chanas daoine ris.

amadan-mòintich: *dotterel;*

as t-samhradh agus as t-fhoghar gach bliadhna: *in summer and autumn every year;*

Cha chreid mi gu bheil fios le cinnt aig duine an-diugh carson as e *amadan-mòintich* a chuir ar sinnsirean air an eun seo mar ainm. Chuala mi diofar bheachdan, ge-tà. Thuirt aon duine rium gur e an dòigh sa bheil an t-eun seo a' gluasad as coireach, agus e a' coimhead rudeigin neònach. Agus leugh mi ann an leabhar gur e as coireach gu bheil an t-eun sìmplidh is neo-amharasach, is gu bheil e furasta a ghlacadh.

Tha sin fìor gu ìre, agus chaidh cron mòr a dhèanamh air an amadan-mhòintich anns an ùine a dh'fhalbh le daoine a bha ag iarraidh an itean airson cuileagan-iasgaich a dhèanamh. Chan eil iad idir cho pailt 's a b' àbhaist ach, gu fortanach, tha gu leòr fhathast a' neadachadh air beanntan na Gàidhealtachd, co-dhiù air tìr-mòr na Gàidhealtachd.

Bidh iad a' cladhach lag beag far am fàg a' chearc a cuid uighean. Agus tha i an uair sin gan trèigsinn. 'S e sin an obair aice dèante agus cha ghabh i tuilleadh gnothaich ris na h-uighean. 'S e an coileach a tha a' dèanamh a' chòrr, le bhith na shuidhe air na h-uighean gus an tig iad gu ìre. 'S e e fhèin a tha gan "gur", mar a chanas sinn. 'S dòcha gur e an coileach an t-amadan, cò aige tha fios!

A bheil cuimhne agaibh air Litir seachd air fhichead (27) air an naoidheamh latha deug dhen t-Samhain an-uiridh? Dh'innis mi dhuibh an uair sin mun ainm Beurla air eun a thàinig bhon Chuimris – am *penguin*. Uill, tha dà eun ann le ainmean ann am Beurla a thàinig bhon Ghàidhlig, agus tha iad le chèile a' fuireach faisg air àiteachan far a bheil amadain-mhòintich a' neadachadh. A bheil fios agaibh dè th' annta? Innsidh mi dhuibh an ath-sheachdain.

gur e as coireach gu bheil an t-eun sìmplidh is neo-amharasach: *that the bird is simple and unsuspicious;*

chaidh cron mòr a dhèanamh air X: *X was badly damaged (ie the population fell dramatically);* **cuileagan-iasgaich:** *fishing flies;* **chan eil iad idir cho pailt 's a b' àbhaist:** *they are not nearly as numerous as they used to be;* **a' neadachadh:** *nesting;* **bidh iad a' cladhach lag beag:** *they dig a small depression;* **far am fàg a' chearc a cuid uighean:** *where the hen (female bird) leaves her eggs;* **a' trèigsinn:** *forsaking;* **cha ghabh i tuilleadh gnothaich ri X:** *she will have nothing more to do with X;* **'s e e fhèin a tha gan gur:** *it is he who incubates them;*
air an naoidheamh latha deug dhen t-Samhain: *on the 19th of November;*

<u>Puing-chànain na Litreach</u>: **tha fhios gu bheil mòran fìrinne ann a sin:** *there is surely much truth in that. If you use* mòran *to qualify a following noun, that noun is in the genitive case. This is because we are saying much "of the truth", even though the "of" is not explicit in English. The same applies to* beagan *(little). Note also that in the case of the genitive plural, the noun is lenited. Here are some examples:* tha mòran obrach aige ri dhèanamh *(he has much work to do);* tha mòran feòla aice *(she has much meat*); tha mòran thogalaichean aca *(they have many buildings).*

<u>Seanfhacal na Litreach</u>: **is minig a thàinig comhairle ghlic à ceann amadain:** *it is often that wise counsel came from a fool's head. A useful riposte if anybody ever calls you an "amadan"!*

LITIR 56

(An t-Ògmhios 2000)

Two Scottish birds carry English names derived from Gaelic ...

Tha dà eun ann air a bheil ainmean ann am Beurla a thàinig bhon Ghàidhlig – an *ptarmigan*, no *tàrmachan*, agus an *capercaillie*, no *capall-coille*. Chan eil fhios a'm cò às a thàinig am "p" aig toiseach an fhacail *ptarmigan*. Gu dearbh, ann an sia ceud deug is seachd-deug (1617), sgrìobh an Rìgh, Seumas VI, gu Iarla Thulaich Bhàrdainn, ag iarraidh air "termigantis" a chur thuige. Bha am facal air a litreachadh le "t" aig an toiseach, is chan e "p".

sgrìobh X gu Y, ag iarraidh air Z a chur thuige: *X wrote to Y, requesting to him send Z to him;* **Iarla Thulaich Bhàrdainn:** *The Earl of Tullibardine;*

Chan eil mi buileach cinnteach nas motha dè tha am facal *tàrmachan* a' ciallachadh. Leugh mi gu bheil e co-cheangailte ris a' ghnìomhair *tàrmaich* a tha a' ciallachadh "gin" no a bhith a' cumail beathaichean gus am bi àl aca. Ach chan eil mi a' faicinn carson a bhiodh sin iomchaidh **airson an tàrmachain seach eun sam bith eile**.

tàrmaich: *to beget, propagate, breed;*
àl: *offspring;*

iomchaidh: *fitting;*

Tha smuain eile agam, ged nach eil mi cinnteach a bheil susbaint mhòr sam bith innte. Ann an Ros an Iar, canaidh na Gàidheil *tormachan* ris – tormachan an t-slèibhe. Agus tha facal ann – *torman* – a tha a' ciallachadh nàdar de dh'fhuaim – *rumbling* no *murmuring*. Uill, bidh tàrmachain a' dèanamh fuaim taitneach gun teagamh. Uaireannan, air mullach beinne, cluinnear iad mus fhaicear iad. Agus 's dòcha gun canadh cuid gur e nàdar de thorman a tha anns an fhuaim sin.

susbaint: *substance;*

torman: *rumbling, murmuring;* **taitneach:** *agreeable, pleasant;* **uaireannan, air mullach beinne, cluinnear iad mus fhaicear iad:** *sometimes, on a mountain top, they are heard before they are seen;*

Anns an t-seachdamh linn deug, bha tàrmachain gu leòr air monaidhean àrda ceann a deas na h-Alba, a bharrachd air a' cheann a tuath. Bha iad eadhon ann an eileanan mar Ìle agus Arainn. An-diugh, chan eil iad idir cho pailt 's a bha iad uaireigin, agus 's e an t-àite as fheàrr air an son am Monadh Ruadh, agus na beanntan eile làimh ris. Mar as trice, chithear iad ann an àiteachan nas àirde na dà mhìle troigh ach, bho àm gu àm, bidh droch shìde a' gheamhraidh gan iomain gu talamh ìosal. Chaidh fear a ghlacadh turas air Eilean Ìù, faisg air a' chladach.

bha iad eadhon ann an eileanan mar Ìle agus Arainn: *they were even in islands like Islay and Arran;* **Am Monadh Ruadh:** *The Cairngorms;* **nas àirde na dà mhìle troigh:** *higher than 2,000 feet;* **bidh droch shìde a' gheamhraidh gan iomain gu talamh ìosal:** *bad winter weather will drive them to low ground;*

Ged nach eil an tàrmachan cho pailt 's a bha e uaireigin, tha e fada nas sàbhailte na 'n capall-coille ann an Alba. Tha an capall-coille, eun mòr a tha càirdeach don tàrmachan agus don chirc-fhraoich, a' fuireach ann an coilltean-giuthais, agus chan eil gu leòr dhiubh sin air fhàgail. Thogadh a' cheist grunn tursan an robh e ceart a bhith a' smaoineachadh gur e capall-coille dha-rìribh an t-ainm a bh' air. Uill, o chionn còrr is ceithir ceud bliadhna, sgrìobh an t-Easbaig Leslie gur e sin a bh' ann – capall-coille – *horse of the forest.* 'S dòcha, a-rithist, gur e am fuaim a tha an coileach a' dèanamh as coireach airson an ainm.

Ach tha eachdraidh dhuilich aig an eun seo ann an Alba. Ann an seachd ceud deug, ceithir fichead 's a còig (1785), chaidh e à bith. 'S e sgrios nan coilltean agus sealg a bu choireach. Chaidh a thoirt air ais bhon t-Suain, a' tòiseachadh ann an ochd ceud deug is seachd-deug air fhichead (1837).

Ach tha dragh mòr aig luchd-saidheans mu dheidhinn. Tha iad ag ràdh nach eil ach mìle air fhàgail agus gu bheil iad ann an cunnart a dhol à bith a-rithist. Am measg eile, bidh iad a' bàsachadh ann am feansaichean a tha a' dìon nan coilltean **an aghaidh nam fiadh**. Tha mi an dòchas nach can sinn, anns an àm ri teachd, nach eil ach aon eun air a' Ghàidhealtachd air a bheil ainm Beurla a thàinig bhon Ghàidhlig. Beannachd leibh.

sàbhailte: *safe;* **a tha càirdeach don tàrmachan agus don chirc-fhraoich:** *which is related to the ptarmigan and grouse;* **coilltean-giuthais:** *pine woods;*

An t-Easbaig Leslie: *Bishop Leslie;* **gur e am fuaim a tha an coileach a' dèanamh as coireach airson an ainm:** *that it is the noise which the cock makes which is responsible for the name;* **eachdraidh dhuilich:** *a sorry history;* **chaidh e à bith:** *it became extinct;* **'s e sgrios nan coilltean agus sealg a bu choireach:** *it is the destruction of the forests and hunting which were responsible;* **chaidh a thoirt air ais bhon t-Suain:** *it was brought back from Sweden;* **luchd-saidheans:** *scientists;*

feansaichean: *fences;* **anns an àm ri teachd:** *in the future (the time which is to come).*

Puing-chànain na Litreach: **an aghaidh nam fiadh:** *against the deer. The noun is in the genitive case because it follows a compound preposition. In Litir 28 I mentioned that the genitive plural form is sometimes identical to the nominative singular (or primary form of the word). The group of nouns represented by* fiadh *are of this type. They are masculine and their plural in the nominative case is formed by terminal slenderisation. The nominative singular* fiadh *becomes* fèidh *in the nominative plural. So in the genitive plural, it reverts to* fiadh. *Thus we get* casan nam fiadh. *Similarly,* cat *becomes* cait *in the nominative plural. So* "the heads of the cats" *is* cinn nan cat. *Another example is* ceann *itself (a masculine word pluralising to* cinn *in the nominative). We get* Tom nan Ceann *(the hill of the heads) . If there is no article present, the same form of the word is used, but it is lenited. Thus we get* cinn chat *(cats' heads);* casan fhiadh *(legs of deer);* sealladh cheann *(a view of heads).*

Gnàths-cainnt na Litreach: **airson an tàrmachain seach eun sam bith eile:** *for the ptarmigan rather than any other bird.*

LITIR 57 *(An t-Ògmhios 2000)*

In 1909 fans of Celtic and Rangers rioted – but they were not fighting each other ...

bidh mi an-còmhnaidh a' faireachdainn an-fhoiseil: *I always feel ill at ease;* **sgiobannan buill-choise:** *football teams;* **fòirneart:** *violence;* **bidh iadsan làn fealla-dhà:** *they are full of fun;* **ghabhadh muinntir Lunnainn eagal ro na mìltean de dh'Albannaich:** *the people of London would be fearful of the thousands of Scots;* **dàrnacha:** *second;* **buaireasach:** *troublesome;*

an aghaidh a chèile: *against each other;*

tha iomadh taobh aig luchd-leantainn buill-choise: *there are many sides to football fans (followers);* **mar eisimpleir dhen sin, tha buaireadh air a bhith ann aig X:** *as an example of that, there has been unrest at X;* **gràin:** *hatred;* **Pròstanaich:** *Protestants;* **Caitligich:** *Catholics;* **Cuairt Dheireannach Cupa na h-Alba:** *the Scottish Cup Final;*

tastan: *shilling;* **airgead mòr aig an àm:** *a lot of money at the time;*

gun tigeadh an fharpais gu crìch: *that the competition would end;*

Bidh mi an-còmhnaidh a' faireachdainn an-fhoiseil nuair a chluinneas mi Albannaich a' cur sìos air Sasannaich a leanas an sgiobannan ball-coise gu dùthchannan eile. Bidh na Sasannaich ri fòirneart, tha iad ag ràdh, ach ... na h-Albannaich? Uill, bidh iadsan làn fealla-dhà. **Bheir iad pògan do na boireannaich, is beiridh iad air làimh air na fir**. Cha bhi iad a' sabaid.

Bidh mi an-fhoiseil air sgàth 's gu bheil cuimhne agam nuair a bha a' chùis gu math eadar-dhealaichte. Gach dàrnacha bliadhna, ghabhadh muinntir Lunnainn eagal mòr ro na mìltean de dh'Albannaich a rachadh ann airson nan geamannan eadar Sasainn agus Alba. 'S iad na h-Albannaich a bha buaireasach aig an àm.

Agus san latha an-diugh, gach turas a tha Celtic agus Rangers a' cluich an aghaidh a chèile, tha obair mhòr aig poilis Ghlaschu ann a bhith a' cumail na sìthe. Gu mì-fhortanach, chan e dìreach droch fhaireachdainn eadar diofar sgiobannan a th' air cùl sin, ach droch fhaireachdainn eadar dà chreideamh.

Ach **tha caochladh clòimhe ann an clò Chaluim**. Agus tha iomadh taobh aig luchd-leantainn ball-coise. Mar eisimpleir dhen sin, tha buaireadh air a bhith ann aig geamannan eadar Celtic is Rangers, bho àm gu àm, nach robh stèidhichte air gràin eadar Pròstanaich is Caitligich. 'S ann mar sin a bha e ann an naoi ceud deug 's a naoi (1909), aig Cuairt Dheireannach Cupa na h-Alba, aig Pàirc Hampden. Bha an trioblaid cho dona 's nach robh an Cupa air a thoirt seachad air a' bhliadhna sin idir. Chan e creideamh a dh'adhbharaich an strì, ge-tà, ach airgead.

Bha cùisean eacanomaigeach ann an Glaschu truagh truagh. Bha mòran de mhuinntir a' bhaile gu math bochd. A dh'aindeoin sin, lorg trì fichead 's a deich mìle duine airgead gu leòr airson a dhol don ghèam. Chosg e tastan do gach duine, airgead mòr aig an àm.

Bha Celtic agus Rangers co-ionann aig deireadh a' gheama, agus bha aca ri chluich a-rithist. Bha an dàrna gèam ann, a-rithist aig Hampden, agus chaidh còrr is trì fichead mìle duine ann airson a choimhead. Bha dùil ann gun tigeadh an fharpais gu crìch air an latha sin, agus bha

gum biodh ùine a bharrachd ann aig deireadh a' gheama: *that there would be extra time at the end of the game;*

bratach-oisein: *corner flag;*

pàipear-naidheachd air a ràdh gum biodh ùine a bharrachd ann aig deireadh a' gheama, nan robh an dà sgioba co-ionann a-rithist. Uill, às dèidh ceithir fichead mionaid 's a deich, bha iad co-ionann, agus dh'fhuirich an luchd-coimhead a-staigh, a' feitheamh ri ùine a bharrachd. Ach cha robh ùine a bharrachd ann am planaichean an fheadhainn a bha a' ruith na farpais. Mu dheireadh, thàinig oifigear air a' phàirc agus thug e bratach-oisein air falbh, mar dhòigh gus innse don t-sluagh gu robh an gèam seachad.

na h-ùghdarrasan: *the authorities;* **chaidh iad às an rian:** *they went off their heads;* **bùthan:** *booths;* **luchd-smàlaidh:** *firemen;*

Bha an luchd-coimhead dhen bheachd gu robh na h-ùghdarrasan ag iarraidh gèam eile airson tuilleadh airgid a dhèanamh, agus chaidh iad às an rian. Loisg iad na lìn agus na puist, mhill iad na bùthan far an robh an t-airgead air a chruinneachadh, gheàrr iad pìoban an luchd-smàlaidh, agus chaidh iad an sàs ann an sabaid leis a' phoilis gu seachd uairean feasgar.

cò chaidh a choireachadh?: *who was blamed?;* **aonaidhean:** *unions;* **Comhairle Baile Ghlaschu:** *Glasgow City Council;* **nan robh dath an sàs anns a' chùis:** *if there were a colour involved in the matter;* **an dearg-chaothach:** *absolute fury;* **ri guaillibh a chèile;** *along with each other (ie shoulders together).*

Agus cò chaidh a choireachadh? Uill, rinn am pàipear-naidheachd, an *Glasgow Times*, ceangal eadar an gèam agus buaireadh aig coinneamhan Comhairle nan Aonaidhean agus Comhairle Baile Ghlaschu air an t-seachdain roimhe sin. Nan robh dath an sàs anns a' chùis, a rèir a' phàipeir, chan e uaine no gorm a bh' ann – ach dearg. Chan eil fhios a'm mu dheidhinn sin, ach bha an dearg-chaothach air luchd-leantainn gach sgioba, agus iad a' sabaid ri guaillibh a chèile, chan ann an aghaidh a chèile, air an droch latha sin.

LTiR

Puing-chànain na Litreach: **Bheir iad pògan do na boireannaich, is beiridh iad air làimh air na fir:** *they kiss the women and shake the men's hands. Are you confused about the use of "bheir" and "beiridh"? They are in fact different verbs, and both are irregular.* Bheir *is the future indicative of the Active Voice of the verb* thoir (a' toirt), *give, take, bring (it is used here to express a habitual action which is given in the present tense in English).* Bheir mi pòg dhi *(I will give her a kiss);* bheir iad tiodhlacan dha *(they will give him gifts);* An toir thu sin dhomh? *(will you give me that?).* Bheir *(yes). But* beiridh *is the future indicative of the Active Voice of the verb* beir (a' breith), *bear, catch, take hold of.* Beiridh mi air an uan *(I will catch hold of the lamb);* **Ma chì thu deagh bhean, beir oirre no beiridh fear eile oirre *(if you see a good woman[wife], catch her or another man will catch her);*** Beiridh mi air làimh air *(I will take him by the hand, shake his hand).*

Seanfhacal na Litreach: **Tha caochladh clòimhe ann an clò Chaluim**: *there are various wools in Calum's cloth, ie there are many aspects to the matter. This can also be used of individuals who are of complex character.*

LITIR 58

(An t-Ògmhios 2000)

A story of deceit on a Highland estate …

O chionn mìos, dh'innis mi dhuibh mu dheidhinn fear, Ruairidh MacIlleathain (nach robh càirdeach dhomh), a bha na bhàillidh air Oighreachd Àird Rois ann an taobh sear Siorrachd Rois. Bha sgeulachd no dhà aige, a bha glè inntinneach, mu dheidhinn daoine anns an sgìre sin. Tha mi a' dol a dh'innse dhuibh mu dheidhinn fear aca – buachaille a bha a' fuireach is ag obair ann. Chanadh daoine an-diugh gur e "caractar" a bh' ann, ach 's dòcha aig an àm gur e "slaightear" a chanadh daoine ris!

Cha do dh'fhàgadh ainm air a shon is, mar sin, canaidh mi dìreach "am buachaille" ris. Tha a' chiad sgeulachd mu dheidhinn mar a rinn am buachaille a' chùis air tuathanach beartach. Bha an sgìre a' fulang, ann an ochd ceud deug 's a h-ochd deug (1818), le dìth-bìdh, air sgàth 's nach do dh'fhàs am bàrr gu math air a' bhliadhna roimhe.

Chaidh am buachaille a bhruidhinn ris an tuathanach bheartach, agus dh'iarr e air min a thoirt dha air creideas. 'S e sin gum pàigheadh e air a son uaireigin ged nach pàigheadh e sa mhionaid. **Chan eil fhios a'm co-dhiù 's e min-choirce no min-eòrna a bh' ann, agus chan eil e gu diofar don sgeulachd co-dhiù**.

Bha an tuathanach dhen amharas nach fhaigheadh e sgillinn airson na mine, agus chuir e deuchainn air a' bhuachaille. "Dè," dh'fhaighnich e, "dè an gnothach a b' fheàrr is a b' ealanta a rinn thu a-riamh?"

"A, uill," fhreagair am buachaille, "a bheil cuimhne agad gun do chaill thu mart dubh turas? Bha mart a dhìth ort an uair sin, agus thàinig thu thugamsa an ceann greis agus cheannaich thu mart breac bhuam. Uill, 's e an aon bheathach a bh' anns na dhà!"

Bha an tuathanach airson faighinn a-mach ciamar a rinn am buachaille a' chùis air. Thabhann e bolla mine dha, an asgaidh, nan innseadh e sin dha. "Furasta!" fhreagair am buachaille. "Thàinig am mart don bhàthaich agam le a thoil fhèin [mas fhìor!] Thug mi

bàillidh: *factor;* **oighreachd:** *estate;*

buachaille: *herdsman;*

slaightear: *rogue, dishonest rascal;*
cha do dh'fhàgadh ainm air a shon: *a name was not left for him;*
beartach: *wealthy;*
air sgàth 's nach do dh'fhàs am bàrr gu math air a' bhliadhna roimhe: *because the crop(s) did not grow well the year before;* **dh'iarr e air min a thoirt dha air creideas:** *he asked him to give him meal on credit;*
dè an gnothach a b' fheàrr is a b' ealanta a rinn thu a-riamh?: *what is the best and most skilful business you ever did?;* **mart:** *steer;* **bha mart a dhìth ort an uair sin:** *you had need of a beast then;* **breac:** *speckled, spotted;* **'s e an aon bheathach a bh' anns na dhà:** *both of them were the same animal;* **thabhann e bolla mine dha, an asgaidh, nan innseadh e sin dha:** *he offered him a boll of meal, free of charge, if he would tell him that;* **bàthach:** *byre;* **le (a) thoil fhèin [mas fhìor]:** *of its own volition [if you believe that];*

thug mi grunn sgadan saillte a-mach à baraille: *I took a few salted herring out of a barrel;* **bian:** *hide;* **gaoisid:** *hair;* **Cataibh:** *Sutherland;* **pàirc:** *grassy field;* **bha cuideigin air ceann a-mach an earbaill a ghearradh dheth:** *somebody had cut the distal end of the tail off;* **chuir e am falach ann an coille e:** *he hid it in a wood;* **seiche mairt:** *cow's skin;* **gu cùramach:** *carefully;* **Caolas Dhòrnaich:** *Dornoch Firth;* **nuair a bha am bàta an impis falbh:** *when the boat was about to leave;* **thug e sùil gheur air:** *he examined it closely;*

grunn sgadan saillte a-mach à baraille agus cheangail mi iad air bian a' mhairt. Às dèidh beagan làithean, dh'fhalbh a' ghaoisid dhubh far an robh gach iasg agus, as dèidh làimh, 's e gaoisid bhàn a dh'fhàs na àite!" Fhuair e a' mhin!

Turas eile, bha am buachaille a' tilleadh dhachaigh à Cataibh nuair a chunnaic e mart ann am pàirc leis fhèin. Ach bha earball goirid air. Bha cuideigin air ceann a-mach an earbaill a ghearradh dheth. Thug e am mart leis agus chuir e am falach ann an coille e.

Lorg e seiche mairt agus gheàrr e an t-earball dhith. Cheangail e sin gu cùramach air earball a' mhairt aige, agus dh'fhalbh e leis a dh'ionnsaigh an aiseig thar Caolas Dhòrnaich. Nuair a bha am bàta an impis falbh, leum duine mòr – tuathanach – air bòrd. Chaidh e a dh'ionnsaigh a' mhairt is thug e sùil gheur air.

"Chaill mi mart o chionn trì latha," thuirt e, "agus **mura b' e gu robh earball fada aig an fhear sin, chanainn gur e sin am fear agamsa**."

"Ach 's ann leamsa a tha e," fhreagair am buachaille.

deimhinne: *certain.*

Choimhead an tuathanach air a' mhart a-rithist. "Tha mi deimhinne gur e seo am fear agamsa, ach gu bheil earball fada air."

mionnaich gur ann leatsa a tha e: *swear it is yours;* **leis gu robh an fhianais air a dhol air falbh leis an t-sruth:** *as the evidence had gone with the current.*

Leis a sin, thug am buachaille sgian a-mach, gheàrr e an t-earball gu lèir dheth, agus thilg e anns a' mhuir e. "A-nise," thuirt e ris an tuathanach," mionnaich gur ann leatsa a tha e!" Ach cha b' urrainn dha, leis gu robh an fhianais air a dhol air falbh leis an t-sruth.

<u>Puing-chànain na Litreach</u>: **Chan eil fhios a'm co-dhiù 's e min-choirce no min-eòrna a bh' ann, agus chan eil e gu diofar don sgeulachd co-dhiù**: *I don't know whether it was oatmeal or barley meal, and it doesn't make a difference to the story anyway. Co-dhiù can be used in several ways. The first is for "whether", as in a choice between two things.* Tha e mì-chinnteach co-dhiù bidh e ann no/gus nach bi *(it is uncertain whether he will be there or not). It can stand for anyway:* Chan eil sin gu diofar dhomh – thèid mi ann co-dhiù *(that doesn't matter to me – I'll go anyway).* Bidh iad ann, no co-dhiù bidh Màiri ann *(they'll be there, or at least Mary will be there);* bha co-dhiù trì mìle duine an làthair *(there were at least 3,000 people present).*

<u>Gnàths-cainnt na Litreach</u>: **<u>mura b' e</u> gu robh earball fada aig an fhear sin, chanainn gur e sin am fear agamsa**: *<u>if it weren't</u> [for the fact] that that one has a long tail, I would say that it is my one.*

LITIR 59

(An t-Iuchar 2000)

Migratory Bogs are a fascinating and unusual phenomenon ...

maoim: *terror, panic, flight, sudden eruption (as of water);* **a' teicheadh:** *fleeing;*

A bheil sibh eòlach air an fhacal *maoim*? Ma tha sinn a' bruidhinn air daoine, tha e a' ciallachadh "eagal mòr" agus mar a bhios daoine a' teicheadh, agus an t-eagal orra. *Biodh maoim air do nàimhdean – let your enemies flee in fear.*

faodaidh eagal buaidh mhòr a thoirt air daoine: *fear can have a big effect on people;* **tha e doirbh smachd a thoirt air:** *it is difficult to control;*

Faodaidh eagal buaidh mhòr a thoirt air daoine. Agus tha e doirbh smachd a thoirt air. Tha seanfhacal againn a tha a' toirt iomradh air a sin: **Triùir a thig gun iarraidh – gaol, eud is eagal.**

a' dòrtadh: *pouring,spilling;* **a' taomadh:** *pouring, overflowing;* **sliabh (gen. slèibhe):** *mountain, moor, high ground;* **talamh (gen. talmhainn):** *earth, ground, soil;*

Ach uaireannan 's e maoim a tha ag adhbharachadh maoim. Feumaidh mi mìneachadh. Tha am facal maoim cuideachd a' ciallachadh mar a bhios rudeigin a' dòrtadh no a' taomadh gu h-obann air rudeigin eile. Agus tha sinn a' cleachdadh an fhacail le faclan eile, leithid *sliabh* no *talamh*. Canaidh sinn *maoim-slèibhe* no *maoim-talmhainn* airson *mudslide* no *landslide*. Agus dè chanadh sibh airson *avalanche*? Tha e inntinneach gur e facal Frangach – *avalanche* – a thathar a' cleachdadh ann am Beurla. Tha facal Gàidhlig againn air a shon, ge-tà – *maoim-sneachda*. Tha e a' dèanamh ciall, nach eil? Agus nach cuireadh maoim-sneachda maoim oirbhse?

Ach bu mhath leam sùil a thoirt air maoimean-talmhainn de sheòrsa sònraichte – *maoimean-mòintich* – no, mar a chanas iad ann am Beurla, *migratory bogs*.

Luimneach: *Limerick;*

Bha tè ainmeil ann an Èirinn, faisg air Luimneach, anns a' bhliadhna sia ceud deug, ceithir fichead 's a seachd-deug (1697), a thachair an dèidh uisge trom.

ghluais a' mhòinteach air fad: *the whole moss (bog) moved;* **ag ionaltradh:** *grazing;* **chum i a' dol gus an do stad i air lèana aig a' bhonn:** *it (fem.) kept going until it stopped on a meadow at the bottom;* **anns an robh sia troighean deug de dhoimhneachd:** *in which there were 16 feet of depth;*

Ghluais a' mhòinteach air fad sìos am bruach, a' toirt leatha pàircean far am biodh crodh ag ionaltradh, agus chum i a' dol gus an do stad i air lèana aig a' bhonn. Mu dheireadh, bha an lèana air a chòmhdachadh le mòine is poll anns an robh sia troighean deug de dhoimhneachd.

Agus bha maoim-talmhainn dhen aon seòrsa ann an Alba, anns an iar-dheas, ann an àite ris an canar Mòinteach Shalmhaigh, no *Solway Moss*, anns an ochdamh linn deug. Ann an seachd ceud deug, trì fichead 's a h-ochd (1768) chunnaic am fear-siubhail is sgrìobhadair, Tòmas Pennant, an t-àite. Bha e gu math brèagha, shaoil e. Ach ceithir bliadhna as dèidh sin, chaidh e ann a-rithist, agus bha e doirbh dha creidsinn gur e an aon àite a bh' ann.

Bha meudachd de mhìle is sia ceud acaire anns a' mhòintich sin, agus bha i os cionn srath breàgha, anns an robh talamh torrach. Bha a' mhòinteach gu math fliuch is bog, ach bha uachdar cruaidh oirre a chum slàn i. Gu mì-fhortanach, ge-tà, bhuain feadhainn mòine innte, agus bhris iad an t-uachdar. Thàinig uisge trom agus, air an oidhche, chuala tuathanach anns an t-srath fuaim mòr annasach os cionn an taigh aige.

Fhuair e lanntair, chaidh e a-mach agus chunnaic e uisge dubh a' sruthadh sìos am bruach. Thuig e gur e maoim-slèibhe a bh' ann agus ruith e timcheall, a' toirt rabhadh do nàbaidhean. Chaidh a' mhòine is am poll thairis air achaidhean is taighean gu luath agus b' fheudar do fheadhainn faighinn a-mach tro mhullach an taigh aca.

Dh'fhalbh mu thrì cheud acaire dhen mhòintich air an oidhche sin, agus chòmhdaich i ceithir cheud acaire dhen t-srath. Bha crodh gu leòr air a mharbhadh, ach fhuair na daoine aon bhò a-mach gu sàbhailte, ged a bha i suas gu a h-amhaich ann am poll airson trì fichead uair a thìde. Bha i fallain gu leòr as dèidh làimh, ach cha d' rachadh i faisg air uisge airson a chòrr de a beatha.

LTR

shaoil e: *he thought;* **bha e doirbh dha creidsinn gur e an aon àite a bh' ann:** *it was difficult for him to believe it was the same place;* **bha meudachd de X acaire anns a' mhòintich:** *the moss was X acres in size;* **torrach:** *fertile;* **bha uachdar cruaidh oirre a chum slàn i:** *it (fem.) had a hard upper surface which kept it intact;* **bhuain feadhainn mòine innte:** *some people cut peats there;*
lanntair: *lantern;*

rabhadh: *warning;* **nàbaidh-ean:** *neighbours.*

bha crodh gu leòr air a mharbhadh: *plenty of cattle were killed;* **ged a bha i suas gu a h-amhaich ann am poll:** *although she was up to here neck in mud;* **cha d' rachadh i faisg air uisge airson a' chòrr de a beatha:** *she wouldn't go close to water for the rest of her life.*

<u>Puing-chànain na Litreach</u>: *You may have noticed that the Gaelic for landslide is* maoim-slèibhe, *even though, in theory, it ought to be* maoim-shlèibhe. *The theoretical point of view is explained by Gillies in his* The Elements of Gaelic Grammar (1896): *"When two Nouns combine to form a Compound Noun the first is declined regularly. The second has the Genitive form always and in all the cases. It may be Singular or Plural. If it is Singular, it takes the Aspiration [lenition] of an Adjective in agreement with the first Noun – if Plural it takes the Aspirate throughout." On that basis,* maoim *being a feminine word and thus leniting [aspirating] an associated adjective, we should say* maoim-shlèibhe, maoim-thalmhainn *and* maoim-shneachda. *But grammatical "rules" change over time or are ignored. The recent report on GOC (Gaelic Orthographic Conventions) gives the modern view: "It is not possible to give a definitive ruling on whether a noun following a feminine noun [in a compound] should be lenited, as there are many examples of when such a noun is lenited and many examples of when it is not."*

<u>Seanfhacal na Litreach</u>: **Triùir a thig gun iarraidh – gaol, eud is eagal**: *three that come unbidden – love, jealousy and fear.*

LITIR 60

(An t-Iuchar 2000)

The most beautiful feathers are on the distant birds …

Leòdhas: *Lewis;*

a' sireadh bean ann an dòigh ùr: *looking for a wife in a new way;* **eadar-lìon:** *internet;* **o shean:** *in olden times;* **mnathan:** *wives;* **Barabhas:** *Barvas;* **Siabost:** *Shawbost;* **Càrlobhagh:** *Carloway;* **Nis:** *Ness;* **tha e a cheart cho coltach gum pòs iad tè à X:** *it is just as likely that they will marry a woman from X;* **'s e sin co-dhiù a chaidh innse dhomh:** *anyway, that's what I was told;* **thall thairis:** *overseas;* **feumaidh mi [a] bhith rud beag faiceallach anns na chanas mi:** *I must be careful (in) what I say;*

cha chan mi an còrr: *I won't say any more;*

Hiort: *St Kilda;*

bha sin gu h-àraidh fìor mu na sùlairean: *that was particularly true of the gannets;* **Boraraigh:** *Boreray;* **stacan-mara:** *sea stacks;* **chan fhaca mi aon eun nach robh a' coimhead foirfe:** *I didn't see one bird which did not look perfect;* **fulmair:** *fulmar;*

Tha na h-itean as bòidhche air na h-eòin fad às. 'S e sin seanfhacal a chuala mi nuair a bha mi ann an Leòdhas o chionn ghoirid. Cha robh sinn a' bruidhinn air eòin, ge-tà, ach air daoine.

Tha e coltach gu bheil cuid de dh'fhireannaich òga Leòdhais a' sireadh bean ann an dòigh ùr – air an eadar-lìon. O shean, bhiodh balaich à Barabhas a' faighinn am mnathan ann an àiteachan mar Shiabost no Càrlobhagh no Nis. Ach an-diugh tha e a cheart cho coltach gum pòs iad tè à Seattle no Copenhagen no New Brunswick air an d' fhuair iad eòlas air oidhche gheamhraidh air a' choimpiutar. 'S e sin co-dhiù a chaidh innse dhomh. A bharrachd air a sin, tha e coltach gu bheil na fir Leòdhasach, no cuid aca, dhen bheachd gu bheil na boireannaich thall thairis nas brèagha nan fheadhainn aig an taigh. Tha na h-itean as bòidhche air na h-eòin fad às.

Uill, feumaidh mi bhith rud beag faiceallach anns na chanas mi mu dheidhinn sin. Phòs mi fhìn tè às Astràilia! Ach, leis an fhìrinn innse, tha mi a' smaoineachadh **gu bheil na balaich ann an Leòdhas gam mealladh fhèin**. Tha iomadach boireannach brèagha ann an Leòdhas, anns gach sgìre dhen eilean, mar a tha na h-òrain Ghàidhlig ag innse dhuinn! Agus, air eagal 's gum faigh mi mi fhìn ann an trioblaid, cha chan mi an còrr!

Ach thog an seanfhacal m' aire ann an dòigh eile. Bha mi dìreach air a bhith aig muir airson ceithir latha, a' tadhal air Hiort. Agus 's dòcha gu bheil beagan dhen fhìrinn anns an t-seanfhacal ma tha thu a' smaoineachadh dìreach air eòin. Chan fhaca mi itean nas bòidhche na chunnaic mi ann an Hiort. Agus tha na h-eileanan sin gu math fad às.

Bha sin gu h-àraidh fìor mu na sùlairean. Chunnaic mi na mìltean thar mhìltean aca timcheall Bhoraraigh agus na stacan-mara faisg air an eilean sin – an Stac Lì agus Stac an Armainn, agus chan fhaca mi aon eun nach robh a' coimhead foirfe. Cha b' ionann sin do na fulmairean, ge-tà. Chunnaic mi feadhainn acasan le beàrn

le beàrn ann far am bu chòir ite a bhith: *with a gap where a feather should be;* **fasgadair mòr:** *great skua (bonxie);*

ann far am bu chòir ite a bhith. Tha amharas agam gun do chaill feadhainn an itean do na fasgadairean mòra, na *bonxies*, mar a chanas iad ann an Sealtainn, eòin mhòra dhonna a bhios a' toirt ionnsaigh air na h-eòin eile.

air talamh rèidh faisg air mullach nam bearraidhean: *on flat land close to the clifftops;* **thoir an aire:** *look out, take care;* **aig astar a-mach às an adhar:** *at speed out of the sky;* **a' cuimseachadh air do cheann:** *aiming for your head;*

Agus chan ann dìreach air na h-eòin. Ma thèid thu ro fhaisg air an nead aca, a tha ann am feur goirid air talamh rèidh faisg air mullach nam bearraidhean, an dearbh sheòrsa àite far am bi daoine a' coiseachd ann an Hiort, thoir an aire. Chan fhada gus am bi fasgadair mòr a' tighinn aig astar a-mach às an adhar ort, agus e a' cuimseachadh a ghob air do cheann. Chan eil na h-itean a cheart cho brèagha air an eun sin, agus 's iomadh duine a bha toilichte gu bheil iad a' fuireach fad às!

eireachdail nan aodannan 's nam bodhaigean: *beautiful in their faces and bodies;* **nam biodh iad air an còmhdach ann an nos a' bhaile mhòir agus ag imeachd air sràidean Shasainn:** *if they were clothed in the manner of the city and journeying on the streets of England;*

Ach 's dòcha gu bheil an seanfhacal fìor mu Hiort ann an dòigh eile. Anns an ochdamh linn deug agus an naoidheamh linn deug, bha fir, gu h-àraidh fir bho eileanan eile anns na h-Eileanan Siar, dhen bheachd gu robh na boireannaich ann an Hiort air leth brèagha. Sgrìobh an t-Urramach Coinneach MacAmhlaigh gu robh iad "eireachdail nan aodannan 's nam bodhaigean agus, nam biodh iad air an còmhdach ann an nòs a' bhaile mhòir agus ag imeachd air sràidean Shasainn, bhiodh iad ainmeil anns na comainn as uaisle." Innsidh mi dhuibh mun tè a bu bhòidhche aca, agus na thachair dhi, an ath-sheachdain. LTR

Puing-chànain na Litreach: **gu bheil na balaich ann an Leòdhas gam mealladh fhèin:** *that the lads in Lewis are deceiving themselves.* Gam mealladh *is a shortened form of* aig am mealladh *(at their deceiving),* am *being the possessive pronoun of the third person plural (changed from* an*, because of the initial "m" in* mealladh*). In such a construction the* fhèin *(or* fèin *or* fhìn*) comes after the verbal noun. Here are some other examples of such constructions:* tha iad gam bualadh fhèin *(they are striking themselves);* bha iad gan coireachadh fhèin *(they were blaming themselves). Where the verbal noun starts with a labial consonant (b, f, m, p), the* gam *(rather than* gan*) is identical to the form of the first person singular; the difference is that in the latter the verbal noun is lenited ie* bha mi gam mhealladh fhèin *(I was deceiving myself).* Gam *here is a shortened form of* aig mo *and, as you know, the possessive pronoun* mo *lenites the following noun if it starts with a lenitable consonant.*

Seanfhacal na Litreach: **Tha na h-itean as bòidhche air na h-eòin fad às**: *the most beautiful feathers are on the distant birds.*

LITIR 61

(An t-Iuchar 2000)

Tales of evil and love on St. Kilda ...

iomallach: *remote;* **Hiort:** *St Kilda;*

Sòdhaigh: *Soay;* **Na Hearadh:** *Harris;* **bearraidhean:** *cliffs;*

's dòcha gur ann o dhaoine a thàinig an cunnart a bu mhotha: *perhaps the greatest danger came from people;* **thigeadh daoine don eilean le droch rùn:** *people of evil intent would come to the island;* **dachannan:** *homes;*

thill iad nan deann: *they returned at great speed;* **cabhlach:** *fleet of ships;* **chaidh X am falach ann an seipeil:** *X hid in a chapel;* **ghlais:** *locked;* **uamh:** *cave;* **chuir iad teine ris an tughadh:** *they set the thatch alight;*

a' buachailleachd cruidh: *herding cattle;* **ga cumail fhèin beò air uighean is eòin:** *keeping herself alive on eggs and birds;* **chaidh ceartas a dhèanamh as leth muinntir Hiort:** *justice was done on behalf of the people of St Kilda;*

Is e àite gu math iomallach a th' ann an Hiort. Bha na daoine a bha a' fuireach ann o shean, na Hiortaich, air an cuairteachadh le cunnart. Cunnart aig muir nuair a bha iad a' falbh a Bhoraraigh no Sòdhaigh no Na Hearadh. Agus cunnart air na bearraidhean nuair a bha iad a' sreap orra, agus iad an tòir air eòin no uighean.

Ach gu h-annasach, airson àite a bha cho fad' air falbh on a h-uile h-àite eile, 's dòcha gur ann o dhaoine a thàinig an cunnart a bu mhotha. Bho àm gu àm thigeadh daoine don eilean le droch rùn. Mar sin, nuair a thigeadh bàta don eilean, 's ann tric a bhiodh an sluagh a' teicheadh bhon dachannan.

Bha na Hiortaich gu h-àraidh teagmhach mu dhaoine bhon taobh a-muigh, às dèidh sgrios a rinn Fearchar Mòr agus an Dùgan orra. A rèir beul-aithris, **b' iad sin dithis Leòdhasach a chaidh a dh'fhuireach ann an Hiort o chionn fhada**. Nuair a bha iad ann, shreap iad gu mullach Oiseabhail, cnoc àrd faisg air a' bhaile. Thill iad nan deann, agus iad ag èigheachd gu robh cabhlach Sasannach a' tighinn dhan ionnsaigh.

Chaidh na h-eileanaich am falach ann an seipeil, ach ghlais Fearchar Mòr is an Dùgan a-staigh iad, agus chuir iad teine ris an tughadh. Fhuair a h-uile duine bàs. Gu fortanach, ge-tà, bha aona chailleach a-muigh anns a' Ghleann Mhòr, air taobh thall an eilein, a' buachailleachd cruidh. Chaidh i am falach ann an uamh air falbh on dithis shlaightearan airson beagan mhìosan, ga cumail fhèin beò air uighean is eòin, gus an tàinig bàta bho na h-Eileanan Siar as t-samhradh. An uair sin thàinig i a-mach, dh'innis i na thachair, agus chaidh ceartas a dhèanamh as leth muinntir Hiort.

Bha e na chleachdadh do na h-eileanaich às dèidh sin a dhol am falach, chan ann san eaglais, ach air falbh bhon bhaile, nan tigeadh bàta nach b' aithne dhaibh don eilean. Air sgàth sin, dh'fhàgadh boireannach òg brèagha am bròn. B' ise Mòr Bhàn agus bha i beò tràth anns an naoidheamh linn deug.

dh'fhàgadh boireannach òg brèagha am bròn: *a beautiful young woman was left in mourning;* **na bu bhrèagha na càch:** *more beautiful than the others;* **thadhail duine-uasal à Ìle air an eilean:** *a gentleman from Islay visited the island;* **eireachdail:** *beautiful, handsome;*

Bha na boireannaich ann an Hiort air leth brèagha, a rèir choltais. Agus bha Mòr na bu bhrèagha na càch. Thadhail duine-uasal à Ìle air an eilean agus ghabh e gaol air Mòr. Cha robh e anns an eilean fada, ach bha e fada gu leòr dha airson co-dhùnadh gu robh e airson am boireannach eireachdail sin a phòsadh. Gheall e dhi gun tilleadh e is gun toireadh e a dh'Ìle i.

le sgioba de dh'fhir thapaidh na chois: *with a team of bold men along with him;*

Uill, mar a gheall e, 's ann a rinn e. Thill e a Hiort, ach ann am bàta le gunnaichean oirre agus le sgioba de dh'fhir thapaidh na chois. Nuair a chunnaic na Hiortaich an soitheach a' tighinn, cho-dhùin iad gum biodh iad ann an cunnart nam fanadh iad anns a' bhaile. Theich iad agus chaidh iad am falach air na bearraidhean is am measg nan creag.

dh'aithnich Mòr Bhàn an suaicheantas a bh' air crann an t-soithich: *Fair Marion recognised the distinguishing standard that was on the vessel's mast;* **thuig i sa mhionaid gu robh i air a leannan a chall:** *she understood immediately that she had lost her sweetheart.*

Chaidh an t-Ìleach tron bhaile ach bha na taighean fuar agus falamh. Chaidh e air feadh an eilein ach cha robh sgeul air muinntir an àite. Mu dheireadh, dh'fhalbh iad. Nuair a thàinig an sluagh a-mach o na h-àiteachan far an robh iad am falach, dh'aithnich Mòr Bhàn an suaicheantas a bh' air crann an t-soithich, a bha a-nise aig muir. Suaicheantas a leannain. Thuig i sa mhionaid gu robh i air a leannan a chall agus nach fhaigheadh i air ais e gu bràth. LTIR

Puing-chànain na Litreach: **b' iad sin dithis Leòdhasach a chaidh a dh'fhuireach ann an Hiort o chionn fhada**: *they were two Lewismen who went to live on St Kilda a long time ago. Do you notice that the noun associated with* dithis *is in the genitive plural case which, in the case of* Leòdhasach *(nominative plural* Leòdhasaich*) reverts to the same form as the nominative singular? This is because* dithis *is itself a noun, a special type of numerical noun (called an* "ainmear cunntaidh" *in Gaelic) and can stand on its own. eg* Chunnaic mi dithis *(I saw two people). But where it qualifies a second noun, that second noun is in the genitive, because we are saying "two of ..." Thus we also get in the Litir* air falbh on dithis shlaoightearan *(away from the two rogues) with the word* slaoightear *in its genitive plural form, lenited as it does not have an article. Similarly, we would get* dithis fhear *(two men) and* dithis bhàrd *(two poets). The same rules apply for all the numerical nouns from* dithis *(2) to* deichnear *(10) eg* triùir chroitearan *(3 crofters);* còignear pheathraichean *(5 sisters);* seachdnar mhac *(7 sons).*

Gnàths-cainnt na Litreach: **Bha e na chleachdadh do na h-eileanaich**: *it was the custom of the islanders.*

LITIR 62

(An t-Iuchar 2000)

A few words change gender when they change case: here is an example …

Tha seanfhacal ann – **Aithnichear duine air a chuideachd** – *a man will be known by his company.* Aithnichear duine air a chuideachd. Dh'fhaodamaid an seanfhacal atharrachadh rud beag airson 's gum biodh e fìor mun Ghàidhlig a bharrachd air daoine. 'S ann tric a bhios luchd-ionnsachaidh a' faighneachd dhìom, "ciamar a dh'aithnicheas mi facal a tha fireann is facal a tha boireann." Agus 's i an fhreagairt as fheàrr – le a chuideachd.

dh'fhaodamaid an seanfhacal atharrachadh rud beag: *we could change the proverb a little;* **ciamar a dh'aithnicheas mi X?:** *how do I recognise X?;* **fireann:** *masculine;* **boireann:** *feminine;*

Seo an "seanfhacal" ùr agam: *aithnichear gnè an ainmeir air a bhuadhair – the gender of a noun will be known by its adjective.* Aithnichear gnè an ainmeir air a bhuadhair. Tha mi a' ciallachadh le sin, gu bheil e cuideachail ainmear agus buadhair ionnsachadh còmhla. Bòrd mòr, uinneag mhòr, doras beag, eala bhàn is mar sin air adhart. Ma tha am buadhair air a shèimheachadh (no *lenited*) tha an t-ainmear boireann. Mura h-eil, tha e fireann. De mu dheidhinn "caora", mar eisimpleir? An canadh tu "caora mòr" airson *big sheep* no "caora mhòr"? Uill, chanadh tu "caora mhòr", nach canadh? Mar sin, 's e facal boireann a th' ann an "caora".

gnè: *gender;*
gu bheil e cuideachail ainmear agus buadhair ionnsachadh còmhla: *that it is helpful if you learn a noun and an adjective together;* **is mar sin air adhart:** *and so on;* **air a shèimheachadh:** *lenited;*

Tha dòighean eile ann airson gnè fhaclan a chuimhneachadh, agus gheibh sibh sin ann an leabhar-gràmair sam bith, ach bu mhath leam an-diugh sùil a thoirt air cuid de dh'fhaclan a bhios ag atharrachadh an gnè bho àite gu àite, agus bho thuiseal gu tuiseal.

airson gnè fhaclan a chuimhneachadh: *for remembering the gender of words;*

Tha "muileann" na eisimpleir de dh'fhacal a dh'atharraicheas a ghnè bho sgìre gu sgìre. Tha caraid dhomh ann an Siorrachd Rois a' fuireach ann am Baile a' Mhuilinn. A bheil muileann boireann no fireann ann a sin? Uill, tha mi an dòchas gun do dh'obraich sibh a-mach gu bheil e fireann. Airson "the mill", canaidh daoine "am muileann".

muileann: *mill;*
tha caraid dhomh ann an Siorrachd Rois a' fuireach ann an X: *a relative of mine in Ross-shire lives in X;*

Ach tha loch ann an Sgìre Ùige ann an Leòdhas air a bheil "Loch na Muilne" mar ainm. Anns an sgìre sin, tha "muileann" boireann, agus airson "the mill", canaidh daoine "a' mhuilinn". Far nach eil Gàidhlig làidir mar chànan dùthchasach an-diugh, bidh sin a' fàgail taghadh

Loch na Muilne: *the loch of the mill;*

aig na Gàidheil. Mar eisimpleir, ann an Inbhir Nis, airson "Millburn Academy", bidh cuid ag ràdh *Ard-sgoil Allt a' Mhuilinn*. Ach tha feadhainn ann a chanas *Ard-sgoil Allt na Muilne*. A thaobh gràmair, tha an dà chuid ceart, ged a tha mi an dùil gur e *Allt a' Mhuilinn* a chanadh muinntir an àite o shean.

far nach eil e follaiseach dè chanadh muinntir an àite o shean: *where it is not obvious what the indigenous inhabitants would have said in the old days;*

'S e "tobar" eisimpleir eile de dh'fhacal a dh'atharraicheas a ghnè bho sgìre gu sgìre. Agus, mar an ceudna, *ceò* agus *dealbh*. Ach tha cuid de dh'fhaclan Gàidhlig nas duilghe na sin, leis gu bheil iad ag atharrachadh an gnè bho thuiseal gu tuiseal. Thàinig seo gu m' aire o chionn ghoirid nuair a bha mi a' bruidhinn ri buidheann o thall thairis mu dheidhinn ainmean-àite ann an Alba.

mar an ceudna: *likewise;*

bho thuiseal gu tuiseal: *from case to case (grammatical);*

thàinig seo gu m' aire o chionn ghoirid: *this came to my attention recently;*

"Dè," dh'fhaighnich fear aca a bha rudeigin feallsanachail, "dè an gnè a th' aig an fhacal Ghàidhlig airson *earth*. An robh na Gàidheil o shean a' coimhead air *Mother Earth* mar rud boireann?" Uill, b' fheudar dhomh smaoineachadh airson mionaid. 'S e am facal a thagh mi airson "earth" – *talamh*. Canaidh sinn *talamh tioram*, is chan e *talamh thioram*. B' fheudar dhomh innse dha gur e facal fireann a bh' ann.

a bha rudeigin feallsanachail: *who was somewhat philosophical;*

b' fheudar dhomh smaoineachadh: *I had to think;*

Ach fuirich mionaid! Ciamar a chanas sinn "the surface of the earth"? *Uachdar na talmhainn.* Mar sin, anns an tuiseal ghinideach, no *genitive case*, tha talamh boireann! Tha amharas agam gum bi mo charaid fhathast a' beachdachadh air dè tha sin a' ciallachadh! Dhòmhsa, tha e a' ciallachadh gu feum sinn a bhith mothachail nach eil riaghailt-ghràmair sam bith ann nach gabh briseadh! LTiR

fuirich mionaid!: *wait a minute!;*

nach eil riaghailt-gràmair sam bith ann nach gabh briseadh: *that there is no grammatical rule in existence which cannot be broken.*

<u>Puing-chànain na Litreach</u>: Talamh *(earth, land) is a masculine word but it declines irregularly, and takes a feminine form,* na talmhainn*, in the genitive singular case. So we get* uachdar na talmhainn *(the surface of the earth). This irregular declension is unusual but not entirely unique. The word* cruinne *(the world) behaves similarly, being masculine in the nominative and feminine in the genitive. Thus we say* an cruinne *for "the world", but* gu crìch na cruinne *for "to the ends of the earth". The question then arises as to how each of these declines in the dative singular – ie do they terminally slenderise as a feminine noun does?* Cruinne *is simple – it already is slenderised, so we say* air a' chruinne*. But what about* talamh*? MacFarlane's "Am Briathrachan Beag" (1912) gives it as feminine, ie* air an talaimh*, but general usage today makes it masculine ie* air an talamh.

<u>Seanfhacal na Litreach</u>: **Aithnichear duine air a chuideachd**: *a man will be known by his company.*

LITIR 63

(An Lùnastal 2000)

More on gender in nouns…

mu fhacal Gàidhlig a tha ag atharrachadh a ghnè bho thuiseal gu tuiseal: *about a Gaelic word which changes its gender from case to case;* **fireann:** *masculine;* **boireann anns an tuiseal ghinideach:** *feminine in the genitive case;*

An t-seachdain sa chaidh, dh'innis mi dhuibh mu fhacal Gàidhlig a tha ag atharrachadh a ghnè bho thuiseal gu tuiseal – *talamh*. Bidh cuimhne agaibh gu bheil e fireann anns a' chuid as motha de shuidheachaidhean, ach boireann anns an tuiseal ghinideach. Agus ma leugh sibh a' phuing-ghràmair anns a' Phàipear Bheag no air an eadar-lìon, bidh cuimhne agaibh gu bheil sin fìor mun fhacal *cruinne* cuideachd.

a' chuid as motha de sheann fhaclairean: *most old dictionaries;*

Tha e inntinneach gu bheil an dà fhacal sin co-cheangailte ri tìr. Agus seallaibh air an fhacal *tìr* fhèin. Tha a' chuid as motha de sheann fhaclairean ag innse dhuinn gu bheil e fireann. Agus, gu dearbh, canaidh sinn *tìr-mòr* airson *mainland* is chan e *tìr-mhòr* – anns a' chuid as motha de dh'àiteachan co-dhiù. Ach ciamar a chanas sinn *of the land*? Dè an coltas a th' air an fhacal anns an tuiseal ghinideach?

anns an t-suidheachadh sin, tha tìr ag obair mar fhacal boireann: *in that situation, tìr works like a feminine word;*

A rèir cuid mhòr de dh'fhaclairean an latha an-diugh, 's e *na tìre*. Canaidh sinn *coltas na tìre*, mar eisimpleir. Anns an t-suidheachadh sin, tha *tìr* ag obair mar fhacal boireann. Agus chan e dìreach faclan co-cheangailte ris an talamh a tha ag atharrachadh an gnè mar sin. Air falbh on tìr, tha am facal *muir* ag atharrachadh a ghnè cuideachd.

dhomhsa, agus do mhòran eile: *for me, and for many others;*

soidhne: *sign;*

obair nach tigeadh gu crìch a-chaoidh: *work which would never be completed (come to an end);*

Dhomhsa, agus do mhòran eile, tha *muir* boireann. Airson *the sea*, canaidh sinn *a' mhuir*. Tha a' mhuir ciùin an-diugh. Anns an tuiseal ghinideach, tha e ag obair ann an dòigh an ìre mhath àbhaisteach; canaidh sinn *na mara*. "Taigh na mara" – sin soidhne a chì sibh air mòran thaighean air taobh siar na Gàidhealtachd. Agus 's dòcha gun cuala sibh an seanfhacal ***A' taomadh na mara le cliabh*** – *bailing the sea with a creel*. Bha e a' taomadh na mara le cliabh. Tha sin a' ciallachadh gu robh e a' dèanamh obair mhòr, 's dòcha, ach obair gun fheum. Obair nach tigeadh gu crìch a-chaoidh.

leithid ann am pàirtean de Leòdhas: *such as in parts of Lewis;*

bu mhath leam ur n-aire a thoirt do riaghailt eile: *I would like to draw your attention to another rule;* **an siud 's an seo:** *here and there (lit. there and here);* **tarbh:** *bull;* **damh:** *stag;* **eilid:** *hind.*

mu-thràth: *already;*

làmh na sgalaige bige: *the hand of the small servant;* **nan tòisichinn air rannsachadh air a' chuspair sin:** *if I were to (would) start on researching that topic;* **tha amharas agam gum biodh e car coltach ri X:** *I suspect it would be rather like X.*

Ann an cuid de dh'àiteachan, leithid ann am pàirtean de Leòdhas, ge-tà, tha *muir* fireann. Airson *the sea*, canaidh daoine *am muir*, ach canaidh iad cuideachd *na mara* mar gu bheil e boireann anns an tuiseal ghinideach.

Mus fhàg sinn gnè fhaclan, bu mhath leam ur n-aire a thoirt do riaghailt eile a bhios daoine a' briseadh an siud 's an seo. Mar as trice, ma tha ainmhidh no duine fireann, bidh am facal air a shon fireann cuideachd, mar eisimpleir, *tarbh* no *damh* no *fear.* Agus ma tha e boireann, bidh am facal boireann, leithid *bò* no *eilid* no *bean.*

Ach tha cuid de dh'fhaclan ann a bhriseas an riaghailt sin. Bidh sibh eòlach air *boireannach* mu thràth. Tha am facal sin fireann. Agus ged a bhios *capall* uaireannan a' ciallachadh "each boireann" agus ged a bhios *mart* uaireannan a' ciallachadh "bò", tha na faclan sin an-còmhnaidh fireann.

Agus tha am facal *sgalag* gu tric a' ciallachadh "fear a bhios ag obair air tuathanas". Ach tha am facal boireann. Canaidh sinn "an sgalag bheag" is "làmh na sgalaige bige". 'S dòcha gum bi cuid agaibh airson faighneachd "carson?". Carson a tha an cànan mar sin? Uill, leis an fhìrinn innse, chan eil fhios a'm. Agus nan tòisichinn air rannsachadh air a sin, tha amharas agam gum biodh e car coltach ri bhith a' taomadh na mara le cliabh! LTiR

<u>Puing-chànain na Litreach</u>: *Following on from last week's grammatical point,* muir *and* tìr *(like* talamh *and* cruinne*) also show gender inconsistency.* Muir *is most commonly feminine (*a' mhuir *in the nominative and* na mara *in the genitive) but it can be masculine in which case it is* am muir *in the nominative, but most usually still feminine in the genitive (*na mara). Tìr *also behaves as a masculine word in some situations (eg* tìr-mòr *for mainland) but is commonly perceived as feminine (*na tìre*) in the genitive. And while animals and persons which are male are generally given words which are of masculine gender, and vice-versa for females, this rule is not without its exceptions.* Boireannach *(a woman) is a masculine word in all situations. The converse may be true of* sgalag *which refers in some places to a male agricultural worker or servant. But the word is feminine in all situations.*

<u>Seanfhacal na Litreach</u>: **A' taomadh na mara le cliabh**: *bailing the sea with a creel ie doing an impossible task.*

LITIR 64 *(An Lùnastal 2000)*

Gaelic colours don't behave as a modern English-speaker might expect…

a dh'aindeoin sin, chòrd an t-eilean rium glè mhath: *despite that I greatly enjoyed (being on) the island;* **uabhasach fhèin laghach:** *extremely nice;* **choinnich mi ri:** *I met;* **mo dhùrachd dhaibh:** *my best wishes to them;*

bòidheach: *beautiful;*

's dòcha gun gabh sibh fhèin an còrr: *perhaps you will sing the rest;*

tuiseal tabhartach: *dative case;* **bidh faclan boireann singilte air an caolachadh:** *singular feminine words will be slenderised;*

ginideach: *genitive;* **feur, feòir:** *grass,of grass;*

bidh fìor dhroch bheachd aca: *they will have a really bad opinion;*

dath: *colour;*

Air a' mhìos sa chaidh, bha mi ann an Ìle. **Suarach cho math 's a bha an t-sìde** ach, a dh'aindeoin sin, chòrd an t-eilean rium glè mhath. Bha na daoine uabhasach fhèin laghach, agus choinnich mi ri buidheann de luchd-ionnsachaidh na Gàidhlig a bhios ag èisteachd ris a' phrògram seo. Mo dhùrachd dhaibh, ma tha iad ag èisteachd an-dràsta.

Cluinnear tric mu "Ìle ghorm an fheòir". 'S dòcha gum bi sibh eòlach air an òran – "'S ann an Ìle Bhòidhich". Tha e a' tòiseachadh mar seo leis an t-sèist:

'S ann an Ìle, 'n Ìle, 'n Ìle,
'S ann an Ìle rugadh mi,
'S ann an Ìle, 'n Ìle, 'n Ìle,
'S ann an Ìle bhòidhich.

'S e gu leòr a tha sin bhuamsa, ach 's dòcha gun gabh sibh fhèin an còrr nuair a tha an Litir seachad! Co-dhiù, tha a' chiad rann a' tòiseachadh mar seo:

'S ann an Ìle ghuirm an fheòir, a rugadh mi 's a thogadh mi… An Ìle ghuirm an fheòir. Carson a tha am facal ag atharrachadh bho *ghorm* gu *ghuirm*? Uill, air sgàth 's gu bheil *Ìle* boireann agus gu bheil am facal anns an tuiseal thabhartach no *dative case*. Agus bidh faclan boireann singilte anns an tuiseal sin air an caolachadh.

Chan urrainn dhuinn *Ìle* a chaolachadh ach 's urrainn dhuinn am buadhair a chaolachadh, agus 's e sin a tha a' tachairt. Tha "Ìle ghorm" ag atharrachadh gu "an Ìle ghuirm". Agus tha am facal "feur", no "feur" mar a chanas na h-Ìlich, anns an tuiseal ghineadach – *an fheòir.*

Co-dhiù, gu leòr de ghràmar. Dè mu dheidhinn an fhacail – *gorm*? Tha luchd-ionnsachaidh tric ag ionnsachadh gu bheil e co-ionann ri *blue* ann am Beurla. Agus an uair sin cluinnidh iad rudan mar *Ìle ghorm an fheòir*, agus bidh fìor dhroch bheachd aca air coltas Ìle! Uill, chan eil am feur ann an Ìle *blue*, ach tha e gorm. 'S e as coireach airson sin gu bheil gorm cuideachd a' ciallachadh dath an fheòir. Chan e dath an fheòir ann an leithid Astràilia as t-samhradh, far a bheil e a' fàs donn le tart is teas, ach dath an fheòir ann an dùthchannan mar Alba is Èirinn.

far a bheil e a' fàs donn le tart is teas: *where it becomes brown with drought and heat;*

Tha na dathan Gàidhlig uaireannan a' cur dragh air luchd-ionnsachaidh, ach tha mi a' smaoineachadh gu bheil e cudromach a bhith a' cuimhneachadh, ged a chì a h-uile sluagh an aon speactram, gu bheil iad a' briseadh an speactraim an àirde ann an diofar dhòighean. Agus tha *gorm* nas fharsainge na *blue*. Tha e a' gabhail a-steach uaine dhorch. Agus barrachd na sin.

ged a chì a h-uile sluagh an aon speactram: *although every people (ie linguistic group) sees the same spectrum;* **gu bheil iad a' briseadh an speactraim an àirde ann an diofar dhòighean:** *that they break the spectrum up in different ways;* **uaine dhorch:** *dark green;*

Bha mi a' leughadh bàrdachd Ghàidhlig an oidhche roimhe agus thàinig mi tarsainn air dàn a sgrìobh a bhana-bhàrd ainmeil, Sìleas Nighean Mhic Raghnaill, no Sìleas na Ceapaich, a bha beò anns an t-seachdamh agus an ochdamh linn deug. 'S e an t-ainm air an dàn *Còmhradh ris a' Bhàs*. Agus seo na chanas am boireannach òg ris a' Bhàs:

"Gu dè ghruaim a chuir mi ort,
Nuair a thàinig thu cho coimheach garg
'S nach do ghormaich snàithn' dhe m' fhalt?"

Còmhradh ris a' Bhàs: *a Conversation with Death;* **gu dè ghruaim a chuir mi ort?:** *what sorrow have I caused you?;* **nuair (a) thàinig thu cho coimheach garg, 's nach do ghormaich snàithn' dhe m' fhalt:** *that you came so fierce and cruel, though not a hair of my head has turned grey;* **dubh-ghlas:** *dark grey;*

Chleachd Sìleas an gnìomhair "gormachadh" airson "going grey". Mar sin, tha gorm cuideachd a' ciallachadh *grey* agus canaidh daoine *each gorm* airson each a tha dubh-ghlas. Ach, anns an fhreagairt aige, tha am Bàs a' cleachdadh facal eile airson *grey* mar a tha e ann am falt. Ma tha sibh òg 's dòcha nach bi fios agaibh dè th' ann fhathast – ach tha làn fhios agam fhèin bho bhith a' coimhead anns an sgàthan gach latha! Innsidh mi dhuibh dè th' ann an ath-sheachdain.

sgàthan: *mirror.*

<u>Puing-chànain na Litreach</u>: **'S ann an Ìle ghuirm an fheòir a rugadh mi 's a thogadh mi**: *it was in green Islay of the grass that I was born and raised.* Gorm *becomes* ghuirm *because of two changes* – sèimheachadh *or lenition of the adjective following a feminine noun* (Ìle) *and* caolachadh *or slenderisation of the final vowel (in this case the only one) in the adjective following a feminine noun in the dative singular. The noun would also be slenderised if it were not already slender. Another example would be* anns an eaglais ghil, *not* anns an eaglais gheal *but note that these "rules" are often ignored in modern Gaelic.*

<u>Gnàths-cainnt na Litreach</u>: **Suarach cho math 's a bha an t-sìde**: *the weather was pretty poor.* Suarach *means "trifling" or "contemptible".* 'S e gnothach suarach a bh' ann *(it was a shabby affair).*

LITIR 65

(An Lùnastal 2000)

How do we say in Gaelic that someone is going grey ..?

am measg mòran òran matha: *among many good songs;* **cliùiteach:** *renowned;* **Mairi Mhòr nan Oran:** *Big Mary of the Songs (Mary MacPherson, the Skye poetess);* **ged tha mo cheann air liathadh le deuchainnean is bròn:** *although my head has grown grey with hardships and sadness;*

feusag: *beard;* **mar a tha bàrr mo chinn ag atharrachadh:** *how the top of my head is changing;*

faiceallach: *careful;*

clòimh-liath: *mould (as grows on bread);*

gum bithear a' toirt urram do dhuine na sheann aois: *that respect will given to a man in his old age;* **chan eil teagamh nach eil cuid de dhaoine a' fàs:** *there is no doubt that some people become;*

ciallach stuama: *sensible and temperate;* **is miosa amaideachd na h-aois na amaideachd na h-òige:** *the folly of age is worse than the folly of youth;*

Tha òran ainmeil ann am measg mòran òran matha a sgrìobh a' bhana-bhàrd chliùiteach às an Eilean Sgitheanach – Mairi Mhòr nan Òran. 'S e an t-ainm a th' air "Eilean a' Cheò" agus tha e mu dheidhinn an Eilein Sgitheanaich. Tha e a' tòiseachadh mar seo: *Ged tha mo cheann air liathadh, le deuchainnean is bròn...* Agus tha sin a' toirt freagairt dhuinn airson na ceist a chuir mi oirbh aig deireadh na Litreach mu dheireadh – dè an dath as coltaiche ann an Gàidhlig ri *grey* ann am Beurla, co-dhiù ann am falt?

Bha mi a' dol a ràdh "falt sheann daoine". Ach an uair sin chuimhnich mi i an coltas a th' air m' fheusaig a-nise, agus mar a tha bàrr mo chinn ag atharrachadh cuideachd! **Cha tig an aois leatha fhèin**! A bheil sibh eòlach air an t-seanfhacal sin? *Cha tig an aois leatha fhèin.* Cha tig, gu dearbh. Thig rudan eile na cois, leithid falt liath.

Ach bithibh rud beag faiceallach leis a' ghnìomhair *liathadh*, 's nach dèan sibh ceangal eadar ceann a th' air liathadh agus aran a th' air liathadh. Bidh aran a' liathadh le aois cuideachd, ach air sgàth 's gum bi a' chlòimh-liath a' fàs air. Dè th' ann an clòimh-liath? *Mould!* Ged a chanadh tu gu bheil falt air ceann duine a' liathadh, **chan e a' chlòimh-liath as coireach**!

Thathar ag ràdh gum bithear a' toirt urram do dhuine na sheann aois. Chan eil mi cinnteach a bheil sin cho fìor 's a bha e uaireigin, ach chan eil teagamh nach eil cuid de dhaoine a' fàs nas toilichte, nas tarraingiche is nas laghaiche le aois. Agus, gun teagamh sam bith, tha iad nas eòlaiche air iomadach rud. Ach, air an làimh eile, ged a tha daoine eile a' toirt urram dhaibh, tha iad an dùil gum bi seann duine ciallach stuama. Agus canaidh iad **"is miosa amaideachd na h-aois na amaideachd na h-òige."** Tha amharas agam gun tuirt a' chlann agam fhìn sin rium turas neo dha!

uisge-beatha: *whisky;*

taigh-staile: *distillery;*

Ach tha rudan ann a dh'fhàsas, gu cinnteach, nas fheàrr le aois. Fìon, mar eisimpleir. Agus uisge-beatha. Mar a thuirt mi an t-seachdain sa chaidh, bha mi ann an Ìle as t-samhradh seo, agus chan eil àite nas fheàrr air an t-saoghal na sin airson uisge-beatha. Tha ochd taighean-staile anns an eilean, agus tha uisge-beatha Ìle ainmeil air feadh an t-saoghail.

mar a tha an t-uisge-beatha air a dhèanamh: *how the whisky is made;*

toit na mònach, smùid na mònach: *peat smoke;* **a' teasachadh is a' marbhadh na bracha:** *heating and killing the malt;* **an t-eòrna a th' air a bhrachadh:** *the barley which is malted;* **fàileadh:** *smell;* **blas:** *flavour;*

Chaidh mi air chuairt ann am fear de na taighean-staile airson faicinn mar a tha an t-uisge-beatha air a dhèanamh. Chan e gum bi mi ag òl mòran dheth, tha sibh a' tuigsinn, ach tha ùidh agam anns a' ghnìomhachas is mar a tha e ag obair. Co-dhiù, 's e sin an leisgeul a bh' agam is a th' agam! Chaidh mi timcheall agus chunnaic mi a h-uile nì. Am measg sin, chunnaic mi teine anns am bithear a' losgadh mòine. Bidh toit na mònach, no smùid na mònach, a' teasachadh is a' marbhadh na bracha – sin an t-eòrna a th' air a bhrachadh. Agus bidh e cuideachd a' cur fàileadh is blas na mònach air a' bhraich agus, mu dheireadh thall, anns an uisge-bheatha.

bha cothrom aig na h-inbhich dràm fheuchainn: *the adults had an opportunity to try a dram;* **mac-na-bracha:** *malt whisky (lit. son of the malt);* **dh'fheuch i fàileadh an uisge-bheatha:** *she smelled the whisky;* **gàire:** *smile;* **nach e a tha smùideach:** *isn't it smoky?*

Aig deireadh ar cuairt, bha cothrom aig na h-inbhich dràm dhen uisge-bheatha, no mac-na-bracha mar a chanas iad, fheuchainn. Bha mo nighean ro òg airson a leithid, ach bha i faisg orm agus dh'fheuch i fàileadh an uisge-bheatha. "O", thuirt i, "nach e a tha smùideach." An uair sin choimhead i orm le gàire. "An e sin as coireach," dh'fhaighnich i, "gu bheil sinn ag ràdh gu bheil an smùid air duine nuair a dh'òlas e cus?!"

LTIR

<u>Puing-chànain na Litreach</u>: **Chan e a' chlòimh-liath as coireach:** *(the) mould is not responsible. The adjective* coireach *derives from the noun* coire *(fault, guilt, blame). Here it employs the assertive verb* **is**, *ie chan e X* **a is** *coireach, with the a and is being combined as* **as**. *In the past tense it becomes* bu choireach *eg* cò (a) bu choireach? *(who is responsible?),* an ise a bu choireach *(is she to blame?). At the end of the Litir, you will see* "an e sin as coireach … gu bheil sinn ag ràdh gu bheil an smùid air duine nuair a dh'òlas e cus?!" *(is that why .. we say that somebody has the* "smùid" *on him when he drinks too much?!) This is a common idiomatic way of saying that somebody is under the influence of alcohol eg* tha an smùid air *(he is drunk).*

<u>Seanfhacal na Litreach</u>: **Cha tig an aois leatha fhèin**: *age does not come by herself (ie she brings a lot of unwelcome attributes along with her).*

LITIR 66

(An Lùnastal 2000)

Who was responsible for the famous Appin murder?

fo chasaid de mhurt: *charged with murder;* **cò air bith as coireach:** *whoever is responsible;* **creanaiche:** *sufferer;* **gur e e fhèin a bhiodh ciontach a rèir na cùirte:** *that it was himself that would be guilty according to the court;* **iongantach:** *surprising;* **ciont:** *guilt;* **nobhail:** *novel;* **fàgaidh sinn an leabhar an darna taobh:** *we will put the book aside, not consider it;* **An Apainn:** *Appin;* **Coille na Leitire Mòire:** *Lettermore Wood;* **chualas urchair-ghunna:** *a gunshot was heard;* **agus dà pheilear na dhruim:** *with two bullets in his back;* **Cailean Caimbeul à Gleann Iubhair:** *Colin Campbell of Glenure;* **an Caimbeulach:** *Campbell (informal);* **mar bhàillidh air na h-oighreachdan a chaidh a ghabhail thairis:** *as factor on the estates which had been taken over;* **air sgàth 's gun tug na cinn-chinnidh taic do Theàrlach Òg Stiùbhart:** *because the clan chiefs helped Bonnie Prince Charlie;* **Àird Seile:** *Ardsheal;* **Blàr Chùil Lodair:** *The Battle of Culloden;* **theich e:** *he fled;*

Anns a' phuing-chànain anns an Litir mu dheireadh, thug sinn sùil air an abairt "is/as coireach". Anns an ochdamh linn deug, nuair a bha e anns a' chùirt fo chasaid de mhurt, chleachd Seumas Stiùbhart, no Seumas a' Ghlinne, **mar as fheàrr a dh'aithnichear e**, an abairt sin. "Cò air bith as coireach," thuirt e, "is mise an creanaiche." 'S e *creanaiche* cuideigin a tha a' fulang ann an dòigh air choreigin. Bha Seumas a' ciallachadh gur e cuideigin eile a bu choireach ris a' mhurt, ach gur e e fhèin a bhiodh ciontach a rèir na cùirte.

Tha e iongantach mar a tha deasbad ann fhathast mu dheidhinn ciont Sheumais Stiùbhairt. Tha mi a' dèanamh dheth gur e as coireach ri sin gun do chleachd an sgrìobhadair ainmeil, Raibeart Louis Stevenson, a' chùis anns an nobhail aige, "Kidnapped". Fàgaidh sinn an leabhar an darna taobh, ge-tà, is bheir sinn sùil air na thachair, cho fad 's as aithne dhuinn, ann am "Murt na h-Apainn" ann an seachd ceud deug, dà fhichead 's a dhà-dheug (1752).

Air a' cheathramh latha deug dhen Chèitean, bha ceathrar a' dol tro Choille na Leitire Mòire anns an Apainn, ann an Earra-Ghàidheal. Chualas urchair-ghunna agus **thuit fear far an eich a bha e a' marcachd**, agus dà pheilear na dhruim. B' esan Cailean Caimbeul à Gleann Iubhair.

Bha an Caimbeulach ag obair don riaghaltas mar bhàillidh air na h-oighreachdan a chaidh a ghabhail thairis an dèidh Blàr Chùil Lodair, air sgàth 's gun tug na cinn-chinnidh taic do Theàrlach Òg Stiùbhart. Am measg nan oighreachdan sin, bha Àird Seile anns an Apainn, a bha le Stiùbhartach eile (nach robh càirdeach don Phrionnsa). An dèidh Blàr Chùil Lodair, theich an ceann-cinnidh don Fhraing agus chaill e a chuid fearainn.

Sia bliadhna às dèidh sin, 's e Cailean Caimbeul à Gleann Iubhair a bha a' riaghladh na h-oighreachd as leth an riaghaltais. Ach bha muinntir an àite gu math mì-thoilichte. Bha an Caimbeulach a' feuchainn ri cuid aca

nàimhdeas: *enmity;*

fhuadachadh bhon dachannan. Agus bha nàimhdeas air a bhith ann eadar na Stiùbhartaich agus na Caimbeulaich airson ùine mhòr co-dhiù.

chaidh e thairis do dh'arm nan Seumasach: *he went over to the Jacobite army;*

dìomhaireachd: *secrecy;*

Chan eil fios le cinnt cò mhuirt Cailean Caimbeul, ach bha amharas ann gur e Stiùbhartach eile, Ailean Breac, a bu choireach. Bha Ailean na shaighdear aig an riaghaltas, ach chaidh e thairis do dh'arm nan Seumasach, agus theich e don Fhraing an dèidh Blàr Chùil Lodair. Thill e a dh'Alba bho àm gu àm, ge-tà, ann an dìomhaireachd, agus tha e coltach gu robh e ann an Earra-Ghàidheal aig àm a' mhuirt.

bha iad airson cuideigin a pheanasachadh: *they wanted to punish somebody;* **chuir iad casaidean as leth leth-bhràthair a' chinn-chinnidh:** *they charged the chief's half-brother;*
Inhbir Aora: *Inveraray;*

Cha d' fhuair an riaghaltas grèim air, ach bha iad airson cuideigin a pheanasachadh. Chuir iad casaidean as leth leth-bhràthair a' chinn-chinnidh, Seumas Stiùbhart, Seumas a' Ghlinne, gu robh esan an sàs anns a' mhurt còmhla ri Ailean Breac. Mu dheireadh, nochd e anns a' chùirt ann an ... càite? Càite, ach Inbhir Aora, prìomh bhaile nan Caimbeulach!

àrd-bhritheamh: *senior judge;*
diùraidh: *jury;*
croich: *gibbet;* **Baile a' Chaolais:** *Ballachulish;* **air an cumail ri chèile le uèir:** *held together by wire;* **a chnàmhan:** *his bones;* **rabhadh:** *warning;*
's dòcha nach bi fios againn a-chaoidh: *perhaps we'll never know;*

'S e Caimbeulach a bh' anns an àrd-bhritheamh, agus bha Caimbeulaich anns a' mhòr-chuid anns an diùraidh. Chan eil e na iongnadh, ma-thà, gun d' fhuair a' chùirt ciontach e. Chaidh Seumas a chrochadh air croich ann am Baile a' Chaolais, agus chaidh a chnàmhan fhàgail ann a sin, air an cumail ri chèile le uèir, airson bliadhnaichean, mar rabhadh do mhuinntir an àite.

Shaoileadh tu, nuair a bha e air ais anns an Fhraing, gu robh Ailean Breac air aideachadh don mhurt, ach cha do dh'aidich. Cò, ma-thà, a mhurt Cailean Caimbeul? 'S dòcha nach bi fios againn air sin a-chaoidh.

LTIR

Puing-chànain na Litreach: **Thuit fear far an eich a bha e a' marcachd**: *a man fell from the horse he was riding. The preposition* far *(sometimes written* bhàrr *and meaning "from" or "off") is an interesting one because it appears at first instance to be a simple one, requiring only the dative case in the following noun. But you will notice above that I said* far an eich, *not* far an each. *This shows that, in fact, it commands the genitive case, as do compound prepositions (those containing more than one element). The reason is that it was, historically, a compound preposition,* de bhàrr, *meaning "from the top of". So we say* "thàinig an carbad far an rathaid" *(the vehicle came off the road), not* "...far an rathad".

Gnàths-cainnt na Litreach: **Mar as fheàrr a dh'aithnichear e**: *as he is best known.*

LITIR 67

(An Sultain 2000)

Historical eclipsis in Gaelic helps to explain the origin of some place names...

Munlochy

Moness

Meudarloch

an do mhothaich sibh a-riamh?: *did you ever notice?;*

a' dol à fianais, don chluais co-dhiù: *disappearing, to the ear at least;*

bha e cumanta uaireigin: *it was common at one time;*

luchd-gràmair: *grammarians;*

ùr-dhubhadh: *eclipsis (ie the elimination of the sound of a consonant following another consonant);*

carson a bu chòir do luchd-ionnsachaidh aire a thoirt do dh'ùr-dhubhadh?: *why should learners give attention to eclipsis?;*

adhbhar: *reason;*

a dh'aindeoin: *in spite of;*

An do mhothaich sibh a-riamh mar a bhios cuid de Ghàidheil ag ràdh airson *"in the English language"* – "ann a mBeurla". Chan e "ann am Beurla", ach "ann a mBeurla". An dèidh "ann am", tha am "B" an ìre mhath a' dol à fianais, don chluais co-dhiù.

Chan eil a leithid de dh'atharrachadh cumanta ann an Gàidhlig na h-Alba an-diugh, ach bha e cumanta uaireigin. 'S e a chanas an luchd-gràmair ris *ùr-dhubhadh* no ann am Beurla, no ann am mBeurla ma thogras sibh, *eclipsis*. Tha e gu math cumanta fhathast ann an Gàidhlig na h-Èireann. Far an can sinne "ann am Baile Atha Cliath" airson *"in Dublin",* canaidh na h-Èireannaich "i mBail' Atha Cliath". Far an can sinne "ann an Dùn Èideann", canaidh na h-Èireannaich "i nDùn Èideann".

Ach, mura h-eil e cumanta ann an Gàidhlig na h-Alba an-diugh, carson a bu chòir do luchd-ionnsachaidh aire a thoirt do dh'ùr-dhubhadh? Uill, bu chòir airson dà adhbhar. **Anns a' chiad dol a-mach**, tha e toirt do ar cuimhne mar a bhios am fuaim "d" ag atharrachadh, a' falbh gu dearbh, uaireannan, an dèidh "n". Bidh sibh eòlach air an abairt "an-diugh". Ach, ann am mòran àiteachan, 's e "a-ndiugh" a chanas daoine. **Cha chluinnear an "d" ann**. Tha an aon rud fìor mu dheidhinn "a dh'aindeoin". Ged is e "ain-deòin" a tha e a' ciallachadh, 's e "ai-ndeoin" no "a dh'ai-ndeoin" a chanas daoine.

A bharrachd air a sin, tha an t-atharrachadh seo ann am fuaimean a' mìneachadh dhuinn mar a fhuair sinn cuid de dh'ainmean-àite na h-Alba anns an t-seann

anns an t-seann aimsir: *in olden times;* **Obar Pheallaidh:** *Aberfeldy;*

aimsir. Mar eisimpleir, tha àite faisg air Obar Pheallaidh air a bheil *Moness* ann am Beurla. Thàinig e bhon Ghàidhlig "bun-eas". Ach anns an t-seann Ghàidhlig, chanadh daoine, nuair a bha iad anns an àite, gu robh iad *"i mbun eas".* Agus 's e an "m" mar sin a thàinig tarsainn chun na Beurla aig toiseach an ainm.

An t-Eilean Dubh: *the Black Isle (north of Inverness);* **loch-mara:** *sea loch;*

Thachair an aon seòrsa rud le baile anns an Eilean Dubh air a bheil Munlochy ann am Beurla. Thàinig sin às "bun locha", leis gu bheil am baile aig bun loch-mara, no aig ceann loch-mara mar a chanadh mòran an-diugh. Dh'atharraich am "b" gu "m" air sgàth 's gun canadh na daoine o shean, nuair a bha iad anns a' bhaile, gu robh iad "i mbun locha". Ann an dòigh car coltach ri sin, dh'atharraich àite ann an Earra-Ghàidheal, "Beinn eadar Dà Loch", gu Meudarloch ann an Gàidhlig. Gu h-annasach, ge-tà, chaidh am "b" a ghlèidheadh ann am Beurla – ann am Benderloch.

gu h-annasach, chaidh am "b" a ghlèidheadh ann am Beurla: *unusually, the "b" was preserved in English;* **Uilleam MacBhàtair:** *William (WJ) Watson;* **gur e an aon seòrsa atharrachaidh a bu choireach:** *that the same sort of change was responsible for;* **a rèir beul-aithris:** *according to oral tradition;*

Bha an sgoilear ainmeil, Uilleam MacBhàtair, dhen bheachd gur e an aon seòrsa atharrachaidh a bu choireach airson an ainm *Munro.* A rèir beul-aithris, thàinig na daoine sin às bun Abhainn Rotha ann an ceann a tuath na h-Èireann. Bha iad a' fuireach "i mbun Rotha". Ann an Gàidhlig, 's e *Rothach* a chanas sinn ri *Munro.* 'S e sin cuideigin a bhuineas don Rotha.

nuair a bhiodh tu an dùil gum biodh e a' falbh: *when you would expect it to leave (ie not to be there);* **'s e tòimhseachan a tha sin a dh'fheumas feitheamh chun na h-ath-sheachdain:** *that's a puzzle that must wait until next week.*

Ach a' tilleadh do "d" an dèidh "n", chan eil rud sam bith sìmplidh fon ghrèin. Bidh an "d" aig toiseach facail uaireannan air a ghlèidheadh nuair a bhiodh tu an dùil gum biodh e a' falbh. Tha mi a' smaoineachadh air *Beinn Dearg.* Tha *beinn* boireann. Carson, mar sin, nach can sinn Beinn Dhearg? 'S e tòimhseachan a tha sin a dh'fheumas feitheamh chun na h-ath-sheachdain.

Puing-chànain na Litreach: **Cha chluinnear an "d" ann**: *the "d" is not heard. Have you come across this use of a terminal* ann *– to emphasize the finality of a statement, particularly a negative statement? In this instance, there is no suitable English translation of the word. It is idiomatic Gaelic. I could have just said* cha chluinnear an "d", *but the* ann *strengthens my assertion.* Choimhead mi air a son ach cha robh i anns a' ghàrradh ann *(I looked for her but she wasn't in the garden).*

Gnàths-cainnt na Litreach: **Anns a' chiad dol a-mach**: *in the first instance.*

LITIR 68

(An Sultain 2000)

Why do we say "sgian dubh", not "sgian dhubh"? Here's the answer...

buadhair: *adjective;*

sèimheachadh: *lenition;*

Clann Ghriogair: *the MacGregors;* **Clann Dòmhnaill:** *the MacDonalds (Clan Donald);*

tuigseach: *understanding;* **glùn:** *knee;* **tachasach:** *itchy;* **ealtainn:** *razor;* **seang:** *slender, lean;*

tha an dearbh rud a' tachairt le X: *the same thing happens with X;*

Ho ro, mo nighean donn bhòidheach. Hi ri, mo nighean donn bhòidheach... Bidh sibh eòlach air an òran, tha mi cinnteach. Ach **an do bhuail e oirbh a-riamh** mar a tha an dà bhuadhair, an dà *adjective*, ag obair ann an dòigh eadar-dhealaichte. Chan e *mo nighean dhonn bhòidheach* a chanas sinn, ach *mo nighean donn bhòidheach*.

Air a' chiad shealladh tha sin rudeigin annasach, leis gu bheil am facal *nighean* boireann, mar a shaoileadh tu, agus tha e a' sèimheachadh an fhacail *bòidheach*, ach chan eil e a' sèimheachadh *donn*. 'S e as coireach ri sin am fuaim, agus an dòigh sa bheil an teanga is am beul a' gluasad. An dèidh "n" aig deireadh facal boireann, mar as trice, cha bhithear a' sèimheachadh "d" no "t" no "s" aig toiseach a' bhuadhair.

Seo eisimpleirean far nach eil an "d" air a shèimheachadh: canaidh sinn *beinn mhòr* ach *beinn dearg*, *sgian bheag* ach *sgian dubh*, *Clann Ghriogair* ach *Clann Dòmhnaill.* Tha an aon seòrsa rud a' tachairt le "t", mar eisimpleir canaidh sinn *nighean tana*, is chan e *nighean thana* mar a bhiodh dùil 's dòcha. Canaidh sinn *bean tuigseach*, seach *bean thuigseach*, agus *glùn tachasach*, seach *glùn thachasach.* Agus seo eisimpleirean le faclan a' tòiseachadh le "s": *ealtainn gheur* ach *ealtainn salach; madainn mhath* ach *madainn sàmhach, clann mhòr* ach *clann seang.*

Agus tha an dearbh rud a' tachairt leis a' bhuadhair "seann". Bidh cuimhne agaibh gu bheil grunn bhuadhairean ann a tha a' dol air thoiseach air an ainmear, air thoiseach air a *noun*, seach às a dhèidh. 'S iad "deagh", "droch" agus "prìomh" eisimpleirean dhiubh. Agus bidh cuimhne agaibh gu bheil na buadhairean sin a' sèimheachadh an ainmeir às an dèidh.

Mar eisimpleir, canaidh sinn *droch dhuine*, is chan e *droch duine*; *Prìomh Mhinistear,* seach *Prìomh Ministear;* agus *deagh sheachdain* an àite *deagh seachdain.* Uill, tha an aon rud a' tachairt le "seann", a tha cuideachd a' dol ron ainmear. Ach tha *seann* a' crìochnachadh le "n". Agus, mar as trice, cha bhi e a' sèimheachadh fhaclan as a dhèidh, a tha a' tòiseachadh le "d", "t" no "s".

Dè chanas sinn airson *old house*, ma-thà? *Seann thaigh*? Chan e, ach *seann taigh*. Dè mu dheidhinn *old people*? Uill, 's dòcha gum bi fios agaibh mu-thràth gur e *seann daoine*, seach *seann dhaoine* a th' ann. Agus airson *old saucer*, canaidh sinn *seann sàsar*, seach *seann shàsar*.

tha a leithid ri fhaicinn ann an ainmean-àite cuideachd: *the same type of thing is to be seen in place names as well;* **Bidean an Eòin Deirg:** *pinnacle of the red bird;* **Cruach an Fhearainn Duibh:** *rounded hill of the black land;*

Tha a leithid ri fhaicinn ann an ainmean-àite cuideachd, gu h-àraidh leis na dathan cumanta, *dubh* is *dearg*, an dèidh n. Dh'ainmich mi *Beinn Dearg* mu-thràth, is tha mòran dhiubh sin air a' Ghàidhealtachd, ach seo dà eisimpleir eile – *Bidean an Eòin Deirg*, faisg air Ach nan Seileach ann an Siorrachd Rois, agus *Cruach an Fhearainn Duibh* ri taobh Loch nan Uamh ann an Loch Abar.

Agus seo eisimpleir eile. Dè a' Ghàidhlig a th' air *big dogs*? A bheil e agaibh? *Coin mhòra.* Bidh sibh a' cuimhneachadh gu bheil ainmearan, a bhios air an caolachadh nuair a tha iad iolra no *plural,* a' sèimheachadh a' bhuadhair a tha a' dol còmhla riutha. Coin mhòra, ma-thà. Ach dè a' Ghàidhlig a th' air *black dogs*? A bheil sin agaibh? *Coin dubha*. Chan eil an sèimheachadh ann as dèidh an "n".

bha seòrsa de choin ann air an robh "coin dubha Ghriogarach": *there was a type of dog(s) known as the "black dogs of MacGregors";* **nuair a bha iad air an comharrachadh leis an riaghaltas mar eucoirich:** *when they were classified by the government as criminals;* **coin dubha, gu dearbh:** *evil (black) dogs, indeed;*

O shean, bha seòrsa de choin ann air an robh "coin dubha Ghriogarach". Chaidh an ainmeachadh mar sin air sgàth 's gu robh iad air an cleachdadh airson muinntir Chlann Ghriogair a lorg nuair bha iad air an comharrachadh leis an riaghaltas mar eucoirich. Coin dubha, gu dearbh.

<u>Puing-chànain na Litreach</u>: *Words starting with "d", "t" or "s" (sometimes called the "dental consonants") tend not to be lenited after a terminal "n" on the previous word, even where grammatical rules would demand enition. This is the reason that the famous "black knife" of the Gaidhealtachd is a* sgian dubh*, and not a* sgian dhubh *as might be expected, given that* sgian *is a feminine noun. The same occurrence explains why we have mountains called* Beinn Bhàn*, with the adjective lenited following the feminine noun, but several others called* Beinn Dearg*, without the lenition. Similarly, while "the head of the white dog" would be* ceann a' choin ghil*, "the head of the black dog" would be* ceann a' choin duibh*, with an unlenited "d" following the "n". This also explains why we* say seann dotair, seann tarbh *and* seann sàbh*, but* seann charbad *and* seann mhansa*.*

<u>Gnàths-cainnt na Litreach</u>: **An do bhuail e oirbh a-riamh?**: *did it ever occur to you?*

LITIR 69 *(An Sultain 2000)*

I. M. Moffatt-Pender wrote and published Gaelic plays...

Fionnghal Nic Dhòmhnaill: *Flora MacDonald;* **Fear Chinnseburg:** *Alexander MacDonald of Kingsburgh (who assisted Flora and the Prince);* **tha iad nan seasamh air tom fraoich:** *they are standing on a heather knoll;* **Caolas Ratharsair:** *The Sound of Raasay;* **nach dèan sibh suidhe?:** *won't you sit down?;*

chithear sinn gu ro fhurasta le X: *we will be seen too easily by X;*

tharraing mi à dealbh-chluich Gàidhlig i: *I extracted it from a Gaelic play;*

an asgaidh: *free of charge;* **gus am faiceadh an dà chuid cho faisg 's a tha na cànanan:** *so that both (groups of children) would see how close the languages are;* **Na Sìophortaich:** *The Seaforth Highlanders;* **rèisimeid:** *regiment;* **thug e seachad mòran tìde ann an Astràilia:** *he spent much time in Australia;* **bha e tric a-bhos ann an Alba:** *he was often over here in Scotland;* **sheas e mar thagraiche-pàrlamaid airson nan Eilean Siar:** *he stood as*

Tha am feasgar ann. Tha Fionnghal Nic Dhòmhnaill agus Fear Chinnseburg shuas air mullach a' mhonaidh os cionn Phort Rìgh. Tha iad nan seasamh air tom fraoich, agus tha iad a' coimhead sìos air Caolas Ratharsair. **Tha iad a' feuchainn, o àm gu àm, ri sealladh fhaotainn air an eathar anns a bheil am Prionnsa**.

Tha Cinnseburg ag ràdh: "Tha sibh sgìth. Nach dèan sibh suidhe? Chan eil an t-eathar fhathast anns an t-sealladh."

Tha Fionnghal a' freagairt: "Tha – tha mi glè sgìth, ach chan eil saorsa fhathast ann. Tha sinn ann an cunnart an seo; dèanaibh suidhe sibh fhèin, air no chithear sinn gu ro fhurasta le càirdean nan saighdearan shìos anns a' bhaile."

Bidh sibh eòlach air an eachdraidh. Tha i mu dheidhinn mar a fhuair Teàrlach Òg Stiùbhart air falbh bho na saighdearan dearga anns an Eilean Sgitheanach an dèidh Blàr Chùil Lodair. Tharraing mi à dealbh-chluich Gàidhlig i, air a bheil "Fionnghal Nic Dhòmhnaill", a chaidh a sgrìobhadh le fear, I. M. Moffatt-Pender, agus a chaidh fhoillseachadh ann an leabhar ann an naoi ceud deug, leth-cheud 's a ceithir (1954).

Cha robh mi air càil a chluinntinn mu Mhoffatt-Pender mus do cheannaich mi an leabhar agus 's e a ghlac m' aire gu robh na dealbhan-cluich dà-chànanach. Chan e gu bheil Gàidhlig is Beurla ann, ge-tà, ach dà Ghàidhlig — Gàidhlig na h-Alba is Gàidhlig na h-Èireann. Thug an t-ùghdar dà mhìle dhen leabhar seachad an asgaidh – mìle do chloinn ann an Èirinn, agus mìle do chloinn ann an Alba, gus am faiceadh an dà chuid cho faisg 's a tha na cànanan.

Bha Moffatt-Pender anns na Sìophortaich anns a' chiad chogadh, agus 's ann le taic bho shaighdearan anns an rèisimeid sin a thòisich e air Gàidhlig ionnsachadh. Phòs e tè à Melbourne agus, an dèidh a' chogaidh, thug e seachad mòran tìde ann an Astràilia. Ach bha e tric a-bhos ann an Alba agus sheas e mar thagraiche-pàrlamaid airson nan Eilean Siar ann an naoi ceud deug 's naoi ar

a parliamentary candidate for the Western Isles; **choisinn e cliù dha fhèin:** *he won himself a reputation;*

fhichead (1929). Ged nach d' fhuair e a-steach, choisinn e cliù dha fhèin airson nan òraidean Gàidhlig aige aig àm an taghaidh!

Bha e an sàs gu mòr ann am pìobaireachd is dannsa Gàidhealach, sgrìobh e grunn leabhraichean ann an Gàidhlig is Gaeilge agus bha e cliùiteach cuideachd anns a' Bhreatainn Bhig, far an robh e na "Dhraoidh" anns a' Ghorsedd. Ann an Astràilia bha e na cheannard air Comunn Gàidhlig Bhictoria airson ùine mhòr.

Draoidh: *Druid;* **Gorsedd:** *meeting of bards and druids (Welsh/Breton);*

Bha e cuideachd uabhasach dèidheil air spòrs. Chluich e rugbaidh airson Alba na òige, bha e math air *curling*, agus choisich e iomadach mìle air frith-rathaidean na Gàidhealtachd. Ann an Astràilia, choisich e turas gun stad bho bhaile ris an canar Bendigo gu ruige a dhachaigh ann am Melbourne, barrachd na ceud mìle, ann an deich uairean fichead. Bha e còrr is leth-cheud bliadhna a dh'aois aig an àm.

gu ruige a dhachaigh: *to his home;*

Tha còig dealbhan-cluich anns an leabhar a cheannaich mi, agus bhuannaich Moffatt-Pender duaisean le trì aca aig mòdan nàiseanta. Bhuannaich "Fionnghal Nic Dhòmhnaill" aig Mòd a' Ghearasdain ann an naoi ceud deug, is dhà-dheug air fhichead (1932).

le trì aca aig mòdan nàiseanta: *with three of them at national mods;*

Tha na dealbhan uile a' crìochnachadh leis na faclan (òrdughan airson luchd-stiùiridh an ard-ùrlair) – "thig am brat a-nis' a-nuas". Uill, thàinig am brat a-nuas mu dheireadh air Moffatt-Pender fhèin, **mar a thig air gach fear is tè againn aig a' cheann thall**. Tha an duine fhèin fon fhòid, ach tha ceist agam mu dheidhinn na dìleib a dh'fhàg e dhuinn — a dhealbhan-cluich. Saoil am faic sinn air an àrd-ùrlar a-rithist iad – 's dòcha anns an dà Ghàidhlig – uair no uaireigin?

LTR

òrdughan airson luchd-stiùiridh an àrd-ùrlair: *instructions for the stage managers;* **thig am brat a-nis a-nuas:** *the curtain will now descend;*
dìleab: *legacy.*
uair no uaireigin: *sometime or other.*

__Puing-chànain na Litreach__: **Tha iad a' feuchainn...ri sealladh fhaotainn air an eathar anns a bheil am Prionnsa**: *they are trying to get a view of the boat containing the Prince. Are you familiar with the word* "eathar", *which means a small to medium-sized boat? In some parts of the country it is more common than* bàta. *People might talk of* "eathraichean-iasgaich" *rather than* "bàtaichean-iasgaich". *In fact, although your dictionary might list* "bàta" *as the Gaelic equivalent of "boat", there are many different words for different types of vessel, eg* sgoth: *a skiff or sailing craft, pointed at both stern and bow;* geòla: *a small dinghy or rowing boat;* culaidh: *the Sutherland equivalent of* eathar*;* coit: *a small dinghy for use on rivers or freshwater lochs. A "yacht" is a "yaht", usually written* gheat.

__Gnàths-cainnt na Litreach__: **mar a thig air gach fear is tè againn aig a' cheann thall**: *as comes on every man and woman of us in the end.* Aig (or air) a' cheann thall *is a good Gaelic idiom for "in the end, in the final instance".*

LITIR 70

(An Sultain 2000)

Ruairidh tells a tale of flitting…

làraidh: *lorry;* **cumhang:** *narrow;*

na broinn: *inside it (feminine);* **àirneis:** *furniture;* **acfhainn:** *implements, tools;* **dèideagan:** *toys;* **thàinig iad dusan mìle mìle thar a' chuain:** *they came twelve thousand miles across the ocean;*

a bhuineadh do Ghlaschu is a bh' air a bhith glè ainneamh air taobh siar na Gàidhealtachd: *who belonged to Glasgow and had been rarely in the west Highlands;*

bha e follaiseach gu robh droch bheachd aige orm: *it was obvious he had a bad opinion of me;*

an rathad a bu chuinge a chunnaic mi a-riamh: *the narrowest road I ever saw;*

Tha deagh chuimhne agam air an latha a thàinig làraidh mhòr sìos an rathad cumhang a dh'ionnsaigh an taigh anns an robh mi fhìn, mo bhean is ar dithis chloinne a' fuireach anns an Eilean Sgitheanach. Bha tòrr stuth againn fhèin na broinn, nach robh sinn air fhaicinn fad mhìosan. Beagan àirneis, aodach gu leòr, acfhainn de dh'iomadh seòrsa, leabhraichean, dèideagan is mòran rudan eile. Thàinig iad uile dusan mìle mìle thar a' chuain bho Astràilia far an robh sinn a' fuireach roimhe.

Bha taigh againn ann am baile beag brèagha an cois Loch Eiseort ann an ceann a deas an eilein – baile ris an canar Heasta. 'S e rathad singilte a th' ann eadar Heasta agus an t-Ath Leathann agus tha e gu math cumhang airson làraidh mhòr. Gu dearbh, bha dràibhear na làraidh, a bhuineadh do Ghlaschu is a bh' air a bhith glè ainneamh air taobh siar na Gàidhealtachd, gu math mì-chinnteach gu robh an rathad a' dol a dh'àite sam bith!

Thachair mi ris air an rathad nuair a bha mi a' falbh a dh'obair anns an Ath Leathann. Stad mi an càr, fhuair mi a-mach agus chaidh mi a bhruidhinn ris. Thuirt e gu robh e a' coimhead airson fear "Ruairidh MacIlleathain", ged a thuigeas sibh gur ann anns a' chànan eile a bha an còmhradh.

"Mi fhìn a th' ann," thuirt mi ris.

"Thus'?" dh'fhaighnich e. Bha e follaiseach gu robh droch bheachd aige orm. "Dè rinn thu?"

"Dè tha sibh a' ciallachadh?" fhreagair mi, "dè rinn mi?"

"Feumaidh gun do rinn thu rudeigin," thuirt an dràibhear. "Dh'fhàg thu Astràilia is tha thu a-nise a' fuireach ann am meadhan a' mhonaidh, sìos an rathad a bu chuinge a chunnaic mi a-riamh! Tha e follaiseach gu bheil thu a' ruith air falbh. A bheil fios aig a' phoilis gu bheil thu an seo?!"

A-nise bha e a' dèanamh nàdar de ghàire mar a bha mi fhìn. Ach lean e air. "**Dè thug ort Astràilia fhàgail airson tighinn a dh'fhuireach an seo?**" Choimhead mi timcheall. Bha mi air mo chuairteachadh le bòidhchead – sliabh, beinn, coille is muir – agus beanntan Rois is Chnòideirt a' coimhead cho brèagha ri àite sam bith air an t-saoghal ann an solas na grèine. Ach feumaidh nach robh an dràibhear a' faicinn na dùthcha mar a bha mise.

Co-dhiù, dh'innis mi an fhìrinn dha. "Tha mi an seo," thuirt mi, "airson na Gàidhlig." Uill, nan robh e a' smaoineachadh gu robh sglèat a dhìth orm roimhe, bha e deimhinne às, an dèidh dhomh sin a ràdh ris! Bha e fhathast a' crathadh a chinn nuair a chunnaic mi mu dheireadh e, agus e a' dràibheadh air falbh a dh'ionnsaigh Heasta.

Bha sin o chionn deich bliadhna, agus 's e an rud a tha iongantach mu dheidhinn gu bheil mi fhathast, bho àm gu àm, a' smaoineachadh "càite an do chuir mi an rud sin no an rud eile?" Agus uaireannan tha e a' tighinn a-steach orm nach fhaca mi a-riamh e bho dh'fhàg mi Astràilia. Ged a bha luchd mòr anns an làraidh cha robh a h-uile rud innte a bha sinn an dùil.

Tha seanfhacal againn ann an Gàidhlig a tha a-mach air an dearbh rud. ***'S iomadh nì a chailleas fear na h-imrich.*** Tha sin a' ciallachadh, nuair a tha sinn a' dèanamh imrich, a' gluasad stuth bho àite gu àite, no bho thaigh gu taigh, gu bheil sinn tric a' caill rudeigin. 'S iomadh nì a chailleas fear na h-imrich. Innsidh mi dhuibh mar a chaidh an seanfhacal a chruthachadh an ath-sheachdain. (LTIR)

bha mi air mo chuairteachadh le bòidhchead: *I was surrounded by beauty;* **beanntan Rois is Chnòideirt:** *the mountains of Ross and Knoydart;*

nan robh e a' smaoineachadh gu robh sglèat a dhìth orm roimhe: *if he thought I had a slate missing (ie was not the full shilling) before;* **bha e deimhinne às, an dèidh dhomh sin a ràdh ris:** *he was certain of it after me telling him that;* **bha e fhathast a' crathadh a chinn:** *he was still shaking his head;* **'s e an rud a tha iongantach mu dheidhinn:** *the thing that is surprising about it;* **tha e a' tighinn a-steach orm nach fhaca mi e:** *I realise I haven't seen it;*

nuair a tha sinn a' dèanamh imrich: *when we are flitting;*

Puing-chànain na Litreach: **Dè thug ort Astràilia fhàgail airson tighinn a dh'fhuireach an seo?**: *what made you leave Australia to come and live here? There is more than one way of saying in Gaelic that somebody was "made to" or "forced to" do something. Two common ways are by using the verbs* co-èignich (a' co-èigneachadh) *and* thoir *with the preposition* air (a' toirt air). Co-èignich *has more of a sense of compelling, even with violence or the threat of violence.* Bha na h-Iùdhaich air an co-èigneachadh gus a dhol air an trèana *(the Jews were compelled to go on the train).* Thoir air *may have similar connotations but may also be used in the sense of "circumstances conspiring to force one to…".* Thug mo mhathair orm na soithichean a ghlanadh (*my mother made me clean the dishes).*

Seanfhacal na Litreach: **'S iomadh nì a chailleas fear na h-imrich**: *the man that flits loses much.*

LITIR 71

(An Sultain 2000)

An explanation of the origin of a Gaelic proverb...

An t-seachdain sa chaidh, rinn mi iomradh air seanfhacal – **'s iomadh nì a chailleas fear na h-imrich**. Leugh mi o chionn ghoirid mar a chaidh an seanfhacal sin a chruthachadh. Chan eil fhios a'm co-dhiù tha e fìor gus nach eil, ach seo mar a nochd e ann an leabhar a chaidh a sgrìobhadh anns an naoidheamh linn deug.

Bha tuathanach ann an Ìle a bh' air a chur roimhe gluasad gu taigh eile. Latha ro latha na h-imrich, thug e cuireadh do nàbaidhean tighinn a chèilidh air airson soraidh slàn a leigeil leis. Bha an taigh aige beag ('s dòcha gur e sin a bu choireach gu robh e a' dèanamh imrich), agus bha e loma-làn daoine. Mar sin, **dh'iarr an tuathanach air a' ghille aige**, a bha mu dheich bliadhna a dh'aois, a chuid feòla a thoirt leis gu oisean gus am biodh rùm a bharrachd ann do chàch.

Cha robh an gille ro thoilichte agus, nuair a bha e a' dèanamh a shlighe don oisean, leig e cuid de na bh' air a thruinnsear air an làr. Thug athair trod dha, agus fhreagair am balach, "'s iomadh nì a chailleas fear na h-imrich." Nuair a chuala e na faclan sin, smaoinich athair mun t-suidheachadh aige fhèin, agus chuir e roimhe gun imrich a dhèanamh gu taigh ùr idir.

Uill, chan eil fhios a'm mu dheidhinn na sgeòil, ach tha fìrinn anns an t-seanfhacal gun teagamh. Agus chan e dìreach rudan a bhuineas dhut a chailleas tu nuair a ghluaiseas tu gu àite ùr, ach na daoine a bha timcheall ort anns an t-seann dachaigh cuideachd – nàbaidhean, caraidean is mar sin air adhart. 'S dòcha gun caill thu do chànan, mar a thachair do dh'iomadh duine a dh'fhàg a' Ghàidhealtachd.

Ach air an làimh eile, 's iomadh buannachd a thig an lùib na h-imrich cuideachd. Nì thu caraidean ùra, 's dòcha gum bi obair nas fheàrr agad, agus taigh nas motha. Nuair a ghluais mise don Ghàidhealtachd bho àite eile, fhuair mi grèim air a' chànan nach robh agam

rinn mi iomradh air: *I mentioned;*
chan eil fhios a'm co-dhiù tha e fìor gus nach eil: *I don't know whether it's true or not;*
thug e cuireadh do nàbaidhean tighinn a chèilidh air airson soraidh slàn a leigeil leis: *he invited his neighbours to visit him to farewell him;*
loma-làn: *completely full;*
a' chuid feòla a thoirt leis gu oisean: *to take his portion of meat to a corner;* **gus am biodh rùm a bharrachd ann do chàch:** *so that there would be more room for the others;* **nuair a bha e a' dèanamh a shlighe:** *when he was making his way;*
leig e cuid de na bh' air a thruinnsear: *he let fall some of what was on his plate;* **thug athair trod dha:** *his father scolded him;* **chuir e roimhe gun imrich a dhèanamh:** *he made up his mind not to move house;*
chan e dìreach rudan a bhuineas dhut a chailleas tu: *it is not only things that belong to which you lose;*

's iomadh buannachd a thig an lùib na h-imrich: *many good things come with a flitting;*

cha bhithinn as a h-aonais: *I wouldn't be without it (fem);*
nuair a dh'fhàgadh iad am bailtean: *when they left (would leave) their villages;*
àirigh: *shieling;*
An t-luchar: *July;*
a' gabhail seanachas leotha: *engaging in conversation with them;*
fuadaichean: *clearances;*
tha mi air lorg fhaighinn air: *I have found;*
teachdaireachd: *message;*
taghadh: *election;*
bhòtadh: *voting;*
cumhachdach: *powerful.*

anns an t-seann dachaigh. Agus an-diugh cha bhithinn às a h-aonais.

'S e "imrich" am facal a chleachdadh na seann daoine nuair a dh'fhàgadh iad am bailtean airson a dhol don àirigh gach samhradh. Nuair a thilleadh luchd na h-imrich aig deireadh an luchair bho na h-àirighean, bhiodh oidhche mhòr aca, a' cèilidh air muinntir a' bhaile is a' gabhail seanachas leotha. 'S e "Oidhche na h-Imrich" a chanadh iad ris an oidhche sin.

Ach ann an àite mar Ghàidhealtachd na h-Alba, aig a bheil droch eachdraidh de dh'fhuadaichean is de dhaoine a' falbh a-null thairis, 's dòcha gu bheil e nàdarrach gur ann air droch bhuaidh na h-imrich a tha na seanfhaclan. Is tha mi air lorg fhaighinn air na dhà eile. 'S e a' chiad fhear – **is buidhe le amadain imrich** – *fools are fond of flitting.* Is buidhe le amadain imrich.

Agus tha am fear eile rudeigin coltach ris a' chiad fhear a thug mi dhuibh. **Nì am imrich thric an àirneis lom**. *Frequent flitting bares the furnishing.* Nì an imrich thric an àirneis lom. 'S dòcha gur e teachdaireachd a tha sin a chluinneas sinn aig Tonaidh Blair is Gòrdan Brown aig an ath thaghadh, agus iad ag iarraidh oirnn fuireach far a bheil sinn gu poilitigeach. Tha fhios, ge-tà, gun cleachdadh Uilleam Hague seanfhacal eile: **is ùrachadh atharrachadh**. Cò aige tha fios dè an seanfhacal a bhios nas cumhachdaiche ann an inntinn an t-sluaigh nuair a thig e gu latha a' bhòtaidh...

<u>Puing-chànain na Litreach</u>: **Dh'iarr an tuathanach air a' ghille aige**...: *the farmer asked his son to... Using* iarraidh *followed by* air *is a common way of saying that somebody is requesting somebody else to do something. It also appears in the final paragraph of the Litir:* ag iarraidh oirnn fuireach far a bheil sinn gu poilitigeach *(asking us to remain where we are politically). Here are some other examples:* Dh'iarr mi air Seumas fòn a chur thugam *(I asked James to phone me);* an do dh'iarr thu orra sgrìobhadh thugainn? *(did you ask them to write to us?);* tha mi ag iarraidh oirbh uile fuireach far a bheil sibh *(I want you all to remain where you are).*

<u>Seanfhaclan na Litreach</u>: Here are the four proverbs in this week's letter: **'S iomadh nì a chailleas fear na h-imrich:** *the man that flits loses much;* **Is buidhe le amadain imrich:** *fools are fond of flitting;* **Nì an imrich thric an àirneis lom:** *frequent flitting bares the furnishing;* **Is ùrachadh atharrachadh:** *change is refreshing (a Gaelic equivalent to the English "a change is as good as a holiday").*

LITIR 72

(An Dàmhair 2000)

John Major left us a fascinating account of Scotland...

A bheil cuimhne agaibh air Iain Major, no John Major, mar a th' aca air ann am Beurla? Tha fhios gu bheil. 'S e e fhèin a thug iomradh ainmeil air na rudan a bu mhotha a chòrd ris. Seana-mhnathan a' raighdeadh bhaidhsagalan air feasgar samhraidh, leann meadh-bhlàth taobh a-muigh taigh-seinnse, agus criogaid air an fheur. Dealbh snog do mhòran, ach tha fhios nach robh e a' bruidhinn mu dheidhinn Na Hearadh!

's e e fhèin a thug iomradh ainmeil air na rudan a bu mhotha a chòrd ris: *it's himself that made famous mention of the things he enjoyed most;* **seana-mhnàthan:** *old wives;* **leann:** *beer;* **meadh-bhlàth:** *lukewarm;* **taigh-seinnse:** *pub;* **criogaid:** *cricket;* **Na Hearadh:** *Harris;*

Ach an robh fios agaibh gun tuirt Iain Major seo: *O chionn ùine nach robh fada, bha a' Ghàidhlig air a bruidhinn leis a' mhòr-chuid againn.* Seadh, Iain Major. Ach feumaidh mi a bhith onarach. Chan e an aon Iain Major a bh' ann! Tha an dàrna fear na Shasannach agus bha e na Phrìomhaire ann am Breatainn o chionn beagan bhliadhnaichean. Bha am fear eile na Albannach agus bha e beò o chionn còig ceud bliadhna.

onarach: *honest;* **tha an dàrna fear na Shasannach:** *the first (lit. the second) is an Englishman;* **Prìomhaire:** *Prime Minister;* **o chionn beagan bhliadhnaichean:** *a few years ago;* **bha am fear eile na Albannach:** *the other was a Scot;*

Ged is e "Major" a chanas sinn ris an-diugh, thathar a' smaoineachadh gur e "Mair" an sloinneadh a bh' air ann am Beurla anns an sgìre far an do thogadh e – Lodainn an Ear faisg air Dùn Èideann. Ach sgrìobh e gu mòr ann an Laidinn, agus anns a' chànan sin, 's e "Majorus" a bh' aige air fhèin. 'S e an leabhar a b' ainmeile a sgrìobh e – *Historia Majoris Britanniae*. Tha sin a' ciallachadh "Eachdraidh Bhreatainn Mhòir", ach tha cuid a' cumail a-mach gu robh Major a' gabhail spòrs leis na faclan, is a' fàgail smuain aig feadhainn gu robh am "Majoris" a' seasamh air a shon fhèin! Bha Major air thoiseach air a' chuid mhòir ann a bhith a' cleachdadh nam faclan *Great Britain* no *Greater Britain*, ceud bliadhna mus do chuir Rìgh Seumas VI sin mar thiotal air an rìoghachd ùir aige, nuair a fhuair e crùn Shasainn.

's e "Majorus" a bh' aige air fhèin: *he called himself "Majorus";*

a' seasamh air a shon fhèin: *standing for himself;*

Chaidh Iain Major gu sgoil ann an Haddington, agus chaidh e an uair sin gu Oilthigh Chambridge. Ann an ceithir cheud deug, ceithir fichead 's a trì-deug (1493), chaidh e a dh'Oilthigh Pharis far an do ghabh e ceum. 'S iad na cuspairean a bh' aige – Feallsanachd, Diadhachd agus Ealain-reusanachaidh, no Loidig.

ceum: *degree (University);* **cuspairean:** *subjects.* **Loidig:** *logic;*

Chuir e seachad bliadhnaichean mar òraidiche anns an Fhraing, ach thill e a dh'Alba ann an còig ceud deug 's a h-ochd-deug (1518) **mar Àrd-ollamh na Feallsanachd is na Diadhachd ann an Oilthigh Ghlaschu**. Roimhe sin bha e air a' chuid mhòr dhen leabhar aige, mu dheidhinn eachdraidh Bhreatainn, a sgrìobhadh.

Tha beachdan Mhajor anns an leabhar gu math inntinneach. Bha e na bu bhàidheile ri muinntir Shasainn na mòran eile de luchd-eachdraidh na h-Alba aig an àm. Agus bha e dhen bheachd gu robh an t-àm ann an dà rìoghachd, Alba agus Sasainn, a chur còmhla fon aon rìgh no bànrigh. Sgrìobh e tric mu na "Breatannaich" no "Britons" aig àm nuair a bha daoine eile rudeigin leisg a thaobh a bhith a' cur na Sasannaich is na h-Albannaich còmhla mar sin.

bha e na bu bhàidheile ri muinntir Shasainn: *he was more kindly disposed towards the people of England;*

nuair a bha daoine eile rudeigin leisg a thaobh a bhith a' cur X is Y còmhla mar sin: *when others were somewhat reluctant to put X and Y together like that;*

Agus bha beachdan air leth inntinneach aige mu dheidhinn muinntir na h-Alba fhèin agus gu h-àraidh mu dheidhinn nan Gàidheal. Mar a thuirt mi aig an toiseach, sgrìobh e gu robh Gàidhlig air a bhith aig a' mhòr-chuid de mhuinntir na h-Alba goirid ro linn fhèin. Agus dhìon e am biadh àraidh a bh' aig na h-Albannaich. "Faodaidh na Frangaich is na Sasannaich a bhith ri fanaid," sgrìobh e,"ach tha sinne air batailean a bhuannachadh air an stuth seo"! Dè am biadh a bh' ann? Innsidh mi sin dhuibh an ath-sheachdain.

LTR

goirid ro linn fhèin: *shortly before his time;* **dhìon e am biadh àraidh:** *he defended the particular food;* **faodaidh na Frangaich is na Sasannaich a bhith ri fanaid:** *the French and English may well mock (us);*

Puing-chànain na Litreach: **mar Àrd-ollamh na Feallsanachd is na Diadhachd ann an Oilthigh Ghlaschu**: *as Professor of Philosophy and Divinity at the University of Glasgow. In Litir 34 I mentioned that the Gaelic word for Episcopacy is* Easbaigeachd, *which is formed from* easbaig *(bishop) and* –eachd. *Here is a similar word* – Diadhachd *(Divinity, Theology) – which is formed from* Dia *(God) and* –achd, *with the "dh" included to break up the double vowel sound. And it probably won't surprise you to hear that* diadhach *or* diadhair *means a religious personage and that both words are masculine, while the form ending in* –(e)achd *is feminine. The verbal noun is* a' diadhachadh *which means deifying and the adjective is* diadhaidh *(godly, pious or divine). Such relationships between words are common, and an understanding of how they work (including the irregularities) can increase your word power quickly.*

Gnàths-cainnt na Litreach: **Chuir e seachad bliadhnaichean mar òraidiche**: *he spent years as a lecturer.*

LITIR 73

(An Dàmhair 2000)

More on John Major's account of the Gaels and Lowlanders...

An t-seachdain sa chaidh, **dh'innis mi dhuibh mu dheidhinn an sgoileir ainmeil Albannaich, Iain Major**, a bha beò o chionn còig ceud bliadhna. Anns an leabhar mhòr aige mu eachdraidh Bhreatainn, am measg mòran rudan eile, dhìon e cliù nan Albannach, agus am biadh aca. Bha droch bheachd aig na Sasannaich agus na Frangaich air min-choirce, ach sgrìobh Major gu robh a cho-chreutairean Albannach air batailean gu leòr a bhuannachadh, às dèidh dhaibh a h-ithe!

dhìon e cliù nan Albannach: *he defended the reputation of the Scots;* **min-choirce:** *oatmeal;* **gu robh a cho-chreutairean Albannach air batailean a bhuannachadh, às dèidh dhaibh a h-ithe:** *that his fellow Scots had won battles after eating it (fem.);*

Thogadh Major ann an Lodainn agus 's e a' Bheurla a bh' aige mar phrìomh chànan. Agus tha e inntinneach na tha e ag ràdh mu dheidhinn suidheachadh an dà chànain, agus an dà shluaigh, ann an Alba aig an àm. Bha Gàidhlig aig an dàrna cuid de mhuinntir na rìoghachd ri linn, thuirt e, agus 's e an t-ainm a bh' aig daoine eile air an son *na h-Albannaich Fhiadhaich, the Wild Scots*. B' iad an fheadhainn eile, aig an robh Beurla, *na h-Albannaich Thaigheil, the Householding Scots*.

ri linn: *in his day;*

fiadhaich: *wild;*
taigheil: *domestic, householding;*

Ann an cuid de dhòighean, sgrìobh Major, bha na h-Albannaich Thaigheil, na Goill, air thoiseach air an fheadhainn fhiadhaich, na Gàidheil. A thaobh aodach is beusachd, co-dhiù, bha iad na b' fheàrr. Ach bha na Gàidheil na b' fheàrr air sabaid. Agus thug Major adhbhar airson sin. Bha na h-Albannaich Fhiadhaich a' fuireach nas fhaide gu tuath, agus air sgàth 's gu robh iad a' tighinn às na beanntan, agus a' fuireach ann an coilltean, bha an nàdar na bu chogaile. Ach, air an làimh eile, bha iad math air ceòl. Agus 's e an ionnstramaid a bh' aca – a' chlàrsach.

Bha na h-Albannaich Thaigheil na b' fheàrr, ge-tà, ann a bhith a' riaghladh na rìoghachd, air sgàth 's gu robh iad na bu shìobhalta. Ach bha cuid de na Gàidheil Fhiadhaich a' tuigsinn mar a dh'fheumadh iad a bhith fo ùghdarras nan cùirtean agus fo ùghdarras an Rìgh. B' iad sin an fheadhainn aig an robh crodh is caoraich is eich. Ach an fheadhainn nach robh beartach, uill, thuirt Major gu robh iad coma mu ghnothaichean mar

beusachd: *moral rectitude;* **bha X na b' fheàrr air sabaid:** *X was better at fighting;* **bha an nàdar na bu chogaile:** *their nature was more bellicose;* **ionnstramaid:** *musical instrument;* **clàrsach:** *harp;* **sìobhalta:** *civil, peaceful, mild;* **bha X a' tuigsinn mar a dh'fheumadh iad a bhith fo ùghdarras nan cùirtean agus fo ùghdarras an Rìgh:** *X understood that they were required to be under the authority of the courts and of the King;* **beartach:** *wealthy;*

thuirt Major gu robh iad coma mu ghnothaichean mar sin: *Major said they were indifferent to (ie that they disregarded) things like that;* **cha robh càil ann a b' fheàrr leotha na bhith a' sealg:** *there was nothing they would rather do than go hunting;* **reusanta:** *reasonable;*

sin. Bha iad leisg, agus cha robh càil ann a b' fheàrr leotha na bhith a' sealg.

Agus, sgrìobh Major, **bha gràin aig na Gàidheil air na Goill agus air na Sasannaich** agus, gu dearbh, air duine sam bith a bha sìtheil, sìobhalta is reusanta – chan ann air sgàth 's gu robh iad sìtheil, sìobhalta is reusanta, ach air sgàth 's gu robh cànan eadar-dhealaichte aca. Tha amharas agam gum biodh beachd Goill air na Gàidheil aig an àm, agus beachd Gàidheil air na Goill rudeigin coltach ri chèile.

torrach: *fertile;* **aibhnichean brèagha làn èisg:** *beautiful rivers full of fish;* **ann an làmhan nan ceann-cinnidh Gàidhealach:** *in the hands of the Gaelic chieftains;*

Sgrìobh Major rudan inntinneach mu Èirinn cuideachd. Bha e dhen bheachd gu robh an t-eilean gu math torrach, le aibhnichean brèagha làn èisg. Bha an ceann a deas fo smachd Rìgh Shasainn, agus bha an ceann a tuath ann an làmhan nan ceann-cinnidh Gàidhealach. Uill, tha sin air atharrachadh.

Naomh Pàdraig: *Saint Patrick;* **ùir:** *soil;* **nathair, nathraichean:** *snake,snakes;* **a dh'aindeoin cho math 's a bha a chuid sgoilearachd:** *regardless of how good his scholarship was;* **cha ghabh a h-uile rud a sgrìobh e creidsinn:** *not everything he wrote can be believed.*

Ach tha aon rud ann nach eil air atharrachadh. Cha robh nathraichean ann an Èirinn an uair sin, agus chan eil a-nise. Agus 's e a bu choireach – agus cha chluinn thu bìog air Naomh Pàdraig an seo – 's e a bu choireach gu robh an talamh, an ùir, a' cur às don a h-uile beathach puinnseanach. Ma bheir thu ùir Èireannach gu dùthaich eile, thuirt e, gheibh nathair sam bith a thèid faisg oirre, bàs. Uill, tha mi a' smaoineachadh gu bheil sin a' sealltainn dhuinn aon rud mu dheidhinn Iain Mhajor. A dh'aindeoin cho math 's a bha a chuid sgoilearachd anns an fharsaingeachd, cha ghabh a h-uile rud a sgrìobh e creidsinn. LTIR

Puing-chànain na Litreach: **Dh'innis mi dhuibh mu dheidhinn an sgoileir ainmeil Albannaich, Iain Major***: I told you about the famous Scottish scholar, John Major (note that* sgoilear *may also mean a pupil at school ie someone who goes to* "sgoil" *but it is usually obvious which meaning is intended). Are you clear as to why we say* Albannaich, *with the slenderised ending, and not* Albannach? *The reason is that the adjective* Albannach *(Scottish) is qualifying a noun,* sgoileir, *which is in the genitive case, following a compound preposition* (mu dheidhinn). Sgoilear *is slenderised in the genitive to become* sgoileir, *with an attendant change in pronunciation, both of the terminal vowel and of the "r". And the adjectives change with it.* Ainmeil *is already slender, the final vowel being an "i" so it cannot be changed, but* Albannach is changed to Albannaich.

Gnàths-cainnt na Litreach: **bha gràin aig na Gaidheil air na Goill agus air na Sasannaich**: *the Gaels hated the Lowlanders and English.* Tha gràin aig X air Y *(X hates Y).* Tha gràin aige orm *(he hates me),* tha gràin agam orra *(I hate them).*

LITIR 74 *(An Dàmhair 2000)*

Ruairidh considers the origin of the words ***teòclaid*** *and* ***rannsachadh****...*

Uaireannan, bidh sinn a' cleachdadh faclan airson bliadhnaichean gun fios a bhith againn cò às a thàinig iad bho thùs. Tha eisimpleir againn anns an fhacal *teòclaid* neo, ann am Beurla, *chocolate*. Thàinig am facal sin a-steach don Bheurla anns an t-seachdamh linn deug bhon Spàinntis, *chocolate*.

cò às a thàinig iad bho thùs: *where they came from originally;* **teòclaid:** *chocolate;* **Spàinntis:** *Spanish language;*

Ach chan e facal Spàinntis a bh' ann bho thùs. Thog na Spàinntich e thall ann am Meagsago bhon treubh ainmeil anns an dùthaich sin, na h-Aztecs. Ann an Aztec, agus gabhaibh mo leisgeul ma tha mi ga ràdh gu ceàrr, 's e *xocolatl* a bh' ann, agus thàinig e bho dhà fhacal anns a' chànan aca, *xococ*, a tha a' ciallachadh "searbh", agus *atl*, a tha a' ciallachadh "uisge". Mar sin, tha co-dhiù aon fhacal againn ann an Gàidhlig a thàinig bho thùs bho chànan nan Aztecs.

gabhaibh mo leisgeul ma tha mi ga ràdh gu ceàrr: *excuse me if I am saying it wrongly;*

'S e a thug orm smaoineachadh mu dheidhinn seo gu robh mi a' dèanamh beagan rannsachaidh. Seadh, bha mi a' rannsachadh. Agus dè thàinig fo m' aire ach am facal sin fhèin – *rannsachadh*. An latha an-diugh, cluinnear gu math tric e, gu h-àraidh anns na naidheachdan air an rèidio agus air telebhisean. Tha e co-ionann ris an fhacal *research* no *inquiry* ann am Beurla.

cluinnear gu math tric e: *it is heard quite often;*

Canaidh sinn *ionad-rannsachaidh* airson *research institute*, *sgioba-rannsachaidh* airson *research team*, *rannsachadh poblach* airson *public inquiry* is mar sin air adhart. Cluinnidh sibh rudan air an rèidio mar "tha na poilis a' rannsachadh bàs fir ann an Glaschu." 'S e cuideachd am facal a tha sinn a' cleachdadh far a bheilear ag ràdh *explore* no *exploration* ann am Beurla. 'S e fear-rannsachaidh ainmeil a bh' ann an Daibhidh MacDhunlèibhe, ann an Afraga, mar eisimpleir.

tha am poilis a' rannsachadh bàs fir ann an Glaschu: *the police are researching the death of a man in Glasgow;* **'s e fear-rannsachaidh ainmeil a bh' ann an Daibhidh MacDhunlèibhe:** *David Livingstone was a famous explorer;*

Ach, ma bheir sibh sùil ann am faclair, chì sibh gu bheil am facal cuideachd a' ciallachadh "a' coimhead airson rudeigin", "a' rùrachadh" agus "a' sgrùdadh". Nuair a bhios an gille agam ag iarraidh stocainnean a lorg anns a' mhadainn, feumaidh e uaireannan rannsachadh mòr a dhèanamh anns an t-seòmar aige, **leis na th' ann de stuth aige, agus e gu lèir mì-sgiobalta**!

a' rùrachadh: *rummaging, searching, groping;* **a' sgrùdadh:** *scrutinizing, investigating, researching;* **stocainnean:** *socks;* **ciall:** *meaning;*

tha a' chiall sin nas fhaisge air a' chiall a bh' air X aig tùs: *that meaning is closer to X's original meaning;* **Lochlannach:** *Viking;* **Lochlannais:** *Norse language;*
a thàinig bho na dearbh fhreumhan Lochlannach: *that came from the same Norse roots;*
a' milleadh: *damaging, destroying;* **a' creachadh:** *plundering, ruining;*
tha smuain a' cuairteachadh nam cheann: *a thought is circulating in my head;* **a' togail creach anns na machainnean agus taighean aig na Gaidheil:** *plundering the monasteries and houses of the Gaels;*

clogaidean: *helmets;* **claidheamhan:** *swords.*

tha mi an dòchas nach cur iad cus cheistean orm: *I hope they will not ask me too many questions.*

Tha a' chiall sin nas fhaisge air a' chiall a bh' air an fhacal *rannsachadh* aig tùs. Agus cò às a thàinig am facal? Uill, a rèir nan sgoilearan, 's ann à cànan nan Lochlannach a thàinig e. Ann an Lochlannais, 's e *rannsaka* a bh' ann. Thàinig e bho dhà fhacal anns a' chànan sin – *rann*, a' ciallachadh *taigh*, agus *saka*, a' ciallachadh *lorg,* no *coimhead airson rudeigin*. Rannsaka.

Nise, bidh sibh eòlach air facal Beurla a thàinig bho na dearbh fhreumhan Lochlannach. *Ransack.* Tha sin a' ciallachadh an-diugh "a' milleadh", no "a' creachadh". Ach tha e cuideachd a' ciallachadh "a' coimhead gu mionaideach airson rudeigin ann an taigh, no bocsa, no àite dhen t-seòrsa". Is tha an dearbh chiall fhathast aig *rannsachadh* anns a' chànan againn fhèin.

Tha smuain a' cuairteachadh nam cheann mu na Lochlannaich nuair a thàinig iad a dh'Alba an toiseach, agus iad a' togail creach anns na manachainnean agus taighean aig na Gàidheil air cladaichean na dùthcha. Tha mi a' faicinn nam inntinn dealbh de bhalach òg a' ruith a dh'ionnsaigh an taighe aige air costa siar na Gàidhealtachd, agus an t-eagal air.

"A Mhamaidh, a Mhamaidh," tha e ag èigheachd, "tha Lochlannaich a' tighinn. Daoine mòra le clogaidean is claidheamhan."

"O," tha a mhàthair ag ràdh, "tha iad a' tilleadh – airson tuilleadh dhen 'rannsachadh' aca a dhèanamh."

"Och uill, tha sin math gu leòr, ma thà," tha am balach a' freagairt. "Tha mi an dòchas, ge-tà, nach cur iad cus cheistean orm!"

LTIR

__Puing-chànain na Litreach__: *Last week we looked at the slenderisation of the singular noun, and its adjectives, in the genitive case. It crops up again in the word which is the subject of this week's Litir –* rannsachadh (in its nominative form)*. In the genitive singular form, this is* rannsachaidh *and it occurs as such in the following instances:* beagan rannsachaidh *(a little [of] research) and* tuilleadh rannsachaidh *(more [of] research). It also occurs in the genitive form in a couple of compound nouns, functioning as an adjective, ie* ionad-rannsachaidh *(research institute) and* sgioba-rannsachaidh *(research team). This would also be the form used with the verbal noun in the presence of the definite article ie* tha mi a' dèanamh an rannsachaidh *(I am doing the research).*

__Gnàths-cainnt na Litreach__: **leis na th' ann de stuth aige, agus e gu lèir mì-sgiobalta**: *with the amount of stuff he has, which is all untidy (alternatively,* leis na th' aige de stuth...*)*

LITIR 75

(An t-Samhain 2000)

*What's the Gaelic for **lunch**?*

Dè a' Ghàidhlig a th' agaibh airson *lunch*? Ceist dhoirbh, nach e? Chan eil aon fhacal ann a chleachdas a h-uile duine. Chithear tric am facal *lòn*, gu h-àraidh aig co-labhairtean Gàidhlig. 'S e fìor sheann fhacal Gàidhlig a th' ann agus, ann am faclair Dwelly, mar eisimpleir, thathar ag innse dhuinn gur e sin a bh' aig na Gàidheil o shean airson a' bhìdh a dh'itheadh iad dìreach aon triop san latha. Agus seallaibh air na faclan *bracaist, dìnnear* is *suipear*. Thàinig iad uile bhon Bheurla air sgàth 's nach robh a leithid aig na Gàidheil o shean ann.

chithear tric X: *X is often seen;* **thathar ag innse dhuinn gur e sin a bh' aig na Gaidheil o shean:** *we are told that that is what the Gaels had (said) in olden times;* **bracaist:** *breakfast;* **suipear:** *supper;*

Ach 's e an duilgheadas a th' ann le *lòn*, gu bheil e cuideachd a' ciallachadh biadh anns an fharsaingeachd agus, mar a chanar ann am Beurla, *diet*. Ma chluinneas sibh *lòn*, chan urrainn dhuibh a bhith cinnteach gu bheil e a' ciallachadh biadh rudeigin aotrom timcheall meadhan-latha mar a bhios *lunch* a' ciallachadh, mar as trice.

anns an fharsaingeachd: *in general;* **mar as/bu trice:** *usually;*

Mura h-e rud uabhasach sean a th' anns an dìnnear air a' Ghàidhealtachd, tha an *lunch* fada nas òige. Nuair a thàinig *dinner* a-steach don Ghàidhlig mar *dìnnear* bha e a' ciallachadh, mar bu trice, a' bhìdh a ghabhadh daoine timcheall meadhan-latha. B' e sin *àm dìnnearach* no *tràth dìnnearach.* Agus 's e sin, gu dearbh, a tha e a' ciallachadh fhathast do mhòran de sheann daoine air a' Ghàidhealtachd. Canaidh iad *teatha* ris a' bhiadh a ghabhas iad mu chòig uairean feasgar.

Ach tha an saoghal air atharrachadh. An latha an-diugh, tha a' chuid mhòr a' gabhail biadh mòr feasgar, às dèidh dhaibh tighinn dhachaigh airson na h-oidhche. Nach e sin an dìnnear? Ann am meadhan an latha, chan eil iad a' gabhail ach ceapaire no rola no rudeigin aotrom. An *lunch.*

tha an saoghal air atharrachadh: *the world has changed;* **tha a' chuid mhòr a' gabhail biadh mòr feasgar:** *the majority have their main meal in the evening;* **ceapaire:** *sandwich;* **rola:** *(bread) roll;*

Bha an gnothach seo a' cuairteachadh nam cheann nuair a fhuair mi lorg air leabhran beag o chionn ghoirid anns an taigh agam, leabhran a bh' aig m' athair airson ùine mhòr, agus nach fhaca mi airson bliadhnaichean. Èistibh ris an tiotal agus tuigidh sibh nach deach fhoillseachadh an-dè: *The Tourist's Handbook of Gaelic*

tuigidh sibh nach deach fhoillseachadh an-dè: *you will understand it was not published yesterday;*

and English Phrases: with pronunciation.* Nuair a chaidh a sgrìobhadh, bha mòran air a' Ghàidhealtachd aig nach robh Beurla choileanta. Uill, tha mòran an-diugh, gu mì-fhortanach, aig nach eil Gàidhlig choileanta.

Chaidh an iris agam fhìn a chur an clò ann an naoi ceud deug, is naoi air fhichead (1929), ach tha mi a' smaoineachadh gun deach an leabhran fhoillseachadh an toiseach leth-cheud bliadhna roimhe sin, ann an ochd ceud deug, trì fichead 's a naoi-deug (1879). Tha earrann ann air a bheil "*Luncheon on the Hill.*" Bha e air a bhith feumail do na h-uaislean airson bruidhinn ris an fheadhainn a bha gan cuideachadh nuair a bha iad a' sealg anns a' mhonadh.

bha mòran aig nach robh Beurla choileanta: *there were many who did not speak perfect English;* **chaidh an iris agam fhìn a chur an clò:** *my own edition was printed;* **tha mi a' smaoineachadh gun deach an leabhran fhoillseachadh an toiseach:** *I think the booklet was first published;* **earrann:** *section;* **bha e air a bhith feumail do na h-uaislean:** *it would have been useful to the gentry;*

Tha abairtean feumail ann mar "*come hither*" – *trobhad seo* – agus "*we will have a rest*" – ***gabhaidh sinn anail***. Ach làigh mo shùil air an abairt seo: "*we will have luncheon*" – *gabhaidh sinn ar grèim-nòin*. Uill, 's toil leam e. Tha e gu math nàdarrach, leis gum bi daoine tric a' cleachdadh "grèim" airson biadh nach eil ro mhòr. Canaidh sinn rudan mar "an gabh thu grèim?" nuair a tha sinn a' tabhann biadh do chuideigin. Agus 's dòcha gum bi cuimhne agaibh air an fhacal *nòin*, a tha car coltach ri *noon* ann am Beurla. Thug sinn sùil air ann an Litir dà fhichead 's a còig (45) anns a' Mhàrt.

làigh mo shùil air an abairt seo: *my eye rested on this phrase;* **an gabh thu grèim?:** *will you take a bite to eat?;* **a' tabhann:** *offering:*

Agus cò sgrìobh an leabhran beag seo? Uill, sàr-bhana-bhàrd a bha uaireigin gu math ainmeil am measg nan Gàidheal – Màiri NicEalair. Bheir sinn sùil air a beatha an ath-sheachdain.

sàr-bhana-bhàrd: *a first-class poetess;* **Màiri NicEalair:** *Mary MacKellar.*

LTIR

Puing-chànain na Litreach: *This week's text concerns the Gaelic for "lunch". In the time of Edward Dwelly, the compiler of the famous Gaelic-English dictionary, even the concept of a "dinner" (*dìnnear*), as part of a day of multiple meals, was a "modern introduction". The Gael of old had one meal per day, the* lòn. *But neither* dìnnear *nor* lòn *are time-specific, and they are not precisely equivalent to the modern lunch. One way around this is in Gaelic is to employ compound nouns which bring in the time element, eg* biadh meadhan-latha *(midday food). Two older words are* biadh-nòin *(noon food) and* grèim-nòin *(lit. a noon bite). There is a nice symmetry in the use of* grèim-nòin, *as the word "lunch" in English derives from* nuncheon *(through* luncheon*), and ultimately from the Middle English* none *(noon) and* schench *(drink). And, as we saw in Litir 45, the English* noon *and the Gaelic* nòin *both originate from the same Latin word,* nona.

Gnàths-cainnt na Litreach: **Gabhaidh sinn anail**: *we'll have a rest (lit. we'll take a breath).*

LITIR 76 *(An t-Samhain 2000)*

A short account of the famous Gaelic poetess, Mary MacKellar...

Màiri NicEalair: *Mary MacKellar;* **bha i air a bhith tinn le tinneas-cridhe:** *she had been ill with heart disease;* **cha deach i am feabhas:** *she did not improve;* **maraiche:** *mariner;* **cuide ris:** *along with him;* **Camshronach:** *Cameron;* **bha a h-athair na fhuineadair anns a' Ghearasdan:** *her father was a baker in Fort William;* **thog i mòran de dhualchas na sgìre bhuapa:** *she learned much about the area's heritage from them;* **choisinn i cliù dhi fhèin le bhith a' sgrìobhadh dàin:** *she developed a reputation for herself by writing poems;* **Comunn Gàidhlig Inbhir Nis:** *The Gaelic Society of Inverness;* **rann:** *verse;* **marbhrann:** *elegy;* **gu dùmhail:** *thick;* **rèidhlean:** *flat meadow;* **tha na neòil dhubha (a') dùnadh gu dlùth mu na speuran:** *the black clouds are closing tightly in the heavens;* **cha chuirear oirnn aiteas le aiteal na grèine:** *we will not be made glad by a gleam of sunlight;* **bho nach gluaisear mo charaid bho sparradh na dèile:** *as my friend will not be moved from the coffin;* **an tìr nam beò:** *in the land of the living;*

Air an t-seachdamh latha dhen t-Sultain, ochd ceud deug, ceithir fichead 's a deich (1890), chaochail a' bhana-bhàrd, Màiri NicEalair, ann an Dùn Èideann. Cha robh i ach da fhichead bliadhna 's a còig-deug, ach bha i air a bhith tinn le tinneas-cridhe agus droch chnatan anns a' gheamhradh roimhe sin, agus cha deach i am feabhas.

Chan e NicEalair a bh' oirre bho thùs; phòs i fear MacEalair a bha na mharaiche, agus chaidh i cuide ris do dh'iomadh àite anns an Roinn Eòrpa. Rinn iad an dachaigh ann an Dùn Èideann. 'S e Camshronach a bh' innte bho thùs, agus rugadh is thogadh i ann an dùthaich nan Camshronach – Loch Abar. Bha a h-athair na fhuineadair anns a' Ghearasdan, ach chuir Màiri seachad mòran ùine na h-òige anns an dùthaich cuide ri a seana-phàrantan. Thog i mòran de dhualchas na sgìre bhuapa.

Bha i math air bàrdachd agus choisinn i cliù dhi fhèin le bhith a' sgrìobhadh dàin, ann an Gàidhlig agus Beurla, airson pàipearan-naidheachd. Sgrìobh i leabhar de dh'abairtean Gàidhlig, agus bha mi ag innse dhuibh mu dheidhinn sin an t-seachdain sa chaidh. Fhuair i urram ann an ochd ceud deug, trì fichead 's a sia-deug (1876), nuair a chaidh a h-ainmeachadh mar Bhàrd do Chomunn Gàidhlig Inbhir Nis. Bha an dreuchd sin aice fhathast nuair a chaochail i.

Seo a' chiad rann de dhàn – marbhrann – a sgrìobh Màiri don Urramach Alasdair MacGriogair a bha na mhinistear ann an Inbhir Nis airson deich bliadhna fichead. Bha Mgr MacGriogair air a bhith an sàs gu mòr ann an Comunn Gàidhlig Inbhir Nis:

Tha an sneachda gu dùmhail
Air flùran an rèidhlein;
Tha na neòil dhubha dùnadh
Gu dlùth mu na speuran;
Cha chuirear oirnn aiteas,
Le aiteal na grèine,
Bho nach gluaisear mo charaid
Bho sparradh na dèile,
An tìr nam beò.

Dh'fhàs Màiri ainmeil nuair a thug a' Bhànrigh Bhictoria

cead dhi an leabhar aice, "Leaves from the Journal of our Life in the Highlands", eadar-theangachadh gu Gàidhlig. Agus rinn i leabhar Beurla cuideachd mun Ghearasdan. Ach cha robh cùisean buileach rèidh na beatha fhèin. Dhealaich i fhèin is an duine aice, agus dh'fhuirich i na h-aonar airson nan deich bliadhna mu dheireadh de a beatha. Seo am pìos mu dheireadh dhen mharbhrann aice don Urr MacGriogair.:

dhealaich i fhèin is an duine aice: *she and her husband divorced;*

Bho nach gluaisear mo charaid
Bho sparradh na dèile,
Cha chuirear orm aiteas
Le aiteal na grèine;
Ged bhios eòin a' seinn coireil
Ann an coire nan geugan,
Bidh mise ri tuireadh,
Gu muladach, deurach,
An tìr nam beò.

coireil: *noise, as that made by sea-birds;* **bidh mise ri tuireadh, gu muladach, deurach** *(pron. "diarach" in many places): I will be mourning, sad and tearful;*

Agus tha fhios gur ann mar sin a bha mòran Ghaidheal nuair a chual' iad mu bhàs Màiri fhèin.

Ach b' fheàrr leam ur fàgail an t-seachdain sa le smuain nas aighearaiche. Bha mi a' coimhead anns an leabhran de dh'abairtean Gàidhlig a rinn Màiri, anns an earrainn air bàtaichean. Tha feadhainn de na h-abairtean gu math feumail – leithid "**suas an seòl**", "**nuas an seòl**", "tarraing an sgòd", "gabh an stiùir" agus "iomraibh, 'illean gasta!"

tarraing an sgòd: *haul on the sheet;* **gabh an stiùir:** *take the helm;* **iomraibh, 'illean gasta:** *row, my good lads;*

Agus bha abairt mhath ann airson na chanas an dàrna duine ris an duine eile nuair a tha e ag iarraidh air iomradh air ais airson am bàta a thoirt gu stad – ***dèan fodha***. Dèan fodha. Nise, dh'fheumadh tu bhith gu math faiceallach ann a bhith a' cleachdadh abairt mar sin an-diugh, can, le deugaire aig an robh Gàidhlig na sgoile a-mhàin. Bhiodh an t-eagal ormsa, nan canadh sibh "dèan fodha, dèan fodha" gu cabhagach, agus ur soitheach gu bhith a' bualadh ann am bàta eile, gun leumadh an gille bochd thar a' chliathaich! LTR

bhiodh an t-eagal ormsa: *I would be fearful;*

thar a' chliathaich: *over the side.*

Puing-chànain na Litreach: **Suas an seòl**: *up with the sail;* **nuas an seòl:** *down with the sail.* Nuas (*or* a-nuas) *is used when something is brought downwards towards the speaker who is in a lower position.* Thoir a-nuas e *(bring it down).* Thig a-nuas às a sin *(come down out of there).*

Gnàths-cainnt na Litreach: **Dèan fodha**!: *backwater! The instruction given in a rowing boat to the oarsman to row in a backwards manner in order to slow down or stop a moving vessel. But* fodha, *which means "under it" (masc.) is the word used when something goes underwater.* Chaidh am bàta fodha *(the boat sank). I am cheekily suggesting that the lad might misunderstand the instruction and jump overboard!*

LITIR 77 *(An t-Samhain 2000)*

Were you visited by ***samhnairean*** *this year?*

samhnair: *Hallowe'en guiser;*

tha deagh theans ann gu robh: *there is a good chance there was;* **còmhlan:** *group;* **ag aithneachadh:** *recognising;* **aodann coimheach:** *mask (as used on Hallowe'en);*

An t-Samhain: *November (and old Celtic Festival);*

spioradan pàganach: *pagan spirits;* **samhnag:** *bonfire built on Hallowe'en;* **bòcain:** *evil spirits;* **bidh mòran a' comharrachadh tachartas eile le teintean-aighir:** *many commemorate another happening with bonfires;*

cnothan: *nuts;* **bheir iad na rudan sin dhachaigh leotha:** *they take those things home with them;* **tòimhseachan:** *puzzle, riddle;* **dè tha a' fàs nas duirche le aois?:** *what gets darker with age?;*

An robh *samhnair* aig an taigh agaibh am bliadhna? Ma tha sibh a' fuireach ann an Alba, Èirinn no Ameireagaidh a Tuath (agus tha mi mothachail gu bheil feadhainn ag èisteachd ris a' phrògram seo anns na dùthchannan sin air an eadar-lìon), tha deagh theans ann gu robh – o chionn beagan is ceala-deug. 'S dòcha gu robh còmhlan de shamhnairean ann. Agus ciamar a bhiodh sibh ag aithneachadh samhnair? Uill, tha e furasta gu leòr. Mar as trice, bidh aodann coimheach air, agus aodach neònach, agus bidh e a' tighinn don doras agaibh air aon oidhche sa bhliadhna – Oidhche Shamhna.

'S e *Samhna* am facal *Samhain* anns an tuiseal ghinideach, no *genitive case*. Bidh sibh eòlach air Samhain, an latha an-diugh, mar a' Ghàidhlig airson *November*. Ach o shean, b' e an t-Samhain fèill mhòr Cheilteach aig toiseach a' gheamhraidh, agus b' e an oidhche mu dheireadh ro thoiseach na Samhna - Oidhche Shamhna.

O shean, bha na Gàidheil a' creidsinn gum biodh spioradan pàganach a-muigh air Oidhche Shamhna, agus bhiodh mòran daoine a' togail teine faisg air na taighean aca airson na droch spioradan a chumail air falbh. 'S e an t-ainm a bh' air teine dhen t-seòrsa seo – *samhnag*. Tha an t-samhnag an ìre mhath air a dhol à bith, ge-tà. 'S dòcha gu bheil dà adhbhar ann airson sin. Chan eil daoine an latha an-diugh a' creidsinn ann an bòcain, is gnothaichean dhen t-seòrsa, mar a b' àbhaist. Agus, cuideachd, dìreach beagan làithean an dèidh Oidhche Shamhna, bidh mòran a' comharrachadh tachartas eile le teintean-aighir. 'S e sin Oidhche Ghuy Fawkes, an còigeamh latha dhen t-Samhain.

Ach, ged nach bi teintean ann, bidh samhnairean fhathast a' dol bho dhoras gu doras air Oidhche Shamhna. Mar as trice, gabhaidh iad òran no canaidh iad rudeigin èibhinn, agus gheibh iad rudeigin, a ghabhas ithe, bho fhear an taighe no bho bhean an taighe – rudan mar chnothan, 's dòcha, ubhal, orainsear no teòclaid. Agus bheir iad na rudan sin dhachaigh leotha.

Seo tòimhseachan a chuala mi turas aig samhnair nuair a thàinig e don taigh agam. "Dè tha a' fàs nas duirche le aois?" dh'fhaighnich e.

"Uill, chan e mise a th' ann!" thuirt mi ris, agus mi a' smaoineachadh air m' fheusaig a tha a' sìor fhàs liath. "Chan eil fhios a'm. Dè tha a' fàs nas duirche le aois?"

"Tha," ars an gille, "am feasgar." Uill, 's e an fhìrinn a bh' aige. Agus tha mi cinnteach gun d' fhuair e cnothan is ubhal is teòclaid airson sin.

'S e seo an t-Samhain, ma thà. Agus 's e an t-ath mhìos an Dùbhlachd – am mìos a tha dubh dorch. Tha na h-ainmean Gàidhlig airson nam mìosan gu math inntinneach, agus bheir sinn sùil air feadhainn aca anns an ath litir. Ach bu mhath leam rann aithris dhuibh an-dràsta, a tha ag ainmeachadh a h-uile mìos anns a' bhliadhna, agus an seòrsa aimsir a bhios ann.

Leis an Fhaoilleach, thig an sneachda,
Anns a' Ghearran, tuiltean mòr'.
Gheibh sinn stoirmean anns a' Mhàrt,
Ach tùs nam blàth sa Ghiblean chòir.
Anns a' Chèitean, bidh uain a' leumnaich,
Bheir an t-Ògmhios mòran fàis,
Frasan-cinneachaidh san Iuchar
'S an Lùnastal – sin mìos a' bhàrr.
Measan agus sealg san t-Sultain,
Cnothan anns an Dàmhair dhuinn,
Gailleann 's lomadh chraobh san t-Samhain,
'S an Dùbhlachd dhorch as annsa leinn.

Uill, chan eil fhios a'm am bi sibh ag aontachadh ris an loidhne mu dheireadh! Co-dhiù **chan fhada gus am bi an Dùbhlachd againn**. Agus chan fhada gus am bi Litir eile againn – an ceann seachdain. Beannachd leibh.

An Dùbhlachd: *December;* **leis an Fhaoilleach thig an sneachda:** *with January comes the snow;* **tùs nam blàth sa Ghiblean chòir:** *the start of blossoms in pleasant April;* **a' leumnaich:** *jumping;* **bheir an t-Ògmhios mòran fàis:** *June brings on much growth;* **frasan-cinneachaidh san Iuchar:** *growth-inducing showers in July;* **mìos a' bhàrr:** *the month of crops;* **measan agus sealg san t-Sultain:** *fruit and hunting in September;* **cnothan anns an Dàmhair dhuinn:** *nuts in brown October;* **gailleann 's lomadh chraobh:** *storm and the baring of trees.*

<u>Puing-chànain na Litreach</u>: **'S an Dùbhlachd dhorch as annsa leinn**: *and dark December which we like the best.* Annsa *is an example of an irregular comparative form of an adjective, in this case* ionmhainn, *which means dear or beloved. You will already be familiar with other examples of adjectives whose comparatives look quite unrelated to the original.* Math *(good) changes to* feàrr, *so we say:* tha X nas fheàrr na Y *(X is better than Y). Note that the English language boasts similar examples, such as* better, *which is the comparative form of* good. *Another English example is* bad *and* worse, *which correspond to* dona *and* miosa *in Gaelic. We say:* tha X nas miosa na Y.

<u>Gnàths-cainnt na Litreach</u>: **Chan fhada gus am bi an Dùbhlachd againn**: *it is not long until December.* Chan fhada *is a useful phrase, but can only be used for looking forward. If you are looking back to a past event, you must* say cha b' fhada *eg* cha b' fhada gus an deach i fodha *(it wasn't long before she sank)*

LITIR 78

(An t-Samhain 2000)

A unique heritage is contained within the Gaelic names for the months...

Is e a' chiad mhìos dhen bhliadhna, ann am Beurla – *January*, a tha a' faighinn ainm bho sheann dia Ròmanach. Ach gu h-eachdraidheil, chanadh na Sasannaich am *wolf-month* ris, agus 's e an ìre mhath an t-aon ainm a tha againn dha ann an Gàidhlig – *Am Faoilleach.* 'S e *faol* seann fhacal airson madadh-allaidh, agus bha an t-ainm *Faolan* (no madadh-allaidh beag) gu math cumanta am measg fir na Gàidhealtachd o shean. Tha e againn fhathast anns an ainm-chinnidh, *MacIllFhaolain*, no **mar a theirear ann am Beurla**, *MacLellan.*

Am Faoilleach (*or* Faoilteach): *January;* **gu math cumanta am measg fir na Gàidhealtachd:** *very common amongst the menfolk of the Gaidhealtachd;* **ainm-cinnidh:** *surname (clan name);*

Tha mi a' dèanamh dheth gur e as coireach gu bheil *am Faoilleach* air a' mhìos seo gur e sin an t-àm sam biodh na madaidhean-allaidh gu math acrach, agus sneachd air feadh na dùthcha. Thigeadh iad do na bailtean, a' coimhead airson biadh agus, uaireannan, dhèanadh iad sgrios. Ach feumaidh mi rudeigin cudromach a ràdh mu dheidhinn an Fhaoillich. Ged a tha sinn an-diugh ga thomhas mar co-ionann ri *January*, cha b' ann mar sin a bha e o shean. Do na seann Ghàidheil, b' e am Faoilleach an ceala-deug mu dheireadh dhen gheamhradh, agus a' chiad cheala-deug dhen earrach. Bha sin na b' fhaisge air a bhith co-ionann ri *February*, seach *January.*

Agus tha dearbhadh air sin anns an t-seanfhacal seo: ***chan eil port a sheinneas an smeòrach san Fhaoilleach, nach gul i seachd uairean mus ruith an t-earrach.*** Canaidh mi sin a-rithist gus an greimich sibh air: Chan eil port a sheinneas an smeòrach san Fhaoilleach, nach gul i seachd uairean mus ruith an t-earrach. 'S gann gun cluinnear smeòrach anns an Fhaoilleach mar a tha e an-diugh – a' chiad mhìos dhen bhliadhna. Agus seo abairt eile a bhios feumail dhuibh. Ma chluinneas sibh naidheachd nach gabh creidsinn, no a tha gu math eu-coltach, dh'fhaodadh sibh a ràdh: ***tha sin mar smeuran dubha san Fhaoilleach.***

'S e an ath mhìos *an Gearran* a tha an-diugh co-ionann ri *February*. Tha am facal *gearran* cuideachd a' ciallachadh

uaireannan, dhèanadh iad sgrios: *sometimes they would plunder;* **tha sinn an-diugh ga thomhas mar co-ionann ri X:** *today we reckon on it being equivalent to X;* **an ceala-deug mu dheireadh dhen gheamhradh:** *the last fortnight of the winter;* **'s gann gun cluinnear smeòrach anns an Fhaoilleach mar a tha e an-diugh:** *a thrush is rarely heard in the* Faoilleach *as it is today (ie the first month of the year);* **ma chluinneas sibh naidheachd nach gabh creidsinn, no a tha gu math eu-coltach:** *if you hear a story that is unbelievable or most unlikely (to be true);* **An Gearran:** *February;* **gearran:** *gelding* "each fireann a th' air a spothadh", agus tha e coltach gu bheil ceangal ann eadar na dhà, agus gun deach ainm a' bheathaich a chur air gaoth a thigeadh aig an àm sin a h-uile bliadhna. Tha an treas mìos, *am Màrt*, furasta a chuimhneachadh leis gu bheil e cho coltach ri *March* ann am Beurla. Thàinig an dà ainm bhon Laidinn, *Martius*, mìos Mhars. B' e Mars dia a' chogaidh anns an t-seann Ròimh.

tha an treas mìos furasta a chuimhneachadh: *the third month is easy to remember;* **b' e Mars dia a' chogaidh anns an t-seann Ròimh:** *Mars was the god of war in ancient Rome;* **bhiodh am Màrt a' gluasad anns a' mhìosachan a rèir na h-aimsir:** *am Màrt would move in the calendar according to the weather (ie it was a weather-month, not a strict calendar-month);* **sìol:** *seed;* **An Giblean:** *April;* **nach soirbhich leibh:** *you will not be successful;*

Ach, a-rithist, do na Gàidheil o shean, bhiodh am Màrt a' gluasad anns a' mhìosachan a rèir na h-aimsir. Bha e a' ciallachadh dhaibhsan an t-àm anns am biodh obair nan tuathanach a' tòiseachadh. Chuireadh iad sìol anns a' Mhàrt, ach chan ann ro thràth anns a' Mhàrt. Bha e cudromach dhaibh nach nochdadh na duilleagan bhon t-sìol gus am biodh am Màrt seachad. Agus tha seanfhacal ann mu dheidhinn sin: ***Am feur a thig a-mach sa Mhàrt, thèid e a-staigh sa Ghiblean.*** Am feur a thig a-mach sa Mhàrt, thèid e a-staigh sa Ghiblean. Tha sin a' ciallachadh: ma nì sibh rudeigin ro thràth, nuair nach eil an t-àm freagarrach air a shon, nach soirbhich leibh.

An Cèitean: *May*

bidh X tric is minig a' moladh a' mhìosa seo: *X very often praises this month.*

Agus 's e *an Giblean* an ath mhìos anns a' mhìosachan. Às dèidh sin, thig *an Cèitean*. Canaidh feadhainn *a' Chèitean* ris, seach an Cèitean, is canaidh feadhainn eile *a' Mhàigh*. Tha an Ceitean a' ciallachadh a' chiad phàirt dhen t-samhradh, agus bidh Gàidheil tric is minig a' moladh a' mhìosa seo – mar a chì sinn anns an ath litir, nuair a bheir sinn sùil air a' Chèitean, agus air a' chòrr de mhìosachan nan Gàidheal. LTiR

Puing-chànain na Litreach: **Mar a theirear ann am Beurla**: *as is said in English.* Theirear *is a future passive form of the irregular verb,* abair *(say).* Mar a theirear ann an Spàinntis, "Adios" *(as is said in Spanish, "Adios"). You will already be familiar with irregularities in this verb, such as* abair e! *(lit. say it!);* tha mi ag ràdh *(I say, am saying);* thuirt i *(she said) and* theirinn *(I would say).*

Seanfhaclan na Litreach: 1. **Chan eil port a sheinneas an smeòrach san Fhaoilleach, nach gul i seachd uairean mus ruith an t-earrach**: *for every song the thrush sings in the* Faoilleach, *she will lament seven times before the spring is over. I think this means that there is a long time between the Faoilleach (originally at the end of winter) and the end of Spring – so don't be in a hurry to get things done too early in the season.* 2. **Tha sin mar smeuran dubha san Fhaoilleach**: *that is like ripe bramble berries (blackberries) in January – a most unlikely event.* 3. **Am feur a thig a-mach sa Mhàrt, thèid e a-staigh sa Ghiblean**. *The grass which comes out in March will disappear in April ie do things when the time is right.*

LITIR 79

(An Dùbhlachd 2000)

More on the heritage associated with the Gaelic names for the months...

Alasdair Mac Mhaighstir Alasdair: *Alexander MacDonald, the famous Gaelic poet (almost always known by his Gaelic name);*

An Cèitean: *May;*

An t-Ògmhios: *June (lit. the young month);* **ag ùrachadh na talmhainn:** *renewing the earth;* **An t-Iuchar:** *July;*

ag èirigh agus a' dol fodha aig an aon àm ris a' ghrèin: *rising and setting at the same time as the sun;* **Reul an Iuchair:** *Sirius (the dog star);* **An Lùnastal:** *August;* **bhathar ag adhradh dha aig an àm seo dhen bhliadhna:** *he was worshipped at this time of the year;* **sult, reamhrachd:** *fatness;*

nuair a bhios an damh a' bùirich: *when the stag is roaring;*

An Dàmhair: *October;* **dàir, bùireadh:** *rutting, the rut;* **àrainneachd:** *environment;* **bho chleachdadh Ròmanach:** *from a Roman custom;*

An Dùbhlachd: *December;*

A' dol thar Allt an t-Siùcair ***air madainn chùbhraidh Chèit'****...* A bheil sibh ag aithneachadh sin? Tha e bho "Allt an t-Siùcair", òran a chaidh a sgrìobhadh leis a' bhàrd ainmeil, Alasdair Mac Mhaighstir Alasdair. 'S ann tric a chithear na faclan sin – *air madainn chùbhraidh Chèit'* - ann am bàrdachd Ghàidhlig.

Tha "Chèit" goirid airson Chèitein – am mìos mu dheireadh air an tug sinn sùil an t-seachdain 's a chaidh. 'S e am mìos a tha a' leantainn air – an t-Ògmhios – am fear anns a bheil rudan a' fàs gu mòr, ag ùrachadh na talmhainn. Às dèidh sin, bidh an seachdamh mìos dhen bhliadhna againn – an t-Iuchar.

Thathar a' smaoineachadh gun tàinig am facal sin, Iuchar, bho *futhar*, an t-àm as teotha san t-samhradh. O shean, chanadh muinntir na Beurla na "*dog days*" ris na làithean seo air sgàth 's gur e seo an t-àm dhen bhliadhna nuair a bhios an rionnag ris an canar an "*dog star*", no "*Sirius*" ag èirigh agus a' dol fodha aig an aon àm ris a' ghrèin. Agus 's e an t-ainm a th' air an rionnaig seo, no an reul seo, ann an Gàidhlig – Reul an Iuchair.

'S e *an Lùnastal* a' Ghàidhlig air *August*. Tha an t-ainm a' tighinn bhon t-seann dia, Lugh. B' e dia na grèine a bh' ann do na Gàidheil phàganach, agus bhathar ag adhradh dha aig an àm seo dhen bhliadhna. Às dèidh sin, bidh an t-Sultain ann. Tha sin a' tighinn bhon fhacal *sult*, a tha a' ciallachadh *reamhrachd*. 'S e sin an t-àm dhen bhliadhna nuair a bhios beathaichean, mar chrodh is caoraich, a' fàs reamhar, mus tig an geamhradh.

'S e an deicheamh mìos dhen bhliadhna *an Dàmhair*, an t-àm nuair a bhios an damh a' bùirich, a' dèanamh fuaim mòr anns na glinn. Tha e coltach gur e an darna pàirt dhen fhacal – *dàir* – a tha a' ciallachadh "bùireadh". *Damh-dàir* – an Dàmhair. Nach eil e math gu bheil an t-ainm air a' mhìos sin, agus air mòran eile, a' tighinn bhon àrainneachd againn fhìn, seach bho chleachdadh Ròmanach.

Agus tha sinn gar tilleadh don dà mhìos air an tug sinn sùil o chionn ceala-deug – an t-Samhain, agus am mìos a th' againn a-nise – an Dùbhlachd. Sin na mìosan ann an

Gàidhlig an latha an-diugh, ma-thà. Ach tha dà rud ann a dh'fheumas mi ràdh mun deidhinn. Anns a' chiad dol a-mach, 's ann tric a bhios Gàidheil a' cleachdadh nan ainmean Beurla, seach an fheadhainn Ghàidhlig. Agus, a bharrachd air a sin, nuair a leughas sibh seann sgrìobhaidhean Gàidhlig, cuimhnichibh nach robh an t-ùghdar uaireannan dhen bheachd gun tigeadh, agus gum falbhadh, gach "mìos" a rèir a' mhìosachain, no co-dhiù a rèir mìosachan na Beurla.

Seo criomag às òran a sgrìobh am bàrd, Dòmhnall MacEacharn, a rugadh ann an Diùra ann an ochd ceud deug, is sia-deug ar fhichead (1836). 'S e an t-ainm a th' air "Cuairt san Fhrìth".

An crann fo bhlàth san òg-mhìos Mhàigh,
An geamhradh dh'fhàg gun bhlàth gun bhrìgh,
Is ionann sin 's mar tha mi 'n-dràst',
Gun sunnd, gun chàil, am ànrach sgìth.

An crann fo bhlàth san òg-mhìos Mhàigh? Tha Dòmhnall a' cleachdadh *òg-mhìos*, chan ann mar a' Ghàidhlig air *June*, ach mar "mìos òg", mìos far am bi an talamh air ùrachadh le fàs. Dhasan, 's e a' Mhàigh "an t-òg-mhìos". Ach tha e a' cleachdadh "an Cèitean" cuideachd na bhàrdachd. Fàgaidh mi sibh an t-seachdain sa le rann bhon òran aige, "Anna Mhìn, Mheall-Shùileach":

Is cuimhne leam nuair bha sinn
Nar cloinn a' ruith mun àirigh,
'S do chuailean donn bu tlàithe
A' snàmh san oiteig Chèitein...

cuimhnichibh nach robh an t-ùghdar uaireannan dhen bheachd gun tigeadh, agus gum falbhadh, gach "mìos" a rèir a' mhìosachain: *remember that the author sometimes was not of the opinion that each "month" would come and go according to the calendar;* **Dòmhnall MacEacharn:** *Donald MacKechnie;* **Diùra:** *Jura (Isle of);* **Cuairt san Fhrìth:** *a journey on the moor (deer forest);* **an crann fo bhlàth san òg-mhìos Mhaigh:** *the tree in blossom in the young month of May;* **gun sunnd, gun chàil, am ànrach sgìth:** *without cheerfulness, without strength, weather-beaten and tired;* **Anna Mhìn, Mheall-Shùileach:** *tender Ann of the alluring eyes;* **do chuailean donn bu tlàithe:** *your brown locks, of the very softest;* **a' snàmh san oiteig Chèitein:** *swimming in the May breeze;*

Puing-chànain na Litreach: *Do you get confused as to when a "t-" appears in front of a noun starting with "s", annulling the sound of the "s"? There are three situations, all represented in the Litir. [Note that it does not apply where the "s" is followed immediately by a "g", "m", "p" or "t"]. The first situation is a masculine noun in the genitive case, eg* Allt an t-Siùcair *(lit. Burn of the Sugar). The nominative is* an siùcar. *The second is a noun in the dative case (and, here, it can be masculine or feminine eg* as teotha san t-samhradh *(the hottest in summer; the nominative is* an samhradh*). The third situation is in the nominative case of feminine nouns. Two months come into this category –* an t-Sultain *(September) and* an t-Samhain *(November). You will also see* an t-seachdain *(the week).*

Gnàths-cainnt na Litreach: **air madainn chùbhraidh Chèit'**: *on a fragrant May morning. This phrase is sometimes used as something of a cliché, much in the manner of the English "as I went a-wandering upon a fine May morning..."*

LITIR 80

Leachkin

Dalneigh

(An Dùbhlachd 2000)

Anglicisation of Gaelic place names can lead to some difficulties...

shaoileadh sibh gum biodh an deasbad seachad: *you'd think the debate would be over;* **ged a chaidh a rèiteach o chionn fhada:** *although it was settled (reconciled) a long time ago;* **A' Chuimrigh:** *Wales;* **soidhnichean rathaid:** *roadsigns;* **dà-chànanach:** *bilingual;* **seirbheisich chatharra:** *civil servants;*

Shaoileadh sibh gum biodh an deasbad seachad ann an Alba, ach chan eil e. Ged a chaidh a rèiteach o chionn fhada ann an Èirinn agus a' Chuimrigh, tha feadhainn fhathast dhen bheachd, anns an dùthaich seo, nach bu chòir soidhnichean rathaid dà-chànanach a bhith ann. Tha sin fìor fiù 's air tìr-mòr na Gàidhealtachd, far a bheil a' chuid as motha de na h-ainmean-àite air tighinn bhon Ghàidhlig.

Tha e coltach gu bheil cuid de sheirbheisich chatharra, mar a chanas iad, dhen bheachd gur e cànan cunnartach a th' anns a' Ghàidhlig. No co-dhiù gum biodh soidhnichean rathaid le Gàidhlig orra cunnartach. Cha bhiodh fios aig dràibhearan ca' robh iad a' dol, agus bhiodh barrachd thubaistean ann air sàilleabh sin. Chan fhaca mi fianais sam bith a-riamh gu robh barrachd thubaistean anns a' Chuimrigh no ann an Èirinn air sgàth nan soidhnichean dà-chànanach acasan, ach feumaidh gu bheil fios a bharrachd air a' ghnothach aig na seirbheisich chatharra na th' agamsa. No rudeigin.

tha e furasta an dreach ceàrr a chur air: *it is easy to put the wrong appearance, form on it;*
chithear soidhnichean: *signs are seen;*

Far a bheil mi a' fuireach, ann an Inbhir Nis, tha cunnart ann gun caill sinn cuid de sheann dualchas a' bhaile air sgàth 's nach eil Gàidhlig air na soidhnichean. Nuair a tha sanas ann am Beurla a-mhàin, tha e furasta an dreach ceàrr a chur air, agus a' chiall a bh' aige bho thùs a chall.

Mar eisimpleir, air taobh siar Abhainn Nis, chithear soidhnichean airson sgìre bheag air a bheil "L-E-A-C-H-K-I-N". Nise, ciamar a chanadh sibh sin, nan robh sibh air ùr-thighinn a dh'fhuireach ann an Inbhir Nis? "Leetch-kin", 's dòcha? "Letch-kin"? No "Leechkin", no "Lechkin"? Uill, 's e an fhìrinn a th' ann gu bheil mòran, nach eil comasach air "ch" a ràdh, air tòiseachadh air "Larkin" a ghabhail air. Larkin!

bhiodh fios aig barrachd dhen t-sluagh ciamar a chanadh iad ainm an àite: *more people would know how to say the name of the place;*

'S e a' Ghàidhlig a th' air an àite – *an Leacann* – agus, nan robh sin air na soidhnichean, bhiodh fios aig barrachd dhen t-sluagh ciamar a chanadh iad ainm an àite. Agus chitheadh iad gu bheil an t-ainm a' ciallachadh rudeigin.

Seo na chanas faclair Dwelly mu dheidhinn – *leacann: the broad slope of a hill.* Agus 's e sin dìreach a th' ann.

Faisg air an Leacainn, tha ceàrnaidh ann ris an canar "Dalneigh" ann am Beurla. "D-A-L-N-E-I-G-H". Ann an Gàidhlig, 's e *Dail an Eich* a th' air, agus nach eil sin a' ciallachadh rudeigin? Ann am Beurla, 's e "Dalneich" a bh' air na mapaichean an toiseach, agus 's e sin a chanadh muinntir an àite, fiù 's nuair a chaill iad an cuid Gàidhlig. Ach chaidh atharrachadh air na mapaichean, bho "ch" aig deireadh an ainm gu "gh", airson adhbhar air choreigin, agus 's e "Dalneigh" a chanas a' chuid mhòr an-diugh.

Dail an Eich: *(lit.) the field of the horse;*

fiù 's nuair a chaill iad an cuid Gàidhlig: *even when they lost their Gaelic;* **airson adhbhar air choreigin:** *for some reason or another;*

Tha mòran eisimpleirean eile ann mar sin, ann am mòran sgìrean, a tha a' sealltainn cho truagh 's a tha suidheachadh, ann an dùthaich dhà-chànanach, far nach eil na soidhnichean ach aona-chànanach, agus iad sin ann an cànan nach do bhuin don dùthaich o shean. Fàgaidh mi sibh le smuain air *Cinn a' Ghiùthsaich* – baile ann am Bàideanach. Tha *giuthas* a' ciallachadh "Scots pine", tha *giùthsach* a' ciallachadh "pine wood", agus tha *Cinn* (no *Ceann) a' Ghiùthsaich* a' ciallachadh "the end of the pine wood".

nach do bhuin don dùthaich o shean: *which did not belong to the country historically;*
Bàideanach: *Badenoch.*

Ach nuair a chaidh dreach Beurla a chur air – "Kingussie" - chaidh a litreachadh K-I-N-G-U-S-S-I-E. Dh'fhàg iad an "g" ann air sgàth 's gu bheil "g" ann an "giùthsach". Uill, **bha mi aig Stèisean a Haymarket ann an Dùn Èideann an-uiridh** nuair a chuala mi fear-aithris ag innse dhuinn ainmean nan stèiseanan air am biodh an trèana a dh'Inbhir Nis a' tadhal. *Perth, Pitlochry, Newtonmore, Kin-GUSS-ie…* Cha chàn mi an còrr!

LTR

air am biodh an trèana a dh'Inbhir Nis a' tadhal: *which the train to Inverness would be visiting (en route);* **cha chan mi an còrr:** *I'll say no more.*

<u>**Puing-chànain na Litreach**</u>: **bha mi ann an Dùn Èideann an-uiridh***: I was in Edinburgh last year. Do you sometimes get tempted to say* "a' bhliadhna sa chaidh" *for "last year"? Try to remember* an-uiridh. *The trouble with* "a' bhliadhna sa chaidh" *is that it is somewhat ambiguous; the listener may interpret it as meaning "the twelve months preceding this point in time" rather than "the previous calendar year" which is the meaning of* "an-uiridh". *If you want to say "during the last year" ie over the last twelve months, regardless of where we are in the calendar, the best phrase is* "anns a' bhliadhna a dh'fhalbh", *although you will also hear* "anns a' bhliadhna a chaidh". *If you are looking back to a past event and you want to say "during the year prior to that", the best phrase is* "anns a' bhliadhna roimhe sin" *(ie in the year before that).*

<u>**Gnàths-cainnt na Litreach**</u>: **air sàilleabh sin:** *because of that. In some places, the terminal "bh" is pronounced as a "v", in others there is no consonantal sound at all. In a few places, eg Barra, you will hear "air tàilleabh", with a "t" replacing the "s".*

LITIR 81 *(An Dùbhlachd 2000)*

Past passives in some old bàrdachd...

Ghineadh iad is rugadh iad,
Is thogadh iad is dh'fhàs
Chaidh stràc dhen t-saoghal thairis orr',
'S mu dheireadh, fhuair iad bàs.

chaidh stràc dhen t-saoghal thairis orr': *they had their fill of life;*

'S e bàrd ainmeil a sgrìobh a' chriomag sin de bhàrdachd. Agus innsidh mi dhuibh cò bh' ann nas fhaide dhen Litir. Ach bu mhath leam na briathran seo a chleachdadh mar dhòigh gus sealltainn nach eil a' chasaid – gu bheil a' Ghàidhlig gu math briathrach mar chànan, is gun cleachd i deich faclan far an dèanadh seachd a' chùis ann am Beurla, an-còmhnaidh fìor.

briathran: *words;*

gun cleachd i deich fhaclan far an dèanadh seachd a' chùis ann am Beurla: *that it (fem.) uses ten words where seven would do the job in English;* **modh:** *voice (gram.);* **fulangach:** *passive (gram.);* **cùisear:** *subject (gram.);*

Ghineadh iad is rugadh iad is thogadh iad. Tha na gnìomhairean seo uile anns a' mhodh fhulangach no, mar a chanas iad ann am Beurla, *the passive voice*. Canaidh sinn "fulangach" ris air sgàth 's gu bheil an cùisear anns an t-seantans, no an *subject*, a' fulang a' ghnìomh. Rugadh iad. *They were born*. Chaidh an gnìomh a dhèanamh orra.

Ma tha sibh air a bhith a' leughadh a' Bhìobaill Ghàidhlig, bidh sibh eòlach air na gnìomhairean seo – co-dhiù mar "rug" is "ghin" is "thog". Mar eisimpleir, seo criomag à Genesis, caibideil còig air fhichead: *An sin ghabh Abraham bean a-rithist, dom b' ainm Ceturah. Agus rug i dha Simran agus Iocsan, agus Medan, agus Midian, agus Isbac, agus Suah. Agus ghin Iocsan Seba, agus Dedan...*

Rug i dha Simran. Tha sin a' ciallachadh "*she bore him Zimran*" – am measg mòran eile, a rèir choltais! 'S e a th' ann an "rug" an gnìomhair "beir" anns a' mhodh spreigeach no *active voice*, agus anns an *tràth chaithte*, no *past tense*. 'S e "i" Ceturah agus 's i cùisear an t-seantans. Rug ise Simran.

spreigeach: *active (gram.);* **tràth:** *tense (gram.);* **caithte:** *past (gram.);*

Ach, mura h-eil sinn airson guth a ràdh oirrese, agus ma tha sinn dìreach airson a ràdh gu robh Simran air a bhreith, chanamaid "rugadh Simran". Tha an gnìomhair a-nise anns a' mhodh fhulangach. Agus tha gnìomhairean eile ag obair anns an aon dòigh: ghin is ghineadh, thog is thogadh, rinn is rinneadh, thuirt is thuirteadh, thug is thugadh, is mar sin air adhart.

chanamaid: *we would say;*

tilleamaid don bhàrdachd: *let's return to the poetry;* **Dùthaich MhicAoidh:** *North Sutherland (the Mackay country);* **marbhrann do thriùir sheann fhleasgach:** *elegy to three old bachelors;* **spìocach:** *miserly;* **bha iad math air airgead a chàrnadh is a chùmhnadh** (*or* **a chaomhnadh):** *they were good at accumulating and saving money;* **tiodhlacadh:** *burial;* **uaigh:** *grave;* **na bràithrean ud a chuaidh (chaidh):** *those brothers who went (ie died);* **bha 'n nàdar dhen aon bhuaidh:** *their nature was of the same (virtue);* **chaidh 'n aon siubhal dhaoine leo':** *the same funeral procession accompanied them;* **bu daoine nach d' rinn briseadh iad:** *they were men who did not cause harm;* **cha mhò a rinn iad aon dad:** *they hardly did one thing;* **ris an can an saoghal "gràs":** *which the world can call "grace";* **nach do lorgadh e:** *it was not found (another passive!)*

Gu leòr de ghràmar ma-thà! Tilleamaid don bhàrdachd. B' e an t-ùghdar Rob Donn, bàrd ainmeil an ochdamh linn deug à Cataibh. Rugadh e – agus sin an gnìomhair a-rithist – rugadh e ann an seachd ceud deug agus ceithir-deug (1714) ann an Dùthaich MhicAoidh. Anns an dàn *Marbhrann do Thriùir Sheann Fhleasgach* thug e iomradh air triùir bhràithrean a bha gu math spìocach. Bha iad math air airgead a chàrnadh is a chùmhnadh, ach cha robh iad math air a chosg. Tha e coltach gu robh iad air ionmhas mòr a thiodhlacadh – gu robh iad air a chur am falach fon talamh. Gu h-iongantach, chaochail dithis dhiubh taobh a-staigh latha o chèile, agus chaidh an tiodhlacadh aig an aon àm anns an aon uaigh. Seo dà rann bhon dàn:

Aon duine 's bean on tàinig iad,
Na bràithrean ud a chuaidh,
Bha an aon bheatha thìmeil ac',
'S bha 'n aodach dhen aon chlòimh:
Mun aon uair a bhàsaich iad,
'S bha 'n nàdar dhen aon bhuaidh:
Chaidh 'n aon siubhal dhaoine leo',
'S chaidh 'n sìneadh san aon uaigh.

Bu daoine nach d' rinn briseadh iad,
Le fiosrachadh do chàch;
'S cha mhò a rinn iad aon dad,
Ris an can an saoghal "gràs";
Ach ghineadh iad, is rugadh iad,
Is thogadh iad, is dh'fhàs,
Chaidh stràc dhen t-saoghal thairis orr',
'S ***mu dheireadh, fhuair iad bàs****.*

Agus tha e coltach – ged a dh'fheuch iomadh duine ri ionmhas nam bràithrean a lorg thairis air ùine – nach do lorgadh e. Cò aige tha fios nach eil e fon talamh ann am badeigin fhathast. LTR

Puing-chànain na Litreach: **ghineadh iad is rugadh iad is thogadh iad**: *they were begotten and born and brought up. These verbs are all in the Past tense of the Indicative Mood of the Passive Voice. Regardless of whether the verb is regular or irregular, most behave in the same way. Form the Past Tense of the Indicative Mood of the Active Voice (ie the form in which a subject is doing something) – and then add* –adh *(or* –eadh*).* Rug mi *means "I bore", so* rugadh *means "I was born".* Thog mi *means "I raised" so* thogadh mi *means "I was raised." Similarly* chuireadh e *means "it was put",* rinneadh e *means "it was done" and* thuirteadh e *means "it was said." There are a few verbs which slip around the rule, however; one is* "faic" *(see). We say* chunnacas e, *rather than* chunnaiceadh e, *for "it was seen."*

Gnàths-cainnt na Litreach: **mu dheireadh, fhuair iad bàs**: *in the end, they died.*

LITIR 82 *(An Dùbhlachd 2000)*

Some complex words in Gaelic are derived from Gaelic roots, without the need for Latin or Ancient Greek…

Tha mi a' smaoineachadh gu bheil an t-àm ann tòimhseachan a thoirt dhuibh a-rithist. 'S fhada o nach robh fear againn anns an Litir. Agus bheir mi dhuibh aig an deireadh e. Chan eil fhios a'm dè thug orm smaoineachadh air tòimhseachan, ach 's dòcha gur e am pìos fealla-dhà a chuala mi an latha eile a bu choireach.

tòimhseachan: *riddle;* **chan eil fhios a'm dè thug orm smaoineachadh air X:** *I don't know what made me think of X;* **fealla-dhà:** *fun, joke;*

Bha balach a bha seo nach robh uabhasach – uill, canaidh sinn "èasgaidh" – mar sgoilear. Cha chanadh e mòran ri phàrantan mu dheidhinn na sgoile, agus oidhche a bha seo, aig an taigh, thòisich athair air a cheasnachadh mu dheidhinn na bha e a' dèanamh anns an sgoil. "Bha deuchainnean agam an-diugh," dh'aidich an gille, "ann an Saidheans is Matamataig."

èasgaidh: *willing (as a student);*

deuchainnean: *exams;* **dh'aidich e:** *he admitted;*

"Agus **ciamar a chaidh dhut leis na ceistean?**" dh'fhaighnich athair.

"**O, ceart gu leòr," fhreagair a mhac**, "bha na ceistean furasta gu leòr."

"Rinn thu gu math, ma-thà," thuirt athair.

rinn thu gu math, ma-thà: *you did well, then;*

"O, cha do rinn," fhreagair am balach. "Cha do rinn idir."

"Ciamar a tha sin?" dh'fhaighnich athair. "Thuirt thu gu robh na ceistean furasta."

"Och uill," thuirt an gille, "bha na ceistean furasta gu leòr, ach bha na freagairtean cianail fhèin doirbh!"

bha na freagairtean cianail fhèin doirbh: *the questions were really difficult;*

'S e facal inntinneach a th' ann an "ceist", agus tha e inntinneach mar a bhios daoine, bho àm gu àm, a tha gu math aineolach mu dheidhinn na Gàidhlig, a' cur as a leth gu feum i tòrr fhaclan Beurla a thoirt a-staigh fad an t-siubhail, agus gu robh sin a' tachairt bho chionn fhada. Chan eil iad uaireannan a' mothachadh do na h-uibhir de dh'fhaclan-iasaid a th' air a dhol a-steach don Bheurla. "*Questionnaire*", mar eisimpleir. Facal Frangach. Ach canaidh sinne ann an Gàidhlig "*ceisteachan*", facal Gàidhlig a tha co-cheangailte ri "ceist".

aineolach: *ignorant;* **a' cur as a leth:** *accuse it;* **fad an t-siubhail:** *all the time;* **chan eil iad a' mothachadh do na h-uibhir de dh'fhaclan-iasaid:** *they are not aware of the large number of loan-words;*
ceisteachan: *questionnaire;*

Ann am Beurla nuair a tha iomadh dath air rudeigin, canaidh daoine gu bheil e "*multicoloured*". 'S ann às an Laidinn a thàinig an dà phàirt dhen fhacal sin. Ach ann an

Gàidhlig bidh sinn a' cur dà fhacal Gàidhlig ri chèile, is canaidh sinn "ioma-dhathte." Tha mòran eisimpleirean eile ann mar sin, far a bheil am facal Beurla air tighinn bho chànan eile, no far a bheil e air a chur ri chèile le freumhan a thàinig bho chànan, no cànanan, eile. Tha am facal Gàidhlig, ge-tà, gu math – uill – Gàidhealach. Seo grunn eisimpleirean eile, leis an fhacal Bheurla an toiseach, air a leantainn leis a' Ghàidhlig: *Suburb:* fo-bhaile. *Centrifugal:* meadhan-sheachnach. *Omnipotence:* uile-chumhachd. *Philanthropy:* gràdh-daonna. *Ambidextrous:* co-dheas-làmhach. *Synchronous* no *contemporaneous:* co-thìmeil.

neartmhor: *strong;* **far a bheil e air a chur ri chèile le freumhan:** *where it is composed of roots;*

Nise, chan eil mi ag ràdh gu bheil cànan seach cànan "nas fheàrr" nan tèile air sgàth sin. 'S dòcha gur e sin aon adhbhar 's gu bheil a' Bheurla cho neartmhor – gu bheil i a' gabhail a-steach mòran fhaclan bho chànanan eile gu furasta. Ach chanainn cuideachd gu bheil neart aig a' Ghàidhlig anns an t-seagh 's gun urrainn dhuinn mòran fhaclan a chruthachadh innte gun a bhith a' dol don Laidinn no Seann Ghrèigis.

gu bheil cànan seach cànan "nas fheàrr" nan teile: *that one or other language is "better" than the other;* **anns an t-seagh:** *in the sense;*

Seann Ghrèigis: *Ancient Greek.*

Co-dhiù, tha an t-àm ann airson an tòimhseachain. Faodaidh sibh smaoineachadh mu dheidhinn mus coinnich sinn a-rithist.

Triùir air muin trì,
'S trì nan dèidh;
B' iad sin triùir bhràithrean
Dol a dh'iarraidh bean dom màthair fhèin.

triùir air muin trì: *three people on the back of three;* **trì nan dèidh:** *three after them;* **b' iad sin triùir bhràithrean:** *they were three brothers;* **(a') dol a dh'iarraidh bean dom màthair fhèin:** *going to fetch a "wife" for their own mother.*

Feumaidh sibh meòrachadh air! Agus bu chòir dhomh ràdh gun deach a chruthachadh aig àm nuair nach robh càraichean air a' Ghàidhealtachd. Nan robh duine ann an cabhaig, 's ann air muin eich a bhiodh e a' falbh. 'S dòcha gum bi sin na chuideachadh. Seo an tòimhseachan a-rithist:

Triùir air muin trì etc.... Dè am fuasgladh? Innsidh mi dhuibh an ath-sheachdain. LTiR

Puing-chànain na Litreach: **"O, ceart gu leòr," fhreagair a mhac:** *"O, okay," replied his son.* A mhac *means "his son", because the noun is lenited. An unlenited noun ie* a mac *would mean "her son"; and* am mac *would mean "the son" or "their son". But look at another example in the Litir:* cha chanadh e mòran ri phàrantan *(he would not say much to his parents). The possessive adjective "a", meaning "his", is here left out because it is elided in speech (when preceded and followed by vowels). This would not be the case with the feminine "a" (hers) which is pronounced and written (ie* cha chanadh i mòran ri a pàrantan*).*

Gnàths-cainnt na Litreach: **ciamar a chaidh dhut leis na ceistean?:** *how did you get on with the questions?*

LITIR 83

(An Dùbhlachd 2000)

A story of a young farm worker and a mean farmer…

tòimhseachan: *riddle;*

fuasgladh: *solution;* **bha na bràithrean air muin-eich agus bha na coin aca gan leantainn:** *the brothers were on horseback and their dogs were following them;* **bha na gillean ann an cabhaig cobhair fhaighinn dom màthair:** *the lads were in a hurry to get help for their mother;* **a bha an impis leanabh a bhreith:** *who was about to give birth;*

Siorrachd Pheairt: *Perthshire;* **chaidh e don cheann a tuath:** *he went to the north (part of the country);* **sgalag:** *farm worker, often male;* **'s e glè bheag a fhuair an gille ri ithe:** *the lad got very little to eat;*
lìte: *porridge;*

chan fhaigheadh e eadhon fàileadh dhith: *he wouldn't even get a smell of it (fem.);* **mhair e mar sin airson mìos:** *it remained like that for a month;* **cha robh fios aig X co-dhiù 's e tinneas no seann aois a chuir às dhi:** *X didn' t know if it was illness or old age that did for her;* **truinnsear:** *dinner plate;* **muic-fheòil:** *pork;* **blas:** *flavour;*
diathad: *meal;* **gus an cuala**

An t-seachdain sa chaidh, thug mi an tòimhseachan seo dhuibh.

Triùir air muin trì,
'S trì nan dèidh;
B' iad sin triùir bhràithrean
Dol a dh'iarraidh bean dom màthair fhèin.

Seo a-nise am fuasgladh. Bha na bràithrean air muin eich, agus bha na coin aca gan leantainn – sin agaibh an "trì nan dèidh". Bha na gillean ann an cabhaig cobhair fhaighinn dom màthair, a bha an impis leanabh a bhreith. **Bha iad a' dol a dh'iarraidh bean-ghlùin** air a son. Is sin agaibh e.

Airson a' chòrr dhen Litir an t-seachdain sa, bu mhath leam stòiridh innse dhuibh. Faodaidh sibh suidhe sìos is gabhail air ur socair! Bha gille a bha seo a' fuireach ann an Siorrachd Pheairt o chionn fhada. Thàinig an latha nuair a bha aige ri falbh a dh'iarraidh obair agus dh'fhàg e dhachaigh, is chaidh e don cheann a tuath. Mu dheireadh, fhuair e obair mar sgalag aig tuathanach.

Bha an obair cruaidh ach, a dh'aindeoin sin, 's e glè bheag a fhuair an gille ri ithe. 'S e spìocaire a bha anns an tuathanach. Bhiodh an gille ag obair bho shia uairean sa mhadainn gu meadhan-latha gun càil idir fhaighinn agus, an uair sin, gheibheadh e bobhla lìte. Às dèidh sin, chumadh e ris an obair aige gu seachd uairean feasgar gun rud sam bith eile ri ithe. An uair sin gheibheadh e bobhla bhuntàta le ìm. Ach feòil? Chan fhaigheadh e eadhon fàileadh dhith.

Mhair e mar sin airson mìos. Ach an uair sin, dh'atharraich cùisean. Bhàsaich seann mhuc aig an tuathanach – tè mhòr shalach ghrànda – ach cha robh fios aig an sgalaig co-dhiù 's e tinneas no seann aois a chuir às dhi. Thachair seo anns a' mhadainn, agus air an dearbh oidhche sin fhèin, bha feòil gu leòr air an truinnsear. Muicfheòil!

Mhair a' mhuicfheòil fad seachdain agus, mu dheireadh, shaoil an gille gu robh blas àraidh oirre. An uair sin, cha robh sgeul oirre agus bha an gille air ais gu diathad

X gu robh seann reithe an tuathanaich air bàs fhaighinn: *until X heard the farmer's old ram had died;* **muilt-fheòil:** *mutton;*

shìmplidh gach oidhche – buntàta is ìm. Bha e mar sin airson greis gus an cuala an gille gu robh seann reithe an tuathanaich air bàs fhaighinn. Bhàsaich e anns a' mhadainn, agus dè bha air a thruinnsear air an oidhche sin fhèin ach muiltfheòil.

mairt-fheòil: *beef.*

Mhair an fheòil sin fad còig latha agus, air a' chòigeamh latha, bha blas car neònach oirre. An uair sin bha cùisean air ais mar a bha iad roimhe - lìte aig meadhan-latha is buntàta air an oidhche. Às dèidh greis, ge-tà, bhàsaich seann bhò. Agus bha mairtfheòil aig a' ghille airson deich latha.

gheibheadh seann bheathach eile bàs agus bhiodh feòil aige: *another old animal would die and he would get meat;* **chuala e naidheachd a chuir an t-uabhas air:** *he heard news that horrified him;* **dh'fhalbh e sa spot:** *he left immediately;*

Chum gnothaichean a dol mar sin. Bhiodh ùine aig a' ghille gun rud sam bith ri ithe ach lìte is buntàta, an uair sin gheibheadh seann bheathach eile bàs agus bhiodh feòil aige. Ach madainn a bha seo chuala e naidheachd a chuir an t-uabhas air, agus dh'fhalbh e sa spot. Rinn e air an rathad gu deas agus, mu dheireadh, thàinig e don taigh aige fhèin. Bha athair aig an doras.

"Carson a thill thu?" dh'fhaighnich e.

b' fheudar dhomh tilleadh: *I had to return;* **cha b' urrainn dhomh fuireach na b' fhaide:** *I couldn't stay (any) longer;* **dè bh' ann a thug ort falbh gu grad?:** *what was it that made you leave suddenly?*

"B' fheudar dhomh tilleadh," thuirt an gille. "Chuala mi fìor dhroch naidheachd agus cha b' urrainn dhomh fuireach na b' fhaide."

"Dè bh' ann?" dh'fhaighnich athair. "Dè bh' ann a thug ort falbh gu grad?"

"**Chuala mi**," thuirt an gille, "**gun do chaochail màthair-chèile an tuathanaich**!"

Puing-chànain na Litreach: **Chuala mi gun do chaochail màthair-chèile an tuathanaich:** *I heard that the farmer's mother-in-law died.* Cèile *means "spouse" and, although it is not used widely in normal conversation, it is met with frequently in phrases regarding "in-laws". Father-in-law is* athair-chèile; *brother-in-law is* bràthair-chèile *and sister-in-law is* piuthar-chèile. *It may be seen on Gaelic gravestones eg* Mar chuimhneachan air Dòmhnall Alasdair MacLeòid... agus a chèile Mairead Ealasaid Nic a' Ghobhainn. *If the woman had been buried first, her spouse would have been added as* "a cèile" *(ie her spouse). You will also be familiar with* cèile *in idiomatic guises eg* thugadh às a chèile iad *(they were rent asunder);* cum o chèile iad *(keep them apart);* bha Màiri agus Iain a' pògadh a chèile *(Mary and John were kissing each other). In the last example, the use of* "cèile" *does not imply that Mary and John were actually married, although they may have been!*

Gnàths-cainnt na Litreach: **bha iad a' dol a dh'iarraidh bean-ghlùin**: *they were going to fetch a midwife. You will be familiar with* iarraidh *meaning "wanting" but it can also mean "fetching" or "looking for".* Thèid mi ga iarraidh *(I will go to pick him up).*

LITIR 84

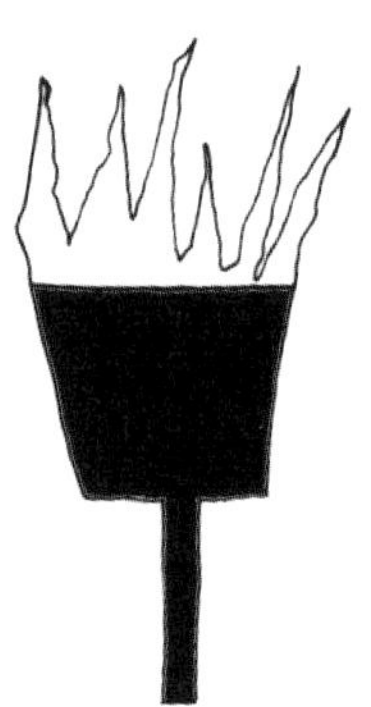

(Am Faoilleach 2001)

The Burning of the Clavie at Burghead is a wonderful mid-winter fire festival…

An ceann beagan làithean tha oidhche shònraichte gu bhith ann – Oidhche Challainn. "Ach fuirich ort, Ruairidh!" tha sibh ag ràdh. "Bha Oidhche Challainn againn o chionn beagan làithean is nach eil deagh chuimhne agam fhathast air na dramaichean 's na pògan!" Uill, tha sibh ceart, ach tha mise a' ciallachadh Oidhche Challainn an t-seann nòis. Agus chan eil àite nas fheàrr ann an Alba airson sin a chomharrachadh na am Broch ann an Siorrachd Mhoireibh – far a bheilear a' losgadh a' chlèibhidh.

'S e a' Bheurla a th' air a' Bhroch – *Burghead* – agus 's e baile beag a th' ann air cladach Linne Mhoireibh. Gu h-eachdraidheil, bha e gu math cudromach leis gu robh e na phrìomh àros aig na Cruithnich. Bha dùn mòr mòr ann ach cha mhòr gu bheil rud sam bith air fhàgail dheth an-diugh. **Is mòr am beud**.

Chaidh an dùn a mhilleadh nuair a thogadh baile ùr aig toiseach an naoidheamh linn deug. Ach bha aon rud ann nach deach a mhilleadh. 'S e sin an seann chleachdadh a bh' aca an uair sin, agus a th' aca fhathast, air Oidhche Challainn. Air an aonamh latha deug dhen Fhaoilleach gach bliadhna, bidh na "*Brochers*", mar a chanas an fheadhainn a bhuineas don bhaile riutha fhèin, a' falbh timcheall leis a' chlèibhidh.

Tha an clèibhidh na leth-bharaille làn teàrr agus maidean a tha a' losgadh, agus tha e air a ghiùlain air pòla le sgioba de dh'fhir. Anns an dorchadas, 's e gnothach air leth a th' ann, le lasairean buidhe a' leum gu h-àrd agus teàrr ghoileach a' dòrtadh sìos air guailnean an luchd-giùlain.

Tha aon fhear os cionn chàich – "Rìgh a' Chlèibhidh" – agus 's ann airsan a tha an t-uallach airson dèanamh cinnteach gun obraich cùisean a rèir an t-seann dualchais. Tha am pòla agus an leth-bharaille

Oidhche Challainn: *Hogmanay;* **fuirich ort!:** *wait a minute!;* **nach eil deagh chuimhne agam fhathast air na dramaichean 's na pògan:** *don't I well remember the drams and the kisses;* **Oidhche Challainn an t-seann nòis:** *the night before the Old New Year (12 January);* **Siorrachd Mhoireibh:** *Morayshire;*
leis gu robh e na phrìomh àros aig na Cruithnich: *as it was a prime abode of the Picts;* **dùn:** *fort;* **chaidh an dùn a mhilleadh nuair a thogadh baile ùr:** *the fort was destroyed when the new village was built;* **air an aonamh latha deug dhen Fhaoilleach:** *on the 11th January;* **an clèibhidh:** *the clavie;* **leth-bharaille làn teàrr agus maidean a tha a' losgadh:** *a half-barrel full of tar and sticks which are burning;* **tha e air a ghiùlain air pòla le sgioba de dh'fhir:** *it is carried on a pole by a team of men;* **'s e gnothach air leth a th' ann:** *it is a grand business;* **agus teàrr ghoileach a' dortadh sìos air guailnean an luchd-giùlain:** *and boiling tar pouring down on the carriers' shoulders;* **'s ann airsan a tha**

air an cur ri chèile le tarrag a th' air a sparradh le clach. Agus thathar a' cur teine ris a' chlèibhidh an toiseach le fàd-mònach à teine ann an taigh àraidh. Nì an "Rìgh" cinnteach cuideachd gu bheil connadh gu leòr ann, agus gu bheil a h-uile nì air a dhèanamh gu sàbhailte, leis gum bi na ceudan gan leantainn timcheall a' bhaile.

Fhad 's a tha iad a' dol, bidh daoine a' ruith a-mach às na taighean aca le miotagan sònraicht' orra, airson maide leth-loisgte fhaighinn a-mach às a' chlèibhidh. Carson? Uill, tha iad ag ràdh, ma chumas iad am maide slàn fad na bliadhna, bidh deagh fhortan aca. Tha an cleachdadh, mar a shaoileadh sibh, gu math sean.

Gu dearbh, bha an Eaglais uaireigin trom air an fheadhainn a bha a' losgadh a' chlèibhidh. Anns an Fhaoilleach, sia ceud deug, ceithir fichead 's a naoi (1689), chuireadh casaidean as leth gille òg, Uilleam MacIlleDhuinn, agus a charaidean, gun do "loisg iad clèibhidh, gu robh iad an sàs ann an adhradh saobh-chràbhach agus gun do bheannaich iad an cuid eathraichean a rèir an t-seann chleachdaidh phàganaich, an aghaidh gach riaghailt na h-Eaglaise..."

Uill, nan robh e sean an uair sin, tha e uabhasach sean a-nise – fada nas sine, mar eisimpleir, na fèill-theine eile anns an Fhaoilleach a tha mòran nas ainmeile – *Up-Helly-Aa* ann an Sealtainn. Nise, 's dòcha gum bi cothrom aig cuid agaibh faighinn ann agus, mar sin, chan eil mi a' dol a dh'innse dhuibh dè thachras aig an deireadh. Fàgaidh mi sin don ath-sheachdain. Ach tha cuimhne agam air turas a bha mi ann aig an deireadh. Thachair mi ri fear as aithne dhomh aig a bheil Gàidhlig – fear Ameireaganach. "Tha seo," thuirt e, "dìreach *spectacular*!" 'S fhiach a dhol ann.

LTIR

an t-uallach airson dèanamh cinnteach gun obraich cùisean a rèir an t-seann dualchais: *it's on him that is the responsibility to make sure that things work according to tradition;* **le tarrag a th' air a sparradh le clach:** *with a nail that is driven home with a stone;* **fàd-mònach:** *a peat;* **connadh:** *fuel;* **ceudan:** *hundreds (of people);* **miotagan:** *gloves;* **leth-loisgte:** *half-burnt;* **slàn:** *entire;*
chuireadh casaidean as leth gille òg, Uilleam MacIlle-Dhuinn: *charges were laid against a young lad, William Brown;* **adhradh saobh-chràbhach:** *superstitious worship;* **gun do bheannaich iad an cuid eathraichean a rèir an t-seann chleachdaidh phàganaich:** *that they blessed their boats according to the old heathen custom;* **fèill-theine:** *fire festival.*
chan eil mi a' dol a dh'innse dhuibh dè thachras aig an deireadh: *I'm not going to tell you what happens at the end;*

's fhiach a dhol ann: *it's worth going.*

Puing-chànain na Litreach: **Tha aon fhear os cionn chàich**: *one man is above all the rest.* Càch *means "the rest" or "the others" of a group. In the nominative it is* càch, *eg* dè tha cach ag ràdh? *(what do the rest say?). In the dative it is* càch *or* chàch *depending on whether or not the preposition causes lenition, eg* tha beachd eadar-dhealaichte aig càch *(the rest have a different opinion);* ràinig e an stèisean deich mionaidean ro chàch *(he reached the station ten minutes before the rest). But in the genitive case, as following a compound preposition, it is* chàich, *eg* thàinig mi an dèidh chàich *(I came after the rest);* nochd e air beulaibh chàich *(he appeared in front of the others).*

Gnàths-cainnt na Litreach: **is mòr am beud**: *it's a great pity. In the past tense it is* bu mhòr am beud *(it was a great pity).*

LITIR 85

(Am Faoilleach 2001)

More on the Burning of the Clavie at Burghead...

An t-seachdain sa chaidh, dh'innis mi dhuibh mu dheidhinn losgadh a' chlèibhidh anns a' Bhroch, no *Burghead*. 'S dòcha gun deach feadhainn agaibh ann. No 's dòcha gu robh feadhainn agaibh ann sna bliadhnaichean a dh'fhalbh. Nan robh, **bidh fios agaibh dè thachras aig an deireadh**.

losgadh a' chlèibhidh: *the burning of the clavie;* **sna bliadhnaichean a dh'fhalbh:** *in past years;* **bithear a' toirt a' chlèibhidh gu ruige mullach cnuic:** *the clavie is taken up to the top of a hill;* **bidh mu dhà mhìle neach a' tighinn cruinn:** *about two thousand people gather;* **tuilleadh teàrr agus crìosot:** *more tar and creosote;* **mòran ghàirdeachais is othail gu leòr:** *a lot of rejoicing and plenty of hubbub;* **lasairean:** *flames;* **taighean-seinnse:** *pubs;*

Bithear a' toirt a' chlèibhidh gu ruige mullach cnuic far an robh seann bhallachan an dùin o shean. Ann a sin, bidh mu dhà mhìle neach a' tighinn cruinn agus a' coimhead air an sgioba, a bhios a' tilgeil tuilleadh teàrr agus crìosot thairis air a' chlèibhidh, le mòran gàirdeachais, agus othail gu leòr. Bidh na lasairean a' leum do na speuran agus bidh am feur tioram air a' chnoc a' dol na theine. Mu dheireadh, bidh an sgioba a' toirt a' chlèibhidh às a chèile is bidh na daoine a' falbh gu na taighean-seinnse, agus airson cèilidh air càch a chèile.

Chan eil fios aig duine cuine a thòisich losgadh a' chlèibhidh no cò thòisich e – Cruithnich, Gaidheil, Lochlannaich... Ach bha a leithid ann uaireigin ann am mòran bhailtean air feadh an ear-thuath, air a' chladach agus air falbh bhon chladach, ann an àiteachan mar Inbhir Athain. Bhathar a' smaoineachadh gun toireadh an cleachdadh deagh fhortan do dh'iasgairean is do thuathanaich airson na bliadhna a bha romhpa.

Inbhir Athain: *Inveravon;*

Agus chan eilear buileach cinnteach cò às a thàinig am facal *clavie*. Bha an sgoilear Gàidhlig, Iain Òg Ìle, dhen bheachd gur ann à "cliabh" a thàinig e, is gu robh an clèibhidh car coltach ri cliabh. Anns an tuiseal ghinideach, chanadh daoine "clèibh" no "clèibhidh" ri cliabh. Mar sin, chanadh iad gu robh iad "a' losgadh a' chlèibhidh".

chan eilear buileach cinnteach: *it is not entirely certain;* **anns an tuiseal ghinideach:** *in the genitive case;*

Chan eil fhios a'm. 'S dòcha gu bheil sin fìor. Ach tha smuain eile ann – gun tàinig e bho fhacal anns a' Bheurla Ghallta anns an ear-thuath – *clivvie,* a tha a' ciallachadh slat le eag innte airson leus a ghiùlain air an oidhche. Agus tha beachd ann gu bheil *clivvie* co-cheangailte ris an fhacal *clobha* ann an Gàidhlig.

slat le eag innte airson leus a ghiùlain: *a stick with a cleft in it to carry a (flaming) torch;* **clobha:** *tongs;* **cumhachdach:** *powerful;*

A bharrachd air a sin, tha ceist ann mu ainm a' chnuic far a bheil an gnothach a' tighinn gu ceann – *Doorie Hill*. Tha beachd ann gu bheil *Doorie* a' tighinn bhon Ghàidhlig "*dubh ruighe*" no "*black slope*". Uill, **'s ann mar sin a tha an cnoc air an làrna-mhàireach às dèidh dha dhol na theine**!

dh'fhailnich orra ach shoirbhich le aon duine: *they failed but one man succeeded;* **cha chreid mi gu robh càil a dh'fhios aige:** *I don't think he had the faintest knowledge;* **ann an tiotan:** *in a moment;*
air falbh bhon telebhisean is cultar coimheach a bhios a' bualadh oirnn fad an t-siubhail: *away from the television and foreign culture that assails us all the time;*
bha casg air teintean is solais: *there was a ban on fires and lights;* **seòid:** *heroes, brave lads;* **taing mhòr dhaibh:** *great thanks to them.*

Dh'innis mi dhuibh an t-seachdain sa chaidh mar a dh'fheuch muinntir na h-Eaglaise o chionn fhada ri stad a chur air losgadh a' chlèibhidh, air sgàth 's gur e "cleachdadh pàganach" a bh' ann. Dh'fhàilnich orra, ach shoirbhich le aon duine ann a bhith a' cur stad air airson beagan bhliadhnaichean. Bha an duine seo beag ach bha e cumhachdach. Cha chreid mi gu robh càil a dh'fhios aige mu dheidhinn losgadh a' chlèibhidh, ge-tà. Innsidh mi dhuibh cò bh' ann ann an tiotan.

Ach bu mhath leam a ràdh cho math 's a tha e gu bheil seann chleachdadh mar seo againn fhathast, a tha gar toirt a-mach air oidhche fhuar gheamhraidh, air falbh bhon telebhisean is cultar coimheach a bhios a' bualadh oirnn fad an t-siubhail. Nuair a bhios tu a' gabhail pàirt anns an fhèill seo, bidh thu a' faireachdainn gu bheil thu mar phàirt de rudeigin a tha fìor shean agus fìor Albannach.

A-nise – cò an duine a chuir às do losgadh a' chlèibhidh thairis air bliadhnaichean? Cò ach Adolf Hitler. Bha casg air teintean is solais air an oidhche thar bliadhnaichean a' chogaidh. Gu fortanach, ge-tà, nuair a bha an cogadh seachad, thòisich seòid a' bhaile as ùr e. Taing mhòr dhaibh.

<u>Puing-chànain na Litreach</u>: **bidh fios agaibh dè thachras aig an deireadh**: *you will know what happens at the end. The Relative Future form of the verb is used here (see also Litir 10). The normal independent future form is* tachraidh, *eg* tachraidh e a-nochd *(it will happen tonight). But when the verb follows a relative pronoun or particle, it adopts the Relative form eg* bhios *for the verb "to be"*: ma bhios mi ann, chì mi thu *(if I am there, I will see you);* ciamar a chanas mi sin ann an Gàidhlig? *(how do I say that in Gaelic?). It is also used after* cò *and* dè: cò chanas gu bheil mi reamhar?! *(who says I'm fat?!);* dè dh'òlas tu? *(what will you drink?). It is formed by adding* –as *or* –eas *to the lenited form of the verbal root, eg* chuireas, chleachdas, *but longer words may be shortened eg* thachras *not* thachaireas, *and* dh'fhosglas *not* dh'fhosgaileas. *Note also that irregular verbs may behave strangely eg* de nì mi? *(what will I do?) not* dè dhèanas mi?

<u>Gnàths-cainnt na Litreach</u>: **'s ann mar sin a tha an cnoc air an làrna-mhàireach as deidh dha dhol na theine:** *that is how the hill is the next day after catching alight.* An làrna-mhàireach: *the morrow, the following day.*

LITIR 86

(Am Faoilleach 2001)

The Aurora is a wonderful sight…

Am faca sibh na Fir Chlis am bliadhna? Sin a' Ghàidhlig air na solais a chì sibh, bho àm gu àm, anns an adhar air oidhche gheamhraidh. 'S dòcha gum bi sibh eòlach orra mar *the northern lights*. Ann an Laidinn, canaidh daoine an *aurora borealis* riutha. Chunnaic mi fhìn aon turas iad air a' gheamhradh seo. Bha iad coltach ri fras uisge dearg anns na speuran dorcha.

speuran: *sky (heavens);*

Tha mi air na Fir Chlis fhaicinn gu tric, ach tha e annasach nach e an *aurora borealis* a bu mhotha a chòrd rium, ach an fheadhainn aig ceann thall an t-saoghail – an *aurora australis*. O chionn mòran bhliadhnaichean, chunnaic mi iad anns a' bhaile mhòr as fhaide deas ann an Astràilia – Hobart. Bha mi a' fuireach anns a' bhaile sin aig an àm agus, oidhche a bha seo, bha mi a-staigh leis na cùrtairean dùinte. Sheirm am fòn. Thog mi e agus 's e caraid dhomh a bh' ann.

tha e annasach nach e an X a bu mhotha a chòrd rium: *it's strange that it was not the X which I enjoyed most;* **anns a' bhaile mhòr as fhaide deas:** *in the southernmost city;* **sheirm am fòn:** *the phone rang;*

"An robh thu a-muigh a-nochd?" dh'fhaighnich e.

"Cha robh airson greis," fhreagair mi.

"Uill, cuir am fòn sìos," thuirt e, "agus thalla a-mach."

Rinn mi mar a dh'iarr e orm, agus abair an sealladh a bha a' feitheamh rium air an taobh a-muigh. Bha e mar gu robh cuideigin air a bhith a' peantadh cùirtearan mòra – purpaidh is uaine – anns na speuran, agus gu robh e fhathast ann, 's gan crathadh gun sgur. Bha iad a' falbh 's a' tighinn, 's a' falbh, 's a' tighinn. Purpaidh is uaine, thairis air na speuran gu lèir. Bha e iongantach. Agus bòidheach.

rinn mi mar a dh'iarr e orm: *I did as he asked me;* **bha e mar gu robh cuideigin air a bhith a' peantadh:** *it was as if some-body had been painting;* **cùirtearan:** *curtains;* **gan crathadh gun sgur:** *shak-ing them ceaselessly;*

Nuair a thill mi a-staigh, thug mi taing do mo charaid, agus chaidh mi a-mach a-rithist. Choimhead mi air na Fir Chlis airson 's dòcha leth-uair a thìde eile. Chan fhaca mi a-riamh cho math iad 's a chunnaic mi iad air an oidhche sin. Agus tha sin iongantach, oir chan eil Hobart idir cho fada gu deas air crios meadhan an t-saoghail 's a tha Alba gu tuath air. Agus, mar as fhaide air falbh a tha thu bho chrios meadhan an t-saoghail, 's ann as fheàrr a tha an sealladh agad dhen Fhir Chlis, mar as trice. **Chunnacas iad aig crios meadhan an t-saoghail**

mar as fhaide air falbh a tha thu bho X, 's ann as fheàrr a tha an sealladh agad: *the further away you are from X, the better your view is;*

dìreach dà thuras anns an fhicheadamh linn, fhad 's as fiosrach leamsa co-dhiù. Ach chìthear gu math tric iad faisg air na pòlaichean, tuath agus deas.

fhad 's as fiosrach leamsa co-dhiù: *as far as I know anyway;*

Tha luchd-saidheans ag innse dhuinn gur iad smùirneanan dealanaichte ann an ceann shuas an àile a dh'adhbharaicheas an rud iongantach a tha seo. Chanadh na Gàidheil o shean, ge-tà, gu robh na Fir Chlis nan dannsairean. Agus, uaireannan, thigeadh an dannsa gu sabaid. Chanadh iad "**nuair a bhios na Fir Chlis ri mire, 's gann nach dèan iad milleadh**" no, ann am Beurla, *"when the merry dancers play, they are like to slay."*

luchd-saidheans: *scientists;* **gur iad smùirneanan dealanaichte ann an ceann shuas an àile a dh'adhbharaicheas e:** *that it is charged particles in the upper atmosphere which cause it;* **dannsairean:** *dancers;*

An ath thuras a chì sibh na Fir Chlis, thallaibh a-mach air an làrna-mhàireach, agus coimheadaibh air creagan faisg air an taigh agaibh, ma tha feadhainn ann. Coimheadaibh air dath a' chrotail. Ma tha e a' coimhead nas ruaidhe nan àbhaist, no fiù 's rud beag dearg, bidh sin na dhearbhadh air na chreideadh clann na Gàidhealtachd o shean. A' coimhead air a' chrotal, chanadh iad "**thug na Fir Chlis fuil à cach a chèile a-raoir**". An turas a chunnaic mise iad air a' gheamhradh seo, bha iad cho dearg 's gu bheil e furasta a chreidsinn gu robh iad a' toirt fuil à cach a chèile anns na speuran fhèin. Tha mi an dòchas nach fhada gus am faic sinn a-rithist iad. LTiR

thallaibh a-mach air an làrna-mhàireach: *go out the next day;*
crotal: *lichen;*

bidh sin na dhearbhadh: *that will be proof;*

tha mi an dòchas nach fhada gus am faic sinn a-rithist iad: *I hope it will not be long until we see them again.*

Puing-chànain na Litreach: **Chunnacas iad aig crios meadhan an t-saoghail dìreach dà thuras anns an fhicheadamh linn**: *they were seen at the equator only twice during the 20th Century. Here is another example, as in Litir 82, of a word – equator – which English has drawn from an external linguistic source, in this case medieval Latin, while Gaelic has created its own equivalent from native roots.* Crios *generally means a belt or strap and, derived from that, anything which encircles something else. A seatbelt in a car is* crios-sàbhalaidh *("saving belt") and you might say to a child in a car, "a bheil do chrios ort?" (is your seatbelt fastened?). An alternative to* Crios meadhan an t-saoghail *is* Crios na Cruinne. *A Gaelic term for the zodiac is* grian-chrios *(lit. "sun-belt"). And the meadowsweet, Filipendula ulmaria, has a wonderful native name –* Crios Chuchulainn *– Cuchulainn's belt, named after the ancient Gaelic hero.*

Seanfhacal na Litreach: **thug na fir-chlis fuil à cach a chèile a-raoir**: *the merry dancers shed each other's blood last night. A phrase, often repeated by children in times past, when they saw red crotal on the rocks, following a night in which the aurora had been active.*

LITIR 87

(Am Faoilleach 2001)

The great Gaelic bard, William Ross, was a contemporary of Robert Burns…

a' comharrachadh beatha bàird: *commemorating the life of a bard;* **cha leig mi leas innse dhuibh:** *I don't need to tell you;* **mu-thràth**(or **mar-thà):** *already;* **Am Faoilleach:** *January;*

bha e na bhàrd air leth: *he was a particularly good bard;*

nach robh air a thuigsinn gu ìre mhòir sam bith: *who was not understood to any great degree;*
An Srath: *Strath (in the south of Skye);*

An t-Ath Leathann: *Broadford;* **b' esan Uilleam Ros:** *he was William Ross;*
Geàrrloch: *Gairloch;* **an sgìre dhan do bhuin a mhàthair:** *the area to which his mother belonged;* **co-aimsireil:** *contemporary;* **Farrais:** *Forres;* **Siorrachd Mhoireibh:** *Morayshire;* **oideachadh:** *instruction;* **bha athair na cheannaiche – fear dhen t-seòrsa a bhios a' siubhal:** *his father was a "ceannaiche" (merchant or pedlar) – one of the type which travels (ie a pedlar);* **rachadh:**

Aig an àm seo a h-uile bliadhna, bidh daoine air feadh Alba, agus ann am mòran dùthchannan eile, a' comharrachadh beatha bàird. Cha leig mi leas innse dhuibh cò th' ann – bidh fios agaibh mu thràth. Rugadh Raibeart Burns air a' chòigeamh latha fichead dhen Fhaoilleach o chionn dà cheud, dà fhichead bliadhna 's a dhà.

Chan eil teagamh ann mu thàlant Bhurns. Bha e na bhàrd air leth. Ach tha aon rud ann mu dheidhinn, **feumaidh mi aideachadh**, a tha a' cur dragh orm. 'S e sin **an dòigh sam bi muinntir na Gàidhealtachd a' comharrachadh Bhurns** – bàrd nach robh air a thuigsinn gu ìre mhòir sam bith air a' Ghàidhealtachd nuair a bha e beò – agus mar a tha iad, aig an dearbh àm, a' dìochuimhneachadh nam bàrd aca fhèin. Anns an t-Srath, ann an ceann a deas an Eilein Sgitheanaich, agus ann an Geàrrloch ann an Ros an Iar, tha e nas buailtiche gum bi Suipear Bhurns ann na rud sam bith a' comharrachadh bàrd Gàidhealach.

Carson a thagh mi an dà àite sin? Uill, tha deagh adhbhar agam. Dìreach trì bliadhna às dèidh breith Raibeirt Bhurns ann an Siorrachd Adhair, rugadh fear anns an t-Srath, faisg air an Ath Leathann, anns an Eilean Sgitheanach, a bha e fhèin gu bhith na bhàrd air leth. B' esan Uilleam Ros. Chuir e seachad bliadhnaichean ann an Geàrrloch, an sgìre dhan do bhuin a mhàthair. Bha an dithis bhàrd faisg air a bhith co-aimsireil. Bha Ros trì bliadhna na b' òige na Burns agus chaochail e sia bliadhna roimhe. Bha e dìreach ochd bliadhna fichead a dh'aois nuair a fhuair e bàs.

Nuair a bha Uilleam òg, ghluais e fhèin is a phàrantan gu Farrais ann an Siorrachd Mhoireibh, far an d' fhuair e oideachadh math anns an sgoil. An uair sin, chaidh iad a dh'fhuireach ann an Geàrrloch. Bha athair na cheannaiche – fear dhen t-seòrsa a bhios a' siubhal – agus 's ann tric a bhiodh e ag obair anns na h-Eileanan Siar. Rachadh Uilleam ann cuide ris uaireannan, a' cur

would go; **a' cur ris a' bheartas cànain a bha e a' càrnadh na cheann:** *adding to the linguistic riches he was accumulating in his head;*

ris a' bheartas cànain a bha e a' càrnadh na cheann. Thathar ag ràdh gu robh e dhen bheachd gur e an t-àite far an cuala e a' Ghàidhlig a b' fheàrr – taobh siar Eilein Leòdhais.

chailleadh mòran dhith: *much of it (fem.) was lost;* **b' e sin a dhreuchd nuair a dh'fhàs e tinn:** *that was his profession when he grew ill;* **a' chaitheamh:** *consumption (tuberculosis);* **a' chuing, am mùchadh:** *asthma;*

Chuir e seachad ùine cuideachd ann am pàirtean eile dhen Ghàidhealtachd – ann an Siorrachd Pheairt is Earra-Ghàidheal gu h-àraidh, agus tha e coltach gun do sgrìobh e mòran de a chuid bàrdachd aig an àm sin. Gu mì-fhortanach, chailleadh mòran dhith. Thill e a Gheàrrloch agus fhuair e obair mar mhaighstir-sgoile, agus b' e sin a dhreuchd nuair a dh'fhàs e tinn leis a' chaitheimh, agus leis a' chuing, no leis a' mhùchadh mar a chanas muinntir Gheàrrloch. B' iad sin na tinneasan a thug bàs dha.

dh'fhuiling e: *he suffered;* **gaol:** *love;* **Mòr Ros:** *Marion Ross;* **smuainteach ort gu bràth:** *thinking of you (lit. thoughtful on you) forever;*

Uill, 's dòcha. Dh'fhuiling Uilleam cuideachd le tinneas dhen t-seòrsa nach urrainn do dhotair càil a dhèanamh mu dheidhinn – an gaol. Nuair a bha e ann an Leòdhas, fhuair e eòlas air tè air an robh "Ros" cuideachd mar ainm – Mòr Ros, à Steòrnabhagh. Agus sgrìobh e dàn anns a bheil i air a h-ainmeachadh: "Feasgar Luain". "Ge b' ann air chuairt, no thall an cuan," sgrìobh e, "gum bi mi smuainteach ort gu bràth."

brònach: *sad;* **briseadh-cridhe:** *heart-break;* **a thàinig a-riamh às a' Ghàidhealtachd:** *that ever came from the Gaidhealtachd.*

Ach, cha do ghabh Mòr gaol cho trom air Uilleam. Agus bha sin air a bhith brònach ach a-mhàin airson aon rud. Dh'fhàg briseadh-cridhe a' bhàird dàn, no òran, againn, a th' air a sheinn fhathast an-diugh, agus a tha am measg nan òran as brèagha a thàinig a-riamh às a' Ghàidhealtachd. Bheir sinn sùil air an ath-sheachdain.

Puing-chànain na Litreach: **an dòigh sam bi muinntir na Gàidhealtachd a' comharrachadh Bhurns**: *the way in which the people of the Highlands commemorate Burns. Nouns governed by a verbal noun, where the article is present, go in the genitive case (eg* tha mi a' dèanamh na h-obrach*), and the same applies to names, without need for the article. With Gaelic names, this is natural and causes no problems. You would thus hear* tha mi a' cluinntinn Sheumais, tha mi a' faicinn Mhgr MhicLeòid. *But how do we deal with names which belong to other linguistic regions? Many from other parts of Scotland, with whom Gaels have been in cultural contact for centuries, behave similarly to native names, at least by leniting where appropriate (although often not slenderising terminally). An example is Burns. We say* Suipear Bhurns *for Burns Supper. George Calder wrote a Gaelic Grammar (1923) and you might hear the question,*"dè do bheachd air leabhar Chalder?". *But some names do not lend themselves to such an inflection. Thus we say* Faclair Dwelly *and* lùchairt Jacques Chirac, *with the foreign names unchanged.*

Gnàths-cainnt na Litreach: **feumaidh mi aideachadh**: *I must admit.*

LITIR 88 *(An Gearran 2001)*

One of William Ross's songs, loved throughout the Gaelic world...

briseadh-cridhe: *disappointment;*

oran cumhaidh, cumha: *lament;*

tha cuid de na rannan nach bi aithnichte: *some of the verses will not be familiar (recognised);* **'s ann tearc a tha na Gàidheil nach aithnich an deicheamh rann:** *scarce are the Gaels who don't recognise the tenth verse;* **is truagh nach d' rugadh dall mi:** *it is a pity I was not born blind;* **cainnt:** *speech;* **lèirsinn:** *vision, sight;* **baindidh:** *feminine;* **(a) rinn aimhleas nan ceudan:** *which was the ruin of hundreds;* **bu chliùiteach do bheusan:** *your conduct was renowned;* **gum b' fhasa leam am bàs na bhith làthair as d' eugmhais:** *it would be easier for me to die than to live without you;* **chan fhasa leam nam bàs a bhith làthair as d' eugmhais:** *it is worse than death to live without you;*

a dh'innseadh dhomh mar dh'fhaotainn an gaol ud a smàladh: *that would tell me how I could extinguish (the fire of) that love;*

Bha e na bhriseadh-cridhe don bhàrd, Uilleam Ros, nuair a chuala e gu robh a leannan, Mòr Ros, air pòsadh, agus gu robh i air a dhol a dh'fhuireach ann an Sasainn còmhla ris an duine aice. Sgrìobh e an uair sin an dàn, no òran, air an do chuir e "Òran Cumhaidh" mar ainm. Gu dearbh, 's e cumha a th' ann.

Tha còig rannan deug anns an òran mar a sgrìobh am bàrd e. Agus sgrìobh e e airson a bhith air a sheinn, air an fhonn "Robai dona gòrach". Tha cuid de na rannan nach bi aithnichte idir don mhòr-shluagh an-diugh, ach 's ann tearc a tha na Gàidheil nach aithnich an deicheamh rann. 'S e sin, mar as trice, a' chiad rann dhen òran mar a tha e air a sheinn an-diugh. Bheireadh e cus ùine na còig rannan deug gu lèir a sheinn.

Is truagh nach d' rugadh dall mi, gun chainnt is gun lèirsinn. Sin mar a tha e a' tòiseachadh. 'S dòcha gu bheil sibh ga aithneachadh. Seo an rann gu lèir:

Is truagh nach d' rugadh dall mi,
Gun chainnt is gun lèirsinn;
Mus fhac' mi d' aghaidh bhaindidh,
Rinn aimhleas nan ceudan;
O'n chunna' mi air thùs thu,
Bu chliùiteach do bheusan,
Gum b' fhasa leam am bàs
Na bhith làthair as d' eugmhais.

'S ann mar sin a tha na briathran nuair a tha an t-òran air a sheinn. Ach chan ann buileach mar sin a chaidh an sgrìobhadh. Anns a' chiad loighne, an àite *Is truagh nach d' rugadh dall mi*, sgrìobh Ros, *Carson nach d' rugadh dall mi..?* Agus tha diofar ann cuideachd anns an dà loighne mu dheireadh. Sgrìobh am bàrd, "Chan fhasa leam nam bàs, a bhith làthair as d' eugmhais." Ach, ged a tha an diofar sin ann, chan eil diofar mòr sam bith air a' bhrìgh. Mar a sgrìobh am bàrd ann an rann eile...

...cha d' fhuair mise sgeul
Ann am Beurla no Gàidhlig,
A dh'innseadh dhomh mar dh'fhaotainn
An gaol ud a smàladh

'S toigh leam am pìos seo cuideachd a tha, mar as trice, air a sheinn mar dhàrna rann:

gur binne leam do chòmhradh na X: *your conversation is sweeter to me than X;* **smeòrach:** *thrush;* **cuach':** *cuckoo (short for cuachag, although the more common word is cuthag;* **stòras:** *riches;* **tùsail:** *original;* **clàrsair:** *harpist;* **ceann-feadhna:** *clan chief;*
tha am bàrd a-mach tric air X: *the poet often mentions X;* **siud mar sheinneadh Cormac:** *that is how Cormac would sing;* **'s e (a') dearmad a chiad ghaoil:** *neglecting his first love;*

Gur binne leam do chòmhradh
Na smeòrach nan geugan,
Na cuach sa mhadainn Mhàighe,
'S na clàrsach nan teudan,
Nan t-Easbaig air Latha Dòmhnaich,
'S am mòr-shluagh ga èisteachd,
No ged a chunntadh stòras
Na h-Eòrpa gu lèir dhomh.

Anns an òran thùsail tha am bàrd a-mach tric air fear *Cormac*, ged nach bi seo a' nochdadh anns an òran a th' air a sheinn.

Ach siud mar sheinneadh Cormac,
's e dearmad a chiad ghaoil...

Bha an Cormac seo na chlàrsair Èireannach a bha ainmeil, aig an àm ud, ann am beul-aithris. Gu bitheanta air a' Ghàidhealtachd anns an dà dhùthaich – Èirinn agus Alba – bhiodh na clàrsairean a' siubhal bho àite gu àite is, gu dearbh, bho dhùthaich gu dùthaich, mar gur e aon dùthaich a bh' ann, a' dèanamh am bith-beò eatarra. Agus thàinig Cormac a dh'Alba, far an do chuir e seachad bliadhnaichean còmhla ri ceann-feadhna Clann 'ic Leòid ann an Leòdhas. Agus ann a sin ... uill ... chan urrainn dhomh innse dhuibh an-dràsta gu dè dh'èirich dha. **Cha cheadaich an ùine mi**.

gu dè dh'èirich dha: *what happened to him;* **carson a rinn X coimeas eadar e fhèin is Y:** *why X made a comparison between himself and Y;*
leigidh mi soraidh leibh: *I'll say farewell to you.*

Ach cluinnidh sibh an sgeul an ath-sheachdain, agus tuigidh sibh an uair sin carson a rinn am bàrd, Uilleam Ros, coimeas eadar e fhèin is an clàrsair, Cormac. Agus tuigidh sibh carson a bha e duilich, ann an dòigh, nach robh Ros na chlàrsair, seach bàrd. Ach an-dràsta, leigidh mi soraidh leibh. LTR

Puing-chànain na Litreach: **Nan t-Easbaig air Latha Dòmhnaich**: *than the bishop on a Sunday.* Latha Dòmhnaich *is really just another [more poetic] term for* Didòmhnaich. *The prefix* Di- *which appears in the days of the week has cognates in many European languages, appearing either as a prefix, suffix or separate word. Monday is* Lundi *in French,* Lunedì *in Italian,* dydd Llun *in Welsh and* Diluain *in Gaelic. Most importantly, perhaps, it is* dies Lunae *in Latin, the ancient language of the Church, which influenced much of this terminology in various tongues, including Gaelic. The Gaelic for Sunday,* Didòmhnaich, *derives from* dies Dominica *(Day of the Lord) but, because* Di- *is understood to mean "day", it can be replaced by the standard modern Gaelic word for "day"* – latha *(or* là*).* Didòmhnaich *remains the standard term for Sunday in the southern Gàidhealtachd, including communities which are predominantly Catholic in the Western Isles. But another term has become standard in northern areas where Presbyterianism is dominant* – Latha na Sàbaid *(the Sabbath Day).*

Gnàths-cainnt na seachdaine: **cha cheadaich an ùine mi**: *time will not permit me.*

LITIR 89

(An Gearran 2001)

Why did the bard William Ross name the Irish harpist Cormac in his work?

An t-seachdain sa chaidh, dh'innis mi dhuibh mu òran a sgrìobh am bàrd, Uilleam Ros, anns an do dh'ainmich e an clàrsair Èireannach, Cormac. Cha chreid mi gu bheil fios aig mòran an-diugh cò bh' ann an Cormac, ach bha tuigse aig an fheadhainn a bha a' leughadh bàrdachd Rois aig an àm. Bha e aithnichte ann am beul-aithris, agus seo sgeulachd mu dheidhinn:

Mar bu dual do chlàrsairean Èireannach aig an àm, thàinig Cormac a dh'Alba, agus chuir e seachad ùine ann an taighean mòra nan ceann-feadhna. 'S ann mar sin a bhiodh iad a' dèanamh am bith-beò – a' cluich na clàrsaich agus a' seinn airson nan uaislean, is uaireannan a' sgrìobhadh òrain dhaibh. Às dèidh greis, chaidh Cormac a Leòdhas far an d' fhuair e aoigheachd còmhla ri MacLeòid. Ach, ged a fhuair e fhèin is MacLeòid air adhart ceart gu leòr, dh'èirich trioblaid eatarra. Bha nighean aig MacLeòid agus ghabh i fhèin agus Cormac trom ghaol air a chèile. Ach cha leigeadh a h-athair leatha an clàrsair a phòsadh, agus chuir a' chàraid romhpa teicheadh a dh'Èirinn.

Oidhche a bha seo, ghleus Cormac a chlàrsach. Às dèidh don a h-uile duine an suipear a ghabhail, thòisich e air fonn àraidh a chluich. Chuireadh e a h-uile duine a bha ag èisteachd ris fo phràmh. Chluich Cormac airson greis agus an uair sin choimhead e mun cuairt air. Bha a h-uile duine na chadal, nam measg MacLeòid fhèin. Chuir Cormac a chlàrsach an darna taobh agus tharraing e a-mach biodag fhada a bhiodh e a' giùlan còmhla ris. Dh'èirich e agus chaidh e a dh'ionnsaigh a' chinn-chinnidh airson amhaich a sgoltadh.

Ach nuair a bha e faisg air, thàinig am mac a bu shine aig MacLeòid a-steach. Bha e air tilleadh bho bhith a' sealg anns a' mhonadh, agus chunnaic e an clàrsair faisg air athair, is biodag mhòr na làimh.

"A Chormaic, a Chormaic," thuirt e. "Dè tha thu a' dèanamh? A bheil thu air a dhol às do rian?"

cha chreid mi gu bheil fios aig mòran an-diugh cò bh' ann an Cormac: *I don't think many people today know who Cormac was;*

ceann-feadhna, ceann-cinnidh: *clan chief;* **'s ann mar sin a bhiodh iad a' dèanamh am bith-beò:** *that is how they would make their living;* **uaislean:** *gentry;* **far an d' fhuair e aoigheachd:** *where he obtained hospitality;* **dh'èirich trioblaid eatarra:** *a difficulty arose between them;* **ghabh i fhèin agus Cormac trom-ghaol air a chèile:** *she and Cormac feel deeply in love;* **chuir a' chàraid romhpa teicheadh a dh'Èirinn:** *the couple decided to flee to Ireland;* **ghleus e:** *he tuned;* **chuireadh e a h-uile duine fo phràmh:** *it would put everybody to sleep;*

biodag: *dirk;*

airson amhaich a sgoltadh: *to slit his throat;* **am mac a bu shine:** *the oldest son;* **a' sealg:** *hunting;*

a bheil thu air a dhol às do rian?: *have you gone mad?*

feumaidh mi a cheann a thoirt far a bhodhaig: *I must remove his head from his body;* **chan eil math dhut a bhith cho dìleas sin:** *it's not good for you to be so faithful;* **òigh:** *virgin, young woman;*

's e an fhìrinn a th' agad: *you are telling the truth;*
gheibh mi cuidhteas gaol na h-òighe: *I will get rid of the maiden's love;*

b' e sin cumhachd a' chiùil: *that was the power of (the) music;*
a bheireadh toil-inntinn dha: *that would give him peace of mind;* **bidh briathran is smuaintean a' bhàird tric far comhair:** *the words and thoughts of the bard are often in front of us;*

"Chan eil," fhreagair an clàrsair, "ach tha gaol agam air do phiuthar agus tha mi airson a toirt leam a dh'Èirinn. Cha toir d' athair cead dhomh agus, leis a sin, feumaidh mi a cheann a thoirt far a bhodhaig."

"Na dèan sin!" thuirt an gille. "Chan fhaod thu. Co-dhiù, chan eil math dhut a bhith cho dìleas sin ri mo phiuthar. Tha mìle òigh ann an Alba agus **dh'fhaodadh tu do roghainn fhaighinn dhiubh**, is a h-uile gin aca nas bòidhche na i."

Smaoinich an t-Èireannach airson tiotan. An uair sin choimhead e air mac MhicLeòid. "'S e an fhìrinn a th' agad," thuirt e ris. "Thoir dhomh mo chlàrsach is gheibh mi cuidhteas gaol na h-òighe, do phiuthar, le bhith ga cluich." Agus 's e sin a rinn e.

Na chuid bàrdachd, rinn Uilleam Ros coimeas eadar Cormac 's e fhèin. Bha comas aig a' chlàrsair leigheas fhaighinn airson tinneas a ghaoil leis a' chlàrsaich. B' e sin cumhachd a' chiùil. Ach cha robh comas mar sin aig a' bhàrd, agus cha b' urrainn dha faclan a lorg, ann am Beurla no Gàidhlig, a bheireadh toil-inntinn dha.

Ach, aig a' cheann thall, cò chanadh nach iad na faclan as cumhachdaiche? Tha glè bheag a' cuimhneachadh ceòl Chormaic an-diugh, ach bidh briathran is smuaintean a' bhàird tric far comhair, còrr is dà cheud bliadhna às dèidh a bhàis. LTR

Puing-chànain na Litreach: **mar bu dual do chlàrsairean Èireannach aig an àm**: *as was usual for Irish harpers at the time. The link between* dual *and the Gaelic for the national environment agency, Scottish Natural Heritage, may not be immediately obvious, but there is one.* Dual *actually means a hereditary right or birthright so that* mar bu dual dha *would originally have meant "as was his birthright according to his heredity". It has also come to mean "as was his wont" or "as was usual for him", although you will still hear it used in the older sense. Related to* dual *is the word* dualchas *which originally meant a hereditary disposition but has also come to be a Gaelic equivalent to the English "heritage". Thus, Scottish Natural Heritage is known in Gaelic as* Dualchas Nàdair na h-Alba.

Gnàths-cainnt na Litreach: **dh'fhaodadh tu do roghainn fhaighinn dhiubh**: *you could take your pick of them.*

LITIR 90 *(An Gearran 2001)*

It appears that many native Americans picked up the Gaelic language ...

Chaidh na Gàidheil gu iomadh ceàrnaidh ann an Ameireagaidh a Tuath agus chaidh mòran aca am measg nan Innseanach Ruadha. Phòs cuid aca bean Innseanach agus tha na h-uimhir de dh'Innseanaich an latha an-diugh aig a bheil sinnsear a thàinig às a' Ghàidhealtachd. Ach dè an cànan a bhruidhneadh an dà shluagh ri chèile? Tha fhios, uaireannan, gur e a' Bheurla Shasannach a bh' ann, no seòrsa de Bheurla. Tha mi cinnteach, uaireannan, gun togadh na Gàidheil an cànan Innseanach. Agus, uaireannan, bhiodh na h-Innseanaich ag ionnsachadh na Gàidhlig.

chaidh X gu iomadh ceàrnaidh: *X went to many regions;* **ann an Ameireagaidh a Tuath:** *in North America;* **Innseanach Ruadh:** *North American ("red") Indian (some would eschew the use of Innseanach today, preferring a term such as Dùthchasach);* **na h-uimhir:** *a lot;* **sinnsear:** *ancestor;* **chithear sin bhon sgeulachd a leanas:** *that is seen from the story that follows;* **treubh:** *tribe;* **b' iad an aon fheadhainn gheala a bh' air a dhol nam measg:** *the only white people that had gone among them;*

Chithear sin bhon sgeulachd a leanas. **Ann an sgìre iomallach** anns na beanntan, **a bh' air a cuairteachadh le coille**, bha treubh de dh'Innseanaich. B' iad an aon fheadhainn gheala a bh' air a dhol nam measg – sealgairean Gàidhealach agus, gu dearbh, cha robh fios aig na daoine ruadha gu robh cànan sam bith eile aig daoine geala ach a' Ghàidhlig.

bha ùidh mhòr aigesan: *he had great interest;*

Latha a bha seo, nochd Sasannach nam measg. Bha e glè dhèidheil air dòighean traidiseanta nan Innseanach. **Cha robh mòran aig an àm a bha a' toirt for air gnothaichean mar sin**, ach bha ùidh mhòr aigesan. Thòisich e air a dhol nam measg, leis an amas na faclan a bh' aca airson diofar rudan a chlàradh. Ach cha robh Gàidhlig sam bith aige.

thachair e (ri): *he met;* **a-mach às a' mhàileid aige:** *out of his bag, knapsack;* **leathar:** *leather.*

Às dèidh greis, thachair e ri fear Innseanach anns a' choille. Bha aodach traidiseanta air an Innseanach agus bha an Sasannach cianail fhèin toilichte coinneachadh ris. Thug e peann is pàipear a-mach às a' mhàileid aige. Fhad 's a bha e a' dèanamh sin, mhothaich e do na brògan brèagha a bh' air casan an Innseanaich. Bha iad air an dèanamh de leathar. Cha robh e air bròg dhen t-seòrsa sin fhaicinn ann an Sasainn a-riamh.

"*What you call*?" dh'fhaighnich e, agus e a' comharrachadh nam bròg.

Choimhead an t-Innseanach air. Cha do thuig e facal de na thuirt an duine geal.

"*What you call*?" dh'fhaighnich an Sasannach a-rithist. "*On feet, what name*?"

nach robh e a' tuigsinn facal de chainnt an duine ghil: *that he was not understanding a word of the white man's speech;* **chomharraich X casan an duine eile le chorraig:** *X pointed at the other man's feet with his finger;* **thuig X dè bha a dhìth air:** *X understood what was needed (by the other);*

Ghabh an t-Innseanach iongnadh nach robh e a' tuigsinn facal de chainnt an duine ghil. Nam b' e Gàidhlig a bh' ann, b' e Gàidhlig de sheòrsa annasach nach robh e air a chluinntinn a-riamh roimhe.

Chomharraich an duine geal casan an duine eile a-rithist le a chorraig. Bha e deiseil le peann is pàipear. Thuig am fear ruadh dè bha a dhìth air. "Mo chasan," thuirt e. Thòisich am fear eile air sgrìobhadh.

"*Again, please. Again, please. What you call?*" thuirt an Sasannach. Bha e a' sgrìobhadh air a' phàipear. Bha an t-Innseanach toilichte. Ged nach do thuig e fhèin am fear eile, feumaidh gun do thuig am fear eile esan. "Mo chasan," fhreagair e.

cho toilichte 's a ghabhadh a bhith: *as pleased as was possible to be;* **a dh'aindeoin na chanas na h-eòlaichean mu dheidhinn cànan nan Algonquianach:** *despite what the experts say about the Algonquian (Indian) language;*

"*Thankyou. Thankyou.*" Bha an Sasannach cho toilichte 's a ghabhadh a bhith. Choimhead e air a' phàipear. Sgrìobhte air, bha am facal m-o-c-c-a-s-i-n. Agus 's ann mar sin, a dh'aindeoin na chanas na h-eòlaichean mu dheidhinn cànan nan Algonquianach, a chaidh ainm Gàidhlig a chur air na brògan leathair a tha na h-Innseanaich Ruadha a' dèanamh chun an latha an-diugh. *Moccasin.*

is àirde e na taigh an Rìgh: *it is higher than the king's house (palace);* **is mìne e nan sìoda:** *it is finer (smoother) than (the) silk.*

Airson crìochnachadh an t-seachdain sa, seo agaibh tòimhseachan.

Is àirde e na taigh an Rìgh,
Is mìne e nan sìoda

Bheir mi am fuasgladh dhuibh an ath-sheachdain, agus chan innis mi breug sam bith an uair sin. LTIR

<u>Puing-chànain na Litreach</u>: **Ann an sgìre iomallach...a bh' air a cuairteachadh le coille**: *in a remote area...which was surrounded by forest. Why do we say* "air a cuairteachadh" *and not* "air a chuairteachadh"? *You might wish to refer to Litir 53.* Sgìre *is a feminine noun and what we are saying literally in Gaelic is "she was after her surrounding...". The* "a" *is a possessive pronoun and the feminine possessive pronoun does not lenite the following noun. In the case of, say, a house which is masculine in Gaelic, we would say* "bha an taigh air a chuairteachadh", *with the noun lenited. It is worth pointing out that the preposition* "air" *here is not the same as the preposition* "air" *which means "on" (eg* air a' bhòrd*). It is a derivation of a different preposition,* "iar"*, meaning "after" or "behind", which remained in its original form until the 19th Century and which is still the Gaelic for "west", the compass point behind an observer who orientated himself towards the east at the equinoctial sunrise. For a fuller explanation of this last point, see the text of Litir 31.*

<u>Gnàths-cainnt na Litreach</u>: **cha robh mòran aig an àm a bha a' toirt for air gnothaichean mar sin**: *there were not many at the time who paid heed to such matters.* Cha robh for aca: they had no idea.

LITIR 91

(An Gearran 2001)

An old story ("Sguad Coill' a' Chaolais") from Strath Carron in Ross-shire ...

An t-seachdain sa chaidh, thug mi an tòimhseachan seo dhuibh:

Is àirde e na taigh an Rìgh,
Is mìne e nan sìoda

'S e toit a th' ann – toit a tha èirigh gu h-àrd bho shimilear. Ach, mar a thuirt mo nighean rium, tha freagairt eile ann – neul anns an adhar, agus cha b' urrainn dhomh dhol as àicheadh sin.

toit: *smoke;* **similear:** *chimney;*
neul: *cloud;* **cha b' urrainn dhomh dhol as àicheadh sin:** *I couldn't deny that;*
teadhair: *a rope, halter, tether;*

A bheil sibh eòlach air an fhacal *taod*? Tha e a' ciallachadh "ròp" no "teadhair" – ròp a th' air a chur gu feum airson beathach a cheangal ri rudeigin. Nochdaidh e tric ann an seanfhaclan, agus seo eisimpleir – ***Nuair as teinne an taod, 's ann as dualtaiche dha bhriseadh.***

Uaireannan bidh daoine a' cur seanfhaclan an lùib sgeulachdan, no cleachdaidh iad abairt ann an sgeulachd a tha car coltach ri seanfhacal a tha aithnichte don mhòr-shluagh. Seo agaibh seann sgeulachd à Ros an Iar a tha a' dèanamh sin. Anns an t-seann aimsir, nan robh obair mhòr aig feadhainn ri dhèanamh anns an sgìre sin, is mura robh luchd-taic gu leòr aca, chanadh iad "is truagh nach eil sguad Coille a' Chaolais againn". 'S e a bh' ann an Coille a' Chaolais clachan faisg air Loch Dùghaill, eadar Ach nan Seileach agus Loch Carrann, agus seo mar a thàinig an abairt sin gu bith.

a tha aithnichte don mhòr-shluagh: *which is known to the population;* **nan robh obair mhòr aig X ri dhèanamh:** *if X had to do a lot of work;* **is truagh nach eil sguad Coill' a' Chaolais againn:** *it's a pity we don't have the Coill' a' Chaolais squad;* **Ach nan Seileach:** *Achnashellach;*
Loch Carrann: *Lochcarron;* **bha e a' treabhadh na talmhainn aige:** *he was ploughing his land;* **cas-chrom:** *the old foot-plough of the Gael;* **gum b' fheàrr leis gu robh an obair dèante:** *that he wished the work were done;* **airson cobhair a dhèanamh ort:** *to help you;* **is mi a tha taingeil d' fhaicinn:** *lit. it's me that is pleased to see you;*
sgrìob: *furrow made by a cas-chrom;*

Bha fear, air an robh Donnchadh mar ainm, uaireigin a' fuireach ann an Coille a' Chaolais. Latha a bha seo, bha e a' treabhadh na talmhainn aige le cas-chrom. Thuirt e ris fhèin gum b' fheàrr leis gu robh an obair dèante. Cha mhòr gu robh na faclan a-mach às a' bheul aige, nuair a nochd bodachan beag ri thaobh, le cas-chrom bheag air a ghualainn fhèin. "Tha mi a' tighinn airson cobhair a dhèanamh ort, a Dhonnchaidh," thuirt e.

"Is mi a tha taingeil d' fhaicinn," fhreagair Donnchadh.

Nuair a bhiodh sguad ag obair còmhla le casan-croma, bha e na chleachdadh gun tòiseachadh am fear leis an robh am fearann gach sgrìob. Chanadh iad "put" ris an fhàd a bhiodh a' chas-chrom a' tionndadh, agus bha facal sònraichte aca airson a' chiad phut air gach sgrìob – *am put fuaraidh.* Bha aig Donnchadh ri gach put fuaraidh a dhèanamh.

put fuaraidh: *the first sod turned by a cas-chrom at the beginning of a "sgrìob";*

Cho luath 's a bha e air a' chiad phut fuaraidh a dhèanamh, chaidh e air adhart don ath sgrìob, agus ghabh e iongnadh. **Bha am bodachan beag air a shàil**, deiseil airson an còrr dhen sgrìob a threabhadh. Bha e cho luath 's gu robh e air a' chiad sgrìob a chrìochnachadh ann am priobadh-sùla. Agus bha e cianail fhèin èasgaidh, ag èigheachd, "Am put fuaraidh, a Dhonnchaidh, am put fuaraidh", agus e deiseil airson na h-ath sgrìob.

priobadh-sùla: *a blinking of an eye;* **èasgaidh:** *enthusiastic, zealous;* **ag èigheachd:** *shouting;*

Chum gnothaichean a dol mar seo, le Donnchadh a' tòiseachadh gach sgrìob, agus am fear beag air a shàil, ag èigheachd, "Am put fuaraidh, a Dhonnchaidh, am put fuaraidh." Cha b' fhada gus an robh an obair crìochnaichte. Choimhead Donnchadh air an achadh a bh' air ùr-threabhadh agus bha e cho sona ris an Rìgh. Dh'fhaighnich e dhen bhodachan gu dè an duais a bha e ag iarraidh airson a chuid obrach.

"Aon ghad guailne dhen arbhar," fhreagair an duine beag.

"Cha mhòr ghabhas sin," arsa Donnchadh, agus cha do smaoinich e càil e a bharrachd mu dheidhinn.

cha b' fhada gus an robh an obair crìochnaichte: *it wasn't long before the work was finished;* **a bh' air ùr-threabhadh:** *that was newly ploughed;* **duais:** *reward;* **aon ghad guailne dhen arbhar:** *the amount of corn that can be carried on a person's shoulder;* **cha mhòr (a) ghabhas sin:** *that won't take much;*

Chaidh an t-earrach is an samhradh seachad agus, latha a bha seo, dhìrich Donnchadh cnoc airson sealladh fhaighinn dhen àite. Mar a tha fios againn, 's iad cnuic na h-àiteachan as fheàrr leis na sìthichean. Agus, an ath-sheachdain, innsidh mi dhuibh na thachair as t-fhoghar ann an Coille a' Chaolais.

dhìrich e: *he climbed.*
's iad cnuic na h-àiteachan as fheàrr leis na sìthichean: *smallish hills are the places the fairies like best.*

Puing-chànain na Litreach: Bha am bodachan beag air a shàil: *the wee old man was at his heel. Can you tell the difference, when listening to Gaelic, between* sàil *(a heel) and* sàl *(the sea or salt water)? It is all to do with the very important Gaelic "l"s which I last mentioned in Litir 46. When preceded by a narrow vowel, as in* sàil, *the "l" is slender (a little like "lute" in English); when preceded by a broad vowel as in* sàl, *the "l" is broad – a bit like the "ll" in "Oor Wullie" as pronounced by a person from western central Scotland.* Sàl *slenderises in the genitive case to either* sàil *or* sàile *but* sàil *works in the opposite way – it changes to* sàl *or* sàlach *in the genitive!* Sàil *(heel) is a feminine noun and* sàl *(sea) is masculine. So we would say* tha an t-sàil mòr *(the heel is big) and* tha an sàl fuar *(the sea is cold).* Air sàl *means "at sea" and* "thar sàile" *(over sea) is common in poetry and song; the preposition* thar *takes the genitive.*

Seanfhacal na Litreach: Nuair as teinne an taod, 's ann as dualtaiche dha bhriseadh: *when the rope is at its tightest, it is most likely to break.*

LITIR 92

(Am Màrt 2001)

The rest of the story of Sguad Coill' a' Chaolais from Strath Carron ...

Anns an Litir mu dheireadh, dh'innis mi dhuibh a' chiad phàirt de sgeulachd mu "sguad Coille a' Chaolais" – am pàirt nuair a bha am bodachan beag a' toirt taic don chroitear, Donnchadh, le bhith a' treabhadh na talmhainn. Mus innis mi an còrr, tha mi airson seanfhacal a chur nur cuimhne – cuideachd bhon t-seachdain sa chaidh – "***Nuair as teinne an taod, 's ann as dualtaiche dha bhriseadh***".

le bhith a' treabhadh na talmhainn: *by ploughing the land;* **mus innis mi an còrr:** *before I tell the rest;*

Co-dhiù, bha Donnchadh aig mullach cnuic, a' toirt sùil air a' bhaile aige. Bha an t-arbhar deiseil ri bhuain agus thuirt Donnchadh ris fhèin, "'S truagh nach robh e a-màireach air a bhuain agus ann an adagan buidhe." Dh'fhalbh e sìos a-rithist, agus e deiseil airson a dhol a-mach ga bhuain air an làrna-mhàireach.

's truagh nach robh e a-màireach air a bhuain agus ann an adagan buidhe: *it's a pity it wasn't harvested tomorrow and in yellow stooks;*

Ach, nuair a choimhead e a-mach air an uinneig aige **a' chiad char anns a' mhadainn** air an làrna-mhàireach, bha an t-arbhar air a bhuain mu-thràth, agus ann an adagan buidhe air feadh a' bhaile. 'S e Donnchadh a bha toilichte.

's e Donnchadh a bha toilichte: *it's Duncan that was [exceptionally] pleased;*

Beagan làithean an dèidh sin, nuair a thòisich e air na h-adagan a thoirt a-staigh, nochd am bodachan beag ri thaobh. Bha taod aige a bha mu aitheamh a dh'fhaide – sin mu shia troighean, no dà mheatair. Chuimhnich Donnchadh na thuirt am bodach beag as t-earrach nuair a thug e taic dha leis an treabhadh. Bha e ag iarraidh duais airson na h-obrach – aon ghad guailne dhen arbhar. Cha bhi mòran ann a sin, agus am bodach cho beag, shaoil Donnchadh ris fhèin.

bha taod aige a bha mu aitheamh a dh'fhaide: *he had a rope that was about a fathom long;* **as t-earrach:** *in the Spring;*

"Càite an dèan mi m' eallach?" dh'fhaighnich am bodachan.

càite an dèan mi m' eallach?: *where will I make my load?;*

"Ann a sin," fhreagair Donnchadh. Chomharraich e àite còmhnard tioram aig oir pàirce. Chuir an duine beag an taod aige sìos agus thòisich e air adagan a chàrnadh air. Chaidh fichead adag air, an uair sin dà fhichead agus cha robh guth air stad. Chum am bodachan a dol, a' cur adagan air an ròp. Bha Donnchadh a' gabhail eagal gun cailleadh e a h-uile but dhen arbhar aige. Mu dheireadh, dh' èigh e:

Dihaoine a threabh mi,
Dihaoine a chuir mi

thòisich e air adagan a chàrnadh air: *he started to load stooks on top of each other on it;*
gun cailleadh e a h-uile but: *that he would lose everything;*

Dihaoine a threabh/chuir/chliath mi: *on a Friday I ploughed/sowed/harrowed;* **na leig mo chuid uile ann an aon ghad guailne:** *don't let all of mine [go] in the one shoulder-load;*

Dihaoine a chliath mi.
A Rìgh nan trì aoineachan,
Na leig mo chuid uile
Ann an aon ghad guailne!

chaidh an duine beag à fianais: *the wee man disappeared;* **chan fhacas a-rithist e bhon uair sin:** *he has never been seen again since then;*

Bha an duine beag a' cur an eallaich air a dhruim ach dh'èist e ri faclan Dhonnchaidh. Thuirt e, "Nuair as teinne an gad guailne, 's ann as dualtaiche dha bhriseadh." Cho luath 's a thuirt e sin, bhris an ròp, chaidh na h-adagan air ais do na h-àiteachan às an tàinig iad anns na pàircean, agus chaidh an duine beag à fianais. Chan fhacas a-rithist e bhon uair sin ann an Coille a' Chaolais.

rudeigin cruinn gleansach air a' chabhsair: *something round and shiny on the pavement;* **bonn nota:** *a pound coin;*

Airson crìoch a chur air an Litir an t-seachdain sa, seo agaibh stòiridh beag. Bha balach a bha seo a' coiseachd sìos an t-sràid taobh a-muigh eaglais nuair a chunnaic e rudeigin cruinn gleansach air a' chabhsair. Stad e, chrom e sìos agus thog e an rud. 'S e bonn nota a bh' ann. Aig an dearbh àm, thàinig ministear a-mach às an eaglais. "Dè lorg thu, a Sheumais?" dh'fhaighnich e. Bha e eòlach air a' bhalach.

"Airgead," fhreagair Seumas. "Bonn nota."

agus a bheil thu a' dol ga chumail?: *and are you going to keep it?*

"O, seadh," thuirt am ministear, "agus a bheil thu a' dol ga chumail? Hmm?"

Choimhead am balach air a' mhinistear. "Chan eil, chan eil," fhreagair e. "Chan eil idir."

"O, is math sin," thuirt am Ministear. "Chan eil mòran dhe do leithid ann an latha an-diugh."

tha mi a' dol ga chosg: *I'm going to spend it;*

"Seadh," thuirt am balach. "Chan eil mi a' dol ga chumail idir. Tha mi a' dol ga chosg!" Agus dh'fhalbh e a dh'ionnsaigh na bùtha!

<u>Puing-chànain na Litreach</u>: **A Rìgh nan trì aoineachan**: *O King of the three Fridays. Four days of the week bear names with cognates in many other European languages (see Litir 88). But the other three –* Diciadain *(Wednesday),* Diardaoin *(Thursday) and* Dihaoine *(Friday) – would be obscure except to speakers of the other Gaelic languages.* "Aoine" *is an old word meaning a "fast" and Friday was known anciently as* "Aoine". *So* Dihaoine *means "fast-day". Wednesday also became a fast day. It was the first of the week, so it was* "A' chiad aoine" *– the first fast. Until recent revision of Gaelic spelling in Scotland, it was* "Diciadaoin", *showing its origin. The day between the fast-days was* "Di-eadar-dà-aoine" *which became* "Diardaoin". *The Gaelic for Good Friday is* Aoine na Ceusta *or* Dihaoine na Ceusta *(lit. Friday of the Crucifixion).*

<u>Gnàths-cainnt na Litreach</u>: **A' chiad char anns a' mhadainn**: *first thing in the morning.*

LITIR 93

(Am Màrt 2001)

Decimalisation continues its march, in the Gaelic world as much as any other…

Saoil de cho fada 's a mhaireas an siostam cunntaidh ann an Gàidhlig a tha fhathast stèidhichte air ficheadan, seach deichean? Cha do ràinig e deireadh an rathaid fhathast ach chanainn gum bi sinn deiseil airson faighinn cuidhteas e taobh a-staigh trithead bliadhna, no deich bliadhna fichead.

Dhomh fhìn, tha rudeigin snog mu dheidhinn a bhith a' cunntadh ann am ficheadan. Tha e nas nàdarraiche dhomh ann an Gàidhlig, ged a tha e nàdarrach dhomh cunntadh ann an deichean ann am Beurla. Uaireannan, tha an seann siostam a cheart cho sgiobalta ris an t-siostam dheicheach. Smaoinichibh tiotan air an àireamh "*one hundred and seventy five*", mar a chanadh iad ann am Beurla. Anns an t-siostam ùr ann an Gàidhlig, chanamaid "ceud, seachdad 's a còig"; anns an t-seann siostam, chanamaid "ochd fichead 's a còig-deug".

Cha mhòr nach eil a h-uile cànan anns an Roinn Eòrpa air gluasad air falbh bho fhicheadan, is a dh'ionnsaigh deichean. Agus chan fhada gus an lean a' Ghàidhlig orra. 'S e siostam nan deichean a thathar a' teagasg anns na sgoiltean Gàidhlig.

Chanadh na Frangaich, 's dòcha, gu bheil iad fhèin air beagan de dhualchas nam ficheadan a ghlèidheadh, leis gur e "quatre-vingts" a th' aca air ceithir fichead, no ochdad. Gu ìre, tha sin fìor, agus chan eil facal aca airson naochad, no ceithir fichead 's a deich, ach "quatre-vingt-dix". Agus chan eil facal àraidh aca airson seachdad nas motha. Canaidh iad "soixante-dix".

Ach chan eil sin co-ionann air feadh nan dùthchannan a bhruidhneas Fraingis. Anns a' Bheilg agus an Eilbheis, mar eisimpleir, canaidh iad "septante" airson seachdad, "huitante" airson ochdad agus "nonante" airson naochad.

Tha e annasach an ùine a thugadh ann a bhith a' stèidheachadh siostam nan deichean ann an tomhas is airgead ann an diofar rìoghachdan. Ann an seachd ceud deug, ceithir fichead 's a deich, no seachd ceud

saoil dè cho fada 's a mhaireas X?: *how long do you think X will last?;* **chanainn gum bi sinn deiseil airson faighinn cuidhteas e taobh a-staigh trithead bliadhna:** *I would say that we shall be ready to get rid of it within 30 years;* **tha e nas nàdarraiche dhomh ann an Gàidhlig:** *it is more natural for me in Gaelic;* **deicheach:** *decimal;*

cha mhòr nach eil a h-uile cànan air gluasad air falbh o fhicheadan: *nearly all languages have moved away from twenties;*
gu bheil iad air beagan de X a ghlèidheadh: *that they have preserved a little of X;*

ochdad: *eighty;* **seachdad:** *seventy;* **naochad:** *ninety (for more notes on the new counting system, see Litir 29);*

co-ionann: *equivalent;* **A' Bheilg:** *Belgium;*
An Eilbheis: *Switzerland;*
siostam nan deichean ann an tomhas is airgead ann an diofar rìoghachdan: *the decimal system in measures and currency in various countries;*

deug is naochad (1790), mhol Tòmas Jefferson siostam tomhais ùr do na Stàitean Aonaichte, stèidhichte air deichean. Dà bhliadhna as dèidh sin, rinn na h-Ameireaganaich a' chiad airgead air an t-saoghal a bha gu tur deicheach. Ach, a dh'aindeoin sin, **còrr is dà cheud bliadhna às dèidh don dolair nochdadh**, tha mòran rudan fhathast ann am Ameireagaidh nach eil stèidhichte air deichean.

stèidhichte: *established;* **a' chiad airgead air an t-saoghal a bha gu tur deicheach:** *the first currency in the world that was entirely decimal;*

Ann am Breatainn, bhathar a' comharrachadh, air a' mhìos sa chaidh, mar a bha deich bliadhna fichead, no trithead bliadhna, air a dhol seachad bho dh'atharraich an t-airgead don t-siostam a th' againn a-nise. Ach, a dh'aindeoin gu bheil sinn a' pàigheadh airson peatrail ann an airgead deicheach, is a dh'aindeoin gu bheil sin a' ceannach peatrail ann an tomhasan deicheach – liotairean seach galanan – tha sinn fhathast a' siubhal astar air na rathaidean ann am mìltean, seach cilemeatairean. Dè cho ciallach 's a tha sin?!

liotairean seach galanan: *litres instead of gallons;* **mìltean:** *miles;* **cilemeat-airean:** *kilometres;* **ciallach:** *sensible;*

Bho àm gu àm, bidh mi fhathast a' cluinntinn daoine ann an Alba ag ràdh, "B' fheàrr leam puinnd is galanan. Bha còir aca an seann siostam tomhais a ghlèidheadh. Cha tuig mi an siostam ùr gu bràth." Uill, chan eil mi fhìn cho cinnteach mu dheidhinn sin. Agus, mar dhearbhadh air a sin, seo agaibh ceist:

b' fheàrr leam puinnd: *I preferred pounds;* **cha tuig mi an siostam ùr gu bràth:** *I'll never under-stand the new system;*

Dè an cuideam, ann am puinnd, a th' air galan de dh'uisge? Mmm, cuiridh mi geall nach eil fios agaibh. Ach dè an cuideam, ann an cileagraman, a th' air liotair de dh'uisge? Tha aonan, agus tha mi cinnteach gu robh fios agaibh air a sin. Tha sin fhèin a' sealltainn cho fada 's a tha sinn air gluasad air falbh on t-seann siostam tomhais mu thràth. Aig a' cheann thall, **aithreachas ann no às**, falbhaidh na ficheadan air an dearbh rathad a ghabh am punnd is an galan. LTR

cuiridh mi geall nach eil fios agaibh: *I'll bet you don't know;* **aig a' cheann thall:** *in the end;* **falbhaidh na ficheadan air an dearbh rathad a ghabh am punnd is an galan:** *the twenties will go down the same road as the pound and gallon;*

<u>Puing-chànain na Litreach</u>: **Còrr is dà cheud bliadhna às dèidh don dolair nochdadh**: *more than 200 years after the dollar appeared.* Às dèidh*" is equivalent to* "an dèidh" *and* "an deaghaidh" *which represent dialectal differences. It is a compound preposition and any noun following it goes into the genitive case. Thus we say* às dèidh mhìosan *(after months),* and às dèidh an t-samhraidh *(after the summer). But where it is followed by a verbal clause, where the verb is in the active voice, the sentence takes a structure as follows:* às dèidh do Chalum obair-dachaigh a dhèanamh *(after Calum did his homework). Note the* "do" *(or* "dha"*). Here is another example:* às dèidh do Sheònaid an leabhar fhosgladh *(after Janet opened the book). Note also:* às dèidh dhomh dhol dhachaigh *(after I went home...)*

<u>Gnàths-cainnt na Litreach</u>: **Aithreachas ann no às**: *with or without regret.*

LITIR 94 *(Am Màrt 2001)*

Dogs often appear in Gaelic simile…

èisg òir: *goldfish (pl.);* **peataichean:** *pets;* **muc-ghini:** *guinea pig;*
gu bheil rudeigin agam an aghaidh coin *(in older Gaelic this would be* an aghaidh chon *ie the genitive plural): that I have something against dogs;* **gach triop a thig caraid don taigh:** *each time a friend comes to the house;* **bidh mi tric a' seachnadh nan daoine airson cluich leis a' chù:** *I often ignore the people to play with the dog;* **ach tha deagh adhbhar aice a bhith a' gearain:** *but she has good reason to complain;* **gum bi mi tric a' cur sìos air coin:** *that I often do dogs down;*
samhladh: *simile (ie cho … ri …);* **tha thu cho leisg ri cù:** *you're as lazy as a dog;*

tha cuid de choin ann a tha leisg: *some dogs are lazy;*

crosta: *bad tempered;*

tha urram ann an aois: *there is honour in age;*

Chan eil cù agam is cha robh a-riamh. Bha cat agam is èisg òir, agus tha peataichean de sheòrsaichean eile aig a' chloinn agam – luch agus muc-ghini. Ach cha do cheannaich sinn cù a-riamh.

Tha mo nighean, a tha gu math measail air beathaichean, dhen bheachd gu bheil rudeigin agam an aghaidh coin. Chan eil sin fìor. Gach triop a thig caraid don taigh againn le cù, bidh mi tric a' seachnadh nan daoine airson beagan mhionaidean airson cluich leis a' chù. Gu h-àraidh ma 's e Labrador a th' ann.

Ach tha deagh adhbhar aice a bhith a' gearain, tha i ag ràdh. Chan e na tha mi a' dèanamh as coireach, ach na tha mi ag ràdh. Tha i a' cumail a-mach gum bi mi tric, nam chainnt, a' cur sìos air coin. Cuine? Uill, nuair a chleachdas mi gnàths-cainnt no samhladh Gàidhlig. Tha mòran ann de a leithid anns a bheil coin agus, mar as trice, 's e droch shamhladh a th' ann.

Mar eisimpleir, ma bhios mo nighean fhathast na leabaidh aig aon uair deug sa mhadainn **air an deireadh-sheachdain**, bidh mi ag ràdh rithe, "Tha thu cho leisg ri cù." Bidh i feargach an uair sin, chan ann air sgàth 's gun do rinn mi càineadh oirre fhèin, ach a chionn 's gun do "chuir mi sìos" air coin. "Carson," bidh i a' faighneachd, "a tha sibh ag ràdh gu bheil coin leisg? Chan eil iad. Tha cuid de choin ann a tha leisg agus cuid nach eil."

"Dìreach mar òigridh!" bidh mi a' freagairt!

Tha an dearbh sheòrsa de bheachd aice air samhladh eile a thig gu mo bhilean bho àm gu àm – gu bheil cuideigin "cho crosta ri seann chù." Chan e dìreach gu bheil mi a' dèanamh dìmeas air coin a tha a' cur dragh oirre, ach gu bheil mi a' dèanamh dìmeas air an aois. "Agus cha bhi òigridh a' dèanamh dìmeas air am pàrantan uair sam bith air sgàth 's gu bheil iad nas sine?" bidh mi a' faighneachd! Agus cò aig m' aois-san a bhios a' cur sìos air an aois? Tha urram ann an aois, thathar ag ràdh agus, mar as sine a dh'fhàsas sinn, 's ann as làidire a tha sinn dhen bheachd gu bheil sin fìor!

tinn: *sick;*

mì-mhodhail: *impolite;*

Uaireannan, **ma bhios mi claoidhte aig deireadh seachdain**, canaidh mi gu bheil mi "cho sgìth ri cù." Ma bhios mi tinn, bidh mi ag ràdh, "tha mi cho tinn ri cù." Agus ma bhios a' chlann rudeigin mì-mhodhail (rud nach tachair tric, tha sibh a' tuigs'), canaidh mi riutha, "tha sibh cho mì-mhodhail ri cù." Agus cuiridh sin fearg air mo nighinn. "Ciamar as urrainn do choin a bhith mì-mhodhail?" bidh i a' faighneachd. "'S e dìreach daoine a tha mì-mhodhail!"

nuair a thathar a' bruidhinn air rudan tlachdmhor, brèagha, snog: *when pleasurable, beautiful and nice things are being discussed;*

ìomhaigh: *statue;*

Tha puing aice, chanainn. Chan ann tric a nochdas cù ann an samhladh nuair a thathar a' bruidhinn mu rudan tlachdmhor, brèagha, snog. Cuine a chuala sibh cuideigin ag ràdh, "cho laghach ri cù" no "cho bòidheach ri cù"? Agus tha sinn a' cur iongnadh orm, oir tha Gàidheil an latha an-diugh, **gu h-àraidh an fheadhainn a tha ri croitearachd no cìobaireachd**, measail gu leòr air coin.

beannachdan air a' chù chaorach: *blessings on the sheep dog;*
cho beannaichte ri cù: *as blessed as a do;*

Tha cuimhne agam air ìomhaigh a chunnaic mi o chionn iomadach bliadhna ann an New Zealand. Bha i shuas faisg air na beanntan as àirde anns an dùthaich ann an sgìre a chaidh a leasachadh le cìobairean Gàidhealach. Air an ìomhaigh, bha na faclan Gàidhlig seo: "Beannachdan air a' chù chaorach." Dè mu dheidhinn samhladh eile, ma tha – "cho beannaichte ri cù"?! Mmm, chan eil mi cinnteach mu dheidhinn sin!

Puing-chànain na Litreach: *In the Litir I said,* "**ma bhios mi claoidhte aig deireadh seachdain...**" *which literally means, "if I am exhausted at the end of a week..." Unlike the French, who adopted the English word "weekend" as a loan-word, most Gaels would use Gaelic terminology, although you will also hear such as* "dè bhios tu ris aig a' weekend?" *(what will you be up to at the weekend?) Note that seachdain is a feminine noun and that in some dialects it is* (na) seachdonach *in the genitive case. Therefore, you will also hear:* "am bi thu air falbh aig deireadh na seachdonach?" *(will you be away at the weekend?). An alternative is* ceann-seachdain *or* ceann-seachdonach. *But there is another phrase which has come into the language as a Gaelic equivalent for "weekend". It is* deireadh-sheachdain *(sometimes shortened to* deir-sheachdain) eg. "dè rinn thu air **an deireadh-sheachdain**?" *(what did you do at the weekend?). You will find this phrase in this week's Litir as well.*

Gnàths-cainnt na Litreach: **gu h-àraidh an fheadhainn a tha ri croitearachd no cìobaireachd**: *especially those who are involved in crofting or shepherding. Remember this useful phraseology: if you are* "ri" *something, you are involved in it.* Bha e ri bàrdachd fad a bheatha *(he wrote poetry all his life).*

LITIR 95 *(Am Màrt 2001)*

Did Gaelic contribute to a British military disaster in India?

Na h-Innsean(or **Innseachan**) : *India;* **na dùthchannan làimh riutha air gach taobh:** *the countries next to them (na h-Innsean) on each side;* **neo-eisimeileachd:** *independence;*
fuilteach: *bloody;*
feumaidh sinn aideachadh gu robh Gàidheil an sàs ann an gu leòr aca: *we must admit that Gaels were involved in many of them;* **am measg an fheadhainn a b' ainmeile a bha thall:** *among the most famous of those who were over there;* **Sir Eachann Rothach:** *Sir Hector Munro;* **duine-uasal:** *gentleman;*
Ros an Ear: *Easter Ross;* **Ùisdean:** *Hugh;* **Taigh an Fhuamhair:** *Novar (estate);* **Bail' Eoghainn:** *Evanton;* **dh'fhalbh e air ceann Rèisimeid nan Gòrdanach:** *he left at the head of the Gordon Highlanders;* **Companaidh nan Innsean an Ear:** *The East India Company;* **Batail Bhuxar:** *The Battle of Buxar;* **gum b' e sin a' bhuannachd a bu chudromaiche:** *that that was the most important victory;* **rinneadh fèill mhòr air Eachann:** *a big fuss was made of Hector;* **Bailtean Inbhir Nis:** *Inverness Burghs (a parliamentary constituency no longer in existence);* **far an d'**

Tha mo smuaintean air na h-Innsean an t-seachdain seo, agus na dùthchannan làimh riutha air gach taobh – Pagastan agus Bangladesh. **Tha deagh adhbhar ann airson sin**. Aig an àm seo, o chionn deich bliadhna fichead, thòisich an cogadh a thug neo-eisimeileachd do Bhangladeis.

Goirid ro mheadhan-oidhche air a' chòigeamh latha fichead dhen Mhàrt, naoi ceud deug, trì fichead 's a h-aon-deug (1971), thòisich saighdearan à Pagastan an Iar, a bha suidhichte ann am prìomh bhaile Phagastain an Ear, Dhaka, air losgadh air a' mhòr-shluagh. Ged a thug e beagan mhìosan, b' e sin a' mhadainn fhuilteach air an do rugadh Bangladeis mar dhùthaich neo-eisimeileach.

'S iomadh latha fuilteach a bha anns na dùthchannan sin thairis air an eachdraidh, agus feumaidh sinn aideachadh gu robh Gàidheil an sàs ann an gu leòr aca. Am measg an fheadhainn a b' ainmeile a bha thall, a' sabaid as leth Bhreatainn, bha Sir Eachann Rothach, duine-uasal Gàidhealach a bhuineadh do Ros an Ear. B' esan am mac a bu shine aig Ùisdean Rothach à Taigh an Fhuamhair, faisg air Baile Eòghainn.

Ann an seachd ceud deug is trì fichead (1760), dh'fhalbh e air ceann Rèisimeid nan Gòrdanach a dh'ionnsaigh nan Innsean. Còig bliadhna às dèidh sin, bha e aig ceann feachd Companaidh nan Innsean an Ear, a rinn an gnothach air arm mòr Innseanach ann am batail ris an canar "Batail Bhuxar". Tha feadhainn a' cumail a-mach gum b' e sin a' bhuannachd a bu chudromaiche a-riamh aig na Breatannaich anns na h-Innsean.

Rinneadh fèill mhòr air Eachann nuair a thill e dhachaigh. Chaidh e an sàs ann am poileataigs, agus chaidh a thaghadh mar bhall pàrlamaid do "Bhailtean Inbhir Nis." Ach cha robh e deiseil anns na h-Innsean. Thill e ann an seachd ceud deug, trì fichead 's a h-ochd-deug (1778) don cheann a deas, far an d' fhuair e ceannas air an arm ann am Madras. A-rithist, bha e soirbheachail ann am batail, a' cur na Frangaich a-mach

fhuair e ceannas air an arm: *where he obtained command of the army;*
chuir X ìomhaigh mhòr chloiche an àirde: *X put up a large stone monument;*
mac-samhail: *likeness;*
ann an deagh òrdugh: *in good condition;*

anns an do rinneadh call a bha cho dona ri gin: *in which as great a loss as any was made;*

chaidh am marbhadh gu lèir: *they were all killed;*
leis gum b' fheàrr le X agus Y conaltradh ri chèile anns a' chànan sin: *as X and Y preferred communicating with each other in that language;* **mì-thuigse:** *misunderstanding;*
dìth mhapaichean agus dìth brathaidh: *a lack of maps and a lack of intelligence (ie information from spies);*
dìleab: *legacy;*
stìopall: *steeple;*

à Pondicherry agus a' gabhail baile Negapatnam thairis bho na Dùitsich.

Nuair a thill e dhachaigh, chuir Eachann ìomhaigh mhòr chloiche an àirde air mullach cnuic faisg air Taigh an Fhuamhair. Tha i na mac-samhail air geatachan Negapatnam agus tha i fhathast ann an-diugh, is ann an deagh òrdugh, dà cheud bliadhna as dèidh a togail.

Ach cha deach leis an Rothach anns a h-uile dòigh anns na h-Innsean, agus bha e aig ceann feachd ann am batail eile, anns an do rinneadh call air na Breatannaich a bha cho dona ri gin thall an sin. Thachair sin aig Polilur, pìos a-mach à Madras, ann an seachd ceud deug is ceithir fichead (1780) nuair a bha dà fheachd Bhreatannach a' feuchainn ris a' chùis a dhèanamh air arm Mhysore.

Bha ochd mìle saighdear fo smachd Albannach eile, an Coirneal Baillie, agus chaidh am marbhadh gu lèir, ged a bha feachd an Rothaich dìreach beagan mhìltean air falbh. Thuirt feadhainn gur i a' Ghàidhlig a bu choireach airson na thachair, leis gum b' fheàrr le Eachann agus Baillie conaltradh ri chèile anns a' chànan sin, agus gun do dh'adhbharaich sin mì-thuigse eadar iad fhèin is oifigearan eile. Tha e a cheart cho coltach, ge-tà, gur e dìth mhapaichean agus dìth brathaidh a bu choireach.

Co-dhiù, fhuair Eachann air ais a Mhadras, ged a chaill e mòran saighdearan air an rathad. Thill e a dh'Alba agus dh'fhàg e aon rud eile mar dhìleab dhuinn – an cleoc a tha fhathast anns an stìopall ann am meadhan baile Inbhir Nis. **'S iomadh co-fhoghar dhen chleoc sin a chomharraich làithean mòra thall 's a-bhos**. Nam measg bha neo-eisimeileachd Bhangladeis o chionn deich bliadhna fichead.

LTiR

<u>Puing-chànain na Litreach</u>: **'S iomadh latha fuilteach a bha anns na dùthchannan sin thairis air an eachdraidh**: *lit. it is many a bloody day that there was in those countries over their history. I might have said,* "Bha iomadh latha fuilteach anns na dùthchannan sin…" *but bear in mind that the assertive verb "is" is commonly used in idiomatic Gaelic. Here are other examples:* 'S iomadh rud a chunnaic mi *(it is many a thing I have seen);* 's iomadh turas a chuala mi an leisgeul sin *(it is many times I have heard that excuse)*; *And, in the Litir:* **'S iomadh co-fhoghar dhen chleoc sin a chomharraich làithean mòra thall 's a-bhos**: *it is many a chime of that clock which marked great events (days) in all parts of the world.*

<u>Gnàths-cainnt na Litreach</u>: **Tha deagh adhbhar ann airson sin**: *there is a good reason for that.*

LITIR 96

(Am Màrt 2001)

A shortened version of a story from Gaelic tradition…

tuathanach: *farmer;* **bha triùir mhac aige:** *he had 3 sons;* **drathair:** *drawer;* **sùim òir:** *a sum of gold;* **roghnaichibh e eadaraibh gu cothromach:** *divide it among yourselves fairly;* **tiodhlacadh:** *funeral;* **chan eil fios gu robh òr a-riamh ann:** *one can't be sure that there was ever gold (here);* **feumaidh gu robh:** *there must have been;* **cha do dh'innis ar n-athair breug a-riamh:** *our father never told a lie;* **a bu shine:** *the oldest;* **chaidh iad còmhla gu taigh bodaich:** *they went together to an old man's house;* **dh'iarr e orra coinneachadh ris:** *he asked them to meet with him;*

nàbaidh: *neighbour;*

suirghiche: *suitor;*

a' gul is a' caoineadh: *crying and weeping;* **dè tha a' cur ort?:** *what is the matter (with you)?;*

muin eich: *horseback;*

stairsneach: *doorstep;*

Bha tuathanach ann uaireigin a bha beartach. Bha triùir mhac aige agus **nuair a bha e air leabaidh a bhàis**, thuirt e riutha, "anns an drathair agam anns an t-seòmar eile, gheibh sibh sùim òir. Roghnaichibh e eadaraibh gu cothromach." Goirid às dèidh sin, chaochail e. Nuair a bha an tiodhlacadh seachad, chaidh na bràithrean còmhla don drathair. Ach bha e falamh. "Chan eil fios gu robh òr a-riamh ann," thuirt am fear a b' òige.

"Feumaidh gu robh," thuirt an dàrna mac.

"Cha do dh'innis ar n-athair breug a-riamh," thuirt am fear a bu shine.

Chaidh iad còmhla gu taigh bodaich. Bha am bodach gu math eòlach air an athair, agus dh'iarr e air na bràithrean fuireach còmhla ris airson deich latha gus am faigheadh e cothrom smaoineachadh mu dheidhinn an t-suidheachaidh. Às dèidh deich latha, dh'iarr e orra coinneachadh ris. Thòisich e air sgeulachd innse.

"Bha uaireigin gille," thuirt e, "a bha bochd. Ghabh e trom ghaol air nighean nàbaidh a bha beartach, agus ghabh ise gaol airsan. Ach, leis cho bochd 's a bha e, cha b' urrainn dhaibh pòsadh. Thug iad gealladh-pòsaidh do chàch a chèile, ge-tà, agus dh'fhalbh an duine òg a dh'fhuireach anns an taigh aige fhèin.

Às dèidh greis, thàinig suirghiche eile. Bha esan gu math beartach agus thug athair na h-ìghne oirre an duine seo a phòsadh, agus 's e sin a thachair. Às dèidh na bainnse, lorg an duine a bhean ùr anns an t-seòmar-chadail, agus i a' gul is a' caoineadh. "Dè tha a' cur ort?" dh'fhaighnich e, agus mhìnich i dha mar a bha i air gealladh-pòsaidh a thoirt don fhear eile.

'Thig còmhla rium,' thuirt an duine rithe, agus chuir e air muin eich i. Chaidh iad còmhla air an each gu taigh an fhir bhochd. Chuir an duine a bhean ùr air an stairsnich, chnog e an doras agus dh'fhalbh e.

sagart: *priest;* **dh'fhuasgail X am boireannach bhon ghealladh-pòsaidh:** *X liberated the woman from the promise of marriage;* **thalla dhachaigh gu taigh do chèile:** *go home to your husband's house;* **robairean:** *robbers;* **dha robh mi geallta:** *to whom I was promised;* **gabhaibh e agus leigibh saor mi:** *take it and let me go;* **cha ghabh mi sgillinn bhuat:** *I won't take a penny from you;* **truasail:** *sympathetic.*

Thàinig am fear bochd don doras. Cò bh' ann ach an leannan aige, agus dreasa-bhainnse oirre. 'Dè tha thu a' dèanamh an seo?' dh'fhaighnich e, agus dh'innis i dha gu dè bh' air tachairt. 'Fuirich an seo,' thuirt e, agus dh'fhalbh e air an each gu taigh an t-sagairt.

Thug e an sagart dhachaigh leis, agus dh'fhuasgail an sagart am boireannach bhon ghealladh-phòsaidh a bha i air a thoirt don duine bhochd. Chuir an duine bochd air muin an eich i, agus thuirt e rithe, "a-nise thalla dhachaigh gu taigh do chèile."

Ach cha robh i air a dhol fada nuair a thachair i ri triùir robairean a chuir an grèim i. "Leigibh leam dhol don duine agam," thuirt i riutha. "Tha an duine dha robh mi geallta roimhe air mo shaoradh. Seo agaibh deich not' ann an òr. Gabhaibh e agus leigibh saor mi."

"Bheir mi dhachaigh thu," thuirt fear de na robairean, "cha ghabh mi sgillinn bhuat." Ach cha robh an dithis eile cho truasail agus, mus do dh'fhalbh i, ghoid iad an t-òr bhuaipe."

"Nise," dh'fhaighnich am bodach dhen triùir bhràithrean, "cò an duine a b' fheàrr a bh' ann."

"Am fear a thug am boireannach don duine dha robh i geallta roimhe," thuirt am bràthair a bu shine. "Bha esan onarach."

nach iad X an fheadhainn a bu ghlice?: *weren't X the wisest ones?;* **b' fheudar don fhear òg aideachadh gu robh e ceart:** *the young one had to admit he was right.*

"Ach rinn am fear a bha fo ghealladh-pòsaidh na b' fheàrr nuair a thug esan don duine eile i," thuirt an darna mac.

"Ge-tà," thuirt am fear a b' òige, "nach iad na robairean a fhuair an t-airgead an fheadhainn a bu ghlice?"

"**Is tusa a ghoid an t-òr a bh' aig d' athair**," thuirt am bodach ris an fhear òg. Agus b' fheudar don fhear òg aideachadh gu robh e ceart.

LTIR

Puing-chànain na Litreach: **Is tusa a ghoid an t-òr a bh' aig d' athair**: *it is you that stole your father's gold. Here is another example (see Litir 95), in which the use of the assertive verb emphasises the personal pronoun following it. This is a common phraseology, and note the presence of a second verb, in this case* "ghoid". *Here is another example:* Is tus' a thilg a' chlach, nach tu? *(it is yourself that threw the stone, is it not?). If the past tense is being emphasised, the old man in the Litir might have used the past form of the assertive verb and said* "bu tusa a ghoid …" *A conversation might go like this: Q:* A bheil Dòmhnall làidir? *(is Donald strong?) A:* 'S e a tha! Cho làidir ri each! *(He certainly is. As strong as a horse).*

Gnàths-cainnt na Litreach: **Nuair a bha e air leabaidh a bhàis**: *when he was on his death-bed.*

LITIR 97 *(An Giblean 2001)*

What's the Gaelic for "foot and mouth disease"?

dh'èirich: *arose;* **galar:** *disease;* **ladhrach:** *cloven-hoofed;*

O chionn beagan seachdainean, dh'èirich duilgheadas ùr ann an saoghal na Gàidhlig. Nochd galar as ùr ann am Breatainn, galar a tha a' bualadh air beathaichean ladhrach. Ann am Beurla, canaidh iad *Foot and Mouth Disease* ris. Ach dè bha sinne, a tha ag obair anns na meadhanan Gàidhlig, a' dol a ghabhail air?

eadar-theangachadh: *translation;*

Ann an Gàidhlig na h-Èireann, canaidh iad *galar crúibe is béil* ris. Tha sin na eadar-theangachadh air a' Bheurla. Ann an Cuimris, 's e eadar-theangachadh a th' acasan cuideachd. Ach dè mu dheidhinn anns a' chànan againn fhìn?

prionnsabal: *principle;* **o shean:** *in olden days;*

'S iomadh facal ùr a dh'fheumas sinn cruthachadh ann an Gàidhlig airson dèiligeadh ri gnothaichean an latha an-diugh, ach tha prionnsabal cudromach ann, saoilidh mi: 's e sin, ma tha seann fhacal no abairt Ghàidhlig ann airson rudeigin, is ma dh'aithnicheas cuid e fhathast, cleachd e. O shean, agus suas chun an latha an-diugh, chanadh cuid de Ghàidheil "an galar roilleach" ris a' ghalar seo.

beòil: *mouths;* **taitneach:** *pleasant;* **am bu chòir dhuinn gabhail ri aon fhacal air a shon air feadh saoghal na Gàidhlig?:** *should we accept one word for it throughout the Gaelic world?;* **Ìle:** *Islay;* **cha bhiodh e a' dèanamh ciall dhaibh:** *it wouldn't make sense to them;* **seo an seòrsa ceist ris a feum sinn dèiligeadh gu tric:** *this is the sort of question with which we have to deal often;* **airson iomradh sam bith air a' ghalar seo:** *for any mention of this disease;*

Uill, tha sin fìor ann an cuid de dh'àiteachan. Ann an àiteachan eile, chanadh iad, agus canaidh iad fhathast, "an galar ronnach" no "an galar roinneach". Tha iad uile a' ciallachadh na h-aon rud – an galar far am bi uisge a' ruith à beòil nam beathaichean. "*The slavering disease*" ann am Beurla.

Ach tha sin a' fàgail duilgheadas. Am bu chòir dhuinn gabhail ri aon fhacal air a shon air feadh saoghal na Gàidhlig? Mura h-eil am facal "roilleach" ann an Gàidhlig Ìle, mar eisimpleir, carson a chanadh na h-Ìlich "an galar roilleach"? Cha bhiodh e a' dèanamh ciall dhaibh. Seo an seòrsa ceist ris am feum sinn dèiligeadh gu tric nuair a tha sinn ag obair gu làitheil, agus aig ìre nàiseanta, ann an Gàidhlig.

Bha mi a' coimhead tro sheann bhàrdachd airson iomradh sam bith air a' ghalar seo, ach chan fhaca mi càil. 'S dòcha nach biodh an cuspair uabhasach taitneach do bhàrd! Ach lorg mi am facal "ronn", a' ciallachadh "*slaver*" aig Mac Mhaighstir Alasdair agus, cuideachd, ann an dàn a sgrìobh Donnchadh Bàn Mac an t-Saoir.

Rinn Donnchadh aoir air fear Ùisdean a bha na phìobaire. No pìobaire de sheòrsa air choreigin. Cha do shaoil Donnchadh mòran dheth, a rèir choltais. Seo rann às an dàn "Aoir Ùisdean Phìobair"':

Ciamar a nì Ùisdean òg dhuibh
ceòl gu dannsa,
Nuair a chitheadh tu sruth ronn
on a h-uile toll a bh' air an t-seannsair:
'S sgeul tha fìor a dh'innseas mise,
gur h-e dh'fhàg e nis cho manntach,
Gun tug iad dheth leis an t-siosar
bàrr na teanga.

aoir: *satire, lampoon;* **ciamar a nì X dhuibh ceòl gu dannsa:** *how will X play you dance music;* **nuair a chitheadh tu sruth ronn on a h-uile toll a bh' air an t-seannsair:** *when you could see slaver running from every hole in the chanter;* **gur h-e dh'fhàg e nis cho manntach:** *that it is this which left him now so stuttery;* **gun tug iad dheth leis an t-siosar bàrr na teanga:** *that they took off the end of the (his) tongue with scissors;* **cha chreid mi gu bheilear a' sgrìobhadh bàrdachd mar sin an-diugh:** *I don't think poetry like that is written today;* **lighichean-sprèidh:** *vets;*

Uill, cha chreid mi gu bheilear a' sgrìobhadh bàrdachd mar sin an-diugh. Nan nochdadh a leithid, agus Ùisdean còir fhathast beò, **'s iongantach mura biodh e air a' fòn sa bhad don luchd-lagha aige**! Co-dhiù, sin am facal "ronn" ann am bàrdachd, ged nach eil sgeul air crodh, caoraich, mucan no lighichean-sprèidh!

Saoilidh mi gu bheil còir againn a bhith mothachail do dh'aon rud gu h-àraidh co-cheangailte ris a' ghalar roilleach. 'S e sin mar a bhiodh galaran de dh'iomadh seòrsa a' sgapadh am measg an t-sluaigh, gun luaidh air beathaichean, gu math luath, anns na làithean a dh'fhalbh.

gun luaidh air beathaichean: *without mentioning animals;*

Ach cha robh ar sinnsirean gun dòchas mu a leithid. Tha seanfhacal ann a tha a' sealltainn gu robh iad dhen bheachd gun gabhadh leigheas dèanamh air galar sam bith: "**Ruigidh an ro-ghiollachd air an ro-ghalar**". *The best of nursing may overcome the worst disease.* Ruigidh an ro-ghiullachd air an ro-ghalar. Bidh sinn an dòchas, a thaobh a' ghalair roillich ann am Breatainn agus anns an Roinn Eòrpa, an-dràsta agus anns an àm ri teachd, gu bheil an seanfhacal ceart. LTIR

anns an àm ri teachd: *in the future;*

Puing-chànain na Litreach: **'S iongantach mura biodh e air a' fòn sa bhad don luchd-lagha aige**: *he would likely be on the phone to his lawyers straightaway. The phraseology* "'S iongantach mura ..." *appears commonly in Gaelic conversation.* Iongantach *(the "g" is pronounced in some dialects, but not in others) means "wonderful, suprising, strange..."* Gu h-iongantach *means "wonderfully, surprisingly" etc. In the idiom used in the litir,* iongantach *appears with the assertive verb "is", and is then followed by the negative form of another verb. Literally,* 's iongantach mura biodh e..." *means "it is surprising if he were not..." ie it is likely that he would be... Here is another example: Q:* Am bi thu aig a' Mhòd am bliadhna? *(will you be at the Mod this year?) A:* 'S iongantach mura bi. *(I expect so).*

Seanfhacal na Litreach: **Ruigidh an ro-ghiollachd air an ro-ghalar**: *the best of nursing may overcome the worst disease.*

LITIR 98

(An Giblean 2001)

Cardinal Mezzofanti was an amazing linguist …

Is iomadh duine, a tha ag ionnsachadh na Gàidhlig, a bu mhath leotha a bhith mar a bha an Cardanal Mezzofanti. Carson? Uill, cha robh a-riamh mòran ann a bha cho math ris-san ann a bhith ag ionnsachadh cànanan. Seo na bh' aige **mus do chuir e crìoch air a' chùrsa oilthigh aige**: Laideann, Grèigis, Eabhrais, Arabais, Spàinntis, Fraingis, Gearmailtis agus Suainis. Sin a bharrachd air Eadailtis.

Rugadh Mezzofanti ann am Bologna ann an seachd ceud deug, trì fichead 's a ceithir-deug (1774). Bha athair na shaor, agus bha an gille òg air an dearbh rud a dhèanamh ach gun do mhothaich sagart gur e sgoilear air leth a bh' ann. Rinn e cinnteach gum faigheadh an gille trèanadh airson na sagartachd. Ach chan ann dìreach aig an oilthigh a dh'ionnsaich Mezzofanti na cànanan aige.

Bhiodh e a' falbh timcheall taighean-òsta Bhologna, a' coimhead airson coigrich aig an robh cànanan eile. Chuireadh e ceistean orra, a' sgrìobhadh notaichean agus a' faighinn leasanan ann an dòighean-labhairt. Saoil an obraicheadh a leithid sin do luchd-ionnsachaidh na Gàidhlig?!

A bharrachd air a sin, cha robh e diùid. Cha chuireadh duine dheth e. **Chumadh e a dol ge b' oil leotha**, mar a dh'fheumas luchd-ionnsachaidh na Gàidhlig a dhèanamh. Ach bha e fortanach ann an aon dòigh. "Thug Dia cuimhne mhath dhomh," thuirt e, "agus comas air leth anns na buill-bhodhaig a nì cainnt."

Fhuair e obair mar àrd-ollamh chànanan aig Oilthigh Bhologna agus bhathar ag aithris ann an ochd ceud deug 's a fichead (1820) gu robh dà chanan deug air fhichead aige. Ochd bliadhna às dèidh sin, ghabh e dreuchd mar Chardanal agus ghluais e don Ròimh, far an robh e na phrìomh leabharlannaiche anns a' Bhatacan. Ann an ochd ceud deug is dà fhichead (1840), sgrìobh sgoilear Gearmailteach gu robh eòlas aige "air a h-uile cànan Eòrpach…"

Laideann: *Latin;* **Grèigis:** *Greek (language);* **Eabhrais** (*or* **Eabhra**)**:** *Hebrew;* **Arabais:** *Arabic;* **Spàinntis:** *Spanish;* **Fraingis:** *French;* **Gearmailtis:** *German;* **Suainis:** *Swedish;* **Eadailtis:** *Italian;*
bha athair na shaor: *his father was a carpenter;* **bha an gille òg air an dearbh rud a dhèanamh ach gun do mhothaich sagart gur e sgoilear air leth a bh' ann:** *the young lad would have done the same thing except that a priest noticed that he was an exceptional scholar;* **rinn e cinnteach gum faigheadh X trèanadh airson na sagartachd:** *he made certain X would be trained for the priesthood;* **coigrich:** *foreigners;* **chuireadh e ceistean orra:** *he would ask them questions;* **saoil an obraicheadh a leithid do X?:** *do you think the same would work for X?;* **diùid:** *shy;* **cha chuireadh duine dheth e:** *nobody would put him off;* **comas air leth anns na buill-bhodhaig a nì cainnt:** *particular ability in the organs which make speech;* **ghluais e don Ròimh:** *he moved to Rome;* **leabharlannaiche:** *librarian;* **Bhatacan:** *Vatican;*

Bha e a' ciallachadh cànanan dhen "chiad chlas", mar a sgrìobh e fhèin, a' gabhail a-steach feadhainn mar Laideann is Fraingis is Beurla, feadhainn dhen "dàrna clas", leithid Dùitsis, Dànais, Ruiseanais, Pòlainnis, Teiceis, agus cànanan dhen "treas is ceathramh clasaichean", mar Gàidhlig na h-Èireann, Cuimris is Ailbèinianais. Bha comas aige ann an Romànais nam beanntan Alpach, Lapais, Sanscrait, Airminianais, Sìonais, Etiòipianais is mar sin air adhart.

Chan e dìreach gu robh comas aige anns na cànanan, ach gu robh comas aige bruidhinn ann an diofar dhualchainntean, leis a' bhlas cheart. Mar eisimpleir, dh'fhaodadh e còmhradh ann am Fraingis Pharis agus Fraingis Toulouse. Bha e cho math air a' Bheurla 's gum b' urrainn dha innse do Shasannach dè an siorrachd às an robh e.

A bharrachd air na taighean-òsta, bhiodh Mezzofanti tric a' tadhal air prìosanaich a bhuineadh do dhiofar dhùthchannan, airson an cànanan ionnsachadh, agus airson taic a thoirt dhaibh. Chan e gu bheil mi a' moladh sin do luchd-ionnsachaidh na Gàidhlig! Thathar ag ràdh gun tigeadh fear aig an robh cànan air nach robh an Cardanal eòlach airson aideachadh, agus dh'iarradh Mezzofanti dàil de thrì seachdainean gus am faigheadh e cothrom an cànan ionnsachadh!

Chùm e a-mach gu robh e ag ionnsachadh cànanan le bhith ag ionnsachadh gràmair. 'S dòcha nach eil sin ag obair don a h-uile duine, ach dh'obraich e gu math dhàsan. Nuair a fhuair e bàs ann an ochd ceud deug, dà fhichead 's a naoi (1849), bhathar ag ràdh gu robh suas ri ceithir fichead cànan aige! Cha chuala mi gu robh Gàidhlig na h-Alba aige gu fileanta, ach cò chanadh nach do dh'ionnsaich e sin thairis air deireadh-sheachdain air choreigin nuair nach robh cus aige ri dhèanamh!

cànanan dhen "chiad chlas": *languages of the "first class";* **Dùitsis:** *Dutch;* **Dànais:** *Danish;* **Ruiseanais:** *Russian;* **Pòlainnis:** *Polish;* **Teiceis:** *Czech;* **Ailbèinianais:** *Albanian:* **Romànais nam beanntan Alpach:** *Romansch of the Alps;* **Lapais:** *Lapp;* **Sanscrait:** *Sanskrit;* **Airminianais:** *Armenian;* **Sìonais:** *Chinese;* **Etiòpianais:** *Ethiopian;* **dualchainntean:** *dialects;* **leis a' bhlas cheart:** *with the right accent, mode of speaking;* **siorrachd:** *county;* **prìosanaich a bhuineadh do dhiofar dhùthchannan:** *prisoners who belonged to different countries;*

aideachadh: *confession;* **dàil:** *delay.*

dh'obraich e gu math dhàsan: *it worked well for him;* **nuair nach robh cus aige ri dhèanamh:** *when he did not have too much to do;*

<u>Puing-chànain na Litreach</u>: **Chumadh e a dol ge b' oil leotha**: *he would keep going despite them.* Oil *means vexation, grief, pain, offence, regret, spite. It is used frequently with "le" eg* cha b' oil leam ged a dh'fhalbhadh tu *(I wouldn't be aggrieved even if you left*); mas oil leat e, carson nach sguir thu? *(if it offends you, why don't you stop?).* Ge b' oil le X *means "in spite of X". Here are two examples of its use in the idiom which appears in the Litir:* Nì mi sin ge b' oil leis *(I will do that regardless of him);* tha sinn a' dol a phòsadh, ge b' oil leibh *(we are going to marry, despite you).*

<u>Gnàths-cainnt na Litreach</u>: **Mus do chuir e crìoch air a' chùrsa oilthigh aige**: *before he completed his university course.* A' cur crìoch air: *to finish or complete X.*

LITIR 99

(An Giblean 2001)

An account of the old game called Goid a' Chrùin ...

Chan eil fhios a'm cia mheud agaibh a tha eòlach air an lus ris an can sinn, ann an Gàidhlig, "buaghallan" no "buaghallan buidhe". Tha e cumanta gu leòr ri taobh rathaidean no ann am pàircean. As t-samhradh, bidh dìtheanan buidhe air, a tha car coltach ri dìtheanan an neòinein. Gu dearbh, tha e ann an teaghlach nan neòinean. Tha luchd-saidheans eòlach air an lus mar *Senecio jacobaea*, agus 's e an t-ainm oifigeil a th' air ann am Beurla, *ragwort.*

buaghallan (buidhe): *ragwort;* **a tha car coltach ri dìtheanan an neòinein:** *that are somewhat like the flowers of the daisy;*

Anns na h-eileanan a-muigh, bhiodh a' chlann a' cleachdadh a' bhuaghallain ann an gèam sònraichte. Bha sin anns na làithean mus robh telebhiseanan no geamannan coimpiutair aca. 'S e an t-ainm a bh' air a' ghèam *Goid a' Chrùin* agus seo mar a bha e air a chluich.

Bhiodh a' chlann a' tighinn cruinn air àite còmhnard agus bhiodh iad gan sgaradh fhèin ann an dà leth. Bhiodh an dàrna cuid dhiubh ann an aon sreath, agus a' chuid eile mun coinneamh ann an sreath eile, agus bhiodh balaich agus nigheanan còmhla anns gach sreath. Bhiodh iad a' spìonadh lus buaghallain agus ga thilgeil air an talamh eadar an dà sgioba. B' e sin an "crùn". Bhiodh cuideigin an uair sin a' leum air a' chrùn, ga thogail is a' ruith leis. Bhiodh e a' feuchainn ri ruith timcheall na sgioba eile gu lèir, is tilleadh don fheadhainn aige fhèin. Nan dèanadh e sin, rachadh leis, agus bhiodh an gèam a' tòiseachadh a-rithist leis a' chrùn anns a' mheadhan.

Goid a' Chrùin: *the theft of the crown;* **bhiodh a' chlann a' tighinn cruinn air àite còmhnard:** *the children would come together in a flat place;* **agus a' chuid eile mun coinneamh ann an sreath eile:** *and the others opposite them in another line;* **a' spìonadh:** *pulling out a plant by the root;*

nan dèanadh e sin, rachadh leis: *if he did that, he would be successful;* **nan robh X air a ghlacadh:** *if X were caught;* **bhiodh aige ri falbh:** *he would have to leave;* **cnoimheag, cnuimheag:** *maggot;* **mar a bu lugha de chnoimheagan air an sgioba agad aig an deireadh, 's ann a b' fheàrr:** *the fewer maggots on your team at the end, the better;*

Ach nan robh am fear leis a' chrùn air a ghlacadh leis an sgioba eile, bhiodh aige ri falbh bhon "champa" agus chuireadh an fheadhainn eile an t-ainm "cnoimheag" no "cnuimheag" air. Agus, mar a bu lugha de chnoimheagan air an sgioba agad aig an deireadh, 's ann a b' fheàrr. Agus b' e sin an gèam.

Anns na seann leabhraichean, tha buaghallan air a litreachadh "b-u-a-d-h-g-h-a-l-l-a-n" agus thathar a' dèanamh dheth gu bheil e a' tighinn bhon dà fhacal "buadh" agus "gallan", a' ciallachadh ann am Beurla, "*the virtuous stalk*" no 's dòcha "*the victorious stalk*". Chan eil fhios a'm carson a bhiodh an dàrna fear iomchaidh, leis gu bheil a leithid de lus a' toirt droch bhuaidh air beathaichean a dh'itheas e. Agus, a thaobh an fhir eile, 's dòcha gu bheil e a' buntainn air a' chomas, a th' aig an lus seo, fàs pailt ann am pàirc nach eil air a cumail ann an deagh òrdugh.

Co-dhiù no co-dheth, sin am buaghallan, agus tha fhios gu robh am bàrd, Donnchadh Bàn Mac an t-Saoir, eòlach air, mar a bha e eòlach air na lusan cumanta air fad a bha a' fàs anns an sgìre aige. Bha mi a' leughadh beagan de bhàrdachd Dhonnchaidh an latha eile, agus thàinig mi tarsainn air dà rann a chòrd rium gu mòr.

Tha iad às òran air a bheil "**Òran do chaora a fhuaradh a' ghibht o Mhnaoi Uasail àraidh**". Tha an t-òran mu dheidhinn caora cheann-fhionn, mar a bh' aige fhèin oirre, air an robh Donnchadh gu math measail, agus a chaill e. Ach, aig an deireadh, às dèidh dha a' chaora a mholadh, agus às dèidh dha leigeil fhaicinn mar a bha e ga h-ionndrainn, tha e a' cur a fheallsanachd an cèill. Tha mi a' smaoineachadh gu bheil e a' seasamh airson mòran rudan nar beatha – ri linn Dhonnchaidh – agus san latha an-diugh. **Fàgaidh mi agaibhse e**:

Beannachd leis an rud a dh'fhalbhas;
Chan e 's fheàrr dhuinn ach na dh'fhanas.

'S fheàrr bhith cridheil leis na dh'fhuiricheas
Na bhith tùrsach mu na chailleas.

chan eil fhios a'm carson a bhiodh an darna fear iomchaidh: *I don't know why the first one would be suitable;*

ann am pàirc nach eil air a cumail ann an deagh òrdugh: *in a field which is not well looked after;* **co-dhiù no co-dheth:** *whatever;*

rann: *verse;* **caora cheann-fhionn:** *white headed sheep;* **mar a bha e ga h-ionndrainn:** *as he was missing her;* **tha e a' cur a fheallsanachd an cèill:** *he demonstrates his philosophy;* **ri linn Dhonnchaidh:** *in Duncan's time;* **beannachd leis an rud a dh'fhalbhas:** *a blessing on the thing that leaves;* **chan e 's fheàrr dhuinn, ach na dh'fhanas:** *it is not that which is best, but the thing that stays;* **'s fheàrr bhith cridheil leis na dh'fhuiricheas:** *it is best to be joyous about what remains;* **na bhith tùrsach mu na chailleas:** *than to be sad about that which is lost.*

Puing-chànain na Litreach: **Òran do chaora a fhuaradh a' ghibht o Mhnaoi Uasail àraidh**: *song to a ewe which was received as a gift from a certain Lady. Many Gaelic learners will no longer be familiar with* "mnaoi", *the dative singular case of the feminine noun* "bean" *(wife, woman) as it has largely become redundant and is only commonly met with in old poetry or song. Nowadays, the nominative form is generally used in the dative case and Donnchadh Bàn, had he been writing today, might have put* "...o Bhean Uasail àraidh." *Note, however, that the genitive case,* "mnà" *still has currency.*

Gnàths-cainnt na Litreach: **Fàgaidh mi agaibhse e**: *I'll leave it with you.*

LITIR 100

(An Giblean 2001)

Do you know a Gaelic equivalent for a rolling stone gathers no moss*?*

clach-mhìle: *milestone;*
a' cheudamh Litir: *the hundredth Litir;*

tha X air a shèimheachadh: *X is lenited (aspirated);* **mar a bhios sinn a' sèimheachadh buadhair as dèidh ainmear boireann:** *as we lenite an adjective after a feminine noun;*

brà: *quern;*
cumanta: *common;* **taighean-tasgaidh:** *museums;*

b' iad dithis pheathraichean a bha a' dèanamh na h-obrach: *it was two sisters that were doing the work;* **chuir iad sìl arbhair Innseanaich a-steach don toll anns a' chloich uachdaraich:** *they put maize seed into the hole in the upper stone (of the quern);* **b' e sin deireadh ar cadail airson na h-oidhche:** *that was the end of our sleep for the night;* **cha robh am fuaim buileach gun tlachd:** *the noise was not entirely without pleasure;* **òrain-obrach:** *work songs;* **clach-chinn, clach-uaighe:** *headstone, gravestone;*

Halò agus fàilte oirbh. Tha sinn air rudeigin de chlach-mhìle a ruigsinn an t-seachdain sa. 'S i seo a' cheudamh Litir bho thòisich am prògram o chionn dà bhliadhna, agus bu mhath leam taing mhòr a thoirt don a h-uile duine a th' air sgrìobhadh thugam thairis air an ùine sin.

Chleachd mi am facal *clach-mhìle* ann a sin. Thuirt mi *clach-mhìle*, seach *clach-mìle*. An urrainn dhuibh innse dhomh carson? Uill, 's e a coireach gu bheil am facal *clach* boireann. Mar sin, tha am facal *mìle* air a shèimheachadh, mar a bhios sinn a' sèimheachadh buadhair às dèidh ainmear boireann. Clach mhòr, clach bhàn is mar sin air adhart.

Chì sibh an aon seòrsa rud ann am faclan eile, leithid *clach-bhleith*, no *grindstone*, agus *clach-bhràthan* no *quernstone*. Chan eil fhios a'm cia mheud agaibh a bhios eòlach air brà. Chan eil a leithid cumanta an-diugh ann, ach ann an taighean-tasgaidh, 's dòcha. **Dh'fhairich** mi tè turas a bha mi ann an taigh ann am baile beag anns na beanntan ann an Neapal. Tha mi ag ràdh gun do dh'fhairich mi i air sgàth 's gur i a dhùisg mi mu chòig uairean sa mhadainn, agus solas an latha fhathast gun tighinn.

B' iad dithis pheathraichean a bha a' dèanamh na h-obrach. Chuir iad sìl arbhair Innseanaich a-steach don toll anns a' chloich uachdaraich, ris an canar *sùil na bràthan*, agus thionndaidh iad a' chlach sin. Uill, abair fuaim. B' e sin deireadh ar cadail airson na h-oidhche! Ach, ged a bha mi sgìth, cha robh am fuaim buileach gun tlachd. Bha na nigheanan a' seinn cuideachd – òrain-obrach – dìreach mar a bhiodh na Gàidheil o shean nuair a chleachdadh iad a' bhrà.

An cuala sibh a-riamh am facal *clach-chinn*? Chan e *ceann-cloiche* – 's e rud eadar-dhealaichte a tha sin!

cladh: *cemetery;*

seach a' stobadh an àirde mar a tha iad an-diugh: *rather than standing upright as they do today;*
's ann tric a tha iad còmhdaichte le còinneach: *it is often they are covered with moss;*

'S e *clach-chinn* rud a chì sibh ann an cladh, a' comharrachadh uaigh. Cluinnidh sibh cuideachd *clach-uaighe*. Anns an t-seann aimsir, bha mòran de chlachan-uaighe na Gàidhealtachd nan laighe air an talamh, seach a' stobadh an àirde mar a tha iad an-diugh. Agus, ma thèid sibh gu seann chladh, chì sibh feadhainn ann fhathast. 'S ann tric a tha iad còmhdaichte le còinneach.

Agus tha sin gam thoirt gu seanfhacal anns a bheil am facal *clach*. 'S dòcha gum bi sibh air thoiseach orm is gu bheil fios agaibh mu thràth air na tha mi a' dol a ràdh. Tha seanfhacal car coltach ris anns cha mhòr a h-uile cànan anns an Roinn Eòrpa, a rèir choltais. Seo e ann am Fraingis – *la pierre qui roule n'amasse pas de mousse*. Ann am Beurla, bidh sibh eòlach air – *a rolling stone gathers no moss*. Agus ann an Gàidhlig - ***a' chlach a thionndaidhear tric, cha tig còinneach oirre***. A' chlach a thionndaidhear tric, cha tig còinneach oirre.

tha dà dhreach air an t-seanfhacal: *the proverb exists in two forms;* **udalan:** *swivel, hinge, something that turns or rotates;* **cuimhnichibh gu bheil "o" fada ann an còinneach:** *remember that còinneach has a long "o";* **gun can sibh rudeigin nach eil buileach iomchaidh:** *you might say something that is not altogether appropriate (if you don't make the "o" long in "còinneach", you end up with "Coinneach", the Gaelic equivalent of Kenneth!)*

Uill, leis an fhìrinn innse, tha dà dhreach air an t-seanfhacal. Cluinnidh sibh cuideachd – ***cha chinn còinneach air clach an udalain*** – *moss does not grow on an oft-turned stone*. 'S e *udalan* rud a thionndaidheas bho thaobh gu taobh – *swivel* no *hinge* no a leithid. Cha chinn còinneach air clach an udalain. Ach, ma chanas sibh sin, cuimhnichibh gu bheil "o" fada ann an *còinneach* no 's dòcha gun can sibh rudeigin nach eil buileach iomchaidh!

LTR

Puing-chànain na Litreach: *You may have noticed that I said* "dh'fhairich mi" *when I meant that I heard the sound of the quernstone at work, rather than* "chuala mi". *This is a common expression for hearing something for which you are not necessarily listening. So, you may well be asked,* "an d' fhairich thu a' chuthag fhathast am-bliadhna?" *(have you heard the cuckoo yet this year?). You might say,* "chuala mi air a rèidio thu" *(you were actively listening to the radio) but* "dh'fhairich mi spreadhadh" *(I heard an explosion – which happened out of the blue). In the last case, one might translate it as "I sensed..." or "I felt the explosion".*

Seanfhaclan na Litreach: **a' chlach a thionndaidhear tric, cha tig còinneach oirre. Cha chinn còinneach air clach an udalain.** *Both of these proverbs are direct equivalents of the English "a rolling stone gathers no moss."*

LITIR 101

(An Cèitean 2001)

Why do we spell the Gaelic for *nose* "s-r-ò-n"?

sròn: *nose;* **litreachadh:** *spelling;* **cuspair:** *subject;* **chan eil e às aonais connspaid:** *it's not without controversy;* **dh'fhaighnich tè dhiom turas ciamar a litrichinn:** *one (female) once asked my how I would spell;* **ciamar a tha thu ga ràdh?:** *how do you say it?;*

Bidh luchd-ionnsachaidh na Gàidhlig uaireannan a' cur ceist orm mu dheidhinn litreachadh a' chànain. 'S e cuspair mòr a th' ann agus, gu dearbh, chan eil e às aonais connspaid! Tha cuimhne agam gun do dh'fhaighnich tè dhìom turas ciamar a litrichinn a' Ghàidhlig airson *nose*. "S-r-ò-n," fhreagair mi.

"Seadh," thuirt i, "agus ciamar a tha thu ga ràdh?"

"*Stròn*," fhreagair mi.

Choimhead i orm gu geur. "Chuir thu 't' ann a sin nach eil anns an fhacal ann," thuirt i. Thuirt thu *"stròn"* ach tha am facal air a litreachadh "*sròn'*."

Agus bidh fios agaibh dè an ath cheist a bh' aice: "Carson?"!

agus innis dhomh ciamar a chanadh iads-an am facal sin: *and tell me how they would say that word;*
carson fon ghrèin a tha X air a litreachadh às aonais 't'?: *why on earth is X spelled without a 't'?;*
fileantaich: *fluent speakers (of Gaelic);*
nach eilear ag ràdh X anns a h-uile sgìre ann an Alba: *they don't say X in every part of Scotland;*
tha seo air a mhìneachadh gu snog: *this is nicely explained;*
Roinn na Ceilteis: *Celtic Department;* **Oilthigh Obair Dheathain:** *Aberdeen University;*

"Smaoinich air a h-uile duine as aithne dhut aig a bheil Gàidhlig," thuirt mo bhana-charaid (agus bu chòir dhomh a ràdh gu robh seo o chionn beagan bhliadhnaichean), "agus innis dhomh ciamar a chanadh iadsan am facal sin." **B' fheudar dhomh aideachadh** nach b' urrainn dhomh smaoineachadh air duine nach canadh *"stròn".*

"Uill," thuirt i, "carson fon ghrèin a tha am facal air a litreachadh às aonais 't'? Carson nach eil e air a litreachadh 's-T-r-ò-n'?"

Tha fhios gu bheil luchd-ionnsachaidh tric a' cur ceistean mar sin air fileantaich agus, gu h-àraidh nuair a tha iad à ceann a tuath na Gàidhealtachd, 's dòcha nach bi cuid de na fileantaich buileach cinnteach air an adhbhar. Feuchaidh mise ri beagan taic a thoirt dhaibh.

Tha dà adhbhar ann airson *sròn* a litreachadh às aonais an 't'. 'S e a' chiad rud nach eilear ag ràdh *"stròn"* anns a h-uile sgìre ann an Alba. Tha àiteachan ann far a bheilear ag ràdh *"sròn".* Tha seo air a mhìneachadh gu snog ann an leabhar inntinneach a chaidh fhoillseachadh an-uiridh: *The Gaelic of Islay: A Comparative Study* le Seumas Grannd à Roinn na Ceilteis ann an Oilthigh Obair Dheathain. Tha an t-Ollamh Grannd a' sealltainn dhuinn gur e *"sròn"* a chanas

is chan e Ìle a-mhàin: *and not only Islay;* **Earra-Ghàidheal:** *Argyll.*

muinntir Ìle. Is chan e Ìle a-mhàin. Thug e sùil air Earra-Ghàidheal air fad agus 's e *"sròn"* a chanas daoine air feadh na sgìre, ach a-mhàin ann an trì àiteachan anns a' cheann a tuath – Tiriodh, Colla agus Àird Ghobhar. Anns na trì àiteachan sin, thathar ag ràdh *"stròn"* – an aon rud ri ceann a tuath na Gàidhealtachd.

nuair a bhathar ag eadar-theangachadh a' Bhìobaill gu Gàidhlig: *when the Bible was being translated into Gaelic;*

A' coimhead air ais don àm nuair a bhathar a' sgrìobhadh Gàidhlig o shean, leithid nuair a bhathar ag eadar-theangachadh a' Bhìobaill gu Gàidhlig, bha sgoilearan às Earra-Ghàidheal gu mòr an sàs ann. Bha a' Ghàidhlig fada na bu làidire ann an Earra-Ghàidheal na tha i an-diugh. Agus bha na sgoilearan cuideachd eòlach air dòigh-sgrìobhaidh Gàidhlig na h-Èireann. Eadar an dà rud sin, bha e nàdarrach gu leòr dhaibh, am facal *sròn* a sgrìobhadh *s-r-ò-n*, ged a bhiodh muinntir a' chinn a tuath ag ràdh *"stròn"*.

muinntir a' chinn a tuath: *the people of the north;*

Ach tha adhbhar eile ann cuideachd agus tha seo gu math cudromach. Ciamar a chanadh sibh, ann an Gàidhlig, *"my nose"?* Seadh? "Mo shròn". Ciamar a chanadh sibh ri balach beag, *"blow your nose, lad"?* "**Sèid do shròn, 'ille**." Bidh sibh a' mothachadh nach eil *'t'* sam bith a' nochdadh anns an fhacal nuair a tha e air a shèimheachadh, deas no tuath. Cha dèanadh *'t'* feum no ciall anns an fhacal anns an t-suidheachadh sin. Mar sin, tha e nas fhasa, airson dèiligeadh ris a h-uile suidheachadh anns an nochd am facal, gur e *'sr'*, an àite *'str'*, a th' ann aig an toiseach.

nuair a tha e air a shèimheachadh, deas no tuath: *when it is lenited, south or north;* **cha dèanadh 't' feum no ciall:** *'t' would not be useful or meaningful.*

Ach tha sin gam thoirt fhèin gu ceist. Ciamar a chanas sibh ann an Gàidhlig, *"I am going to climb the mountain"?* Bheir sinn sùil air sin an ath-sheachdain. LTiR

<u>Puing-chànain na Litreach</u>: **B' fheudar dhomh aideachadh**: *I had to admit. The phrase* 's fheudar do *is a very useful one and means "must".* 'S fheudar do Chailean fuireach far a bheil e an-dràsta *(Colin has to stay where he is for the moment). It is commonly heard in conversation with the* "do" *converted to a prepositional pronoun* (ie dhomh, dhut, dha, dhi, dhuinn, dhuibh, dhaibh) eg 's fheudar dhomh falbh *(I must go). It is commonly used in the past tense as* b' fheudar *eg* B' fheudar dhi dhol dhachaigh *(she had to go home); In some places, notably in parts of Argyll, you will hear it used with* "gu" *for "perhaps" or "probably" eg: 1st man:* Bha Alasdair gun fheum – cha chreid mi nach robh an deoch air. *(Alexander was useless – I reckon he was drunk) 2nd man:* 'S fheudar gu robh *(quite possibly).*

<u>Gnàths-cainnt na Litreach</u>: **Sèid do shròn, 'ille**: *blow your nose, lad.* 'ille *is a contraction of* "a ghille" *ie the word* gille *in the vocative case. You will commonly hear this if a man is addressing a boy. It is also used by older men to younger men and even by men of similar age to each other in an informal setting.*

LITIR 102

(An Cèitean 2001)

Some unusual phrases from Berneray…

ciamar a chaidh dhuibh?: *how did you get on?;*

tha mi nam bhall de Chomunn Gàidhlig Inbir Nis: *I am a member of the Gaelic Society of Inverness;* **mar a tha mòran aig a bheil ùidh ann an dualchas nan Gaidheal:** *as are many who have an interest in the heritage of the Gaels;* **gach dàrnacha bliadhna:** *every second year;* **a chaidh a lìbhrigeadh aig coinneamhan:** *that were presented (delivered) at meetings;* **còrr math is ceud bliadhna:** *a good bit more than a hundred years;* **iris:** *edition;*

Beàrnaraigh: *Berneray;* **chan eil mi airson nàimhdean a dhèanamh dhomh fhìn ann:** *I don't want to make myself enemies there;* **Dòmhnall MacIlp:** *Donald Mackillop;* **measail:** *fond, keen;* **gu h-àraidh an seòrsa de dh'òrain Bheurla a chluinnear air Rèidio a h-Aon is a leithid:** *particularly the type of English-language songs heard on Radio One;* **feumaidh gu bheil mi fhìn is Dòmhnall a' tarraing air an aon ràmh:** *Donald and I must be in agreement (lit. pulling on the same oar);*

Ciamar a chaidh dhuibh leis a' cheist a chuir mi oirbh an t-seachdain sa chaidh – b' e sin Gàidhlig a chur air *I am going to climb the mountain.* Tha mi an dòchas nach tuirt sibh, "tha mi a' dol a dhìreadh na beinne"! Bha mi an dòchas gu robh sibh a' dol a chleachdadh facal eile airson *climb* – *sreap* neo *streap.* 'S e an duilgheadas a th' ann gu bheil feadhainn a' cleachdadh an fhacail mar nach eil *'t'* eadar an *'s'* agus an *'r'*, agus tha feadhainn eile ga chleachdadh mar gu bheil. Mar sin, cluinnidh sibh an dà chuid: *Tha mi a' dol a shreap na beinne* agus *tha mi a' dol a streap na beinne.*

Tha mi nam bhall de Chomunn Gàidhlig Inbhir Nis, mar a tha mòran aig a bheil ùidh ann an dualchas nan Gàidheal, cuid mhath aca nach eil a' fuireach faisg idir air a' bhaile. Gach dàrnacha bliadhna, bidh an Comunn a' foillseachadh nam pàipearan a chaidh a lìbhrigeadh aig coinneamhan. Anns na leabhraichean seo, ris an canar na *"Transactions"*, tha stòras air leth prìseil a tha a' dol air ais còrr math is ceud bliadhna.

Bha mi a' leughadh na h-iris as ùire o chionn ghoirid agus chòrd aon phàipear rium gu sònraichte. B' e sin fear air gnàthsan-cainnte is abairtean à Eilean Bheàrnaraigh. Chan eil mi cinnteach a-nise an e Beàrnaraigh na Hearadh neo Beàrnaraigh Uibhist a bu chòir dhomh a ràdh ris an eilean. Chan eil mi airson nàimhdean a dhèanamh dhomh fhìn ann!

Chaidh am pàipear a sgrìobhadh le Dòmhnall MacIlp agus tha e làn abairtean is ghnàthsan-cainnt inntinneach. Chòrd aon abairt rium gu sònraichte. Chan eil mi fhìn uabhasach measail air a' chuid mhòir de cheòl na Beurla, gu h-àraidh an seòrsa de dh'òrain Bheurla a chluinnear air Rèidio a h-Aon is a leithid, agus feumaidh gu bheil mi fhìn agus Dòmhnall a' tarraing air an aon ràmh. ***"Bu cheart cho math leam a bhith a' sgoltadh bhiorach,"*** tha e ag ràdh, "ri bhith ag èisteachd ri a leithid de cheòl"! Bu cheart cho math leam a bhith a' sgoltadh bhiorach.

chan eil sin na iongnadh: *that is of no surprise;* **altachadh:** *grace (before meal);* **chan eil mi cinnteach co-dhiù bha lèabag air a' bhòrd seo gus nach robh:** *I am not sure if there was a flounder on the this table or not;* **gun do dhealbh thu sinn air d' ìomhaigh fhèin:** *that you created (designed) us in your own image;* **nach ann air ìomhaigh na lèabaig:** *not after the image of the flounder;* **aig a bheil a dà shùil air an aona pheirceall:** *which has its (her) two eyes on the one (side of the) jaw;* **cha chreid mi gum bithinn misneachail gu leòr:** *I don't think I would be courageous enough;*

fàsgadh: *squeezing.* **air an tràghadh a rugadh tu:** *you were born on the ebb-tide (said of someone who attempts to pour a cup of tea only to find none left in the pot);* **chòrdadh cupa teatha rium an-dràsta:** *I would enjoy a cup of tea just now.*

Tha mi a' mothachadh gu bheil mòran de na gnàthsan-cainnt aig na Beàrnaraich ceangailte ris a' mhuir, agus chan eil sin na iongnadh air eilean beag. Agus, uill, feumaidh mi ràdh gun do rinn mi gàire nuair a leugh mi an t-altachadh a bh' aige. Bidh sibh eòlach, tha mi 'n dùil, air an iasg ris an canar lèabag – *flounder* ann am Beurla. Nise, chan eil mi cinnteach co-dhiù bha lèabag air a' bhòrd a bha seo gus nach robh, ach seo mar a chaidh an t-altachadh.

"Taing dhut-sa, a Dhè ghràsmhoir bheannaichte, *gun do dhealbh thu sinn air d' ìomhaigh fhèin, 's nach ann air ìomhaigh na lèabaig aig a bheil a dà shùil air an aona pheirceall."* O, uill, chan eil càil a dh'fhios agam dè chanadh càch aig a' bhòrd nan cluinneadh iad altachadh mar sin! Cha chreid mi gum bithinn misneachail gu leòr airson a ghabhail ann an àite sam bith, fiù 's ann am Beàrnaraigh fhèin!

Uaireannan, tha duilgheadas aig luchd-ionnsachaidh ann a bhith a' lorg facal airson *"squeeze".* Uill, seo e ann an abairt à Beàrnaraigh: *Fàisg a' phoit-teatha – squeeze the teapot.* 'S e an gnìomhair – *fàsgadh.* Is, mura h-eil teatha air fhàgail anns a' phoit, bithear ag ràdh, "air an tràghadh a rugadh tu". Uill, chan ann air an tràghadh a rugadh mise, agus chòrdadh cupa teatha sònraichte math rium an-dràsta. Ach bidh mi còmhla ribh a-rithist an ath-sheachdain.

<u>Puing-chànain na Litreach</u>: **Taing dhut-sa, a Dhè ghràsmhoir bheannaichte**: *Thanks to you, gracious and blessed God. Have you noticed that, in Gaelic, God is addressed in the singular or informal* "tu/thu" *form and not with the formal or plural* "sibh"? *The Gaelic for God,* Dia, *is here in the vocative case. In some places this is* "a Dhè" *but in others it is* "a Dhia". *You will sometimes hear people address the deity when they are upset as they do in English and they will say,* "a Dhia!" *or* "a Dhè!" *I remember speaking to a Catholic Irishman who was intrigued by our use of the* tu/sibh *informal/formal in Scottish Gaelic because there is no similar use of the plural for singular objects in Irish.* He was most particularly intrigued that a priest is referred to as "sibh" *but that God is addressed as* "tu/thu". *"I think I know why that is," he said presently. "It is because when the priest is there, he has God by his side, so there are the two of them. But God is God alone."*

<u>Seanfhacal na Litreach</u>: **Bu cheart cho math leam a bhith a' sgoltadh bhiorach**: *I would be just as happy gutting dogfish. ie I don't think much of this!*

LITIR 103

(An Cèitean 2001)

Some Gaelic proverbs originated in the MacCrimmons' piping school on Skye...

An Gearran: *February;* **mu dheidhinn an òrain-ghaoil aige do Mhòr Ros:** *about his love song to Marion Ross;* **carson nach d' rugadh dall mi?:** *why was I not born blind?;* **airson fosgladh taisbeanaidh anns a bheil bàird na sgìre air an comharrachadh:** *for the opening of an exhibition in which the area's bards are noted;* **bhuineadh a mhàthair do Gheàrrloch:** *his mother belonged to Gairloch;* **Iain MacAoidh:** *John Mackay;* **am Pìobaire Dall:** *the Blind Piper;* **mar gu robh doille air stad a chur air bho bhith a' gabhail gaol mòr air a leannan:** *as if blindness would have stopped him from falling in love with his sweetheart;* **gun do chaill e fhradharc aig aois seachd bliadhna:** *that he lost his sight at the age of 7 years;* **gur i a' bhreac a chuir às dha:** *that it was smallpox that destroyed it (his sight);* **a bh' air a ruith le cuid de Chloinn 'ic Cruimein:** *run by some MacCrimmons;* **a' seinn na pìoba:** *playing the bagpipes;* **fear ma seach:** *in turns;*

dhèanainn: *I would do;*

A bheil cuimhne agaibh air Litir ochdad 's a h-ochd (88) air an darna latha dhen Ghearran am-bliadhna, nuair a bha mi ag innse dhuibh mu dheidhinn a' bhàird ainmeil, Uilleam Ros, agus mu dheidhinn an òrain ghaoil aige do Mhòr Ros anns a bheil na faclan, "Carson nach d' rugadh dall mi?" Uill, bha mi ann an Geàrrloch, ann an Siorrachd Rois, aig toiseach na mìos airson fosgladh taisbeanaidh anns a bheil bàird na sgìre air an comharrachadh. Agus am measg nam bàrd, gu dearbh, anns a' phrìomh àite, chanadh mòran, tha Uilleam Ros. Bhuineadh a mhàthair do Gheàrrloch agus chuir Uilleam fhèin seachad bliadhnaichean a' fuireach ann.

Bha bàrdachd anns an dualchas aige. Bha a sheanair, air taobh a mhàthar, cuideachd na bhàrd, agus tha e fhèin air a chomharrachadh anns an taisbeanadh. 'S e an t-ainm a bh' air Iain MacAoidh, ged is e am frith-ainm aige as aithne don chuid as motha – am Pìobaire Dall. 'S ann air sgàth a dhoille a tha mi uaireannan a' smaoineachadh gu bheil e rudeigin annasach gun do sgrìobh Uilleam na faclan sin – "Carson nach d' rugadh dall mi?" mar gu robh doille air stad a chur air bho bhith a' gabhail gaol mòr air a leannan.

Bha Iain air leth math mar phìobaire. Tha diofar bheachdan air a dhoille, ge-tà. Tha cuid dhen bheachd gun do chaill e fhradharc aig aois seachd bliadhna, agus gur i a' bhreac a chuir às dha. Tha cuid eile, ge-tà, a' cumail a-mach gun do rugadh e dall.

Ach cha do chuir doille stad air a phìobaireachd. Bha e na oileanach aig sgoil ainmeil anns an Eilean Sgitheanach, a bh' air a ruith le cuid de Chloinn 'ic Cruimein. Bha e cho math air a' phìob 's gun deach dà sheanfhacal a chruthachadh air a shàilleabh.

Aon turas bha Iain Dall agus oileanach eile a' seinn na pìoba, fear ma seach, agus MacCruimein ag èisteachd riutha. Bha Iain na b' fheàrr, agus dh'fhaighnich MacCruimein dhen fhear eile carson nach robh e a' cluich mar Iain Dall. "Dhèanainn sin," fhreagair an gille, "mura robh mo mheòir as dèidh na sgait." Bha e a' ciallachadh gu robh e air a bhith ag ithe sgait, agus gu robh a mheòir, a chorragan, leanailteach, no "stigeach" mar a chanas mòran an-diugh. Is cha robh iad a' gluasad gu ceart air an fheadan. Agus bho sin a-mach, chanadh daoine mu dheidhinn droch phìobaire gu robh "**a mheòir às dèidh na sgait**."

Bha fear de Chloinn 'ic Cruimein, air an robh "Pàdraig Caogach", a bha glè ainmeil mar phìobaire. Thòisich e turas air port a chruthachadh ach cha b' urrainn dha crìoch a chur air. **Airson dà bhliadhna, dh'fheuch e ri a chrìochnachadh, ach dh'fhàilnich air**. Ghabh Iain Dall truas ris, agus chuir e fhèin crìoch air.

Uill, cha robh Pàdraig toilichte. Ghabh e caothach. Agus a rèir beul-aithris, dh'fheuch e fhèin is caraidean dha cur às do dh'Iain le bhith ga thilgeil far mullach cnuic. Ach mhair Iain beò, ged a thuit e còrr is seachd meatair. O chionn ceud bliadhna, bha muinntir Bhoraraig fhathast ag aithneachadh an àite far an do thachair seo mar "Leum an Doill". Chan eil fhios agam co-dhiù tha iad ga aithneachadh fhathast.

Chan eil fhios agam dè thachair do Phàdraig nas motha, ach 's e "Lasan Phàdraig Chaogaich" a chaidh a chur air a' phort mar ainm. Agus air sgàth na thachair, chaidh an seanfhacal seo a chruthachadh airson Iain Doill – ***"Chaidh am foghlam os cionn Mhic Cruimein."*** Sin Iain Dall mar phìobaire. An ath-sheachdain bheir sinn sùil air a chuid bàrdachd.

LTIR

leanailteach, stigeach: *sticky;* **cha robh iad a' gluasad gu ceart air an fheadan:** *they weren't moving properly on the chanter;*

Pàdraig Caogach: *winking Peter or possibly squint-eyed Peter;* **port:** *tune;* **cha b' urrainn dha crìoch a chur air:** *he could not finish it;* **ghabh X truas ris:** *X took pity on him;*

ghabh e caothach: *he lost his temper;* **le bhith ga thilgeil far mullach cnuic:** *by throwing him off the top of a hill;* **muinntir Bhoraraig:** *the people of Boreraig (in N. Skye);* **Leum an Doill:** *the blind man's leap;* **chan eil fhios agam dè thachair do Phàdraig nas motha:** *neither do I know what happened to Peter;* **lasan:** *wrath, passionate anger;*

Puing-chànain na Litreach: **Airson dà bhliadhna, dh'fheuch e ri a chrìochnachadh, ach dh'fhàilnich air**: *for two years, he tried to finish it (masc.), but failed. The* "dh" *in front of* dh'fheuch *is a sound device which gets over the problem of a consonant combination at the beginning of a word which produces no sound – eg a lenited "f" – ie "fh". We say* dh'fhosgail e an doras *(he opened the door),* dh'fhairich e an spreadhadh *(he heard the explosion),* **dh'fhàilnich air** *(he failed),* dh'fheuch e sin *(he tried that)* and dh'fheòraich e *(he asked). The word* "fàilneachadh" (fàilligeadh *in some places) means "failed" and is followed by the preposition* "air" eg Dh'fhàilnich air Uisdean an obair a chrìochnachadh (*Hugh failed to complete the work);* dh'fhàilnich oirre *(she failed);* dh'fhàilnich oirnn *(we failed).*

Seanfhaclan na Litreach: **tha a mheòir às dèidh na sgait**: *his fingers are after the skate – a comment made of a bad piper. This is explained in the text.* **Chaidh am foghlam os cionn Mhic Cruimein**: *the education outstripped MacCrimmon – this is equivalent to saying that the student has surpassed the teacher.*

LITIR 104

(An Cèitean 2001)

Am Pìobaire Dall *was not only a fine piper, but also a talented bard...*

Rugadh Iain MacAoidh, am Pìobaire Dall, ann an Geàrrloch anns a' bhliadhna sia ceud deug, caogad 's a sia (1656). Bha e ri bàrdachd, a bharrachd air pìobaireachd, agus **choisinn e cliù dha fhèin** mar bhàrd. Gu mì-fhortanach, chan eil air fhàgail againn an-diugh ach sia de na dàin aige.

Tha a' chuid as motha de dhaoine a tha eòlach air a bhàrdachd dhen bheachd gur e an dàn as fheàrr aige "Cumha Choir' an Easain". Cha do sgrìobh e ann an Geàrrloch e, ge-tà, ach ann an Dùthaich MhicAoidh, ann an ceann a tuath Chataibh, dùthaich a shinnsearachd air taobh athar. Rugadh athair, Ruairidh Dall MacAoidh, anns an sgìre sin.

Ann an cuid de bhàrdachd nàdair ann an Gàidhlig bidh uaireannan sreath fhaclan, sreath bhuadhairean, a' nochdadh fear às dèidh a chèile gun cha mhòr facal de sheòrsa sam bith eile eatarra. Seo eisimpleir dheth às "Cumha Choir' an Easain" – an dà loidhne mu dheireadh de rann agus an dà loidhne aig toiseach na h-ath rainn:

Mangach, maghach, aghach, tèarnach,
Gràdhach, croiceach, fradharc frìthe.
Neòineanach, gucagach, mealach,
Lònanach, lusanach, ìmeach....

Sin dà bhuadhair deug le dìreach dà ainmear – "fradharc frìthe" nam measg, agus saoilidh mi nach ann tric a bhios sinn a' leughadh bàrdachd de a leithid ann am Beurla. Chan e sin a-mhàin, ach seo toiseach na rainn a tha a' leantainn air na dhà sin:

Seamragach, sealbhagach, duilleach,
Mìn-leacach, gorm-shlèibhteach, gleannach,
Biadhchar, riabhach, riasgach, luideach...

Is mar sin air adhart! 'S dòcha nach eil e furasta leughadh, ach tha e a' togail ìomhaigh glè shnog dhen àite ann an inntinn an leughadair. Tha rudeigin ann a tha a' cur bàrd eile nam cheann. Bha am Pìobaire Dall na bhodach nuair a rugadh Donnchadh Bàn Mac an t-Saoir, agus tha rudeigin ann an "Cumha Choir' an Easain" a tha a' toirt an dàin "Coir' a' Cheathaich" aig Donnchadh Bàn gu mo chuimhne:

chan eil air fhàgail againn an-diugh ach sia de na dàin aige: *we only have six of his poems left today;*
dùthaich a shinnsearachd air taobh athar: *the country of his ancestry on his father's side;*
bidh sreath bhuadhairean a' nochdadh fear às dèidh a chèile: *a series of adjectives will appear one after the other;* **an dà loighne mu dheireadh de rann agus an dà loighne aig toiseach na h-ath rainn:** *the last two lines of a verse and the two lines at the start of the next verse;*
mangach: *abounding in fawns;* **maghach:** *abounding in plains;* **aghach:** *abounding in hinds;* **tèarnach:** *secure;* **gràdhach:** *beloved;* **croiceach:** *meadowy;* **fradharc frìthe**: *view of (the) deer forest;* **neòineanach:** *abounding in daisies;* **gucagach:** *full of buds;* **mealach:** *honey-sweet;* **lònanach:** *abounding in small meadows or pools;* **lusanach:** *herbaceous;* **ìmeach:** *producing much butter*; **seamragach:** *abounding in clover;* **sealbhagach:** *abounding in sorrel;* **duilleach:** *foliage;* **mìn-leacach:** *abounding in small flat stones;* **gorm-shlèibhteach:** *green-hilled;* **gleannach:** *steep-sided (like a glen);* **biadhchar:** *fruitful;* **riabhach:** *brindled;* **riasgach:** *peaty;* **luideach:** *ragged;*

Gu molach, dubh-ghorm, torrach, lùisreagach,
Corrach, plùranach, dlùth-ghlan grinn,
Caoin, ballach, dìtheanach, cannach, mìsleanach,
Gleann a' mhilltich, 's an lìonmhor mang.

Chanainn gu bheil "Coir' a' Cheathaich" nas fheàrr. 'S dòcha gun deach am foghlam os cionn Mhic Cruimein.

As dèidh do dh'Iain Dall a bhith ann an sgoil na pìobaireachd anns an Eilean Sgitheanach, thill e dhachaigh a Gheàrrloch far an do ghabh e dreuchd mar phìobaire don uachdaran – "Triath Gheàrrloch" mar a bh' aige fhèin air. Sgrìobh e bàrdachd dha cuideachd, agus tha dàn air fhàgail againn air a bheil "Beannachadh Bàird do Shir Alasdair MacCoinnich". Tha amharas agam gun do sgrìobh e fad a bharrachd de a leithid nach deach a ghlèidheadh.

Co-dhiù, sin gu leòr dhen bhàrdachd an-diugh. Bu mhath leam an Litir a chrìochnachadh an t-seachdain sa le rudeigin eadar-dhealaichte. Bha mi a' leughadh cruinneachadh de sheann tòimhseachain agus dubh-fhaclan an latha eile, agus chòrd feadhainn aca rium glan. Ge-tà, **chan eil iad uile "PC", mar gu canadh tu**.

Seo fear aca: Ciamar a tha mac-talla coltach ri boireannach? Seadh? Bidh am facal mu dheireadh aige, ge b' oil leat! Tuigidh sibh gur e fear a chuir an cruinneachadh ri chèile agus cha do lorg mi gin mar sin a' cur sìos air fir! Seo a-nise tòimhseachan eile, is tha mi a' dol ga fhàgail agaibh airson meòrachadh air: *Is truagh an fheadhainn aig a bheil iad. Is truagh an fheadhainn aig nach eil iad. Cò iad?* Bheir mi am fuasgladh dhuibh an ath-sheachdain. LTIR

molach: *shaggy;* **dubh-ghorm:** *dark-blue;* **torrach:** *fertile;* **lùisreagach:** *abounding in herbs;* **corrach:** *precipitous;* **plùranach:** *full of blossoms;* **dlùth-ghlan:** *pure;* **grinn:** *handsome;* **caoin:** *mild;* **ballach:** *spotted;* **dìtheanach:** *flowery;* **cannach:** *pretty;* **mìsleanach:** *abounding in sweet mountain grass;* **gleann a' mhilltich, 's an lìonmhor mang:** *glen of the arrowgrass (in which are) numerous fawns;* **'s dòcha gun deach am foghlam os cionn Mhic Cruimein:** *(the student bettered the teacher – see last week's Litir);* **"Triath Gheàrrloch", mar a bh' aige fhèin air:** *"The Lord of Gairloch" as he called him himself;* **dubh-fhaclan:** *riddles;*

mac-talla: *echo;* **bidh am facal mu dheireadh aige, ge b' oil leat:** *it will have the last word, whatever you do;*

is truagh an fheadhainn aig a bheil/nach eil iad: *those who have them/don't have them are to be pitied.*

Puing-chànain na Litreach: **chan eil iad uile "PC", mar gu canadh tu**: *they are not all "PC" as one [you] would say. Modern Gaelic often adopts English acronyms and initials even where there is an accepted Gaelic equivalent for the full term. An example is UN (United Nations). In Gaelic this is* Na Dùthchannan Aonaichte, *but you would never hear it referred to as* "Na DA". *You would only hear the full Gaelic term or the English initials (eg* thachair sin aig a UN). *Other examples are SNP (Scottish National Party) instead of PNA* (Pàrtaidh Nàiseanta na h-Alba), *SNH (Scottish Natural Heritage) rather than DNA* (Dualchas Nàdair na h-Alba) *and SFA (Scottish Football Association) rather than CBA* (Comann Ball-coise na h-Alba). *The "PC" above, of course, stands for "Politically Correct".*

Gnàths-cainnt na Litreach: **choisinn e cliù dha fhèin**: *he won a reputation for himself.*

LITIR 105

(An t-Ògmhios 2001)

Puzzles... and a Gaelic story from Strathspey

An t-seachdain sa chaidh, thug mi tòimhseachan dhuibh. Agus seo e a-rithist: *Is truagh an fheadhainn aig a bheil iad. Is truagh an fheadhainn aig nach eil iad. Cò iad?* 'S e an fhreagairt - *clann.* Is truagh an fheadhainn aig a bheil clann, agus is truagh an fheadhainn aig nach eil clann! Uill, tha sin a rèir an tòimhseachain co-dhiù. Mar phàrant, chan eil beachd sam bith agamsa air a' chùis!

Bidh tòimhseachain a' còrdadh rium, agus tha mi an dòchas gu bheil sibh fhèin a' faighinn tlachd asta. Ach chan eil mi idir cho dèidheil orra ri fear a chunnaic mi ann am film an latha roimhe. 'S e a bh' ann dotair Gearmailteach, an Dotair Lessing, agus bha e uabhasach dèidheil air tòimhseachain. Bhiodh e a' cur seachad oidhcheannan, gun chadal, agus e a' feuchainn ri fuasglaidhean fhaighinn airson feadhainn doirbh.

tha mi an dòchas gu bheil sibh fhèin a' faighinn tlachd asta: *I hope that you derive pleasure from them yourselves;* **Gearmailteach:** *German;* **bha e uabhasach dèidheil air tòimhseachain:** *he was very keen on puzzles;* **a' feuchainn ri fuasglaidhean fhaighinn arison feadhainn doirbh:** *trying to get solutions to difficult ones;* **fo-thiotalan:** *sub-titles;*

Ged a bha an Dotair Lessing Gearmailteach, bha am film fhèin air a dhèanamh anns an Eadailt. Bha e ann an Eadailtis, le fo-thiotalan ann am Beurla, agus 's e an t-ainm a bh' air "La Vita è Bella". Tha sin a' ciallachadh, "Tha a' Bheatha Brèagha". 'S e film air leth math a bh' ann, air a stiùireadh le Roberto Benigni.

Anns a film bha an tòimhseachan seo: "Can m' ainm agus chan eil mi ann tuilleadh. Cò mi?" Can m' ainm agus chan eil mi ann tuilleadh. Cò mi? Agus 's e an fhreagairt – tost. Ma chanas sibh am facal "tost", chan eil tost ann.

can m' ainm agus chan eil mi ann tuilleadh: *say my name and I no longer exist;* **tost:** *silence;*

Chaidh na Gaidheil a thostachadh ann an iomadach àite ann an Alba far am b' àbhaist don chànan aca a bhith làidir. Ach, far a bheil dualchas Gàidhealach aig sgìre, is far a bheil na h-ainmean-àite ann an Gàidhlig, is far a bheil cothrom aig clann Gàidhlig ionnsachadh anns an sgoil, chan eil iad buileach tostach.

chaidh na Gàidheil a thostachadh ann an iomadach àite: *the Gaels were silenced in many places;* **chan eil iad buileach tostach:** *they are not entirely silent;* **Bàideanach is Srath Spè:** *Badenoch and Strathspey;* **Bail' Ur an t-Slèibh:** *Newtonmore;*

Tha Bàideanach is Srath Spè rudeigin mar sin. Tha aonad Gàidhlig ann am Baile Ùr an t-Slèibh, is tha mòran dhen bheachd gu bheil an t-àm ann an cànan a phiobrachadh gu mòr anns an sgìre, gu h-àraidh an cois

an cois na pàirce nàiseanta a tha gu bhith sa Mhonadh Ruadh an ceann ùine nach bi fada: *in connection with the national park which will be in the Cairngorms in the near future;* **clàr:** *recording;* **maigheach bhàn, geàrr bhàn:** *white hare;* **leis gu bheil an dath gam falachadh anns an t-sneachd:** *as their colour hides them in the snow;* **bhiodh na geamairean gu math trom air poidsearan:** *gamekeepers would deal severely with poachers;* **bu choma leis na balaich sin:** *the lads couldn't care less about that;* **bhiodh i deiseil airson an diathaid:** *it would be ready for their meal;* **cò bha nan cois ach an geamair?:** *who was accompanying them but the gamekeeper?;* **salchair:** *dirt;* **clobhd:** *cloth (eg for washing dishes);* **trobhad:** *come here.* **thog e earball molach salach a' choin agus ghlan e am bobhla leis:** *he took the dirty hairy tail of the dog and he cleaned the bowl with it;*

na pàirce nàiseanta a tha gu bhith sa Mhonadh Ruadh an ceann ùine nach bi fada.

Chuala mi clàr o chionn ghoirid de dhaoine à Srath Spè a' bruidhinn ann an Gàidhlig agus bha e air leth inntinneach. Bha aon phìos dhen chòmhradh mu mhaigheach bhàn, no geàrr bhàn, mar a thuirt iad fhèin. Tha iad bàn anns a' gheamhradh leis gu bheil an dath gam falachadh anns an t-sneachd a tha a' còmhdachadh nam beann.

Bha e an aghaidh an lagh geàrr a mharbhadh, agus bhiodh na geamairean gu math trom air poidsearan. Ach bu choma leis na balaich sin. Bha biadh gann agus ghlac iad geàrr. Chuir iad ann am poit air an teine i mus deach iad a-mach a dh'obair. Bhiodh i deiseil airson an diathaid nuair a thigeadh iad dhachaigh aig meadhan-latha.

Ach nuair a thill iad, cò bha nan cois ach an geamair?! Agus **cha b' urrainn dhaibh faighinn cuidhteas e**. Chan fhaigheadh iad biadh fhad 's a bha esan a-staigh. An uair sin, chuimhnich fear dhiubh nach bu toil leis a' gheamair salchair sam bith. Dh'fheumadh a h-uile nì a bhith glan dha.

Thog e bobhla. "Gabhaidh sinn ar biadh," thuirt e. "Feumaidh mi am bobhla a ghlanadh, ach chan eil clobhd agam." Choimhead e air a chù. "Trobhad," thuirt e ris. Thog e earball molach salach a' choin, agus ghlan e am bobhla leis. Dh'fhalbh an geamair sa bhad, agus dh'ith na balaich feòil na gearra. **Ged a bha am bobhla salach, chòrd an fheòil riutha glan**!

LTIR

Puing-chànain na Litreach: **ged a bha am bobhla salach, chòrd an fheòil riutha glan**: *although the bowl was dirty they greatly enjoyed the meat. There is a play here on the words* salach *and* glan *which cannot be adequately translated into English.* Glan, *of course, is an adjective meaning "clean" (and pure, innocent, sincere or righteous). But it is a word that often appears in Gaelic idiom as an adverb, meaning "thoroughly" or "completely". It frequently goes with* a' còrdadh. Tha seo a' còrdadh rium glan *(I am really enjoying this). Here are some other examples of its use in idiom:* Bha na snàmhadairean glan rùisgte *(the swimmers were completely naked);* bha e glan às a chiall *(he was completely bonkers). You will also hear it in conversation as an equivalent to the English "Okay, that's fine" eg* Duine 1: Chì mi taobh a-muigh a' bhanca thu, aig deich uairean. Duine 2: Glan.

Gnàths-cainnt na Litreach: **cha b' urrainn dhaibh faighinn cuidhteas e**: *they couldn't get rid of him.*

LITIR 106

(An t-Ògmhios 2001)

A story from rural Australia in the 19th Century…

bha X a-riamh math air sgeulachdan innse: *X was always good at telling stories;* **saoilidh mi gu bheil an sliochd air an aon dòigh:** *I reckon their descendants are similarly endowed;* **bhuineadh e do shliochd na h-Èireann:** *he belonged to the Irish diaspora;* **'s iongantach mura a h-eil sin ceart:** *I reckon that's correct;*

Bha na h-Albannaich is na h-Èireannaich a-riamh math air sgeulachdan innse, agus saoilidh mi gu bheil an sliochd air an aon dòigh. Nuair a bha mi a' fuireach ann an Astràilia chuala mi mu fhear aca, air an robh Mìcheal mar ainm, a bha beò anns an naoidheamh linn deug. Bha e a' fuireach ann am Bhictoria gu tuath air a' phrìomh bhaile, Melbourne. Mar a chuala mise eachdraidh, bhuineadh e do shliochd na h-Èireann, agus 's iongantach mura h-eil sin ceart, oir bha mòran de a leithid anns a' cheàrnaidh sin aig an àm. Gu dearbh, 's ann don sgìre sin a bhuineadh am fear a b' ainmeile de shliochd na h-Èireann ann an Astràilia – Ned Cealaidh.

dràibhear-coidse: *coach-driver;*

Co-dhiù, bha Mìcheal math math air stòiridhean innse. Bha e na dhràibhear-coidse, a' toirt a' phuist eadar bailtean beaga. Dh'fhaodadh an obair a bhith cunnartach, ge-tà, agus robairean a' feitheamh riutha airson airgead a ghoid. Robairean mar Ned Cealaidh!

luchd-siubhail: *travellers;* **sriantan:** *reins;* **chòrdadh sin riutha:** *they would enjoy that;* **sgeulaiche:** *storyteller;* **breugaire:** *liar;* **s dòcha gu bheil an dà rud a' dol còmhla gu nàdarrach:** *perhaps the two things go together naturally;*

Uaireannan bhiodh luchd-siubhail nan suidhe ri taobh Mhìcheil far an robh e a' cumail smachd air na h-eich le sriantan. Chòrdadh sin riutha, oir bhiodh cothrom aca èisteachd ris na stòiridhean aige. Bha cliù aige mar an sgeulaiche a b' fheàrr agus am breugaire a bu mhiosa ann am Bhictoria aig an àm. 'S dòcha gu bheil an dà rud a' dol còmhla gu nàdarrach!

bha boireannach air ùr-nochdadh: *a woman had newly arrived;* **shuidh i cuide ris:** *she sat with him;*

Turas a bha seo, bha boireannach air ùr-nochdadh ann an Astràilia bhon t-seann dùthaich. Bha i à ceann a deas Shasainn is cha robh i cleachdte ri dòighean Astràilia no dòighean nan Ceilteach nas motha. Ach bha i air cluinntinn mu Mhìcheal. Shuidh i cuide ris gu h-àrd airson an dùthaich fhaicinn, ach thug i rabhadh dha. "**Às dèidh gun deach innse dhomh**," thuirt i, "**gur sibhse am breugaire as miosa** san dùthaich, chan eil mi a' dol a chreidsinn facal a chanas sibh rium."

Rinn Mìcheal gàire. "Chì sinn," thuirt e ris fhèin.

cangarù: *kangaroo;* **a bhiodh a' coinneachadh ris a' choidse gach triop:** *which would meet with the coach every time;*

Chaidh iad greis ann an sàmhchair, agus an uair sin thòisich Mìcheal air innse don bhoireannach mu John, cangarù a bhiodh a' coinneachadh ris a' choidse gach triop air an rathad sin. "Tha mi air John a thrèanadh bho bha e òg", thuirt e, "airson poca puist a thogail bhuam. Falbhaidh e don choille leis, cuiridh e na litrichean is na parsailean a-mach air an talamh, cuiridh e ann an òrdugh iad, agus lìbhrigidh e iad do na diofar thaighean anns an sgìre."

lìbhrigidh e iad do na diofar thaighean anns an sgìre: *he delivers them to the various houses in the area;*
gu bheil comas leughaidh aig cangarù: *that a kangaroo can read;*

"Seadh, seadh," thuirt am boireannach, nach robh a' creidsinn facal dheth. "Tha sibh ag innse dhomh gu bheil comas leughaidh aig cangarù, gun cuir esan litrichean ann an òrdugh, gun gnog e dorsan nan taighean is gun toir e na litrichean do na daoine."

bidh e dìreach a' feadaireachd ris na daoine, is a' fàgail an litrichean air an stairsnich: *he just whistles to the people and leaves their letters on the door-step;* **tha sin a' sàbhaladh ùine is tha uiread aige ri dhèanamh:** *that saves time and he has so much to do;*

"O chan ann mar sin a tha e idir," fhreagair Mìcheal. "Cha bhi John a' gnogadh dhorsan. Bidh e dìreach a' feadaireachd ris na daoine, is a' fàgail an litrichean air an stairsnich. Tha sin a' sàbhaladh ùine is tha uiread aige ri dhèanamh."

"Hut," ars' am boireannach Sasannach, "chan eil fìrinn sam bith anns a' chùis."

"O, uill, chì sibh," thuirt Mìcheal, "'s ann aig an ath lùib anns an rathad a bhios John a' coinneachadh rinn."

lùb, aig an lùib: *bend, at the bend:*
chan eil càil agam dhut an-diugh: *I don't have anything for you today;* **thionndaidh X air a shàil:** *X turned on his heel(s);*
cha bu bheag a' ghàire a bh' air aodann: *the smile on his face was not a small one;*

Nuair a ràinig iad an lùb, dè bh' ann am meadhan an rathaid ach cangarù mòr. Dh'èirich Mìcheal do chasan airson bruidhinn ris, ach cha do stad e a' choidse. "Chan eil càil agam dhut an-diugh, John," dh'èigh e, "**faodaidh tu do chasan a thoirt leat**."

Leis a sin, thionndaidh an cangarù air a shàil agus phriob Mìcheal a shùil ris a' bhoireannach. "Nach do dh'innis mi dhuibh?" thuirt e, agus cha bu bheag a' ghàire a bh' air aodann! LTiR

<u>Puing-chànain na Litreach</u>: **Às dèidh gun deach innse dhomh gur sibhse am breugaire as miosa** ...: *after having been told that you are the worst liar... We looked at the structure of a verbal clause in the active voice following* às dèidh *in Litir 93. Here is an example of how it operates in the passive, using the verb "rach" (to go) as the agent of passivity – which is increasingly common in modern Gaelic. Here is another example:* as dèidh gun deach fhoillseachadh gun leigeadh e dheth a dhreuchd ... *(after it was announced that he would resign...) This structure can be used as an idiomatic translation of a different type of English phrase; eg we might translate "following the revelation that William's grandfather was dead, the boy fell ill" as* "as dèidh gun deach innse do dh'Uilleam gu robh a sheanair marbh, dh'fhàs an gille tinn."

<u>Gnàths-cainnt na Litreach</u>: **faodaidh tu do chasan a thoirt leat**: *you may de-part, leave.*

LITIR 107 *(An t-Ògmhios 2001)*

The Rev. Dr. Norman MacLeòid was known as "Caraid nan Gàidheal"...

Èirich agus tiugainn O,
Èirich agus tiugainn O,
Èirich agus tiugainn O,
Mo shoraidh slàn le Fionnairigh

Tha mi an dùil gu bheil a' chuid mhòr agaibh eòlach air na faclan sin, agus air an òran às an tàinig iad. Seo a' chiad rann dheth:

Tha an latha math, 's an soirbheas ciùin,
Tha an ùine a' ruith, 's an t-àm dhuinn dlùth,
Tha am bàt' gam fheitheamh fo a siùil,
Gam thoirt a-null à Fionnairigh.

'S e tiotal an òrain "Soraidh Slàn le Fionnairigh" agus tha e mu dheidhinn àite ann Morbhairne, mu choinneamh Eilein Mhuile. Ach cò sgrìobh e? Dh'fhaodainn a ràdh gun deach a sgrìobhadh leis an Ollamh Urramach Tormod MacLeòid, air an robh am frith-ainm, "Caraid nan Gàidheal", agus a bha uaireigin gu math ainmeil ann an saoghal na Gàidhlig, ach cha bhiodh sin buileach ceart. Feumaidh mi mìneachadh.

èirich: *arise;* **tiugainn** (or **thugainn** or **chugainn**): *come, let's go;* **soraidh slàn:** *farewell;*

tha an latha math, 's an soirbheas ciùin: *the day is good and the wind gentle;* **tha an ùine a' ruith, 's an t-àm dhuinn dlùth:** *time is moving on and the moment (of departure) approaches;* **tha am bàt' gam fheitheamh fo a siùil:** *the boat awaits me under her sails;* **gam thoirt a-null à Fionnairigh:** *to take me over from Fiunary;* **an t-Ollamh Urramach:** *The Reverend Doctor;* **Caraid nan Gàidheal**: *Friend of the Gaels;* **cha bhiodh sin buileach ceart:** *that wouldn't be completely correct;*

Bha Tormod MacLeòid beò eadar na bliadhnaichean seachd ceud deug, ochdad 's a trì (1783) agus ochd ceud deug, seasgad 's a dhà (1862). **'S e gille a' mhansa a bh' ann**. Rugadh e agus thogadh e ann am Fionnairigh far an robh athair na mhinistear.

Chaidh Tormod a-steach don mhinistrealachd e fhèin, agus bha e an toiseach ann am Muile, agus an uair sin ann an àiteachan eile air tìr-mòr Earra-Ghàidheal. Ghluais e don Ghalltachd as dèidh sin agus bha e greis ann an Siorrachd Shruighlea agus ann an Glaschu, far an do ghabh e ceum ollaimh ann an Diadhaireachd. Bha e na Mhodaràtor do dh'Eaglais na h-Alba ann an ochd ceud deug, trithead 's a sia (1836).

Bha e math math mar shearmonaiche, gu h-àraidh ann an Gàidhlig, agus choisinn e cliù dha fhèin ann an Èirinn, far an d' rachadh e bho àm gu àm. Bha Gàidhlig na h-Èireann aige gu fileanta, agus chruthaich e fhèin is fear Èireannach eatarra leabhar de shailm ann an Gaeilge airson Eaglais na h-Èireann.

ceum-ollaimh: *doctorate;* **Diadhaireachd:** *divinity;* **Modaràtor:** *Moderator;* **searmonaiche:** *preacher;* **far an d' rachadh e bho àm gu àm:** *where he would go from time to time;* **sailm:** *psalms;* **tha e air a chuimhneachadh gu seachd àraidh airson dà rud:** *he is remembered particularly for two things;*

Ach tha e air a chuimhneachadh an-diugh gu seachd àraidh airson dà rud – an obair a rinn e airson na Gàidhlig ann an Alba, agus na rinn e as leth nan daoine bochda air a' Ghaidhealtachd. 'S ann air sgàth sin a chuireadh am frith-ainm air "Caraid nan Gàidheal". Tha an teacs airson òraid a thug e seachad turas ann an Lunnainn fhathast againn, agus tha e a' togail dealbh dhuinn dhen dòrainn a bha a' bualadh air an t-sluagh aig an àm. Sluagh gun obair, gun airgead is, ann an cuid de dh'àiteachan, gun bhiadh. **Bha Tormod MacLeòid ag iarraidh an cuideachadh**.

frith-ainm: *nickname;*
teacs: *text;*
tha e a' togail dealbh dhuinn dhen dòrainn a bha a' bualadh air an t-sluagh aig an àm: *it gives us a picture of the hardship that was afflicting the people at the time;*
iris: *periodical;* **teachdaire:** *messenger;*

Agus bha e na shàr-Ghàidheal. Thòisich e iris Ghàidhlig, an Teachdaire Gaelach, ann an ochd ceud deug is naoi air fhichead (1829). Bha i làn artaigilean mu dheidhinn cuspairean cho farsaing ri eachdraidh, poileataigs an latha, cruinn-eòlas, saidheans is creideamh. Gu mì-fhortanach, ge-tà, cha do mhair an Teachdaire ach dà bhliadhna.

cruinn-eòlas: *geography;*
cha do mhair e ach dà bhliadhna: *it only lasted two years;*
cuairtear: *visitor, sojourner;*

Dh'fheuch e a-rithist le iris eile, Cuairtear nan Gleann, ann an ochd ceud deug is ceathrad (1840) ach mhair sin dìreach trì bliadhna. Anns an eadar-ama, ge-tà, rinn e obair air faclair agus air grunn leabhraichean eile. Agus bha e an sàs ann a bhith a' brosnachadh Eaglais na h-Alba gus barrachd a dhèanamh airson foghlam nan Gàidheal.

brosnachadh: *encourage;*

Ach dè mu dheidhinn "Soraidh Slàn le Fionnairigh"? Carson a thuirt mi nach b 'e Tormod MacLeòid fhèin a bha buileach air a sgrìobhadh? Bha mi a' ciallachadh gun do sgrìobh e ann am Beurla e, mar "Farewell to Fiunary" agus gur e Gilleasbaig Mac na Ceàrdaich a dh'eadar-theangaich gu Gàidhlig e. Ach chanainn gum biodh Tormod MacLeòid toilichte gu bheil an t-òran nas ainmeile an-diugh anns a' chànan aige fhèin dhan do rinn e uiread o chionn còrr is ceud gu leth bliadhna. LTR

Gilleasbaig Mac na Ceàrdaich: *Archibald Sinclair;*
dhan do rinn e uiread o chionn còrr is ceud gu leth bliadhna: *for which he did so much over 150 years ago;*

<u>Puing-chànain na Litreach</u>: **Bha Tormod MacLeòid ag iarraidh an cuideachadh**: *Norman MacLeod wanted to help them. Despite verbal nouns normally governing a following noun in the genitive, we do not say* bha X ag iarraidh an cuideachaidh, *but* bha X ag iarraidh an cuideachadh. *The reason concerns the* "an" *before* "cuideachadh" *being a possessive* pronoun ("their"), and is given succinctly by Calder in his Gaelic Grammar (p 166), which I repeat here: "A Possessive Pronoun accompanying a verbal noun, and following a word that governs the genitive, prevents the verbal noun from being thrown into the genitive." He gives the example, "bha aon no dhà ag iarraidh mo phòsadh" *(one or two were seeking to marry me). It is* mo phòsadh, *NOT* mo phòsaidh.

<u>Gnàths-cainnt na Litreach</u>: **'S e gille a' mhansa a bh' ann**: *He was a son of the manse (ie his father was a minister).*

LITIR 108 *(An t-Ògmhios 2001)*

Iomairt *has a few different meanings…*

iomairt an taghaidh: *the election campaign;* **anns na seachdainean a dh'fhalbh:** *in the last few weeks;* **Faclair na Pàrlamaid:** *the Gaelic parliamentary glossary;* **briathrachas:** *vocabulary;*

Dè tha am facal "iomairt" a' ciallachadh dhuibh? 'S e facal a th' ann a nochdas gu math tric an-diugh anns na meadhanan, co-cheangailte ri poileataigs gu h-àraidh. **'S ann tric** a bha sinn a' cluinntinn mu dheidhinn "iomairt an taghaidh" anns na seachdainean a dh'fhalbh. Tha agam fosgailte ri mo thaobh leabhar ùr cudromach – Faclair na Pàrlamaid – anns a bheil briathrachas Gàidhlig airson iomadach rud co-cheangailte ri poileataigs, agus tha am facal "iomairt" a' nochdadh ann **uair is uair**.

Seo eisimpleirean dheth: iomairt: *enterprise, initiative, campaign, undertaking, venture*; òraid iomairt: *a campaigning speech;* Iomairt le Maoineachadh Prìobhaideach*: Private Funding Initiative, no PFI;* Iomairt na Gàidhealtachd 's nan Eilean*: Highlands and Islands Enterprise.* Is mar sin air adhart.

tha e na chomharra gu bheil a' Ghàidhlig beò is beòthail: *it is a sign that Gaelic is alive and lively;*
mus robh guth air X: *before the existence of X (lit. before there was a report on it);*
chithear e co-cheangailte ri gheamannan mar X: *it is seen applied to games like X;*
a rèir co-dhiù thathar a' cluich le sligean faochaig no le clachan beaga: *according to whether whelk shells or small stones are being played with;*
b' iad caileagan a bu mhotha a chluicheadh na geamannan: *it is mostly girls that would play the games;* **gan glacadh air cùl a dùirn:** *catching them on the back of her hand;*

'S e a th' ann an *iomairt* eisimpleir de sheann fhacal Gàidhlig a th' air a chur gu feum ann an dòighean ùra an-diugh. Tha an aon rud a' tachairt anns a h-uile cànan a tha beò, agus tha e na chomharra gu bheil a' Ghàidhlig beò is beòthail gu bheil a leithid a' tachairt anns a' chànan againn fhìn cuideachd.

Ach, o shean, mus robh guth air Iomairt na Gàidhealtachd 's nan Eilean no càil dhen t-seòrsa, bha ciall no dhà eile air an fhacal *iomairt.* Ann an Èirinn, bidh daoine ga chleachdadh airson "cluich" mar a chanas sinne ann an Alba. Canaidh iad "tá sé ag imirt" airson "tha e a' cluich". Tha a' chiall sin cuideachd air an fhacal ann an Alba, agus chithear e co-cheangailte ri seann gheamannan mar "Iomairt nam Faochag" – *the game of the whelks* - no "Iomairt nan Clach" – *the game of the stones.* 'S e an aon seòrsa ghèam a th' ann. Tha an t-ainm air eadar-dhealaichte a rèir co-dhiù thathar a' cluich le faochagan, no sligean-faochaig, no le clachan beaga.

B' iad caileagan, seach balaich, a bu mhotha a chluicheadh na geamannan agus bha Iomairt nan Clach a' dol rudeigin mar seo. Bhiodh e a' tòiseachadh le tè de na caileagan ag ràdh, "aon, dhà, trì, ceithir". Thogadh i còig clachan, bhiodh i gan tilgeil suas agus gan glacadh air cùl a dùirn. Bhiodh i gan tilgeil suas a-rithist às a sin

gan glacadh na bois: *catching them in her palm (bois is dative of bas);*
sgapadh: *scatter;*

leanadh an gèam mar sin: *the game would continue like that;* **bhiodh a' chaileag a' toirt a' chreidsinn gu robh i a' bleoghainn:** *the girl would pretend she was milking;* **eadar a bhith a' tilgeil clach agus ga glacadh le a làimh deis:** *between throwing a stone and catching it with her right hand;* **mar gu robh i a' tarraing air sine bà:** *as if she were pulling on a cow's teat;* **bidh iad a' brosnachadh sgilean co-òrdanachaidh eadar sùil is làmh:** *they encourage better hand-eye co-ordination:* **buidhnean Sradagain:** *Gaelic youth groups;* **bu chòir dhuinn iomairt a dhèanamh airson na seann iomairtean a chumail beò:** *we should campaign to keep the old games alive.*

agus gan glacadh an turas seo na bois. Dhèanadh i sin ceithir tursan.

B' e an ath phàirt dhen ghèam "sgapadh a h-aon", anns am biodh an nighean a' tilgeil aon chlach suas, agus mus tigeadh i a-nuas a-rithist, thogadh i tè dhen cheithir eile, deiseil airson a' chiad tè a ghlacadh. As dèidh "sgapadh a h-aon", bhiodh "sgapadh a dhà" ann, anns am biodh a' chaileag a' togail dà chloich fhad 's a bha an tèile anns an adhar. An uair sin bhiodh "sgapadh a trì" agus "sgapadh a ceithir" ann.

Leanadh an gèam mar sin, le diofar dhòighean eile airson clachan a thilgeil is a ghlacadh. Bhiodh pàirt ann air an robh "bleoghainn" mar ainm. Eadar a bhith a' tilgeil clach agus ga glacadh le a làimh dheis, bhiodh a' chaileag a' toirt a' chreidsinn gu robh i a' bleoghainn le bhith a' tarraing òrdag a làimhe clì le corragan a làimhe deise, mar gu robh i a' tarraing air sine bà.

Tha cuimhne agam air geamannan mar sin a' dol fhathast nuair a bha mi òg, ach 's ann glè glè ainneamh a chithear a leithid an-diugh. Tha sin duilich, oir bidh iad a' brosnachadh sgilean co-òrdanachaidh eadar sùil is làmh, agus chanainn gum faigheadh clann fhathast deagh spòrs asta, ann am buidhnean Sradagain no ann am bun-sgoiltean Gàidhlig, nan robh iad air an teagasg dhaibh. 'S dòcha gum bu chòir dhuinn iomairt a dhèanamh airson na seann iomairtean a chumail beò.

<u>Puing-chànain na Litreach</u>: *I would like to emphasize the use of* 's ann *with two words –* tric *and* ainneamh *(see also Litir 3). Although you will see them used in other constructions, they are very common in this type of phrase eg* "'**S ann tric** a chluinneas mi a' chuthag" *(it is often I hear the cuckoo) or* "'S ann ainneamh a chì sinn mucan-mara an-diugh" *(it is seldom that we see whales today). The* 's ann *construction is one which Gaelic learners tend to avoid using for as long as possible, probably because it sounds a little foreign to those used only to standard English syntax, but it is one worth working on because your Gaelic will sound much better if you can vary its construction. Here is a negative example:* chan ann tric a chunnaic mi a leithid *(I never often saw the like). And in the interrogative:* An ann tric a thig thu seo *(do you come here often?). The answer to this might be –* "'s ann" *(yes),* "chan ann" *(no) or, if you are getting the brush-off to a chat-up line –* "chan e do ghnothach-sa a th' ann!" *(it's none of your business!)*

<u>Gnàths-cainnt na Litreach</u>: **uair is uair**: *Time and again, repeatedly.*

LITIR 109

(An t-Ògmhios 2001)

The acute accent in Gaelic is now officially dead!

An t-seachdain sa chaidh, rinn mi iomradh air Faclair na Pàrlamaid. A bharrachd air a' bhriathrachas a th' ann, tha am faclair cudromach ann an dòigh eile. Tha pìos ann aig toiseach an leabhair a tha a' mìneachadh an t-seasaimh a bh' aig an luchd-deasachaidh air litreachadh, gràmar is sgrìobhadh a' chànain. Anns an fharsaingeachd, lean an sgioba na molaidhean a rinneadh o chionn fichead bliadhna fon ainm GOC. Tha sin a' seasamh airson *"Gaelic Orthographic Conventions".* 'S e sin an siostam a tha na sgoiltean air a bhith a' cleachdadh bhon uair sin. Am measg molaidhean GhOC, tha fear a bha gu math connspaideach aig an àm: airson faighinn cuidhteas an stràc geur.

a' mìneachadh an t-seasaimh a bh' aig an luchd-deasachaidh air litreachadh is gràmar: *explaining the stance of the editors on spelling and grammar;* **anns an fharsaingeachd:** *in general;*

connspaideach: *controversial;*
airson faighinn cuidhteas X: *to get rid of X;*

Roimhe sin, bha dà sheòrsa de stràc ann – an stràc geur *no accute accent*, agus an stràc trom, no *grave accent.* Mar eisimpleir, bha am facal "mòr" sgrìobhte "m-ó-r", seach mar a tha e an-diugh – "m-ò-r". Air an làimh eile, bha am fuaim "ò" air a shealltainn le stràc trom. "ó" agus "ò". Tha iad eadar-dhealaichte o chèile, nach eil? Bha an aon rud fìor mun litir "e". Bha an stràc trom air "e" a' dèanamh an fhuaim "è" mar a tha e ann an "nèamh". Bhiodh an stràc geur a' dèanamh "é" mar a tha e ann an "tréigsinn".

nèamh: *heaven;*
cha robh an stràc geur feumail tuilleadh: *the acute accent was no longer of use;* **an stràc trom a-mhàin a chur gu feum:** *only use the grave accent;* **nuair a bhathar a' sealltainn gu bheil fuaimreag nas fhaide nan àbhaist:** *when they were showing that a vowel is longer than normal;* **trèigsinn:** *abandoning;*

Uill, a rèir molaidhean GhOC, cha robh an stràc geur feumail tuilleadh. Bha e a' nochdadh ann an glè bheag de dh'fhaclan, agus bha an sgioba dhen bheachd gu robh còir faighinn cuidhteas e, agus an stràc trom a-mhàin a chur gu feum nuair a bhathar a' sealltainn gu bheil fuaimreag nas fhaide nan àbhaist. Cha chreid mi nach robh iad dhen bheachd gum biodh fios aig daoine gur e "tréigsinn" a chanadh iad, seach "trèigsinn" fiù 's nuair a tha e air a litreachadh le stràc trom, mar a tha e an-diugh.

Ach chanainn gun do dhìochuimhnich iad an luchd-ionnsachaidh – an fheadhainn a tha ag ionnsachadh a' chànain agus a bhios a' leughadh fhaclan nach cuala iad a-riamh. Ciamar a bhiodh fios acasan gur e "tréigsinn" a chanadh iad, seach "trèigsinn"? Bha a' cheist ann an do rinn an siostam ùr gnothaichean na bu mhiosa do luchd-ionnsachaidh.

an do rinn an siostam ùr gnothaichean na bu mhiosa do luchd-ionnsachaidh: *did the new system make the situation worse for learners;*

'S dòcha gun do rinn ach, air an làimh eile, tha fad' a bharrachd chothroman aig luchd-ionnsachaidh Gàidhlig a chluinntinn an-diugh – air an rèidio, air an telebhisean, air tèip is CD, agus air an eadar-lìon air feadh an t-saoghail. Le bhith ag èisteachd ri uiread, cluinnidh iad faclan mar "trèigsinn" is bidh iad eòlach air an fhuaimneachadh. Bidh fios aca gur e "céilidh" a chanas iad, seach "cèilidh" nuair a leughas iad am facal le "è" mar a tha e an-diugh.

Chan eil a' chonnspaid mu dheidhinn nan stràcan air bàs fhaighinn, ge-tà. Tha feadhainn ann a bhios a' sgrìobhadh ann am pàipearan-naidheachd is leabhraichean a th' air diùltadh gabhail ri molaidhean GhOC. **Tha an stràc geur fhathast beò – air èiginn**. Ach am bu chòir a bhith? Mura h-eil na Gàidheil comasach air tighinn gu aonta air rud cho bunaiteach, carson a bhiodh an saoghal mòr a-muigh a' toirt spèis dhaibh is don cànan?

Às dèidh fichead bliadhna, agus ginealach ùr air èirigh gun eòlas aca air an stràc gheur, ach a-mhàin bho sheann leabhraichean, nach eil an t-àm againn a chur air an t-sitig is a' Ghàidhlig a sgrìobhadh leis an stràc throm a-mhàin, mar a mhol GOC agus Faclair na Pàrlamaid. 'S dòcha gu bheil an stràc geur feumach air stràc le speal gheur! Dè ur beachd fhèin?

LTIR

a th' air diùltadh gabhail ri molaidhean GhOC: *who have refused to accept GOC's recommendations;* **carson a bhiodh X a' toirt spèis dhaibh?:** *why would X respect them?;* **nach eil an t-àm ann againn a chur air an t-sitig?:** *isn't it time to discard it (ie to put it on the dungheap)?;* **'s dòcha gu bheil an stràc geur feumach air stràc le speal gheur:** *perhaps the accute accent could do with a blow from a sharp scythe (in the manner of the grim reaper; this is a play on the words* stràc *and* geur*);* **dè ur beachd fhèin?:** *what do you think?*

__Puing-chànain na Litreach__: *The text of the Litir concerns the recommendation in* Faclair na Pàrlamaid *that written Gaelic follow the Gaelic Orthographic Conventions (GOC) of 1981 in using only the grave accent to represent a lengthened vowel, and that the use of the acute accent for particular vowel qualities (ie é and ó) be discontinued (this is now largely adhered to, but not universally). There are two observations I would like to make on the matter. Firstly it is imperative for learners to become familiar with the spoken word. Although Gaelic orthography is probably more regular than English, it is still important to hear the word spoken. Only that way will you know for sure that the "è" in* rèis *(RAYSH),* mèile *(MEH-luh) and* mèaran *(MEE-uh-run in some dialects), for example, are not the same. I could make the same observation about the lengthened "o" in* pòla *(POE-luh) and* pòcaid *(POCHK-utch). There is now so much spoken Gaelic available (Radio nan Gàidheal is live-streamed on the internet, for example) that this is getting easier all the time.*

__Gnàths-cainnt na Litreach__: **tha an stràc geur fhathast beò – air èiginn**: *the acute accent is still alive – but only just.* Air èiginn – *only just (lit. with great difficulty).*

LITIR 110

(An t-Iuchar 2001)

Ruairidh invents a new "proverb"…

samhlaidhean: *similes;* **droch chliù:** *a bad reputation;* **fhuair mi brath tron phost-dealain:** *I was told by e-mail;* **neach-èisteachd:** *listener;*

gabhaibh mo leisgeul ma tha mi air a dhol beagan tuathal: *excuse me if I have gone a little wrong;* **tha saoghal a' choin bhàin aige:** *he has the life of a (lit. the) white dog;*

tha smuaintean stèidhichte air a sin air a bhith a' cuairteachadh nam cheann: *thoughts based on that have been circulating in my head;*

cù a bhuineas do dh'Eilean Rùim: *a dog that belongs to the Isle of Rum;*

anns a' chiad dol a-mach: *in the first instance;* **faisg air ceud bliadhna air ais:** *nearly 100 years ago;*

gnìomhachas a' chlò: *the textile industry;* **bha X air a' chuid a bu mhotha de na daoine a bhuineadh don eilean fhuadachadh:** *X had cleared most of the people who belonged to the island;* **oighreachd:** *estate;*

O chionn greis, ann an Litir naochad 's a ceithir (94), rinn mi aithris air samhlaidhean mu dheidhinn coin, anns a bheil na beathaichean sin a' faighinn droch chliù. *Cho sgìth ri cù* is a leithid sin. Uill, goirid as dèidh sin, fhuair mi brath tron phost-dealain bho neach-èisteachd aig a bheil Gàidhlig na h-Èireann, ag innse dhomh gu robh co-dhiù aon seanfhacal ann an Èirinn a bha a' sealltainn beachd eadar-dhealaichte air coin.

Mas math mo chuimhne, agus gabhaibh mo leisgeul ma tha mi air a dhol beagan tuathal leis, 's e a bh' ann, "Tá saol an mhadaidh bhàin aige" no, anns a' Ghàidhlig againne, "**Tha saoghal a' choin bhàin aige**", no "Tha beatha a' choin bhàin aige". Tha sin a' ciallachadh gu bheil "e" – an duine – gu math fortanach.

Uill, is math sin agus bu mhath leam fhaighinn a-mach dè as coireach gu bheil coin bhàna nas fhortanaiche na coin dubha. Co-dhiù, tha smuaintean stèidhichte air a sin air a bhith a' cuairteachadh nam cheann. Agus 's e na thàinig asta – "seanfhacal" nach eil sean idir air sgàth 's gu bheil mi dìreach air a chruthachadh an-dràsta fhèin. "Tha saoghal a' choin Rùmaich aige". Tha sin a' ciallachadh, *"he has the life of a Rum dog",* sin cù a bhuineas do dh'Eilean Rùim. Tha saoghal a' choin Rùmaich aige.

Carson a chanainn sin? Uill, tha deagh adhbhar agam, ach feumaidh mi ràdh anns a' chiad dol a-mach nach ann air coin Rùmach an latha an-diugh a tha mi a' smaoineachadh, ach air an fheadhainn a bh' ann faisg air ceud bliadhna air ais.

Bha Seòras Bullough air fear de na daoine a bu bheartaiche ann am Breatainn aig an àm. Bha athair, Iain, air airgead mòr a dhèanamh ann an gnìomhachas a' chlò ann an Sasainn, agus bha e air Rùm a cheannach airson sealg ann. Bha uachdaran roimhe air a' chuid a bu mhotha de na daoine a bhuineadh don eilean fhuadachadh.

Ann an ochd ceud deug is seachdad (1870), chaochail Iain, agus fhuair Seòras an oighreachd. Chuir e roimhe nàdar de "chaisteal", no co-dhiù taigh mòr mòr, a thogail anns an eilean, agus chaidh sin a dhèanamh air an taobh sear, aig ceann Loch Sgrèasort. Tha e ann fhathast.

Chaidh clach-ghainmhich ruadh a thoirt a-steach às Arainn agus dh'obraich sgioba de thrì cheud duine, cuid aca às Eilean Eige, fad trì bliadhna airson an caisteal a thogail. Dh'iarr Bullough air an luchd-obrach fèilidhean beaga a chur orra fhad 's a bha iad ag obair, agus thug e tastan a bharrachd gach seachdain dhaibh nan dèanadh iad sin. Ach dh'fhàs an luchd-obrach mì-thoilichte, agus na meanbh-chuileagan ann an Rùm cho fiadhaich. An uair sin, thug Bullough dà sgillinn a bharrachd gach là dhaibh airson smocadh – airson na cuileagan a chumail air falbh!

Aig a' cheann thall, dh'èirich caisteal àraidh, le na h-uimhir de rumannan ann, le taighean-gloinne is leas mòr, raon-golf, taighean làn thurtairean is ailigeutairean is mar sin air adhart. Cha do thuig Seòras Bullough am facal "spìocaireachd". Uill, cha do thuig a rèir cuid de rudan co-dhiù.

Agus tha sin gam thoirt do na coin. Bha taigh-chon aig Bullough, làimh ris a' chaisteal, a bha gu math goireasach do na creutairean a bha a' fuireach ann. Bha siostam teasachaidh ann gus nach fhàsadh na coin fuar. 'S e a bha laghach dhaibh.

Ach – agus seo a' phuing, saoilidh mi – cha robh siostam teasachaidh sam bith anns na seòmraichean far an robh na sgalagan no searbhantan a' feuchainn ri cadal fhaighinn air oidhcheannan fuara. Cha robh saoghal a' choin Rùmaich acasan.

LTIR

chuir e roimhe nàdar de chaisteal a thogail: *he decided to build a sort of castle;* **Loch Sgrèasort:** *Loch Scresort;* **chaidh clach-ghainmhich ruadh a thoirt a-steach às Arainn:** *red sandstone was brought in from Arran;* **Eilean Eige:** *Isle of Eigg;* **fèilidhean beaga:** *kilts;* **thug e tastan a bharrachd dhaibh nan dèanadh iad sin:** *he gave them an extra shilling if they would do that;* **meanbh-chuileagan:** *midges;* **smocadh:** *smoking (tobacco);* **le na h-uimhir de rumannan ann:** *with lots of rooms in it;* **taighean-gloinne:** *glasshouses;* **leas:** *garden;* **turtairean:** *turtles;* **ailigeut-airean:** *alligators;* **spìocair-eachd:** *meanness;* **làimh ri:** *next to;* **goireasach:** *well-appointed;* **siostam-teasach-aidh:** *(central) heating system;* **'s e a bha laghach dhaibh:** *it's himself that was nice to them;* **far an robh na sgalagan neo searbhantan a' feuchainn ri cadal fhaighinn:** *where the workmen and servants were trying to get sleep;*

<u>Puing-chànain na Litreach</u>: **Bha X air fear de na daoine a bu bheartaiche ann am Breatainn**: *X was one of the richest men in Britain. The use of the preposition "air" in this expression is one that defies literal translation. Nor is it common in all dialects (although all will understand what is meant). There are other suitable constructions, of course, which could convey the same information. Before reading further, try to think of three ...... OK, time's up, here are mine!:* b' e X fear de na daoine a bu bheartaiche ann am Breatainn; *or* 's e fear de na daoine a bu bheartaiche ann am Breatainn a bh' ann an X; *or* bha X am measg nan daoine a bu bheartaiche ann am Breatainn. *But be aware of the alternative, using "air", which can allow you to vary your speech pattern.*

<u>Gnàths-cainnt na Litreach</u>: **Mas math mo chuimhne**: *if my memory serves me correctly.*

LITIR 111 *(An t-luchar 2001)*

Horses in proverbs and place names…

eich: *horses;* **'s dòcha gur e as coireach airson sin:** *perhaps the reason for that is;*

britheamh: *judge;*

flat: *flat;*
peata: *pet;*

a' marcachd: *horse-riding;*
bha i a' feuchainn ri bhith modhail, agus duais a bhuannachadh: *she was trying to be polite, in order to win a prize;* **follaiseach:** *obvious;* **amadan:** *fool;*

choimhead i suas a dh'ionnsaigh nan speuran: *she looked up towards the heavens;*

dòigh-beatha: *way of life;*

tha sin dìreach mar phàirt dheth: *that is just part of it;*

aig deireadh na bliadhn' an-uiridh: *at the end of last year;* **chan e sin a-mhàin e do a leithid, ge-tà:** *that is not the only instance of the like, however;*

Tha mo smuaintean air eich an t-seachdain sa. 'S dòcha gur e as coireach airson sin gu robh mi nam bhritheamh aig mòd ionadail o chionn ghoirid, agus bha agam ri còmhradh ri clann ann an Gàidhlig. Bha a' chuid a bu mhotha aca à baile mòr, agus bha tè a bha seo, nach robh ach seachd bliadhna a dh'aois, a' fuireach ann am flat.

"A bheil peat' agad?" dh'fhaighnich mi.

"Tha," ars' ise, "cat. Ach tha mi ag iarraidh each."

"Carson each?" dh'fhaighnich mi dhith.

"Bidh mi a' marcachd," thuirt i.

"Agus, nuair a gheibh thu each," dh'fhaighnich mi, "an cùm thu anns a flat e?"

Uill, bha i a' feuchainn ri bhith modhail, agus duais a bhuannachadh, ach bha e follaiseach gu robh i dhen bheachd gu robh mi nam amadan airson a leithid de cheist a chur oirre. "Cha chùm mi anns a flat e," thuirt i, "ach aig a *Riding Centre*." Choimhead i suas a dh'ionnsaigh nan speuran agus dh'atharraich mi an cuspair gu sgiobalta.

Chan eil eich mar phàirt de bheatha nam bailtean mòra mar a b' àbhaist, agus chan eil Gaidheil an là an-diugh a' cumail eich mar a chum iad uaireigin. Nuair a chì sibh an uiread de sheanfhaclan le eich annta, tha e follaiseach gu robh iad gu math cudromach gu h-eachdraidheil ann an dòigh-beatha nan Gàidheal.

Tha mi cinnteach gum bi sibh eòlach air an fhear seo: *Ruigidh each mall muileann.* Cluinnear gu math tric e, ach tha amharas agam nach eil a h-uile duine eòlach air an t-seanfhacal gu lèir, oir tha sin dìreach mar phàirt dheth. Seo e gu slàn: ***Ruigidh each mall muileann, ach feumaidh fear fuireach a bhriseas a chas***. Deagh chomhairle, chanainn, agus bidh mi uaireannan a' meòrachadh air nuair a tha mi a' sgitheadh!

Aig deireadh na bliadhn' an-uiridh (Litir 80), dh'innis mi dhuibh mu dheidhinn Dail an Eich, ainm-àite an seo ann an Inbhir Nis. Chan e sin a-mhàin e do a leithid, ge-tà. Tha dà àite eile anns a' bhaile a tha ainmichte airson eich, ged nach eil am facal *each* a' nochdadh annta. Ma tha sibh air a bhith ann an Gàidhealtachd na h-Èireann, bidh sibh eòlach air an fhacal *capall* – airson each. Uill, tha e againn an seo cuideachd, a' ciallachadh *each boireann* no *each-obrach*. Agus tha e ann an Inbhir Nis **ann an ceàrnaidh dhen bhaile ris an canar** *Capall Innis* neo, ann am Beurla, Capel Inch.

capall: *mare, work horse;*

Bidh feadhainn agaibh ag aithneachadh a' chàirdeis eadar capall agus *caballo* ann an Spàinntis, no le *cheval* agus *cavalier* ann am Fraingis. Agus, ann am Beurla, le *capercaillie*, an t-eun mòr a tha a' fuireach anns na coillteangiuthais. Thàinig *capercaillie* à *capall-coille,* leis gu bheil an t-eun a' dèanamh fuaim mar each.

'S e am facal eile airson each – *marc*, a th' againn fhathast ann am *marcachd, marcaiche* is *marc-shluagh*. Tha ceàrnaidh ann an Inbhir Nis, faisg air Capall Innis, air a bheil *Marc Innis*, no *Merkinch* ann am Beurla an là an-diugh. Bha an dà àite nan innsean làimh ri Abhainn Nis, no nan eileanan anns an abhainn o shean, agus feumaidh gu robh eich air an cumail annta.

coilltean-giuthais: *pine forests;* **marcaiche:** *horse rider;* **marc-shluagh:** *cavalry;* **bha an dà àite nan innsean làimh ri Abhainn Nis no nan eileanan anns an abhainn:** *the two places were meadows next to the River Ness, or islands in the river (innis can mean either);* **pearsanta:** *personal;* **èasgaidh:** *willing, enthusiastic;* **gabhaibh air ur socair:** *take it easy;* **ruigidh an t-each as maille am muileann aig a' cheann thall:** *(even) the slowest horse will eventually reach the mill.*

Nise, ceist phearsanta dhuibh. A bheil sibh ag obair ro chruaidh? A bheil cus uallaich oirbh fhèin, is a bheil feadhainn eile anns an àite-obrach agaibh rudeigin leisg, a' fàgail cus agaibh fhèin ri dhèanamh? Uill, ma tha, 's dòcha gu bheil sibh dìreach ro èasgaidh. Mar a chanas an seanfhacal – ***Is ann air each èasgaidh a leigear an t-uallach.*** Gabhaibh air ur socair. Ruigidh an t-each as maille am muileann aig a' cheann thall.

<u>Puing-chànain na Litreach</u>: **ann an ceàrnaidh dhen bhaile ris an canar X**: *in a part of the town called X. Combined with the singular article,* an, *the preposition* de *emerges as* den *or* dhen. *When used as "off", it is straightforward (eg* thàinig am mullach dhen taigh*: the roof came off the house) and it often appears in conjugated form, eg* cuir dhiot do gheansaidh *(take off your jumper),* leig i dhith a dreuchd *(she resigned her job). When it means "of", note that in some dialects, it has become confused with the preposition* "do", *meaning "to", such that, rather than* dh'fhaighnich e ceist dhìom *(he asked a question of me), we get* dh'fhaighnich e ceist dhomh. *Both are acceptable.* De *is used particularly in a partitive context, ie referring to a part of something* eg b' esan fear de na saighdearan sin *(he was one of those soldiers);* b' ise tè dhen fheadhainn a bu ghlice *(she was one of the wisest ones).*

<u>Seanfhaclan na Litreach</u>: **Ruigidh each mall muileann, ach feumaidh fear fuireach a bhriseas a chas**: *a slow horse will reach the mill, but the one that breaks his leg must stay where he is.* **Is ann air each èasgaidh a leigear an t-uallach**: *it is on the willing horse that the burden is laid.*

LITIR 112

(An t-Iuchar 2001)

Mistletoe has a special place in Gaelic tradition...

Tha e iongantach cho sean 's a tha cuid de na h-ainmean a th' againn ann an Gàidhlig airson lusan. Rinn an sgrìobhadair Ròmanach, Pliny, am fear nas sine, a bha beò anns a' chiad linn as dèidh Chrìosda, rannsachadh air mòran rudan co-cheangailte ri nàdar. Agus sgrìobh e mu dheidhinn lus, a tha a' fàs gu h-àrd ann an craobhan, dha robh na draoidhean Ceilteach a' toirt urram thar chàich.

' "Omnia sanantem" appellantes suo vocabulo', sgrìobh e, a' ciallachadh, "nan cànan fhèin canaidh iad *uil-ìoc* ris." Tha sin a' ciallachadh *an lus a tha a' slànachadh a h-uile nì.* Agus 's e sin an t-ainm a th' air ann an Gàidhlig fhathast an-diugh, faisg air dà mhìle bliadhna bho chuir Pliny a shreath leabhraichean air Nàdar ri chèile – *uil-ìoc.* Tha teans ann gum bi sibh nas eòlaiche air fo ainm Beurla – *mistletoe.*

Seo na sgrìobh Pliny mu dheidhinn. *Bidh na h-ìobairtean agus a' chuirm deiseil fon chraoibh agus bidh iad a' toirt leotha dà tharbh geal...; bidh draoidh, ann an aodach geal, a' dìreadh na craoibhe agus a' gearradh an uil-ìoc dheth le sgian òir; bidh e air a ghlacadh ann an siota gheal. An uair sin bidh iad ag ìobradh nan tarbh.*

Thuirt Pliny gu robh na seann Cheiltich dhen bheachd gun leanadh deagh fhortan air a sin leis cho naomh 's a bha an t-uil-ìoc. Chanadh iad, nan òladh boireannach, aig nach robh leanabh, deoch dheth, gum fàsadh i torrach. Agus bhiodh e ag obair mar leigheas an aghaidh a h-uile puinnsein. Bha na draoidhean gu math dèidheil air, agus 's e ainm eile Gàidhlig air a shon – *draoidh-lus.*

Tha treas ainm air cuideachd – *sùgh-dharaich.* Tha "sùgh" a' ciallachadh *snodhach*, no an lionn a tha am broinn craoibhe, anns a bheil am biadh. Agus bidh sibh eòlach air a' chraoibh-dharaich, tha mi cinnteach. Do na draoidhean, 's e craobh naomh a bh' innte, gu h-àraidh nan robh uil-ìoc a' fàs oirre. Tha an t-ainm

a bha beò anns a' chiad linn às dèidh Chrìosda: *who lived in the 1st Century AD;* **nàdar:** *nature;* **dha robh na draoidhean Ceilteach a' toirt urram thar chàich:** *which the Celtic druids honoured above all others;*

a' slànachadh: *healing;*

bho chuir Pliny a shreath leabhraichean ri chèile: *since Pliny compiled his series of books (volumes);* **uil-ìoc:** *mistletoe (lit. "all-heal");*

ìobairt: *sacrifice;* **cuirm:** *feast;* **tarbh:** *bull;*

a' dìreadh: *climbing, ascending;* **sgian òir:** *a golden knife;* **bidh e air a ghlacadh ann an siota gheal:** *it is caught in a white sheet;* **bidh iad ag ìobradh nan tarbh:** *they sacrifice the bulls;*

naomh: *sacred;* **torrach:** *fertile, fecund;* **bhiodh e ag obair mar leigheas an aghaidh a h-uile puinnsein:** *it would work as a cure for all poisons;* **draoidh-lus:** *mistletoe (lit. "druid's plant");* **sùgh-dharaich:** *mistletoe (lit. "oak-sap");* **snodhach:** *sap;* **lionn:** *liquid;*

's e faoighiche a th' ann, no co-dhiù leth-fhaoighiche: *it is a parasite or, at least, a semiparasite;*
clorofail: *chlorophyll;*

sùgh-dharaich a' dèanamh ciall, ma-thà, **leis gum bi an t-uil-ìoc a' toirt sùgh às a' chraoibh air a bheil e a' fàs**, airson a chumail fhèin beò. 'S e faoighiche a th' ann, no co-dhiù leth-fhaoighiche, air sgàth 's gum bi e a' dèanamh beagan bìdh dha fhèin leis a' chlorofail a th' anns na duilleagan.

fiabhrasan: *fevers;*

Chan eil an t-uil-ìoc cho cumanta ann an Alba 's a tha e ann an Sasainn ach, far an robh e a' fàs, rinn daoine feum dheth. Sgrìobh Tòmas Pennant ann an seachd ceud deug, seachdad 's a dhà (1772) gu robh daoine ga chleachdadh airson leigheas a dhèanamh air fiabhrasan is tinneasan eile. Anns an naoidheamh linn deug, **bhathar ga chleachdadh fhathast** ann am Moireibh, faisg air Eilginn, far an robh e a' fàs.

an Comann Meidigeach Cailleannach: *the Caledonian Medical Society;* **leis gu robh i a' fuiling le frith-bhualadh cridhe:** *because she was suffering from palpitations of the heart;* **ceangal eile eadar an lus agus gnothaichean a' chridhe:** *other links between the plant and affairs of the heart;* **'s iomadh rud a chaidh a shlànachadh le pòg:** *many a thing has been healed by a kiss;* **fiù 's nuair a tha ìocshlaint ann airson a h-uile rud ann am bùth a' cheimigeir:** *even when there is a medicine for everything in the chemist's shop;*

Agus aig deireadh an naoidheamh linn deug, dh'innis an Dtr Donnchadh MacGriogair don Chomann Mheidigeach Chailleannach mu bhoireannach a bha a' fuireach ann an Inbhir Nis nuair a bha e òg. Dhèanadh i tì leis an uil-ìoc, agus i a' dèanamh dheth gu robh i math dhi, leis gu robh i a' fulang le frith-bhualadh cridhe. Ach bhiodh a caraidean a' tarraing aiste, gu h-àraidh leis gu robhar a' dèanamh ceangal eile eadar an lus agus gnothaichean a' chridhe. Tuigidh sibh gu bheil mi a' ciallachadh a' cheangail a th' ann eadar *mistletoe* agus pògan aig àm na Bliadhn' Ùire!

'S iomadh rud a chaidh a shlànachadh le pòg agus, fiù 's nuair a tha ìocshlaint ann airson a h-uile rud ann am bùth a' cheimigeir, seach gu h-àrd ann an craobhan, 's dòcha gu bheil an t-ainm uil-ìoc fhathast gu math freagarrach airson an luis àraidh seo.

LTIR

Puing-chànain na Litreach: **leis gum bi an t-uil-ìoc a' toirt sùgh às a' chraoibh air a bheil e a' fàs**: *because the mistletoe takes sap from the tree on which it grows.* À/às *means "out of" or "from the inside of", whereas* bho *(or* "o"*) tends to mean "from" or "from the outside of". That is why I said* às a chraoibh, *rather than* bhon chraoibh *because the sap is coming from within the tree. So, we might say,* thàinig e às a' choille *(he came out of the wood) but* thill e bho oir na coille nuair a chual' e mi *(he returned from the edge of the wood when he heard me). The concept of belonging to a place is also covered by* à/às, *as in the frequently-asked,* cò às a tha thu? *(where are you from?);* tha mi à Glaschu *(I am from Glasgow). Finally,* à/às *is employed in some important idioms, often conjugated to form a prepositional pronoun. Can you identify one in the Litir? All will be revealed in the next Litir!*

Gnàths-cainnt na Litreach: **Bhathar ga chleachdadh fhathast**: *it was still being used (it was still in use).*

LITIR 113

(An t-Iuchar 2001)

It's good fun to play around with proverbs…

An t-seachdain sa chaidh, ann an dreach sgrìobhte na Litreach, anns na notaichean mu dheidhinn gràmair, dh'iarr mi oirbh sùil a thoirt tron Litir airson gnàths-cainnt a bha a' cleachdadh an roimheir, *à* no *às*. Tha mi an dòchas gun d' fhuair sibh lorg air. 'S e a bh' ann – *bhiodh a caraidean a' tarraing aiste.* Tha sin co-ionann ris a' Bheurla – *her friends would tease her.*

Bidh sibh a' tarraing às cuideigin. Is ma chuireas sibh dragh air duine le bhith a' tarraing às, is **ma tha sibh a' gabhail aithreachas mu dheidhinn**, 's dòcha gun can sibh ris, "Na gabh dragh. Bha mi dìreach a' tarraing asad."

O chionn ceala-deug, thug sinn sùil air an t-seanfhacal, *Ruigidh each mall muileann, ach feumaidh fear fuireach a bhriseas a chas.* Uill, an latha roimhe, ghabh mi beagan spòrs le buidheann-chòmhraidh Ghàidhlig a bha mi a' stiùireadh, buidheann anns an robh luchd-ionnsachaidh anns a' mhòr-chuid. Thug mi a' chiad phàirt dhen t-seanfhacal sin dhaibh – *ruigidh each mall muileann* – agus **dh'iarr mi orra crìoch a chur air, le rud sam bith a thogradh iad.**

Seo agaibh eisimpleirean de na fhuair sinn: ruigidh each mall muileann …ach ruigidh each luath e fada nas tràithe! No: ruigidh each mall muileann … ma dh'fhanas tu fada gu leòr. No: ruigidh each mall muileann … ach bidh mi am muileann dùinte. Is mar sin air adhart. Agus chuir e smuain no dhà nam cheann – gum biodh e math a leithid de ghèam a chluich anns an Litir seo.

Bidh sibh eòlach air an t-seanfhacal – ***Is math an còcaire an t-acras.*** Ach dè mu dheidhinn – Is math an còcaire … Nick Nairn, no is math an còcaire … am fear a chuireas siùcar donn air lite. Uill, 's e sin mo bheachd-sa co-dhiù! Ach 's fheàrr le cuid dìreach bainne is salainn.

Tha seanfhacal ann – ***Am fear a bhios fad' aig an aiseag, gheibh e thairis uaireigin***. Dè mu dheidhinn: am fear a bhios fad' aig an aiseag … bidh e a' sgrìobhadh gu Caledonian Mac a' Bhriuthainn a' gearain mu dheidhinn!

ann an dreach sgrìobhte na Litreach: *in the written form of the Litir;*
roimhear: *preposition;*

ma chuireas sibh dragh air duine le bhith a' tarraing às: *if you annoy a person by teasing him;*

buidheann-chòmhraidh Ghàidhlig: *a Gaelic conversation group;*

ach ruigidh each luath e fada nas tràithe: *but a fast horse will reach it much sooner;* **ma dh'fhanas tu fada gu leòr:** *if you wait long enough;*
gum biodh e math a leithid de ghèam a chluich anns an Litir: *that it would good to play the same sort of game in the Litir;* **is math an còcaire an t-acras:** *hunger is a good cook;*
am fear a chuireas siùcar donn air lite: *the man who puts brown sugar on porridge;*
am fear a bhios fad' aig an aiseag, gheibh e thairis uaireigin: *the man who waits*

long at the ferry will get over sometime (eventually); **Caledonian Mac a' Bhriuthainn:** *Caledonian MacBrayne;*
An Dùbhlachd: *December;*

'S dòcha gum bi sibh a' cuimhneachadh an t-seanfhacail air an tug sinn sùil anns an Dùbhlachd o chionn bliadhna gu leth - ***'S fheàrr am partan-tuathal na bhith gun fhear-taighe.*** Thathar a' gabhail "partan-tuathal" air duine bochd, aig nach robh taigh, a chaidh a dh'fhuireach còmhla ri bean ùr aig an robh taigh. Bidh sibh a' cuimhneachadh gu bheil e a' ciallachadh *hermit crab* ann am Beurla. Ach dh'fhaodamaid atharrachadh gu – 's fheàrr am partan-tuathal … na bhith gun bhiadh idir. No – 's fheàrr am partan-tuathal … eadar da phìos arain na hamburger bhon bhùth sìos an rathad. Cha chan mi dè a' bhùth air a bheil mi a' smaoineachadh!

's fheàrr am partan-tuathal na bhith gun bhiadh idir: *better the hermit crab than to be entirely without food;*

Agus dh'fhaodadh iad obrachadh anns an dòigh eile. Dh'fhaodainn fhìn seanfhacal nach eil ceart aithris agus iarraidh oirbh am fear ceart a thoirt dhomh. Mar eisimpleir, tha na h-itean as bòidhche air na boireannaich anns na Folies Bérgères. Uill, bidh fios agaibh fhèin, tha mi an dùil, gu robh còir agam a ràdh, ***tha na h-itean as bòidhche air na h-eòin fad às***, is nach robh còir agam a bhith a' smaoineachadh idir air na boireannaich sin!

gu robh còir agam a ràdh: *that I should have said;*

Ma tha sibh fhèin a' gabhail tlachd le bhith a' cluich le faclan anns an dòigh sin, carson nach cuir sibh "seanfhaclan ùra", a tha sibh fhèin air a chruthachadh airson fealla-dhà, thugam. Ma tha iad math, cò aige tha fios nach nochd iad uair no uaireigin anns a' phrògram seo.

"seanfhaclan ùra" a tha sibh fhèin air a chruthachadh: *"new proverbs" that you yourselves have created;* **cò aige tha fios nach nochd iad uair no uaireigin anns a' phrògram seo:** *who knows they might not appear in this programme at some time or other.*

Puing-chànain na Litreach: **dh'iarr mi orra crìoch a chur air le rud sam bith a thogradh iad**: *I asked them to finish it, with anything they wanted. The verb* togair (a' togradh) *means "to desire, wish strongly or covet" and is most commonly met with in normal conversation in two forms. One is the relative future* thogras*, as in* thèid mi ann ma thogras mi *(I'll go if I wish to);* faodaidh tu dhol a-mach ma thogras tu *(you can go out if you want to);* dèanadh iad na thogras iad *(let them do what they want). The other is the conditional form* thogradh. Le rud sam bith a thogradh iad *really means "with anything they might desire"; other examples are* dh'fhaodadh iad rud sam bith a thogradh iad a dhèanamh *(they could do anything they wished);* dhèanadh iad sin nan togradh iad *(they would do that if they wished to). Note also the phrase* ma thogair *(it doesn't matter to me; I am entirely indifferent).*

Gnàths-cainnt na Litreach: **ma tha sibh a' gabhail aithreachas mu dheidhinn**: *if you regret it.*

LITIR 114 *(An Lùnastal 2001)*

Some thoughts about watches and time…

fealla-dhà: *fun, joking;*

Bidh sibh eòlach air an fhealla-dhà a tha a' dol rudeigin mar seo, agus duine a' bruidhinn ris a' ghille aige: "Dè an uair a tha e?"

"Chan eil fhios a'm."

"Uill, dè tha d' uaireadair ag ràdh?"

"Chan eil càil, ach tuig, tuig, tuig!"

tha an rann seo ga dhearbhadh: *this verse proves it;* **chan fhacas riamh na thàmh e:** *it has never been seen at rest (ie it's never stopped);* **fois no fosadh:** *rest or cessation;* **a sheachdain no a Shàbaid:** *during the week or on the Sabbath;* **nuair (a) chuireas mi rim chluais e:** *when I put it to my ear;* **feuch dè tha e a' ràdh rium:** *to find out what it is saying to me;*

Agus tha sin gam thoirt gu rann mu dheidhinn uaireadair. An robh fios agaibh gu bheil uaireadairean air feadh an t-saoghail a' labhairt ann an Gàidhlig? Agus tha an rann seo ga dhearbhadh. 'S e an t-ainm a th' air – "An Gille Beag agus an t-Uaireadair":

Tha uaireadair aig m' athair-sa
'S chan fhacas riamh na thàmh e.
Cha tèid fois no fosadh air
A sheachdain no a Shàbaid.
Nuair chuireas mi rim chluais e,
Feuch dè tha e ag ràdh rium,
Canaidh e rium gu sgiobalta,

"An tuig, an tuig, an tuig thu mi?
An tuig, an tuig, an tuig thu mi,
An tuig, an tuig, an tuig thu mi,
An tuig thu nis mo chànan?
'Ille bhig, an tuig thu mi?
An tuig thu nise idir mi?
'Ille bhig, an tuig thu mi?
***'S mi labhairt anns a' Ghàidhlig**."*

'Ille bhig, an tuig thu mi?: *young lad, do you understand me?*

An sin gu clis, canaidh mise ris,
"Tha fhios gu math gun tuig mi thu,
Gun tuig, gun tuig, gun tuig mi thu,
Tha fhios gu math gun tuig mi thu,
'S tu labhairt anns a' Ghàidhlig."

co-dhiù chaidh e a-steach don Bheurla gus nach deach: *whether it went into English or not;* **ann an dreach gu math faisg air a' Ghàidhlig:** *in a form very close to the Gaelic;*

Sin rann a dh'fhaodadh sibh cleachdadh le clann, a chòrdadh riutha, chanainn. Agus mus fhàg sinn am facal *tuig*, tha deasbad ann am measg sgoilearan air co-dhiù chaidh e a-steach don Bheurla gus nach deach. Ma chaidh, 's ann ann an dreach gu math faisg air a' Ghàidhlig a nochdas e ann am Beurla an-diugh, agus le ciall a tha fhathast gu math faisg air a' Ghàidhlig thùsail. A bheil fios

tùsail: *original;*

agaibh dè am facal a th' ann? *Have you twigged yet?*

Seadh, sin e – *twig*, a' ciallachadh – tuigsinn. Tha feadhainn dhen bheachd gur ann às Gàidhlig na h-Èireann a chaidh e a-null, ach tha am faclair Collins agam a' dèanamh dheth gur e as coltaiche gun deach e a-steach don Bheurla bho Ghàidhlig na h-Alba – bhon fhacal *tuig* – anns an ochdamh linn deug.

ciamar a tha coltas nàrach air uaireadair?: *in what way does a watch look ashamed?;* **tha a dhà làimh an-còmhnaidh air aodann:** *its two hands are always up to (on) its face;*
nàraichte: *ashamed;*
Na h-Eileanan mu Dheas: *the Southern Isles (Uist, Barra etc);* **dè cho fada 's a bheireadh e ann an càr:** *how long it would take in a car;*

Agus seo tòimhseachan a tha co-cheangailte ris an rann gu h-àrd ann an dòigh. "*Ciamar a tha coltas nàrach air uaireadair?*" Ciamar a tha coltas nàrach air uaireadair? Uill, tha a dhà làimh an-còmhnaidh air aodann. Dìreach mar a tha cuideigin a tha nàraichte.

Bha mi ag èisteachd ri fear air an rèidio an là eile. 'S ann à Leòdhas a bha e bho thùs, ach tha e air a bhith a' fuireach anns na h-Eileanan mu Dheas airson bliadhnaichean agus, nuair a chaidh ceist a chur air mu dheidhinn cho fada 's a bheireadh e ann an càr eadar dà àite, thuirt e rudeigin mar "**dà uair an uaireadair**", a' ciallachadh "*two hours duration*". Shaoil mi rium fhìn gu robh sin a' sealltainn gu bheil e a' bruidhinn uiread de Ghàidhlig anns a' choimhearsnachd sa bheil e a' fuireach, gu bheil e air cainnt nan Eilean mu Dheas a thogail gu ìre mhath. Chan e droch rud a tha sin idir.

tha an dàrna fear a cheart cho math ris an fhear eile: *the one is just as good as the other;*

Ann an ceann a tuath na Gàidhealtachd, agus ann an ceann a tuath nan Eilean Siar, canaidh daoine, mar as trice, an àite "uair an uaireadair", "**uair a thìde**". Airson luchd-ionnsachaidh, chan eil e gu diofar dè chanas sibh – tha an dàrna fear a cheart cho math ris an fhear eile. Agus seo ceist dhuibh – dè bhios a' tachairt an ceann ceud, seasgad 's a h-ochd (168) uairean a thìde? Uill, bidh mise air ais an uair sin leis an ath Litir do Luchd-ionnsachaidh! Beannachd leibh.

LTIR

__Puing-chànain na Litreach__: **'S mi (a') labhairt anns a' Ghàidhlig**: *and me talking in Gaelic. Learners often ask which is correct for "in Gaelic"* – anns a' Ghàidhlig *or* ann an Gàidhlig. *You will be pleased to know that both are acceptable. The same goes for "in English" – it can be either* ann am Beurla *or* anns a' Bheurla. *For "in Scottish Gaelic" we would say* ann an Gàidhlig na h-Alba *or* anns a' Ghàidhlig Albannaich. *Similarly, referring to the speech of England, we would say* ann am Beurla Shasainn *or* anns a' Bheurla Shasannaich.

__Gnàths-cainnt na Litreach__: **dà uair an uaireadair/dà uair a thìde**: *two hours duration. "*Dà uair*" just means "twice" and does not express duration. For "I was there for an hour", you must say "*bha mi ann airson uair an uaireadair/uair a thìde*".*

LITIR 115

(An Lùnastal 2001)

1934 and 1935 saw the appearance of two famous films on Gaelic islands...

dhaibhsan aig a bheil ùidh: *to those who are interested;*

Dhaibhsan aig a bheil ùidh ann an dualchas nan Gàidheal agus ann am filmichean, bha a' bhliadhna naoi ceud deug, trithead 's a ceithir (1934) gu math ainmeil. Chan e dìreach gu bheil a' bhliadhna sin **ceangailte ri aon film a thog aire an t-saoghail mhòir** do na Gaidheil, ach ri dà film. Bha fear dhiubh air a dhèanamh ann an coimhearsnachd Ghàidhealach ann an Alba, agus fear eile anns an aon seòrsa de choimhearsnachd ann an Èirinn.

Na h-Eileanan Arainneach: *the Aran Islands;* **'s e am pàirt as motha a tha a' fuireach nam chuimhne:** *the part which most remains in my memory;* **far a bheil gille ag iasgach bho na creagan mòra:** *where a lad is fishing from the cliffs;* **a ghlac m' aire gu mòr:** *which strongly caught my attention;* **chuir mi roimhe dhol ann uair no uaireigin:** *I decided to go there someday;* **anns a h-uile gin de na trì eileanan:** *in every one of the 3 islands;* **chun an là an-diugh:** *to the present day;*

Tha cuimhne a'm fhathast air a' chiad turas a chunnaic mi *Man of Aran*, film a rinneadh anns na h-Eileanan Arainneach air taobh siar na h-Èireann, agus 's e am pàirt as motha a tha a' fuireach nam chuimhne – far a bheil gille ag iasgach bho na creagan mòra ann an Inis Mór, agus e na shuidhe **na ceudan troighean os cionn na mara**.

Bha rudeigin ann mu dheidhinn a film a ghlac m' aire gu mòr, agus chuir mi roimhe a dhol do na h-eileanan sin uair no uaireigin. Tha mi air a bhith ann grunn tursan a-nise, anns a h-uile gin de na trì eileanan, agus 's e àiteachan air leth a th' annta uile. Agus 's i Gaeilge cànan nan eileanach chun an là an-diugh.

'S e fear Raibeart Flathartaigh, a rugadh anns na Stàitean Aonaichte, a rinn *Man of Aran*, còrr is deich bliadhna às dèidh dha film ainmeil a dhèanamh anns an Artaig, air an robh *Nanook of the North*. Chuir e seachad dà bhliadhna ann an Inis Mór agus, ged a bha ùidh aige ann an dòigh-beatha nan eileanach, cha robh e airson a bhith cus ro fhaisg air a sin e fhèin. Thug e còcaire *cordon bleu* leis, agus thuirt fear de mhuinntir an àite mu dheidhinn, "tha barrachd air a thilgeil a-mach às an taigh aige ... na bheireadh biadh don dàrna cuid de bhailtean an eilein..."

cha robh e airson a bhith cus ro fhaisg air a sin e fhèin: *he didn't want to be too close to that himself;* **na bheireadh biadh don dàrna cuid de bhailtean an eilein:** *than would give food to half of the island's villages;* **An Giblean:** *April;* **gun tug am film buaidh air X:** *that*

Dh'fhosgail *Man of Aran* ann an Lunnainn anns a' Ghiblean naoi ceud deug, trithead 's a ceithir (1934), agus tha e coltach gun tug am film buaidh air fear aig an robh ùidh mhòr ann an dòigh-beatha nan Eilean Siar, agus a bha an sàs ann an rannsachadh sgoilearach air taighean dubha air a' Ghàidhealtachd Albannaich. Beagan seachdainean as dèidh do *Man of Aran* nochdadh, bha Werner Kissling ann an sgoth far cladach an iar na h-Alba, air a shlighe a dh'Eirisgeigh.

the film had an effect on X;
an sàs ann an rannsachadh sgoilearach air taighean dubha: *engaged in scholarly research on black houses;*
sgoth: *yacht;*
Eirisgeigh: *Eriskay;*

Bha Kissling na bhall de dh'uaislean na Gearmailt, ach thàinig e a Bhreatainn agus bha e an sàs ann an rannsachadh air seann chultaran as leth Oilthigh Chambridge. Cha robh e ann an Eirisgeigh cho fada 's a bha Flathartaigh ann an Inis Mór – nas lugha na dà mhìos – agus cha robh am film aige, *A Poem of Remote Lives*, cho mòr no cho ainmeil ri *Man of Aran.*

bha X na bhall de dh'uaislean na Gearmailt: *X was a member of the German aristocracy;*

Ach sheall e dòigh-beatha muinntir Eirisgeigh gu math, agus tha e am measg nan clàran as prìseile a th' againn de sheann bheatha nan Gàidheal ann an Alba – mus robh an dealan ann, no cus dhen Bheurla air bilean an t-sluaigh. Nochd *A Poem of Remote Lives* ann an Lunnainn anns a' Ghiblean naoi ceud deug, trithead 's a còig (1935), cha mhòr bliadhna chun an là bho bha *Man of Aran* air a chur air bhog.

am measg nan clàran as prìseile a th' againn: *among the most valuable records we have;*
an dealan: *electricity;*

bho bha X air a chur air bhog: *from the launch of X;*

Agus tha smuain agam. Nach biodh e math an dà film a chur air chuairt còmhla air Gàidhealtachd na h-Èireann is Gàidhealtachd na h-Alba, cuide ri seinneadairean is luchd-ciùil às gach àite, mar chomharra air an dlùth-cheangal eadar an dà dhùthaich, a th' ann an-diugh agus a bh' ann ri linn Werner Kissling – agus airson co-dhiù mìle gu leth bliadhna mus robh guth air a' chamara.

mus robh guth air a' chamara: *before the camera existed;*

Puing-chànain na Litreach: **ceangailte ri aon film a thog aire an t-saoghail mhòir**: *linked to one film which attracted the world's attention. Note that the word* film, *which derives from the English, is not inflected as one might expect here. For example, we would say* 's e sin an aon fhear a bh' agam an-dè *(that is the same one as I had yesterday), with* fear *lenited to* fhear *because of the presence of* aon. *Similarly, we would say* b' e sin an aon chaibideil *(that was the same chapter), with* caibideil *lenited. In theory, we should do the same to* film *and say* aon fhilm, *but in general this does not happen, mainly because it is a recent addition to the language and does not "bed down" comfortably within the grammatical rules. This occurs with some other recent loan words, eg* fòn *(phone) and* faidhle *(file).*

Gnàths-cainnt na Litreach: **na ceudan troighean os cionn na mara**: *hundreds of feet above the sea.*

LITIR 116

(An Lùnastal 2001)

The monkfish is ugly but it has an interesting Gaelic name ...

nuair a tha iad a' tràladh air grunnd na mara: *when they are trawling on the seabed;* **'s e iasg grànda a th' ann, ach tha fheòil glè bhlasta:** *it is an ugly fish, but its meat is quite tasty;* **ball-bodhaig:** *bodily organ;* **a tha a' tarraing èisg bheaga faisg air na fiaclan biorach aige:** *which attracts small fish close to its sharp teeth;* **anns an aon dòigh 's a tha daoine mealltach nuair a ghlacas iad bradain le cuileagan fuadain:** *in the manner in which people are deceitful when they catch salmon with artificial flies;*

an dòigh sa bheil an t-iasg seo a' tighinn beò: *the way in which this fish lives;*
a thug mìneachadh eile seachad: *which gave another explanation;* **nach maireann:** *deceased;* **ainm-pinn:** *pen-name;*

leth-fhalaichte: *half-hidden;*

gu foighidneach: *patiently;*

badeigin: *somewhere;*

Tha mi an dòchas gum bi feadhainn agaibh eòlach air an iasg, a bhios iasgairean a' glacadh nuair a tha iad a' tràladh air grunnd na mara, ris an canar "mac-làmhaich". 'S e iasg grànda a th' ann, ach tha fheòil glè bhlasta.

Tha a bheul uabhasach mòr, agus tha ball-bodhaig air, os a chionn, a tha a' tarraing èisg bheaga faisg air na fiaclan biorach aige. 'S e iasgair mealltach a th' anns a' mhac-làmhaich, anns an aon dòigh 's a tha daoine mealltach nuair a ghlacas iad bradain le cuileagan fuadain. Air sgàth sin, canar *angler fish* ris ann am Beurla, ged a tha ainm cumanta eile ann cuideachd – *monkfish.*

Bha mi a-riamh airson faighinn a-mach carson as e *mac-làmhaich* a th' air. Tha an t-ainmear *làmhach* a' ciallachadh a bhith a' cleachdadh ball-airm is tha *luchd-làmhaich* a' ciallachadh *artillerymen* no *bowmen* no *slingmen*. Tha làmhach cuideachd a' ciallachadh *the act of gleaning*. Uill, 's dòcha gu bheil ciall aig na dhà dhiubh sin, nuair a smaoinicheas tu air an dòigh sa bheil an t-iasg seo a' tighinn beò aig grunnd na mara.

Ach, bha mi a' leughadh seann leabhar an là eile, a thug mìneachadh eile seachad. Bha e air a sgrìobhadh leis an Urramach Alasdair Stiùbhart nach maireann, a sgrìobh fon ainm-pinn *Nether Lochaber*. Bha esan dhen bheachd gur e *mac-làthaich* a bh' ann bho thùs, a' ciallachadh *the son, or inhabitant, of the mud,* oir 's e sin, gu dearbh, an seòrsa àite sa bheil a leithid a' tighinn beò. Bidh e leth-fhalaichte anns an làthaich, no *làghaich*, mar a chanas iad ann an cuid de dh'àiteachan, agus e a' feitheamh gu foighidneach airson èisg bheaga.

Thàinig Mgr Stiùbhart tarsainn air mac-làmhaich air a' chladach ann am badeigin ann an Loch Abar anns a' gheamhradh, ochd ceud deug, seachdad 's a h-aon (1871). Agus cha b' e fear beag a bh' ann. Bho cheann a-mach a bheòil gu bonn earbaill, bha e còig troighean is seachd òirlich a dh'fhaide, agus bha am ministear dhen bheachd gur e a bh' ann an t-iasg a bu ghràinde a chunnaic e a-riamh. Chuir e snèap a bha cho mòr ri ceann duine na bheul gu furasta.

bho cheann a-mach a bheòil gu bonn earbaill: *from the end of his mouth to the tip of his tail;* **a bu ghràinde:** *ugliest;* **snèap:** *turnip;*

Bha mi uaireigin ag obair do chompanaidh Albannach a bha a' cur maoraich a-null thairis, agus thachair mi ri fear turas a bh' air a bhith a' dràibheadh làraidhean làn èisg. Ach cha b' urrainn dha dràibheadh tuilleadh air sgàth 's gu robh e air pàirtean de na corragan aige air aona làimh a chall. Bha e anns an Fhraing, agus dh'fhosgail e dorsan deiridh na làraidh. Thuit bogsa a-mach air, agus bhris e. Ghlac an dràibhear an t-iasg – 's e mac-làmhaich a bh' ann – agus chaidh bioran, a bha a' stobadh a-mach à cnàmh-droma an èisg, a-steach gu feòil a làimhe. Tha e coltach gu robh puinnsean no bhìoras ann, oir bha a làmh air a puinnseanachadh gu goirt.

a bha a' cur maoraich a-null thairis: *that was exporting shellfish;*

dorsan-dèiridh: *rear doors;*

chaidh bioran, a bha a' stobadh a-mach a cnàmh-droma an èisg, a-steach gu feòil a làimhe: *a spine, which was sticking out of the fish's backbone, went into the flesh of his hand;* **tha e coltach gu robh puinnsean no bhìoras ann:** *it appears that there was poison or a virus in it;* **bha a làmh air a puinnsean-achadh gu goirt:** *his hand was badly poisoned.*

Tha beul air coltach ri mac-làmhaich. Sin abairt Ghàidhlig a bhios feumail airson iomradh a dhèanamh air cuideigin aig a bheil beul mòr no a bhios a' bruidhinn cus. Tuigidh sibh nach eil e uabhasach modhail!

Tha ainm no dhà eile air a' mhac-làmhaich ann am Beurla, mar eisimpleir *fishing-frog* agus *sea devil.* Agus tha mi eòlach air ainm eile air ann an Gàidhlig, ach chan urrainn dhomh a mhìneachadh. 'S dòcha gum bi smuain agaibh fhèin air a sin. Gheibh sibh lorg air, agus air dealbh dhen iasg, ann am faclair Dwelly air **taobh-duilleig còig ceud is còig air fhichead** (525). Chun na h-ath-sheachdain, beannachd leibh.

LTR

<u>Puing-chànain na Litreach</u>: **taobh-duilleig còig ceud is còig air fhichead**: *on page 525. There is a tendency today to lenite* ceud *all the way up from* dà cheud *to* naoi cheud *but old grammar books (Gillies, MacFarlane and Calder, for example) agree that* ceud *is lenited only by* aon, dhà, trì *and* ceithir *and* ***not*** *by numbers above that. The reason, given by Calder, is that* ceud *was a neuter noun in old Gaelic and that* trì *and* ceithir *lenited neuter nouns* (aon *and* dhà *still lenite nouns of either gender eg* aon bhò, dà bhòrd*). So, correctly, we say* ceud, dà cheud, trì cheud, ceithir cheud, còig ceud, sia ceud etc...

<u>Seanfhacal na Litreach</u>: **Tha beul air coltach ri mac-làmhaich**: *he has a mouth on him like a monkfish (ie big!).*

LITIR 117

(An Lùnastal 2001)

Thomas Pennant visited Wester Ross in the 18th Century ...

chuir mi seachad dà là cuide ri clann às aonadan Gàidhlig ann an Siorrachd Rois: *I spent two days with children from Gaelic units in Ross-shire;* **Tèarmann Nàdair Nàiseanta Beinn Eighe:** *Beinn Eighe National Nature Reserve;* **thàinig aon rud a-steach orm thairis air a h-uile nì eile:** *one thing in particular came to my notice;* **dearc-choille:** *blaeberry;* **coillltean-giuthais:** *pinewoods;* **triùir a-mach à còrr is seachdad duine cloinne:** *three out of more than 70 children;* **reòiteag:** *ice-cream, ice lolly;* **ann am factaraidh aig deas:** *in a factory in the south;* **làn rudan fuadain a thathar a' sanasachd air an telebhisean:** *full of artificial things which are advertised on the television;* **rudan a bhuineadh don dùthaich aca fhèin:** *things which belonged to their own country;* **a gheibheadh iad saor an asgaidh air sàilleabh toradh nàdair:** *which they would get free thanks to the bounty of nature;* **aineolach:** *ignorant;* **chan iad fhèin as coireach:** *they themselves are not to blame;* **len cuid sùilean dùinte do bhòidhchead nàdair:** *with their eyes shut to the beauty of nature;* **Dùn Dòmhnaill:**

Aig toiseach an t-samhraidh, chuir mi seachad dà là cuide ri clann às aonadan Gàidhlig ann am bun-sgoiltean ann an Siorrachd Rois. Bha sinn a' comharrachadh Teàrmann Nàdair Nàiseanta Beinn Eighe, a tha leth-cheud bliadhna a dh'aois, agus chaidh sinn don choille is don mhonadh, a' coimhead air lusan nàdarrach.

Thàinig aon rud a-steach orm thairis air a h-uile nì eile air na làithean sin. Thug sinn sùil air an *dearc-choille*, lus a bhios a' fàs ann an coilltean-giuthais is monaidhean na Gàidhealtachd. Bidh sibh eòlach air ann am Beurla mar *blaeberry.* Aig an àm seo dhen bhliadhna, dè tha nas tlachdmhoire na bhith a' falbh a-mach don choille no don mhonadh, is a' tional is ag ithe dearcan-coille?

Uill, air an dà là sin, fhuair mi a-mach nach robh ach 's dòcha triùir, a-mach à còrr is seachdad duine cloinne, air dearc-choille a chur nam beòil a-riamh. Bha iad eòlach air an reòiteig as ùire, a th' air a dèanamh ann am factaraidh aig deas, is air gach pacaid phlastaig làn rudan fuadain a thathar a' sanasachd air an telebhisean. Ach air rudan a bhuineadh don dùthaich aca fhèin, a gheibheadh iad saor an asgaidh air sàilleabh toradh nàdair, bha iad aineolach. Chan iad fhèin as coireach ach am pàrantan is a' choimhearsnachd a tha a' leigeil le clann an là an-diugh a bhith air an togail len cuid sùilean dùinte do bhòidhchead nàdair agus do bhòidhchead dualchas na Gàidhealtachd.

Anns an t-seann aimsir, **bhiodh ar sinnsirean an crochadh gu mòr air toradh nàdair**, agus chuireadh iad mòran de na lusan nàdarrach gu feum. Bha mi a' leughadh an là eile pìos dhen leabhar a sgrìobh Tòmas Pennant – *a Tour in Scotland* – a chaidh fhoillseachadh ann an seachd ceud deug, seachdad 's a h-aon (1771).

Nuair a bha e anns an taigh mhòr ann an Dùn Dòmhnaill ann an Ros an Iar, sgrìobh e gun do ghabh e, aig aon diathad, dearcan oighrig airson a mhìlsein.

Dundonald;

oighreag: *cloudberry;* **lìon-mhor:** *plentiful;*

smeur: *bramble;* **subh-craoibhe:** *raspberry;*

a' treòrachadh: *leading, guiding;*
Loch Maruibhe: *Loch Maree;*

ag iomradh: *rowing;*

a' guidheachdainn: *swearing.* **chan eil uiread dhearcan a' fàs air:** *it does not carry the same quantity of berries;* **a thug air X an òrdachadh gu tìr sa bhad:** *that forced X to order them to shore at once;* **mion-eòlach air a dhùthaich-san:** *intimately familiar with his country;* **chan eil teagamh nach robh e fhèin air a bhith gu math eòlach air blas an dearc-choille:** *there is no doubt that he would have known the taste of the blaeberry.*

Bha na dearcan air an cruinneachadh anns na beanntan timcheall an àite, agus chanainn gur e obair mhòr a bh' ann. Chan eil an *oighreag* idir cho lìonmhor ris an dearc-choille agus chan eil uiread dhearcan a' fàs oirre. 'S e an t-ainm a th' air an lus ann am Beurla – *cloudberry* – agus tha e càirdeach don smeur agus don t-subh-chraoibhe.

Dìreach as dèidh dha Dùn Dòmhnall fhàgail, thàinig Pennant seachad air an dearbh àite far an robh mise a' treòrachadh na cloinne còrr is dà cheud bliadhna às a dhèidh. Ach cha b' ann a' coiseachd a bha e. Thug e bàta à ceann an ear Loch Maruibhe, airson a dhol don cheann an iar. Lean e fhèin is an fheadhainn a bha ag iomradh a' bhàta cladach an taobh tuath, agus chunnaic iad fear air a' chladach ag èigheachd orra ann an Gàidhlig, cànan nach do thuig Pennant.

"Dè tha e ag iarraidh?" dh'fhaighnich Pennant.

"Air bòrd," mhìnich fear dhen chriutha.

"Innis dha gu bheil am bàta làn is nach eil rùm ann dha," thuirt Pennant.

Rinneadh sin, ach lean an duine an cladach garbh airson dà mhìle eile, is e ag èigheachd is a' guidheachdainn air muinntir a' bhàta.

Às dèidh greis, dh'aidich fear dhen chriubha rudeigin a thug air Pennant an òrdachadh gu tìr sa bhad. **B' e sin gur e am fear air a' chladach an duine leis an robh am bàta**! Duine òg làn Gàidhlig, agus mion-eòlach air a dhùthaich-san. Aineolach mu choimpiutaran is telebhisean ceart gu leòr, ach chan eil teagamh nach robh e fhèin air a bhith gu math eòlach air blas na dearc-coille na bheul air là samhraidh. LTR

Puing-chànain na Litreach: B' e sin gur e am fear air a' chladach an duine leis an robh am bàta: *that was that the man on the shore was the owner of the boat. Are you comfortable with the use of* "le" *to express ownership? It is different from* "aig" *which expresses current possession but not necessarily ownership. We might say, with reference to the Litir above:* ged a bha am bàta aig Pennant is a chompanaich, cha b' ann leothasan a bha i; 's ann leis an fhear a bha a' ruith air a' chladach a bha i *(Although Pennant and his companions had the boat, they did not own it; it was owned by the man who was running on the shore). If you want to ask if something belongs to somebody, you might simply say,* "an ann leatsa a tha sin?"

Gnàths-cainnt na Litreach: bhiodh ar sinnsirean an crochadh gu mòr air toradh nàdair: *our ancestors would depend greatly on the bounty of nature.*

LITIR 118

(An Lùnastal 2001)

Paul Edmund de Strzelecki made many enemies among the Gaels of Australia ...

A bheil an t-ainm Sir Pòl Edmund de Strzelecki a' ciallachadh dad dhuibh? **Cuiridh mi geall nach eil**, ach, o chionn ceud gu leth bliadhna, bha mòran Ghàidheal gu math eòlach air ainm, agus bha a' chuid a bu mhotha aca dhen bheachd, a rèir choltais, gur e trustar a bh' ann. Nuair a chanas mi Gàidheil, tha mi a-mach air Gàidheil Astràilia agus, **ann an meadhan an naoidheamh linn deug, cha bu bheag an àireamh aca**.

trustar: *a rogue, bad person;*

'S e duine-uasal Pòlainneach a bh' ann an Strzelecki, agus thàinig e a dh'Alba turas nuair a bha e òg. Chuir e seachad ùine air an fhearann aig Pàdraig Sellar ann an Srath Nabhair, às an deach na daoine dùthchasach fhuadachadh. Tha e coltach gu robh Strzelecki dhen bheachd gu robh Sellar a' dèanamh rudan matha ann, is ga adhartachadh airson an t-saoghail mhòir. Ach cha b' e sin an t-adhbhar a bha gràin aig Gàidheil Astràilia air.

Pòlainneach: *Polish;* **Srath Nabhair:** *Strathnaver;* **às an deach na daoine dùthchasach fhuadachadh:** *I from which the native people were cleared;* **ga adhartachadh airson an t-saoghail mhòir:** *improving it for the greater world;*

Chaidh e a dh'Astràilia ann an ochd ceud deug, trithead 's a naoi (1839), agus cha b' fhada gus an robh e air a dhol a-mach don dùthaich, a' rannsachadh sgìrean iomallach. Bliadhna às dèidh sin, chaidh e tro cheann an earra-dheas New South Wales, eadar Sydney agus Melbourne, nach robh aithnichte idir do na daoine geala. No, 's e sin a bha Strzelecki a' smaoineachadh co-dhiù.

a' rannsachadh sgìrean iomallach: *exploring remote areas;* **nach robh aithnichte idir do na daoine geala:** *which was unknown to the white people;*

Chuir e seachad còrr is dà mhìos anns na beanntan is coilltean mus do ràinig e Melbourne, a bha dìreach na bhaile beag bìodach aig an àm. Lorg e aibhnichean, lochan is beanntan dhan tug e ainmean agus, don sgìre gu lèir, thug e an t-ainm Gipps' Land, as dèidh Riaghladair New South Wales, Sir Seòras Gipps – an t-ainm a th' air fhathast.

Ach chuir sin caothach air na h-Albannaich, oir bha iadsan a' cumail a-mach gu robh fear dhen fheadhainn aca fhèin air a bhith ann roimhe, agus gu robh e fhèin air ainmean a chur air na beanntan is eile. Agus chuir e an t-ainm air an sgìre air fad "Caledonia Australis".

riaghladair: *governor;* **chuir sin caothach air na h-Albannaich:** *that greatly angered the Scots;* **gu robh fear dhen fheadhainn aca fhèin air a bhith ann roimhe:** *that one of their own had been there before;*

B' esan Aonghas Mac a' Mhaoilein. Bhuineadh e don

Eilean Sgitheanach, ged a bha e air ùine a thoirt seachad ann am Barraigh cuideachd, agus bha e ag obair mar mhanaidsear stuic aig fear de na h-uachdarain Albannach ann an New South Wales. Chaidh e air cuairt fhada tro Chaledonia Australis ach – agus seo a' mhearachd a rinn e – cha do dh'fhoillsich e càil mu dheidhinn don mhòr-shluagh.

Bha diofar bheachdan air na bha a' gluasad an dithis fhear-rannsachaidh. Thuirt luchd-taic Strzelecki nach robh Mac a' Mhaoilein na fhear-rannsachaidh ceart anns an t-seagh 's nach robh e airson fiosrachadh a leigeil ma sgaoil mu na h-àiteachan a lorg e; bha e a' cleith an fhiosrachaidh gus am faigheadh e fhèin buannachd às le bhith a' cur crodh is caoraich air an fhearann as fheàrr mus robh fios aig duine sam bith eile mu dheidhinn.

Air an làimh eile, thog luchd-taic Mhic a' Mhaoilein ìomhaigh dheth mar dhuine iriosal nach robh idir airson cliù a choisinn dha fhèin am measg àrd-urrachan na dùthcha. Cha robh e ag iarraidh a bhith cliùmhor, mar a bha Strzelecki. Agus chaidh na casaidean air ais is air adhart, le gach taobh a' dèanamh dheth gur e am fear eile a bha fèineil.

Chan eil an deasbad buileach seachad an-diugh, agus beachdan làidir ann fhathast airson, agus an aghaidh, Mhic a' Mhaoilein. Ach bha aon sluagh ann an Astràilia a bha coma mu dheidhinn – na daoine dubha a bh' air a bhith a' fuireach ann airson nam mìltean bhliadhnaichean, fada mus robh guth air Caledonia no air a' Phòlainn, no air Sir Seòras Gipps.

Aonghas Mac a' Mhaoilein: *Angus MacMillan;* **mar mhanaidsear stuic aig fear de na h-uachdarain:** *as livestock manager to one of the landowners;* **mearachd:** *mistake;* **cha do dh'fhoillsich e càil mu dheidhinn don mhòr-shluagh:** *he didn't tell the population anything about it;* **fear-rannsachaidh:** *explorer;* **nach robh e airson fiosrachadh a leigeil ma sgaoil:** *that he didn't want to release information;* **bha e a' cleith an fhiosrachaidh gus am faigheadh e fhèin buannachd às:** *he was keeping information hidden so that he himself would benefit;* **thog luchd-taic X iomhaigh dheth mar dhuine iriosal:** *X's supporters created an image for him as a humble man;* **cliùmhor:** *renowned;* **a' dèanamh dheth gur e am fear eile a bha fèineil:** *making out that it was the other man who was selfish;* **chan eil an deasbad buileach seachad an-diugh:** *the debate is not entirely over today.*

<u>Puing-chànain na Litreach</u>: **ann am meadhan an naoidheamh linn deug, cha bu bheag an àireamh aca**: *in the middle of the 19th Century, the number of them was not small (there were reputedly 20,000 Gaelic speakers in Australia at that time). The use of the assertive verb* ("is") *here may be a bit old-fashioned but, used sparingly, is rather neat. In the past tense, it is* bu *(or* b' *before vowels or before f followed by a vowel).* Bu *usually lenites the following word eg* bu mhòr am bonnach *(the cake was large),* bu bheag an t-iongnadh *(little was the surprise). However, it does not lenite words starting with "d" or "t" or "s" eg* bu daor an crùn *(the crown was expensive),* bu tusa an duine! *(you were the man! ie well done). The assertive verb cannot exist independently of its subject, ie while we may say* "tha" *or* "rinn" *or* "chì" *without an accompanying noun or pronoun, we cannot say* "is" *or* "bu" *on their own. To the question,* "am bu tusa an dotair?", *we must answer* "bu mhi" *or* "cha bu mhi".

<u>Gnàths-cainnt na Litreach</u>: **cuiridh mi geall nach eil**: *I bet (it) doesn't.*

LITIR 119

(An t-Sultain 2001)

The UK Cabinet met in Inverness in 1921 to discuss home rule for Ireland ...

O chionn ceithir fichead bliadhna an-diugh fhèin, ma tha sibh ag èisteachd ris a' chiad chraoladh dhen phrògram seo, bha a' Ghaidhealtachd **aig teis-meadhan na h-Ìompaireachd** Bhreatannaich ann an dòigh nach robh a-riamh roimhe sin, no as dèidh làimh. Air an là sin, an seachdamh là dhen t-Sultain, naoi ceud deug is aon air fhichead (1921), choinnich Caibineat Bhreatainn ann an Inbhir Nis, an aon turas a-riamh taobh a-muigh Lunnainn, co-dhiù aig àm sìthe.

'S e a bu choireach airson sin gu robh am Prìomhaire, Daibhidh Lloyd George, a' gabhail làithean-saora ann an Geàrrloch agus gu robh an Rìgh faisg air làimh, anns a' Mhòigh. Air an t-siathamh là, rinn Courier Inbhir Nis coimeas eadar a' choinneamh a bha gu bhith ann air an làrna-mhàireach agus tèile a bh' ann fada roimhe sin, nuair a chum Rìgh Seumas I pàrlamaid ann an Inbhir Nis ann ceithir ceud deug is seachd air fhichead (1427). Agus chaidh iad na b' fhaide air ais buileach, a' dèanamh coimeas leis an turas a bhuail Calum Cille dorsan lùchairt Rìgh nan Cruithneach le a bhachall.

Bha gu leòr a' dol air a' Ghàidhealtachd aig an àm a dh'fhaodadh aire a' Chaibineit a tharraing. **Bha bochdainn is cion obrach uabhasach ann**. Ann an Leòdhas a-mhàin, bha trì mìle is còig ceud duine gun obair. Agus bha còmhstri an fhearainn a' leantainn ann an àiteachan mar Ratharsair, Uibhist a Tuath agus Leòdhas.

Cha b' e gnothaichean na Gàidhealtachd a bh' air a' chlàr, ge-tà, ach suidheachadh na h-Èireann. Bha Lloyd George ann an Geàrrloch, agus e fo òrdughan dhotairean fois a ghabhail. Ach cha b' urrainn dha faighinn air falbh o phoileataigs na h-Èireann, fiù 's ann an sin. Bha teachdairean Sinn Féin air a bhith air ais 's air adhart eadar a' Ghàidhealtachd agus Baile Atha Cliath, agus nochd commandair nam feachdan Breatannach ann an Èirinn ann an Geàrrloch air soitheach cogaidh.

nach robh a-riamh roimhe sin, no às dèidh làimh: *which it was never before then, or since;* **Caibineat:** *Cabinet (political);* **A' Mhòigh:** *Moy (near Inverness);* **air an t-siathamh là:** *on the 6th (day);* **coimeas eadar a' choinneamh a bha gu bhith ann air an làrna-mhàireach agus tè eile a bh' ann fada roimhe sin:** *a comparison between the meeting that was to be on the morrow and another a long time before that;* **an turas a bhuail Calum Cille dorsan lùchairt Rìgh nan Cruithneach le a bhachall:** *the time St Columba struck the palace doors of the King of the Picts with his staff;* **bha còmhstri an fhearainn a' leantainn:** *the land agitation was continuing;* **cha b' e gnothaichean na Gàidheal-tachd a bh' air a' chlàr, ach suidheachadh na h-Èireann:** *it wasn't Highland business that was on the agenda, but the Irish situation;* **fo òrdughan dhotair-ean fois a ghabhail:** *under doctors' orders to rest;* **Baile Atha Cliath:** *Dublin;* **nochd comm-andair nam feachdan Breat-annach ann an Èirinn ann an Geàrrloch air soitheach cogaidh:** *the commander of British forces in Ireland arrived in Gairloch on a warship;*

Bha na h-uibhir de mhuinntir Inbhir Nis a' feitheamh taobh a-muigh Talla a' Bhaile nuair a thàinig na ministearan, nam measg Winston Churchill, Stanley Baldwin, Sir Hamar Greenwood agus am Morair Fitzalan. Thòisich a' choinneamh aig aon uair deug, agus aig cairteal gu ceithir feasgar, dh'fhalbh an dithis theachdairean Èireannach ann an cabhaig airson faighinn air an trèana. Nan làmhan, bha litir bho Lloyd George, a' toirt cuireadh do Sinn Fèin pàirt a ghabhail ann an co-labhairt airson "faighinn a-mach ciamar a b' fheàrr a b' urrainn an càirdeas eadar Èirinn agus … Ìompaireachd Bhreatainn agus miann nàiseanta nan Èireannach a bhith air an co-rèiteachadh." Bha an co-labhairt gu bhith ann an Inbhir Nis air an fhicheadamh là dhen t-Sultain.

Uill, bidh fios agaibh nach do thachair e. Chan e nach robh Eamonn de Valera ga iarraidh, ach gu robh e airson 's gum biodh na Breatannaich ag aithneachadh an riochdaire aig Dáil Eireann, pàrlamaid na Poblachd, mar riochdaire aig dùthaich neo-eisimeileach. Cha robh Lloyd George deònach sin a dhèanamh agus tharraing e an cuireadh don cho-labhairt. Grunn seachdainean as dèidh sin, ghabh co-labhairt eile àite ann an Lunnainn.

An e call no buannachd a th' ann gun do chaill Inbhir Nis an cothrom sin? Nuair a choimheadas sinn air eachdraidh Saorstát na h-Èireann, agus an cogadh a bh' ann, 's dòcha gu bheil e na bhuannachd nach eil prìomh bhaile na Gàidhealtachd co-cheangailte ri uiread dòrainn. Ach, air an làimh eile, nan robh muinntir na Gàidhealtachd mothachail gu robh am baile air a bhith mar bhean-ghlùin aig breith dùthaich Cheilteach neo-eisimeileach, 's dòcha gun coimheadadh iad air suidheachadh poilitigeach na h-Alba le sùilean eadar-dhealaichte.

a' toirt cuireadh do Sinn Féin pàirt a ghabhail ann an co-labhairt: *sending an invitation to Sinn Féin to participate in a conference;* **ciamar a b' fheàrr a b' urrainn an càirdeas eadar Èirinn agus … Ìompaireachd Bhreatainn agus miann nàiseanta nan Èireannach a bhith air an co-rèiteachadh:** *how the association of Ireland with…the British Empire can best be reconciled with Irish national aspirations;* **chan e nach robh X ga iarraidh:** *it wasn't that X didn't want it;* **mar riochdaire aig dùthaich neo-eisimileach:** *as the representative of an independent country;*
tharraing e an cuireadh: *he withdrew the invitation;*
Saorstát na h-Èireann: *the Irish Free State.*
mar bhean-ghlùin aig breith dùthaich Cheilteach neo-eisimileach: *like a midwife at the birth of an independent Celtic country;*

<u>Puing-chànain na Litreach</u>: **Bha bochdainn is cion obrach uabhasach ann**: *there was dreadful poverty and unemployment.* Cion *means "defect, lack, want" and is very useful in combination with another noun to make a compound noun.* Cion obrach (*or* cion cosnaidh) *means unemployment (lack of work, employment). Note that the noun following cion is in the genitive case.*

<u>Gnàths-cainnt na Litreach</u>: **aig teis-meadhan na h-Ìompaireachd**: *at the epicentre of the Empire.* Teis-meadhan *means "the exact middle" of something eg* teis-meadhan a' bhaile*; (the town centre).*

LITIR 120

(An t-Sultain 2001)

The Royal Navy suffered a mutiny at Invergordon in 1931 …

Ar-a-mach nan Seumasach: *the Jacobite Rebellion;* **Ar-a-mach na Frainge:** *the French Revolution;* **Ar-a-mach Inbhir Ghòrdain:** *the Invergordon Mutiny;* **a thug buaidh mhòr air an Roinn Eòrpa:** *which greatly influenced Europe;* **ann an soithichean a' Chabhlaich Rìoghail a bha aig acair ann an Linne Chrombaidh:** *in Royal Navy vessels that were at anchor in the Cromarty Firth;* **thug e crathadh mòr air Riaghaltas Bhreatainn:** *it shook up the British Government;* **eacarsaich an fhoghair:** *autumn exercises;* **bha eaconamaidh Bhreatainn ann an staing mhòr:** *the British economy was in deep trouble;* **gum biodh iad a' lughdachadh gu mòr na suim a chosgadh iad anns an roinn phoblaich:** *that they would be greatly decreasing the sum they would spend in the public sector;* **bha còir aig a' Phrìomhaire falbh còmhla ri càch:** *the Prime Minister ought to have left with the others;* **chuir e (a) chùl ris na Làbaraich:** *he turned his back on Labour (lit. the Labour people);* **sòisealach:** *socialist;* **gu soirbheachail:** *successfully;* **bancairean:** *bankers;* **a' dèanamh a dìchill gus an eaconamaidh a thoirt am feabhas:**

Bidh sibh eòlach air "Ar-a-mach nan Seumasach", tha mi cinnteach, agus "Ar-a-mach na Frainge", a thug buaidh mhòr air an Roinn Eòrpa. Ach cia mheud nur measg a th' air cluinntinn mu dheidhinn "Ar-a-mach Inbhir Ghòrdain"? Seadh, Inbhir Ghòrdain – baile beag air cladach Rois an Ear.

Thachair e air an t-seachdain seo o chionn seachdad bliadhna ann an naoi ceud deug, trithead 's a h-aon (1931), ged nach ann buileach ann an Inbhir Ghòrdain a bha e, ach pìos beag a-mach à cladach a' bhaile ann an soithichean a' Chabhlaich Rìoghail a bha aig acair ann an Linne Chrombaidh. Thug e crathadh mòr air Riaghaltas Bhreatainn.

Bha cabhlach a' Chuain Siar air tighinn cruinn anns an acarsaid mhòir sin, agus iad a' deisealachadh airson eacarsaich an fhoghair. **Bha sia soithichean cogaidh deug ann**, agus dusan mìle seòladair air bòrd orra, ach thàinig iad cruinn aig fìor dhroch àm. Bha eaconamaidh Bhreatainn ann an staing mhòr, agus bha an Riaghaltas ann an Lunnainn dìreach air innse gum biodh iad a' lughdachadh gu mòr na sùim a chosgadh iad anns an roinn phoblaich.

Bha an suidheachadh poilitigeach air fàs na bu mhiosa thairis air an t-samhradh, agus thuit an Riaghaltas Làbarach às a chèile anns an Lùnastal. Bha còir aig a' Phrìomhaire, Ramsay Dòmhnallach, falbh còmhla ri càch, ach dh'iarr an Rìgh air fuireach ann an Sràid Downing mar cheannard air Riaghaltas Nàiseanta, a ghabhadh a-steach Tòraidhean agus Libearalaich. Chuir e chùl ris na Làbaraich agus dh'fhuirich e mar phrìomhaire. Bha an Rìgh dhen bheachd gur e prìomhaire sòisealach a-mhàin a bhiodh comasach air buidseat cruaidh fhaighinn troimhe gu soirbheachail.

Agus bha am buidseat cruaidh. Airson dearbhadh do bhancairean mòra an t-saoghail gu robh Breatainn dha-rìribh a' dèanamh a dìchill gus an eaconamaidh a thoirt am feabhas, gheàrr an Riaghaltas na bha iad a' dol a chosg ceud is fichead millean not – barrachd na bhathar a' cosg air foghlam na dùthcha. Bha a' chuid mhòr dhen ghearradh gu bhith a' tighinn à lughdachadh ann an tuarastal. Agus am measg an fheadhainn a chailleadh airgead bha muinntir a' Chabhlaich Rìoghail.

doing its (her) best to improve the economy;
tuarastal: *wages;*

Gu mì-fhortanach, cha robh na gearraidhean cothromach. Bha a h-uile duine anns an nèibhidh a' dol a chall tastan gach là. Dh'fhàgadh sin Lieutenant-Commandair le ceithir às a' cheud nas lugha anns an tuarastal aige. Ach bhiodh an fheadhainn faisg air a' bhonn, na *h-Able Seamen* mar a chanas iad, a' call aon not às a h-uile ceithir. Bha iad bochd co-dhiù. As dèidh gearradh mar sin, bhiodh an teaghlaichean, shaoil iad, ann am bochdainn dha-rìribh. Agus bha an caothach orra.

nèibhidh: *navy;*
tastan: *shilling;*
ann an bochdainn dha-rìribh: *in real poverty;* **bha an caothach orra:** *they were furious;*

Air tìr, ann an Inbhir Ghòrdain, thòisich na maraichean a dheasbad na cùise. Nuair a thill iad do na longan aca, bha cuid mhath aca a' maoidheadh nach togadh iad corrag as leth a' Chabhlaich gus am biodh iad air an riarachadh. Agus 's ann mar sin a bha e. Dhiùlt iad gabhail ri òrdughan air bòrd. Shuidh iad air slabhraidhean nan acraichean gus nach cuireadh na soithichean gu muir.

maraichean: *mariners;*
slabhraidhean: *chains;* **gus nach cuireadh na soithichean gu muir:** *so the ships wouldn't put to sea;*

Bha cuid anns an riaghaltas ag iarraidh saighdearan is gunnaichean a chur an sàs an aghaidh nam maraichean reubalach ach, gu fortanach, bha làmh-an-uachdair aig feadhainn na bu ghlice, agus dh'aontaich an Caibineat sùil a thoirt air gearanan nan seòladairean. Mu dheireadh thall, dh'aontaich iad na gearraidhean ann an tuarastal a chumail aig deich às a' cheud, an àite còig air fhichead às a' cheud. Agus ann an Linne Chrombaidh, an àite dhol gu muir airson eacarsaich, dh'fhalbh na soithichean cogaidh dhachaigh gu na puirt aca, agus bha ar-a-mach Inbhir Ghòrdain seachad. LTR

reubalach: *rebellious;* **bha lamh-an-uachdair aig feadhainn na bu ghlice:** *wiser heads prevailed;* **Caibineat:** *Cabinet (political);*
deich às a' cheud: *ten per-cent.*

Puing-chànain na Litreach: **Bha sia soithichean cogaidh deug ann***: there were 16 warships. The separation of* deug *from the first part of the numeral, for numbers between 10 and 20, where a noun is involved, is not always observed these days, and is generally avoided by those who have received a Gaelic-medium education . One might hear* "sia-deug soithichean cogaidh". *Here are two more examples of the traditional mode:* trì pàrtaidhean poilitigeach deug *(13 political parties),* còig taighean-chearc deug (15 hen-houses). *But with complicated phrases, it may be easier to dispense with the entire numeral at the start eg* sia deug ionadan fiosrachaidh fòn *(16 call centres) rather than* sia ionadan fiosrachaidh fòn deug.

Gnàths-cainnt na Litreach: **Bha cabhlach a' Chuain Siar air tighinn cruinn anns an acarsaid**: *the Atlantic fleet had gathered in the anchorage.* A' tighinn cruinn – *gathering, assembling.*

LITIR 121

(An t-Sultain 2001)

Labour Prime Minister Ramsay MacDonald had connections to the Highlands …

Anns an Litir an t-seachdain sa chaidh, dh'ainmich mi Ramsay Dòmhnallach, no **Seumas Ramsay Dòmhnallach, airson ainm slàn a thoirt dha**. Bha e na Phrìomhaire ann an trì riaghaltasan eadar-dhealaichte – an riaghaltas Làbarach ann an naoi ceud deug, fichead 's a trì gu fichead 's a ceithir (1923-4) agus am fear Làbarach sia bliadhna as dèidh sin, agus cuideachd anns an riaghaltas nàiseanta eadar naoi ceud deug, trithead 's a h-aon agus trithead 's a còig (1931-5).

Prìomhaire: *Prime Minister;*

Tha a' chuid as mò de na leabhraichean eachdraidh ag innse dhuinn gu robh e na mhac dìolain aig Màiri Ramsay a bha ag obair ann am muinntireas ann an Inbhir Losaidh, agus gur e an t-ainm a bh' air aig àm a bhreith – Seumas Dòmhnallach Ramsay, ged a chaidh sin atharrachadh mus deach e don sgoil. Tha iad cuideachd ag innse dhuinn gum b' e athair fear Iain Dòmhnallach, a bhuineadh don Eilean Dubh, agus a bha ag obair mar sgalag. Tuigidh sibh nach ann beartach a bha Ramsay nuair a bha e òg.

leabhraichean eachdraidh: *history books;* **a bha ag obair ann am muinntireas ann an Inbhir Losaidh:** *who was in domestic service in Lossiemouth;* **a bhuineadh don Eilean Dubh:** *who belonged to the Black Isle;* **beartach:** *wealthy;*

Co-dhiù, 's e sin a tha na leabhraichean a' cumail a-mach. Ach thàinig e am follais o chionn ghoirid gu bheil beachd eile ann mun chùis, fada gu siar air an Eilean Dubh, am measg nan Gàidheal ann an ceann a deas an Eilein Sgitheanaich. Tha feadhainn ann a sin dhen bheachd gun do rugadh Iain Dòmhnallach, athair Ramsay, ann an Tòcabhaig, baile beag bìodach ann an Slèite ann am fìor cheann a deas an eilein. Cha robh e na sgalaig, tha iad ag ràdh, ach na chlachair le sinnsireachd a chaidh air ais gu Sgrios Ghlinn Chomhainn aig deireadh an t-seachdamh linn deug.

thàinig e am follais o chionn ghoirid: *it became apparent recently;* **ann an ceann a deas an Eilein Sgitheanaich:** *in the south of Skye;* **Tòcabhaig:** *Tokavaig;* **baile beag bìodach ann an Slèite:** *a tiny wee village in Sleat;* **cha robh e na sgalaig, ach na chlachair:** *he was not an agricultural labourer, but a stonemason;*

A rèir beul-aithris, bha triùir bhràithrean ann a theich às Gleann Comhann as dèidh an sgriosa. B' iad Dòmhnall, a chaidh a dh'fhuireach anns a' Ghearasdan, Iain a chaidh a dh'Uibhist agus Pòl a fhuair àite-fuirich anns an Eilean Sgitheanach. Bha Iain Dòmhnallach, athair Ramsay, am measg sliochd Phòil. Agus chaill e leth-bhràthair, mac eile aig Iain Dòmhnallach, a chaidh a bhàthadh ann an allt anns an Eilean Sgitheanach, agus e na phàiste.

Sgrios Ghlinn Chomhainn: *The Glencoe massacre;* **An Gearasdan:** *Fort William;* **leth-bhrathair:** *half-brother;* **a chaidh a bhàthadh ann an allt:** *who was drowned in a burn;*

Co-dhiù tha an eachdraidh fìor gus nach eil, tha e coltach nach do dh'aidich Ramsay Dòmhnallach a-riamh gu poblach gu robh ceangal sam bith aige don Eilean Sgitheanach. 'S dòcha nach robh fios aige. Tha e coltach gu robh athair agus a mhàthair ag iarraidh pòsadh, ach nach d' fhuair iad cead bho a sheanmhair, màthair a mhàthar.

ach nach d' fhuair iad cead bho a sheanmhair, màthair a mhàthar: *but that they did not get permission from his grandmother, the mother of his mother;* **'s ann tro iomadh car a chaidh beatha phoilitigeach Ramsay:** *Ramsay's political life took many a turn;*

'S ann tro iomadh car a chaidh beatha phoilitigeach Ramsay. Bha e mar phàirt dhen Phàrtaidh Làbarach nuair a chaidh a chur air chois agus as dèidh còig bliadhna, lean e air Keir Hardie mar cheannard. B' fheudar dha a dhreuchd a leigeil dheth, ge-tà, aig toiseach a' Chogaidh Mhòir, oir **bha e dhen bheachd nach robh còir aig Breatainn a bhith an sàs anns a' chogadh**. Chaidh ochd bliadhna seachad mus d' fhuair e air ais mar cheannard, agus chaidh bliadhna eile seachad mus d' fhuair e gu Sràid Downing.

robach: *slovenly.*

gun fhios aice cò bh' ann: *without her knowing who he was;*

Chuala mi naidheachd mu Ramsay Dòmhnallach o chionn ghoirid ann an Srath Spè. Bha e fhèin agus a bhean air a bhith a' coiseachd nam beann là a bha seo agus chaidh iad gu doras taigh-òsta. Bha e na Phrìomhaire aig an àm. Bha iad a' coimhead rudeigin robach as dèidh là anns a' mhonadh, agus thuirt bean an taighe ri Ramsay, gun fhios aice cò bh' ann, nach fhaodadh e tighinn a-steach, oir bha an t-àite dìreach airson "toffs"!' Tha fhios gu robh e air fàilte na bu chridheile na sin fhaighinn am measg nan croitearan ann an Tòcabhaig!

<u>Puing-chànain na Litreach</u>: **Seumas Ramsay Dòmhnallach, airson ainm slàn a thoirt dha**: *James Ramsay MacDonald, to give him his full name. Learners often ask me whether to translate MacDonald as* Dòmhnallach *or* MacDhòmhnaill. *It is difficult to give an answer to that if Gaelic has died out within the family, and I would say that the choice is up to the person himself. If you are female you will be (for example)* Màiri Dhòmhnallach, *not* Màiri Dòmhnallach, *with the surname lenited. For* MacDhòmhnaill, *the feminine form is* NicDhòmhnaill. *'The MacDonalds' are* na Dòmhnallaich *or* Clann 'ic Dhòmhnaill *but 'Clan Donald' is* Clann Dòmhnaill *(the 'D' is not lenited following the 'n').*

<u>Gnàths-cainnt na Litreach</u>: **bha e dhen bheachd nach robh còir aig Breatainn a bhith an sàs anns a' chogadh***: he was of the opinion that Britain should not have been involved in the war.* Dhen bheachd *means 'of the opinion';* am beachd *means 'of the intention' eg* bha mi am beachd rudeigin a dhèanamh *(I intended to do something).*

LITIR 122 *(An t-Sultain 2001)*

What's the Gaelic for "slogan"...?

Bidh sibh eòlach air faclan Beurla a thàinig às a' Ghàidhlig bho thùs – rudan mar *whisky, bard, cairn, ben, loch, kerfuffle* is mar sin air adhart. *Kerfuffle?* Uill, a rèir an fhaclair Bheurla agam, a tha ag innse dhomh gu bheil an gnìomhair *kerfuffle* a' ciallachadh *"to put into disorder or disarray"*, thàinig pàirt co-dhiù dhen fhacal bhon Ghàidhlig. Tuilleadh mu dheidhinn sin ro dheireadh na Litreach.

bho thùs: *originally;*

gnìomhair: *verb;*
tuilleadh mu dheidhinn sin ro dheireadh na Litreach: *(there will be) more about that before the end of the Litir;*

An là eile, chuir fear as aithne dhomh, aig a bheil fìor dheagh Ghàidhlig, ceist orm. "Dè a' Ghàidhlig," thuirt e, "a th' air *slogan*?"

"'S e ceist a tha sin," fhreagair mi. "Nach eil fios agad gu bheil a h-uile faclair Beurla ag ràdh gur ann às a' Ghàidhlig a thàinig am facal *slogan*?"

"Uill," fhreagair mo charaid, "cha robh fios agam. Agus dè a' Ghàidhlig a bh' ann às an tàinig e?"

"A, uill, **mas breug bhuam e, is breug thugam e**," thuirt mi, "ach thàinig e à "sluagh-ghairm" – mar a bhios sluagh no feachd a' gairm mus tèid iad gu cath: *Beatha no bàs!, Fear eil' airson Eachainn!, Cruachan!* is gnothaichean mar sin. Sluagh-ghairm."

mas breug bhuam e, is breug thugam e: *I am only relating what I have heard (see Litir 24);* **sluagh-ghairm:** *slogan (lit. host-cry);* **mar a bhios sluagh no feachd a' gairm must tèid iad gu cath:** *as a host or fighting force cries out before they go into battle;*

"Uhuh," fhreagair e, "agus dè chanas mi airson *slogan*, ma-thà, agus mi ag eadar-theangachadh pìos Beurla, nuair a tha *slogan* a' ciallachadh rudeigin a tha sgrìobhte air sanas air botal no poca plastaig?" Deagh cheist.

rudeigin a tha sgrìobhte air sanas air botal no poca plastaig: *something that is written on an advertisement on a bottle or plastic bag;*

Uaireannan tha duilgheadas againn ann an Gàidhlig le bhith ag eadar-theangachadh faclan Beurla a thàinig bho thùs bhon chànan againne. Tha e gu cinnteach fìor mu ainmean-àite. Mar eisimpleir, cluinnear uaireannan daoine a' bruidhinn mu dheidhinn "Beanntan a' Chuilthinn" mar eadar-theangachadh air "The Cuillin Hills" nuair is e dìreach "An Cuiltheann" a' Ghàidhlig cheart. Tha fios againn gur e beanntan a th' anns a' Chuiltheann.

uaireannan: *sometimes;*
tha e gu cinnteach fìor mu ainmean-àite: *it is certainly true about place names;*
cluinnear uaireannan daoine a' bruidhinn mu dheidhinn X: *sometimes people are heard speaking about X;*
An Cuiltheann: *The Cuillins;*

Bho àm gu àm cluinnear cuideachd An Càrn Gorm mar eadar-theangachadh air "The Cairngorms" nuair is e *Am Monadh Ruadh* a' Ghàidhlig cheart air na beanntan sin. Chan eil anns "a' Chàrn Ghorm" ach aon bheinn

An Càrn Gorm: *Cairn Gorm;*

anns a' Mhonadh Ruadh – a' bheinn far a bheilear a' togail rathad-iarainn a bhios deiseil airson sgithearan an ceann dà mhìos. Agus tha Dualchas Nàdair na h-Alba air "Am Monadh Ruadh" aithneachadh gu h-oifigeil. Tha a' bhuidheann air moladh don Riaghaltas gum bi ainm dà-chànanach air a' phàirc nàiseanta a thèid a stèidheachadh ann a sin a dh'aithghearr – *Cairngorms National Park* ann am Beurla, agus Pàirc Nàiseanta a' Mhonaidh Ruaidh ann an Gàidhlig. Bidh sinn an dòchas gun gabh an Riaghaltas ris a' mholadh sin.

a' bheinn far a bheilear a' togail rathad-iarainn a bhios deiseil airson sgithearan an ceann dà mhìos: *the mountain where a railway is being built, which will be ready for skiers in two months' time;* **Dualchas Nàdair na h-Alba:** *Scottish Natural Heritage;*

A bharrachd air ainmean-àite, bidh sinn uaireannan a' dìochuimhneachadh nam faclan a chaidh don Bheurla bhon Ghàidhlig. Dh'fhaighnich fear, a bha ag ionnsachadh a' chànain, dhìom turas dè a' Ghàidhlig a bh' air *bog*. Cha robh e air mothachadh gur ann às a' Ghàidhlig "bog" a thàinig *bog*. Feuch "boglach" thuirt mi ris.

boglach: *bog, morass.*

Smaoinich e airson mionaid air faclan eile rudeigin coltach ri sin. "Mmm," thuirt e, "is dè a' Ghàidhlig a th' air *shut your gob*? 'Dùin do ghob'?"

Cha robh mi buileach cinnteach co-dhiù 's ann ri mì-mhodh a bha e gus nach ann, ach bha e glè cheart, ged is e "**dùin do chab**" as trice a chanadh daoine – ma tha iad cho mì-mhodhail 's gu feum iad a leithid a ràdh idir. Ach tha deagh choltas ann gun tàinig *gob* às a' Ghàidhlig "gob".

cha robh mi buileach cinnteach co-dhiù 's ann ri mì-mhodh a bha e gus nach ann: *I wasn't totally sure whether he was being (deliberately) rude or not;* **'s gu feum iad a leithid a ràdh idir:** *that they must say the like at all;*

Ach *kerfuffle*? Chaidh mi a dh'ionnsaigh Faclair Nàiseanta na h-Alba agus, ga rèir, dh'èirich am facal bhon Ghàidhlig "car", *a twist or turn*, agus *fuffle*, facal às a' Bheurla Albannaich a tha a' ciallachadh *"to handle roughly"*. Agus dè a' Ghàidhlig a chuireadh sibh air *kerfuffle*? Fàgaidh mi sin agaibh airson meòrachadh air anns an t-seachdain a tha romhainn.

fàgaidh mi sin agaibh airson meòmhrachadh air: *I'll leave you to contemplate that.*

<u>Puing-chànain na Litreach</u>: **An là eile, chuir fear as aithne dhomh, aig a bheil fìor dheagh Ghàidhlig, ceist orm**: *the other day, a man I know, who has excellent Gaelic, asked me (posed me a question). Note the idiomatic use of the preposition* air *– in Gaelic we "put a question on somebody" eg* chaidh ceist a chur air *(he was questioned),* chuir e ceist orm *(he questioned me). Note also the use of the verb* cuir *with* ceist, *rather than* faighnich *eg* faighnich de Thormod *(ask Norman) but* cuir a' cheist air Tormod *(ask Norman the question).*

<u>Gnàths-cainnt na Litreach</u>: **dùin do chab!**: *shut your mouth! (Not to be used unless you are being deliberately rude!)*

LITIR 123

(An Dàmhair 2001)

Ruairidh reveals who is alleged to have shot the first bullet of the Jacobite rebellion of 1745-6 …

is iomadh turas a chaidh a' Ghàidhealtachd a chur troimh-chèile na h-eachdraidh: *the Highlands were put topsy-turvy many times in their (her) history;* **Ar-a-mach nan Seumasach:** *the Jacobite rebellion;* **cò loisg a' chiad pheilear?:** *who fired the first bullet?;* **Bliadhna a' Phrionnsa/Bliadhna Theàrlaich:** *the year of the Jacobite rebellion, 1745-6;* **mu dheidhinn an dearbh ghnothaich a tha sin:** *about that same matter;* **beul-aithris:** *oral tradition;* **uachdaran na h-Apainn:** *landowner of Appin;*

Loch Creurain: *Loch Creran;*

cha robh fear Bharra Challtainn airson a dhol an aghaidh a chinn-chinnidh: *the laird of Barcaldine did not want to go against his clan chief;*

airson soraidh slàn a leigeil leotha: *to farewell them;*

An t-seachdain sa chaidh, chuir mi ceist oirbh airson meòrachadh air. Dh'fhaighnich mi – dè a' Ghàidhlig a th' air *kerfuffle*? 'S dòcha gun do thagh sibh rudeigin mar "cur troimh chèile". Is iomadh turas a chaidh a' Ghàidhealtachd a chur troimh chèile na h-eachdraidh, agus tha mòran dhen bheachd gur e Ar-a-mach nan Seumasach an t-àm a bu mhiosa dhi.

Agus tha ceist agam dhuibh mu dheidhinn an dearbh ghnothaich a tha sin. Cò loisg a' chiad pheilear ann an Ar-a-mach nan Seumasach ann am "Bliadhna a' Phrionnsa" no "Bliadhna Theàrlaich"? Tha fhios gum bi diofar bheachdan ann air sin ach a rèir beul-aithris à Earra-Ghàidheal, thachair e ann a sin, pìos beag gu tuath air an Òban.

Bha fear Stiùbhart, uachdaran na h-Apainn, a' feuchainn ri nàbaidh aige, air an robh Caimbeul, is a bha na uachdaran ann am Barra Calltainn, a bhrosnachadh gus dhol còmhla ris ann an arm a' Phrionnsa. Chaidh an Stiùbhartach tarsainn Loch Creurain ann am bàta, aig an Rubha Gharbh, airson bruidhinn ris a' Chaimbeulach ach, mar a bhios fios agaibh, cha robh a' chuid mhòr de na Caimbeulaich deònach dhol air taobh nan Seumasach, agus cha robh fear Bharra Challtainn airson a dhol an aghaidh a chinn-chinnidh.

Mar sin, dhiùlt e dhol ann. Ach, leis gu robh e fhèin is an Stiùbhartach a' faighinn air adhart gu math còmhla mar charaidean is nàbaidhean, **dh'aontaich e leigeil le fear na h-Apainn dhol am measg muinntir na h-oighreachd aige, feuch feadhainn aca a thàladh gu arm nan Seumasach**. Dh'aontaich feadhainn dhol còmhla ris an Stiùbhartach, agus rinn iad deiseil airson falbh.

Chaidh an Caimbeulach cuide riutha don chladach airson soraidh slàn a leigeil leotha. Chaidh an Stiùbhartach a-steach do bhàta agus thuirt e na faclan seo: "**Bàrr no faobhar, thig air aghaidh**!" Bàrr no faobhar, thig air aghaidh. Bha e a' brosnachadh chàich gus dhol a shabaid as leth a' Phrionnsa.

Bha an Caimbeulach na sheasamh air creag os cionn a' bhàt-aiseig. Thog e a ghunna, agus loisg e e. An uair sin, thuirt e, "Tha an sin a' chiad pheilear." Agus bha muinntir an àite a-riamh dhen bheachd bhon uairsin gum b' e sin a' chiad pheilear a chaidh a losgadh anns an ar-a-mach, ged nach robh droch rùn co-cheangailte ris. Gu mì-fhortanach, lean mòran pheilearan eile air an fhear sin.

A-nise seo stòiridh beag laghach dhuibh. Dh'fhaighnich gille a bha seo de nighinn, air an do ghabh e nòisean, cuin a rachadh i air chuairt leis. Bha esan taobh a-muigh an taigh aice agus bha i fhèin aig uinneig fhosgailte. Seo an fhreagairt a fhuair e: "Nuair a thogas mi an lìon, a leigeas mi a' ghlainne, agus a chuireas mi am marbh a thiodhlacadh a' bheò, thig mi còmhla riut."

Uill, smaoinich e airson mionaid. Nuair a thogadh i a lìon, nuair a leigeadh i a' ghlainne agus nuair a chuireadh i am marbh a thiodhlacadh a' bheò, rachadh i còmhla ris. Bha sin ro fhada dha, shaoil e, ged a bha gràdh aige dhi, agus dh'fhalbh e gu tìrean cèin. An ceann trì bliadhna, thill e agus chuala e gu robh i a-nise pòsta aig fear eile. Chaidh e a choimhead oirre, agus mhìnich i a' chùis dha leis na faclan seo: "Cho luath 's a thogainn an t-anart far a' bhùird, a dhùininn an uinneag agus a smàlainn an teine, bha mi air a bhith deiseil dhut. Ach bha thu mì-fhoighidneach, agus dh'fhalbh thu." Nuair a thuig e a mhearachd, tha fhios gu robh am fear bochd troimh-chèile buileach.

bha e a' brosnachadh chàich gus dhol a shabaid as leth a' Phrionnsa: *he was exhorting the others to go and fight for the Prince;* **bha an Caimbeulach na sheasamh air creag os cionn a' bhàt-aiseig:** *Campbell was standing on a rock above the ferry boat;* **ged nach robh droch rùn co-cheangailte ris:** *though there was no malice associated with it;* **air an do ghabh e nòisean:** *whom he fancied;* **cuin a rachadh i air chuairt leis:** *when she would go for a walk with him;* **nuair a chuireas mi am marbh a thiodhlacadh a' bheò:** *when I put the dead to bury the living;* **chaidh e a' choimhead oirre, agus mhìnich i a' chùis dha:** *he went to see her and she explained the situation to him;* **mì-fhoighidneach:** *impatient;* **cho luath 's a thogainn an t-anart far a' bhùird, a dhùininn an uinneag agus a smàlainn an teine:** *as soon as I would have lifted the linen off the table, closed the window and smoored the fire.*

Puing-chànain na Litreach: **dh'aontaich e leigeil le fear na h-Apainn dhol am measg muinntir na h-oighreachd aige, feuch feadhainn aca a thàladh gu arm nan Seumasach**: *he agreed to let Appin go among the people of his estate to see if he could attract some of them to the Jacobite army.* Feuch *means "try" or "attempt" and it commonly appears as an equivalent to "to see" or "to find out". It can be used in addressing individuals or groups – there is no distinct plural form. Here are some other examples:* fosgail an àmhainn, feuch a bheil am biadh teth *(open the oven to see if the food is hot);* tarraing an lìon, feuch a bheil iasg ann *(pull in the net to see if there is a fish in it);* fosglaibh ur drathairean, feuch a bheil peansail ann *(open your drawers to see if there is a pencil there).*

Seanfhacal na Litreach: **bàrr no faobhar, thig air aghaidh!**: *(by the) point or edge (of the sword), advance! An exhortation to followers.* Air aghaidh *is the Argyll equivalent to* air adhart *as used in more northerly parts of the Gàidhealtachd.*

LITIR 124

(An Dàmhair 2001)

"Lungs" in place names and oral tradition ...

A bheil sibh eòlach air an fhacal "sgamhan"? 'S dòcha gu bheil sibh air a chluinntinn air an rèidio anns an tuiseal ghinideach, nuair a tha daoine a' bruidhinn mu "aillse sgamhain". 'S e sin a' Ghàidhlig air *lung cancer*. Aillse sgamhain. Agus 's e sgamhan a' Ghàidhlig air *lungs* no, uaireannan, dìreach air *one lung*.

anns an tuiseal ghinideach: *in the genitive case;* **aillse sgamhain:** *lung cancer;*

Tha am facal sgamhan nam cheann an-dràsta oir, gach turas a thèid mi eadar Inbhir Nis agus a' Chomraich ann an Ros an Iar, bidh mi a' dol seachad air loch ann meadhan Siorrachd Rois air a bheil Loch Sgamhain. Tha tuathanas-èisg air an loch, agus dà eilean beag le craobhan orra, ach sin e. Cha mhòr gu bheil duine a' fuireach anns an sgìre an-diugh. Ciamar, ma-thà, a fhuair an loch ainm?

tuathanas-èisg: *fish farm;* **cha mhòr gu bheil duine a' fuireach anns an sgìre:** *hardly a person lives in the area;*

Faisg air làimh, tha dà àite eile air a bheil ainmean stèidhichte air pàirtean dhen bhodhaig – Beinn na Feusaige agus Coire a' Chlaiginn. Nise, chan eil càil a dh'fhios agam ciamar a fhuair an dà aite sin an cuid ainmean, ach tha mi air beul-aithris a chluinntinn mu Loch Sgamhain. Bha na seann daoine anns an sgìre sin a' cumail a-mach gun deach sgamhan a lorg là air choreigin air bhog anns an loch. Sgamhan duine.

bodhaig: *human body (living);* **Beinn na Feusaige:** *(lit.) Mountain of the Beard;* **Coire a' Chlaiginn:** *(lit.) Corrie of the Skull;* **gun deach sgamhan a lorg là air choreigin air bhog anns an loch:** *that lungs were found one day floating in the loch;* **bha iad a' coireachadh an eich-uisge:** *they were blaming the water-horse (kelpie);*

Bha iad a' coireachadh an eich-uisge. Bha iad ag ràdh gu robh each-uisge a' fuireach anns an loch agus, mar a tha fios aig a h-uile duine, bidh eich-uisge bho àm gu àm a' marbhadh dhaoine, is gan ithe. Ach tha aon phàirt dhen bhodhaig ann nach ith iad uair sam bith, agus 's e sin an sgamhan. Slaodaidh iad an duine gu aigeann an locha, is bidh iad ga ithe ach a-mhàin an sgamhan. **As dèidh na creiche, tillidh an sgamhan an uachdar**, leis gu bheil e nas aotruime na uisge, agus bidh cuideigin ga lorg air a' chladach is ag ràdh ris fhèin, "A, seadh, 's e an t-each-uisge as coireach ri seo."

slaodaidh iad an duine gu aigeann an locha: *they drag the man to the abyss of the loch;* **nas aotruime:** *lighter;*

"Sgamhan coin is sgamhan sagairt, is coltach iad ri chèile". 'S e abairt annasach a tha sin, ach tha sgeulachd co-cheangailte rithe. Bha fear a bha seo ann

sgamhan coin is sgamhan sagairt, is coltach iad ri chèile: *a dog's lungs and a priest's lungs, they are alike;*

Cataibh: *Sutherland;*
gadaiche: *robber;*

Sagart na Comraich: *the Priest of Applecross;*
tha aon choire air an taigh: *there is one thing wrong with the house;*
mhothaich e don uireas-bhaidh: *he noticed the deficiency;* **chuir e dithis de na mic aige a-mach:** *he sent two of his sons;* **mharbh iad cù na àite:** *they killed a dog instead of him (ie the priest);*

bha e borb ach cha robh e faoin: *he was barbarous but he wasn't naïve;*

b' fheàrr leam dol le beachd nan seann daoine, ceart no ceàrr e: *I would prefer to agree with the old people, right or wrong.*

an Cataibh a bha na ghadaiche, air an robh Dòmhnall MacMhurchaidh mar ainm. Là a bha seo, bha e a' togail taigh is bha e faisg air a bhith deiseil, nuair a chaidh Sagart na Comraich seachad air.

"Tha aon choire air an taigh," thuirt an sagart. **Bha Dòmhnall ro àrdanach airson faighneachd dè bh' ann** agus dh'fhalbh an sagart. Ach mu dheireadh mhothaich Dòmhnall don uireasbhaidh – cha robh doras ann! Bha an caothach air, agus chuir e dithis de na mic aige a-mach airson an sagart a mharbhadh agus an sgamhan aige a thoirt air ais. Uill, cha robh na mic deònach sin a dhèanamh agus mharbh iad cù na àite. Thug iad sgamhan a' choin air ais leotha. Agus 's e sin na faclan a thuirt Dòmhnall riutha, "sgamhan coin is sgamhan sagairt, is coltach iad ri chèile." Bha e borb, 's dòcha, ach cha robh e faoin.

Ach dè mu dheidhinn Loch Sgamhain? Ma choimheadas sibh ann am faclair Dwelly, tha sgamhan cuideachd a' ciallachadh rudan eile, nam measg *block-head, villainous person, corn or hay built up in a barn,* no *refuse or dross.* 'S dòcha gur e sin a bha e a' ciallachadh o thùs – *loch of the refuse.* Chan eil fhios a'm. B' fheàrr leam dhol le beachd nan seann daoine, ceart no ceàrr e. Agus cò chanadh le cinnt nach robh each-uisge a' fuireach ann uair no uaireigin?

LTR

Puing-chànain na Litreach: **Bha Dòmhnall ro àrdanach airson faighneachd dè bh' ann**: *Donald was too haughty to ask what it was. Are you familiar with some of the words which describe the spectrum of emotions and nature from pride through to arrogance? At the lower end of the scale are* moit *and* pròis *which can both mean pride of a type which is entirely positive and justified, although they may also indicate a degree of conceit. The adjectives are* moiteil *and* pròiseil *which both generally use the preposition* às *eg* tha mi moiteil asad *(I am proud of you). At the less positive end of the spectrum are* àrdan *and* uaibhreas *which may point to an excessive or unjustified pride, spilling over into haughtiness or arrogance. The adjectives are* àrdanach *and* uaibhreach *and no preposition is needed eg* 's e duine àrdanach a th' ann *(he is an arrogant man);* 's i a tha uaibhreach! *(it is her that is haughty!). Incidentally, the Gaelic for Alexander the Great is* Alasdair Uaibhreach. *It couldn't possibly be* Alasdair Mòr *– too many Gaels answer to that!*

Gnàths-cainnt na Litreach: **As dèidh na creiche, tillidh an sgamhan an uachdar**: *after the destruction (ie the killing and eating of the human), the lung returns to the surface.* An uachdar *means "to the surface" and can also be used figuratively eg* thig a h-uile càil an uachdar aig a' cheann thall *(all will be revealed in the end).*

LITIR 125

(An Dàmhair 2001)

Ruairidh's father showed him how to make a creel in the traditional way...

o chionn ceala-deug: *a fortnight ago;*

a' taomadh na mara le cliabh: *(lit.) emptying the sea with a creel;* **rud nach gabh coileanadh:** *something that cannot be fulfilled;* **airson fàdan a thoirt dhachaigh bhon pholl-mhònach:** *to take peats back from the peat-bank;* **cliabh-ghiomach:** *lobster creel;* **ma smaoineachas sibh airson tiotan air cumadh clèibh:** *if you think for a moment of the form of a creel (clèibh is the genitive of cliabh);* **aisnichean:** *ribs (human);* **staingean:** *ribs (creel);*

mar a thogainn cliabh anns an t-seann dòigh: *how I could (would) make a creel in the old way;* **ciamar a gheibheadh e fiodh a bhiodh freagarrach:** *how he would get wood that would be suitable;* **seileach:** *willow;* **sùbailte:** *pliable, flexible;* **leas:** *garden;*

Anns an Litir mu dheireadh, o chionn ceala-deug, thug sinn sùil air an fhacal *sgamhan*. An t-seachdain seo bu mhath leam sùil a thoirt air facal eile, aig a bheil ceangal do sgamhan. 'S e sin "cliabh". Tha amharas agam gum bi sibh eòlach air an fhacal *cliabh* mu thràth. Tha e a' ciallachadh *creel.* Ann an Litir seasgad 's a trì (63) an-uiridh, thug mi an abairt dhuibh – "a' taomadh na mara le cliabh" – rud nach gabh coileanadh g' e bith dè nì thu.

Agus, gu dearbh, 's e sin a' chiall as cumanta a th' aige – *creel* no *basket* – an seòrsa a bhiodh daoine a' cleachdadh o shean airson rudan a ghiùlan air an guailnean, leithid airson fàdan a thoirt dhachaigh bhon pholl-mhònach. Canaidh sinn cliabh cuideachd ri *pannier* air each agus ri *creel* dhen t-seòrsa a chleachdas iasgair airson giomaich a ghlacadh. 'S e sin cliabh-ghiomach. Chan eil, ge-tà, ceangal aig gin aca sin ri sgamhan.

Ach ma smaoinicheas sibh airson tiotan air cumadh clèibh, bidh sibh a' tuigsinn gu bheil e rudeigin coltach ri pàirt dhen bhodhaig – mar a chanar anns a' Bheurla – *the chest* no *thorax,* an dearbh àite far a bheil an sgamhan. Tha na h-aisnichean, na cnàmhan timcheall a' chlèibh ann an duine, car coltach ris na staingean ann an cliabh dhen t-seòrsa a thogas duine. Gu dearbh, 's e an aon fhacal a th' air na dhà anns a' Bheurla – *ribs.* Aisnichean agus staingean.

Tha cuimhne a'm air turas a sheall m' athair dhomh mar a thogainn cliabh anns an t-seann dòigh Ghàidhealaich – rud a chunnaic e fhèin iomadh turas na òige air a' Chomraich. Bha sinn a' fuireach ann an Astràilia, agus b' e a' chiad cheist a chuir mi air – ciamar a gheibheadh e fiodh a bhiodh freagarrach. 'S e coilltean *eucalypt* a bha timcheall oirnn. Ach suas an rathad bha cuideigin air na h-uibhir de chraobhan seilich a chur, agus 's e an seileach a' chraobh as freagarraiche airson clèibh a thogail, leis gu bheil e sùbailte. Chruinnich sinn slatan seilich agus thill sinn don leas air cùl an taighe.

thòisich e le bhith a' stobadh grunn slatan anns an talamh: *he started by shoving several rods of wood into the ground;* **dh'fhigh e slatan eile eatarra:** *he wove other rods between them;* **gus an do thog e, mean air mhean, cliabh a bha bun-os-cionn:** *until he made, little by little, a creel which was upside-down;*
Na h-Eileanan Arainneach: *The Aran Islands.*
mhothaich mi do dhoireachan beaga de chraobhan seilich: *I noticed small copses of willow trees;* **mar as trice a thachras an-diugh:** *as most often happens today;*
tilleamaid don bhodhaig: *let's return to the human body;*
na canaibh uair sam bith: *don't ever say;*

Taing do Shealbh gu bheil sinn nas modhaile na sin an-diugh: *thank goodness we are more polite than that today.*

Thòisich e le bhith a' stobadh grunn slatan anns an talamh. Lùb e iad agus stob e na cinn eile anns an talamh mu dhà throigh air falbh. B' iad sin na staingean. An uair sin, dh'fhigh e slatan eile eatarra gus an do thog e, mean air mhean, cliabh a bha bun-os-cionn. Cha robh ann an uair sin ach an cliabh a tharraing às an talamh agus ceann gach staing a ghearradh dheth.

Tha fhios nach eil mòran daoine a' togail chliabh air a' Ghàidhealtachd an-diugh. **Chan fhiach an t-saothair**. Ach, nuair a bha mi anns na h-Eileanan Arainneach ann an taobh siar na h-Èireann, mhothaich mi do dhoireachan beaga de chraobhan seilich. Bidh muinntir na coimhearsnachd a' cumail nan doireachan sin airson 's gum bi stuth aca airson clèibh a thogail no, mar as trice a thachras an-diugh, airson basgaidean beaga a thogail a reiceas iad do luchd-turais.

Ach tilleamaid don bhodhaig. Agus seo rabhadh dhuibh. Na canaibh uair sam bith gu bheil duine "ann an cliabh" oir, anns an t-seagh sin, tha cliabh a' ciallachadh *straightjacket.* **Anns an t-seann aimsir, b' e nàdar de chliabh a chuirte air daoine a bha feumach air smachd dhen t-seòrsa**. Agus canaidh daoine fhathast "**tha an t-òlach ann an cliabh**", a' ciallachadh *the fellow is a madman*! Nise, a rèir seann fhaclair MhicAilpein is MhicCoinnich bha sin cuideachd air a ràdh mu dheidhinn daoine aig an robh droch Ghàidhlig. Taing do Shealbh gu bheil sinn nas modhaile na sin an-diugh!

LTR

<u>Puing-chànain na Litreach</u>: **Anns an t-seann aimsir, b' e nàdar de chliabh a chuirte air daoine a bha feumach air smachd dhen t-seòrsa**: *in the olden days, it was a type of (wicker) creel that would be put on people who needed that type of control.* Chuirte *is a passive conditional (or passive past habitual) form of the verb* "cuir" *and means "would be put" eg* chuirte e anns an uisge *(it would be put in the water). In a regular verb it is generally formed by leniting the root of the verb and adding a terminal "-te". Other examples would be* bhuailte i *(she would be struck);* thogte iad *(they would be raised);* dh'òlte e *(it would be drunk);* leughte an leabhar *(the book would be read). Note, however, that there are two other word endings equivalent to "-te", used in some areas, which represent the same grammatical form –* "-t(e)adh" *and* "-(a)ist" *eg* chuirteadh e *and* chuirist e.

<u>Gnàths-cainnt na Litreach</u>: **Chan fhiach an t-saothair**: *it's not worth the effort.*

LITIR 126 *(An t-Samhain 2001)*

General George Wade made a significant impact on the Highlands...

nach eil uabhasach dèidheil air laoidh nàiseanta Bhreatainn: *who are not very fond of the British national anthem;*
nuair a thàinig a' chiad iris dheth a-mach ann an clò: *when its first edition came out in print;*

Bidh fios agaibh gu bheil mòran daoine ann an Alba nach eil uabhasach dèidheil air laoidh nàiseanta Bhreatainn, *"God Save the Queen"* no *"God Save the King"* mar a bh' ann an toiseach. Tha diofar adhbharan ann airson sin ach, nam measg, tha gu robh an t-òran gu math trom air muinntir na h-Alba nuair a thàinig a' chiad iris dheth a-mach ann an clò anns an Dàmhair, seachd deug, ceathrad 's a còig (1745). Seo ceithir loidhnichean às aon rann dhen òran:

May he sedition hush
And like a torrent rush
Rebellious Scots to crush,
God Save the King!

Is math nach eil iad a' seinn sin nuair a bhuannaicheas Breatainn bonn òir aig na geamannan Oilimpigeach!

reubaltaich: *rebels;* **fear a dh'fhàg dìleab mhòr às a dhèidh:** *a man who left a great legacy behind him;*
An Seanalair Seòras Wade: *General George Wade;*

Ach cò *"he"* – cò e – anns an òran – am fear a tha a' dol a dhèanamh sgrios air na reubaltaich Albannach? 'S e a bh' ann, fear a dh'fhàg dìleab mhòr às a dhèidh air a' Ghàidhealtachd. Fear le ainm a tha aithnichte don mhòr-chuid fhathast an-diugh – an Seanalair Wade. Ann am Bliadhna a' Phrionnsa, bha e os cionn an airm ann an Sasainn agus seo mar a nochdas e ann an laoidh nàiseanta Bhreatainn, anns na trì loidhnichean ro na ceithir shuas:

God grant that Marshal Wade
May by Thy mighty aid
Victory bring....

Flànras: *Flanders;*
ràinig e ìre Mhaidseir-Seanaileir: *he reached the rank of major-general;*
ann a bhith a' cumail sùil air Seumasaich ann an Sasainn: *in keeping an eye on Jacobites in England;* **ar-a-mach:** *rebellion;*

Rugadh Seòras Wade ann an Èirinn. Thathar ag ràdh gum b' esan a' chiad Èireannach, am measg mhìltean, a thog rathaidean ann an Alba thairis air an dà cheud gu leth bliadhna a dh'fhalbh. Cha b' e einnseanair a bh' ann, ge-tà, ach saighdear. Cha robh e fiù 's fichead bliadhna a dh'aois nuair a chaidh e an sàs ann an cogadh an toiseach, ann an arm Bhreatainn, ann am Flànras agus anns an Spàinnt. Ràinig e ìre Mhaidseir-Seanaileir agus bha e an sàs ann a bhith a' cumail sùil air Seumasaich ann an Sasainn ann an seachd deug is còig-deug (1715) nuair a bha ar-a-mach ann an Alba. Ann an seachd deug, fichead 's a dhà (1722), chaidh a thaghadh mar bhall pàrlamaid airson Bath.

Ach dà bhliadhna as dèidh sin, dh'iarr an Rìgh, Deòrsa I, air dhol chun na Gàidhealtachd airson sùil a thoirt air suidheachadh muinntir an àite. Bha Mac Shimidh, ceann-cinnidh nam Frisealach, air innse don riaghaltas gu robh mòran ann a bha gu math mì-thoilichte agus a dh'fhaodadh a bhith na chunnart don rìoghachd. Na aithisg, sgrìobh Wade gu robh faisg air dusan mìle duine air a' Ghàidhealtachd a bha deiseil airson sabaid as leth mac Rìgh Sheumais VII, Seumas Stiùbhart, athair a' Phrionnsa Theàrlaich. Cha robh ann an Teàrlach aig an àm sin ach leanabh beag.

Bha Wade mothachail don t-suidheachadh dhoirbh anns a bheil saighdearan ann an dùthaich gharbh far nach eil rathaidean no drochaidean, agus far a bheil eòlas fada nas fheàrr air cumadh na tìre aig an fheadhainn a bhuineas don dùthaich. Bha e cuideachd mothachail don duilgheadas a bh' aig an arm ann a bhith a' gluasad saighdearan is armachd is biadh is eile **eadar na ceithir gearastanan a chaidh a thogail air a' Ghàidhealtachd** às dèidh an ar-a-mach anns a' bhliadhna còig-deug. B' iad sin an fheadhainn aig Cille Chuimein, Loch Laomainn, Gleann Eilg agus aig Ruadhainn, faisg air Cinn a' Ghiuthsaich.

Ach tha aon rud annasach mu dheidhinn aithisg Wade. Cha do mhol e gum biodh rathaidean air an togail **gu maith an airm** no gun dèanadh e fhèin càil dhen t-seòrsa. A dh'aindeoin sin, ge-tà, cha b' fhada gus an robh e air ais air a' Ghàidhealtachd, a' dèanamh sin. Bheir sinn sùil air cuid de na rinn e an ath-sheachdain.

airson sùil a thoirt air suidheachadh muinntir an àite: *to look at the situation of the people of the place;* **Mac Shimidh, ceann-cinnidh nam Frisealach:** *Lord Lovat, clan chief of the Frasers;* **a bha deiseil airson sabaid as leth mac Rìgh Sheumais VII, Seumas Stiùbhart:** *who were ready to fight for the son of King James VII, James Stuart (ie the Old Pretender);* **leanabh:** *infant;* **far a bheil eòlas fada nas fheàrr air cumadh na tìre aig an fheadhainn a bhuineas don dùthaich:** *where those who belong to the country know the lie of the land much better;*
Cille Chuimein: *Fort Augustus;* **Loch Laomainn:** *Loch Lomond;* **Gleann Eilg:** *Glenelg;* **Ruadhainn:** *Ruthven;*
no gun dèanadh e fhèin càil dhen t-seòrsa: *or that he would do anything of the like himself;* **cha b' fhada gus an robh e air ais :** *it wasn't long until he was back;*

<u>Puing-chànain na Litreach</u>: **eadar na ceithir gearastanan a chaidh a thogail air a' Ghàidhealtachd**: *between the four forts (garrisons) that were built in the Highlands. The point this week is about spelling. You will perhaps be more familiar with the spelling of* gearastan *as* gearasdan. *The Gaelic for Fort William is traditionally* An Gearasdan *(or, if one wishes to be specific,* Gearasdan Inbhir Lòchaidh *or* Gearasdan Loch Abair). *However, the modern convention is to replace the historic "sd" with "st". That is why you will see* èisteachd *in modern publications and* èisdeachd *in older ones; similarly,* an-dràsta *instead of the older* an-dràsda. *Also, do you notice two different Gaelic equivalents for George in the Litir? In the northern Gaidhealtachd,* Seòras *is generally used, with* Deòrsa *reserved for kings. In Argyll,* Deòrsa *is used for anybody. What would you call Fort George in Gaelic? I'll give you the answer next week.*

<u>Gnàths-cainnt na Litreach</u>: **gu maith an airm**: *for the good of the army. You will sometimes see and hear* maith *as an alternative for* math.

LITIR 127

(An t-Samhain 2001)

More on General Wade, and the destruction of the original Fort George …

Tha Oidhche Ghuy Fawkes dìreach air a dhol seachad, **agus iomadh cù** anns a' bhaile agam fhìn, Inbhir Nis, **a' gabhail eagal mòr ro na cleasan-teine a thig a-mach aig an àm seo a h-uile bliadhna**. Tha sgeulachd annasach agam mu dheidhinn rudeigin car coltach ri Oidhche Ghuy Fawkes, agus cù, a thachair ann an Inbhir Nis o chionn fhada, agus innsidh mi sin dhuibh aig deireadh na Litreach.

cleasan-teine: *fireworks;*

Bidh sibh eòlach, 's dòcha, air a' ghearastan, faisg air Inbhir Nis, air cladach Linne Mhoireibh, air a bheil *Gearastan Deòrsa*, no *Fort George*, mar ainm. Nuair a thòisich an Seanalair Wade air a bhith a' togail rathaidean air a' Ghàidhealtachd, cha robh a leithid ann. Ach bha gearastan ann an Inbhir Nis, far a bheil an caisteal an-diugh, air an robh *Gearastan Deòrsa.*

Bha an Seanalair Wade dhen bheachd gu robh an gearastan sin cudromach ann a bhith a' cumail smachd air a' cheann a tuath agus, mar sin, chaidh na rathaidean airm a thog e eadar an ceann a deas agus an ceann a tuath a dh'ionnsaigh Inbhir Nis. Eadar Dùn Chailleann agus Inbhir Nis. Eadar Inbhir Nis agus Cille Chuimein, agus eadar Cille Chuimein agus an dà chuid, Gearastan Inbhir Lòchaidh agus Gearastan Bheàrnaraigh ann an Gleann Eilg, air a' chost' an iar.

gearastan: *garrison, barracks, fort;* **cha robh a leithid ann:** *nothing of the sort existed;* **ann a bhith a' cumail smachd air a' cheann a tuath:** *in controlling the north;* **chaidh na rathaidean-airm a thog e a dh'ionnsaigh Inbhir Nis:** *the military roads he built went towards Inverness;* **Dùn Chailleann:** *Dunkeld;* **Cille Chuimein:** *Fort Augustus;* **Gearastan** (or **Gearasdan) Inbhir Lòchaidh:** *Fort William;* **Gearastan Bheàrnaraigh:** *Bernera Barracks;* **ann an Gleann Eilg air a' chost' an iar:** *in Glenelg on the west coast;*

Bha mi a-muigh an là eile, air là ciùin foghair, le dathan àlainn air na craobhan, air pìos de rathad a thog Wade ann an Srath Spè. Airson còrr is ochd mìle, faodaidh duine coiseachd air an t-seann rathad gun a dhol ro fhaisg air an A9, an rathad mòr ùr. Agus chithear seann drochaidean fhathast a bh' air an togail le Wade no leis an fheadhainn a lean air anns an ochdamh linn deug. Tha iad gu math brèagha. Tha fhios nach robh iad a' coimhead cho brèagha sin, ge-tà, do na Gàidheil nuair a chaidh an togail, oir 's e am prìomh adhbhar a bh' air an cùlaibh, smachd a chumail air muinntir an àite, is saighdearan is armachd a ghluasad orra.

àlainn: *beautiful;* **air là ciùin foghair:** *on a calm autumn day;* **gun a dhol ro fhaisg air an A9:** *without going too close to the A9;* **chithear seann drochaidean fhathast a bh' air an togail le Wade:** *old bridges which were built by Wade can still be seen;*
's e am prìomh adhbhar a bh' air an cùlaibh smachd a chumail air muinntir an àite: *the main reason behind [their construction] was to control the local people;*

leig na rathaidean le saighdearan a' Phrionnsa gluasad gu luath bhon iar-thuath don cheann a deas: *the roads allowed the Prince's soldiers to move quickly from the north-west to the south;* **bha e ann an làmhan nan Hanoibhèirianach:** *it was in the hands of the Hanoverians;* **ghèill iad:** *they surrendered;* **gum b' fheàrr leis an togalach a sgrios:** *that he would prefer to destroy the building;*

airson am fùdar a lasadh a-rithist: *to light the (gun)powder again;* **chaidh a chù cuide ris:** *his dog went with him;* **chaidh am Frangach a shadail suas anns an adhar:** *the Frenchman was thrown up into the air;* **a chorp loisgte:** *his burnt body;* **air taobh thall na h-aibhne:** *on the other side of the river;* **earball:** *(his) tail;* **is iongantach mura chaill e beagan de chuid misneachd cuideachd:** *I would imagine he lost some of his confidence as well.*

Saoilidh mi gu bheil e rudeigin ìoranta gu robh na rathaidean sin na chuideachadh do dh'arm nan Seumasach ann am Bliadhna a' Phrionnsa. Leig na rathaidean le saighdearan a' Phrionnsa gluasad gu luath bhon iar-thuath don cheann a deas. Agus leig iad leotha tilleadh don cheann a tuath tràth sa bhliadhna, seachd-deug, ceathrad 's a sia (1746).

Nuair a ràinig iad Inbhir Nis bha Gearastan Deòrsa fhathast ann an làmhan nan Hanoibhèirianach. Ghèill iad do na Seumasaich agus cho-dhùin am Prionnsa Teàrlach gum b' fheàrr leis an togalach a sgrios gus nach fhaigheadh an riaghaltas cothrom a chleachdadh a-rithist.

'S e oifigear Frangach a bha os cionn an spreadhaidh. Chuir e teine thuige agus dh'fhan e pìos beag air falbh. Às dèidh greis, bha e a' smaoineachadh nach robh cùisean a' dol ro mhath agus chaidh e a dh'ionnsaigh a' chaisteil airson an cur ceart, airson am fùdar a lasadh a rithist. Chaidh a chù cuide ris. Nuair a bha e cha mhòr aig an togalach, spreadh e agus chaidh am Frangach a shadail suas anns an adhar cho fada 's gun tàinig e gu tìr, no gun tàinig a chorp loisgte gu tìr, trì cheud slat air falbh, air taobh thall na h-aibhne.

B' e sin deireadh Gearastan Deòrsa, agus deireadh an oifigeir Fhrangaich. Ach an cù? Uill, bha esan fhathast beò as dèidh a thurais san adhar thairis air Abhainn Nis. Ach chaill e earball. Is iongantach mura chaill e, mar a chailleas mòran chon air Oidhche Ghuy Fawkes, beagan de chuid misneachd cuideachd.

LTR

Puing-chànain na Litreach: **(agus) iomadh cù a' gabhail eagal mòr ro na cleasan-teine a thig a-mach aig an àm seo**: *(when) many dogs get frightened by the fireworks which come out at this time. The point I want to make this week is how you express fear of something in particular. To say, for example, the dog is scared, we say simply* tha eagal air a' chù *(or* tha an t-eagal air a' chù*). The preposition is "air" ie you have fear "on" you. But to say you are scared of something in particular, you specify that with the preposition "ro" eg* tha an t-eagal air Dòmhnall ro Iain *(Donald is afraid of John);* a bheil an t-eagal ort romham? *(are you afraid of me?);* bha an t-eagal orra ro na saighdearan *(they were scared of the soldiers). Where there is no article, "ro" lenites the following noun eg* bha eagal mo bheatha orm ro Theàrlach *(I was petrified of Charles).*

Gnàths-cainnt na Litreach: **saoilidh mi gu bheil e rudeigin ìoranta**: *I think it's somewhat ironic.*

LITIR 128

(An t-Samhain 2001)

Culloden was the site of a famous battle, but what does the name mean?

spreadhadh: *explosion;*

An t-seachdain sa chaidh dh'innis mi dhuibh mun chù a chaidh an sàs anns an spreadhadh nuair a chaidh seann chaisteal Inbhir Nis, Gearastan Deòrsa, a sgrios leis na Seumasaich. Dìreach dà mhìos as dèidh sin, **chaidh sgrios a dhèanamh air na Seumasaich fhèin air blàr taobh a-muigh Inbhir Nis**, faisg air baile beag le ainm a dh'fhàs gu math ainmeil – Cùil Lodair.

bu mhath leam sùil a thoirt, chan ann air a' bhatail fhèin, ach air an ainm sin: *I would to look, not at the battle itself, but at that name;*

Bu mhath leam an t-seachdain seo sùil a thoirt, chan ann air a' bhatail fhèin, ach air an ainm sin – Cùil Lodair. Dè tha e a' ciallachadh agus carson is e *Culloden* a th' air ann am Beurla, le "n" aig an deireadh, seach "r"?

eileamaid: *element;*
Eilean Dubh: *Black Isle;*

Thathar a' dèanamh dheth gur e a' chiad phàirt dhen ainm *"Cùil"* a tha a' ciallachadh *nook* is, gu dearbh, tha an eileamaid seo a' nochdadh ann an ainmean-àite eile ann an sgìre Inbhir Nis agus anns an Eilean Dubh. Bha feadhainn dhen bheachd gur dòcha gur e *"cùl"* a bh' ann o thùs, a' ciallachadh *back* no *at the back of* ach, an-diugh, tha a' chuid mhòr dhen bheachd gur e *"cùil"* a bh' ann. Ach dè tha *Lodair* a' ciallachadh?

Coinneach MacCoinnich: *Kenneth Mackenzie;*
Srath Spè: *Strathspey;*
Iain Ruadh Stiùbhart: *John Roy Stewart;*
gu robh an diofar air èirigh ro mheadhan an ochdamh linn deug: *that the difference had arisen before the middle of the 18th Century;*
fodar: *fodder;*

Rinn mi beagan rannsachaidh agus cho fada air ais 's a b' urrainn dhomh lorg, 's e Cùil Lodair a bh' air an àite seo ann an Gàidhlig. Mar eisimpleir, tha "do Chuilodair" a' nochdadh ann am pìos bàrdachd a sgrìobh am bàrd à Inbhir Nis, Coinneach MacCoinnich, a rugadh ann seachd deug, caogad 's a h-ochd (1758). Agus sgrìobh am bàrd ainmeil à Srath Spè, Iain Ruadh Stiùbhart, a bh' air a' bhlàr air là a' bhatail, dàn air an robh "Latha Chuilodair". Bha Cuilodair air a litreachadh C-U-I-L-O-D-A-I-R. 'S e *Culloden* a bh' air ann am Beurla aig an àm agus, mar sin, tha e follaiseach gu robh an diofar eadar an "n" agus an "r" air èirigh ro mheadhan an ochdamh linn deug.

Ann am meadhan an naoidheamh linn deug, nochd an litreachadh F-H-O-D-A-I-R airson "fodar". Cùil-Fhodair, *the nook of the fodder*. 'S e sin a bh' aig Iain MacCoinnich anns an leabhar Ghàidhlig aige, "Eachdraidh a' Phrionnsa" agus, airson greis, lean Gàidheil Inbhir Nis an dòigh smaoineachaidh sin. Gu dearbh, 's ann mar sin a sgrìobh Màiri Mhòr nan Òran e na cuid bàrdachd. Ach tha a h-uile coltas ann gu robh iad ceàrr. Bha feadhainn eile ceàrr cuideachd, oir shaoil iadsan gu robh an dàrna pàirt dhen ainm a' seasamh airson "oitir" no fiù 's airson "Odin", fear de sheann diathan pàganach nan Lochlannach!

Nuair a thèid sinn air ais cho fada 's as urrainn ann an eachdraidh Inbhir Nis, agus a' chuid a bu mhò dhith sgrìobhte ann am Beurla, 's e *Culloden*, no rudeigin coltach ris a tha sinn a' lorg. Ann an clàr a' bhaile ann am meadhan an t-siathamh linn deug, chithear *Cullodyn*, le "yn" aig an deireadh. Gu h-annasach, oir 's ann air an rathad eile a tha e mar as trice, 's e an t-ainm Gàidhlig a th' air atharrachadh, seach an t-ainm Beurla.

Ann an Srath Narann, pìos beag a-mach à Inbhir Nis, tha àite ann air a bheil *Achloddan* ann am Beurla. 'S e sin Ach' an Lodain – *the field of the little pool.* Tha *lodan* a' ciallachadh *little pool, bog* no *little marsh.* Agus Culloden? Uill, 's e *Cùil Lodain* a bh' air ann an Gàidhlig bho thùs, rud a thuig na sgoilearan Gàidhlig anns an fhicheadamh linn. Cùil Lodain – *the nook of the pool* no *nook of the marsh* – **ainm a tha gu math coltach**.

lean Gàidheil Inbhir Nis an dòigh smaoineachaidh sin: *the Gaels of Inverness followed that line of thinking;* **'s ann mar sin a sgrìobh Màiri Mhòr nan Òran e na cuid bàrdachd:** *that's the way Big Mary of the Songs (Mary MacPherson) wrote it in her poetry;* **gu robh an dàrna pàirt dhen ainm a' seasamh airson "oitir":** *that the second part of the name stood for "oitir" (a shingle bank);* **diathan pàganach nan Lochlannach:** *the old pagan Norse gods;* **gu h-annasach, oir 's ann air an rathad eile a tha e mar as trice:** *unusually, for it is usually the other way round;* **'s e an t-ainm Gàidhlig a th' air atharrachadh, seach an t-ainm Beurla:** *it is the Gaelic name that has changed, rather than the English name;* **Srath Narann:** *Strathnairn;*

<u>Puing-chànain na Litreach</u>: **chaidh sgrios a dhèanamh air na Seumasaich fhèin air blàr taobh a-muigh Inbhir Nis**: *the Jacobites themselves were destroyed on a battlefield outside Inverness. I once heard a heated argument between two fluent Gaelic speakers after one of them had said (in Gaelic) that he had just been to* Blàr Chùil Lodair. *The second asked facetiously if he had the ability to transport himself back in time to 1746, to which the other replied with a proverb that castigates ignorance! Of course, they were talking at cross purposes. The first, a mainlander, meant, quite legitimately, that he had just been to the Culloden Battlefield site. The second, an islander, had seemingly only heard* blàr *being used, at least in reference to Culloden, for the famous battle itself. The original meaning of* blàr *is a plain or large flat area and this is the reason for its appearance in old place names, such as Blairgowrie* (Blàr Ghobharaidh) *and Blair Atholl* (Blàr Athall). *Such places were ideal for battles, so the word came to mean "battlefield" and, in time, also to mean "battle". So* Blàr Chùil Lodair *can mean "The Battle of Culloden" or "The Battlefield of Culloden"; the context should make it obvious what is meant.*

<u>Gnàths-cainnt na Litreach</u>: **ainm a tha gu math coltach**: *a name which is pretty likely (to be correct).*

LITIR 129

(An t-Samhain 2001)

What's the Gaelic for "delta"?

càite anns a' Bhìoball Ghàidhlig am faigh sibh lorg air dà litir às an aibidil Ghreugaich?: *where in the Bible will you find two letters from the Greek alphabet?;* **'s dòcha, air a' chiad shealladh, gu bheil a' cheist car annasach:** *perhaps, on first sight, the question is a bit strange;* **ged a bha an Tiomnadh Nuadh air eadar-theangachadh bhon t-seann Ghrèigis:** *although the New Testament was translated from ancient Greek;* **gheibhear gach litir anns an aibidil Ghàidhlig anns a' Bhìoball:** *each (every) letter in the Gaelic alphabet is obtained in the Bible;* **an Tighearna:** *the Lord;* **an t-Uile-chumachdach:** *the Almighty;* **bheir mi dhàsan air am bheil tart de thobar uisge na beatha gu saor:** *I will give unto him that is thirsty freely of the water of life;* **gun tuigeadh an sluagh dè bhathar a' ciallachadh:** *that the people would understand what was meant;* **mar cheann-litir, tha cumadh triantain oirre:** *as a capital letter it has the shape of a triangle;* **chì thu sin ma bhios tu ann am plèana:** *you will see that if you are in a plane;*

Càite anns a' Bhìoball Ghàidhlig am faigh sibh lorg air dà litir às an aibidil Ghreugaich? 'S dòcha, air a' chiad shealladh, gu bheil a' cheist car annasach, oir tha fios agaibh gur ann air aibidil na Laidinn a tha aibidil na Gàidhlig stèidhichte, seach tè na Grèigis, ged a bha an Tiomnadh Nuadh air eadar-theangachadh bhon t-seann Ghrèigis. Gheibhear gach litir anns an aibidil Ghàidhlig anns a' Bhìoball, ceart gu leòr, ach am faighear litrichean aibidil na Grèigis?

Uill, gheibhear – co-dhiù dà litir – an tè aig toiseach na h-aibidil agus an tè aig an deireadh. *Alpha* agus *Omega*. Tha amharas agam gum bi mòran agaibh air an cluinntinn air bilean ministeir no sagairt. "Is mise Alpha agus Omega, an toiseach agus a' chrìoch, tha an Tighearna ag ràdh, a tha, agus a bha, agus a tha ri teachd, an t-Uile-chumhachdach."

Tha sin a-mach à Leabhar an Taisbeanaidh, no airson a thiotal slàn a thoirt dha, Taisbeanadh Eòin an Diadhair, anns an ochdamh earrann dhen chiad chaibideil. Tha an dearbh theachdaireachd a' nochdadh turas no dhà eile anns an leabhar sin. Mar eisimpleir, ann an caibideil aon air fhichead, earrann a sia: "Is mise Alpha agus Omega, an tùs agus a' chrìoch: bheir mi dhàsan air am bheil tart de thobar uisge na beatha gu saor."

Cho-dhùin an fheadhainn a bha ag eadar-theangachadh a' Bhìobaill gu Gàidhlig dìreach mar a cho-dhùin an fheadhainn a dh'eadar-theangaich gu Beurla e gun tuigeadh an sluagh dè bhathar a' ciallachadh le *Alpha* agus *Omega*. Cha do dh'atharraich iad na samhlaidhean sin gu litrichean Gàidhlig no litrichean Laidinneach.

Tha litrichean Greugach nam inntinn an t-seachdain sa oir bha mi a' beachdachadh air a' Ghàidhlig a chuireamaid air *delta*, nuair a tha sin a' ciallachadh mar a bhios abhainn uaireannan a' briseadh aig a beul gu sreath de shruthan agus àbanan. Bidh fios agaibh gur e *delta* litir anns an aibidil Ghreugaich. Mar cheann-litir, tha cumadh triantain oirre, an dearbh chumadh a th' air *delta* aig beul aibhne. Chì thu sin ma bhios tu ann am plèana os cionn a leithid, agus a' coimhead sìos air.

Chan eil aibhnichean mar sin pailt air a' Ghaidhealtachd, ach bha a leithid uaireigin air an abhainn agam fhìn – Abhainn Nis. 'S dòcha gu bheil sin doirbh a chreidsinn an-diugh, oir tha mac an duine air cruth beul na h-aibhne atharrachadh gu mòr thairis air an dà cheud bliadhna a dh'fhalbh **gus am faigh luingeas a-mach 's a-steach a Chala Inbhir Nis.**

tha mac an duine air cruth beul na h-aibhne atharrachadh: *humans have changed the form of the river mouth;*

Ach tha na seann mhapaichean ga shealltainn. Ann an seachd deug, seachdad 's a ceithir (1774) bha beul na h-aibhne air a roinn ann an ceithir sruthan. Eadar na sruthan sin, bha oitirean ann a bh' air an còmhdachadh aig a' mhuir-làn. Bha uair ann nuair a bha ainmean Gàidhlig orra uile, agus rachadh muinntir Inbhir Nis a-mach orra airson feusgain a chruinneachadh nuair a bhiodh a' mhuir-tràigh ann aig àm an reothairt. Cha bu mhath leam feusgan sam bith ithe ann a sin an-diugh!

bha oitirean ann a bh' air an còmhdachadh aig a' mhuir-làn: *there were shingle banks which were covered at high-tide;* **airson feusgain a chruinneachadh:** *to collect mussels;* **nuair a bhiodh a' mhuir-tràigh ann aig àm an reothairt:** *at low tide at the time of the Spring tides;* **àban:** *creek, backwater, old path of river flow now only flooded occasionally;*
eadar-theangadair: *translator;*

Agus bha àban no dhà ann cuideachd. **'S e àban seann sruth far nach bi abhainn a' sruthadh tuilleadh** ach a-mhàin nuair a bhios i loma-làn uisge. Bha fear ann far a bheil Sràid an Àbain, no *Abban Street*, a bha uaireigin mar phàirt dhen *delta* aig beul Abhainn Nis. Agus tha sin gam thoirt air ais don Ghàidhlig air *delta*. Dh'fhàg eadar-theangadairean a' Bhìobaill *alpha* agus *omega* ann an Grèigis. 'S dòcha gum bu chòir dhuinn an aon rud a dhèanamh le *delta* agus, gu dearbh, 's e sin a th' ann anns an aon atlas a th' againn ann an Gàidhlig – air a litreachadh D-E-A-L-T-A.

LTIR

<u>Puing-chànain na Litreach</u>: **gus am faigh luingeas a-mach 's a-steach a Chala Inbhir Nis**: *so that shipping can get in and out of Inverness Harbour. Are you comfortable with the difference between the prepositions* "a", *meaning "to" and* "à", *meaning "from". The first has a more neutral sound, is not accented in the written form and causes lenition of the following noun. The second has a broader, more definite "a" sound, is accented and does not lenite the following noun eg* thàinig mi à Port Righ is tha mi a' dol a Ghlaschu *(I came from Portree and I am going to Glasgow). Note that although the common English usage would be "in and out of", it is generally the opposite in Gaelic – "a-mach 's a-steach" (lit. "out and in"). Because the final preposition is* a-steach *("in"), we follow it with* "a" *rather than* "à". *That is why it is* Chala Inbhir Nis, *with* cala *lenited.*

<u>Gnàths-cainnt na Litreach</u>: **'S e àban seann sruth far nach bi abhainn a' sruthadh tuilleadh**: *an* àban *is an old stream (route of flow) where the river no longer flows. This is a common use of* tuilleadh *as an adverb with a negative verb, meaning no longer, no more eg* cha dèan mi sin tuilleadh *(I won't do that again).*

LITIR 130

(An t-Samhain 2001)

Enormous lumps of ice sometimes fall from the sky …

clach-mheallain, clachan-meallain: *hailstone, hailstones;* **mura h-eil frasan dhiubh air a bhith ann mu thràth:** *if there have not already been showers of them;* **guineach, piantail:** *stinging and painful;* **chan ionann e ann an àiteachan eile:** *it's not the same in other places;* **buill-ghoilf:** *golf balls;* **anns an ath shràid nach robh cron sam bith air a dhèanamh:** *in the next street that no damage at all was done;* **gun cuala sibh fhèin naidheachdan annasach:** *that you (have) heard yourselves strange anecdotes;* **mu chnapan mòra deighe a' tuiteam às an adhar:** *about large lumps of ice falling from the sky;* **itealain:** *aircraft (pl.);*

Chan fhada gus am bi clachan-meallain a' tuiteam oirnn a-rithist, mura h-eil frasan dhiubh air a bhith ann mu thràth. Faodaidh iad a bhith gu math guineach, piantail nuair a bhuaileas iad air do chraiceann ach, mar as trice, ann an Alba cha bhi iad a' dèanamh cron mòr – air càraichean no togalaichean no daoine.

Chan ionann e ann an àiteachan eile, ge-tà. Tha cuimhne a'm air turas a bha mi ann an Sydney ann an Astràilia. An oidhche roimhe, bha stoirm mhòr ann agus bha frasan de chlachan-meallain a bha cho mòr ri buill-ghoilf. Chaidh mi tro sgìre far a bheil mòran taighean-gloinne, agus bha na clachan-meallain air sgrios mhòr mhòr a dhèanamh orra. Tha caraid agam a tha a' fuireach ann an Sydney agus bha e ag innse dhomh mu dheidhinn stoirm eile nuair a chaidh na càraichean gu lèir anns an t-sràid aige a mhilleadh le clachan-meallain ach, anns an ath shràid, nach robh cron sam bith air a dhèanamh.

Tha mi cinnteach gun cuala sibh fhèin naidheachdan annasach mu chnapan mòra deighe a' tuiteam às an adhar. Uaireannan tha iad a' tighinn far thogalaichean àrda. Uaireannan, tha amharas ann gu bheil iad a' tighinn bho itealain. Ach ciamar a mhìnicheas sinn mar a thuit pìos mòr deighe fad air falbh o bhaile sam bith nuair nach robh plèanaichean ann am bith? Oir thachair an dearbh rud air a' Ghàidhealtachd ann am meadhan an naoidheadh linn deug.

Am Blàr Dubh: *Muir of Ord;*

Tha Baile a' Mhullaich na bhaile beag gu siar air a' Bhlàr Dhubh ann an Ros an Ear. Cha chreid mi gun do thachair an t-uamhas ann a sin na eachdraidh a dhèanadh ainmeil e – ach 's dòcha aon rud. Air an treas là deug dhen Lùnastal, ann an ochd ceud deug, ceathrad 's a naoi (1849), thuit pìos mòr deighe don talamh ann a sin. Bha e mu shia meatairean, no fichead troigh, bho cheann gu ceann – rudeigin nas mò na clach-mheallain àbhaisteach ann an Alba! Gu fortanach, cha tàinig e sìos air taigh no bàthach no bò, ged a bha e meadhanach faisg air a' bhaile-fearainn fhèin.

bàthach: *byre;* **baile-fearainn:** *farm, country township;*

luchd-leughaidh: *readers;*

criostalan daoimeanach: *diamond-shaped crystals;* **nach tàinig e às an adhar buileach gun rabhadh:** *that it did not come from the sky entirely without warning;* **chualas brag mòr tàirneanaich anns na speuran:** *a loud thunderclap was heard in the heavens;* **tha iad sin cumanta gu leòr:** *they are common enough;* **frasan èisg is frasan losgann:** *showers of fish and showers of frogs;* **chan eil càil as ùr ann mun deidhinn:** *there is nothing new about them;*
agus iad air an cuairteachadh le deigh: *surrounded by ice;*

turtair: *turtle;* **lachan reòite:** *frozen ducks;* **An Dùbhlachd:** *December;* **am broinn deighe:** *inside (a lump of) ice;* **bha iad deiseil airson dìnnear na Nollaig, ged a bha na h-itean fhathast orra:** *they were ready for Christmas dinner, although they still had feathers on them.*

Chaidh a' chùis aithris anns a' phàipear-naidheachd, an *Times*, a dh'innis don luchd-leughaidh gu robh am pìos deighe brèagha, **gu robh e trìd-shoilleir**, a' ciallachadh gum b' urrainn do dhuine fhaicinn troimhe, agus gu robh e air a dhèanamh de chriostalan daoimeanach a bh' air an cur còmhla. Dh'aithris an *Times* cuideachd nach tàinig e às an adhar buileach gun rabhadh, oir goirid mus do nochd e, chualas brag mòr tàirneanaich anns na speuran.

Tha mi cinnteach gu bheil sibh air cluinntinn mu dheidhinn frasan èisg is frasan losgann is gnothaichean mar sin, far a bheil beathaichean beaga a' tuiteam às an adhar. Tha iad sin cumanta gu leòr ann am mòran àiteachan agus chan eil càil às ùr ann mun deidhinn. Gu dearbh, sgrìobh Pliny (am fear nas sìne) mu dheidhinn fras de losgannan anns' a' bhliadhna seachdad 's a seachd (77) A.C.

Ach **is annasaiche leam na h-aithrisean a chuala mi mu dheidhinn mar a bhios beathaichean beagan nas mò na sin a' tuiteam gu talamh**, chan ann beò, ach marbh, agus iad air an cuairteachadh le deigh. O chionn còrr is ceud bliadhna, thuit turtair a-mach às an adhar ann am Mississippi anns na Stàitean Aonaichte, agus e ann am broinn deighe. Agus dìreach ceithir bliadhna fichead air ais, bha aithris ann am pàipearan-naidheachd gu robh lachan reòite air tuiteam gu talamh ann an Arkansas. Agus bha sin anns an Dùbhlachd. Bha iad deiseil, tha e coltach, airson dìnnear na Nollaig, ged a bha na h-itean fhathast orra!

<u>Puing-chànain na Litreach</u>: **gu robh e trìd-shoilleir**: *that it was transparent. The preposition* trìd *is equivalent to the more usual* tro, *and means "through". It is now somewhat archaic, but you will meet it in old stories and in the Bible, eg Psalm XXIII:* ged ghluaisinn eadhon trìd ghlinn dorcha sgàil' a' bhàis... *(though I walk in death's dark vale...). It is actually a relic of the third person singular masculine form of the prepositional pronoun incorporating an older form of* tro *and, because of this, it is in effect a compound preposition masquerading as a simple one. It therefore commands the genitive, rather than the dative, case eg trìd na fìrinne (through the truth). However, because it is relatively archaic, a learner is most likely only to meet it in the Gaelic equivalent of transparent,* trìd-shoilleir *or* trìd-shoillseach.

<u>Gnàths-cainnt na Litreach</u>: **Is annasaiche leam na h-aithrisean mu dheidhinn mar a bhios beathaichean nas mò na sin a' tuiteam gu talamh**: *stranger to me are the reports about larger animals than that falling to the ground (ie from the sky).* Is annasaiche leam X: *I find X stranger, more novel, more unusual.*

LITIR 131

(An Dùbhlachd 2001)

Dòmhnall Ailean Dhòmhnaill na Bainich *was a celebrated bàrd from South Uist ...*

a chaidh a dheasachadh leis an Athair Urramach Iain Aonghas Dòmhnallach: *which was edited by Father John Angus MacDonald;* **buinidh X do dh'Uibhist a Deas:** *X belongs to South Uist;*

sgrìobh e na h-uibhir de dh'òrain mhatha: *he wrote a lot of good songs;*

cha leiginn a leas a bhith ag innse: *I needn't be telling;* **do mhuinntir na tìre mar dh'èirich:** *(to) the people of the district what happened;* **'s pòcaid air (a) bhiodh dhomhsa feumail:** *and a pocket on it which would be useful to;* **ùghdar:** *author;* **preusant:** *present;* **bha còir aige dhol dìreach dhachaigh:** *he should have gone straight home;* **thachair e ri:** *he met (with);* **Nillidh Eairdsidh:** *Neil, son of Archie;*

Aig an àm seo an-uiridh, bha na litrichean agam mu dheidhinn mìosan na bliadhna, agus chleachd mi am facal Gàidhlig as aithne dhomh airson *calendar* – "mìosachan". Tha e stèidhichte air a' Ghàidhlig airson *month* – mìos. Ach tha dà fhacal eile ann a chluinneas tu cuideachd airson *calendar* – *caladair* agus, seadh, *calendar*, dìreach mar a tha e ann am Beurla.

Tha sin nam inntinn an t-seachdain sa, oir bha mi a' leughadh leabhar air a bheil *Òrain Dhòmhnaill Ailein Dhòmhnaill na Bainich*, a chaidh a dheasachadh leis an Athair Urramach Iain Aonghas Dòmhnallach, a tha na shagart anns a' Ghearasdan. Buinidh Mgr Iain Aonghas do dh'Uibhist a Deas, an dearbh eilean dhan do bhuin am bàrd mun do sgrìobh e. Mholainn an leabhar dhuibh, oir tha eadar-theangachadh ann do na h-òrain air fad.

Bha Dòmhnall Ailean Dhòmhnaill na Bainich beò eadar na bliadhnaichean naoi deug 's a sia agus naoi deug, naochad 's a dhà, agus sgrìobh e na h-uibhir de dh'òrain mhatha, nam measg *Gruagach Òg an Fhuilt Bhàin* agus *Moladh Uibhist*. Is tha òran snog spòrsail san leabhar air a bheil *Òran a' Chalendar* – fear a tha furasta gu leòr do luchd-ionnsachaidh. Seo mar a tha e a' tòiseachadh:

Hù ga rì; hù ga rìreadh;
B' fheàrr gun d' chum mi dhachaigh dìreach,
'S cha leiginn a leas bhith 'g innse
Do mhuinntir na tìre mar dh'èirich;
'S hù ga rì; hù ga rìreadh.

'S fhuair mi calendar bho Dhòmhnall
A chumadh fad na bliadhn' air dòigh mi:
A h-uile mìos air sgrìobhte còmhla
'S pòcaid air bhiodh dhomhsa feumail;
'S hù ga rì; hù ga rìreadh.

Bha an t-ùghdar, Dòmhnall Ailean, air an rathad dhachaigh le calendar a fhuair e mar phreusant bho fhear air an robh Dòmhnall. Bha còir aige dhol dìreach dhachaigh leis, ach cha deach, oir thachair e ri fear a' phuist, Nillidh Eairdsidh, taobh a-muigh Oifis a' Phuist. Thuirt Nillidh ris,

nach tiugainn thu tacan suas air chèilidh?: *won't you come up for a while to visit?;* **bha na boireannaich ri dibhearsain shìos:** *the women were having a bit of fun downstairs;*

"Nach tiugainn thu tacan suas air chèilidh?" Cha b' urrainn do Dhòmhnall Ailean dhol seachad agus chaidh e a-steach airson cupa tì.

Ach fhad 's a bha e shuas an staidhre, bha na boireannaich ri dibhearsain shìos, far an do dh'fhàg Dòmhnall Ailean a chalendar. Co-dhiù, nuair a chaidh e sìos an staidhre as dèidh dha cupa tì a ghabhail, bha an calendar dìreach far an do dh'fhàg e e, agus cha robh coltas ann gu robh e eadar-dhealaichte ann an dòigh sam bith. Ach bha. Seo na rannan mu dheireadh san òran, agus an t-ùghdar a' toirt a' chalendar gu bhean:

druaipleach: *dozy;* **shìn mi (a) Cheit e airson fhuasgladh:** *I handed it over to Kate to unwrap it;* **b' fheàrr leam fhìn gu robh mi 'n uair sin nam cheò uain' air feadh nan speuran:** *I would then have preferred to be a pale mist all over the heavens;* **pàipear cruaidh:** *stiff paper;* **an croch mi suas e?:** *will I hang it up?;*

Ràinig mis' an taigh gu druaipleach
Is shìn mi Cheit e airson fhuasgladh,
'S b' fheàrr leam fhìn gu robh mi 'n uair sin
Nam cheò uain' air feadh nan speuran;
'S hù ga rì; hù ga rìreadh.

Dhragh i pìos de phàipear cruaidh às,
Dh'fhaighneachd i dhomh, "An croch mi suas e?"
'S tha is' a' fanaid orm bhon uair sin
'S bu mhis' a' chulaidh-thruais ga h-èisteachd!"
'S hù ga rì; hù ga rìreadh.

gun deach car a thoirt às: *that he was tricked;*

Tuigidh sibh gun deach car a thoirt às leis na boireannaich ann an taigh Nillidh Eairdsidh – gun tug iad an calendar a-mach às a' chèis is gun do chuir iad pìos pàipeir cruaidh innte na àite.

nach robh "de dh'fhoghlam air an t-saoghal a dhèanadh duine na bhàrd": *that there was no education in the world that could make a man a bard.*

Bha comas aig Dòmhnall Ailean gàire a dhèanamh air fhèin – rud a tha math ann am bàrd sam bith. Agus bha e na bhàrd air leth. Bha e dhen bheachd nach robh "de dh'fhoghlam air an t-saoghal a dhèanadh duine na bhàrd" agus gur e comas a bh' ann a bhuineadh do nàdar an duine fhèin. **Bha an comas sin aigesan ann am pailteas.** LTR

Puing-chànain na Litreach: **'S bu mhis' a' chulaidh-thruais ga h-èisteachd**: *and I have been an object of pity having to listen to her.* Bu mhise *is the past tense equivalent to* is mise *and it is* ga h-èisteachd, *rather than* ga èisteachd, *because he is listening to a feminine object ie his wife who is mocking him about bringing home a piece of card, rather than the calendar he promised. But I would particularly like to point out the word* culaidh, *a feminine noun which here means an object and which forms a compound noun with other nouns.* Truas *means "pity" so* culaidh-thruais *means "an object of pity".*

Gnàths-cainnt na Litreach: **Bha an comas sin aigesan ann am pailteas**: *he had that capability in abundance.*

LITIR 132

(An Dùbhlachd 2001)

A story of dishonest treatment of a "tourist"…

bha uair ann, agus chan eil e cho fada sin air ais: *there was a time, and it is not that long ago;* **aona-chànanach:** *monolingual;* **bhiodh aig cuideigin ri eadar-theangachadh a dhèanamh:** *somebody would have to translate;* **fìor chorra uair:** *very occasionally;*

onarach: *honest;* **fialaidh:** *generous;* **ge bith cà' tèid thu:** *wherever you go (for "càite an tèid thu");*

bhiodh iadsan a' feuchainn ri brath a ghabhail air X: *they would try to take advantage of X;* **a h-uile cothrom a gheibheadh iad:** *(at) every opportunity they would get;* **Na h-Ìnnsean:** *India;*

cha do chaill e a chuid Gàidhlig idir: *he didn't lose his Gaelic at all;* **co-dhiù, bliadhna a bha seo, thill X:** *anyway, this particular year, X returned;* **bha aige ri dhol tarsainn loch-mara air choreigin:** *he had to cross some sea loch or other;* **bha aige ri cuideigin às an sgìre fhastadh:** *he had to hire somebody from the area;* **dh'fheumadh e pàigheadh na rachadh iarraidh air**: he would have to pay what was asked of him;

Bha uair ann, agus chan eil e cho fada sin air ais ann an cuid de cheàrnaidhean, nuair a bha mòran Ghàidheal aona-chànanach. Cha robh Beurla aca idir. Nuair a thigeadh luchd-turais, cuid mhath aca nan **Sasannaich**, don Ghàidhealtachd, bhiodh aig cuideigin ri eadar-theangachadh a dhèanamh, no bhiodh aig na Gàidheil ri beagan Beurla ionnsachadh. Fìor chorra uair, bhiodh an luchd-turais ag ionnsachadh beagan Gàidhlig.

Ann an dùthchannan bochda tha na daoine, mar as trice, gu math onarach is laghach is fialaidh, ge bith cà' tèid thu. Ach tha corra dhuine ann nach eil cho onarach is a tha a' coimhead air luchd-turais mar chothrom airgead a chosnadh dha fhèin. Agus 's ann mar sin a bha e air a' Ghàidhealtachd o shean cuideachd, tha mi cinnteach. Bha a' chuid a bu mhò dhen t-sluagh bochd, ach onarach – ach duine no dithis an siud 's an seo. Agus bhiodh iadsan a' feuchainn ri brath a ghabhail **air an luchd-turais Shasannach** a h-uile cothrom a gheibheadh iad.

Bha fear ann uaireigin, a bha na Ghàidheal, ach a bh' air a bhith a' fuireach thall anns na h-Ìnnsean airson bliadhnaichean mòra. Bha e air a bhith **am measg Shasannach** thall agus bha a chuid Beurla air a dhol gu math **Sasannach**. Cha do chaill e a chuid Gàidhlig idir, ach mura robh fios aig duine gu robh Gàidhlig aige no, gu dearbh, gur e Albannach a bh' ann, bhiodh e a' smaoineachadh gur e **Sasannach** a bh' ann. Co-dhiù, bliadhna a bha seo, thill am fear seo dhachaigh don Ghàidhealtachd.

Bha e air taobh siar na dùthcha agus bha aige ri dhol tarsainn loch-mara air choreigin airson faighinn dhachaigh. Aig an àm sin cha robh rathaidean no drochaidean ann mar a tha an-diugh. Cha robh no Caledonian Mac a' Bhriuthainn! Nam biodh neach-siubhail ag iarraidh dhol tarsainn loch, bha aige ri cuideigin anns an sgìre fhastadh airson a dhol a-null anns a' bhàta aige fhèin. Agus dh'fheumadh e pàigheadh na rachadh iarraidh air.

gu dè a' chosgais a bhiodh ann airson faighinn a-null: *what would be the cost of getting over;* **faradh:** *fare;* **iarr deich tastain air:** *ask him for ten shillings;* **an àbhaist:** *the usual;* **saor:** *cheap;* **chan urrainn don sgiobair càil nas lugha na sin iarraidh:** *the skipper can't ask any less than that;* **nuair a bha iad letheach slighe tarsainn a' chaolais:** *when they were halfway across the narrows/strait;* **beag-spèiseil:** *showing little respect;* **thòisich e air trod ris an fhear eile:** *he started to scold the other man;* **gu robh sibh a' toirt creidsinn gur e Sasannach a bh' annaibh:** *that you were pretending to be an Englishman;* **tha còir againn dà fhichead tastan iarraidh oirbh:** *we should charge you 20 shillings;*

Co-dhiù chaidh e a dh'ionnsaigh fir an aiseig – bha dithis ann – agus dh'fhaighnich e dhen chiad fhear, ann am Beurla, gu dè a' chosgais a bhiodh ann airson faighinn a-null. Nise, bha an dà chànan aig an fhear seo, ach cha robh aig an sgiobair. Cha robh aigesan ach Gàidhlig. Dh'fhaighnich an dàrna fear dhen sgiobair ann an Gàidhlig, "dè ghabhas tu mar fharadh bhon **t-Sasannach** seo?"

"Iarr deich tastain air," thuirt an sgiobair. B' e an àbhaist airson a dhol a-null dìreach còig tastan. Thionndaidh am fear eile air an fhear-siubhail, nach robh idir a' sealltainn gu robh e a' tuigsinn a' chòmhraidh, agus thuirt e ris ann am Beurla, "Cosgaidh e fichead tastan dhuibh, tha e saor aig a' phrìs sin, agus chan urrainn don sgiobair càil nas lugha na sin iarraidh." Cha tuirt am fear-siubhail guth agus chaidh e air bòrd a' bhàta.

Nuair a bha iad letheach slighe tarsainn a' chaolais, bhruidhinn am fear-siubhail ris an fhear eile ann an Gàidhlig bhrèagha a' chinn a tuath. Nise, shaoileadh tu gum biodh fear a' bhàta rudeigin diùid agus duilich ann an suidheachadh mar sin, ach cha robh. Gu dearbh, thòisich e air trod ris an fhear eile. "**Nàire oirbh**," thuirt e, "nàire oirbh airson a bhith cho beag-spèiseil don dùthaich agaibh fhèin 's gu robh sibh a' toirt creidsinn gur e **Sasannach** a bh' annaibh! Tha còir againn dà fhichead tastan iarraidh oirbh, ach chan iarr ach na còig!" Gu mì-fhortanach, chan eil freagairt an fhir eile air a glèidheadh ann am beul-aithris.

LTiR

Puing-chànain na Litreach: *The word* "**Sasannach**" *appears 7 times in the Litir, in the 3 different forms* – Sasannach, Sasannaich *and* Shasannach. *In the first para. we have* **cuid mhath aca nan Sasannaich** *("many of them English people"). Here,* nan *is a contraction of* ann an + an *("in their"); literally this means "they are in their English people" – it is a plural noun in the dative case. In the 2nd para, we have* **air an luchd-turais Shasannach.** *This is also a dative and* Sasannach *is lenited because it is an adjective qualifying the masculine noun* luchd-turais *(cf.* air a' bhòrd mhòr*). In the 3rd para. there is* **am measg Shasannach.** *Here the word is a noun in the genitive plural, which has the same form as the nominative singular, except that it is lenited because there is no article. It is genitive following the compound preposition* am measg. *In* **air a dhol gu math Sasannach** *(gone very English), the word is an adjective. In the 5th para* **bhon t-Sasannach seo** *is dative singular and the final example is the singular noun* **Sasannach**, *meaning "Englishman".*

Gnàths-cainnt na Litreach: **Nàire oirbh!**: *shame on you!*

LITIR 133

(An Dùbhlachd 2001)

A new book celebrates 50 years since the establishment of the Beinn Eighe National Nature Reserve.

eilid, èildean: *hind, hinds;*

Tha an eilid anns an fhrìth
Mar bu chòir dhi bhith,
Far am faigh i millteach
Glan, feòirneanach.

bha iad air an sgrìobhadh le fear de na bàird as ainmeile a bh' againn: *they were written by one of our most famous poets;*

A bheil fhios agaibh cò sgrìobh na faclan sin? Tha iad mu dheidhinn nàdair agus beanntan na h-Alba, agus bha iad air an sgrìobhadh le fear de na bàird as ainmeile a bh' againn – Donnchadh Bàn Mac an t-Saoir. Seo iad a-rithist. 'S dòcha gum bi fios agaibh gu bheil *eilid* a' ciallachadh "fiadh boireann". Agus millteach – uill, 's e sin seòrsa feòir a bhios a' fàs air na beanntan.

Tha an eilid anns an fhrìth... etc

ann an leabhar mu dheidhinn tè de bheanntan na h-Alba: *in a book about one of Scotland's mountains;* **chan i X a bha Y a' moladh na bhàrdachd:** *it isn't X that Y was praising in his poetry;* **Toirbheartan:** *Torridon;* **Laughton Maclain:** *Laughton Johnston;*

Leugh mi na faclan sin an t-seachdain sa ann an leabhar ùr mu dheidhinn tè de bheanntan na h-Alba. Chan i Beinn Dòrain ann an Earra-Ghàidheal, a bha Donnchadh Bàn a' moladh na bhàrdachd, ach tè fada gu tuath air a sin, tè de bheanntan Thoirbheartain ann an taobh siar Rois – Beinn Eighe. Ged is ann ann am Beurla a tha an leabhar, le Laughton Maclain agus Dick Balharry, **tha criomag de bhàrdachd Ghàidhlig ann an siud 's an seo** agus is math sin.

gur dòcha nach tuig an luchd-leughaidh gu lèir dè dìreach a tha an t-eadar-theangachadh a' ciallachadh: *that perhaps the readers will not entirely understand what the translation means;*

Ach tha beagan dragh orm gur dòcha nach tuig an luchd-leughaidh gu lèir dè dìreach a tha an t-eadar-theangachadh a' ciallachadh, oir seo mar a chaidh a chur ann am Beurla: *The hind is in the forest, as she ought to be, where she may have sweet grass, clean, fine-bladed.* Tha a h-uile càil sin ceart gu leòr ach, 's dòcha aon rud. 'S e sin gu bheilear ag eadar-theangachadh an fhacail "frìth" mar "forest".

's e sin an t-eadar-theangachadh as trice a nochdas: *that is the translation which most frequently appears;*

Tuigidh mi carson, oir 's e sin an t-eadar-theangachadh as trice a nochdas airson frìth, ach le "deer" ann roimhe – *deer forest.* Tha pàirt dhen leabhar, ge-tà, mu dheidhinn na coille aig bonn Beinn Eighe ris an canar Coille na Glas Leitir agus tha amharas agam gum bi cuid a leughas an leabhar agus

nach eil fiosraichte mu dheidhinn na Gàidhealtachd: *that are not informed about the Gaidhealtachd;*

chan eil guth aige air craobhan: *there is not a word (ie he says nothing) about trees;*

nach eil fiosraichte mu dheidhinn na Gàidhealtachd dhen bheachd gu robh Donnchadh Bàn a-mach air àite anns an robh craobhan. Seo na chanas faclair Chox, "Brìgh nam Facal", airson "frìth": *àite air a' mhòintich no air na beanntan far am bi fèidh a' fuireach agus a' biathadh.* Chan eil guth aige air craobhan. Chan eil "forest" anns an t-suidheachadh seo ann am Beurla a' ciallachadh àite le craobhan, ach tha amharas agam gum bi mòran ann aig nach eil fios air a sin.

tèarmann nàdair: *nature reserve;* **'s ann gu h-àraidh airson coille a dhìon a chaidh a chomharrachadh:** *it is particularly in order to protect the woodland that it was designated;* **coille-ghiuthais:** *(Caledonian) pine wood;* **'s gu robh feum ann a sàbhaladh agus a dìon:** *that there was a need to save and protect it (fem.);* **èildean dhen t-seòrsa air an robh X a-mach:** *hinds of the type that X told about;* **'s e deagh rud a tha sin:** *that's a good thing;* **tha i a' cur ri bòidhchead na sgìre:** *it (fem.) adds to the beauty of the area;* **anns an sgìre timcheall baile beag Cheann Loch Iù:** *in the area around the small village of Kinlochewe;*

Co-dhiù, tha an leabhar fhèin glè inntinneach. Tha e mu dheidhinn mar a chaidh a' chiad thèarmann nàdair nàiseanta ann am Breatainn a stèidheachadh air Beinn Eighe o chionn leth-cheud bliadhna. Ged is e beinn is mòinteach a tha anns a' mhòr-chuid dhen tèarmann, 's ann gu h-àraidh airson coille a dhìon a chaidh a chomharrachadh. Bhathar dhen bheachd gu robh Coille na Glas Leitir, coille-ghiuthais nàdarrach de sheòrsa a tha gu math gann an-diugh, cho prìseil 's gu robh feum ann a sàbhaladh agus a dìon an aghaidh, am measg eile, èildean dhen t-seòrsa air an robh Donnchadh Bàn a-mach na chuid bàrdachd.

An-diugh, **tha a' choille a' sgaoileadh mean air mhean**, agus 's e deagh rud a tha sin. Tha i a' cur ri bòidhchead na sgìre. Gu h-oifigeil, 's e *Tèarmann Nàdair Nàiseanta Beinn Eighe* a th' air an àite an-diugh. Ach gu h-eachdraidheil, agus don fheadhainn aig a bheil Gàidhlig a tha a' fuireach anns an sgìre timcheall baile beag Cheann Loch Iù, 's e a bh' ann, agus a th' ann – *Frìth Cheann Loch Iù.* Àite math airson èildean a bhios ag ithe millteach nam beann – fhad 's nach eil cus dhiubh ann. LTR

<u>Puing-chànain na Litreach</u>: **Tha a' choille a' sgaoileadh mean air mhean**: *the wood (forest) is spreading gradually.* Mean *is an adjective meaning "very small". In old phrases of this nature where the adjective is repeated, the second time following* air, *it is lenited the second time. This is a classic example:* mean air mhean – *lit. "little on little" or as might be said in English "little by little". A similar phrase with the same meaning is* beag air bheag. Thog iad an caisteal, beag air bheag *(they built the castle little by little. Yet another, using the noun* uidh *("step", "degree") is* uidh air n-uidh *(gradually, by degrees).*

<u>Gnàths-cainnt na Litreach</u>: **Tha criomag de bhàrdachd Ghàidhlig ann an siud 's an seo**: *there is a fragment of Gaelic poetry here and there.* An siud 's an seo: *here and there (lit. yonder and here).*

LITIR 134

(Am Faoilleach 2002)

The Gaelic for MSP is BPA ...

tha bliadhna thrang air a bhith aig Ailig O Hianlaidh: *Alex O' Henley's had a busy year;* **'s iongantach mura bi sibh a' conaltradh ri X:** *it's likely you'll be communicating with X;* **Oifigear Gàidhlig na Pàrlamaid:** *Parliamentary Gaelic Officer;* **tha X air a bhith na dhreuchd airson bliadhna:** *X has been in his job for a year;*

leabhran, leabhrain: *booklet, booklets;*

fiosrachadh do luchd-fianais a tha a' nochdadh air beulaibh chomataidhean: *information for witnesses who appear in front of committees;*

tha dà rud a' tighinn am follais: *two things become apparent;*

singilte: *singular;* **iolra:** *plural;* **'s e an darna rud as fhiach rudeigin a ràdh mu dheidhinn:** *the second thing worth commenting on;*
tha buill air an taghadh ann an dà dhòigh: *members are chosen in two ways;*

Tha bliadhna thrang air a bhith aig Ailig O Hianlaidh. Mura h-eil sibh eòlach air, ma tha ùidh agaibh ann am poileataigs, gu h-àraidh ann am Pàrlamaid na h-Alba, 's iongantach mura bi sibh a' conaltradh ri Ailig ann an dòigh air choreigin anns an ùine romhainn, oir is esan Oifigear Gàidhlig na Pàrlamaid. Agus tha na Gàidheil, is na meadhanan Gàidhlig gu sònraichte, a' dèanamh feum mòr dheth.

Tha Ailig air a bhith na dhreuchd a-nise airson bliadhna agus 's iomadh rud a dh'eadar-theangaich e, no a sgrìobh e bho thùs, airson luchd na Gàidhlig thairis air an ùine sin. Tha feadhainn dhiubh sin air mo bheulaibh an-dràsta – bileagan no, gu dearbh, leabhrain air a bheil rudan mar "Thu Fhèin agus na BPA agad" no "Atharrachaidhean ri Bilean Riaghaltais: Stiùireadh do bhuidhnean agus daoine bhon taobh a-muigh". Tha leabhran ann a tha a' toirt *Fiosrachadh do Luchd-fianais a tha a' nochdadh air beulaibh chomataidhean* agus fear eile air "Mar a tha Pàrlamaid na h-Alba ag obair".

Nise, chleachd mi na litrichean BPA. Tha iad a' seasamh airson Ball Pàrlamaid na h-Alba. Mar sin, tha iad co-ionann ri MSP ann am Beurla – *Member of the Scottish Parliament.* **Coimheadamaid a-rithist** air tiotal an leabhrain anns a bheil BPA a' nochdadh – *Thu Fhèin agus na BPA agad.* Tha dà rud a' tighinn am follais. Anns a' chiad dol a-mach, tha BPA cuideachd a' seasamh airson barrachd na aon duine – Buill Pàrlamaid na h-Alba. Chan eil diofar ann mar a tha ann am Beurla eadar MSP singilte agus MSPs iolra.

'S e an darna rud as fhiach rudeigin a ràdh mu dheidhinn gu bheil an leabhar ag ràdh "na BPA agad". Ann am Pàrlamaid na h-Alba, tha còrr is aon bhall pàrlamaid aig gach duine, oir tha na buill air an taghadh ann an dà dhòigh. Tha feadhainn nam Buill Roinne Pàrlamaid. Tha iad a' seasamh airson aon sgìre bheag agus tha daoine a' bhòtadh gu dìreach air an son. Tha feadhainn eile air an taghadh le siostam air a bheil mòran eòlach mar "siostam PR" – far a bheil feadhainn a' faighinn a-staigh mar Bhuill Liosta ann an sgìre mhòr – mar sgìre na Gàidhealtachd 's nan Eilean. Agus, mura h-eil sibh eòlach air a' Ghàidhlig airson PR no "Proportional Representation", seo e, bho Fhaclair na Pàrlamaid: *Siostam Riochdachaidh Co-roinneil.*

mar Bhuill Liosta: *as List Members;*

Mura h-eil mòran ùidh agaibh ann am poileataigs an là an-diugh, ach ma tha ùidh agaibh ann an eachdraidh na h-Alba, chanainn gun gabhadh sibh tlachd bho bhith a' leughadh leabhran eile air an do rinn Ailig O Hianlaidh obair. 'S e sin am fear air a bheil *An Dualchas Phàrlamaideach Albannach.* Tha sin a' coimhead air rudan mar a' chiad phàrlamaid aig Alba, an t-Ath-Leasachadh, Cunnradh an Aonaidh agus Linn Westminster.

ma tha ùidh agaibh ann an eachdraidh na h-Alba: *if you are interested in the history of Scotland;* **an Dualchas Phàrlamaideach Albannach:** *the Scottish Parliamentary Heritage;* **An t-Ath-Leasachadh:** *The Reformation;* **Cunnradh an Aonaidh:** *The Treaty of Union;* **tha mi a' dol a chur ceist oirbh aig an deireadh:** *I am going to ask you a question at the end;*

Seo pìos dheth agus tha mi a' dol a chur ceist oirbh aig an deireadh: "Chunnaic pàrlamaidean na h-Alba troimhe-chèile, briseadh agus sgaoileadh eadhon mus tàinig an t-Aonadh ann an 1707. As dèidh na bliadhna sin bha pàirt chudromach aig Alba ann am Pàrlamaid na RA ann an Westminster." 'S e a' cheist agam – dè tha na litrichean "RA" a' seasamh air a shon? Innsidh mi dhuibh anns an ath litir.

Ach feumaidh mi aideachadh gun do sgrìobh Ailig aon rud a chuir gàire air m' aghaidh, ann an ro-ràdh ann am fear de na leabhrain. Sgrìobh e: "**Tha pàrlamaid air a dèanamh suas le riochdairean taghta**..." Tha sin ceart, ach **tha cuid anns a' choimhearsnachd nach canadh "taghta" idir ann an co-cheangal rin cuid riochdairean anns a' phàrlamaid**! LTIR

aon rud a chuir gàire air m' aghaidh: *one thing that put a smile on my face;*

<u>Puing-chànain na Litreach</u>: **Tha pàrlamaid air a dèanamh suas le riochdairean taghta**: *parliament is made up of elected representatives. There is a play on words here. The word* taghta *is a part participle of the verb* taghadh *(choosing, electing) and means "chosen" or "elected". As with other other past participles like* briste *(broken),* fosgailte *(open) and* dùinte *(closed), it operates as an adjective. But the expression* "taghta!" *also means "excellent, wonderful, perfect" eg* tha sin dìreach taghta *(that's just perfect). You might hear it being used in a phone conversation in the same manner as one might say in English "great" or "terrific". So, in the Litir,* **tha cuid anns a' choimhearsnachd nach canadh "taghta" idir ann an co-cheangal rin cuid riochdairean anns a' phàrlamaid** *means "some in the community would not say 'taghta' in relation to their representatives in the parliament!"*

<u>Gnàths-cainnt na Litreach</u>: **Coimheadamaid a-rithist**: *let us look again.*

LITIR 135

(Am Faoilleach 2002)

The 78th Highlanders refused to go to India and were sent to Jersey instead...

Bliadhna Mhath Ùr dhuibh! Do fheadhainn agaibh, bidh mi rudeigin fadalach ann a bhith ag ràdh sin, ach cuimhnichibh gur e an dàrna là deug dhen Fhaoilleach là na seann Bhliadhn' Ùire, agus gu bheil feadhainn fhathast a' comharrachadh na h-oidhche roimhe sin mar Oidhche Challainn.

Co-dhiù, chuir mi ceist oirbh an t-seachdain sa chaidh mu dheidhinn nan litreachan "RA" anns an t-seantans – "as dèidh [1707] bha pàirt chudromach aig Alba ann am Pàrlamaid na RA ann am Westminster." Tha e a' seasamh airson *Rìoghachd Aonaichte.*

Aig an àm seo dhen bhliadhna, air an t-siathamh là dhen Fhaoilleach, o chionn da cheud is fichead bliadhna, bha batail ann anns an robh saighdearan Gàidhealach an sàs, nuair a dhìon iad eilean. **Air sàilleabh an cuid gaisgeachd**, chaidh an t-eilean, agus na h-eileanan eile timcheall air, a shàbhaladh fo chrùn Bhreatainn. B' e an t-eilean Jersey, agus na h-eileanan gu lèir an fheadhainn ris a chanas sinn Eileanan Chaolas Shasainn.

Canaidh na Frangaich riutha "Les îles Anglo-normandes" agus bha iad fhèin gan iarraidh airson ùine mhòir. Is beag an t-iongnadh, leis cho faisg 's a tha iad air costa na Frainge. Ann an seachd-deug, ochdad 's a h-aon (1781), dh'fheuch iad rin gabhail thairis. Bha rèisimeid Ghàidhealach, na *78th Highlanders* mar a chanadh iad riutha, ann an St Helier, agus rinn iad fhèin is saighdearan eile an gnothach air an fheachd Fhrangaich.

Fhad 's as fiosrach leam, b' e sin a' chiad turas a bha na *78th* an sàs ann an cogadh, oir bha an rèisimeid glè òg aig an àm sin. Bha i air a cur ri chèile dìreach trì bliadhna roimhe le Coinneach MacCoinnich, siathamh Iarla Shìophoirt, agus bha a' chuid mhòr aca às na h-oighreachdan aige anns an iar-thuath, le feadhainn à oighreachdan eile a bha le buill eile de Chloinn 'ic Coinnich. A bharrachd air Cloinn 'ic Coinnich fhèin,

Oidhche Challainn: *Hogmanay (or night before old style New Year);*

An Rìoghachd Aonaichte: *the United Kingdom;* **chaidh an t-eilean a shàbhaladh fo chrùn Bhreatainn:** *the island was saved under (for) the British crown;* **Eileanan Chaolas Shasainn:** *The Channel Isles;* **bha iad fhèin gan iarraidh airson ùine mhòir:** *they themselves wanted them for a long time;* **leis cho faisg 's a tha iad air costa na Frainge:** *as they are so close to the coast of France;* **rinn iad an gnothach air an fheachd Fhrangaich:** *they defeated the French force;* **bha i air a cur ri chèile dìreach trì bliadhna roimhe:** *it was set up only three years before;* **Coinneach MacCoinnich, siathamh Iarla Shìophoirt:** *Kenneth Mackenzie, the sixth Earl of Seaforth;* **feadhainn à oighreachdan eile a bha le buill eile de Chloinn 'ic Coinnich:** *some from other estates that belonged to other members of Clan Mackenzie;*

bhuineadh mòran de bhuill na rèisimeid, anns an robh mìle is ceud duine, do Chloinn 'ic Rath.

bhuineadh mòran do Chloinn 'ic Rath: *many belonged to the MacRae clan;*

Uill, chaidh gnothaichean glè mhath anns a' chiad dol a-mach. Bha na saighdearan dhen bheachd gu robh aonta ann nach biodh aca ri dhol a-null thairis a dh'àite sam bith. Ach chaidh an cur gu Lìte, faisg air Dùn Èideann, agus chaidh iarraidh orra dèanamh deiseil airson dhol do na h-Ìnnsean! Uill, **chuir sin an ceòl air feadh na fìdhle**.

nach biodh aca ri dhol a-null thairis: *that they wouldn't have to go overseas;*
Lìte: *Leith;*
Na h-Ìnnsean/Ìnnseachan: *India (the Indies);*

Dhiùlt na saighdearan dhol air bòrd agus thug iad an casan leotha, na pìoban aca gan seinn, a-mach à Lìte. Às dèidh greis, bha còmhraidhean ann eadar iad fhèin is an ceannardan is dh'aontaich iad tilleadh gu cala Lìte anns an dearbh dhòigh san do dh'fhalbh iad, a' meàrrsadh sìos an rathad lem pìobairean air thoiseach orra. An àite dhol a dh'ionnsaigh nan Ìnnsean, 's ann a dh'fhalbh iad a Chaolas Shasainn, airson Jersey a dhìon an aghaidh nam Frangach.

a' meàrrsadh sìos an rathad lem pìobairean air thoiseach orra: *marching down the road with their pipers in front of them;*

Is chun an là an-diugh, thathar a' comharrachadh sin air balla ann an St Helier – seann bhalla a bhuineadh do dh'ospadal aig an àm sin, far an robh saighdearan an 78th a' fuireach fhad 's a bha iad ann an Jersey. Agus an robh an riaghaltas riaraichte leotha? Bha – cho riaraichte 's gun do chuir iad, mar dhuais, trì mìosan as dèidh sin, gu muir a-rithist iad – chun nan Ìnnsean. Bha iad aig muir fad mhìosan, agus chaochail dà cheud gu leth duine aca air bòrd. Abair duais airson an cuid gaisgeachd.

an robh an riaghaltas riaraichte leotha?: *was the government satisfied with them?;*
abair duais airson an cuid gaisgeachd: *what a reward for their bravery.*

<u>Puing-chànain na Litreach</u>: **chuir sin an ceòl air feadh na fìdhle**: *that put the cat among the pigeons/sent everything haywire. This is a commonly used, and very colourful, Gaelic expression which literally means "that put the music throughout the fiddle". You might commonly hear it as* "chaidh an ceòl air feadh na fìdhle"*. I have heard differing explanations as to its origin, including the smashing of a fiddle over a knee but, as well as being a good idiom, it also reminds us of a couple of grammatical points (as all good old proverbs do). The first is that* air feadh *is a compound preposition and places the following noun in the genitive case. The second is that the Gaelic for fiddle,* fidheall, *is a feminine word and carries the diagnostic genitive singular article "na". Note that the short "i" in* fidheall *lengthens to* "ì" *in the genitive* fìdhle, *as it does in the plural nominative* fìdhlean.

<u>Gnàths-cainnt na Litreach</u>: **air sàilleabh an cuid gaisgeachd**: *because of their bravery.*

LITIR 136

(Am Faoilleach 2002)

Some thoughts regarding the words cuilean *and* isean…

Tha caraid dhomh ag ionnsachadh na Gàidhlig. Agus tha e fhèin is a bhean a' dèanamh oidhirp mhòr. 'S ann ann an Gàidhlig a bhios iad a' bruidhinn ri chèile mar as trice, agus tha iad a' togail an cuid cloinne le Gàidhlig mar phrìomh chànan – is tha Gàidhlig mhath dha-rìribh acasan. B' fheàrr leam gu robh barrachd de a leithid ann an Alba.

Thàinig mo charaid thugam an là eile agus dh'innis e dhomh gun tuirt fear, a tha a' fuireach anns an aon bhaile ris, agus a bhuineas don Eilean Sgitheanach, rudeigin ris ann an Gàidhlig nach do thuig e. Thuirt am fear eile, ***"'S ann dhutsa a rug an cat an cuilean.***" 'S ann dhutsa a rug an cat an cuilean. "Uill," thuirt mo charaid rium, "dè tha sin a' ciallachadh?!" Cha robh e cinnteach idir co-dhiù bha am fear eile ga chàineadh no ga mholadh!

Agus, tha an gnàths-cainnt seo rudeigin neònach, nach eil? Dè a' Bheurla a chuireadh sibh air? Uill, tha e agam an seo ann an cruinneachadh de ghnàthsan-cainnt à Leòdhas, a chaidh a chur ri chèile le Donnchadh Dòmhnallach a bha na mhaighstir-sgoile ann an Sgoil Shanndabhaig ann an naoi-deug, trithead 's a dha (1932). 'S e an t-eadar-theangachadh a thug esan – *you were born with a silver spoon in your mouth*. Bha thu gu math fortanach. Rinn an cat rudeigin dhut nach tachradh ach glè glè ainneamh!

Tha fhios againn uile gur e piseagan a bhios cat a' breith, seach cuileanan. Ach cha bhi am facal *cuilean* an-còmhnaidh a' ciallachadh cù òg. Uaireannan bidh e a' ciallachadh beathach òg de sheòrsa eile, co-dhiù de mhamail eile. Mar eisimpleir, canaidh sinn *cuilean-ròin* airson ròn òg, *cuilean-leòmhainn* airson leòmhann òg agus *cuilean-maighich* airson maigheach òg.

Is bidh sinn uaireannan a' cleachdadh an fhacail ann an co-cheangal ri daoine. Seo mar a nochdas e ann an seann leabhar, ris an canar "Leabhar nan Cnoc", a chaidh a sgrìobhadh leis an Ollamh Urramach Tormod MacLeòid ann am meadhan an naoidheamh linn deug.

b' fheàrr leam gu robh barrachd de a leithid ann an Alba: *I wish there were more of the same in Scotland;*

's ann dhutsa a rug an cat an cuilean: *lit. it is for you the cat gave birth to the puppy (see text of Litir for interpretation);* **co-dhiù bha am fear eile ga chàineadh no ga mholadh:** *whether the other man was criticising or praising him;* **tha e agam an seo ann an cruinneachadh de ghnàthsan-cainnt à Leòdhas:** *I have it here in a collection of Gaelic idiom(s) from Lewis;* **Sgoil Shanndabhaig:** *Sandwick School;* **rinn an cat rudeigin dhut nach tachradh ach glè glè ainneamh:** *the cat did something for you that would only happen very rarely;* **gur e piseagan a bhios cat a' breith:** *that it is kittens to which cats give birth;* **an-còmhnaidh:** *always;* **mamail:** *mammal;* **ròn:** *seal;* **leòmhann:** *lion;* **maigheach:** *hare;*

ann an co-cheangal ri daoine: *in connection with people;*

Anns an earrainn seo, tha Màiri a' Ghlinne a' dèanamh iomradh air a h-athair: 'Is minig a chanadh e rium, 's na deòir a' tuiteam gu frasach: "A Mhàiri, a chuilean mo rùin, chan eil thusa mar bu mhiann le d' athair."'

is minig a chanadh e rium, 's na deòir a' tuiteam gu frasach: *often he would say to me, and the tears falling in showers;*

Tha fhios nach dèanadh sibh eadar-theangachadh air *cuilean* anns an t-seadh sin mar "puppy". 'S e a th' ann an ***cuilean mo rùin*** ach, mar a chanas faclair Dwelly, a *"term of familiar endearment."*

Nise, tha e inntinneach gu bheilear a' cleachdadh ann an cuid de sgìrean facal eile an àite cuilean airson beathaichean òga ainmeachadh – *isean.* Mar as trice tha isean a' ciallachadh eun òg ach faodaidh e cuideachd a bhith air a chleachdadh airson mamailean òga. Mar eisimpleir, canaidh cuid *isean ròin* airson ròn òg agus *isean cait* airson piseag. Agus ann am pàirtean de Leòdhas canaidh daoine isean ri eun sam bith, sean no òg.

an àite cuilean airson beathaichean òga ainmeachadh: *instead of cuilean for naming young animals;*

canaidh daoine isean ri eun sam bith, sean no òg: *people call any bird, old or young, an "isean";*

Agus ann am mòran sgìrean bithear a' cantainn "isean" ri daoine cuideachd – gu h-àraidh ri clann òg. Uaireannan tha e a' sealltainn gu bheil gràdh aig an neach-labhairt air an leanabh. Ach, uaireannan eile, bidh daoine ag ràdh "droch isean" ri pàiste nach eil idir math no modhail. Nan robh athair Màiri a' Ghlinne air a bhith na bu chrosta le nighinn dh'fhaodadh e seo a ràdh rithe: **"A Mhàiri, chan eil thusa mar bu mhiann le d' athair**. 'S e fìor dhroch isean a th' annad." Ach 's dòcha gur ann bho shùilean Màiri a bhiodh na deòir a' tuiteam gu frasach an uair sin!

's e fìor dhroch isean a th' annad: *you are a real bad egg (the Gaelic takes the biological imagery to the next developmental stage!);* **gur ann bho shùilean Màiri a bhiodh na deòir a' tuiteam:** *that it is from Mary's eyes that the tears would fall.*

<u>Puing-chànain na Litreach</u>: **Tha caraid dhomh ag ionnsachadh na Gàidhlig**: *a friend of mine is learning Gaelic. You may have been taught by textbooks that the way to express "possession" of a friend in such a manner is either by the use of the possessive adjective,* mo *ie* mo charaid, *or with the preposition* aig *ie* caraid agam. *I could have said above* tha caraid agam ag ionnsachadh na Gàidhlig and it would have meant the same thing. *But you will often meet the preposition "do" being used in the same way. Here are two other examples:* 's e caraid dha a th' innte *(she is a friend of his);* 's e piuthar dhi a th' ann an Ealasaid *(Elizabeth is her sister). In some dialects of Gaelic you will similarly meet* do *being used instead of* aig *in such expressions as* chan eil fhios dhomh (*or* domh) *instead of* chan eil fhios agam.

<u>Gnàths-cainnt na Litreach</u>: **A Mhàiri, chan eil thusa mar bu mhiann le d' athair**: *Mary, you are not as your father would wish.*

LITIR 137

(Am Faoilleach 2002)

Donald Mackinnon from Tiree was a famous sea captain...

Tiriodh: *Tiree;* **thathar fhathast a' cuimhneachadh seòladair on naoidheamh linn deug:** *a 19th Century sailor is still remembered;* **an Caiptean Dòmhnall MacFhiongain:** *Captain Donald Mackinnon;* **Dòmhnall mac Nèill 'ic Dhòmhnaill Ruaidh:** *Donald, son of Neil who was the son of Red-haired Donald;* **air sàilleabh ghnothaichean a rinn e aig muir:** *because of things he did at sea;* **fad air falbh o eilean a bhreith:** *far away from the isle of his birth;* **longan:** *ships;* **carago:** *cargo;* **bhiodh moit mhòr à sgiobair soithich nan tigeadh e dhachaigh na bu luaithe na càch:** *a skipper of a vessel would be very proud if he came home quicker than the rest;* **b' e a bu luaithe a-rithist:** *it was him that was fastest again;* **le duais luach ceud not airson an sgiobair a dhèanadh a' chùis:** *with a prize worth £100 for the winning skipper;* **bha cabhag mhòr air muinntir gach luinge:** *the people of all the ships were in a great hurry;*

bha iad le chèile air an togail air Abhainn Chluaidh: *they were both built on the River Clyde;*

Ann an Tiriodh, thathar fhathast a' cuimhneachadh seòladair on naoidheamh linn deug air an robh an Caiptean Dòmhnall MacFhionghain mar ainm. B' e a shloinneadh Dòmhnall mac Nèill 'ic Dhòmhnaill Ruaidh agus tha e air a chuimhneachadh fhathast ann an Tiriodh air sàilleabh ghnothaichean a rinn e aig muir, fad air falbh o eilean a bhreith.

Bha e na sgiobair air longan de sheòrsa sònraichte a bha a' toirt carago, gu h-àraidh tì, eadar Sìona agus Breatainn – na clipearan. Bhiodh farpais mhòr ann eadar na companaidhean, agus na sgiobairean, a bha a' ruith diofar chlipearan. Agus bhiodh moit mhòr à sgiobair soithich nan tigeadh e dhachaigh na bu luaithe na càch. Bidh sibh a' tuigsinn gu robh seo mus robh einnseanan ann am bàtaichean. **Bha iad an urra ris a' ghaoith a-mhàin**.

Chaidh uabhasach math do Dhòmhnall MacFhionghain ann an ochd deug, seasgad 's a ceithir (1864) nuair a thug e dìreach ochdad 's a h-ochd là eadar Sìona is Lunnainn. A' bhliadhna as dèidh sin, b' e a bu luaithe a-rithist, ged a thug e beagan na b' fhaide an turas sin — ceud 's a dhà là.

Agus bliadhna as dèidh sin, chaidh farpais cheart a chur air dòigh, le duais luach ceud not airson an sgiobair a dhèanadh a' chùis. Uill, bha cabhag mhòr air muinntir gach luinge faighinn air falbh agus gu h-annasach, dh'fhalbh seachd soithichean an ìre mhath aig an aon àm. **Bha iad gu bhith a' rèiseadh thar a' chuain mhòir fad na slighe a Bhreatainn**.

Às dèidh greis, bha dà shoitheach air thoiseach, agus a' strì gu làidir an aghaidh a' chèile airson a bhith anns a' phrìomh àite. 'S iad na h-ainmean a bh' orra an Taeping agus an Ariel agus bha iad le chèile air an togail air Abhainn Chluaidh. Agus b' iad na sgiobairean dithis Albannach, an Caiptean Keay anns an Ariel agus an Caiptean Dòmhnall MacFhionghain anns an Taeping.

bha an dà chlipear aig fairge: *the two clippers were at sea;* **a' dèanamh air Lunnainn aig an aon astar:** *making for London at the same speed;* **an Cuan Innseanach:** *the Indian Ocean;* **Bàgh Bhiscèidh:** *Bay of Biscay;* **Caolas Shasainn:** *The English Channel;* **chunnaic Keay seòl air fàire:** *Keay saw a sail at a distance (on the horizon);* **tuga:** *tug(boat);* **ràinig X an cidhe fichead mionaid air thoiseach air Y:** *X reached the quay 20 minutes before Y;* **às dèidh seachdainean os cionn na doimhne:** *after weeks above the deep (on the ocean);*

gum biodh e iomchaidh dha leth dhen duais a thoirt seachad: *that it would be fitting for him to give away half of the prize;*

tha iad cuideachd air an cuimhneachadh ann an òran: *they are also remembered in a song;*

cha chreid mi nach ann à Muile a bha e: *I think he was from Mull.*

Chaidh na seachdainean seachad agus bha an dà chlipear aig fairge, fad air falbh o chèile, ach a' dèanamh air Lunnainn aig an aon astar. Thar a' Chuain Innseanaich is faisg air costa Afraga, ann am Bàgh Bhiscèidh agus ann an Caolas Shasainn, chan fhaca MacFhionghain an Ariel, is chan fhaca Keay an Taeping. Ach nuair a bha an Ariel aig beul Abhainn Thames, chunnaic Keay seòl air fàire an Taeping agus bha i a' seòladh aig astar!

Bha a' ghaoth na b' fheàrr do MhacFhionghain agus rinn e a' chùis ann a bhith a' faighinn gu tuga a bheireadh suas an abhainn e. Agus ràinig an Taeping an cidhe fichead mionaid air thoiseach air an Ariel. Dìreach fichead mionaid as dèidh seachdainean os cionn na doimhne!

Uill, dè seòrsa duine a bh' ann an Dòmhnall mac Nèill 'ic Dhòmhnaill Ruaidh? Duine math, a rèir choltais, oir shaoil e gu robh an rèis air a bhith cho math, agus na longan cho faisg air a' chèile aig an deireadh, 's gun do cho-dhùin e gum biodh e iomchaidh dha leth dhen duais a thoirt seachad don Chaiptean Keay.

Tha an duine agus an rèis air an cuimhneachadh ann am beul-aithris Thiriodh. Ach tha iad cuideachd air an cuimhneachadh ann an òran, *Deoch-slàinte nan Gillean* a chaidh a sgrìobhadh le fear dhen chriutha air bòrd an Taeping. Cha chreid mi nach ann à Muile a bha e, oir 's e an loidhne mu dheireadh dhen òran: "Gum b' fheàrr a bhith 'm Muile fo dhubhar nam beann." Mar iomadach Gàidheal eile, ged a sheòl e tric gu ceann thall an t-saoghail, bha a chridhe a-riamh ann an dùthaich a bhreith.

LTR

Puing-chànain na Litreach: **Bha iad gu bhith a' rèiseadh thar a' chuain mhòir fad na slighe a Bhreatainn**: *they were to be racing across the great ocean all the way to Britain.* Thar *is one of the slightly tricky prepositions, which acts like a compound preposition in that it commands the genitive case, although it appears to be a simple preposition with only one element (which would take the dative). So instead of* thar a' chuan *we say* thar a' chuain, *with* cuan *lenited and slenderised because it is in the genitive. The adjective* mòr *behaves in the same way ie it is also lenited and slenderised so we get* thar a' chuain mhòir.

Gnàths-cainnt na Litreach: **Bha iad an urra ris a' ghaoith a-mhàin**: *they were dependent on the wind alone.*

LITIR 138

(An Gearran 2002)

Duncan MacPherson from Morvern wrote Gaelic poetry in New Zealand...

seusan farpais mhòr eadar-nàiseanta an rugbaidh: *the season of the big international rugby competition;* **bha àm ann nuair a bhiodh na h-Albannaich a' guidhe deagh shlàinte don Bhanrigh:** *there was a time when the Scots wished the Queen good health;* **luchd-amhairc:** *spectators;* **ged nach do shaoil mi gu robh e càil na b' fheàrr ann an X na bha e ann an Y:** *although I did not think it was any better in X than it was in Y;* **measail (air):** *fond of;* **airson faclan aig a bheil ruith agus brìgh:** *for words which have pattern and meaning;* **gu ruige seo:** *to this point in time;* **Aonadh Rugbaidh na h-Alba:** *Scottish Rugby Union;*
thàinig mi tarsainn air an t-sèist seo ann am fear de na dàin: *I came across this refrain in one of the poems;* **Albainn aosta guma slàn dhut:** *ancient Scotland, health to you;* **tìr nan laoch 's nan gruagach àlainn:** *land of the heroes and of the beautiful maidens;* **ùghdar:** *author;* **thall thairis:** *overseas;* **coimheadaibh a-rithist air an dàrna loidhne:** *look again at the second line;*
bhuaithe (uaithe): *from him (see grammar point below);*

Tha seusan farpais mhòr eadar-nàiseanta an rugbaidh againn a-rithist, agus Alba a' cluich Sasainn aig Murrayfield. A bharrachd air na geamannan, seo an t-àm nuair a bhios sinn a' cluinntinn, is uaireannan a' seinn, an òrain nàiseanta againn. Bha àm ann nuair a bhiodh na h-Albannaich a' guidhe deagh shlàinte don Bhanrigh. An uair sin, 's e *Scotland the Brave* a sheinneadh an luchd-amhairc aig na geamannan mòra. An-diugh, 's e *Flower of Scotland* a thathar a' seinn.

Chuala mi ann an Gàidhlig e cuideachd – "Flùr na h-Alba" – ged nach do shaoil mi gu robh e càil na b' fheàrr ann an Gàidhlig na bha e ann am Beurla. Tuigidh sibh nach eil mi uabhasach measail air an òran, co-dhiù mar òran nàiseanta na h-Alba.

Mar sin, nuair a bhios mi a' leughadh bàrdachd Albannach, bidh mi a' cumail mo shùilean fosgailte airson faclan aig a bheil ruith agus brìgh agus a leumas a-mach às an duilleig, ag ràdh rium – "seo an seòrsa rud a tha thu ag iarraidh ann an òran nàiseanta!" Gu ruige seo, cha do lorg mi rud sam bith a tha mi deiseil airson moladh do dh'Aonadh Rugbaidh na h-Alba no buidheann sam bith eile.

Nuair a bha mi a' coimhead tro chruinneachadh de bhàrdachd Ghàidhlig an là eile, thàinig mi tarsainn air an t-sèist seo ann am fear de na dàin:

Albainn aosta, guma slàn dhut,
Albainn ghaoil gur fada uam thu;
Tìr nan laoch, 's nan gruagach àlainn,
Albainn aosta, guma slàn dhut.

Nise tha ceist agam dhuibh. An robh an t-ùghdar a' fuireach ann an Alba no thall thairis? Mura h-eil sibh cinnteach às a sin, coimheadaibh a-rithist air an dàrna loidhne. *Albainn ghaoil gur fada uam thu.* A bheil sibh a' tuigsinn sin? *Gur fada uam thu.* No mar a chanadh mòran - gur fada *bhuam* thu. Tha sin a' ciallachadh gu bheil Alba, ris a bheil an sgrìobhadair a' bruidhinn, fad' air falbh bhuaithe – no uaithe.

Donnchadh Mac a' Phearsain: *Duncan MacPherson;* **anns a' Mhorbhairne:** *in Morvern;*

Bha e a' fuireach ann an New Zealand, agus 's e an t-ainm a bh' air – Donnchadh Mac a' Phearsain. Rugadh is thogadh e anns a' Mhorbhairne, ach 's ann à Àird nam Murchan, làimh ris a' Mhorbhairne, a bha a phàrantan. Rugadh Donnchadh uaireigin anns na tritheadan anns an naoidheamh linn deug. Às dèidh bàs athar, uaireigin ro ochd deug, seachdad 's a h-aon (1871), dh'imrich e a Ghlaschu ach cha do chòrd sin ris agus, beagan bhliadhnaichean às dèidh sin, dh'fhalbh e a New Zealand far an robh triùir uncailean aige a' fuireach mu thràth.

far an robh triùir uncailean aige a' fuireach mu thràth: *where three of his uncles were already living;*

Phòs e thall an sin agus ruith e fhèin 's a bhean tuathanas mòr le caoraich is crodh anns an eilean mu dheas. Chum e a chuid Gàidhlig gu gleusta air a bhilean agus 's ann nuair a bha e a' fuireach ann an New Zealand a sgrìobh e mòran dhen bhàrdachd aige. Am measg sin, bha "A' Ghàidhealtachd", an t-òran às an tàinig an t-sèist a thug mi dhuibh.

Ach, ged a tha an t-sèist mu dheidhinn Alba, agus ged is e "A' Ghaidhealtachd" an tiotal, tha an t-òran fhèin a' gabhail a-steach ìomhaighean a tha a' tighinn bhon dùthaich bhig anns an do thogadh Donnchadh – a' Mhorbhairne. Agus 's ann mar sin a tha a' chuid mhòr dhen bhàrdachd aige. **Chan fhaigh mi lorg air òran nàiseanta** air na duilleagan aig Donnchadh Mac a' Phearsain. Ach tha a bhàrdachd snog gu leòr. Fàgaidh mi sibh an t-seachdain sa leis an rann mu dheireadh dhen "Ghàidhealtachd":

Ged a dh'fhàg mi iomadh bliadhn' thu
Tha mo chridhe blàth gad iargain
Caladh deisearach na fialachd
Uaine, grianach, beul Loch Àlainn.

LTIR

tha a bhàrdachd snog gu leòr: *his poetry is nice enough;* **tha mo chridhe blàth gad iargain:** *my warm heart misses you terribly;* **caladh deisearach na fialachd:** *sunny (south-facing) harbour of hospitality;* **uaine, grianach, beul Loch Àlainn:** *green and sunny at the mouth of Lochaline.*

Puing-chànain na Litreach: **Albainn ghaoil gur fada uam thu**: *beloved Scotland, you are far from me.* Uam *is a prepositional pronoun incorporating the preposition* "o" *(from) and means "from me".* Fada uam *means "far from me". Another form* is bhuam, *derived from "bho" (from), an alternative form of "o". Here are the other prepositional pronouns associated with "o":* uat(sa) – *from you;* uaithe(san) – *from him;* uaipe(se) – *from her;* uainn(e) – *from us;* uaibh(se) – *from you (pl.);* uapa(san) – *from them. The emphatic suffixes are given in brackets.* Alba *is here in its vocative case (Albainn) which is now somewhat archaic. It happens to be equivalent to the dative singular (ie* ann an Albainn, *in Scotland) which is now also going out of use, except perhaps in parts of Argyll. Most people say* ann an Alba *today.*

Gnàths-cainnt na Litreach: **Chan fhaigh mi lorg air òran nàiseanta**: *I won't find a national song (anthem).* Faigh lorg air: *find, locate.*

LITIR 139

(An Gearran 2002)

Here's a little riddle for you to solve ...

Tha mi an dòchas gu bheil sibh uile gu snog, gu bheil sibh gu dòigheil, gu bheil sibh gu sunndach, gu bheil sibh **ann an deagh shunnd**. Sin ceithir dòighean eadar-dhealaichte airson a ràdh ri cuideigin gu bheil sibh an dòchas gu bheil e gu math.

Dè na dòighean eile as aithne dhuibh airson sin? 'S dòcha gum biodh sin na chuspair math airson a' chlas Ghàidhlig agaibh an ath thriop. Sin ma tha sibh fortanach gu leòr 's gu bheil clas is tidsear agaibh, oir tha fios agam gu bheil feadhainn a bhios ag èisteachd ri Litir do Luchd-ionnsachaidh a' fuireach fad air falbh bho thidsear sam bith. Mo dhùrachd dhuibh uile.

Tha mi fhìn ann an deagh shunnd co-dhiù agus, air sàilleabh sin, bu mhath leam tòimhseachan a thoirt dhuibh. Tha mi an dòchas gu bheil a leithid a' còrdadh ribh. Èistibh ris an rann seo. Tha ceist ann aig an deireadh:

Is math a dhannsadh Ùisdean Friseal,
Ùisdean Friseal, Ùisdean Friseal,
Is math a dhannsadh Ùisdean Friseal,
Leis an fhichead maighdinn;
Còignear roimhe 's as a dhèidh
Còignear roimhe 's as a dhèidh
Còignear roimhe 's as a dhèidh
Còignear air gach làimh dheth.
Cia mheud maighdeann a bha a' dannsadh leis?

Feumaidh gur e duine tarraingeach a bh' ann an Ùisdean, agus na h-uibhir de mhaighdeannan a' dannsadh leis aig an aon àm! Duine fortanach. Uill, 's dòcha...

Èistibh ris a-rithist. Dè eile a dh'fhaodadh a bhith anns na "maighdeannan" mura h-e boireannaich a th' annta...?

Is math a dhannsadh Ùisdean Friseal, etc...

'S dòcha gun do dh'ionnsaich sibh gu bheil "còignear" a' seasamh airson còig daoine – còignear bhoireannach, mar eisimpleir, no còignear Leòdhasach. Ach chan eil sin an-còmhnaidh fìor. Ann an cuid de cheàrnaidhean, cluinnear

airson a' chlas Ghàidhlig agaibh an ath thriop: *for your Gaelic class the next time;* **gu bheil feadhainn a' fuireach fad air falbh bho thidsear sam bith:** *that some live far away from any teacher;* **tòimhseachan:** *riddle;* **tha mi an dòchas gu bheil a leithid a' còrdadh ribh:** *I hope that you enjoy such things;* **is math a dhannsadh Ùisdean Friseal:** *Hugh Fraser could dance well;* **leis an fhichead maighdinn:** *with the twenty maidens;* **còignear roimhe 's às a dhèidh:** *five before him, five behind him;* **còignear air gach làimh dheth:** *five on each side (hand) of him (but it can also mean five on each of his hands);* **tarraingeach:** *attractive;* **agus na h-uibhir de mhaighdeannan a' dannsadh leis:** *with [and] lots of maidens dancing with him;* **dè eile a dh'fhaodadh a bhith anns na "maighdeannan" mura h-e boireannaich a th' annta?:** *what else could the "maidens" be if they are not women?;*

faclan mar chòignear co-cheangailte ri beathaichean no eadhon ri rudan nach eil beò. Agus ann an tòimhseachain, uill, tha sinn saor airson car a thoirt à daoine le beagan meallaidh, nach eil?

tha sinn saor airson car a thoirt à daoine le beagan meallaidh, nach eil?: *we are free to trick people with a bit of deceit, are we not?;*

Anns an rann shuas, bha Ùisdean Friseal a' dannsadh leis fhèin, na aonar. Cha robh sgeul air maighdeann sam bith. Tha "còignear" a' ciallachadh an seo nan corragan is òrdagan aige, air a chois is air a làimh. Còignear roimhe is còignear às a dhèidh – a' ciallachadh air a bheulaibh is air a chùlaibh. Còignear air gach làimh dheth. Uill, tha sin fìor, nach eil? Chan eil càil eile agam ri ràdh mun ghnothach ach aon rud, Ma 's e Ùisdean Friseal a th' oirbh mar ainm, nach gabh sibh mo leisgeul!

air a bheulaibh is air a chùlaibh: *in front of him and behind him;*

Nise, airson crìoch a chur air gnothaichean an-diugh, seo agaibh tòimhseachan eile a dh'fheumas sibh smaoineachadh mu dheidhinn anns an t-seachdain a tha romhainn. Bheir mi am fuasgladh dhuibh anns an ath Litir:

airson crìoch a chur air gnothaichean an-diugh: *to finish up today;*

Arsa cailleach –
Nam bitheadh agam na bheil agam,
Uiread eile, 's a leth uiread,
Dà ghèadh agus bloigh gheòidh,
Dhèanadh sin fichead.
Cia mheud a bha aice?

arsa (cailleach): *(an old woman) said;* **nam bitheadh agam na bheil agam:** *if I had what I (already) have;* **uiread eile 's a leth uiread:** *as much again and half as much;* **dà ghèadh agus bloigh gheòidh:** *two geese and half a goose;* **dhèanadh sin fichead:** *that would make twenty.*

Chan eil sin furasta, gu dearbh, agus chanainn gur iad an fheadhainn agaibh a tha math air matamataig a nì a' chùis. Tuigidh sibh gur ann air na geòidh a th' aig a' chaillich a tha sin a-mach. Seo e a-rithist:

Arsa cailleach – etc...

Gus an ath-sheachdain, bhuamsa Ruairidh MacIlleathain, beannachd leibh. LTiR

<u>Puing-chànain na Litreach</u>: Ach chan eil sin an-còmhnaidh fìor: *but that is not always true. Are you familiar with different ways of expressing "always" in Gaelic?* An-còmhnaidh *is a common adverb which does the job; another is* daonnan *eg* tha e daonnan ann a sin *(he is always there). Both of these are used particularly if referring to occurrences in the present tense. If looking back in time,* a-riamh *is the most appropriate adverb eg* bha gaol aige oirre a-riamh *(he always loved her). If looking into the future one might use* a-chaoidh *eg* bidh gaol agam ort a-chaoidh *(I will always love you); alternatively, one might use* gu bràth or gu sìorraidh *eg* bidh gaol is gràin ann gu bràth/gu sìorraidh *(love and hate will always exist).*

<u>Gnàths-cainnt na Litreach</u>: ann an deagh shunnd: *in good spirits/good humour.*

LITIR 140

(An Gearran 2002)

Dòmhnall Donn was a cattle thief on Loch Ness-side ...

An t-seachdain sa chaidh, thug mi tòimhseachan dhuibh. Seo e a-rithist:

Arsa cailleach –
Nam bitheadh agam na bheil agam,
Uiread eile, 's a leth uiread,
Dà ghèadh agus bloigh gheòidh,
Dhèanadh sin fichead.
Cia mheud a bha aice?

Ciamar a chaidh dhuibh le sin? 'S e an fhreagairt – còig. Cuimhnichibh gu bheil sinn a' cunntadh geòidh. Nam bitheadh còig agad, a bharrachd na th' agad mu thràth, bhiodh deich agad. An uair sin uiread eile, sin còig eile, a' dèanamh còig-deug. Agus a leth-uiread – sin dhà gu leth a bharrachd. A-nise tha seachd-deug gu leth agad. Agus mu dheireadh, dà ghèadh agus bloigh gheòidh. Tha sin a' ciallachadh dà ghèadh gu leth. Cuiribh dhà gu leth ri seachd-deug gu leth agus dè th' agaibh? Seadh, fichead. Cha robh e furasta agus ma rinn sibh an gnothach, **chanainn gum bu chòir dhuibh a bhith gu math toilichte**.

Chan eil fhios a'm a bheil sibh air mòran a chluinntinn mu Dhòmhnall Donn, Dòmhnall Dòmhnallach, a bhuineadh do Loch Abar ach a chaidh a dh'fhuireach taobh Loch Nis uaireigin na bheatha. Chan eilear buileach cinnteach carson a dh'fhàg Dòmhnall an sgìre aige fhèin. A rèir beul-aithris, mharbh e mac aig a' bhàrd ainmeil, Iain Lom, a bhuineadh do Loch Abar cuideachd. Tha cuid eile ag ràdh gur e gun do mharbh e banarach aig athair nuair a bha iad a-muigh a' sealg lachan. Sgrìobh e dàn mu dheidhinn a bàis anns an do dh'fhoillsich e aithreachas gun do loisg e air a' bhoireannach an àite air lach. Bha e cuideachd airson a bhith nas fhaisge air a leannan. Bha ise na nighinn aig ceann-cinnidh nan Granndach.

Bha Dòmhnall an sàs cuideachd ann an creach is spùinneadh còmhla ri Dòmhnallach eile, fear air an robh "Colla nam Bò". Tuigidh sibh dè bha iad a' goid. Crodh!

bloigh gheòidh: *half a goose;*

cuiribh dhà gu leth ri seachd-deug gu leth agus dè th' agaibh?: *add two and a half to seventeen and a half, and what do you have?;*
Dòmhnall Donn: *brown (haired) Donald;* **a bhuineadh do Loch Abar ach a chaidh a dh'fhuireach taobh Loch Nis uaireigin na bheatha:** *who belonged to Lochaber but went to live in the Loch Ness area sometime during his life;* **chan eilear buileach cinnteach carson a dh'fhàg Dòmhnall an sgìre aige fhèin:** *it is not entirely certain why Donald left his home country;* **gun do mharbh e banarach aig athair nuair a bha iad a-muigh a' sealg lachan:** *that he killed a milkmaid of his father's when they were out hunting (wild) duck;* **bha ise na nighinn aig ceann-cinnidh nan Granndach:** *she was a daughter of the chief of the Grants;*
bha X an sàs ann an creach is spùinneadh: *X was involved in plunder and robbery;*
Colla nam Bò: *Coll of the Cows;*

uamh: *cave;*
Gleann Urchardain: *Glen Urquhart;* **airson a dhol a chèilidh oirre:** *to go and visit her;* **bha gràin aig athair na nighinne air:** *the girl's father hated him;* **dh'fheumadh e a bhith faiceallach:** *he had to be careful;* **tunnag an seo, cearc an siud:** *a (domestic) duck here, a hen there;* **bàthach:** *byre;* **an Dabhach Dearg:** *Lochend (Loch Ness);* **gu robh e doirbh dha iomain sìos an rathad:** *that it was difficult for him to drive it (masc.) down the road;* **ag iarraidh air ròp a thoirt dha:** *asking him for a rope;*
mart blàr: *a white-faced stirk;*

gheall X gum faiceadh e Y crochte air croich: *X promised he would see Y hanging from a gibbet;*
le bhith a' toirt a' chinn dheth: *by being beheaded;* **gus nach tigeadh gealltanas a' Ghranndaich gu bith:** *so the Grant's promise would never be fulfilled.*

Mu dheireadh dh'fhalbh e gu taobh Loch Nis far an do dh'fhuirich e ann an uamh anns a' mhonadh gu tuath air an loch faisg air Gleann Urchardain. Bha e faisg gu leòr air taigh a leannain airson a dhol a chèilidh oirre bho àm gu àm, ach bha gràin aig athair na nighinne air agus dh'fheumadh e a bhith faiceallach.

Bha gràin aig mòran eile air cuideachd, oir bhiodh e a' goid biadh bhuapa – tunnag an seo, cearc an siud, agus uaireannan crodh no caoraich. Thathar ag ràdh mu dheidhinn gun tug e mart a-mach à bàthach aig an Dabhach Dhearg aig ceann a tuath Loch Nis ach gu robh e doirbh dha iomain sìos an rathad. Chaidh e air ais gu taigh an tuathanaich, ag iarraidh air ròp a thoirt dha!

Uill, mar a thuigeas sibh, bha dragh air Dòmhnall gun aithnicheadh an tuathanach am mart aige agus, leis gur e an geamhradh a bh' ann is gu robh sneachd air an talamh, thog e ball-sneachda is chuir e e air aghaidh a' mhairt – a chùm e pìos beag air falbh bhon taigh. Chunnaic an tuathanach mart blàr, 's e sin mart le aghaidh bhàn, agus cha do dh'aithnich e e mar fhear dhen fheadhainn aige fhèin!

Gheall an Granndach gum faiceadh e Dòmhnall crochte air croich fhathast agus, às dèidh ùine mhòir, **chuir e fhèin is caraidean dha an creachadair ann an grèim**. Chaidh a chur anns a' phrìosan ann an Inbhir Nis agus mu dheireadh chaidh a chur gu bàs, ceart gu leòr, ach 's ann le bhith a' toirt a' chinn dheth, chan ann le bhith ga chrochadh. Thathar ag ràdh gun do dh'iarr Dòmhnall sin gus nach tigeadh gealltanas a' Ghranndaich gu bith, is nach fhaiceadh an ceann-cinnidh Dòmhnall Donn air a' chroich a-chaoidh.

Puing-chànain na Litreach: **chanainn gum bu chòir dhuibh a bhith gu math toilichte**: *I would say that you should be well pleased.* Bu chòir *involves* còir *which means an obligation or duty. It is associated with the preposition* do *(or* dha*) and thus often appears with a prepositional pronoun, like* dhomh, dhut, dha *etc. Here are some examples:* bu chòir dhut do chòta a thoirt leat *(you should take your coat with you);* am bu chòir dhomh dhol dhachaigh? *(should I go home?);* tha e pòsta, mar bu chòir dha bhith aig aois *(he is married, as he ought to be at his age).*

Gnàths-cainnt na Litreach: **chuir e fhèin is caraidean dha an creachadair ann an grèim**: *he and friends of his arrested the plunderer.* A' cur an grèim: *to arrest, put in detention.*

LITIR 141

(An Gearran 2002)

Two Jacobite Annas made names for themselves in and around Inverness...

Cha robh cùisean furasta do bhoireannaich air a' Ghàidhealtachd anns an ochdamh linn deug. **Bha aca ri obair mhòr a dhèanamh**, **a-muigh agus fo chabair**, agus bhiodh na fir a' sùileachadh gum biodh prìomhachas acasan ann am mòran ghnothaichean, gu h-àraidh ann am poileataigs. Ach, uaireannan, cha ghabhadh am mnathan ris a sin.

Bha dithis air an robh "Anna" mar ainm-baistidh timcheall Inbhir Nis a thog cliù dhaibh fhèin aig àm Cogadh nan Seumasach. Tha an dàrna tè ainmeil fhathast ach chan eil an tèile.

Bha Anna Nic an Tòisich na bhean-uasal agus bha i gu math bòidheach. Bha i pòsta aig Aonghas Mac an Tòisich, ceann a' chinnidh, aig an robh taigh mòr anns a' Mhòigh, deas air Inbhir Nis. Ach cha robh i fhèin is an duine aice idir a' tarraing air an aon ràmh a thaobh poileataigs. Fhad 's a bha esan air falbh anns an arm, a' sabaid as leth an Rìgh, bha a bhean a' cur fàilte air Teàrlach Òg. Oir bha i na Seumasach!

Là a bha seo, bha am Prionnsa ann an cuideachd Anna anns a' Mhòigh, agus chuala feachd riaghaltais mu dheidhinn. Chaidh buidheann de shaighdearan dearga a dh'ionnsaigh an àite, ach chaidh fios a chur gu Anna agus chuir i gobha, Dòmhnall Friseal, agus ceathrar shearbhantan aice a-mach airson a bhith ri faire. Ach rinn iad barrachd na sin. Nuair a bha na saighdearan a' tighinn dlùth, dh'iarr Dòmhnall air a chompanaich, a bha sgapte air feadh a' mhonaidh, an gunnaichean a losgadh, fhad 's a bha esan ag èigheachd mar gu robh e aig ceann feachd mhòir. Smaoinich na Hanobhàirianaich gu robh arm ann agus theich iad a dh'Inbhir Nis!

Aig an àm sin, bha Anna eile ann an Inbhir Nis, Anna NicAoidh, a dhearbh gu robh i fhèin na Seumasach làidir às dèidh Blàr Chùil Lodair. Bha seilear fon taigh aice, a chaidh a chleachdadh mar phrìosan airson dithis shaighdearan a bh' air a bhith

furasta: *easy;* **bhiodh na fir a' sùileachadh gum biodh prìomhachas aca ann am mòran ghnothaichean:** *the men expected that they would be pre-eminent in many matters;* **cha ghabhadh am mnathan ris a sin:** *their wives wouldn't accept that;* **ainm-baistidh:** *first (Christened) name;* **Cogadh nan Seumasach:** *the Jacobite War;* **tha an dàrna tè ainmeil fhathast ach chan eil an teile:** *the first one is still well-known but the other is not;* **Anna Nic an Tòisich:** *Ann Mackintosh;* **A' Mhòigh:** *Moy;* **cha robh i fhèin is an duine aice a' tarraing air an aon ràmh a thaobh poileataics:** *she and her husband did not see eye-to-eye on politics;* **a' sabaid as leth an Rìgh:** *fighting for the King;* **bha a bhean a' cur fàilte air Teàrlach Òg:** *his wife was welcoming Bonnie Prince Charlie;* **feachd riaghaltais:** *government (fighting) force;* **gobha:** *blacksmith;* **ceathrar shearbhantan:** *four servants;* **ag èigheachd:** *shouting;* **mar gu robh e aig ceann feachd mhòir:** *as if he were at the head of a large (fighting) force;* **Hanoibhèirianaich:** *Hanoverians;* **theich iad:** *they fled;* **Anna NicAoidh:** *Ann Mackay;* **airson dithis shaighdearan a**

bh' air a bhith ann an arm a' Phrionnsa: *for two soldiers who had been in the Prince's army;* **freiceadan:** *guard;* **rinneadh plana airson fear dhiubh a shaoradh:** *a plan was made to free one of them;* **dh'òrdaich e do na saighdear-an aige Anna a thoirt thuige:** *he ordered his soldiers to bring Ann to him;* **bha uiread de Ghàidhlig ann 's nach robh feum air a bhith aice a' Bheurla ionnsachadh:** *there was so much Gaelic there that she had not needed to learn English;* **bàillidh:** *baillie;* **thugadh deoch làidir dhi ach cha do dh'obraich sin:** *she was given strong drink but that didn't work;* **chum iad air a cois i airson trì là sreath chèile:** *they kept her on her feet for three days in a row;* **treun is smiorail:** *strong and spirited;* **dh'iarr am Pròbhaist air a leigeil ma sgaoil:** *the Provost asked him to free her;* **cha robh e gun chall don bhana-ghaisgich:** *it was not without loss for the heroine;* **rinn saighdearan dochann air a' ghille aice:** *soldiers beat up her son.*

ann an arm a' Phrionnsa. Rinneadh plana airson fear dhiubh a shaoradh agus ghabh Anna pàirt ann.

Tharraing i fear de na freiceadanan air falbh o dhoras a' phrìosain – 's dòcha le bhith a' cleachdadh a bòidhchead, ma tha sibh gam thuigs' – agus fhuair am prìosanach air falbh. Bha fear de dh'àrd-oifigearan an airm, an Coirneal Leighton, feargach agus dh'òrdaich e do na saighdearan aige Anna a thoirt thuige. Thòisich e air a ceasnachadh ach cha deach gu math leis, oir bha Anna às an Eilean Sgitheanach bho thùs agus cha robh facal Beurla aice. Bha uiread de Ghàidhlig ann an Inbhir Nis anns na làithean ud, 's nach robh feum air a bhith aice a' Bheurla ionnsachadh.

Dh'iarr Leighton air bàillidh anns a' bhaile, fear Friseal, eadar-theangachadh a dhèanamh agus dh'fheuch e a h-uile dòigh a b' urrainn airson faighinn a-mach cò an fheadhainn a bh' air cùl a' phlana airson am prìosanach a shaoradh, ach chan innseadh i càil dha. Dh'fheuch e ri airgead a thabhann dhi ach cha deach leis. Thugadh deoch làidir dhi, ach cha do dh'obraich sin. Chum iad air a cois i airson trì là sreath chèile agus chuir iad anns a' phrìosan i airson seachd seachdainean. Ach bha i treun is smiorail agus chum i sàmhach.

Mu dheireadh bha Leighton airson Anna a thilgeil a-mach às a' bhaile ach dh'iarr am Pròbhaist air a leigeil ma sgaoil. 'S e sin a thachair ach cha robh e gun chall don bhana-ghaisgich. As dèidh dhi faighinn a-mach às a' phrìosan, rinn buidheann de shaighdearan dochann air a' ghille aice, a bha na dheugaire. Agus trì là às dèidh sin, chaochail e.

LTR

Puing-chànain na Litreach: **Bha aca ri obair mhòr a dhèanamh**: *they had to do a lot of work (lit. big work). When you see a prepositional pronoun incorporating "aig" (eg* aca*), or* aig *followed by a noun or personal name, then followed by "ri", it means that somebody "had to" do something. Keep an eye (or ear) open for it. Here are some examples so you can see how it works:* Bha aig Iain ri dhol dhachaigh *(John had to go home);* tha agam ris an obair a dhèanamh *(I have to do the work);* bha aige ris an t-airgead air fad a phàigheadh *(he had to pay all the money);* bha aca ris am bàta a thoirt gu tìr *(they had to bring the boat to land);* aig deich uairean, bidh agad ri dhol dhachaigh *(at ten o' clock, you will have to go home).*

Gnàths-cainnt na Litreach: **a-muigh agus fo chabair**: *outside and inside.* Fo chabair *literally means "under rafters" ie indoors.*

LITIR 142

(Am Màrt 2002)

A ghost story from Glen Truim in Badenoch …

Bidh mòran agaibh eòlach air Gleann Truim. 'S e sin an gleann anns a bheil an rathad mòr eadar Inbhir Nis is Peairt, an A9, faisg air Dail Chuinnidh. Tha Abhainn Truim a' ruith sìos bhon Druim Uachdair gu ruige Abhainn Spè, no Uisge Spè mar a chanas muinntir an àite, faisg air Baile Ùr an t-Slèibh.

Fada mus robh guth air an A9 bha rathad tron ghleann. Tha fhios gu robh daoine a' coiseachd air thairis air ceudan bhliadhnaichean, a' toirt crodh gu margaidh air a' Mhachair Ghallda. Agus thog an Seanalair Wade rathad ceart ann san ochdamh linn deug. Tha pàirt dheth sin comasach air carbadan a ghabhail fhathast.

Ann am badeigin air an rathad sin, faisg air seann drochaid, bha craobh-chaorainn ann uaireigin. Bha i ainmeil airson seilleanan agus rachadh muinntir an àite ga h-ionnsaigh airson mil. Dh'fhalbh a' chraobh o chionn fhada air sàilleabh seann aois. **Faodaidh mi a bhith cinnteach às a sin**, oir cha bhiodh na Gàidheil a' leagail craobh-chaorainn uair sam bith. Canaidh feadhainn gur e dìreach saobh-chràbhadh a th' ann a sin, ach tha mòran ann a chumas ris fhathast.

A rèir beul-aithris, bha droch fhaireachdainn co-cheangailte ris an drochaid. Nuair a bhiodh a' ghealach làn, cha d' rachadh muinntir an àite tarsainn oirre. Rachadh iad sìos an abhainn agus bhiodh iad a' lorg ath airson a dhol a-null. Dhèanadh na h-eich aca an dearbh rud! Agus bhiodh coin a chunnaic an drochaid a' comhartaich. Chitheadh iad rudeigin nach fhaiceadh daoine. No a' chuid a bu mhò de dhaoine, oir bha feadhainn ann a chanadh gum faca iad pearsa air choreigin ann an aodach geal faisg air clach mhòr ri taobh na drochaid.

Uill, oidhche a bha seo, thug fear de mhuinntir an àite geall gun d' rachadh aige air a dhol a-null, thar na drochaid, gun dragh sam bith, air an oidhche. 'S dòcha nach robh misneachd gu leòr aige, ge-tà, oir dh'òl e uiread de dh'uisge-beatha ro làimh. Chuir sin misneachd na chuislean!

Dail Chuinnidh: *Dalwhinnie;* **Druim Uachdair:** *Drumochter;* **Bail' Ùr an t-Slèibh:** *Newtonmore;* **fada mus robh guth air an A9:** *long before the A9 was in existence;* **a' toirt crodh gu margaidh air a' Mhachair Ghallda:** *taking cattle to market in the Lowlands;* **tha pàirt dheth sin comasach air carbadan a ghabhail fhathast:** *part of that is still able to carry vehicles;* **ann am badeigin air an rathad, bha craobh-chaorainn ann uaireigin:** *somewhere on the road, there was at one time a rowan tree;* **saobh-chràbhadh:** *superstition;* **tha mòran ann a chumas ris fhathast:** *there are many who adhere to it yet;* **rachadh iad:** *they would go;* **bhiodh iad a' lorg ath airson a dhol a-null:** *they would look for a ford to go over;* **dhèanadh na h-eich aca an dearbh rud:** *their horses would do the very same thing;* **coin:** *dogs;* **a' comhartaich:** *barking;* **chitheadh iad rudeigin nach fhaiceadh daoine:** *they would see something that people would not see;* **thug X geall gun d' rachadh aige air a dhol a-null:** *X bet that he would manage to get across;* **chuir sin misneachd na**

chuislean: *that put courage in his veins;* **cha robh an t-each air mhisg:** *the horse was not drunk;* **dhiùlt esan a-muigh no mach:** *he absolutely refused;*
air cois: *on foot;*
aig bonn na cloiche mòire: *at the base of the big stone;*

Co-dhiù, **chaidh e a dh'ionnsaigh na drochaid air muin eich**. Ach cha robh an t-each air mhisg agus **dhiùlt esan a-muigh no mach** dhol ro fhaisg air an drochaid. Mar sin, dh'fhàg ar caraid an t-each faisg air a' chraoibh-chaorainn, agus chùm e a dol leis fhèin, air cois, a dh'ionnsaigh na drochaid. Agus ann a sin, aig bonn na cloiche mòire, tha e coltach gun do dh'èirich boireannach geal mu a choinneimh. No 's e sin a bha muinntir an àite a' cumail a-mach às dèidh làimh, oir chan fhaca duine aca gu dè a thachair.

an làrna-mhàireach: *the morrow, next day;*
dìg: *ditch;*
agus aodann ann an glumag: *with his face in a puddle, pool;*

Air an làrna-mhàireach, leis nach do nochd an duine, chaidh feadhainn a-mach, ann an solas an là, airson a lorg. Fhuair iad e ann an dìg ri taobh an rathaid, mu chairteal mhìle air falbh bhon drochaid agus aodann ann an glumag. Bha e marbh. Bha an t-each aige ag ionaltradh gu sìtheil faisg air làimh.

ach a-mhàin aon duine: *except for one man;*
chum e am falach: *he hid;*

ged nach fhacas am boireannach geal airson ùine mhòir: *although the white woman has not been seen for a long time..*

Chuir sin eagal air a' mhòr-shluagh agus cha d' rachadh gin aca faisg air an drochaid air an oidhche bho sin a-mach. Ach a-mhàin aon duine. Chaidh esan a-mach gu sàmhach agus chum e am falach faisg air an drochaid. Às dèidh greis, dh'èirich solas brèagha geal air cùl na cloiche mòire agus, na chois, boireannach geal le a gàirdeanan air an sìneadh a-mach. Bha eagal a bheatha air, ach choimhead e air a' bhoireannach airson còig mionaidean mus do dh'fhalbh i, agus an solas leatha. Rinn e air an taigh aige agus dh'innis e mu na chunnaic e. Is tha a naidheachd againn fhathast an-diugh ged nach fhacas am boireannach geal airson ùine mhòir. LTR

Puing-chànain na Litreach: **Chaidh e a dh'ionnsaigh na drochaid air muin-eich**. *He went towards the bridge on horseback. Do you understand why it is* a dh'ionnsaigh na drochaid *and not* a dh'ionnsaigh an drochaid? A dh'ionnsaigh *is a compound preposition so it commands nouns in the genitive case.* Drochaid *is a feminine noun so it is unlenited and has the article "na" in the genitive singular.* Ri taobh na drochaid *is exactly the same type of construction as is* thar na drochaid, *even though* thar *looks like a simple preposition. Note that traditionally "of the bridge" would have been* na drochaide *with a terminal "e". In modern Gaelic the terminal "e" in the genitive singular of feminine words is tending to disappear and can largely be considered optional by a learner. Close to Loch Ness is Drumnadrochit, in Gaelic* Druim na Drochaid. *There is a ridge there and a bridge – the name does not only sound nice, it makes perfect sense.*

Gnàths-cainnt na Litreach: **Faodaidh mi a bhith cinnteach às a sin**: *I can be certain of that.*

LITIR 143

(Am Màrt 2002)

Scotland (probably) gave the great winter game of curling to the world...

tha mi a-mach an-diugh air spòrs: *I am on about sports today;* **leis gu bheil fear aca air aire dhaoine:** *because one of them is in people's minds;* ***curladh:*** *curling [after recording this Litir, Ruairidh found out that there is a Gaelic word from the Central Highlands, where the game was widely played -* **cròladh***];* **iomain:** *shinty;* **bonn òir a' churlaidh:** *the curling gold medal;* **gu tur aineolach:** *entirely ignorant;* **far an deach a chruthachadh:** *where it was created, invented;*

Abaid Phàislig: *Paisley Abbey;*

Flànras: *Flanders;*

Baibhèiria: *Bavaria;* **An Ostair:** *Austria;* **anns a bheil maide a' stobadh gu dìreach a-mach às a' chloich:** *in which a stick sticks directly out of the stone;* **'s iad na h-Albannaich a thug cruth is spionnadh dha:** *it's the Scots that gave it form and vigour;* **iomchaidh:** *fitting, proper;* **nuair a bha e na b' fhasa do dhaoine loch reòthte a lorg:** *when it was easier for people to find a frozen loch;*

Halo a-rithist. Tha mi a-mach an-diugh air spòrs. An urrainn dhuibh ainm a chur ri trì dhiubh a bhuineas, bho thùs, do dh'Alba? Uill, 's dòcha gum bi sin nas fhasa fhreagairt an-dràsta leis gu bheil fear aca air aire dhaoine gu mòr. Tha mi a' bruidhinn air curladh. 'S iad an fheadhainn eile a bhuineas do dh'Alba – iomain agus golf.

Bidh fios agaibh, tha mi cinnteach, gur e sgioba de bhoireannaich Albannach a bhuannaich bonn òir a' churlaidh do Bhreatainn aig na Geamannan Oilimpigeach o chionn ghoirid. Tha e coltach gu robh mòran ann an Sasainn gu tur aineolach mun ghèam ach chan ionann sin ann an Alba, far an deach a chruthachadh o chionn ceudan bhliadhnaichean.

Co-dhiù 's ann ann an Alba a chaidh a' chiad aithris a dhèanamh ann an sgrìobhadh – co-cheangailte ri Abaid Phàislig ann an còig deug, ceathrad 's a h-aon (1541). Ach tha feadhainn ag ràdh gur dòcha gun do thòisich e anns an Òlaind no ann am Flànras, oir rinn am fear-deilbh, Pieter Bruegel, dà dhealbh ann an còig ceud deug, seasgad 's a còig (1565) de dhaoine a' cluich le clachan air deigh. Agus tha e a' coimhead coltach gur ann à Fleamais a thàinig am facal Beurla *bonspiel* a tha a' ciallachadh "geama curlaidh".

Ach an e curladh a tha anns na dealbhan? Tha cuid dhen bheachd gur e gèam eile a th' ann – fear a thòisich ann am Baibhèiria agus an Ostair – ris an canar *eischiessen*, anns a bheil maide a' stobadh gu dìreach a-mach às a' chloich. Co-dhiù, ge bith cò thòisich curladh, 's iad na h-Albannaich a thug cruth agus spionnadh dha. Agus tha mòran dhen bheachd gu bheil e iomchaidh gu bheil am bonn òir aig Geamannan Oilimpigeach a' Gheamhraidh air tighinn "dhachaigh".

Leudaich an spòrs aig àm nuair a bha na geamhraidhean na b' fhuaire na tha iad an-diugh, agus nuair a bha e fada na b' fhasa do dhaoine loch reòthte a lorg. 'S ann anns na sgìrean dùthchail a bu mhò a bhiodh

's ann anns na sgìrean dùthchail a bu mhò a bhiodh daoine a' cluich curladh: *it is mostly in country areas that people would play curling;*

barrachd na triùir às gach ceathrar a chluicheas an geam air feadh an t-saoghail: *more than three out of every four that plays the game around the world;*

gu robh X math math air a' gheam: *that X was very good at the game;* **b' e sin a' chiad turas a bha gin dhen sgioba Albannach air curladh a chluich fo chabair:** *that was the first time that any of the Scottish team had played curling indoors;*

a dhèanadh a' chùis anns an fharpais as mò air an t-saoghal: *that could win the biggest competition in the world.*

daoine a' cluich curladh agus, ann an aimsir reòthte aig an àm sin, cha robh mòran eile a b' urrainn dhaibh dhèanamh ach cumail blàth ann an dòigh air choreigin! Gu h-iongantach, bha iad cho measail air an spòrs ann an cuid de dh'àiteachan 's gum biodh iad a' falbh a-mach a chluich air an oidhche, agus **a' cleachdadh** lòchrain, no lampaichean no, uaireannan, **solas lòchran nam bochd**. 'S e sin a' ghealach.

Ma 's e Alba a thug curladh don t-saoghal, agus tha e a-nise air a chluich ann an co-dhiù fichead dùthaich eadar an t-Suain agus New Zealand, 's iad na Cainèidianaich as mò a dh'fhàs measail air. Tha suas ri millean duine ri curladh ann an Canada, barrachd na triùir às gach ceathrar a chluicheas an gèam air feadh an t-saoghail. Chuir Alba sgioba a dh'ionnsaigh Chanada agus nan Stàitean Aonaichte ann an naoi deug 's a dhà (1902) airson a' chiad turas, agus mhothaich iad gu robh na Cainèidianaich is Ameireaganaich math math air a' ghèam. Agus thachair rud ùr dhaibh, oir b' e sin a' chiad turas a bha gin dhen sgioba Albannach air curladh a chluich fo chabair.

Tha gnothaichean air atharrachadh ann an Alba bhon uair sin agus, ged nach eil uiread de chluicheadairean anns an dùthaich seo 's a th' ann an Canada, agus **ged nach eil na goireasan trèanaidh againn cho math nas mò**, sheall na boireannaich Albannach gu robh iad fhathast comasach air sgioba a chur ri chèile a dhèanadh a' chùis anns an fharpais as mò air an t-saoghal.

LTR

Puing-chànain na Litreach: **ged nach eil na goireasan trèanaidh againn cho math nas mò**: *though we don't have such good training facilities either.* Nas mò (*or* nas motha) *is one way of expressing "either" in Gaelic but there are others as well.* A bharrachd *is another way which can be employed in similar circumstances, eg* chan fhaigh thu lorg air ann a seo a bharrachd *(you won't find him here either).* An dàrna cuid (an dara cuid) *is also used eg* buannachaidh an dàrna cuid, Rangers no Celtic, an Cupa *(either Rangers or Celtic will win the Cup). And another useful phrase is* fear seach fear *(or* tè seach tè *for feminine objects) eg* bidh fear seach fear dhiubh ann, ach chan eil fhios agam cò *(either one or the other of them will be there, but I do not know which).*

Gnàths-cainnt na Litreach: **a' cleachdadh solas lòchran nam bochd**: *using the light of the lantern of the poor people, ie the light of the moon (for which you don't need to pay).*

LITIR 144

(Am Màrt 2002)

There was a gold-rush at Kildonan in Sutherland in the 19th Century …

Bha amadan uaireigin aig gach cuid, ceann-cinnidh nan Leòdach agus ceann-cinnidh nan Dòmhnallach agus là a bha seo, thug an dithis cheann-cinnidh geall air cò an t-amadan a bu mhò is a bu mhios'. Dh'òrdaich iad air an dithis dhol sìos don chladach airson maoraich a chruinneachadh. Ach am measg nam maorach, dh'fhàg iad pìos òir.

bha amadan uaireigin aig gach cuid, ceann-cinnidh nan Leòdach agus ceann-cinnidh nan Dòmhnallach: *both the chief of the Macleods and the chief of the MacDonalds once had a fool;* **thug iad geall air cò an t-amadan a bu mhò:** *they bet on who was the greater fool;* **airson maoraich a chruinneachadh:** *to collect shellfish;* **pìos òir:** *a piece of gold;*

Cha b' fhada gus an do lorg na h-amadain an t-òr. "Seall air seo," thuirt an t-amadan Dòmhnallach ris an amadan eile, "tha òr an seo."

"Seadh, seadh," ars' am fear Leòdach, nach robh airson a dhol faisg air an òr idir, "**an là a bhios sinn ri òrach, biomaid ri òrach; ach an là a bhios sinn ri maorach, biomaid ri maorach**." Uill, cò – nur beachd-san – an t-amadan a bu mhò?

Cha chreid mi nach eil sinn a' dìochuimhneachadh uaireannan gu robh àm ann nuair a bha òr air a lorg le Gàidheil, is chan ann dìreach ann an Astràilia is California, ach air a' Ghàidhealtachd cuideachd. 'S e fear de na h-àiteachan sin Cill Donnain ann an Cataibh far an deach cnap dhen mheatailt a lorg ann an Abhainn Ilidh ann an ochd-deug 's a h-ochd-deug (1818). Thathar ag ràdh gu robh fàinne air a dhèanamh dheth agus gu bheil am fàinne ann am bith fhathast.

cha chreid mi nach eil sinn a' dìochuimhneachadh uaireannan: *I think we sometimes forget;*

Cataibh: *Sutherland;* **Abhainn Ilidh:** *Helmsdale River;*

Ach cha do thòisich gnìomhachas òir gu coimearsalta aig an àm sin. Cha do thachair sin airson leth-cheud bliadhna eile nuair a lorg fear a bhuineadh do Chill Donnain, Raibeart Gille Chrìosd, òr gu leòr anns an abhainn. Bha Raibeart air fàs gu math eòlach air na dòighean anns an tèid òr a lorg nuair a bha e a' fuireach ann an Astràilia, is ag obair air raointean òir na dùthcha, fad seachd bliadhna deug. Nuair a thill e dhachaigh, fhuair e cead bho Dhiùc Chataibh airson coimhead airson òr anns a' ghrinneal aig grunnd na h-aibhne agus ann an uillt a bha a' dol a-steach don abhainn.

cha do thòisich gnìomhachas òir gu coimearsalta aig an àm sin: *a commercial gold business did not start at that time;* **Raibeart Gille Chrìosd:** *Robert Gilchrist;* **raointean òir:** *gold-fields;* **thall thairis:** *overseas;* **fhuair e cead bho Dhiùc Chataibh airson coimhead airson òr anns a' ghrinneal aig grunnd na h-aibhne:** *he got permission (a licence) from the Duke of Sutherland to look for gold in the gravel in the river-bed;*

Cha robh Raibeart ag obair leis fhèin fada. Nuair a sgaoil an naidheachd mun òr, chaidh mòran eile ann, grunn dhiubh a bh' air a bhith ri obair de a leithid thall thairis. Taobh a-staigh sia mìosan, bha sia ceud duine air a dhol a dh'fhuireach anns an sgìre. Is cha robh e furasta faighinn ga h-ionnsaigh. **Bha an rathad-iarainn a' dol gu ruige Goillspidh, ach b' fheudar coiseachd às a sin, an deich mìle fichead mu dheireadh a dh'ionnsaigh Chill Donnain**.

Anns a' Ghiblean, ochd-deug, seasgad 's a naoi (1869), thug Diùc Chataibh siostam cheadan a-steach, a chosg not airson gach mìos airson pìos talmhainn anns an robh ceathrad troighean ceàrnagach de mheudachd. Is bha aig na mèinnearan ri deich às a' cheud de luach an òir a phàigheadh don Diùc. Mar a thuigeas sibh, bha mòran dhen òr a' dol bho dhuine gu duine mar phàigheadh airson biadh is bathair, gun fhiosta don Diùc.

Reic an Diùc timcheall air dà cheud cead gach mìos anns an Ògmhios agus anns an Iuchar agus, leis na bh' ann de dhaoine, chaidh dà bhaile a chruthachadh as ùr – Baile an Òir agus Càrn nam Bùth. Tha e coltach nach do rinn mòran fortan às idir, ge-tà, agus nach robh na tuathanaich, no iasgairean nan aibhnichean, uabhasach toilichte agus, às dèidh ghreis, cho-dhùin an Diùc sgur cead a thoirt do mhuinntir an òir. Co-dhiù bha an àireamh dhiubh air a dhol sìos leis gu robh cothrom aig cuid falbh a dh'iasgach an sgadain aig deireadh an t-samhraidh. Agus aig deireadh na Dùbhlachd anns an dearbh bhliadhna anns an do thòisich e, thàinig gnìomhachas an òir ann an Cill Donnain gu crìch. LTR

cha robh e furasta faighinn ga h-ionnsaigh: *it wasn't easy getting there (sgìre is feminine);* **siostam cheadan:** *licensing system;* **airson pìos talmhainn anns an robh ceathrad troighean ceàrnagach de mheudachd:** *for a piece of land measuring forty square feet;* **bha aig mèinnearan ri deich às a' cheud de luach an òir a phàigheadh don Diùc:** *miners had to pay ten percent of the value of the gold to the Duke;* **fortan:** *fortune;* **bha an àireamh dhiubh air a dhol sìos:** *their number had decreased;* **leis gu robh cothrom aig cuid falbh a dh'iasgach an sgadain:** *some had the opportunity to leave to fish the herring;* **aig deireadh na Dùbhlachd:** *at the end of December;* **thàinig X gu crìch:** *X came to an end.*

Puing-chànain na Litreach: **Bha an rathad-iarainn a' dol gu ruige Goillspidh, ach b' fheudar coiseachd às a sin, an deich mìle fichead mu dheireadh a dh'ionnsaigh Chill Donnain**: *the railway went as far as Golspie but walking was necessary from there, the last 30 miles to Kildonan. The seemingly complex preposition* gu ruige *(up to, as far as) commands a noun in the nominative case, not in the genitive as is the case with most compound prepositions. So we say* tha mi a' dol gu ruige an t-Òban, *not* gu ruige an Òbain; gu ruige Sasainn, *not* gu ruige Shasainn *and* gu ruig' an Fhraing, *not* gu ruige na Frainge. *So* Goillspidh *in the above example is unlenited. On the other hand,* a dh'ionnsaigh *(towards, up to) does take the genitive so we would say* a dh'ionnsaigh Shasainn, a dh'ionnsaigh na Frainge *and* a dh'ionnsaigh an Òbain.

Seanfhacal na Litreach: **an là a bhios sinn ri òrach, biomaid ri òrach; ach an là a bhios sinn ri maorach, biomaid ri maorach**: *when we are after gold, let us be after gold; but when we are after shellfish, le us be after shellfish.*

LITIR 145

(Am Màrt 2002)

George Mallory, famous for his attempts on Mt Everest, once climbed in the Cuillin of Skye…

Is e seo Bliadhna Eadar-nàiseanta nam Beann, agus tha grunn rudan a' dol ann an Alba airson sin a chomharrachadh oir, ged nach eil na beanntan againn àrd, tha iad prìseil dhuinne, agus tha iad ainmeil air feadh an t-saoghail. Choisinn cuid de streapadairean, Albannaich is Sasannaich, cliù dhaibh fhèin air beanntan àrda às dèidh dhaibh na sgilean bunaiteach aca ionnsachadh ann an Alba.

Bliadhna Eadar-nàiseanta nam Beann: *International Year of the Mountain(s);* **tha grunn rudan a' dol:** *a few things are happening;* **choisinn cuid de streapadairean cliù dhaibh fhèin:** *some climbers built a reputation for themselves;* **bunaiteach:** *basic;*

Am measg nam beann as ainmeile anns an dùthaich, tha an Cuiltheann anns an Eilean Sgitheanach. Tha na beanntan sin cas, creagach, biorach, binneanach agus feumaidh duine sam bith a thèid orra a bhith gu math comasach. Am measg na rinn an Cuiltheann ainmeil mar àite airson streap, bha Tormod Collie, a bh' air a bhith ann an iomadach àite air feadh an t-saoghail, air beanntan eadar na Rockies agus a Hiomaileatha.

An Cuiltheann: *the Cuillin(s) (often plural in English, always singular in Gaelic);* **cas, creagach, biorach, binneanach:** *steep, rocky, sharp and pinnacled;* **comasach:** *capable;*

Bha spèis is gràdh àraidh aige don Chuiltheann, ge-tà, agus, mu dheireadh, chaidh e a dh'fhuireach anns an Eilean Sgitheanach, ann an Sligeachan. Bha e an uair sin faisg air na beanntan, air an do chuir e seachad mòran ùine nuair a bha e na b' òige ann an cuideachd Iain MhicCoinnich, Sgitheanach à Sgonnsair, sìos an rathad bho Shligeachan. Tha Iain air a chuimhneachadh ann am fear de mhullaichean a' Chuilthinn, Sgùrr MhicCoinnich, is tha Collie fhèin air a chuimhneachadh ann an Sgùrr Thormaid.

Sligeachan: *Sligachan;*

Sgonnsair: *Sconser;* **tha Iain air a chuimhneachadh ann am fear de mhullaichean a' Chuilthinn:** *John is remembered in one of the summits of the Cuillin;*

Ach, ainmeil 's ged a bha Collie, **cha b' e an streapadair a b' ainmeile ri linn**. Bha fear eile ann, cuideachd à Breatainn, a choisinn cliù dha fhèin air feadh an t-saoghail, eadhon am measg feadhainn nach robh measail air beanntan. B' esan an Sasannach, Seòras Mallory, a chaill a bheatha air a' bheinn as àirde a th' ann, Beinn Everest, ann an naoi-deug, fichead 's a ceithir (1924).

a chaill a bheatha air a' bheinn as àirde a th' ann: *who lost his life on the highest mountain there is;* **bha fios agam gu robh Mallory air a bhith measail air beanntan na Cuimrigh:** *I knew that Mallory had been fond of the mountains of Wales;*

Gu o chionn ghoirid, bha fios agam gu robh Mallory air a bhith measail air beanntan na Cuimrigh, is gum biodh e a' dol ann airson streap ann an Snowdonia gu math tric. Tha sin nàdarrach, oir bha na beanntan sin na b' fhaisge air na h-àiteachan far an robh e a' fuireach ann an Sasainn. Cha robh fios agam, ge-tà, gu robh e air a bhith a-riamh anns an Eilean Sgitheanach, a' streap air a' Chuiltheann.

Ach bha – aon turas, anns an Iuchar, naoi-deug 's a h-ochd-deug (1918), nuair a bha an Cogadh Mòr fhathast a' dol. Bha Seòras air fòrladh, às dèidh a bhith anns an Roinn Eòrpa, leis gu robh cnàmhan coise aige, a chaidh a bhriseadh naoi bliadhna roimhe ann an tubaist anns na beanntan, a' tighinn às a chèile a-rithist. Nuair a bha e na b' fheàrr, mus do thill e don Fhraing, chaidh e fhèin is a bhean don Eilean Sgitheanach airson seachdain. Dh'fhuirich iad ann an Taigh-òsta Shligeachain.

Bha an aimsir sgoinneil agus cha robh ceàrr ach aon nì. 'S e sin gu robh sgòthan ann dhen mheanbh-chuileig. Bha Seòras uabhasach measail air a bhith a' snàmh ann an uillt is aibhnichean gun sgàth aodaich air, agus bha e ri sin anns an Eilean Sgitheanach cuideachd, ach chan eil fhios a'm dè cho tlachdmhor 's a bha sin, agus na meanbh-chuileagan cho pailt. Co-dhiù, streap Seòras air mòran de na beanntan agus chruthaich e slighe ùr, nach do rinn duine sam bith roimhe, suas Sròn na Cìche.

Fhad 's as aithne dhomh, b' e sin an aon turas aige air a' Chuiltheann. Cha b' fhada gus an robh aire air Tibet agus a' bheinn as àirde san t-saoghal, a thug a bheatha bhuaithe mu dheireadh, sia bliadhna às dèidh dha soraidh slàn a leigeil leis an Eilean Sgitheanach.

an Iuchar: *July;* **An Cogadh Mòr:** *the Great War;* **leis gu robh cnàmhan coise aige, a chaidh a bhriseadh ann an tubaist anns na beanntan, a' tighinn às a chèile a-rithist:** *that bones in his feet, which were broken in an accident in the mountains, were coming apart again;* **Taigh-òsta Shligeachain:** *the Sligachan Hotel;* **gu robh sgòthan ann dhen mheanbh-chuileig:** *that there were clouds of midgies (often referred to in the singular in Gaelic);* **tlachdmhor:** *pleasurable;* **soraidh slàn:** *farewell;* **fòrladh:** *leave (furlough);* **gun sgàth aodaich air:** *without a stitch of clothing on;* **chruthaich e slighe ùr:** *he created a new route;* **cha b' fhada gus an robh aire air Tibet:** *it wasn't long before his attention was on Tibet;* **a thug a bheatha bhuaithe:** *that took his life from him.*

<u>Puing-chànain na Litreach</u>: **Bha an aimsir sgoinneil agus cha robh ceàrr ach aon nì**: *the weather was terrific and only one thing was wrong. I dare say you are all aware of* rud, *meaning "thing", and its derivatives,* rud sam bith *(anything), a* h-uile rud *(everything) and* rudeigin *(something). Be aware also of* nì, *which likewise means "thing". It is almost interchangeable with* rud *in such phrases as* nì sam bith *(anything),* a h-uile nì *(everything) and* nitheigin *(something), although the last is not so common. Note that while the singular form* nì *has a long "i", the plural* nithean *has a short "i" and the "th" is pronounced distinctly as an "h". One difference between the two is that* rudeigin *is sometimes used as an adverb meaning "a little, slightly" eg* bha mi rudeigin sgìth *(I was a bit tired).*

<u>Gnàths-cainnt na Litreach</u>: **cha b' e an streapadair a b' ainmeile ri linn**: *he wasn't the most famous climber of his day.* Ri linn - *of his day/time/generation.*

LITIR 146

(Am Màrt 2002)

Gaelic place names in the Summer Isles provide some grammatical lessons ...

An do mhothaich sibh a-riamh cho feumail 's tha mapaichean na Gàidhealtachd do luchd-ionnsachaidh na Gàidhlig? Air gach clàr-dùthcha, chì sibh ainmean-àite a tha a' sealltainn mar a tha cuid de riaghailtean-gràmair air an cur an sàs. Agus mholainn dhuibh sùil a thoirt air mapaichean bho àm gu àm is eadar-theangachadh a dhèanamh air na h-ainmean-àite.

clàr-dùthcha: *map;* **mar a tha cuid de riaghailtean-gràmair air an cur an sàs:** *how some grammatical rules are implemented;*

Tha mi dìreach air grèim fhaighinn air CD-ROM a tha uabhasach fhèin inntinneach. Tha e a' clàradh agus a' mìneachadh ainmean-àite sgìre na Còigich ann an Ros an Iar, gu tuath air Ulapul. Tha e a' tarraing air obair a rinn fear às an sgìre – Donaidh Friseal nach maireann – agus a chaidh a chlàradh airson Sgoil Eòlais na h-Alba. Chuir feadhainn eile ris an obair aig Donaidh agus **gheibhear cothrom sùil a thoirt air na mapaichean aige** agus air eadar-theangachadh de na h-ainmean-àite, air an CD-ROM. Obair mhòr is obair mhath.

tha mi dìreach air grèim fhaighinn air X: *I have just got hold of X;* **sgìre na Còigich:** *the area of Coigach (north of Ullapool);* **tha e a' tarraing air:** *it draws upon;* **Donaidh Friseal nach maireann:** *the late Donnie Fraser;* **a chaidh a chlàraidh airson Sgoil Eòlais na h-Alba:** *which was recorded for the School of Scottish Studies;* **chuir feadhainn eile ris an obair:** *some others added to the work;*

Ma bheir sibh sùil air cuid de na h-ainmean a nochdas air na h-Eileanan Samhraidh, chì sibh dè tha mi a' ciallachadh a thaobh gràmar. Air fear de na h-eileanan, Tanara Beag, tha àite ann a ghabhas eadar-theangachadh mar *"Frenchman's Harbour or Anchorage"*. Dè bhiodh ann ann an Gàidhlig? Uill, 's e *Acarsaid* a' Ghàidhlig air *anchorage*. Agus 's e *Frangach* a' Ghàidhlig air *Frenchman.* Mar sin, 's e a th' ann – Acarsaid an Fhrangaich.

Na h-Eileanan Samhraidh: *the Summer Isles;*

Tha dà atharrachadh a' gabhail àite ann am Frangach – sèimheachadh aig toiseach an fhacail agus caolachadh aig an deireadh. Tha e ag atharrachadh bho Frangach anns an tuiseal ainmneach gu Fhrangaich anns an tuiseal ghinideach. Chan eil an t-ainm-àite sin ag innse dhuinn co-dhiù tha acarsaid boireann no fireann. Ach faisg air Acarsaid an Fhrangaich, tha *An Acarsaid Mhòr.* Agus tha sin fhèin ag innse dhuinn gur e facal boireann a th' ann. Air neo, 's e "an t-Acarsaid Mòr" a chanamaid – agus bhiodh sin ceàrr.

sèimheachadh: *lenition (aspiration);* **caolachadh:** *slenderisation;* **chan eil e ag innse dhuinn co-dhiù tha acarsaid boireann no fireann:** *it doesn't tell us whether acarsaid is feminine or masculine;* **air neo 's e X a chanamaid – agus bhiodh sin ceàrr:** *or we would say X – and that would be wrong;*

Tha rubha faisg air an Acarsaid Mhòir, air a bheil ainm a tha a' ciallachadh, ann am Beurla, *"the point of the big anchorage".* Cho luath 's as urrainn dhuibh, cuiribh Gàidhlig air sin... *the point of the big anchorage.* Tha acarsaid boireann, cuimhnichibh... Rubha na h-Acarsaid ... Mòire. **Rubha na h-Acarsaid Mòire**. Tha sin a' cur an sàs nan riaghailtean, nach eil – gur e "na" an t-alt, no "article", anns an tuiseal ghinideach shingilte airson ainmear boireann, agus gu bheil am buadhair, an "adjective", air a chaolachadh, le "e" aig an deireadh. Ach chan eil e air a shèimheachadh.

anns an tuiseal ghinideach shingilte airson ainmear boireann: *in the genitive singular case for a feminine noun;*

Tha eilean eile ann air a bheil an t-Eilean Fada Mòr. Agus aig ceann a deas an eilein sin, tha cnoc, no meall, air a bheil am Meall Garbh, "the rough lump-shaped hill". Nise, tha caolas faisg air làimh, eadar an t-eilean seo agus Tanara Mòr, a tha a' ciallachadh *"the narrows of the rough hill".* Tha mi airson 's gun innis sibh ann an tiotan dè a' Ghàidhlig a th' air.

tha mi airson 's gun innis sibh ann an tiotan dè a' Ghàidhlig a th' air: *I want you to tell in a moment what the Gaelic is for (on) it;*

anns a' chiad dol a-mach: *in the first instance;*

tha mòran (ann) a ghabhas ionnsachadh: *much can be learned.*

Anns a' chiad dol a-mach a bheil meall boireann no fireann? Uill, 's e *Am Meall Garbh* a th' ann, is chan e *A' Mheall Gharbh.* Tha e fireann. Mar sin, anns an tuiseal ghinideach, bidh sinn a' sèimheachadh agus a' caolachadh an dà chuid, an t-ainmear agus am buadhair. *The narrows of the rough hill? Caolas a' Mhill Ghairbh.* Caolas a' Mhill Ghairbh. Mar a thuirt mi, tha mòran a ghabhas ionnsachadh mu ghràmar na Gàidhlig ann am mapaichean na Gàidhealtachd.

LTIR

Puing-chànain na Litreach: *The Litir this week looks at some of the grammatical lessons obtained from examining place names.* Acarsaid *is a feminine noun so the article is* na *and* h- *goes before the initial vowel. The feminine noun itself is not lenited in the genitive singular (and acarsaid cannot be lenited anyway) and, as* it *is already slender (its final vowel is an i), it cannot be further slenderised. Therefore "of the anchorage" is* na h-acarsaid *or more traditionally* na h-acarsaide. *The adjective* mòr *inflects according to the rules for a feminine singular noun – ie it is non-lenited, slenderised and usually (and certainly traditionally) has a terminal –e. So "of the anchorage" is* "na h-acarsaid(e) mòire". *This is the traditional mode, shown in place names which predate the late 19th Century. But note that in the present day, the adjective qualifying a feminine genitive singular noun is often lenited, without the terminal –e, ie were the place name being created today, it might be* Rubha na h-Acarsaid Mhòir. *For the next Litir, translate the following into Gaelic: The sea-narrows of the small anchorage; the point of the big lump-shaped hill.*

Gnàths-cainnt na Litreach: **gheibhear cothrom sùil a thoirt air na mapaichean aige**: *an opportunity will be (can be) obtained to look at his maps.*

LITIR 147 *(An Giblean 2002)*

More on place names in Coigach, Wester Ross...

An t-seachdain sa chaidh, anns na puingean-gràmair, dh'iarr mi oirbh eadar-theangachadh a dhèanamh, bho Bheurla gu Gàidhlig, air dà ainm-àite - *the sea-narrows of the small anchorage* agus *the point of the big lump-shaped hill.* Ciamar a chaidh dhuibh? An do rinn sibh an gnothach? *The sea-narrows of the small anchorage* an toiseach – *Caolas na h-Acarsaid(e) Bige*, Caolas na h-Acarsaid(e) Bige. Agus – *the point of the big lump-shaped hill?* Dè mu dheidhinn – *Rubha a' Mhill Mhòir*? Rubha a' Mhill Mhòir.

ciamar a chaidh dhuibh?: *how did you get on?;* **an do rinn sibh an gnothach?:** *did you manage (to work them out)?;* **dè mu dheidhinn?:** *what about?;*

Thug sinn sùil air ainm-àite no dhà anns an Litir mu dheireadh bho CD-ROM ùr air a bheil cruinneachadh de dh'ainmean à sgìre na Còigich ann an Siorrachd Rois. Bha sinn an t-seachdain sa chaidh anns na h-Eileanan Samhraidh. An turas seo bu mhath leam coimhead air àite no dhà air tìr-mòr agus na ghabhas ionnsachadh bhuapa mu ghràmar na Gàidhlig.

tìr-mòr: *mainland;* **na ghabhas ionnsachadh bhuapa mu ghràmar na Gàidhlig:** *what can be learned from them about Gaelic grammar;*

Uill, tha an CD-ROM fosgailte an-dràsta agus tha mi a' coimhead air àite air a bheil *Ceum nan Each.* Ceum nan Each. Tha mi an dòchas gu bheil sibh a' tuigsinn gu bheil *nan each* a' ciallachadh *of the horses.* Nuair a tha ainmear mar *each* ag atharrachadh gu *eich* anns an tuiseal ainmneach iolra, no *nominative plural*, - 's e sin le caolachadh, an àite le bhith a' cur *–an* aig an deireadh, tha sin a' ciallachadh dà rud cudromach a thaobh gràmar. Anns a' chiad dol a-mach, bidh buadhair a thèid leis air a shèimheachadh. Canaidh sinn *eich mhòra* is *eich bheaga*.

Agus 's e an dàrna riaghailt chudromach gu bheil cruth an fhacail anns an tuiseal ghinideach iolra co-ionann ri chruth anns an tuiseal ainmneach shingilte. Mar sin, airson *the horses*, canaidh sinn "na h-eich", ach airson *of the horses*, canaidh sinn "nan each". Ceum nan Each – *the Path of the Horses*.

tuiseal: *case (noun);* **ainmneach:** *nominative;* **iolra:** *plural;* **caolachadh:** *slenderisation;* **bidh buadhair a thèid leis air a shèimheachadh:** *an adjective which accompanies it is lenited;* **'s e an dàrna riaghailt chudromach:** *the second important rule is;* **gu bheil cruth an fhacail anns an tuiseal ghinideach iolra co-ionann ri chruth anns an tuiseal ainmneach shingilte:** *that the form of the word in the genitive plural case is the same as its form in the singular nominative case;* **beagan gu deas air sin:** *a little south of that;*

Beagan gu deas air sin tha *Creag nam Broc.* Dè tha sin a' ciallachadh? Creag nam Broc. Tha *broc* a' ciallachadh *badger.* Airson a dhèanamh iolra, bidh sinn ga chaolachadh – gu *bruic.* Tha *na bruic* a' ciallachadh *the badgers.* Mar sin, tha "nam broc" a' ciallachadh *of the badgers.* Creag nam Broc – *the Rock of the Badgers.* **Chan eil fhios a'm** a bheil bruic fhathast a' fuireach ann. Tha amharas agam nach eil.

tha amharas agam nach eil: *I suspect [they are] not;*

Agus seo àite eile – Cadha nan Tòn. 'S e *cadha* bealach cas anns a bheil ceum, air am bi daoine a' coiseachd. Agus – **mura h-eil fios agaibh ca' eil ur tòn**, feumaidh sibh coimhead ann am faclair! Bha Donaidh Friseal, a chruinnich na h-ainmean-àite, dhen bheachd **gur e gum biodh duine buailteach tuiteam air a thòn** nuair a bhiodh e a' dìreadh a' chadha **a bu choireach ris an ainm**.

feumaidh sibh coimhead ann am faclair: *you must look in a dictionary;*

Agus seo agaibh eisimpleirean eile de dh'ainmean anns a bheil facal anns an tuiseal ghinideach iolra – *Uamhag nan Gobhar* (the little cave of the goats), *Glaic nan Reitheachan* (the hollow of the rams), *Bruthach nan Càrn* (the brae of the cairns) agus *Meall nam Fiadh* (the hill of the deer).

Nise, tha mi airson trì ainmean, às a CD-ROM seo, a thoirt dhuibh, ann an Gàidhlig an turas seo, agus tha mi a' dol a dh'iarraidh oirbh eadar-theangachadh a dhèanamh orra gu Beurla. Seo iad, ma tha: *Allt Gleann na Gaoithe, Faing a' Chùirn Bhàin,* agus *Meall Dubh na Saobhaidh.* An do mhothaich sibh mar a tha na h-uibhir de dh'ainmean-àite stèidhichte air beathaichean agus àiteachan far am biodh daoine a' dèiligeadh ri beathaichean – eich, bruic, reitheachan, caoraich, goibhrean, fèidh, sionnaich... Aaah. Mapaichean. Nach e rudan air leth a th' annta!

LTIR

tha mi a' dol a dh'iarraidh oirbh eadar-theangachadh a dhèanamh orra: *I am going to ask you to translate them;* **far am biodh daoine a' dèiligeadh ri beathaichean:** *where people would be dealing with nimals;*
caoraich: *sheep;* **fèidh:** *deer (plural);* **goibhrean (***or* **gobhair):** *goats;* **sionnaich:** *foxes;* **nach e rudan air leth a th' annta:** *aren't they special things.*

Puing-chànain na Litreach: *I would like to make a point this week about common abbreviations in speech which I tend to avoid in the Litir because of confusion, and the fact that they are not found in dictionaries. But they are common in speech and I have put two in this week. The first is* **chan eil fhios a'm.** *The* a'm *here stands for* agam *– it is actually* chan eil fhios agam *– but in conversation the former is usually used. Also in* **mura h-eil fios agaibh ca' eil ur tòn** *(if you don't know where your "tòn" is), tha* ca' eil *stands for* càite a bheil. *Sometimes it is shortened even more and written* ca'il. *You might say to a friend –* ca'il thu dol? *for* càite a bheil thu a' dol? *In some circumstances it is shortened to* ca' bheil *eg if you are shouting for a child – a* Dhòmhnaill, ca' bheil thu? *(Donald, where are you?)*

Gnàths-cainnt na Litreach: **gur e gum biodh duine buailteach tuiteam air a thòn .. a bu choireach ris an ainm**: *it is that a person would be liable to fall on his posterior .. that was responsible for the name. Sometimes* buailteach *goes with the prepositions* do (dha) *or* air *eg* tha e buailteach do shabaid *(he is prone to fighting);* tha iad buailteadh air gèilleadh *(they are apt to yield).*

LITIR 148

(An Giblean 2002)

A tale of murder in Pàirc in Lewis ...

Halò a-rithist. Anns an Litir mu dheireadh, dh'iarr mi oirbh trì ainmean-àite eadar-theangachadh gu Beurla. Tha mi an dòchas gun deach agaibh air sin a dhèanamh. *Allt Gleann na Gaoithe* an toiseach. Tha sin a' ciallachadh *the burn of the glen of the wind.* Anns an ath ainm, bha am facal *faing*. Ann an cuid de dh'àiteachan, 's e *fang* a chanas iad agus tha am facal air tighinn a-steach don Bheurla mar *fank*, co-dhiù ann an Alba. *Faing a' Chùirn Bhàin – the fank, or sheepfold, of the white cairn*. Agus, mu dheireadh, *Meall Dubh na Saobhaidh*: the black lump-shaped hill of the fox den.

Tha na h-ainmean-àite sin uile ann an taobh siar Rois agus, a bharrachd air beathaichean, tha mòran ainmean anns an sgìre sin co-cheangailte ri lusan is craobhan. Anns an ochdamh linn deug bha na coilltean faisg air Geàrrloch ainmeil air feadh ceann a tuath na Gàidhealtachd agus, bho àm gu àm, bhiodh eileanaich, eadhon bho na h-eileanan a-muigh, a' dol don sgìre sin airson fiodh fhaighinn airson taighean a thogail. Cha b' urrainn mullach a chur air taigh gun fhiodh.

Ann an seachd-deug, ochdad 's a còig (1785) no mar sin, chaidh eathar làn fhear à Mealasta ann an Sgìre Ùige, ann an taobh siar Leòdhais, gu ruige Ros an Iar airson fiodh. **Bha iad a' tilleadh, a' dèanamh air Caolas na Hearadh**, nuair a dh'èirich stoirm mhòr. B' fheudar dhaibh coimhead airson fasgadh air cladach an ear Na Hearadh no Leòdhais. Mu dheireadh, fhuair iad air tìr ann an àite ris an canar *Am Bàgh Ciarach* ann am fìor cheann a deas Sgìre na Pàirce ann an Leòdhas.

Chan eil duine a' fuireach anns a' Bhàgh Chiarach an-diugh ach, aig an àm sin, bha dhà no thrì teaghlaichean ann. Bha iad bochd agus, a rèir choltais, bha olc annta oir, an àite cobhair a dhèanamh air na maraichean, mar a dhèanadh a' mhòr-chuid, 's ann a mhurt iad iad, gus am faigheadh iad grèim air an cuid fiodha. A-rithist, a rèir beul-aithris, chaidh am murt le bhith air am bualadh air an cinn le clach aig bonn

taobh siar Rois, Ros an Iar: *Wester Ross;* **anns an ochdamh linn deug bha na coilltean faisg air Geàrrloch ainmeil:** *in the 18th Century, the forests near Gairloch were famous;* **bhiodh eileanaich, eadhon bho na h-eileanan a-muigh, a' dol don sgìre sin:** *islanders, even from the outer isles, would go to that area/parish;* **cha b' urrainn mullach a chur air taigh gun fhiodh:** *a house could not be roofed without timber;* **chaidh eathar làn fhear à Mealasta:** *a boatload of men from Mealasta;* **Sgìre Ùige:** *Uig (an area in SW Lewis);* **stoirm:** *storm;* **b' fheudar dhaibh coimhead airson fasgadh:** *they had to look for shelter;* **Am Bàgh Ciarach:** *(lit.) the dusky bay;* **Sgìre na Pàirce:** *Park (an area in SE Lewis);* **an àite cobhair a dhèanamh air na maraichean:** *instead of assisting the seamen;* **olc:** *evil;*
gus am faigheadh iad greim air an cuid fiodha: *so that they could get hold of their [cargo of] wood;* **le bhith air am bualadh air an cinn:** *by being struck on their heads;* **le clach aig bonn stocainn:** *with a stone at [in] the end of a stocking;*

boglach: *bog, swamp;*

stocainn, agus chaidh an tiodhlacadh ann am boglach. Is **thathar ag ràdh gu bheil lusan annasach air a bhith a' fàs anns a' bhoglach sin bhon uair sin**.

am mnathan: *their wives;* **ghabh iad ris gu robh an eathar air a dhol fodha:** *they accepted that their boat had sunk;*

Uill, cha do thill fir Mhealasta dhachaigh agus cha robh fios aig am mnathan, thall ann an Sgìre Ùige, gu dè bh' air tachairt dhaibh. Às dèidh greis, ghabh iad ris gu robh an eathar air a dhol fodha agus gu robh na fir uile marbh.

fèill-sprèidh: *livestock mart;* **Steòrnabhagh:** *Stornoway;* **gum faca i geansaidh a rinn i fhèin:** *that she saw a jumper she [had] made herself;* **plaidean, plangaidean:** *blankets;* **a dhearbh dhi gur ann le X a bha iad:** *which proved to her that they belonged to X;* **murtairean:** *murderers;* **nochd fear de na mairbh ann an aisling:** *one of the dead appeared in a dream;* **'s iongantach mura h-eil fìrinn air choreigin innte:** *it's likely there's some truth in it (fem).*

'S ann mar sin a bha e gu 's t-samhradh air a' bhliadhna às dèidh sin nuair a bha tè de na mnathan aig fèill-sprèidh ann an Steòrnabhagh. Nise, tha dà sgeul ann mu dheidhinn na thachair. Tha cuid a' cumail a-mach gum faca i geansaidh a rinn i fhèin airson an duine aice air fear à Sgìre na Pàirce. Tha cuid eile ag ràdh gur e gu robh cuideigin a' reic plaidean, no plangaidean, anns an robh pìosan beaga tartain, a dhearbh dhi gur ann leis na daoine à Mealasta a bha iad.

Chan eil fhios a'm dè thachair do na murtairean. Ach uaireigin às dèidh sin, nochd fear de na mairbh, fear Donnchadh, do a bhean ann an aisling, agus ghabh e òran dhi. Nuair a dhùisg i, bha an t-òran air a bilean:

'S e nighean mo ghaoil an nighean donn òg,
Nam bithinn ri a taobh, cha bhithinn fo leòn...

A bheil an sgeulachd fìor? Cò aige tha fios, ach 's iongantach mura h-eil fìrinn air choreigin innte.

LTR

Puing-chànain na Litreach: **Thathar ag ràdh gu bheil lusan annasach air a bhith a' fàs anns a' bhoglach sin bhon uairsin**: *it is said that unusual plants have been growing in that bog ever since. The impersonal forms of the verb "to be" allow us easily to construct a passive (which we examined previously in Litir 5). As far as the independent forms go, in the present tense, it is* thathar *(or* thathas*); in the past* bhathar *(or* bhathas*) and in the future* bithear (bitheas). *In the dependent form it is* bheilear/eilear (bheileas/eileas), robhar (robhas) *and* bithear (bitheas). *It is very easily employed – here are some examples.* Bithear a' dèanamh obair *Diluain (work will be done on Monday);* chaidh a ràdh gu robhar a' coimhead airson luchd-obrach *(it was said that workmen were being sought);* bithear ag innse na sgeulachd sin fhathast *(that story is still told – future acting as present habitual);* tha mi cinnteach nach eilear ga innse a-nise *(I am sure it is not told now).*

Gnàths-cainnt na Litreach: **Bha iad a' tilleadh, a' dèanamh air Caolas na Hearadh**: *they were returning, making for the Sound of Harris.* A' dèanamh air: *making for, going towards.*

LITIR 149 *(An Giblean 2002)*

Recollections from the island of Ulva …

Leabhar Habacuic: *The Book of Habakkuk;* **trom biodh mòran uaireigin a' ceannach aodach:** *through which many would at one time buy clothes;* **mu dheidhinn bliadhnaichean òige ann an eilean Ulbha, làimh ri Muile:** *about the days of his youth in the isle of Ulva, next to Mull;* **ùghdar:** *author;* **chan eil anns an leabhar sin ach mu dhà dhuilleig:** *there are only about two pages in that book;* **am measg leabhraichean an t-Seann Tiomnaidh:** *among the books of the Old Testament;* **mì-fhoighidneach:** *impatient;* **a' cur dàil air an t-searmon:** *delaying the sermon;* **nam b' e X a bh' ann, 's fhada bhon a bha e air a bhith agaibh:** *if it had been X, you would have had [found] it long ago;* **cha robh e a' saoilsinn mòran de..:** *he didn't think much of..;* **air leth toilichte:** *very pleased;* **inntinneach:** *interesting;* **a bha cho Gàidhealach ri gin:** *that was as Highland [Gaelic] as any;*
a chòrdas ri X: *which X will enjoy;* **bha calmain aca a bhiodh a' caoirean fad an là:** *they had doves which would coo all day;*
cha b' ann de mo chuideachd thu: *you don't belong to my people;*

Dè an ceangal a th' ann eadar Leabhar Habacuic anns a' Bhìoball agus an catalog aig J D Williams trom biodh mòran air a' Ghàidhealtachd uaireigin a' ceannach aodach? Mmm. Ceist dhoirbh, is cinnteach. Uill, bha mi a' leughadh leabhar o chionn ghoirid, a bh' air a sgrìobhadh leis an Urramach Dòmhnall Uilleam MacCoinnich – *"As it Was – Sin Mar a Bha",* mu dheidhinn bliadhnaichean òige ann an eilean Ulbha, làimh ri Muile.

Anns an leabhar, tha an t-ùghdar ag innse dhuinn mu dheidhinn ministear anns an Eilean Sgitheanach a bha a' searmonachadh turas. Dh'iarr e air a' choitheanal sùil a thoirt air earrann de Leabhar Habacuic. Uill, chan eil anns an leabhar sin ach mu dhà dhuilleig, agus bha duilgheadas aig mòran anns a' choitheanal a lorg am measg leabhraichean an t-Seann Tiomnaidh.

Thug iad ùine, a' tionndadh duilleagan is a' cur dàil air an t-searmon, agus dh'fhàs am ministear mì-fhoighidneach. Mu dheireadh, thuirt e, "A, nam b' e leabhar J D Williams a bh' ann, 's fhada bhon a bha e air a bhith agaibh!" Cha robh e fhèin a' saoilsinn mòran dhen chatalog sin!

Thachair mi ri Mgr MacCoinnich o chionn beagan bhliadhnaichean, nuair a bha mi a' dèanamh prògram rèidio mu dheidhinn Ulbha, agus bha e ag obair air an leabhar aige aig an àm. Tha mi air leth toilichte gun deach a chur an clò, oir tha e gu math inntinneach agus tha e ag innse dhuinn mòran mu dheidhinn eilean snog a bha, tràth anns an fhicheadamh linn, cho Gàidhealach ri gin.

Tha mòran naidheachdan beaga anns an leabhar a chòrdas ri duine sam bith aig a bheil ùidh ann an Gàidhlig. Mar eisimpleir, bha calmain aca a bhiodh a' caoirean fad an là agus bhiodh Dòmhnall òg a' faighneachd de athair, a bha cuideachd na mhinistear, gu dè bha na h-eòin ag ràdh. Chanadh athair ris gur ann a' bruidhinn ri chèile a bha iad agus gu robh iad ag ràdh, "cha b' ann de mo chuideachd thu." Ma chanas sibh sin trì tursan sreath chèile gu luath, chì sibh dè bha e a' ciallachadh.

chuireadh iad an spàin an toiseach ann an luath no salann: *they would first put the spoon in ash or salt;*

an ceann seachd bliadhna gun tig galar: *in seven years a disease will come;* **mar a ghuir cearc uigheann tunnaig:** *how a hen incubated duck's eggs;*
mar gum b' i am màthair: *as if she were their mother;*
fhad 's a bha an turadh ann: *as long as the weather was dry;*
cha b' urrainn dhi stad a chur orra: *she couldn't stop them;* **bha iad air an dòigh glan, a' plubadaich anns na glumagan:** *they were as happy as* could *be, splashing in the puddles.*

Agus nuair a bhiodh daoine ag ithe uighean, chuireadh iad spàin an toiseach ann an luath no salann. Bha beachd ann am Muile gu robh uighean cunnartach agus 's dòcha gun do dh'èirich an saobh-chràbhadh air sàilleabh sin. Co-dhiù, bha seanfhacal aca:

Ugh gun ìm, gun luath, gun salann
An ceann seachd bliadhna gun tig galar.

Is tha an t-ùghdar ag innse seanfhacal eile, air am bi feadhainn agaibh eòlach 's dòcha, co-cheangailte ris mar a ghuir cearc aca uighean tunnaig turas a bha seo. **A dh'aindeoin 's nach robh a h-àl coltach rithe idir, cha do ghabh a' chearc dragh sam bith**. Agus bha na h-iseanan fhèin toilichte gu leòr leantainn oirre mar gum b' i am màthair - fhad 's a bha an turadh ann.

Ach là a bha seo, bha i fliuch agus bha glumagan ann. Ged nach robh a' chearc airson 's gun rachadh na tunnagan beaga faisg air an uisge, cha b' urrainn dhi stad a chur orra. Bha iad air an dòigh glan, a' plubadaich anns na glumagan. Agus 's e an seanfhacal – ***thèid dualchas an aghaidh nan creag***. Thèid dualchas an aghaidh nan creag.

Nuair a bha mi a' dèanamh a' phrògraim mu dheidhinn Ulbha, thachair mi ri fear eile a bha mion-eòlach air an eilean agus aig an robh eòlas fìor mhath air taobh siar Mhuile – Ruairidh MacNèill nach maireann. Innsidh mi dhuibh beagan mu dheidhinn-san an ath-sheachdain.

Puing-chànain na Litreach: **A dh'aindeoin 's nach robh a h-àl coltach rithe idir, cha do ghabh a' chearc dragh sam bith**: *although her offspring was not at all like her, the hen was not upset. Have you sometimes been in the situation, when listening to conversation, of misinterpreting the "h" sound at the start of a noun, as in* "a h-àl"? *It is obvious in the written form, but less so in speech. The important point to remember is that very few words in Gaelic start with "h" – most are loan words or proper or place names which originate in Norse (eg* Na Hearadh, Hiort*), Hebrew* (Habacuc), *English* (halò) *and Greek or Latin via English or French* (heileacoptar, heactair). *The "h" sound is usually caused by one of the agents of lenition working on a consonant like "t" or "s"* (mo thòn, do shuipear) *or by the insertion of an "h" before a vowel, following the possessive feminine adjective, "a". Other examples would be* a h-anail *(her breath),* a h-òige *(her youth). The equivalent masculine possessives would be, simply,* (a) anail *(his breath),* (a) òige *(his youth).*

Seanfhacal na Litreach: **Thèid dualchas an aghaidh nan creag**: *one's inheritance will come to the fore. This also exists as* thèid dùthchas an aghaidh nan creag. *This might be used to express the perceived dominance of nature over nurture.*

LITIR 150

(An Giblean 2002)

Ruairidh recalls a wonderful day in the woods of Mull with the late Ruairidh MacNeill...

An Sàilean: *Salen;* **Muile:** *Mull;* **Gomastra:** *Gometra;* **air ceann a-mach Ulbha:** *on the outer end of Ulva;* **thogadh e le sheana-phàrantan:** *he was raised by his grandparents;* **grianach:** *sunny;*

calltainn: *hazel;* **cha bhi daoine a' gearradh nan craobhan seo air ais:** *people don't cut these trees back;* **chan eil na cnothan cho pailt orra 's a b' àbhaist:** *the nuts are not as plentiful [on them] as was once the case;* **cinneas ùr:** *new growth;* **a' lùbadh:** *bending;*

dàrna cinneas na craoibh uinnsinn: *the new [second] growth of the ash tree;* **bristeach:** *brittle;* **bhiodh na Muilich a' cleachdadh a fiodha airson casan spaid, gràpa no ùird a dhèanamh:** *the Mull people would use its [her] wood to make spade, fork or hammer handles;* **cipeanan:** *stakes (to tether snares);* **ribe, ribeachan:** *snare, snares;* **coineanaich:** *rabbits;* **leamhan:** *elm;* **lùbte:** *bent;* **thogadh iad ceann tobhta:** *they would make the end of a thwart;*

Nuair a bha mi eòlach air, bha Ruairidh MacNeill nach maireann a' fuireach anns an t-Sàilean ann am Muile, ach rugadh is thogadh e ann an Gomastra, eilean beag air ceann a-mach Ulbha. Thogadh e le sheana-phàrantan agus, air sàilleabh sin, bha Gàidhlig ghlan, bhrèagha aige, agus bha eòlas sònraichte aige air dualchas na sgìre.

Air là grianach samhraidh, chaidh e fhèin 's mi fhìn a choimhead air seann choilltean nàdarrach ann am Muile, agus mi airson rud beag dhen eòlas aige air craobhan fhaighinn bhuaithe. Sheall e dhomh na craobhan calltainn, air am bi cnothan calltainn a' fàs. An là an-diugh, cha bhi daoine a' gearradh nan craobhan seo air ais mar bu chòir agus, ann am Muile, chan eil na cnothan cho pailt orra 's a b' àbhaist. Nuair a bha Ruairidh òg, bha iad air an gearradh air ais gu mòr agus bhiodh an cinneas ùr math airson boghachan – pìosan fiodha a tha a' lùbadh gu furasta. Bhiodh daoine ann an eileanan eile, gu h-àraidh Tiriodh agus Uibhist, a' faighinn fiodh mar sin à Muile airson rudan mar chlèibh a dhèanamh.

Bha dàrna cinneas na craoibh uinnsinn uabhasach feumail cuideachd oir chan eil e cho bristeach ris a' chiad chinneas, agus bhiodh na Muilich a' cleachdadh a fiodha airson casan spaid, gràpa no ùird a dhèanamh. Tha e furasta sgoltadh agus **bidh e a' losgadh fiù 's gun a bhith air a thiormachadh**. Bhiodh Ruairidh a' dèanamh cipeanan de dh'fhiodh na craoibh uinnsinn – 's e sin na pìosan beaga fiodha a chumas ribe, no *snare*, anns an talamh. Bhiodh iad a' cleachdadh nan ribeachan airson coineanaich a ghlacadh.

'S e craobh bhrèagha a tha anns an leamhan agus bha i gu math feumail do mhuinntir an eilein. Bhiodh iad a' gearradh pìosan a bha lùbte gu nàdarrach airson an cleachdadh ann am bàtaichean. Mar eisimpleir, thogadh iad ceann tobhta le bhith a' cleachdadh fiodh lùbte bhon chraoibh leamhain.

airson sùil a dhèanamh ann an cliabh ghiomach: *to make the opening in a lobster creel;* **beòil:** *mouths;* **a' bìdeadh:** *biting;* **dh'innis Ruairidh dhomh gum faicear fhathast làrach fhiaclan:** *Ruairidh told me that teeth marks can still be seen;* **fiaclan fuadain:** *false teeth;* **seileach:** *willow;* **feadag, fìdeag:** *whistle [instrument];* **fead:** *whistle [sound];* **beithe:** *birch;* **cuileann:** *holly;* **darach:** *oak;* **caorann:** *rowan;* **saobh-chràbhadh:** *superstition;* **gur e "connadh nam mèirleach" a bh' aig na seann daoine air an droigheann dubh:** *that the old people called the blackthorn "the robbers' fuel";* **gur iongantach mura robh an dearbh fhiodh "air uisneachadh airson na poite duibhe anns a' mhonadh":** *that it would be likely that the same wood would be "used for the [a] whisky still on the hill" (uisneachadh is used in Argyll where cleachdadh would generally be used further north).*

Uaireannan, ge-tà, bhiodh na seann daoine a' lùbadh fiodh iad fhèin, mar eisimpleir airson sùil a dhèanamh ann an cliabh ghiomach. Ghabhadh iad geug òg bho chraobh sheilich agus bhiodh iad ga lùbadh lem beòil, le bhith a' bìdeadh an fhiodha. Dh'innis Ruairidh dhomh gum faicear fhathast làrach fhiaclan ann an seann chlèibh. Is cinnteach gur e daoine aig nach robh fiaclan fuadain a rinn an obair sin! Bha an seileach cuideachd feumail airson feadag no fìdeag a dhèanamh – an seòrsa a bhios daoine a' cleachdadh airson a bhith a' dèanamh fead air cù.

Bha grunn seòrsachan eile anns a' choille – beithe, cuileann, darach – agus an caorann. Tha saobh-chràbhadh co-cheangailte ris a' chraoibh-chaorainn agus chan eil daoine uabhasach deònach an leagail. Cha bhi iad a' losgadh gu math co-dhiù, a rèir seanfhacal a dh'innis Ruairidh dhomh: ***Teine caorainn is gaol ghiullan, cha do mhair iad fad' a-riamh.***

Am measg an fhiosrachaidh eile a thug Ruairidh MacNèill dhomh, tha cuimhne agam air aon rud gu h-àraidh. Dh'innis e dhomh gur e "connadh nam mèirleach" a bh' aig na seann daoine air an droigheann dubh, air sàilleabh 's nach tig toit às nuair a tha e ann an teine. Cha bhiodh fios aig daoine, mar sin, càite an robh campa nam mèirleach. Agus, le gàire mhòr, ged nach eil mi a' dèanamh dheth gu robh fios pearsanta aige air seo, thuirt e gur iongantach mura robh an dearbh fhiodh "air uisneachadh airson na poite duibhe anns a' mhonadh"! LTR

<u>Puing-chànain na Litreach</u>: **Bidh e a' losgadh fiù 's gun a bhith air a thiormachadh**: *it burns even without being dried. I hope the* gun *here does not confuse you because you will often see* gun *in close proximity to a verb, acting as a conjunction eg* thuirt e gun toireadh e dhomh e *(he said he would give it to me),* tha mi an dòchas gun tig feabhas ort *(I hope you'll get better). Here, however, despite its close association with* "a bhith", *it is actually the preposition* gun, *meaning "without". You will be familiar with it in situations without a verb ie before a noun eg* tha mi gun dòchas (*I am without hope),* gun teagamh sam bith *(without any doubt). Here is another example of how to use it with a bhith:* dh' iarr an tidsear orm gun a bhith ag èigheachd *(the teacher asked me not to shout).*

<u>Seanfhacal na Litreach</u>: **Teine caorainn is gaol ghiullan, cha do mhair iad fad' a-riamh**: *rowan fire and boys' love, they never lasted long. This is as Ruairidh MacNèill told it to me, but it is listed in Alexander Nicolson's Gaelic Proverbs as* **teine chaoran is gaol ghiullan...**, *a* caoran *being a small peat broken off the* fàd, *which is the large peat cut for the fire. Both make sense but which is the original...?*

LITIR 151

(An Cèitean 2002)

An unusual link between two famous Alexander Mackenzies in Canada …

aithris: *report;* **cliùiteach:** *renowned;* **Alasdair MacCoinnich:** *Alexander Mackenzie;* **oir:** *because;* **bha barrachd na aonan dhiubh a choisinn cliù:** *there was more than one of them that built up a reputation;*

Tìrean an Iar-thuath: *Northwest Territories;* **a tha còrr is dà mhìle mìle a dh'fhaid:** *that is more than 2000 miles long;* **tro dhùthaich fhiadhaich, gus an do ràinig e a' mhuir:** *through wild country, until he reached the sea;* **a bheireadh don Chuan Sèimh e:** *that would take him to the Pacific Ocean;* **An Cuan Arctach:** *the Arctic Ocean;*

buidheann a bha a' malairt ann an seicheannan no bèin: *a group which traded in hides or skins;* **muinntir na Frangais agus muinntir Arcaibh:** *French-speaking people and Orcadians;* **ioma-chànanach:** *multilingual;*

Leugh mi aithris bheag an là eile air a' Ghàidheal chliùiteach, Alasdair MacCoinnich. Thuirt an aithris **gu robh a chuid Gàidhlig gu math feumail** dha oir **'s ann tric a bhiodh e a' dèiligeadh ri Gàidheil na chuid obrach**. Agus càite ann an Alba a bha seo? Uill, chan ann an Alba idir a bha e, ach ann an Canada. Agus, cò Alasdair MacCoinnich a tha mi a' ciallachadh – oir bha barrachd na aonan dhiubh a choisinn cliù ann an Canada. Uill, Sir Alasdair MacCoinnich, a thogadh ann an Eilean Leòdhais. Tuigidh sibh ann am mionaid no dhà, carson a tha mi a' cur cuideam air "Sir".

'S ann le bhith a' rannsachadh na dùthcha a choisinn Alasdair a chliù agus, san là an-diugh, ann am British Columbia agus ann an Tìrean an Iar-thuath, tha aona àite deug, eadar beanntan is aibhnichean, a tha a' giùlan ainm. 'S i Abhainn MhicCoinnich, am *Mackenzie River*, a tha còrr is dà mhìle mìle a dh'fhaid, as ainmeile dhiubh sin. Ann an seachd deug, ochdad 's a naoi (1789) chaidh e sìos an abhainn, tro dhùthaich fhiadhaich, gus an do ràinig e a' mhuir.

Shaoileadh tu gu robh MacCoinnich air a bhith toilichte. Ach gu mì-fhortanach dha, bha e a' coimhead airson abhainn a bheireadh don Chuan Sèimh e. Ach tha beul Abhainn MhicCoinnich gu tuath air a sin anns a' Chuan Arctach, agus **chuir Alasdair roimhe feuchainn a-rithist, gu deas air sin**.

Bha e air na sgilean aige ionnsachadh, airson a bhith a' fuireach a-muigh ann an ceann a tuath Chanada, le bhith ag obair do Chompanaidh an Iar-thuath, buidheann a bha a' malairt ann an seicheannan no bèin. Is a bharrachd air Gàidheil, bha aige ri dèiligeadh ri feadhainn dùthchasach, na h-Ìnnseanaich, muinntir na Fraingis, agus muinntir Arcaibh, oir bha mòran acasan an sàs anns a' ghnìomhachas sin. Gun teagamh, bha MacCoinnich ioma-chànanach.

Ann an seachd-deug, naochad 's a dhà (1792), thòisich e a-rithist air rannsachadh na dùthcha agus, an turas seo, ràinig e an Cuan Sèimh gu tuath air far a bheil Vancouver an-diugh. Mar sin, b' esan a' chiad duine geal a chaidh eadar costa sear agus costa siar Chanada. Dh'fhoillsich e leabhar mu dheidhinn ann an ochd deug 's a h-aon (1801) agus, bliadhna às dèidh sin, chaidh inbhe ridire a bhuileachadh air.

Fichead bliadhna às dèidh sin, rugadh Alasdair MacCoinnich eile, ann an Siorrachd Pheairt. Cha deach ridire a dhèanamh dheth idir, ged a chaidh a mholadh air a shon trì tursan. Dhiùlt e gach triop. Chaidh e a Chanada nuair a bha e na dhuine òg agus chaidh e a dh'fhuireach ann an Ontario, far an robh e an sàs, mar a bha athair roimhe, ann a bhith a' togail taighean. Às dèidh ùine, thòisich e mar fhear-deasachaidh air pàipear-naidheachd Libearalach. Aig a' cheann thall, chaidh e an sàs ann am poileataigs agus dh'èirich e gu bhith na cheannard air na Libearalaich.

Agus seo, ann an dòigh, far an do nochd ceangal eadar e fhèin agus Sir Alasdair MacCoinnich, a bh' air a bhith marbh bliadhnaichean, oir bha an riaghaltas Canèidianach a' feuchainn ri rathad-iarainn a thogail eadar costa sear agus costa siar Chanada – pròiseact mòr dha-rìribh. Dh'èirich sgainneal timcheall a' phròiseict agus ghabh Alasdair MacCoinnich brath air sin airson cur às don riaghaltas. Bha e a-nise na Phrìomhaire, a' chiad fhear Libearalach a-riamh ann an Canada.

Ach cha b' esan a' chiad Phrìomhaire Canèidianach aig an robh buinteanas don Ghàidhealtachd. Rugadh am fear a bh' ann roimhe cuideachd ann an Alba is bheir sinn sùil airsan an ath-sheachdain.

LTIR

eadar costa agus costa siar Chanada: *between the east coast and west coast of Canada;* **chiadh inbhe ridire a bhuileachadh air:** *the status of a knight was conferred upon him (ie he was knighted);* **cha deach ridire a dhèanamh dheth ged a chaidh a mholadh air a shon trì tursan:** *he was not knighted although he was recommended for it three times;* **fear-deasachaidh:** *editor;*

ceannard: *leader;*

rathad-iarainn: *railway line;* **Prìomhaire:** *Prime Minister;* **dhiùlt e gach triop:** *he refused each time;* **pròiseact mòr dha-rìribh:** *a really big project;* **dh'èirich sgainneal timcheall a' phròiseict:** *a scandal arose in connection with the project;* **ghabh X brath air sin:** *X took advantage of that.*

<u>Puing-chànain na Litreach</u>: "Cuid" *is used twice in this week's Litir do express ownership or acquisition. Note that the noun governed by* cuid *is always in the genitive:* **gu robh a chuid Gàidhlig gu math feumail**: *that his Gaelic would be very useful – this would, in older Gaelic, be* a chuid Gàidhlige. *Also,* **'s ann tric a bhiodh e a'dèiligeadh ri Gàidheil na chuid obrach**: *it is often he would be dealing with Gaels in his work. If the person related to* cuid *were female, we would say* a cuid Gàidhlig *(her Gaelic) and* a cuid obrach *(her work). This works in similar ways for all persons eg* mo chuid obrach *(my work),* do chuid obrach *(your work),* ar cuid obrach *(our work),* ur cuid obrach *(your work),* an cuid obrach *(their work).*

<u>Gnàths-cainnt na Litreach</u>: **Chuir Alasdair roimhe feuchainn a-rithist, gu deas air sin**: *Alexander decided to try again, to the south of there. This idiom is preferable to* "rinn e an àirde inntinn" *(ie he made up his mind) which is a direct translation of the English. Here are some examples:* chuir mi romham *(I decided);* chuir i roimhpe *(she decided);* chuir iad romhpa *(they decided).*

LITIR 152

(An Cèitean 2002)

Canada's first Prime Minister (of Scottish background) was heavily involved in the building of the trans-Canada railway ...

is mòr am beud: *that's a great pity;* **feumaidh mi sin a chur ceart uaireigin:** *I will have to put that right sometime;* **Cruinn-eòlas:** *Geography;* **thachair rudeigin annasach dhomh:** *a strange thing happened to me;* **Alba Nuadh:** *Nova Scotia;* **Talamh an Èisg:** *Newfoundland;* **deuchainn:** *exam;* **deisealachadh:** *preparing;* **carson nach toir thu creidsinn?:** *why don't you pretend?;* **carbad-iarainn:** *train;* **eadar costa agus costa siar Chanada:** *between the east coast and west coast of Canada;* **na rudan a chì thu fhad 's a tha thu a' siubhal:** *the things you see while you are travelling;* **abair gu robh an t-iongnadh orm:** *I was greatly surprised;* **an làrna-mhàireach:** *the next day;*

an dà-shealladh: *second sight;*

rathad-iarainn, loighne-rèile: *railway line;*

Dòmhnall Mac a' Ghobhainn: *Donald Smith;*

Sir Iain Dòmhnallach: *Sir John MacDonald;*

Cha robh mi a-riamh ann an Canada agus is mòr am beud oir tha fhios gur e dùthaich mhòr bhrèagha inntinneach a th' innte. Feumaidh mi sin a chur ceart uaireigin. Ach rinn mi beagan anns an sgoil mu a deidhinn ann an Cruinn-eòlas agus thachair rudeigin annasach dhomh aig an àm sin. Bha sinn ag ionnsachadh mu na roinnean-nàisein a tha a' dèanamh Chanada, agus bha mi a' feuchainn rin cuimhneachadh – Alba Nuadh, Talamh an Èisg, Ontario, Quebec, Saskatchewan...

Air an fheasgar mus robh an deuchainn ann, shuidh mi sìos còmhla ri mo mhàthair airson deisealachadh air a son. Thuirt i rium, "carson nach toir thu creidsinn gu bheil thu ann an carbad-iarainn, a' dol **eadar costa sear agus costa siar Chanada**? Faodaidh tu innse dhomh na rudan a chì thu fhad 's a tha thu a' siubhal." Shaoil mi gu robh sin math gu leòr, agus 's ann mar sin a dh'ullaich mi airson na deuchainn.

Abair gu robh an t-iongnadh orm nuair a leugh mi a' cheist air Canada anns a' phàipear-dheuchainn air an làrna-mhàireach. 'S e a bh' ann – "thoir creidsinn gu bheil thu ann an trèana, a' dol **thar Chanada bhon taobh an ear don taobh an iar**. Dèan tuairisgeul air na chì thu." Cha chreid mi gun do dh'ullaich mi a-riamh cho math airson deuchainn 's a dh'ullaich mi an turas sin. Chun an là an-diugh, chan eil fhios a'm an robh an dà-shealladh aig mo mhàthair!

Bha dithis a bhuineadh do dh'Alba gu mòr an sàs anns a' phròiseact airson rathad-iarainn, no loidhne-rèile, mar a chanas mòran an-diugh, a thogail thar Chanada. B' e fear dhiubh Dòmhnall Mac a' Ghobhainn, am Morair Strathcona mar a bh' air mu dheireadh, a bha na stiùiriche air a' chompanaidh a thog an loidhne. Nochdaidh esan a-rithist ro dheireadh na Litreach. B' e am fear eile Sir Iain Dòmhnallach, a' chiad phrìomhaire aig Canada, nuair a fhuair i na crìochan a th' aice an-diugh ann an ochd-deug, seasgad 's a seachd (1867).

bha buinteanas aig X do thaobh sear Chataibh: *X belonged (or his family belonged) to East Sutherland;*

Bha buinteanas aig Iain Dòmhnallach do thaobh sear Chataibh, far an robh athair na chroitear, ach chaidh e a Chanada nuair a bha e òg. Ghabh e ceum ann an Lagh agus chaidh e a-steach a phoileataics. Chaidh a dhèanamh na cheannard air na Tòraidhean ann an ochd-deug, ceathrad 's a ceithir (1844) agus trì bliadhna fichead às dèidh sin, bha e aig ceann ghnothaichean nuair a chaidh Canada a chruthachadh.

chaidh inbhe ridire a bhuileachadh air: *he was knighted;* **aig àm cruthachaidh a' chaidreachais:** *at the time of the creation of the federation;* **gu robh rathad-iarainn thar na dùthcha riatanach airson muinntir Chanada aonachadh:** *that a railway line across the country was necessary to unite the people of Canada;* **a bha dìleas don dìleab Fhrangaich aca:** *who were faithful to their French legacy;* **a dhiùlt a-muigh no mach:** *who completely refused;*

Bha Sir Iain Dòmhnallach (oir chaidh inbhe ridire a bhuileachadh air aig àm cruthachaidh a' chaidreachais) dhen bheachd gu robh rathad-iarainn thar na dùthcha riatanach airson muinntir Chanada aonachadh, oir bha sgaraidhean mòra ann eatarra, gu h-àraidh eadar an fheadhainn a bhuineadh do Bhreatainn agus an fheadhainn a bha dìleas don dìleab Fhrangaich aca. Bha na Frangaich gu math làidir ann an Quebec, ach chan ann ann a sin a-mhàin. Mar eisimpleir, bha buidheann ann am Manitoba, aig an robh Fraingis mar chànan, a dhiùlt a-muigh no mach tighinn a-steach a Chanada. Le measgachadh de bhith a' sealltainn spèis dhaibh, agus **le bhith a' bagairt cogadh orra**, rinn Sir Iain Dòmhnallach a' chùis orra.

cò chuir an cipean mu dheireadh na àite anns na Beanntan Creagach?: *who put in the last stake in the Rocky Mountains?* **Creag Ealachaidh:** *Craigellachie;*

Ach dh'èirich sgainneal mu dheidhinn na loidhne-rèile agus chaill an Dòmhnallach gu ceannard nan Libearalach, Alasdair MacCoinnich, a fhuair taic bhon Tòraidh, Dòmhnall Mac a' Ghobhainn. Bha Sir Iain Dòmhnallach air ais mar Phrìomhaire còig bliadhna às dèidh sin, ann an àm airson crìoch a chur air a' phròiseact mhòr. Is cò chuir an cipean mu dheireadh na àite anns na Beanntan Creagach? Cò ach Dòmhnall Mac a' Ghobhainn fhèin – ann an àite le ainm Gàidhealach, Creag Ealachaidh. LTIR

Puing-chànain na Litreach: **eadar costa sear agus costa siar Chanada**: *between the east coast and west coast of Canada. Do you sometimes get worried as to whether to use* sear *or* an ear *for east and* siar *or* an iar *for west? Relax – they are basically interchangeable in most circumstances. Thus we have in the Litir,* **thar Chanada bhon taobh an ear don taobh an iar** *(across Canada from the east to the west). You will hear the Western Isles being described as* na h-Eileanan Siar *or* na h-Eileanan an Iar, *and both are correct.* Sear *and* siar, *however, are not used in dealing with points of the compass. We say* an àird an ear *for the east or an easterly bearing. Note this example:* bidh a' ghrian a' dol fodha anns an àird an iar *(the sun sets in the west).*

Gnàths-cainnt na Litreach: **le bhith a' bagairt cogadh orra**: *by threatening them with war (ie to go to war against them).*

LITIR 153

(An Cèitean 2002)

A short story from a wonderful collection of tales from Cape Breton Island …

Bha sinn ann an Canada an t-seachdain sa chaidh agus 's ann ann a sin a tha sinn a' fuireach an t-seachdain sa. Mar a bhios fios agaibh chaidh na h-uimhir de Ghàidheil a dh'fhuireach thall agus, ann an àiteachan mar Eilean Cheap Bhreatainn, bha an cànan agus an cultar gu math làidir.

Bha sgeulaichean gu leòr ann agus, nam measg, bha Eòs Nìll Bhig, no Joe Neil MacNeil, a bhuineadh don Rubha Mheadhanach. Chaidh a thogail le seann chàraid, nach bruidhneadh ach Gàidhlig aig an taigh. Gu dearbh, cha robh Beurla idir aig an t-seann bhean. Bha Eòs ann an suidheachadh cho Gàidhealach ri duine sam bith anns "an t-seann dùthaich".

Tha mòran de na sgeulachdan aige ann an leabhar a rinneadh leis an sgoilear Ghàidhlig, Iain Seathach. Bha *Sgeul gu Latha* air fhoillseachadh le Oilthigh Dhùn Èideann, agus tha e air leth math. Tha a' Bheurla ann a bharrachd air a' Ghàidhlig, is tha e feumail mar sin do luchd-ionnsachaidh. Bu mhath leam blasad beag a thoirt dhuibh de thè aca, ged a bha i na b' fheàrr aig Eòs na tha i agam an seo, oir rinn mi na bu ghiorra agus na bu shìmplidhe i.

Chaidh balach òg gu taigh a bha seo, agus bha nighean bheag na laighe anns a' chreathail. Bha i a' rànaich is a' caoineadh agus thuirt am balach nam faigheadh e a leithid de bhoireannach mar bhean, nuair a thigeadh e gu aois, gum bàthadh e e fhèin. Bha seann bhoireannach an làthair agus thuirt i ris, "Coma leat, a laochain. 'S dòcha gur i an tè seo a phòsas tu fhathast."

Dh'fhàs iad suas anns an aon choimhearsnachd agus cha robh an gille toilichte mu na thuirt an seann bhoireannach. Là a bha seo, bha e fhèin is an nighean a' coiseachd còmhla thar drochaid. Thug e fàinne a-mach às a phòcaid. Sheall e am fàinne don nighinn agus thilg e anns an abhainn e. "**Na faiceam d' aodann tuilleadh**," thuirt e rithe, "**gus am bi am fàinne agad dhomh**."

Dh'fhalbh esan a dh'fhuireach ann am badeigin eile, agus dh'fhalbh ise a dh'obair ann am muinntireas do theaghlach

's ann ann a sin a tha sinn a' fuireach an t-seachdain sa: *it's there that we are staying this week;* **na h-uimhir:** *a large number;* **sgeulaichean:** *storytellers;* **a bhuineadh don Rubha Mheadhanach:** *who belonged to Middle Cape;* **seann chàraid:** *an old couple;* **nach bruidhneadh ach Gàidhlig aig an taigh:** *who only spoke Gaelic in the home;* **ann an leabhar a rinneadh leis an sgoilear Ghàidhlig, Iain Seathach:** *in a book compiled by the Gaelic scholar, John Shaw;* **air fhoillseachadh le Oilthigh Dhùn Eideann:** *published by Edinburgh University Press;* **bu mhath leam blasad beag a thoirt dhuibh de thè aca:** *I would like to give you a little taste of one (fem.) of them;* **na bu ghiorra is na bu shìmplidhe:** *shorter and simplified;*

bha i a' rànaich is a' caoineadh: *she was wailing and weeping;* **gum bàthadh e e fhèin:** *that he would drown himself;* **an làthair:** *present;* **coma leat, a laochain:** *don't worry, lad;*

faisg air loch no abhainn. Ghlac iad iasg là a bha seo agus bha aice ri dheisealachadh airson na dìnnearach. Agus dè lorg i na bhroinn, ach am fàinne.

Chum i sàbhailte e agus, là a bha seo, thàinig an duine a thilg anns an abhainn e don taigh. Nuair a chunnaic i e a' tighinn a dh'ionnsaigh an dorais, theich i don t-seòmar aice. Nuair a bha an duine a' còmhradh, thuirt fear an taighe ris gu robh a' bhan-òglach air teicheadh nuair a chunnaic i e. "Seadh," ars' an duine, "**am biodh e gu diofar ged a chithinn i?**"

"Cha bhitheadh," ars' am fear eile, "tha i anns an t-seòmar sin shìos."

Nuair a chaidh an duine sìos, dh'aithnich e am boireannach. "Tha mi a' creidsinn," thuirt e, "gun do dh'iarr mi ort gun d' aodann a nochdadh rium gus am biodh am fàinne agad. Agus cha do dh'fhalaich thu d' aodann."

"O," ars' ise, "theirig a-null agus fosgail an drathair beag. Tòg a' chisteag bheag às agus thoir dhomh an nèapaigin a tha na broinn. Bidh fios agad an uair sin mar a tha cùisean a' dol."

Nuair a chaidh an nèapaigin fhosgladh bha am fàinne ann, agus dh'aithnich an duine e. "Tha mi a' faicinn a-nist," ars' esan, "nach eil dòigh againn air dealachadh." Thachair na bha an dàn don dithis agus, goirid às dèidh sin, phòs iad. Bha saoghal fada aighearach aca còmhla.

fàinne: *ring;*

muinntireas: *domestic service;*
na bhroinn: *inside it (masc.);*
theich i: *she fled;*
ban-òglach: *maidservant;*
dh'aithnich e: *he recognised;*
cisteag: *little chest, box;*
neapaigin: *handkerchief;* **na broinn:** *inside it (fem.);* **a-nist:** *now (equivalent to a-nis);* **phòs iad:** *they married;* **bha aice ri dheiseileachadh:** *she had to prepare it (masc.);* **gun d' aodann a nochdadh rium gus am biodh am fàinne agad:** *not to show me your face until you had the ring;* **theirig a-null agus fosgail an dràthair:** *go over and open the drawer;* **thachair na bha an dàn don dithis:** *the two of them achieved their destiny;* **bha saoghal fada aighearach aca còmhla:** *they had a long happy life together.*

<u>Puing-chànain na Litreach</u>: **na faiceam d' aodann tuilleadh gus am bi am fàinne agad dhomh**: *don't let me see your face again until you have the ring for me. The* –(e)am *ending of* faiceam *is diagnostic of the first-person singular of a verb in the imperative mood. You will be familiar with this in the second person eg singular* faic! *(see!) and plural* faicibh! *(see!). It is less common in the other persons but here they are, for the verb* "faic": faiceam *(let me see),* faiceadh e *(let him see),* faiceadh i *(let her see),* faiceamaid *(let us see),* faiceadh iad *(let them see). The imperative forms are usually built around the root of the verb (equivalent to the second personal singular imperative), in this case* faic. *Let us consider another verb* – dèan *(do,make): we say* dèan seo *for "do this" so* dèan *is the root. Thus the imperative forms are as follows:* dèanam *(let me do),* dèan *(do),* dèanadh e, i *(let him, her do),* dèanamaid *(let us do),* dèanaibh *(do),* dèanadh iad *(let them do) – eg* dèanadh iad na thogras iad *(let them do what they want).*

<u>Gnàths-cainnt na Litreach</u>: **am biodh e gu diofar ged a chithinn i?**: *would you mind if I saw her?*

LITIR 154

(An Cèitean 2002)

Sùlaisgeir, famous for its gannetry, lies in the ocean to the north of Lewis. Despite its isolation it shares with its neighbour, Rona, a fascinating human history …

guga: *guga, young of gannet or solan goose;* **gu bheil fuil Niseach a' sruthadh nur cuislean:** *that Ness blood runs in your veins;* **Nisich:** *people of Ness;* **leanaidh X le seann chleachdadh:** *X follows with an old practice;* **sùlairean:** *gannets;* **annasach:** *unusual;* **mar a tha daoine eile a' cur sìos air X:** *as others criticise X;* **cho doirbh faighinn air is dheth:** *so difficult to get on and off;* **ceathrad:** *forty;*

Rònaigh: *(North) Rona;*

Thathar ag ràdh mas toigh leibh guga, gu bheil fuil Niseach a' sruthadh nur cuislean. Chan eil daoine eile cho measail 's a tha na Nisich air gugaichean – sùlairean òga. Agus leanaidh muinntir Nis le seann chleachdadh fhathast, anns am bi feadhainn a' falbh a-mach gach samhradh gu ruige Sùlaisgeir airson gugaichean a ghlacadh. Ach saoilidh mi gu bheil e car annasach mar a tha daoine eile a' cur sìos air blas a' ghuga oir, mar as trice, is toigh leotha fhèin cearc-fheòil agus iasg, agus **tha an guga letheach-slighe eadar na dha**!

Tha Sùlaisgeir cho fad' air falbh o àiteachan eile, cho beag is cho doirbh faighinn air is dheth, 's gu bheil e iongantach gu robh daoine uaireigin a' fuireach ann. Tha i còrr is ceathrad mìle gu tuath air Eilean Leòdhais, agus aona mhìle dheug gu siar air Rònaigh.

Uill, **'s dòcha nach robh daoine a' fuireach air an sgeir fada** oir chan eil tobar no fuaran oirre is cha bhiodh uisge, no bùrn, aca ri òl. 'S dòcha gur ann dìreach as t-samhradh a bhiodh iad ann nuair a gheibheadh iad biadh gu leòr le bhith a' glacadh eòin-mhara. Ach tha fhios againn gum biodh uaireigin manaich a' falbh a-mach gu eileanan iomallach airson fuireach orra, agus tha togalach cloiche ann an Sùlaisgeir a dh'fhaodadh a bhith na chealla.

le bhith a' glacadh eòin-mhara: *by catching seabirds;* **manaich:** *monks;* **togalach cloiche:** *a stone building;* **cealla:** *religious cell;*

nuair a chaidh muinntir an t-Suirbhidh Òrdanais ann: *when the Ordnance Survey people went there;* **lorg iad grunn bhothan:** *they found a few bothies;*

An Taigh Beannaichte: *the Blessed House;*

Nuair a chaidh muinntir an t-Suirbhidh Òrdanais ann, ann am meadhan an naoidheamh linn deug, lorg iad grunn bhothan. Sgrìobh iad gur e am fear a bu shine is a bu mhò dhiubh "An Teampall". Mun aon àm, chaidh T.S. Muir ann agus sgrìobh esan gum b' e ainm an togalaich seo "An Taigh Beannaichte", agus gu robh mullach air.

tha cuid a' dèanamh dheth: *some reckon;*

An là an-diugh, chan eil daoine ag aontachadh mun togalach. Tha cuid a' dèanamh dheth gu robh e air a chleachdadh le fir Nis airson fuireach ann, nuair a

tha cuid eile ag ràdh gum biodh na h-eunadairean ag adhradh ann: *some others say that the birders would worship there;*

feumaidh gun do rinn e rudeigin ceàrr: *he must have done something wrong;* **tha e coltach gur e cion-bìdh no cion-uisge a chuir às dha:** *it appears that a lack of food and a lack of water that did for him;* **tè de na peathraichean aig an Naomh Rònan:** *one of the sisters of St Ronan;* **nuair a dh'innis e do phiuthar cho tarraingeach 's a bha i dha:** *when he told his sister how attractive she was to him;* **shaoil ise gum biodh e glic dhi falbh:** *she thought it would be wise for her to leave;*
Suidhe Bhrianuilt: *Brianuilt's Seat;* **Bealach an t-Suidhe:** *the Pass of the Seat;* **a' coimhead thar a' chuain a dh'ionnsaigh Rònaigh:** *looking across the ocean towards Rona.*

chaidh iad ann airson gugaichean. Tha cuid eile ag ràdh gum biodh na h-eunadairean ag adhradh ann. Ach cha chuala Muir beul-aithris sam bith a dh'innseadh dha cò an duine, no cò na daoine, a dh'fhaodadh a bhith co-cheangailte ris.

Ach fhuair an Suirbhidh Òrdanais fios air a sin bho dhithis a bhuineadh do Nis. B' e a' chiad sgeulachd gu robh fear ann o chionn fhada, air an robh Maoldòmhnaich mar ainm, a bha a' fuireach ann an Rònaigh. Feumaidh gun do rinn e rudeigin ceàrr agus chaidh a thoirt a-null a Shùlaisgeir, far an do dh'fhuirich e ann am bothan beag. Nuair a chaidh bàta ann air a shon às dèidh còig no sia seachdainean, bha e marbh. Tha e coltach gur e cion bìdh no cion uisge a chuir às dha.

Tha an sgeulachd eile ag innse mu bhoireannach, Brianuilt, tè de na peathraichean aig an Naomh Rònan, a bha a' fuireach ann an Rònaigh còmhla ris an naomh. Bha e fhèin is i fhèin a' coiseachd còmhla là a bha seo nuair a dh'innis e do phiuthar cho tarraingeach 's a bha i dha. Shaoil ise gum biodh e glic dhi falbh, agus chaidh i a dh'fhuireach ann an Sùlaisgeir far am faiceadh i eilean a bràthar fhathast.

Is tha àiteachan ann an Sùlaisgeir a' cumail cuimhne air Brianuilt fhathast, agus mar a bhiodh i na suidhe, a' coimhead thar a' chuain a dh'ionnsaigh Rònaigh – àiteachan mar Suidhe Bhrianuilt agus Bealach an t-Suidhe. Agus tha e coltach gur e an t-ainm a bha uaireigin aig muinntir Nis airson an t-sùlaire – eun Bhrianuilt.

LTR

Puing-chànain na Litreach: **'s dòcha nach robh daoine a' fuireach air an sgeir fada**: *probably people were not living long on the rock. I hope that* fada *here did not confuse you and make you think it was referring to the* sgeir *itself.* Sgeir *here is preceded by a simple preposition* (air), *so it is in the dative or prepositional case. If the* fada *referred to the* sgeir, *it would be lenited as it would be an adjective qualifying the dative noun, ie for "they were not on the long rock", we would say* cha robh iad air an sgeir fhada. *But for "they were not on the rock long",* fada *is acting as an adverb and is qualifying the verb not the noun. Thus we would say* cha robh iad air an sgeir fada *or* cha robh iad fada air an sgeir. *For "they were not long on the long rock" you could say* cha robh iad fada air an sgeir fhada.

Gnàths-cainnt na Litreach: **tha an guga letheach-slighe eadar na dhà**: *the guga is halfway between the two.*

LITIR 155

(An Cèitean 2002)

Which chemical element boasts a name derived from Gaelic?

Halò a-rithist. Tha ceist agam dhuibh an toiseach an-diugh. Dè an eileamaid – tha mi a' ciallachadh eileamaid cheimigeach – air a bheil ainm Gàidhlig – no leth-Ghàidhlig co-dhiù? Chan e hàidridean no heilium a th' ann. Feumaidh sibh cumail a dol tro liosta nan eileamaidean. Innsidh mi dhuibh dè th' ann aig deireadh na Litreach.

Air an deireadh-sheachdain sa chaidh bha mi a' meòrachadh anns na beanntan. Uill, chan eil àite nas fheàrr na sin airson a bhith a' meòrachadh, a bheil? 'S e a bu mhò a bh' air m' aire, a bharrachd air bòidhchead an àite, ceist mu chnuic is clachan. Gu mionaideach, dè a' Ghàidhlig a chuireamaid air *roche moutonnée*?

Ma tha beagan Fraingis agaibh, bidh fios agaibh gur ann às a' chànan sin a thàinig na faclan *roche moutonnée*, agus gu bheil iad a' ciallachadh "clach chaorach". 'S e a th' ann clach mhòr, a chaidh a dhèanamh mìn le deigh ann an Linn na Deighe. Uaireannan bidh sgrìoban oirre a chaidh fhàgail le clachan a bha a' gluasad leis an deigh. A' coimhead air a' chloich bho astar, tha i a' coimhead car coltach ri caora. *Mouton*, ann am Fraingis.

Cha robh càil ann am Beurla airson a leithid agus ghabhadh a-steach am facal-iasaid bho na Frangaich, mar a ghabhadh *avalanche* agus *cirque* agus *crevasse*. Agus a' Ghàidhlig *coire* cuideachd – a nochdas ann am Beurla mar *corrie*.

Ach feumaidh mi aideachadh nach cuala mi a-riamh Gàidhlig airson *roche moutonnée*. Cha robh na seann daoine a' coimhead air clachan anns an aon dòigh 's a tha luchd-saidheans an-diugh. Gu dearbh, bha ainmean àraidh air clachan fa leth agus 's ann mar sin a tha e fhathast anns na beanntan far an robh mi. 'S aithne dhomh grunn chlachan ann a sin air a bheil ainmean, mar gum biodh, "pearsanta", a tha ag innse sgeulachd mu eachdraidh na cloiche agus eachdraidh an àite.

Chan eil sin a' ciallachadh, ge-tà, **nach eil faclan**

eileamaid cheimigeach: *chemical element;* **hàidraidean:** *hydrogen;*
bha mi a' meòmhrachadh anns na beanntan: *I was meditating (pondering, contemplating) in the mountains;*
's e a bu mhò a bh' air m' aire: *what was most on my mind;* **ceist mu chnuic is clachan:** *a question about hills and stones;* **dè a' Ghàidhlig a chuireamaid air X?:** *what would we call X in Gaelic?;*
a chaidh a dhèanamh mìn ann an Linn na Deighe: *which was made smooth in the Ice Age;* **sgrìoban:** *scratches, striations;*
astar: *distance;*
ghabhadh a-steach am facal-iasaid: *the loan-word was taken in;*
feumaidh mi aideachadh: *I must admit;*
luchd-saidheans: *science;*
bha ainmean àraidh air clachan fa leth: *individual stones (rocks) had particular names;* **'s aithne dhomh grunn chlachan:** *I know a few stones;* **air a bheil ainmean, mar gum biodh, "pearsanta":** *which have, as it were, "personal" names;*

Gàidhlig ann a dhèanadh an gnothach nuair a tha sinn a' bruidhinn air dìleab Linn na Deighe. Bha mi a' campachadh gu h-àrd, **faisg air loch ris an canar Loch nan Cnapan**. Timcheall an locha, cha mhòr gu bheil talamh rèidh sam bith ann, oir **tha e làn chnapan**. Bha fear còmhla rium aig nach eil Gàidhlig agus dh'fhaighnich e dhìom, "Dè a' Bheurla a th' air cnapan?"

dìleab: *legacy;* **a' campachadh:** *camping;* **timcheall an locha cha mhòr gu bheil talamh rèidh sam bith ann:** *around the loch there is hardly any flat land;*

"Uill," thuirt mi ris, "chanadh am faclair *knolls* no *hillocks*, ach saoilidh mi shuas an seo, leis gun deach am fàgail le abhainn-deighe, gur dòcha gur e *drumlin* am facal as fheàrr ann am Beurla." Tha drumlin eadar-dhealaichte bho roche moutonnée leis gur e a th' ann stuth – clachan – a chaidh a ghluasad bho àite eile agus a chaidh a leigeil leis an abhainn-deighe.

a chaidh a leigeil leis an abhainn-deighe: *which was deposited by the glacier;* **a sheasadh an àite "cnapan":** *which would stand in the place of "cnapan";*

Tha faclan eile ann cuideachd a sheasadh an àite "cnapan", leithid tomannan, tolmanan is tulaichean, ach anns an iar-thuath tha facal ann – *mulcan* – a tha a' ciallachadh cnoc beag air a dhèanamh de chlachan a chaidh fhàgail le abhainn-deighe. Agus tha mi a' dèanamh dheth gur e *drumlin* am facal Beurla as fheàrr a th' ann mar eadar-theangachadh air mulcan.

An tuirt mi "facal Beurla"? Uill, tha am faclair Beurla agam ag innse dhomh gur ann à Gàidhlig na h-Èireann a thàinig *drumlin*, no co-dhiù a' chiad phàirt dheth – bhon fhacal *druim* – air a bheil sinn fhèin gu math eòlach ann an Alba.

air a bheil sinn fhèin gu math eòlach ann an Alba: *which we ourselves know well in Scotland;* **mus dìochuimhnich mi:** *before I forget;* **a chaidh ainmeachadh airson:** *which was name for (after).*

Agus mus dìochuimhnich mi, feumaidh mi tilleadh don eileamaid air a bheil ainm Gàidhlig: s*trontium* – a chaidh ainmeachadh airson Strontian no Sròn an t-Sìthein, ann an Loch Abar. LTIR

<u>Puing-chànain na Litreach</u>: **faisg air loch ris an canar Loch nan Cnapan**: *close to a loch called the Loch of the Knolls. The genitive plural form of* cnap *is the same as the nominative plural form,* cnapan. *In some previous Litrichean, we have looked at words which pluralise by slenderisation eg* balach *to* balaich. *In these cases the genitive plural reverts to the nominative singular form eg* beachd nam balach. *But in most words, and certainly those of only one syllable in the nominative singular form, where the pluralisation occurs, not with slenderisation, but with the addition of a terminal –an (or –annan or –(a)ichean), the genitive plural is identical to the nominative plural. Thus we get* nan cnapan. *The genitive plural without the article is lenited - thus,* **tha e làn chnapan** *(it is full of knolls).*

<u>Gnàths-cainnt na Litreach</u>: **[chan eil sin a' ciallachadh nach eil faclan Gàidhlig ann] a dhèanadh an gnothach**: *[that doesn't mean there are no Gaelic words] which would do the job.*

LITIR 156 *(An t-Ògmhios 2002)*

Lord Leverhulme is a controversial figure in the history of Lewis and Harris ...

Bidh fios agaibh gu bheil Oighreachd Cheann a Tuath Na Hearadh air a' mhargaidh an-dràsta. Tha Caisteal Amhuinnsuidhe mar phàirt dhen oighreachd, agus **tha an t-uachdaran** leis a bheil e, agus am fearann mu thimcheall, **ag iarraidh co-dhiù ceithir gu leth millean not air an son**. Tuigidh sibh, aig prìs mar sin, gu bheil cuid de mhuinntir Na Hearadh teagmhach mu dheidhinn an oighreachd a cheannach dhaibh fhèin. Air an làimh eile, tha feadhainn gu làidir dhen bheachd gur e rud math a bhiodh ann nan robh smachd aig a' choimhearsnachd air an oighreachd air a bheil iad a' fuireach. **'S e tìde a dh'innseas dè thachras**.

Bha ceann a tuath Na Hearadh, agus Caisteal Amhuinnsuidhe, uaireigin ann an làmhan Bodach an t-Siabainn. B' e sin am far-ainm a bh' aig feadhainn, co-dhiù ann an Leòdhas, air a shon – Bodach an t-Siabainn – *the soap-man*. Am Morair Leverhulme. Anns an Litir seo, agus anns an dà litir a tha a' leantainn oirre, bheir sinn sùil air a' Mhorair Leverhulme, agus mar a thug e buaidh air Leòdhas agus Na Hearadh. Agus aig deireadh gnothaich, innsidh mi dhuibh dè an luach a bh' air ceann a tuath Na Hearadh ann an naoi deug, is còig air fhichead (1925). Cha robh e faisg air ceithir millean not.

Rugadh Uilleam Hesketh Lever ann an ochd-deug, leth-cheud 's a h-aon (1851) agus dh'èirich e gu bhith na cheannard air companaidh mhòr mhòr eadar-nàiseanta a bha stèidhichte, co-dhiù anns a' chiad dol a-mach, air siabann. Ach chaidh e fada na b' fhaide na sin agus bha *Lever Brothers* an sàs ann an iomadach seòrsa gnìomhachais. Agus anns na h-Eileanan an Iar, 's e gnìomhachas stèidhichte air èisg na mara a bha fa-near do dh'Uilleam, am Morair Leverhulme mar a bh' air aig an àm sin. Cha b' ann anns Na Hearadh a thòisich e, ge-tà, ach ann an Leòdhas.

Cheannaich e Leòdhas agus Na Hearadh còmhla anns a' Chèitean, naoi-deug is ochd-deug (1918) bhon uachdaran a bh' ann roimhe, Donnchadh MacMhathain.

gu bheil Oighreachd Cheann a Tuath Na Hearadh air a' mhargaidh: *that the North Harris estate is for sale (on the market);* **Caisteal Amhuinnsuidhe:** *Amhuinnsuidhe Castle;* **uachdaran:** *landlord, landowner;* **teagmhach:** *dubious;* **nan robh smachd aig a' choimhearsnachd air an oighreachd air a bheil iad a' fuireach:** *if the community controlled the estate on which they live;*
siabann: *soap;*
am Morair Leverhulme: *Lord Leverhulme;*

aig deireadh gnothaich, innsidh mi dhuibh dè an luach a bh' air ceann a tuath Na Hearadh: *at the end I'll tell you what the value of North Harris was;*

's e gnìomhachas stèidhichte air èisg na mara a bha fa-near do dh'Uilleam: *William had determined upon [establishing] a business based on the fish of the sea;* **bhon uachdaran a bh' ann roimhe, Donnchadh MacMhathain:** *from the previous landlord, Duncan Matheson;*

nach robh càil fa-near dha ach àite-fuirich snog a lorg: *that it was only his intention to find a nice place to live;* **am measg dhaoine air an robh spèis mhòr aige:** *among people whom he greatly respected;* **bhiodh feum aige air tuathanasan airson bainne a dhèanamh is a reic:** *he would need farms to make and sell milk;* **bha e airson na tuathan-asan mòra, gu h-àraidh ann an Coll is Griais, a ghlèidheadh:** *he wanted to preserve the big farms, particularly in Coll and Gress;* **gur ann tro bhliadhn-aichean dòrainneach a' Chogaidh Mhòir a dh'èirich an t-iarrtas :** *that it was during the harrowing years of the Great War that the demand arose;* **bha Bòrd an Àiteachais air croitean a chruthachadh:** *The Board of Agriculture would have created crofts;* **bha a h-uile càil deasaichte airson strì mhòr mun fhearann:** *everything was set for a big struggle for the land;* **airson cridhe Gàidh-ealach an eilein:** *for the Gaelic heart of the island.*

Thuirt e an toiseach nach robh càil fa-near dha ach àite-fuirich snog a lorg am measg dhaoine air an robh spèis mhòr aige. Uill, bha sin anns a' chiad dol a-mach. As dèidh greis, cho-dhùin e gum b' urrainn dha Eilean Leòdhais a dhèanamh fada na b' fheàrr na bha e, le bhith a' stèidheachadh gnìomhachas mòr ann am baile Steòrnabhaigh. Bha e ag iarraidh Steòrnabhagh a dhèanamh na bhaile mòr mòr brèagha. Ach airson sin, shaoil e, bhiodh feum aige air tuathanasan taobh a-muigh a' bhaile airson bainne a dhèanamh is a reic do luchd-obrach nam factaraidhean aige.

Gu mì-fhortanach dha, cha do thuig e eachdraidh an fhearainn anns na h-eileanan agus bha e airson na tuathanasan mòra, gu h-àraidh ann an Coll agus Griais, gu tuath air Steòrnabhagh, a ghlèidheadh, a dh'aindeoin 's gu robh mòran de mhuinntir Leòdhais air a bhith ag iarraidh croitean a chruthachadh orra.

Uaireannan bidh daoine a' smaoineachadh gur ann tro bhliadhnaichean dòrainneach a' Chogaidh Mhòir a dh'èirich an t-iarrtas airson an fhearainn sin. Ach chan eil sin fìor idir. Mura b' e gu robh an t-uachdaran a bh' ann roimhe cho mì-dheònach, bha Bòrd an Àiteachais air croitean a chruthachadh far an robh grunn thuathanasan, Griais nam measg, mus do thòisich an cogadh. Agus don fheadhainn a thàinig beò tron chogadh, cha robh duine sam bith a' dol a chur stad orra bho bhith a' faighinn fearann dhaibh fhèin. Bha a h-uile càil deasaichte airson strì mhòr mun fhearann agus, 's dòcha, strì mhòr airson cridhe Gàidhealach an eilein.

Puing-chànain na Litreach: **[tha X] ag iarraidh co-dhiù ceithir gu leth millean not air an son**: *X wants at least four and a half million pounds for them. The compound preposition* airson *is today spelt as one unhyphenated word in normal circumstances. But the two elements become separated in certain instances, eg when a possessive adjective intervenes. Thus we say* air mo shon *(for me);* air do shon *(for you),* air a shon *(for him),* air a *son (for her),* air ar son *(for us),* air ur son (for you pl.) and air an son *(for them). Learners sometimes forget this and try to say eg* airson iad *for "for them" or* airson mise *for "for me". Old proverbs sometimes show the way forward eg* 'S ann air a shon fhèin a nì an cat crònan *(it's for himself that the cat purrs).* Fhèin *commonly goes with this construction eg* air mo shon fhèin, tha mi coma mu dheidhinn *(as for me myself, I am indifferent about it).*

Gnàths-cainnt na Litreach: **'s e tìde a dh'innseas dè thachras**: *it's time that will tell what happens. Sometimes you just hear* 's e tìde a dh'innseas *(time will tell).*

LITIR 157

(An t-Ògmhios 2002)

Crofters in Lewis raised their voices against Lord Leverhulme's plans ...

gaisgeach: *hero;*
Griais: *Gress;*
croitearachd: *crofting;*
gum biodh na tuathanasan mòra air an glèidheadh: *that the big farms would be preserved;*
sheas e air baraille agus dh'innis e do mhuinntir an àite na bha fa-near dha: *he stood on a barrel and told the people of the place what he intended;*
fhearaibh!: *men!;* **cha dèan seo an gnothach:** *this will not do;* **bheir am bodach mil-bheulach an creidsinn oirbh:** *the honey-mouthed old man will have you believe;* **ciod e dhuinn na bruadaran aige?:** *what are his dreams to us?;* **an toir thu dhuinn am fearann?:** *will you give us the land?;* **nach toireadh e am fearann seachad a-muigh no mach:** *that there is no way he would give up the land;* **tràillean:** *slaves;* **gu robh e air an t-eilean a cheannach ach nach robh e air na daoine a cheannach:** *that he had bought the island but that he had not bought the people;*
bha leth-cheud gailean dheth a' tighinn gach là à Obar Dheathain: *there were 50 gallons of it coming every*

Saoilidh mi gu bheil barrachd dhaoine mar Ailean Màrtainn, Ailean Tharmoid, a dhìth oirnn an-diugh, gu h-àraidh anns an strì airson ar cànan a chumail beò. 'S e gaisgeach dha-rìreabh a bh' ann an Ailean. Air an dàrna là deug dhen Mhàrt, naoi-deug is naoi-deug (1919), **thàinig mu mhìle duine cruinn** ann an Griais gu tuath air Steòrnabhagh ann an Leòdhas airson èisteachd ris a' Mhorair Leverhulme, uachdaran an eilein, aig an robh planaichean airson gnìomhachas mòr a chur air chois ann an Steòrnabhagh, stèidhichte air èisg na mara.

Ach bha Leverhulme an aghaidh croitearachd. Cha robh e airson 's gum biodh muinntir an àite a' briseadh nan tuathanasan, mar fhear Ghriais, ann am pìosan airson croitean a dhèanamh. Bha e airson 's gum biodh na tuathanasan mòra air an glèidheadh airson bainne a dhèanamh don luchd-obrach aige ann an Steòrnabhagh. Sheas e air baraille agus dh'innis e do mhuinntir an àite na bha fa-near dha. Bha e a' dol glè mhath dha, gus an do thog Ailean Màrtainn a ghuth. Agus seo, a rèir aithris, na thuirt esan, ann an Gàidhlig, ris an luchd-èisteachd:

"Seo seo, fhearaibh! Cha dèan seo an gnothach! Bheir am bodach mil-bheulach a tha sin an creidsinn oirbh gu bheil dubh geal is geal dubh. Ciod e dhuinn na bruadaran aige, a thig no nach tig? 'S e am fearann a tha sinn ag iarraidh. Agus 's e a tha mise a' faighneachd – an toir thu dhuinn am fearann?!" Chaidh sin eadar-theangachadh airson Leverhulme agus fhreagair e nach toireadh e am fearann seachad a-muigh no mach. Thog fear eile, Iain MacLeòid, a ghuth an uair sin, ann am Beurla, agus thuirt e gu robh Leverhulme air an t-eilean a cheannach, ach nach robh e air na daoine a cheannach. Agus nach robh muinntir Leòdhais airson a bhith nan tràillean do dhuine sam bith.

Tha e car annasach dhomh gu robh a h-uile càil stèidhichte air bainne oir, fiù 's aig an àm sin, bha leth-cheud galan dheth a' tighinn don eilean gach là à Obar Dheathain, agus tha e doirbh gun a bhith ag aontachadh ri

day from Aberdeen; **ball pàrlamaid:** *member of parliament;* **gun gabhadh an dà chuid, factaraidhean agus còraichean croitear-achd, leasachadh còmhla:** *that both factories and crofting rights could be developed together;* **mì-thoileachas:** *unhappiness;* **fhuair e cuidhteas a' chuid mhòr dhen fhearann:** *he got rid of most of the land;* **chaidh sin a dhiùltadh:** *that was refused;* **Urras Steòrnabhaigh:** *the Stornoway Trust;* **dh'fhuiling:** *suffered;* **air a bhith mòran na bu lugha na tha e:** *would have been much smaller than it is;* **soirbheachail:** *successful;* **maireannach:** *long-lasting;*

ball pàrlamaid nan eilean – gun gabhadh an dà chuid, factaraidhean agus còraichean croitearachd, leasachadh còmhla.

Bha mì-thoileachas mòr ann an Leòdhas oir bha cion obrach gu leòr ann, agus bha cuid dhen bheachd gu robh gaisgich an fhearainn a' cur planaichean Leverhulme ann an cunnart. 'S dòcha gu robh, ach tha e coltach gu robh duilgheadasan ionmhais aig *Lever Brothers* cuideachd, a chuir teagamh air na planaichean. Mu dheireadh, thuirt Leverhulme gu robh e a' fàgail Leòdhais. Ann an naoi-deug is trì air fhichead, fhuair e cuidhteas a' chuid mhòr dhen fhearann. Thabhann e don mhòr-shluagh e, ach chaidh sin a dhiùltadh anns a' chuid mhòir de dh'àiteachan, co-dhùnadh a tha fhathast a' togail ceist, agus pàirtean de Leòdhas ann an làmhan daoine nach eil a' toirt spèis do mhuinntir an àite. Chaidh a ghabhail ris ann an Steòrnabhagh, ge-tà, agus tha am fearann sin fhathast air a riaghladh le buidheann-choimhearsnachd, Urras Steòrnabhaigh.

Dh'fhuiling eaconamaidh an eilein agus dh'fhàlbh mòran as dèidh do Leverhulme fhèin falbh. Ach tha mòran dhen bheachd an-diugh, mura b' e gun do ghabh na gaisgich grèim air an fhearann ann an àiteachan mar Ghriais is Coll, gu robh sluagh Leòdhais air a bhith mòran na bu lugha na tha e, is nach robh na planaichean aig Leverhulme gu bhith cho soirbheachail no cho maireannach 's a bha esan a' cumail a-mach. LTR

Puing-chànain na Litreach: **thàinig mu mhìle duine cruinn**: *about a thousand people gathered. Do you notice that in Gaelic we say literally "thousand man" ie* mìle duine, *not* mìle daoine. *This is because* mìle *commands a noun in the singular, not the plural. So we would say* mìle saighdear *(a thousand soldiers),* mìle bòrd *(a thousand tables). The same is true for nouns qualified by* fichead, ceud *and* millean. *For example, we would say* fichead càr *(twenty cars),* ceud balach *(a hundred boys) and* millean cuileag *(a million flies). The same applies to multiples of these numbers eg* trì fichead duine, dà cheud botal, ochd mìle saighdear, deich millean cuileag. *And I am sure you will be familiar with the expressions* ceud taing *(a hundred thanks),* mìle taing *(a thousand thanks) and, if you are extremely grateful to somebody,* ceud mìle taing *(a hundred thousand thanks.*

Gnàths-cainnt na Litreach: **saoilidh mi gu bheil barrachd dhaoine mar Ailean Màrtainn a dhìth oirnn an-diugh**: *I reckon we need more people like Allan Martin today.* Saoilidh mi: *I reckon, consider, think.*

LITIR 158

(An t-Ògmhios 2002)

When Leverhulme's plans for Lewis failed, he turned his attention to Harris…

thrèig: *quit, abandoned;*

gum b' urrainn dha an aon seòrsa de phlana a bh' aige airson Steòrnabhagh a chur an sàs: *that he could put in place the same sort of plan he had for Stornoway;* **chuir e airgead mu choinneamh phròiseactan:** *he supplied money for projects;*

seachdain às dèidh a bhàis: *a week after his death;*

cha robh ùidh sam bith aig càch: *the others had no interest;* **cathraiche:** *chairman;* **a bha càirdeach do Leverhulme tro phòsadh:** *who was related to Leverhulme by marriage;* **'s e an rud a b' fheàrr a b' urrainn dhut dèanamh:** *the best thing you could do;* **An Cuan Siar:** *the Atlantic;* **a bha às aonais nan Eilean Siar:** *which was without the Western Isles;*

rùp: *auction;* **cha robh e air a reic ann an aon chnap:** *it wasn't sold in one piece;* **sealg:** *hunting;* **às dèidh na thachair do Leverhulme ann an Leòdhas:** *after what happened to Leverhulme in Lewis;*

Anns an litir mu dheireadh, bha mi ag innse dhuibh mar a thrèig am Morair Leverhulme Eilean Leòdhais. Ach **cha b' e sin deireadh na sgeòil dha** anns na h-Eileanan Siar, oir bha e fhathast na uachdaran air Na Hearadh. Agus bha e dhen bheachd gum b' urrainn dha an aon seòrsa de phlana a bh' aige airson Steòrnabhagh a chur an sàs **anns an t-Òb**, ann an ceann a deas Na Hearadh. Gu dearbh, 's e Leverburgh a th' air a' bhaile sin fhathast ann am Beurla.

Thòisich Leverhulme air an obair-leasachaidh air **cidhe an t-Òib**, agus anns a' bhaile fhèin, agus chuir e airgead mu choinneamh phròiseactan airson rathaidean a thogail. Ach cha do mhair an obair sin fada oir chaochail e anns a' Chèitean, naoi-deug is còig air fhichead (1925). Seachdain às dèidh a bhàis, thug bòrd-stiùiridh ùr na companaidh, Lever Brothers, òrdugh seachad gu feumadh an obair **anns an t-Òb** sgur, ach a-mhàin air taighean ùra a bha faisg air a bhith deiseil.

Cha robh ùidh sam bith aig càch air a' bhòrd anns na h-Eileanan Siar. Gu dearbh, bha droch bheachd aig feadhainn aca orra. Thuirt an cathraiche ùr ri Leòdhasach a bha càirdeach do Leverhulme tro phòsadh: "'S e an rud a b' fheàrr a b' urrainn dhut dèanamh leis na h-eileanan agad – an cur fodha anns a' Chuan Siar airson ceithir uairean a thìde, agus an uair sin an togail suas a-rithist." Cha robh spèis sam bith aige do mhuinntir nan eilean.

Tha e coltach nach robh mac Leverhulme mòran na b' fheàrr. Thathar ag aithris gu robh e uaireigin a' coimhead air map air balla, map de dh'Alba, a bha às aonais nan Eilean Siar. "'S e sin," thuirt e, "am map as fheàrr de dh'Alba a chunnaic mi riamh."

Nas lugha na sia mìosan as dèidh bàs Leverhulme, chaidh Na Hearadh air a' mhargaidh, aig rùp ann an Lunnainn. Cha robh e air a reic ann an aon chnap, ge-tà, ach ann am pìosan agus cha d' fhuair e prìs mhath idir. Tha e coltach gu robh cuid, a bha ag iarraidh oighreachd airson sealg, amharasach mun t-suidheachadh, às dèidh na thachair do Leverhulme ann an Leòdhas.

Na h-Eileanan Mòra: *the Shiant Islands;* **Loids Àird a' Mhùlaidh:** *Ardvourlie Lodge;* **gu sìorraidh buan:** *for ever and ever;* **gun do dh'fheuch e ri tionnsgal mòr a chruthachadh:** *that he tried to create a big industry;* **misneachd nan eileanach nach gabhadh mùchadh:** *the courage of the islanders which would not be quenched;* **chualas:** *was heard (passive);* **nach b' urrainn do chroitearachd agus dòigh-beatha ùr nodha a bhith beò còmhla:** *that crofting and a modern way of life could not co-exist;*
nan robh na h-eileanaich air an còraichean-fearainn a leigeil seachad: *if the islanders had relinquished their land rights;* **chan fhaic sinn a leithid tuilleadh:** *we'll never see his like again.*

Dh'fhalbh na togalaichean mòra aig **port an t-Òib** airson còig mìle not – cuibhreann bheag de na chosg iad airson a thogail anns a' chiad dol a-mach. Cheannaich an sgrìobhadair Compton MacCoinnich na h-Eileanan Mòra. Agus chaidh Caisteal Amhuinnsuidhe a reic, cuide ri Loids Àird a' Mhùlaidh, Taigh-òsta Na Hearadh agus sia mìle acaire de thalamh airson…uill…dè tha sibh a' smaoineachadh…? Dà mhìle not. Seadh, agus thathar ag iarraidh còrr is ceithir gu leth millean not airson oighreachd Cheann a Tuath Na Hearadh, a' gabhail a-staigh Caisteal Amhuinnsuidhe, an-diugh.

Bidh luchd-eachdraidh ag argamaid gu sìorraidh buan air buaidh Leverhulme air Leòdhas agus Na Hearadh. An e droch rud no deagh rud a bh' ann gun do dh'fheuch e ri tionnsgal mòr a chruthachadh anns na h-eileanan? A bheil an dòigh anns an do dh'fhàg e Leòdhas na dhearbhadh air misneachd nan eileanach nach gabhadh mùchadh le duine sam bith, ge bith dè cho beartach 's a bha e? No an robh e na dhearbhadh air a' chasaid, a chualas bho mhòran, nach b' urrainn do chroitearachd agus dòigh-beatha ùr nodha a bhith beò còmhla?

Agus dè thachradh nan robh na h-eileanaich air an còraichean fearainn a leigeil seachad, agus nan robh an gnìomhachas aig Leverhulme air tuiteam às a chèile tro thìde co-dhiù? Mmm. Uill, tha aon rud cinnteach. Chan fhaic sinn a leithid tuilleadh anns na h-Eileanan Siar.

Puing-chànain na Litreach: *The place name* an t-Òb *(Leverburgh, in the south of Harris) seems to provide a grammatical conundrum.* Òb *means "a small, relatively land-locked bay" (cf An t-Òban, the little bay); it is masculine and it occurs in the nominative case, as would be expected, preceded by a* t- (cf an t-eilean). *It first appears in the Litir in the dative case –* **anns an t-Òb**. *In such a situation, we would normally drop the initial* t-, *getting* anns an Òb (cf anns an eilean). *But this is not what the people of Harris say. They say* anns an t-Òb. *So we retain the* t- *in the spelling in the dative. The genitive case is even more obtuse. It appears in the Litir as* **cidhe an t-Òib** *and* **port an t-Òib** (*the quay and harbour of Leverburgh respectively). So the* t- *is retained in the genitive. It is however slenderised, as would be expected, and the pronunciation of the slenderised vowel ("uhn TÈB") is like that of "coimhead" (KEH-ut) in Harris. An alternative thought on the matter is that the place name is actually* An Tòb (anns an Tòb, port an Tòib)...

Gnàths-cainnt na Litreach: **cha b' e sin deireadh na sgeòil dha**: *that wasn't the end of the story for him.*

LITIR 159

(An t-Ògmhios 2002)

An old story from the Isle of Jura ...

Diùra: *Jura;* **tha dìleab phrìseil co-cheangailte ris a' chànan:** *there is a valuable legacy associated with the language;* **bu mhath leam tè dhiubh sin innse dhuibh:** *I would like to tell you one of them (fem.);* **nas giorra:** *shorter;* **o shean:** *a long time ago, in the old days;* **dh'iarr Iarla Earra-Ghàidheal air Eilean Cholasa a ghabhail thairis as a leth:** *The Earl of Argyll asked him to take over the Isle of Colonsay on this behalf;* **Clann 'ic a' Phì:** *the MacPhees;*
birlinn: *galley;* **a dh'ionnsaigh:** *towards;* **cha do leig e air gu robh fios aige:** *he didn't let on that he knew;*
Ìle: *Islay;* **gu robh iad a' leantainn orra gu ruige Colasa:** *that they were continuing on to Colonsay;* **rinn X air an taigh mhòr airson cur às do Y:** *X made for the big house to kill Y;* **le rudeigin fo a h-achlais:** *with something under her arm;* **leanabh-gille:** *baby boy;* **an duine mu dheireadh a bha beò anns an teaghlach:** *the last person in the family who was alive;* **ràmh:** *oar;* **bhuail a làmhan an leanabh a bh' aig a bhroilleach:** *his hands hit the baby who was at his breast [under his clothes];* **arrabhalach:** *stowaway (traitor);*

Chan eil mòran daoine air fhàgail ann an Diùra aig a bheil Gàidhlig an-diugh, ach tha dìleab phrìseil aig an eilean co-cheangailte ris a' chànan. Chaidh seann sgeulachdan a chruinneachadh ann agus bu mhath leam tè dhiubh sin innse dhuibh an-diugh, ged a tha i nas giorra agamsa nan tè a chaidh aithris o shean.

Tha i co-cheangailte ri dà theaghlach a tha fhathast anns an eilean. Clann 'ic Ille Riabhaich no na Darrochs mar a chanas iad riutha ann am Beurla, agus Clann 'ic Ille Bhuidhe - na Buies. O chionn fhada bha fear de Chloinn 'ic Ille Riabhaich ann a bha mòr agus làidir. Bha e math air sabaid, agus dh'iarr Iarla Earra-Ghàidheal air Eilean Cholasa a ghabhail thairis as a leth. Airson sin, ge-tà, dh'fheumadh e cur às don fheadhainn aig an robh smachd air Colasa – Clann 'ic a' Phì.

Rinn Mac Ille Riabhaich deiseil, ach chuala fear eile ann an Diùra mu dheidhinn. B' esan Mac Ille Bhuidhe. Nuair a thàinig an là airson falbh a Cholasa ann am birlinn, chaidh Mac Ille Bhuidhe a dh'ionnsaigh Mhic Ille Riabhaich agus dh'fhaighnich e dheth am faigheadh e fhèin cothrom dhol a dh'Ìle còmhla ris. Cha do leig e air gu robh fios aige gu robh iad a' dol a Cholasa.

Nuair a ràinig iad Ìle, thuirt Mac Ille Riabhaich gu robh iad a' leantainn orra gu ruige Colasa, agus dh'iarr Mac Ille Bhuidhe air fuireach air bòrd. Nuair a ràinig iad Colasa, rinn sgioba Mhic Ille Riabhaich air an taigh mhòr airson cur às do Chloinn 'ic a' Phì. Chum Mac Ille Bhuidhe pìos beag air falbh, ach chunnaic e boireannach òg a' ruith a-mach às an taigh mhòr le rudeigin fo a h-achlais. 'S e a bh' ann leanabh-gille, an duine mu dheireadh a bha beò anns an teaghlach às dèidh na sgrios.

Chuir Mac Ille Bhuidhe an leanabh fo a chuid aodaich agus chaidh e air ais don bhirlinn. Bha e ag iomradh còmhla ri càch nuair a bhris an ràmh aige. Bhuail a làmhan an leanabh a bha aig a bhroilleach, agus leig am fear beag èigh a-mach. Chuala Mac Ille Riabhaich e agus thuirt e, "tha arrabhalach sa bhàta!"

dìosgan nan ràmh: *the creaking of the oars;*

a bhathar a' cleachdadh airson birlinn a stiùireadh: *which was used to steer a galley;*

bha e deiseil dhaibh le chlaidheamh: *he was ready for them with his sword;*

tha mi deiseil air ur son: *I'm ready for you;*
oighre: *heir;*
b' fheudar do X teicheadh: *X had to flee;*
chuir e am falach e ann an uamh air cliathaich Beinn an Òir: *he hid him in a cave on the side of Beinn an Òir (mountain of the gold);* **nach robh aige ach teine mòr a thogail a chitheadh muinntir Cholasa:** *he only had to light a fire which the Colonsay folk would see.*

"Chan eil ann," fhreagair Mac Ille Bhuidhe, "ach dìosgan nan ràmh."

Thug iad ràmh eile dha, ach bhris e sin cuideachd. An uair sin thug iad am *buirbid mòr* dha – an ràmh mòr a bhathar a' cleachdadh airson birlinn a stiùireadh. Thug Mac Ille Bhuidhe a' bhirlinn a-steach gu tìr ann an Diùra mus do mhothaich càch gu robh iad faisg air a' chladach. Chleachd e an ràmh airson leum air tìr agus, mus robh cothrom aig duine sam bith eile gluasad, bha e air a' chladach deiseil dhaibh le chlaidheamh.

"**Cha b' fhuilear dhut**, Mhic Ille Bhuidhe, **a bhith cho ealamh**," thuirt Mac Ille Riabhaich.

"Thigibh air tìr a-nise," fhreagair Mac Ille Bhuidhe, "tha mi deiseil air ur son." Thog e an leanabh suas, ag innse dhaibh gur e oighre Mhic a' Phì Cholasa a bh' ann, agus nach fhaigheadh duine aca grèim air.

Cha robh càch deònach sabaid leis ach b' fheudar do Mhac Ille Bhuidhe teicheadh leis an leanabh agus chuir e am falach e ann an uamh air cliathaich Beinn an Òir, a' bheinn as àirde ann an Diùra. Nuair a thàinig an gille gu ìre, fhuair e Eilean Cholasa air ais, airson greis co-dhiù, agus bhathar ag ràdh, nan robh taic a dhìth air Mac Ille Bhuidhe, nach robh aige ach teine mòr a thogail a chitheadh muinntir Cholasa, agus **chuireadh iad sgioba de ghaisgich ga ionnsaigh airson a chuideachadh.** LTR

<u>**Puing-chànain na Litreach**</u>: **chuireadh iad sgioba de ghaisgich ga ionnsaigh airson a chuideachadh**: *they would send him a team of heroes to help him. The last 3 words are what I want to concentrate on here –* airson a chuideachadh. *The "a" is the masculine 3rd person singular possessive adjective and it therefore lenites the following word which, although it is an infinitive form of a verb, acts in the same way as a noun (it is in fact a form of verbal noun). A direct translation would be "for his helping". The feminine equivalent ("for her helping" ie "in order to help her") would be* airson a cuideachadh. *It works similarly for all other persons, leniting where appropriate ie after* mo *and* do: tha iad an seo airson mo chur an greim *(they are here to arrest me);* tha mi airson do shàbhaladh *(I want to save you);* tha iad airson ar fàgail an seo *(they want to leave us here);* a bheil iad airson ur trèigsinn? *(do they want to abandon you?);* tha sinn airson an cuideachadh (we want to help them).

<u>**Gnàths-cainnt na Litreach**</u>: **Cha b' fhuilear dhut a bhith cho ealamh**: you needed to be [so] sprightly. Chan fhuilear dhut: *you need/require.*

LITIR 160

(An t-Iuchar 2002)

A story of a corp crèadha *from Jura …*

fuaran: *well, spring;* **chunnaic mi liùdhag bheag ri thaobh:** *I saw a small doll beside it (masc);* **gun tigeadh leigheas air an duine a bh' air a riochdachadh leis an liùdhaig:** *that the person represented by the doll would be healed;* **an robh creideamh na bu doilleire co-cheangailte rithe:** *was a darker belief linked to it (fem);* **corp crèadha:** *clay body;* **droch rùn:** *bad intentions;* **bàillidh:** *factor;* **a' stobadh prìnichean a-steach:** *sticking pins in;* **gum b' urrainn cuideigin a mharbhadh:** *that somebody could be killed;*

Bha mi aig fuaran anns an Eilean Dubh uaireigin, fuaran a tha pìos beag air falbh on rathad, ach a bha uaireigin ainmeil air feadh na sgìre. Nuair a ràinig mi e, chunnaic mi liùdhag bheag ri thaobh, le rudan ceangailte rithe. Tha e coltach gu robh cuideigin air a cur ann a dh'aona-ghnothach. 'S dòcha gu robh iad a' creidsinn, mar a bha mòran o shean, gun tigeadh leigheas air an duine a bh' air a riochdachadh leis an liùdhaig nan robh e tinn. No an robh creideamh na bu doilleire co-cheangailte rithe?

O shean bha cleachdadh ann, anns am biodh daoine a' dèanamh corp crèadha, 's e sin nàdar de liùdhag a bh' air a dèanamh le crèadh. Bha an corp a' riochdachadh cuideigin. Bhiodh daoine le droch rùn a' stobadh prìnichean a-steach don chorp agus bheireadh sin droch shlàinte don duine a bha an corp a' riochdachadh. Bhathar a' creidsinn gum b' urrainn cuideigin a mharbhadh anns an dòigh sin. 'S ann tric a bhiodh corp crèadha air fhàgail ann an allt, agus tha uillt fhathast ann air a bheil Allt nan Corp mar ainm air sgàth sin.

ban-fhiosaiche: *prophetess, female fortune-teller;* **rabhadh:** *warning;*

Tha sgeulachd agam mu dheidhinn cleachdadh a' chuirp chrèadha anns an eilean far an robh sinn an t-seachdain sa chaidh – Diùra. Bha fear ann uaireigin, Caimbeulach a bha na bhàillidh don eilean, ged a bha e a' fuireach air tìr-mòr. Chanadh daoine "am bàillidh mòr" ris. Nuair a thàinig e air tìr turas ann an Diùra, thachair ban-fhiosaiche ris agus thug i rabhadh dha. Dh'fheumadh e dhol don Chnoc Chrom cho luath 's a b' urrainn dha, oir bha cuideigin ann a sin ag obair na aghaidh le corp crèadha. Thuirt i ris dèanamh air a' chiad sholas a chitheadh e nuair a ruigeadh an Cnoc Crom.

agus am fear-taic aige na chois: *and his assistant with him;* **fann:** *weak;* **b' fheudar don duine eile a ghiùlain air a dhruim:** *the other man had to carry him on his back;*

Dh'fhalbh am bàillidh agus fear-taic aige na chois. Ach, nuair a fhuair iad faisg air a' Chnoc Chrom, thòisich casan a' bhàillidh air fàs fann. Às dèidh greis, cha b' urrainn dha coiseachd, agus b' fheudar don duine eile a ghiùlan air a dhruim. Ach dh'fhàs e na bu mhiosa agus bha eagal air an duine eile gu robh am bàillidh a' dol a bhàsachadh.

cha dèan seo feum: *this is no use;* **leac:** *slab, flat rock;*

"Cha dèan seo feum," thuirt e, agus chuir e am bàillidh sìos air leac faisg air a' Chnoc Chrom. Ruith e a dh'ionnsaigh nan taighean agus chaidh e don fhear a b' fhaisge, anns an robh solas. Choimhead e a-steach agus chunnaic e triùir bhoireannach, is tè aca a' cur prìnichean a-steach do chorp crèadha. Dh'èigh an duine rudeigin – innsidh mi dhuibh ann an tiotan dè bh' ann – agus thuig na boireannaich gu robh an taigh na theine. Ruith iad a-mach airson an sàbhaladh fhèin agus aig an aon àm ruith an duine a-steach. Thilg e an corp crèadha air an làr agus **phronn e fo chois e** gus nach robh càil air fhàgail dheth. Agus nuair a thill e don bhàillidh mhòr, bha am fear eile air èirigh bhon lic far an robh e. Bha e slàn fallain a-rithist.

chunnaic e triùir bhoireannach: *he saw three women;*

ruith iad a-mach airson an sàbhaladh fhèin: *they ran out to save themselves;*

bha am fear eile air èirigh bhon lic: *the other man had arisen from the slab;*

Agus dè dh'èigh an duine? Uill, a rèir beul-aithris ann an Diùra, dh'èigh e, "**taigh na galla, taigh ri theine**!" Dh'fhaodadh tu sin a ghabhail ann an dà dhòigh gu dearbh, is chan eil tè seach tè dhiubh uabhasach modhail, ach thathar a' cumail a-mach gur e "Taigh na Galla" a chanadh muinntir an àite ris an taigh sin airson ùine mhòir as dèidh làimh! No 's dòcha gu robh an sgeulaiche ri beagan spòrs leis an fhear a chruinnich an sgeulachd, is a chuir air pàipear i. B' esan an t-Urramach Teàrlach Robasdan. LTIR

dh'fhaodadh tu sin a ghabhail ann an dà dhòigh: *you could take that in two ways;*
chan eil tè seach tè dhiubh uabhasach modhail: *neither is particularly polite.*

Puing-chànain na Litreach: **Phronn e fo [a] chois e**: *he crushed it under his foot. Why does* cas *appear as* chois *here? It is a feminine noun which is here in the dative singular case, following the simple preposition,* fo. *Feminine nouns traditionally slenderise in the dative singular. In the case of* cas, *it changes to* cois. *But it is his foot and the masculine third person singular possessive adjective, a (here not written because it is virtually elided in speech) lenites any lenitable consonant at the start of the noun, whatever case it is in. So* cois *changes to* chois.

Gnàths-cainnt na Litreach: **Taigh na galla, taigh ri theine**!: *the house of the bitch, the house on fire! It was the* taigh ri theine *that would have got the women out of the house, but the first part would have made the shouter feel better. Although it literally means "the house of the bitch" and might have been a slight upon the owner, it is actually used as a Gaelic imprecation, somewhat equivalent to "damn you!".* A thaigh na galla leat!: *to hell with you! You might hear somebody use* galla *in denouncing a machine that will not work, eg* tractar na galla! *(blasted tractor!) It is likely the* Diùraich *had this as a little joke in which they could tell an inquisitive visitor (and perhaps even the Rev. Charles Robertson) that if they wanted to see where the* corp crèadha *was made, they could "go to* Taigh na Galla*!*

LITIR 161 *(An t-Iuchar 2002)*

Some thoughts on proverbs …

bidh mi a' toirt sùil tro chruinneachaidhean de sheanfhaclan: *I look through collections of proverbs;* **an-còmhnaidh:** *always;* **a tha a' toirt orm smaoineachadh:** *that makes me think;*
neach-naidheachd: *journalist;* **as dorra:** *more difficult (comparative of duilich);* **dè chanamaid airson sin?:** *what would we say for that?;*

dhèanadh sin a' chùis, nach dèanadh?: *that would do the job, wouldn't it?;* **cha bhuin a leithid don dualchas againn:** *such things do not belong to our [linguistic] heritage;*
a tha a' cur cus bìdh air an truinnsearan: *who put too much food on their plates;*

dèidheil air: *keen on;* **cha chreid mi gu bheil an seanfhacal a' toirt droch shealladh air X mar sin:** *I don't think the proverb gives a bad impression of X, as such;*

gur e crois-bhogha a b' fheàrr leothasan: *that it was the crossbow they preferred;*
nàimhdean: *enemies;*

Bho àm gu àm, bidh mi a' toirt sùil tro chruinneachaidhean de sheanfaclan Gàidhlig. Tha an-còmhnaidh rudeigin annta a tha a' toirt orm smaoineachadh. Agus **mholainn a leithid dhuibhse cuideachd** oir 's iomadh rud a ghabhas ionnsachadh mun chànan cuideachd bho bhith a' leughadh seanfhaclan.

Anns an obair agam mar neach-naidheachd, uaireannan bidh agam ri seanfhacal Beurla eadar-theangachadh gu Gàidhlig, agus chan eil càil nas dorra na sin. *"It's like," said the Minister, "taking coals to Newcastle."* Seadh, dè chanamaid airson sin? "Tha e," thuirt am Ministear, "mar a bhith **a' toirt fiodhrach a Loch Abar**." Dhèanadh sin a' chùis, nach dèanadh? Chì sibh nach gabh *gual* no *An Caisteal Nuadh* cur anns an eadar-theangachadh Ghàidhlig, oir cha bhuin a leithid don dualchas againn.

Dè mu dheidhinn *"your eye's bigger than your tummy"* mar a bhios pàrantan ag ràdh ri clann a tha a' cur cus bìdh air an truinnsearan. Uill, seo an dearbh sheòrsa de sheanfhacal ann an Gàidhlig: ***is mò làn do shùla na làn do bhroinn***. Is mò làn do shùla na làn do bhroinn.

An turas mu dheireadh a bha mi a' leughadh leabhar de sheanfhaclan, chunnaic mi am fear seo: ***is mios' am fear beag na Frangach.*** Is mios' am fear beag na Frangach. Chan eil e a' coimhead uabhasach "PC", a bheil? Agus tha mi fhìn car dèidheil air na Frangaich.

Cha chreid mi gu bheil an seanfhacal a' toirt droch shealladh air na Frangaich mar sin, oir dh'èirich e anns an dòigh seo. Bha fear beag ann an Srath Spè o shean, air an robh Iain MacAnndra mar ainm. Bha e cliùiteach mar bhoghadair, mar a bha na Frangaich, tha e coltach, ged a bha mise a' smaoineachadh gur e a' chrois-bhogha a b' fheàrr leothasan. Co-dhiù, bha sabaid ann agus mharbh Iain a nàimhdean, fear às dèidh a chèile, le bhith a' losgadh saighdean orra. Agus thuirt fear de na nàimhdean aige – "Is mios' am fear beag na Frangach."

'S ann tric a leughas sinn aithrisean mun Ghàidhealtachd anns an ochdamh linn deug a chaidh a sgrìobhadh le Sasannaich, no uaireannan Cuimrich, ach chan eil cus dhiubh ann a chaidh a sgrìobhadh le Frangaich. Ach bha mi a' coimhead tro leabhar an là eile, ann am Beurla, air an robh *To the Highlands in 1786.* 'S e eadar-theangachadh a bh' ann de na chaidh a sgrìobhadh leis an Fhrangach, Alexandre de La Rochefoucauld, agus a charaid Pòlainneach, Maximilien de Lazowski.

a chaidh a sgrìobhadh le Sasannaich, no uaireann-an Cuimrich: *which was written by Englishmen or sometimes Welshmen;*

Pòlainneach: *Polish;*

Chruthaich iad dealbh inntinneach de na Gàidheil, dìreach dà fhichead bliadhna an dèidh Blàr Chùil Lodair. Gu dearbh, cha b' urrainn do chuid de mhuinntir na Gàidhealtachd bruidhinn mu Chùil Lodair gun a bhith a' fàs feargach, agus rinn mòran aca dìmeas garbh air an Rìgh. Cha chanadh iad "Rìgh" ris, ach "Deòrsa" no "Riaghladair". Bhiodh iad ag òl mòran. Bha iad moiteil às an aodach àraidh aca. Agus bha am buntàta a' fàs, agus a' fàs cudromach dhaibh. Gu dearbh, sgrìobh de La Rochefoucauld, bhiodh call mòr mòr ann nam fàilnicheadh air a' bhuntata bliadhna air choreigin.

Sgrìobh e gu robh na Gàidheil gu math moiteil às a' chànan aca ach, leis gu robh sgoiltean Beurla a' nochdadh air a' Ghaidhealtachd, gun cailleadh iad i ann an ùine gun a bhith fada. Thuirt e, ge-tà, gur e rud duilich a bhiodh ann nuair a thachradh sin. Uill, còrr is dà cheud bliadhna as dèidh sin, tha a' Ghàidhlig fhathast beò.

Mar a thuirt am fear eile, ged nach robh e a' beachdachadh air cànan, "**Is obair-là duine a thiodhlacadh**." LTR

rinn mòran aca dìmeas garbh air an Rìgh: *most of them treated the king with contempt;* **Riaghladair:** *Governor;* **moiteil às:** *proud of;* **bha am buntàta a' fàs, agus a' fàs cudromach dhaibh:** *the potato was growing and growing important to them;* **bhiodh call mòr ann nam failneachadh air X:** *there would be a big loss [disaster] if X failed;* **gun cailleadh iad i ann an ùine gun a bhith fada:** *that they would lose it (Gàidhlig is grammatically and conceptually feminine) within a short time.*

Puing-chànain na Litreach: **Mholainn a leithid dhuibhse cuideachd**: *I would recommend the like (the same thing) to yourselves as well. Verbs like* mholainn, *ending in* –ainn, *are the first personal singular of the conditional. There is no pronoun present and the –* (a)inn *ending announces that it means "I would..." or "I used to (habitually)...". Here are some examples:* Bhrisinn a' ghloinne nan robh teine ann *(I would break the glass if there were a fire);* cheannaichinn e nan robh e na bu shaoire *(I would buy it if it were cheaper);* dh'èistinn rithe ach feumaidh mi falbh *(I would listen to her but I must leave);* ghabhainn bainne is siùcar nuair a bha mi òg *(I would take milk and sugar when I was young);* bhithinn a' seinn anns an amar an-còmhnaidh *(I would always be singing in the bath).*

Seanfhaclan na Litreach: **A' toirt fiodhrach a Loch Abar**: *taking coals to Newcastle (the forests of Lochaber were once famous).* **Is mò làn do shùla na làn do bhroinn**: *your eyes are bigger than your tummy.* **Is mios' am fear beag na Frangach:** *the wee man is worse than a Frenchman.* **Is obair-là duine a thiodhlacadh**: *it's a day's work to bury a man.*

LITIR 162

(An t-Iuchar 2002)

Gaelic-speaking Professor William MacGillivray wrote fascinating accounts of the Gàidhealtachd and beyond. He once walked from Aberdeen to London ...

bha mi a-mach an t-seachdain sa chaidh air X: *I was on about X last week;* **a bhith a' leughadh an t-seòrsa beachd a bh' aig coigrich:** *to read the sort of opinion that foreigners had;* **Uilleam Mac Ille Bhrath:** *William MacGillivray;* **cha chreid mi nach eil e ceart gu leòr "Gàidheal" a ghabhail air:** *I think it's alright to call him a "Gael";* **mar chuideigin a bhuineadh don Ghàidhealtachd thar àite sam bith eile:** *as somebody who belonged to the Gaidhealtachd over and above any other place;* **bha e na Phroifeasair ann an Eòlas-nàdair aig a' cheann thall:** *he was eventually a Professor of Natural History;* **Taigh-tasgaidh Bhreatainn:** *the British Museum;* **ged a ghabh e slighe dhìreach:** *although he took a direct route;* **trì cheud, trithead 's a seachd mìle:** *337 miles;* **uaireannan a' cadal a-muigh gun teanta:** *sometimes sleeping out without a tent;* **An Gearasdan:** *Fort William;* **Inbhir Aora:** *Inveraray;* **Inbhir Àir:** *Ayr;* **Dùn Phris:** *Dumfries;* **mus do ràinig e crìoch Shasainn:** *before he reached the border of England;* **far nach b' àbhaist**

Bha mi a-mach an t-seachdain sa chaidh air an Fhrangach, Alexandre de La Rochefoucauld, a chaidh air chuairt air a' Ghaidhealtachd aig deireadh an ochdamh linn deug. Tha e inntinneach a bhith a' leughadh an t-seòrsa beachd a bh' aig coigrich air ar dùthaich aig an àm sin.

Tha e cuideachd inntinneach a bhith a' leughadh aithrisean a rinn Gaidheil air dùthchannan eile. Am measg sin, tha na sgrìobh Uilleam Mac Ille Bhrath mun chuairt aige eadar Obar Dheathain agus Lunnainn ann an ochd-deug is naoi-deug (1819). Cha chreid mi nach eil e ceart gu leòr "Gàidheal" a ghabhail air, oir thogadh e anns Na Hearadh, am measg muinntir an eilein, dham buineadh e, bha an cànan aige, agus bha e a' coimhead air fhèin mar chuideigin a bhuineadh don Ghàidhealtachd thar àite sam bith eile.

Bha ùidh mhòr aig Uilleam ann an Nàdar – gu dearbh, bha e na Phroifeasair ann an Eòlas-nàdair aig a' cheann thall. Agus bha e airson a dhol gu Taigh-tasgaidh Bhreatainn ann an Lunnainn airson coimhead air na bh' aca de bheathaichean, agus gu h-àraidh de dh'eòin. **Choisich e fad na slighe, leis fhèin**. Ged a ghabh e slighe dhìreach ann an Sasainn, a' coiseachd trì cheud, trithead 's a seachd mìle eadar Gretna agus Lunnainn, cha do ghabh e slighe dhìreach idir ann an Alba, agus choisich e còrr is còig ceud mìle anns an dùthaich seo. Bha e airson pàirtean ùra de dh'Alba fhaicinn agus choisich e tro bheanntan na Gàidhealtachd, uaireannan a' cadal a-muigh gun teanta. Chaidh e don Ghearasdan, an uair sin gu Inbhir Aora, Glaschu, Inbhir Àir, agus Dùn Phris mus do ràinig e crìoch Shasainn.

Rinn Mac Ille Bhrath coimeas eadar na rathaidean ann an diofar sgìrean. Bha e dhen bheachd gu robh a' Ghàidhealtachd air rudeigin a chall leis gu robh rathaidean a-nise ann far nach b' àbhaist gin a bhith. Ach bha e cuideachd dhen bheachd gu robh na rathaidean fada na b' fheàrr air a' Ghalltachd agus ann

gin a bhith: *where there used to be none;* **ceum-coiseachd:** *footpath;*

an Sasainn na bha iad air a' Ghàidhealtachd. Anns na h-eileanan, sgrìobh e, chanadh muinntir an àite "rathad mòr" ri ceum-coiseachd eadar dà bhaile beag. Agus chanadh iad "rathad mòr an Rìgh" ri rathad mòr mòr no *turnpike road.*

na h-àiteachan eile tron robh e a' siubhal: *the other places through which he was travelling;* **bha aon diofar a-riamh follaiseach:** *one difference was always obvious;*

Bho àm gu àm bhiodh Mac Ille Bhrath a' dèanamh coimeas eadar tìr is sluagh na Gàidhealtachd, agus na h-àiteachan eile tron robh e a' siubhal. Uaireannan sgrìobhadh e rudeigin inntinneach mu dheidhinn na Gàidhlig. Nise, bha aon diofar a-riamh follaiseach dhomh eadar cainnt nan Èireannach agus cainnt nan Albannach. 'S e sin gu bheil mòran ann an Èirinn, nuair a tha iad a' bruidhinn Beurla, ag ràdh "t" far am biodh muinntir Shasainn, agus muinntir na h-Alba, ag ràdh "th". Bidh sibh eòlach air an fhealla-dhà mun dithis Èireannach a chunnaic sanas anns a' phàipear-naidheachd *"Forestry company seeks tree fellers"* agus an dragh a ghabh iad nach robh treas fear aca!

nach robh treas fear aca: *that they didn't have a third "feller";*

Uill, bha mi a-riamh a' smaoineachadh, leis gur e an aon chànan – seann Ghàidhlig – a bh' aig Gàidheil gach dùthaich bho shean, gur dòcha gu robh an aon rud fìor uaireigin mu dheidhinn nan Albannach. Sgrìobh Mac Ille Bhrath gu robh, agus ri linn. "Tha am fuaim "th", a th' aig na Sasannaich," sgrìobh e, "neo-aithnichte do na Gàidheil. Mar sin, bidh am fear Gàidhealach, a tha ag ionnsachadh na Beurla, ga ràdh mar "t" no "d"; an àite *throw away that nasty thing*, canaidh e *tro afuawy tat naisti ting.*" Sin Gàidheil na h-Alba, chan e Gàidheil na h-Èireann. A bheil sinn air atharrachadh bhon uair sin? *I tink so*, mar a thuirt am fear eile. LTIR

neo-aithnichte: *unknown, unrecognised;* **sgriobh X gu robh, agus ri linn:** *X wrote that it was, and in his day;* **a bheil sinn air atharrachadh bhon uair sin?:** *have we changed since then?*

Puing-chànain na Litreach: **Choisich e fad na slighe, leis fhèin**: *he walked the entire route, by himself. If you use* fad *as a noun to represent the entire length of something eg distance or time, remember that the second noun is in the genitive (ie* fad na slighe *means "the length of the route). To use it properly, therefore, you must know how to form the genitive of a noun, most particularly by recognising if it is masculine or feminine. Here are some feminine examples, where the article is* na: fad na h-ùine *(all the time);* fad na tìde *(all the time);* fad na h-oidhche *(all night long);* fad na seachdain *(all week long);* fad na bliadhna *(the entire year long). Here are some masculine examples:* fad an rathaid *(the entire road);* fad an là *(all day long);* fad an t-siubhail *(lit. all the journey, but it means "all the time).* Fad *can also be used without the article eg* fad seachdain *(for a week);* fad ceala-deug *(for a fortnight);* fad bliadhna *(for a year);* fad trì uairean a thìde *(for a period of 3 hours).*

Gnàths-cainnt na Litreach: **Bho àm gu àm**: *from time to time.*

LITIR 163

(An t-Iuchar 2002)

Some thoughts on sweets and confectionery ...

Geàrrloch: *Gairloch;* **an gabh thu carbhaidh?:** *will you take a sweet? (Gairloch dialect);* **bhiodh sìl a' charbhaidh mar shiùcairean do mhuinntir na sgìre o shean:** *carroway seed would be like sweeties to the people of the area in the old days;* **nach eil sin na chomharra air an atharrachadh mhòr a thàinig air an t-saoghal?:** *isn't that a mark of how the world has changed?;* **bho na bailtean mòra aig deas:** *from the cities down south;* **dh'òrdaich e:** *he ordered;* **bha fear na bùtha air a nàrachadh:** *the shopkeeper was ashamed;* **tiodhlac:** *present;* **airson comhairle, chaidh e a dh'ionnsaigh bràthair a' mhinisteir:** *for advice, he went to the minister's brother;* **bhiodh am bràthair a bha seo ri àbhachd:** *this brother was a bit of a joker;* **gur e a bu chòir dha dhèanamh:** *what he ought to do;* **stuth a chaidh a dhèanamh sa mhonadh gun fhiosta do na gèidsearan:** *stuff that was made on the hill without the knowledge of the excisemen;* **chaidh e a chèilidh air X:** *he went to visit X;* **diùid agus mì-chinnteach mu shunnd a' mhinisteir:** *shy and uncertain of the minister's disposition;* **dh'fhàg e am botal air an**

Tha diofar fhaclan ann am Beurla airson *sweets. Confectionery, candies, sweeties...* Is tha an aon rud fìor ann an Gàidhlig. Bidh cuid a' cleachdadh facal a thàinig bhon Bheurla – *suiteis.* Ann an àiteachan eile, canaidh iad *siùcairean.* Ann an sgìre Gheàrrloch, canaidh iad *carbhaidhean.* Canaidh daoine – "an gabh thu carbhaidh?" A-rithist, 's e a th' ann an carbhaidh facal a thàinig bhon Bheurla – bho *carroway.* Bhiodh sìl a' charbhaidh mar shiùcairean do mhuinntir na sgìre o shean. Nach eil sin na chomharra air an atharrachadh mhòr a thàinig air an t-saoghal!

Tha e furasta gu leòr tuigsinn mar a thàinig am facal siùcar air *sweetie*, oir tha iad milis. O shean, bhiodh daoine air a' Ghaidhealtachd uaireannan ag òrdachadh siùcairean bho na bailtean mòra aig deas. 'S e sin a rinn ministear a bha seo turas. Dh'òrdaich e siùcairean à Glaschu tro fhear de muinntir a choitheanail, aig an robh bùth bheag anns an sgìre. Ach, **nuair a dh'fheuch am ministear na nochd ann am poca aig an doras aige, cha b' e siùcairean a bh' annta** idir ach pìosan de dh'alum! Chan eil blas math sam bith air alum, agus cha robh am ministear toilichte.

Bha fear na bùtha air a nàrachadh agus bha e airson tiodhlac a thoirt don mhinistear. Airson comhairle, chaidh e a dh'ionnsaigh bràthair a' mhinisteir. Nise, bhiodh am bràthair a bha seo ri àbhachd, agus thuirt e ri fear na bùtha gur e a bu chòir dha dhèanamh botal de dh'uisge-beatha a thoirt don mhinistear. 'S e uisge-beatha gun dath a bhiodh ann, stuth a chaidh a dhèanamh sa mhonadh gun fhiosta do na gèidseirean.

'S e sin a rinn fear na bùtha. Chaidh e a chèilidh air a' mhinistear aig a' mhansa. Ach leis gu robh e rudeigin diùid agus mì-chinnteach mu shunnd a' mhinisteir, dh'fhàg e am botal air an stairsnich. Bha am ministear dòigheil gu leòr agus thill fear na bùtha don stairsnich airson am botal fhaighinn. Thug e a-staigh e, agus lìon e glainne airson a' mhinisteir.

stairsnich: *he left the bottle on the doorstep;* **dh'fhalamhaich e:** *he emptied;* **sàl:** *salt water;* **cha do chòrd e ris:** *he didn't enjoy it;* **mì-bhlasta:** *of bad flavour;*

Ge-tà, gun fhiosta dha, bha am bràthair air a bhith aig an doras fhad 's a bha esan a-staigh. Dh'fhalamhaich e am botal agus lìon e le sàl e. Agus nuair a chuir am ministear a' ghlainne gu bhilean .. uill .. cha do chòrd e ris! Dh'èigh e na faclan seo, a chaidh a chuimhneachadh mar sheanfhacal – ***Is miosa seo nan t-alum!*** Is miosa seo nan t-alum. Ma dh'itheas sibh rudeigin mì-bhlasta, faodaidh sibh sin a ràdh!

buadhair: *adjective;*

Laideann: *Latin;*

Ros an Iar: *Wester Ross;*

'S e sin suiteis, siùcairean is carbhaidhean. Ach dè a' Ghàidhlig a th' air *confectioner* is *confectionery*? Uill, airson sin, feumaidh sinn smaoineachadh air a' Ghàidhlig airson a' bhuadhair, *sweet*. Tha sin stèidhichte air an fhacal airson *honey*. 'S dòcha gum bi fios agaibh gur e *mel* a th' air *honey* ann an Laideann. Tha faclan Beurla mar *mellifluous* agus *melliferous* a' tighinn bhon Laidinn.

Ann an Ros an Iar, 's e *mel* a th' air *honey* cuideachd ann an Gàidhlig. Canaidh daoine *meileis* airson *sweet*. Ach, anns a' chuid mhòir dhen Ghàidhealtachd, 's e *mil* a chanas daoine, agus *milis*. Agus tha na faclan airson *confectionery* is *confectioner* a' tighinn às a sin – *mìlseanachd* airson *confectionery* agus *mìlseanaiche* airson *confectioner.*

diathad: *meal;* **acrach:** *hungry;* **teòclaid:** *chocolate;*
an là an-diugh, ma chanas sibh gun toigh leibh mìlsean: *these days, if you say that you like "mìlsean" (ie dessert);*
mar sin leibh an-dràsta: *cheerio just now.*

An là an-diugh, ma chanas sibh gun toigh leibh mìlsean, tuigidh daoine gu bheil sibh a' bruidhinn mu *dessert* no *pudding*, na rudan milis a ghabhas daoine mar phàirt de dhiathad. Uill, tha a h-uile càil a tha seo gam fhàgail acrach. Tha mi a' falbh airson pìos teòclaid fhaighinn. Mar sin leibh an-dràsta. LTIR

Puing-chànain na Litreach: **Nuair a dh'fheuch am ministear na nochd ann am poca aig an doras aige, cha b' e siùcairean a bh' annta**: *when the minister tried what appeared in a bag at his door, they were not sweets. The relative pronoun* na *is an extremely useful device in Gaelic. It means "(all) that which" or "(all) those which" and can therefore be used when one is talking about the contents of something eg* thug e dhomh na bha aige de shuiteis anns a' phoca *(he gave me all the sweets he had in the bag);* bha mi toilichte leis na bh' agam de luchd-taic anns a' bhaile sin *(I was pleased with what I had of supporters in that town);* leis na th' ann de dh'uisge air Mars, tha dòchas ann gun tèid daoine a dh'fhuireach ann *(given what exists of water on Mars, there is hope that people will go and live there);* leis na th' aice de dh'airgead, cha shaoileadh tu gum i cho spìocach *(given what she has of money, you wouldn't think she would be so mean).*

Seanfhacal na Litreach: **Is miosa seo nan t-alum!**: *this is worse than the alum (said of a food or drink with an exceptionally bad flavour).*

LITIR 164

(An Lùnastal 2002)

Clach nan Tarbh, *on the shores of Loch Lomond, is called* Pulpit Rock *in English. The names reflect two different traditions – one Pagan, the other Christian …*

Loch Laomainn: *Loch Lomond;* **Àird Laoigh:** *Ardlui;*
gu robh i air a cur gu feum uaireigin mar chùbaid: *that it was at one time used as a pulpit;*
gu robh aca ri coiseachd ro fhada don eaglais air an t-Sàbaid: *that they had to walk too far to the church on the Sabbath;*
seòmar-culaidh: *vestry;*
agus 's e sin a thachair: *and that's what happened;* **stuth spreadhaidh:** *explosive material;*
èildear: *elder;*
nuair a bhathar a' gabhail nan salm: *when the psalms were being sung;* **bha àrd-ùrlar air a thogail air aghaidh na cloiche, air beulaibh an dorais:** *a platform was built on the face of the rock, in front of the door;*
cleachdadh a bha cumanta gu leòr: *a practice that was common enough;*

connadh: *fuel;* **dhìochuimhnich X mu dheidhinn na cloiche:** *X forgot about the rock;*
tha coille mhòr dhorcha air fàs suas mu a timcheall: *large dark wood (forest) has grown up around it (fem.);* **tha X ag iarraidh na craobhan a**

Air bruach an iar Loch Laomainn, faisg air an rathad A 82, gu deas air baile Àird Laoigh, tha clach mhòr ainmeil ann. Air a' mhap, 's e *Pulpit Rock* a th' oirre. Tuigidh sibh gu robh i air a cur gu feum uaireigin mar chùbaid.

Bha sin **bho ochd-deug, fichead 's a còig (1825) a-mach**, às dèidh do mhuinntir an àite gearain don mhinistear aca gu robh aca ri coiseachd ro fhada don eaglais air an t-Sàbaid. "Uill," thuirt am ministear, an t-Urramach Peadar Proudfoot, "ma thogas sibh cùbaid is seòmar-culaidh dhomh ann am badeigin, **thig mi a-mach** agus searmonaichidh mi dhuibh ann a sin."

Agus 's e sin a thachair. Chleachd na daoine stuth spreadhaidh agus chladhaich iad toll anns a' chloich, a bhiodh mòr gu leòr airson a' mhinisteir. Aig a' cheann thall, bha e mòr gu leòr airson triùir – am ministear, èildear agus **fear a chuireadh a-mach an loidhne** nuair a bhathar a' gabhail nan salm.

Chaidh doras a chur air beul an tuill agus, air a chùlaibh, bha an seòmar-culaidh. Bha àrd-ùrlar air a thogail air aghaidh na cloiche, air beulaibh an dorais. Bhiodh cùbaid air a cur air an àrd-ùrlar sin nuair a thigeadh am ministear air an t-Sàbaid. Bhiodh muinntir an àite a-muigh ag èisteachd ris an t-searmon, ann an deagh shìde is droch shìde – cleachdadh a bha cumanta gu leòr ann an eachdraidh na h-Alba.

'S ann mar sin a bha e airson seasgad 's a còig bliadhna gus an deach eaglais bheag a thogail ann an Àird Laoigh aig deireadh an naoidheamh linn deug. Chaidh an t-àrd-ùrlar agus an doras, a bh' air an dèanamh le fiodh, a chleachdadh mar chonnadh le luchd-siubhail, agus dhìochuimhnich a' chuid mhòr dhen t-sluagh mu dheidhinn na cloiche. Tha coille mhòr dhorcha air fàs suas mu a timcheall.

'S ann mar sin a bha e gus o chionn ghoirid nuair a chum am ministear, an t-Urramach Dane Shepherd, searmon aig a' chloich. Tha buidheann coimhearsnachd

leagail agus àite-pàircidh a thogail ri a taobh: *X wants to fell the trees and build a parking place next to it (fem);* **Pàirc Nàiseanta Loch Laomainn is nan Tròisichean:** *Loch Lomond and Trossachs National Park;* **tha an t-ainm Beurla a' buntainn ri cleachdadh Crìosdail:** *the English name is associated with a Christian practice;* **Clach nan Tarbh:** *The Stone (rock) of the Bulls;*

airson an dùthaich a mhaslachadh: *to put the country to shame;* **is truagh an dùthaich!:** *what a pathetic country!;* **thug e an aghaidh air an tarbh dhearg:** *he stood up to the red bull;* **Beinn Mhurlaig:** *Ben Vorlich;* **nach dìochuimhnich iad X, agus an dualchas a tha co-cheangailte ris:** *that they won't forget X, and the heritage associated with it.*

a-nise ag iarraidh na craobhan mu a timcheall a leagail agus àite pàircidh a thogail ri a taobh. Tha e coltach gum bithear a' brosnachadh cuid de na daoine, a bhios a' tadhal air Pàirc Nàiseanta ùr Loch Laomainn is nan Tròisichean, a dhol a dh'fhaicinn na cloiche.

Nise, saoil dè a' Ghàidhlig a th' air *Pulpit Rock*? Clach na Cùbaid, 's dòcha? Uill, chan e, oir bha ainm Gàidhlig oirre fada fada mus robh guth air cleachdadh na cloiche airson searmon. Tha an t-ainm Beurla oirre a' buntainn ri cleachdadh Crìosdail, ach tha an t-ainm Gàidhlig a' dol air ais gu dualchas nas sine na sin. 'S e an t-ainm a th' oirre ann an Gàidhlig *Clach nan Tarbh.*

Tha sgeulachd co-cheangailte ris an ainm, a th' air aithris le Mìcheal Newton anns an leabhar mhath aige, *Bho Chluaidh gu Calasraid.* Bha tarbh mòr dearg à Sasainn a thàinig a dh'Alba airson an dùthaich a mhaslachadh. "Is truagh an dùthaich!" ghlaodh e nuair a bha e gu h-àrd os cionn Loch Laomainn.

Bha tarbh dubh nan Albannach feargach agus thug e an aghaidh air an tarbh dhearg. Bha iad a' strì an aghaidh a chèile shuas àrd air Beinn Mhurlaig agus phut iad thairis clach mhòr. Ruith a' chlach sìos a' bheinn don àite far a bheil i an-diugh ri taobh an locha. Agus rinn an tarbh dubh Albannach a' chùis air an tarbh dhearg Shasannach. Tha mi an dòchas, nuair a dh'innseas muinntir na Pàirc Nàiseanta do luchd-turais mu dheidhinn na cloiche, nach dìochuimhnich iad an t-ainm Gàidhlig, agus an dualchas a tha co-cheangailte ris.

<u>Puing-chànain na Litreach</u>: *Did you notice the three uses of the adverb* **a-mach** *in this week's Litir? It appears first, meaning "from 1825 onwards" in* **bho 1825 a-mach**. *Secondly, it occurs in perhaps its most obvious circumstance, meaning simply "out" in* thig mi a-mach *(I will come out). And thirdly it appears in* **fear a chuireadh a-mach an loidhne** *(lit. a man who would put out the line, meaning the precentor who would lead the psalm-signing). Be aware that* a-mach *is employed in a vast array of expressions and idiom, and that you will often come across it in situations where it cannot be translated simply as "out". Here are some examples:* bha iad a-mach air a chèile *(they were having a heated argument, they fell out with each other);* abair dol a-mach a bh' aige! *(eg what a ridiculous way to behave!);* anns a' chiad dol a-mach *(in the first instance);* tha iad a' cumail a-mach gu bheil … *(they maintain that…);* bha i a-mach air cho math 's a bha a' Ghrèig *(she was going on about how good Greece was);* chuir mi a-mach trì tursan *(I vomited three times).*

<u>Gnàths-cainnt na Litreach</u>: **'S ann mar sin a bha e**: *that's how it was*

LITIR 165

(An Lùnastal 2002)

In 1746 a shipment of French gold bound for the Jacobites was intercepted in North Sutherland – but was it all recovered?

Halò a-rithist, a chàirdean. An t-seachdain sa, tha mi airson ur toirt gu sgìre air leth brèagha ann am fìor cheann a tuath na h-Alba – Dùthaich MhicAoidh, ann an Cataibh. Gu deas air baile Thunga, tha beinn àrd air a bheil Beinn Laoghail. Agus eadar am baile agus a' bheinn tha dà lochan ann.

'S e Lochan na Cuilce am fear as lugha dhiubh. Tha an t-ainm sin furasta gu leòr thuigsinn. Tha e a' ciallachadh *Lochan of the Reeds*. Ach am fear as mò, ri thaobh? Air a' mhap, 's e *Lochan Hakel* a th' air. H-A-K-E-L. Ach tha mi a' smaoineachadh gur e *Lochan Hakon* a chanas muinntir an àite ris. H-A-K-O-N. Chanainn gur e ainm Lochlannach a th' ann, is cò aige tha fios nach eil ceangal aige don t-seann rìgh Lochlannach a th' air a chuimhneachadh ann an Caol Àcainn anns an Eilean Sgitheanach?

Co-dhiù no co-dheth, **bu mhath leam eachdraidh annasach innse dhuibh** mu dheidhinn an lochain seo. Anns a' Mhàrt, seachd ceud deug, ceathrad 's a sia (1746), bha na Seumasaich, agus Teàrlach Òg Stiùbhart, ann an staing. Bha an arm a' sìor chrìonadh, agus 's ann anns a' cheann a tuath a-mhàin a bha iad a' faighinn taic mhòr sam bith. Ach 's e aon sgìre anns nach robh iad a' faighinn taic – Dùthaich MhicAoidh. Bha Clann 'ic Aoidh taiceil do na Hanobhàirianaich.

Ann am meadhan a' Mhàirt, chuir Rìgh na Frainge, Louis XV, soitheach – *an Hazard* – a dh'ionnsaigh Alba le còrr is trì-deug mìle not ann am buinn òir air bòrd. Bha còrr is ceud saighdear air bòrd cuideachd. Dh'fhàg i Dunkirk fo òrdugh an t-òr a thoirt don Phrionnsa ann an Inbhir Nis. B' fheudar dhi cumail fad air falbh o chosta sear Shasainn ach, nuair a ràinig i Linne Mhoireibh, bha longan cogaidh aig Cabhlach Bhreatainn a' feitheamh rithe. B' fheudar don *Hazard* seòladh gu tuath, feuch faighinn air falbh, agus an soitheach cogaidh, an *Sheerness*, an tòir oirre.

Thionndaidh an *Hazard* gu siar nuair a ràinig i an

tha mi airson ur toirt: *I want to take you (pl.);* **Dùthaich MhicAoidh:** *Mackay country;* **Cataibh:** *Sutherland;* **Tunga:** *Tongue;* **Beinn Laoghail:** *Ben Loyal;* **eadar am baile agus a' bheinn tha dà lochan ann:** *between the village and the mountain there are two lochans;*
cò aige tha fios?: *who knows?;* **a th' air a chuimhneachadh ann an Caol Àcainn:** *who is remembered in Kyleakin;*
Teàrlach Òg Stiùbhart: *Bonnie Prince Charlie;* **bha an arm a' sìor chrìonadh:** *their army was steadily diminishing in size;* **'s ann anns a' cheann a tuath a-mhàin a bha iad a' faighinn taic mhòr sam bith:** *it's only in the north that they were getting any significant support;* **soitheach:** *vessel (ship);* **le trì-deug mìle not** (*or* **trì mile deug not**) **ann am buinn òir:** *with £13,000 in gold coins;* **b' fheudar dhi cumail air falbh o chosta sear Shasainn:** *she had to keep away from the east coast of England;* **Linne Mhoireibh:** *The Moray Firth;* **bha longan cogaidh aig Cabhlach Bhreatainn a' feitheamh rithe:** *warships of the British Navy were waiting for her;* **an tòir oirre:** *in pursuit of her;*

Caol Arcach, ach ghlac an *Sheerness* i nuair a bha iad faisg air Tunga, agus soitheach nan Seumasach glaiste air oitir. Bha batail ann agus chaidh sgrios a dhèanamh air an *Hazard*, ach cha b' urrainn do sheòladairean a *Sheerness* faighinn air bòrd oirre. Air an oidhche, chaidh aig muinntir an t-soithich Fhrangaich faighinn air tìr, agus thòisich iad air coiseachd a dh'ionnsaigh Inbhir Nis leis an òr airson a' Phrionnsa.

Ge-tà, chuir seòladairean an *Sheerness* fios gu ceann-cinnidh Cloinn 'ic Aoidh agus chuir esan feachd an sàs an aghaidh nan Seumasach. Choinnich an dà fheachd faisg air Lochan Hakon. Bha na Seumasaich sgìth agus cha robh comas aca sabaid. Nuair a bha iad a' teicheadh, thilg feadhainn aca an t-òr aca anns an lochan. Goirid as dèidh sin, ghèill iad agus chaidh an toirt gu prìosan anns an *Sheerness*.

Agus, mean air mhean, lorg an Riaghaltas an t-òr a bh' air a thilgeil anns an lochan. No an do lorg? Oir, bhathar ag ràdh gun d' fhuair mart, a chuir a chasan anns an lochan turas, bonn òir an sàs anns an ladhar aige. Agus bha fathannan ann gun do thiodhlaic cuid de na Seumasaich an cuid òir fon talamh, agus gun d' fhuair feadhainn buannachd às a sin bliadhnaichean as dèidh làimh. Thathar ag ràdh gu robh teaghlach anns an sgìre – teaghlach bochd aig cìobair – a dh'fhàs beartach gu h-obann. Ach 's e am fear nach do dh'fhàs beartach – am Prionnsa Òg. Trì seachdainean às dèidh call an *Hazard*, **chaill e gu dubh** aig Blàr Chùil Lodair.

LTIR

agus soitheach nan Seumasach glaiste air oitir: *with the Jacobites' vessel stuck on a sandbank;*

chaidh aig muinntir an t-soithich Fhrangaich faighinn air tìr: *the people of the French vessel managed to get to land;*

ceann-cinnidh: *clan chief;* **chuir esan feachd an sàs:** *he organised a force;*

a' teicheadh: *fleeing;* **ghèill iad:** *they surrendered;* **an t-òr a bh' air a thilgeil anns an lochan:** *the gold that was thrown in the lochan;* **fathannan:** *rumours;* **bhathar ag ràdh gun d' fhuair mart bonn òir an sàs anns an ladhar aige:** *it was said that a stirk got a gold coin stuck in its hoof;* **a dh'fhàs beartach gu h-obann:** *that suddenly got rich;* **trì seachdainean às dèidh call an Hazard:** *three weeks after the loss of the Hazard.*

<u>Puing-chànain na Litreach</u>: *I would like to make a point this week about the pronunciation of the letter combination –* chd. *In Scottish Gaelic, although not in Irish, when this is terminal to a word, the d is pronounced like the English "k", and not like an English "d" or "t". Thus we get words like* achd *("achk"),* uchd *("oochk"),* smachd *("smachk"),* feachd *("FEH-uchk"),* cumhachd *("COO-uchk"),* tiormachd *("CHIR-uh-muchk") and* diadhachd *("JEE-uh-ghuchk"). In internal situations, it is also commonly pronounced in this way, eg* cleachdadh, reachdail *and* tlachdmhor. *However,* eachdraidh *(history, narrative) which appears in the Litir in* **bu mhath leam eachdraidh annasach innse dhuibh** *(I would like to relate an unusual story to you), is an exception to this in most parts of the Gàidhealtachd. It is pronounced "EH-uch-tree", with the "d" being closer to a "t" and certainly not approximating a "k". But note also that in parts of Argyll, eg the island of Lismore,* eachdraidh *follows the "chk" pronunciation rule and is* pronounced "EH-uch-kree".

<u>Gnàths-cainnt na Litreach</u>: **Chaill e gu dubh**: *he lost terribly.*

LITIR 166 *(An Lùnastal 2002)*

The greatest loss of Gaelic-speakers between two consecutive censuses was between 1911 and 1921 – the time of the Great War …

feumaidh sinn feitheamh gu tràth an ath-bhliadhna: *we must wait until early next year;*

anns a' chunntas-sluaigh mu dheireadh: *in the last census;*
bha dùil gun tuiteadh an àireamh: *it was expected the number would fall;*
deichead: *decade;*

bidh fios agaibh dè dh'adhbharaich e: *you will know what caused it;* **An Cogadh Mòr:** *the Great War (1914-1918);* **bha an stàite air a bhith a' dèanamh droch làimhseachadh air a' Ghàidhlig:** *the state had been treating Gaelic badly;* **Achd an Fhoghlaim:** *the Education Act;* **thug sin droch bhuaidh air a' chànan:** *that had a bad effect on the language;* **call:** *loss;* **chaill esan triùir bhraithrean anns a' chogadh:** *he lost three brothers in the war;*
feachdan cogaidh: *the armed services;* **faisg air aonan às gach ceathrar:** *nearly one person in every four;*

Feumaidh sinn feitheamh gu tràth an ath-bhliadhna airson faighinn a-mach gu h-oifigeil cia mheud duine aig a bheil Gàidhlig ann an Alba. Ach, **a rèir fiosrachadh a thàinig a-mach am-bliadhna gu h-os ìosal**, tha còrr is seasgad mìle (60,000) ann. Chì sinn.

Bha seasgad 's a còig mìle (65,000) ann anns a' chunntas-sluaigh mu dheireadh ann an naoi-deug, naochad 's a h-aon (1991), agus bha dùil gun tuiteadh an àireamh deich mìle no barrachd anns an deichead as dèidh sin. 'S ann mar sin a bha e co-dhiù thairis air bliadhnaichean an fhicheadamh linn.

Ach bha aon deichead ann nuair a bha an call fada na bu mhò nan àbhaist. Thachair sin eadar naoi-deug 's a h-aon-deug (1911) agus naoi-deug, fichead 's a h-aon (1921). Thuit an àireamh bho cheud, ochdad 's a ceithir mìle (184,000) gu ceud, ceathrad 's a naoi mìle (149,000) – call mòr de thrithead 's a còig mìle (35,000). Agus bidh fios agaibh dè dh'adhbharaich e: an Cogadh Mòr.

Uill, 's dòcha nach e sin an aon adhbhar, oir bha an stàite air a bhith a' dèanamh droch làimhseachadh air a' Ghàidhlig ann an foghlam as dèidh stèidheachadh Achd an Fhoghlaim ann an ochd-deug, seachdad 's a dhà (1872). Thug sin droch bhuaidh air a' chànan, gu h-àraidh air tìr-mòr.

Ach 's e an cogadh as mò a dh'adhbharaich an call. Bha mo sheanair à Eilean Leòdhais agus chaill esan triùir bhràithrean anns a' chogadh. Bha an suidheachadh sin cumanta anns na coimhearsnachdan aig cridhe a' chànain. Ann an Leòdhas, chaidh sia mìle is seachd ceud (6,700) duine a-steach do na feachdan cogaidh. B' e sin fichead 's a trì às a' cheud (23%) de shluagh an eilein; faisg air aonan às gach ceathrar.

A-mach às an fheadhainn sin, chaill mìle, ceud, caogad 's a h-aon (1,151) dhiubh am beatha anns a' chogadh, seachd-deug às a' cheud (17%) dhen fheadhainn a chaidh a-steach do na feachdan. Agus a bharrachd air sin, chaidh còrr is dà cheud saighdear Leòdhasach a bhàthadh aig

nuair a chaidh an soitheach fodha: *when the vessel went down;*

nach fhaicear a leithid de chall a-chaoidh tuilleadh: *that a loss of the like will never be seen again;* **nuair a chaidh a' cheist atharrachadh:** *when the question was changed;* **am biodh iad ga bruidhinn gu cunbhalach:** *did they (would they) speak it (fem.) habitually;* **dè cho tric 's a dh'fheumadh iad a bruidhinn:** *how often they would need to speak it (fem.);* **airson comharra a chur anns a' bhogsa sin:** *to put a tick (mark) in that box;* **gus clann fo aois trì bliadhna a thoirt a-steach:** *to include children under 3 years of age;* **cuine a chì sinn àrdachadh?:** *when will we see an increase?;* **le deòin, spionnadh agus oidhirp, gabhaidh e dèanamh:** *with purpose, vigour and effort, it can be done.*

deireadh a' chogaidh nuair a chaidh an soitheach a bha gan toirt dhachaigh, an *Iolaire,* fodha taobh a-muigh Steòrnabhaigh. Bha sin air Là na Bliadhn' Ùire, naoi-deug is naoi-deug (1919). Bidh sinn an dòchas, airson iomadach adhbhar, nach fhaicear a leithid de chall a-chaoidh tuilleadh.

Aon turas, ge-tà, chan e call a bh' ann eadar an dàrna cunntas-sluaigh agus an ath fhear, ach àrdachadh. Thachair sin nuair a chaidh a' cheist atharrachadh. Anns a' chiad chunntas anns an robh ceist mun Ghàidhlig, ann an ochd-deug, ochdad 's a h-aon (1881), chaidh fhaighneachd dhen t-sluagh am biodh iad ga bruidhinn gu cunbhalach.

Uill, cha robh fios aig cuid dè cho tric 's a dh'fheumadh iad a bruidhinn airson comharra a chur anns a' bhogsa sin, agus bha mòran ann, aig an robh Gàidhlig, a chuir fiosrachadh ceàrr air na bileagan aca. Mar sin, chaidh a' cheist atharrachadh deich bliadhna às dèidh sin gu "a bheil Gàidhlig agaibh?" agus chaidh am figear suas fichead 's a trì mìle (23,000) gu còrr is dà cheud, caogad 's a ceithir mìle (254,000).

An-uiridh, chaidh a' cheist atharrachadh a-rithist, gus clann fo aois trì bliadhna a thoirt a-steach, agus feadhainn a tha a' tuigsinn na Gàidhlig, ged nach bruidhinn iad i. Air sàilleabh sin, tha mi an dòchas nach bi an àireamh cho ìosal 's a bha feadhainn a' cumail a-mach. Agus tha daoine mar sibh fhèin – an luchd-ionnsachaidh – a' cur ris an àireamh sin gu mòr cuideachd.

'S i a' cheist a tha nam cheann – cuine a chì sinn àrdachadh ann an àireamh luchd-labhairt na Gàidhlig? Bidh greis ann fhathast, tha eagal orm, ach, le deòin agus spionnadh agus oidhirp, gabhaidh e dèanamh. LTR

Puing-chànain na Litreach: *I would like to make a point as to how best to deal with percentages in Gaelic. The English per cent/percentage derives from the medieval Latin* per centum *("out of a hundred") and, while Gaels will also use and understand "per cent" when talking Gaelic, they commonly use the Gaelic equivalent of the Latin,* às a' chèud, *literally "out of a hundred" eg* còig às a' chèud *(5%),* deich às a' cheud *(10%),* ceathrad 's a trì às a' cheud *(43%). But be aware of other ways of dealing with figures. Simplify numbers if possible, eg for 60% you might say* sia às gach deich, *and for 80%* ceithir às gach còig. *If you are dealing with people, you might use the special numerical nouns eg* dithis às gach còignear *(2 out of 5 or 40%),* triùir às gach ceathrar *(3 out of 4 or 75%).*

Gnàths-cainnt na Litreach: **a rèir fiosrachadh a thàinig a-mach gu h-os ìosal**: *according to information that came out covertly, secretly, ie that was leaked.*

LITIR 167 *(An Lùnastal 2002)*

John Mackenzie, from the Gairloch area of Wester Ross, published an important anthology of Gaelic poetry in the 19th Century ...

Air an t-seachdain seo ann an ochd-deug, ceathrad 's a h-ochd (1848), chaochail Iain MacCoinnich, pìobaire, bàrd is ùghdar a bhuineadh do sgìre Gheàrrloch. Tha e ainmeil fhathast oir is esan am fear a chuir ri chèile an cruinneachadh de bhàrdachd Ghàidhlig air a bheil *The Beauties of Gaelic Poetry: Sàr-obair nam Bàrd Gàidhealach.* Gu tric, nuair a bhios daoine a' bruidhinn mun leabhar seo, canaidh iad dìreach *"Sàr-obair"* ris. Tha mi an dòchas gu bheil sibh a' tuigsinn gu robh Iain a' sanasachd bàrdachd le bàird eile anns an leabhar aige mar "sàr-obair". Chan ann a' moladh a chuid obrach fhèin a bha e!

Rugadh Iain MacCoinnich, Iain Mac Alasdair Òig, ann an ochd-deug 's a sia (1806) ann am Meallan Theàrlaich, baile beag air cladach a tuath Loch Ìu far an robh athair na charaid agus fear-taca don uachdaran. Fhuair e a chuid foghlaim, an toiseach aig an taigh, agus an uair sin aig an sgoil ann an Geàrrloch. Nuair a bha e òg, dhearbh e gu robh e gu math mòr air ceòl, agus rinn e fidheall agus pìob mhòr dha fhèin. Bha e math dha-rìribh air a' phìob agus air grunn ionnstramaidean eile.

Bha dithis, air an robh Uilleam Ros mar ainm, gu bhith a' toirt buaidh mhòr air beatha Iain. B' e a' chiad Uilleam saor a bhiodh ag obair air feadh na sgìre. Thug esan cosnadh do dh'Iain, agus dh'obraich iad còmhla gu dòigheil. Fhad 's a bha e ag obair mar shaor, ge-tà, thòisich Iain air rudeigin a chòrd ris fada na b' fheàrr. B' e sin a bhith a' cruinneachadh òrain is bàrdachd.

Là a bha seo, bha Iain ag obair le pìos mòr fiodha anns a' mhansa ann an Geàrrloch. Dh'fhulaing e buille mhòr air a cheann. **Cha deach e a-riamh am feabhas buileach às dèidh sin**, agus sguir e a chuid obrach mar shaor. Agus, ann an dòigh, is math gun do sguir, oir thòisich e air cruinneachadh a dhèanamh de na dàin aig a' bhàrd ainmeil, a bhuineadh don sgìre aige, Uilleam Ros nach maireann. B' e sin an dàrna Uilleam Ros a thug buaidh air. Fhuair Iain a' chuid a bu mhò de dh'òrain Rois bho bhàrd eile à Geàrrloch a bha eòlach air Ros nuair a bha e beò – Alasdair Buidhe MacÌomhair.

chaochail Iain MacCoinnich: *John Mackenzie died;* **ùghdar:** *author;* **Sàr-obair nam Bàrd Gàidhealach:** *the master work of the Gaelic bards;* **gu robh Iain a' sanasachd bàrdachd le bàird eile:** *that John was advertising poetry by other poets;* **chan ann a' moladh a chuid obrach fhèin a bha e:** *he wasn't praising his own work;* **Meallan Theàrlaich:** *Mellon Charles;* **Loch Ìu:** *Loch Ewe;* **far an robh athair na charaid agus fear-taca don uachdaran:** *where his father was a relative and tacksman of the laird;* **gu robh e gu math mòr air ceòl:** *that he was very fond of music;* **rinn e fidheall agus pìob mhòr dha fhèin:** *he made himself a fiddle and a set of bagpipes;* **ionnstramaid:** *instrument;* **Uilleam Ros:** *William Ross;*
b' e a' chiad Uilleam saor: *the first William was a joiner;*
ann an dòigh, is math gun do sguir: *in a way, it's good that he did [stop];*
Alasdair Buidhe MacÌomhair: *yellow-haired Alasdair Campbell (MacIomhair being the Gairloch equivalent of Campbell);*

cha robh comas sgrìobhaidh aig X ann: *X could not write;* **bha cuimhne air leth aige:** *he had a fantastic memory;* **lean MacCoinnich air:** *Mackenzie continued;* **dàn, dàin:** *poem, poems;*

eadar-theangachadh: *translation;*

thug e taic do mhinistearan nach robh cho math ris air a' Ghàidhlig: *he helped ministers whose Gaelic wasn't as good as his;* **searmonan:** *sermons;*

Cha robh comas sgrìobhaidh aig Alasdair Buidhe ann, ach bha cuimhne air leth aige, agus dh'aithris e dàin Uilleim Rois do dh'Iain MacCoinnich, a dh'fhoillsich an leabhar *The Poems of William Ross* ann an ochd-deug is trithead (1830). Lean MacCoinnich air le bhith a' cruinneachadh dàin is òrain bho air feadh na Gàidhealtachd, agus dh'fhoillsich e *Sàr-obair* ann an ochd-deug, ceathrad 's a h-aon (1841).

Chaidh e a dh'fhuireach ann an Glaschu, agus rinn e tòrr eadar-theangachaidh ann a sin, a' cur leabhraichean Beurla, leithid *Pilgrim's Progress,* ann an Gàidhlig. **'S e a sgrìobh am pàirt Beurla gu Gàidhlig dhen fhaclair** le MacAlpainn agus MacCoinnich, agus thug e taic do mhinistearan, nach robh cho math ris air a' Ghàidhlig, a' sgrìobhadh searmonan dhaibh anns a' chànan. Nuair a chaochail e, bha e ag obair air iris ùr dhen Bhìoball Ghàidhlig.

Cha robh a chuid slàinte uabhasach math mu dheireadh, agus chaidh e air ais don sgìre aige fhèin, ceithir bliadhna deug as dèidh dha falbh. Chaochail e ann an Inbhir Iù aig aois ceathrad 's a dhà (42). Rinn Iain MacCoinnich mòran airson ar cultair agus ar cànain agus tha e math gu bheil daoine ga chuimhneachadh fhathast.

<u>Puing-chànain na Litreach</u>: **Cha deach e a-riamh am feabhas buileach às dèidh sin**: *he never fully recovered after that.* Feabhas *is generally given in modern dictionaries as a noun meaning "improvement, convalescence, excellence". However, older grammarians considered it to be a "third comparative" of the adjective* math *(good). It is used with the verb* rach *("go") eg* chaidh i am feabhas *(she got better),* tha iad a' dol am feabhas *(they are improving),* cha tèid e am feabhas anns an ospadal sin *(he won't get better in that hospital). In theory third comparatives exist for every adjective and they are used in the same way, with* rach. *In regular adjectives, they are formed by adding* –ad *to the first comparative. The first comparative of* dearg *(red) is* deirge *(redder). Therefore, the third comparative is* deirgead. Chaidh iad an deirgead *means "they got redder and redder". In reality, today, the third comparative is only commonly used with three adjectives apart from* math (feabhas): *the regular* daor *eg* chaidh peatral an daoiread *(petrol got more and more expensive) and the irregular* beag (lughad) – tha fònaichean làimhe a' dol an lughad *(mobile phones are getting smaller and smaller) and* dona (miosad) – tha na seirbheisean rèile a' dol am miosad *(the rail services are getting continually worse).*

<u>Gnàths-cainnt na Litreach</u>: **'S e a sgrìobh [am pàirt Beurla gu Gàidhlig dhen fhaclair]**: *it's* ***<u>him</u>*** *that wrote [the English-Gaelic section of the dictionary]. This structure puts the emphasis on <u>him</u>.*

LITIR 168

(An Lùnastal 2002)

Might a hidden stream in Inverness, which boasts an obscure Gaelic name, be the "marram grass burn"?

Is dòcha gum bi sibh eòlach air an òran, an t-Alltan Dubh – *Tha ligh' an-diugh san Alltan Dubh, chan urrainn mi dhol thairis air...* Uill, chan eil fhios a'm mun Alltan Dubh, ach cuiridh mi geall gu bheil *an t-Allt Muirneach* a' ruith gu làidir an-dràsta, oir tha uisge trom ann. Tha mi cinnteach gu bheil an t-Allt Muirneach fhathast ann am bith, ged nach fhaca mi a-riamh e. Agus cuiridh mi geall gu bheil glè bheag de mhuinntir Inbhir Nis, far a bheil e, air càil a chluinntinn mu dheidhinn.

Ach tha e ann, a' sruthadh an là an-diugh fon talamh ann am pìoban tro àiteachan le ainmean math Gàidhlig orra – Cùil na Càbaig is Sloc Dhonnchaidh. Tha e a' dol fo Rathad Allt a' Mhuilinn don mhuir ann an Linne Mhoireibh. Agus 's e an ceangal a th' aig an allt seo ris a' mhuir a tha a' toirt orm smaoineachadh gur e *The Marram Grass Burn* a tha an t-ainm – an t-Allt Muirneach – a' ciallachadh.

'S e *muran* a' Ghàidhlig air *marram grass*. Tha e a' coimhead coltach gu bheil an t-ainm co-cheangailte ri *muir*, oir 's ann air tràigh ghainmhich agus aig oir machair mar as trice a chithear an lus seo. 'S e an t-ainm saidheansail air *Ammophila*, a tha a' tighinn bho dhà fhacal Greugach a tha a' ciallachadh gu bheil e toigheach air gainmheach. Ged nach eil gin ann an-diugh ann an Inbhir Nis, chanainn gum biodh e gu math coltach gu robh muran an ìre mhath pailt uaireigin air na cladaichean timcheall a' bhaile.

Mura h-eil sibh eòlach air a' mhuran, mholainn dhuibh cuairt a ghabhail anns na h-eileanan machaireach air taobh siar na h-Alba. Agus cha b' urrainn na b' fheàrr na Uibhist a Deas oir 's e *Tìr a' Mhurain* a chanas bàird ris an eilean sin, dìreach mar a chanas iad *Eilean a' Chèo* ris an Eilean Sgitheanach no *Eilean an Fhraoich* ri Leòdhas.

'S e lus àraidh a th' anns a' mhuran. Leis gu bheil e a' fàs air gainmheach, feumaidh e a bhith comasach

An t-Alltan Dubh: *the little black burn;* **lighe:** *flood;* **chan urrainn mi** (or **chan urrainn dhomh**) **dhol thairis air:** *I can't go over it;* **cuiridh mi geall:** *I bet;* **oir tha uisge trom ann:** *because it's raining heavily;* **ged nach fhaca mi a-riamh e:** *though I never saw it;* **tha e a' sruthadh an là an-diugh fon talamh ann am pìoban:** *it runs today under the ground in pipes;* **Cùil na Càbaig:** *Culcabock (lit. nook of the cheese);* **Sloc Dhonnchaidh:** *Duncan's Hollow;* **Rathad Allt a' Mhuilinn:** *Millburn Road;* **Linne Mhoireibh:** *Moray Firth;* **a tha a' toirt orm smaoineachadh:** *that makes me think;* **'s ann air tràigh ghainmhich agus aig oir machair mar as trice a chithear X:** *it's on a sandy beach and at the end of machair that X is usually seen;* **saidheansail:** *scientific;* **gu bheil e toigheach air gainmheach:** *that it loves sand;* **gum biodh e coltach gu robh muran an ìre mhath pailt:** *that it would be likely that marram grass was pretty plentiful;* **na h-eileanan machaireach:** *the low-lying islands (on which there is a lot of machair);* **Uibhist a Deas:** *South Uist;* **feumaidh e a bhith comas-**

dèiligeadh ri tiormachd. Ma choimheadas sibh air na duilleagan air là blàth tioram, chì sibh gu bheil iad air an roiligeadh gu teann. Tha sin a' cumail nam pòraichean, na *stomata*, trom biodh deatach-uisge a' falbh, dùinte.

Anns an t-seann aimsir, bhiodh muinntir na Gàidhealtachd a' cur a' mhurain gu feum de chaochladh sheòrsachan. Bhiodh iad a' fighe nan duilleagan airson pocannan a dhèanamh, a chumadh rudan mar min-eòrna is min-choirce. Dhèanadh iad sguaban leotha agus sgìopan airson seilleanan-meala, agus tughadh airson mullaichean taighean.

Anns an leabhar aige, *Gruth is Uachdar*, no *Crowdie and Cream*, oir 's e leabhar Beurla a bh' ann, tha Fionnlagh Dòmhnallach, Finlay J, mar a chanadh iad ris, a' dèanamh tuairisgeul de *mhealtrach* agus mar a chaidh a chleachdadh na là le muinntir taobh siar Na Hearadh. 'S e mealtrach na freumhaichean aig a' mhuran.

Bhiodh aig Fionnlagh òg ri falbh a-mach gach Disathairne airson poca de mhealtrach a chruinneachadh do mhàthair. Sin agus làn pheile de ghainmheach. **Goirid mus deigheadh màthair Fhionnlaigh innte** oidhche Shathairne, bhiodh i a' sguabadh làr fiodha an taighe le siabann, ga shuathachadh leis a' mhealtrach. Agus mus biodh an t-ùrlar tioram, sgaoileadh i gainmheach air. An uair sin, bhiodh i a' sguabadh na gainmhich air falbh, a' fàgail ùrlar **cho glan ris an òr**, deiseil airson na Sàbaid. Tha Fionnlagh ag innse dhuinn nach robh cead aig duine sam bith falbh a-mach don taigh bheag às dèidh gun deach a' ghainmheach a chur air an ùrlar! LTR

ach dèiligeadh ri tiormachd: *it must be capable of coping with drought;* **gu bheil iad air an roiligeadh gu teann:** *that they are tightly rolled;* **trom biodh deatach-uisge a' falbh:** *through which water vapour would escape;* **caochladh:** *various;* **bhiodh iad a' fighe nan duilleagan:** *they would knit the leaves (together);* **min-eòrna:** *barley meal;* **min-choirce:** *oatmeal;* **dhèanadh iad sguaban leotha agus sgìopan airson seilleanan-meala:** *they would make brushes with them and hives (skeeps) for honey bees;* **mar a chaidh a chleachdadh na là:** *as it was used in his day;* **'s e mealtrach na freumhaichean aig a' mhuran:** *mealtrach is the roots of the marram grass;* **sin agus làn pheile de ghainmheach:** *that and a bucketful of sand;* **mus biodh an t-ùrlar tioram, sgaoileadh i gainmheach air:** *before the floor was (would be) dry, she would spread sand on it.*

<u>**Puing-chànain na Litreach**</u>: **cho glan ris an òr**: *lit. as clean as the gold. Gaelic has a wide range of similes which do not necessarily correspond to those in English. Remember that the formula is:* cho X ri Y. *Here are some examples:* cho reamhar ri ròn *(as fat as a seal);* cho sean ris a' chrotal *(as old as the lichen);* cho dubh ris an t-sùith *(as black as the soot);* cho geal ri canach an t-slèibhe *(as white as the bog cotton);* cho marbh ri sgadan *(as dead as a herring);* cho sona ris an Rìgh *(as happy as the King);* cho fuar ris a' phuinnsean *(as cold as the poison);* cho coltach ri chèile ri dà sgadan *(as alike each other as two herring).*

<u>**Gnàths-cainnt na Litreach**</u>: **Goirid mus deigheadh màthair Fhionnlaigh innte**: *shortly before Finlay's mother would go to bed (lit. in her).* Tha mi a' dol innte *(I am going to bed). The Gaelic word for bed,* leabaidh, *is feminine which explains the use of* innte *here.*

LITIR 169 *(An t-Sultain 2002)*

Some idiom connected to the word creach...

ha mi cinnteach gu bheil e glè fheumail: *I am certain it is pretty useful;* **thàinig mi tàrsainn air eisimpleir dheth sin:** *I came across an example of that;*
nach biodh fios aig a' chuid mhòir de dh'Albannaich: *that most Scots wouldn't know;* **gun luaidh air luchd na Beurla ann an dùthchannan eile:** *without mentioning English-speaking people in other countries;* **tha mi an dùil, ge-tà:** *I expect, however;*

saoilidh mi gur e as coireach gun can sinn X: *I reckon that we say X because;* **creachadairean:** *plunderers;* **a' spùinneadh:** *plundering, robbing;*
Camshronaich: *Camerons;* **gach turas a thigeadh iad tron sgìre aca:** *each time they would come through their parish;* **airson crodh a thoirt dhachaigh leotha:** *to take cattle home with them;* **Srath Spè:** *Strathspey;* **mèirleach:** *robber;*

leugh mi earrann eile: *I read another part;*

Tha mi cinnteach gu bheil e glè fheumail uaireannan Gàidhlig a bhith agaibh nuair a tha sibh a' leughadh leabhraichean Beurla, gu h-àraidh ma tha iad air cuspair Gàidhealach. Thàinig mi tarsainn air eisimpleir dheth sin an là eile, nuair a bha mi a' leughadh an leabhair, *Tales and Traditions of the Lews* le Dòmhnall Dòmhnallach. Tha pìos ann mu dheidhinn fear a bha seo *"who came to raise creachs in Uist."*

Chanainn nach biodh fios aig a' chuid mhòir de dh'Albannaich, gun luaidh air luchd na Beurla ann an dùthchannan eile, gu dè bha sin a' ciallachadh. Bhiodh iad a' smaoineachadh riutha fhèin – *"what's a creach, and how does it get raised?"!* Tha mi an dùil, ge-tà, gu bheil sibh fhèin ga thuigsinn. Bha Mgr Dòmhnallach a' cleachdadh facal Gàidhlig – *creach* – agus a' cur gnìomhair ris – *raise* – a tha na eadar-theangachadh air a' ghnìomhair Ghàidhlig – *togail.* Oir, ann an Gàidhlig, canaidh sinn gu robh cuideigin a' togail creach airson *he was plundering.*

Saoilidh mi gur e as coireach gun can sinn "togail creach" no "togail na creiche" gu bheil am facal a' ciallachadh an stuth a bhiodh creachadairean a' togail nuair a bhiodh iad a' spùinneadh. Bhiodh iad a' togail òr no airgead, mart no muc, is a' falbh dhachaigh leotha. Chanadh muinntir Shrath Spè anns an t-seann aimsir gur ann a' togail creach a bhiodh na Camshronaich gach turas a thigeadh iad tron sgìre aca. 'S ann ann an Loch Abar a bha na Camshronaich a' còmhnaidh, ach rachadh iad tric don ear-thuath airson crodh a thoirt dhachaigh leotha, agus thilleadh iad tro Shrath Spè. 'S e an t-ainm a bh' air an t-slighe a ghabhadh iad *Rathad nam Mèirleach*, agus 's e sin an t-ainm a th' air fhathast.

Agus leugh mi earrann eile ann an *Tales and Traditions of the Lews: "Cattle raiding, traditionally known as 'Lifting the Cattle,* Togail nam Bò, *was a common custom in the Highlands for many generations."* 'S ann ri sin a bha na Camshronaich – a' togail nam bò, a' togail creach.

An do mhothaich sibh gur e "raising creachs" a sgrìobh Dòmhnall Dòmhnallach, ach "lifting the cattle", ged is e "togail" a chanas sinn ris an dà chuid ann an Gàidhlig. Tha e furasta gu leòr sin a mhìneachadh. Tha *raising cattle* agus *lifting cattle* gu math eadar-dhealaichte o chèile ann am Beurla. Agus, ma 's e *togail nam bò* a chanas sinn airson "lifting the cattle" dè chanas sinn airson "raising the cattle"? Uill, feumaidh sinn facal eile a chleachdadh – *àrach*. Tha sinn ag àrach nam bò no ag àrach a' chruidh.

a chanas sinn ris an dà chuid: *which we call both;*

Faodaidh sinn am facal sin a chleachdadh cuideachd airson daoine. Dh'fhaodadh sibh a ràdh gu robh cuideigin ag àrach cloinne. No, le bhith a' cleachdadh àrach mar ainmear, gun d' fhuair cuideigin àrach. Ann am bàrdachd is òrain, chithear sin gu tric – an dùthaich far an d' fhuair mi m' àrach – *the land in which I was raised*. Bidh cuid agaibh eòlach air an dàn aig Màiri Mhòr nan Òran anns a bheil "Soraidh leis an àit' far an d' fhuair mi m' àrach òg ..."

tha sinn ag àrach a' chruidh: *we are raising the cattle;*

soraidh leis an àit' far an d' fhuair mi m' àrach òg: *farewell to the place where I was raised as a child;*

Bu toigh leam dìreach tilleadh gu *creach* mus fhalbh mi. A bharrachd air *plunder* is *booty*, tha e cuideachd a' ciallachadh *ruin* no *destruction*. **Bidh sibh eòlach air an abairt** – "O mo chreach!". Gu litireil, tha "mo chreach" a' ciallachadh *"my ruin!"* ach bhiodh e na bu choltaiche eadar-theangachadh mar *"my goodness"* no a leithid sin. Agus – mo chreach – **tha an ùine air ruith orm**! Feumaidh mi falbh. Mar sin leibh an-dràsta.

gu litireil, tha X a' ciallachadh: *literally, X means;* **feumaidh mi falbh:** *I must go (leave);* **mar sin leibh an-dràsta:** *cheerio just now.*

__Puing-chànain na Litreach__: **Bidh sibh eòlach air an abairt**: *you will know the phrase. Here is a potted guide to translating the English "know".* Fios *can be used for knowledge, in terms of knowing a fact. You might say* tha fios/fhios agam *or* tha fios/fhios agam air X *when saying that you have knowledge of something.* A bheil fios agad cò tha a' fuireach an seo? *(do you know who lives here?). But when dealing with recognition of something, particularly of a person or place, it is preferable to use* eòlas *or its adjective* eòlach. A bheil thu eòlach air an duine a tha a' fuireach an seo? *(do you know the person who lives here?);* a bheil eòlas agad air duine sam bith dhen teaghlach sin? *(do you know any of that family?). And note the handy* luchd-eòlais *which means "acquaintances". Another way of dealing with acquaintance is to use the noun* aithne. Is aithne dhomh e *(I know him, recognise him;* an aithne dhut Màiri? *(do you know Mary?); the answer to the last question would be* 's aithne *(yes) or* chan aithne *(no). Alternatively, you may be asked* an aithnich thu Màiri? *using the verb* aithneachadh *(in some dialects it is* faithneachadh *ie* am faithnich thu Màiri?*), to which you would say* aithnichidh *or* chan aithnich (faithnichidh *or* chan fhaithnich).

__Gnàths-cainnt na Litreach__: **Tha an ùine air ruith orm**: *my time is up (lit. the time has run on me).* Tha an uine a' ruith orm *(I don't have much time left).*

LITIR 170

(An t-Sultain 2002)

An ancient tale of love and longing from Little Bernera in Lewis ...

An t-seachdain sa chaidh bha mi a-mach air rud a leugh mi anns an leabhar *Tales and Traditions of the Lews* le Dòmhnall Dòmhnallach. Tha aon stòiridh aige gu h-àraidh a leugh mi le tlachd mhòr, oir tha e air a lìbhrigeadh gu siùbhlach, brèagha. 'S e a th' ann **sgeulachd à beul-aithris air an cuala mi iomradh ann an àiteachan eile** cuideachd. Bheir mi blasad dhith dhuibh an-dràsta.

a leugh mi le tlachd mhòr: *which I read with great pleasure;*
bheir mi blasad dhith dhuibh: *I'll give you a taste of it;*

Bidh sibh eòlach, tha mi an dùil, air Eilean Bheàrnaraigh air taobh siar Leòdhais. Canaidh daoine Beàrnaraigh Leòdhais ris, oir tha Beàrnaraigh no dhà eile ann cuideachd. Agus, leis an fhìrinn innse, tha dà Bheàrnaraigh ann an Leòdhas, eilean mòr, Beàrnaraigh Mhòr, agus eilean beag eile ri thaobh – Beàrnaraigh Bheag. Chan eil duine a' fuireach ann am Beàrnaraigh Bheag an là an-diugh ach, o shean, bha sluagh ann. Agus ri linn nan creachadairean Lochlannach, bha daoine gu leòr a' fuireach anns an eilean.

Beàrnaraigh Bheag: *Little Bernera;*
sluagh: *people, population;*
ri linn nan creachadairean Lochlannach: *at the time of the Viking marauders;*

Nam measg, bha tè òg a bha air leth brèagha. 'S e an t-ainm a bh' oirre *Gealachos*. Tha mi an dùil gum b' e ciall a h-ainm – geala-chas – is gu robh casan bàna aice. Bha na fleasgaich gu lèir dèidheil air Gealachos agus tha e coltach gu robh i ann an gaol le fear aca.

Ach, là a bha seo, nochd feachd de Lochlannaich ann am birlinn aig an tràigh. B' e fear *Suain* an ceannard aca, agus bha e na Rìgh air Lochlann air fad. Chunnaic e am boireannach òg brèagha, agus dh'fhairich e teas a' ghaoil na chridhe. Bha e airson 's gum pòsadh e i, agus dh'iarr e air cuid de na saighdearan aige Gealachos a thoirt am bruid. Goirid as dèidh sin bha i air a' bhirlinn air a slighe a Lochlann am measg dhaoine aig an robh cànan nach do thuig i idir. Bha i a' caoineadh fad an t-siubhail airson a pàrantan, airson a leannain agus airson eilean a h-àraich. Bha Suain glè shnog dhi agus bha i modhail gu leòr dha, ach **bha cianalas mòr oirre**.

tha mi an dùil gum b' e ciall a h-ainm..: *I think (expect) that the meaning of her name was..;*
fleasgaich: *youths, bachelors;*
feachd: *(armed) force;* **birlinn:** *galley;* **Suain:** *Sweyn;*
bha e na Rìgh air Lochlann air fad: *he was the king of the whole of Scandinavia;*
dh'fhairich e teas a' ghaoil na chridhe: *he felt the heat of love in his heart;* **bha e airson 's gum pòsadh e i:** *he wanted to marry her;* **dh'iarr e air X, Y a thoirt am bruid:** *he asked X to kidnap Y;*
airson eilean a h-àraich: *for the island of her upbringing;*

bha iad airson a dèanamh toilichte: *they wanted to please her;* **torc:** *wild boar;* **àlainn:** *(very) beautiful;*

Nuair a ràinig i Lochlann, bha sluagh mòr a' feitheamh rithe fhèin is ris an Rìgh. Shaoil na Lochlannaich gu lèir gu robh Gealachos brèagha agus bha iad airson a dèanamh toilichte nam measg. Nuair a bhiodh i a' sealg nan torc anns a' choille, nuair a bhiodh i gu h-àrd air na beanntan àlainn no ann am bàta mòr ann an loch brèagha, fiù 's an uair sin, cha robh i sona. Bha i airson a dhol dhachaigh. Agus dh'fhàg sin cridhe Shuain trom, oir bha e dha-rìribh ann an gaol leatha.

cha bhiodh aca fleadh no fonn: *they wouldn't have a feast or a tune (ie feast or fun);* **mac-talla:** *echo;* **(a') toirt fianais air bàrcadh thonn:** *bearing testimony to rushing of waves (noise on the shore);* **fhreagair i gu socair ciùin:** *she replied gently and calmly;* **deòir:** *tears;* **(a-)chaoidh cha toir mi a Lochlann rùn:** *never will I give Lochlann my love;* **le chuid shlèibhtean mùgach fuar:** *with its gloomy cold moors (in parts of the mainland* mùgach *is* mugach *ie a short "u");* **chaochail i na seann bhoireannach gun phòsadh:** *she died an old woman without marrying.*

Mu dheireadh, às dèidh seachd bliadhna, chaidh an Rìgh ga h-ionnsaigh agus 's e seo an còmhradh a bh' aca – a chaidh fhàgail againn mar rann Ghàidhlig, co-dhiù 's ann an Gàidhlig no Lochlannais a bha e aig an àm. 'S e an Rìgh a bhruidhneas an toiseach:

Nam biodh tusa ann am Beàrnaraigh Bheag
Cha bhiodh aca fleadh no fonn,
Ach mac-talla chreagan àrda
Toirt fianais air bàrcadh thonn.
Fhreagair i gu socair ciùin,
'S deòir bho a sùil a' ruith gu luath,
'Chaoidh cha toir mi a Lochlann rùn,
Le chuid shlèibhtean mùgach fuar.'

Goirid as dèidh sin, thug Suain Gealachos air ais a Bheàrnaraigh agus, ged a dh'fhuirich i anns an eilean airson a' chòrr de a beatha, agus ged a bha i sona gu leòr, cha do ghabh i gaol air fear sam bith às dèidh na thachair dhi, agus chaochail i na seann bhoireannach gun phòsadh. LTiR

Puing-chànain na Litreach: **sgeulachd à beul-aithris air an cuala mi iomradh ann an àiteachan eile**: *a story derived from oral tradition which I (had) heard in other places. Note it is* air an cuala mi, *not* air a chuala mi. *Consider the English statements "I am ready" and "am I ready?" The verbal forms ("am") are the same, even though one is affirmative (a statement) while the other is interrogative (a question). In Gaelic the two forms are generally different eg* "tha mi deiseil" *(affirmative) and* "a bheil mi deiseil?" *(interrogative). Consider the past tenses of the irregular verb* cluinn (cluinntinn): "chuala mi e" *(affirmative) and* "an cuala mi e?" *(interrogative). In certain phrases one is used in preference to the other: eg with* cia mheud *we use the affirmative form –* cia mheud caora a tha agad? *NOT* cia mheud caora a bheil agad? *With* ciamar, *we also use the affirmative form – ie* ciamar a tha thu? *NOT* ciamar a bheil thu? *And in the example in the Litir, following* "air" *we use the interrogative form. Here are two more examples of that:* sin a' phairc air an robh mi a' cluich *(that's the park on which I was playing);* sin an dearbh chuspair air am bi mi a' bruidhinn *(that's the very subject on which I will be speaking).*

Gnàths-cainnt na Litreach: **bha cianalas mòr oirre**: *she was very homesick.*

LITIR 171

(An t-Sultain 2002)

Father Ronnie Burn – the first man to complete all the Munros – was a well-known figure in the remoter glens of the Gàidhealtachd in the early 20th Century …

tha a h-uile rud a tha mi air fhaicinn mu dheidhinn ann am Beurla: *everything I have seen about him is in English;*

's e duine àraidh a bh' ann: *he was an unusual man;*

Siorrachd Obair Dheathain: *Aberdeenshire;* **manachainn:** *monastery;* **Leabhar Dheir:** *The Book of Deer;* **an làmh-sgrìobhadh as sine a th' againn:** *the oldest handwriting we have;* **chan eil fhios a'm co-dhiù thug an eachdraidh sin buaidh air Raghnall:** *I don't know if that history had an effect on Ronnie;* **ged a thòisich e anns an Eaglais Easbaigich:** *although he started in the Episcopalian Church;* **chaidh e a-null don Eaglais Chaitligich:** *he went over to the Catholic Church;* **na glinn:** *the glens;* **Canaich:** *Cannich (Inverness-shire);* **bhiodh e a' sreap nam beann faisg air an dachannan:** *he would climb the mountains close to their homes;* **Beanntan an Rothaich:** *The Munros (mountains over 3,000 ft first listed by Sir Hugh Munro);* **choilean e sin:** *he completed that;* **mullach:** *summit;*

Chan eil mi buileach cinnteach de chanadh na Gaidheil ris anns a' chànan aca fhèin, oir tha a h-uile rud a tha mi air fhaicinn mu dheidhinn ann am Beurla. Chanainn gur dòcha gur e "**Maighstir Raghnall**" a chanadh iad ris, ach chan urrainn dhomh a bhith cinnteach. Ann am Beurla chanadh iad "Father Burn" ris, agus 's e an t-ainm oifigeil a bh' air Ronald Graham Burn. 'S e duine àraidh a bh' ann, agus bu mhath leam rudeigin innse dhuibh mu dheidhinn an-dràsta.

Rugadh Raghnall, no Ronnie, Burn ann an Deir ann an Siorrachd Obair Dheathain anns a' bhliadhna ochd deug, ochdad 's a seachd (1887). 'S dòcha gum bi fios agaibh gu bheil seann cheanglaichean eadar an t-àite sin – Deir, no *Old Deer* – agus a' Ghàidhlig, oir 's ann ann an seann mhanachainn ann a sin a chaidh Leabhar Dheir a chur ri chèile – leabhar anns a bheil an làmh-sgrìobhadh as sine a th' againn ann an Gàidhlig na h-Alba. Chan eil fhios a'm co-dhiù thug an eachdraidh sin buaidh air Raghnall ach, gu dearbh, dh'fhàs e fhèin cianail measail air a' chànan.

B' e athair **an t-Urramach** Iain Burn agus bha Raghnall a-riamh measail air an Eaglais. Ach, ged a thòisich e anns an Eaglais Easbaigich, no san Eaglais Shasannaich, oir chuir e seachad bliadhnaichean aig sgoil ann an Sasainn, mu dheireadh thall, chaidh e a-null don Eaglais Chaitligich. 'S e Caitligich a bh' ann an cuid de na Gàidheil air an do dh'fhàs e eòlach cuideachd, gu h-àraidh anns na glinn faisg air Canaich agus ann an Loch Abar.

Agus ciamar a dh'fhàs Raghnall eòlach orra? Uill, bhiodh e a' sreap nam beann faisg air an dachannan ann an glinn iomallach na Gàidhealtachd. Gu dearbh, shreap e a h-uile beinn ann an Alba a tha nas àirde na trì mìle troigh – "Beanntan an Rothaich" mar a chanas daoine riutha – agus choilean e sin ann an naoi-deug, fichead 's a trì (1923). Aig an àm sin bha còig ceud gu leth mullach air liosta an Rothaich agus b' e **Maighstir Raghnall** a' chiad duine a chuir a chas air a h-uile gin aca.

cha robh coltas a' ghaisgich air: *he wasn't a particularly athletic speciment;* **crotach:** *hunch-backed;* **aonaranach:** *lonely;* **'s iad na cuspairean a b' fheàrr leis na cànanan clasaigeach:** *his favourite subjects were the classical languages;* **thigeadh e beò air na beanntan:** *he would come alive in the mountains;* **thòisich e anns a' Mhonadh Ruadh:** *he started in the Cairngorms;* **Gleann Srath Farair:** *Glenstrathfarrar;* **cha robh e a-riamh fìor chomasach air a shlighe a dhèanamh ann an droch shìde:** *he was never particularly capable at finding his route in bad weather;*

gràdh: *love, affection;* **cìobairean is geamairean agus an teaghlaichean:** *shepherds and gamekeepers and their families;* **na dh'ionnsaich an sagart bhuapa:** *what the priest learned from them.*

Ach nuair a bha e na bhalach anns an sgoil, cha robh coltas a' ghaisgich air. Bha e beag is crotach, le casan goirid, bha e sàmhach is aonaranach, agus 's iad na cuspairean a b' fheàrr leis na cànanan clasaigeach – seann Laideann is Greugais. Cha robh e math sam bith air spòrs, co-dhiù spòrs mar rugbaidh is ball-coise.

Ach thigeadh e beò air na beanntan. Nuair a bha e òg, bhiodh e a' coiseachd nam beann ann an Siorrachd Obair Dheathain cuide ri athair. Agus ann an naoi-deug is ceithir-deug (1914), dh'fhalbh e air cuairt mhòr air a' Ghàidhealtachd, leis fhèin. Thòisich e anns a' Mhonadh Ruadh, agus chaidh e an uair sin a Ghleann Srath Farair agus Gleann Canaich. Cha robh e a-riamh fìor chomasach air a shlighe a dhèanamh tro na beanntan ann an droch shìde, agus fhuair e e fhèin air chall ann an ceò air Beinn a' Chlachair. Thairis air na bliadhnaichean, thachair sin dha iomadh turas ach, a dh'aindeoin 's gur ann na aonar a bhiodh e a' coiseachd mar bu trice, **cha do dh'èirich càil dha**.

Agus a bharrachd air na beanntan, air an do ghabh e gràdh, bha na daoine ann – na cìobairean is geamairean, agus an teaghlaichean. Dh'fhàs **Maighstir Raghnall** uabhasach measail orra. Agus bu mhath leam rudeigin innse dhuibh mu chuid dhiubh, agus na dh'ionnsaich an sagart bhuapa mu dhualchas na Gàidhealtachd, anns an ath Litir. LTIR

<u>Puing-chànain na Litreach</u>: *I would like to make some comments this week about how to deal linguistically with clergymen, who retain a great deal of respect in Gaelic communities – a respect which must be reflected in language use. Priests are given the honorific* Athair Urramach *(Reverend Father) and one might refer to Father Calum MacNeil as* an t-Athair Urramach Calum MacNèill. *But in speaking among themselves, Gaelic-speaking Catholics would refer to him as* Maighstir Calum, *using his first name and the honorific* Maighstir. *The famous bàrd,* Alasdair Mac Mhaighstir Alasdair, *had a father who was, as might be expected, a clergyman, although of the Episcopalian tradition. With Presbyterian ministers, however, the situation is different. The Reverend Norman MacAulay is* an t-Urramach Tormod MacAmhlaigh, *and he would be referred to as* Maighstir (Mgr) MacAmhlaigh, *always using the surname, and never the given name. You would address him as* "a Mhaighstir MhicAmhlaigh" *and, as with a priest, you would use the second person plural or formal* "sibh" *when speaking to him, rather than* "thu", *even if he is not an elderly person – unless you are a close personal friend.*

<u>Gnàths-cainnt na Litreach</u>: **cha do dh'èirich càil dha**: *nothing (bad) happened to him.*

LITIR 172

(An t-Sultain 2002)

Ronnie Burn learned Gaelic to fluency, the better to converse with the families who lived in the remote glens of the Gàidhealtachd ...

aig àm a' Chogaidh Mhòir: *at the time of the Great War;* **chuir e iongnadh air muinntir an àite:** *he surprised the local people;* **leis cho fad 's a chumadh e a' dol:** *with how long he would keep going;* **teanta:** *tent;* **dhèanadh e air an taigh a b' fhaisge:** *he would make for the nearest house;* **geamair:** *gamekeeper;* **cìobair:** *shepherd;* **nuair a bha an t-uachdaran air casg a chur air a leithid:** *when the landlord had banned such a practice;* **na glinn:** *the glens;* **Uilleam MacBhàtair:** *William (WJ) Watson;* **chuir X seachad mòran ùine ris a' chagailt a' còmhradh leis:** *X spent much time at the hearth, conversing with him;* **bhuaithe:** *from him;*

Ostail Òigridh: *Youth Hostel;* **bhuineadh athraichean an dithis fhear do na Crìochan:** *the two men's fathers belonged to the Borders;* **treudan chaorach:** *flocks of sheep;*

An t-seachdain sa chaidh dh'innis mi dhuibh mun t-sagart, an t-Athair Urramach Raghnall Burn. Aig àm a' Chogaidh Mhòir, thòisich e air coiseachd air mòran de bheanntan na Gàidhealtachd. Bha e luath air a chasan agus chuir e iongnadh air muinntir an àite leis cho fada 's a chumadh e a' dol, le glè bheag de bhiadh. Cha toireadh e teanta leis ach, aig deireadh gach là, dhèanadh e air an taigh a b' fhaisge. Mar bu trice, bha sin aig geamair no cìobair agus, mar bu trice, **gheibheadh e cuid oidhche** leotha – ach a-mhàin nuair a bha an t-uachdaran air casg a chur air a leithid.

Bha fad' a bharrachd dhaoine a' fuireach anns na glinn aig an àm sin. Agus bha Gàidhlig aig cuid mhath aca. Dh'fhàs Raghnall uabhasach dèidheil orra agus air an cànan, agus dh'fhàs e gu math fileanta a rèir choltais, le blas math air a' Ghàidhlig aige. B' e fear dhiubh geamair ann an Gleann Srath Farair, Theodore Caimbeul, a bha eòlach air an sgoilear Ghàidhlig, Uilleam MacBhàtair, a bh' air a bhith a' bruidhinn ris mu ainmean-àite. Bha Theodore gu math fiosrachail mu eachdraidh is dualchas, agus chuir Maighstir Raghnall seachad mòran ùine ris a' chagailt a' còmhradh leis, is a' faighinn sgeulachdan bhuaithe.

Fhuair e deagh eòlas cuideachd air dà theaghlach eile anns an sgìre sin – na Boas aig Lungard ann an Gleann Canaich agus na Scotts aig Allt Beithe ann an Gleann Afraig, far a bheil Ostail Òigridh Ghleann Afraig an-diugh. Bhuineadh athraichean an dithis fhear sin do na Crìochan. Bha iad air tighinn chun na Gàidhealtachd le treudan chaorach anns an naoidheamh linn deug. Mar a shaoileadh tu, cha robh Gàidhlig aca.

Ach bha Gàidhlig aig na gillean aca agus phòs Aonghas Scott tè às Na Hearadh is, gu dearbh, bha i fhèin làn Gàidhlig, ged nach robh a' chlann aca cho fileanta rim pàrantan. Chòrd na feasgaran a chuir e seachad nan cuideachd gu mòr ris an t-sagart. Bha e a' faireachdainn airson greis gu robh e mar gu robh teaghlach aige. Tha e

gu robh e mar gu robh teaghlach aige: *that it was as if he had a family;* **am broinn nan stocainnean aige:** *inside his stockings;*

Deas-àirigh: *Dessary;* **Cnòideart:** *Knoydart;*

anns an robh suas ri dusan duine cloinne: *in which there were up to a dozen children;* **Ruairidh MacMhathain:** *Rory Matheson;* **tha iad fhathast ann an tasg ann an Oilthigh Obair Dheathain:** *they are still archived (in store) at Aberdeen University;* **a' feitheamh ri sgrùdadh le sgoilear:** *awaiting examination by a scholar;* **fo uisgeachan dhamaichean:** *under dam water (water of dams);* **cha mhòr gu robh duine ann:** *there was hardly a person;* **Ealasaid Ailean:** *Elizabeth Allan;* **mholainn e dhuibh:** *I would recommend it to you.*

coltach gu robh meas aig na Scotts airsan cuideachd, ged a shaoil iad gu robh cuid de na cleachdaidhean pearsanta aige car annasach. Mar eisimpleir, chuireadh e siabann mìn am broinn nan stocainnean aige **gus nach fhaigheadh e balgan air buinn a chas**.

Chòrd Deas-àirigh ann an Cnòideart gu mòr ris cuideachd. Bha teaghlach de Stiùbhartaich a' fuireach anns an t-Srathan aig bonn a' ghlinne, agus gheibheadh Raghnall fàilte is furan ann an sin. Bha Gàidhlig aca uile agus bha iad làn sgeulachdan is òran is beul-aithris. Aig an àm sin bha ochd taighean anns a' ghleann anns an robh daoine a' fuireach, agus bha sgoil ann anns an robh suas ri dusan duine cloinne. An-diugh chan eil duine a' fuireach ann.

Bho Ruairidh MacMhathain aig Loch a' Bhraoin ann an Siorrachd Rois, fhuair Maighstir Raghnall co-dhiù ceud ainm-àite nach robh sgrìobhte aig duine roimhe. Fhad 's as aithne dhomh, tha iad fhathast ann an tasg ann an Oilthigh Obair Dheathain, a' feitheamh ri sgrùdadh le sgoilear.

Chaochail Raghnall Burn ann an naoi deug, seachdad 's a dhà (1972). Aig àm a bhàis, bha na glinn a chuimhnich e bho na bliadhnaichean eadar an dà chogadh air atharrachadh gu tur. Bha mòran aca fo uisgeachan dhamaichean is bha na seann teaghlaichean air falbh. Cha mhòr gu robh duine ann a chuimhnicheadh an sagart annasach. Tha e math, ma-thà, gun do sgrìobh Ealasaid Ailean leabhar mu dheidhinn – *Burn on the Hill.* Ma tha ùidh agaibh ann an eachdraidh nan gleann iomallach, mholainn e dhuibh.

LTIR

Puing-chànain na Litreach: **gus nach fhaigheadh e balgan air buinn a chas**: *so that he would not get blisters on the sole(s) of his feet. I have taken the traditional approach here in giving* cas *as the genitive plural of* cas, *foot, although many today might give it as* casan. *The general rule is that genitive plurals have a broad vowel ending – which exists with* cas *(and also with* casan*). Generally speaking, nouns which pluralise in the nominative with an* –an *(or* –aichean *or* –annan*) suffix, have a genitive plural form identical to the nominative plural form, except that is lenited where there is no article present (eg* dorsan chàraichean, dorsan nan càraichean*), but this is sometimes foregone in preference of the nominative singular form if the last vowel in the nominative singular is broad (eg* muinntir nan eilean; port nan long *and* uighean nan cearc*). With* a chas, *you will know it means "of his feet (plural)" because the lenition tells us "his" and, if it referred to only one foot it would be* "bonn a choise", coise *being the genitive singular of* cas.

Gnàths-cainnt na Litreach: **gheibheadh e cuid oidhche**: *he would get a night's lodging.*

LITIR 173

(An Dàmhair 2002)

A story from the collection of thè late Nan Eachainn Fhionnlaigh, a tradition bearer from Vatersay ...

Is fhada o nach robh stòiridh beag laghach againn ann an Litir do Luchd-ionnsachaidh. Chan eil fhios a'm dè cho laghach 's a tha am fear a thagh mi an-diugh, ach tha e goirid gu leòr airson a bhith seachad taobh a-staigh còig mionaidean! Agus bidh fios agaibh gu bheil tòrr sgeulachdan Gàidhlig a mhaireas mòran nas fhaide na sin.

Co-dhiù, tha an stòiridh seo a' tighinn bhon stòras aig tè a bha ainmeil airson sgeulachdan is òrain – Nan NicFhionghain, Nan Eachainn Fhionnlaigh nach maireann, à Bhatarsaigh, **a chaochail o chionn fichead bliadhna am-bliadhna**. Tha mi air a dhèanamh beagan nas sìmplidhe agus nas giorra. 'S e an t-ainm a th' air *Na Sìthichean a Ghoid Pàiste.* Mar phàirt dhen stòiridh chì sibh mar a bhiodh na seann daoine a' creidsinn nach b' urrainn do shìthichean dhol ann an sàl – sin uisge na mara. Co-dhiù, seo e:

Bhiodh na sìthichean aig an àm ud, bhiodh iad a' goid nam pàistean is na cloinne bige. Bha boireannach a bha seo, nuair a thill i dhachaigh là a bha seo don phàiste aice, mhothaich i nach e an leanabh aice fhèin a bh' ann. Nuair a bhiodh am pàiste aice fhèin a' gabhail brochan, nuair a bheireadh i uiread a bha seo dha, bhiodh gu leòr aige. Chan iarradh e tuilleadh. Ach ge brith gu dè na gheibheadh am pàiste ùr a bha seo, cha bhitheadh gu leòr aige. "Cha chreid mi," ars' a mhàthair ri nàbaidh, "nach e goid a rinneadh air."

"Dad thus!" arsa bodach anns a' bhaile nuair a chuala e mu dheidhinn. "Innsidh mise dhut ciamar a gheibh thu cinnt. A-màireach, leig ort gu bheil thu a' falbh on taigh agus fàg an leanabh sa chreathail. Nuair a tha e a' smaointinn gu bheil thu air falbh, coimhead air an uinneig gun fhiosta dha agus chì thu cò th' agad – seann bhodach sìth an àite do leanaibh fhèin."

a mhaireas mòran nas fhaide na sin: *which last much longer than that;* **Nan Eachainn Fhionnlaigh:** *Nan, daughter of Hector, who was son of Finlay;* **Bhatarsaigh:** *Vatersay;* **nas giorra:** *shorter;* **na sìthichean a ghoid pàiste:** *the fairies who stole a child;* **nach b' urrainn do shìthichean dhol ann an sàl:** *that fairies could not go in salt water;* **bhiodh iad a' goid na cloinne bige:** *they would steal (the) little children;* **brochan:** *porridge;* **nuair a bheireadh i uiread a bha seo dha:** *when she would give him this particular amount;* **chan iarradh e tuilleadh:** *he wouldn't want any more;* **ge brith gu dè na gheibheadh am pàiste ùr:** *whatever the new child would get;* **nàbaidh:** *neighbour;* **cha chreid mi nach e goid a rinneadh air:** *I reckon he was stolen (that it was stealing that was done on him);* **dad thus(a)!:** *hang on, wait a minute! (also* **dad ort***);* **ciamar a gheibh thu cinnt:** *how you can be certain;* **leig ort gu bheil thu a' falbh:** *pretend you are leaving;* **creathail:** *cradle;* **coimhead air an uinneig gun fhiosta dha:** *look through the window without him knowing;*

'S e sin a rinn i. Dh'fhalbh i a-mach agus gun fhiosta don phàiste, choimhead i air an uinneig. Chunnaic i bodach beag sìth air uilinn sa chreathail, agus e a' cluich feadan. Thill am boireannach don t-seann duine anns a' bhaile agus thuirt i ris gur e an fhìrinn a bh' aige. "Ach dè a-nist," ars' ise, "mar a gheibh mi air falbh e?"

"Innsidh mise dhut," ars' esan. "An ath-là a bhios tu a' dol dhan tràigh, thoir leat e, agus cuir air mullach sgeire e. Tòisich air a bhith a' gearradh an todhair timcheall na sgeire agus leig leis an làn èirigh gus am bi an sgeir air a cuairteachadh agus am bodach sìth fhathast oirre. Ach feuch nach beir an làn ort fhèin."

'S e sin a rinn am boireannach. Gheàrr i an todhar – 's e sin an fheamainn a bhiodh daoine a' cleachdadh mar thodhar – agus leig i leis an làn èirigh gus an robh an sgeir air a cuairteachadh. Dh'èirich an leanabh gu chasan, chaidh e ann an riochd bodaich sìth, agus thòisich e air maoidheadh oirre is air maoidheadh oirre. Ach rinn i fhèin deiseil airson falbh dhachaigh às aonais.

Thàinig na sìthichean eile agus, mun do dh'fhalbh am boireannach, dh'èigh i air a' bhodach bheag, "Bidh thu ann a sin gus am faigh mi mo leanabh fhèin air ais!" Nuair a chunnaic na sìthichean nach fhaigheadh am bodach far na sgeire, chaidh iad don bhoireannach leis an leanabh aice fhèin agus thug iad dhi e. Às dèidh sin fhuair daoine às a' bhaile am bodach sìth far na sgeire le bàta. Agus thill esan do na sìthichean.

LTR

feadan: *chanter;* **dè a-nist mar a gheibh mi air falbh e?:** *how will I now get rid of him? (***dè mar** *is an alternative to* **ciamar***);* **cuir air mullach sgeire e:** *put him on top of a sea-rock;* **todhar:** *fertilizer (here referring to seaweed cut as fertilizer);* **leig leis an làn èirigh:** *let the tide come in;* **feuch nach beir an làn ort:** *make sure the tide doesn't catch you;* **an fheamainn:** *the seaweed;* **gus an robh an sgeir air a cuairteachadh:** *until the sea-rock was surrounded (by water);* **chaidh e ann an riochd bodaich sìth:** *he adopted the form of an old fairy man;* **às aonais:** *without him;* **sìthichean:** *fairies;*

far na sgeire: *off the rock.*

<u>Puing-chànain na Litreach</u>: **a chaochail o chionn fichead bliadhna am-bliadhna**: *who died twenty years ago this year. Don't get confused about* am-bliadhna *– it is an adverb and can only mean "this year".* Bliadhna *is a feminine noun and, thus, "the year" (nominative case) would be* a' bhliadhna, *not* am bliadhna. *Also, avoid the increasingly frequent mistake of saying* am-bliadhna sa, *to emphasize "this year". The* sa *(for "seo") is redundant because* am-bliadhna *already means "this year". You could in theory say* a' bhliadhna sa *for "this year" but this is rarely heard. There are also special adverbs for "last year" (*an-uiridh, *rather than* a' bhliadhna sa chaidh*) and* an ath-bhliadhna, *rather than* a' bhliadhna sa tighinn.

<u>Gnàths-cainnt na Litreach</u>: **Is fhada o nach robh stòiridh beag laghach againn**: *it's a long time since we had a nice wee story. Notice that it is the negative interrogative verbal form* nach robh *that is used in this Gaelic idiom. Another example is:* Is fhada o nach fhaca mi thu: *it's a long time since I saw you. You might reply by saying,* "Is fhada, gu dearbh."

LITIR 174 *(An Dàmhair 2002)*

The time of the deer rut is very beautiful in the Gàidhealtachd…

saoilidh mi nach eil àm nas fheàrr anns a' bhliadhna: *I reckon there's no better time in the year;* **am foghar:** *the autumn, the harvest;* **nuair a bhiodh daoine a' buain an arbhair:** *when people would harvest the corn;* **mar eisimpleir:** *for example;* **ann an Ameireagaidh a Tuath:** *in North America;* **dhomhsa 's e an Dàmhair:** *for me it's the Dàmhair (the time of the rut);* **a' dàireadh:** *copulating (particularly deer and cattle);* **am-bliadhna co-dhiù thòisich na daimh air a' mhìos sa chaidh:** *this year anyway the stags started last month;* **an t-Sultain:** *September;* **tha rudeigin ann a tha gam thoileachadh gu mo chridhe:** *there is something in it that pleases me to my core (heart);* **tha thu air do chuairteachadh an dà chuid le X agus Y:** *you are surrounded by both X and Y;* **cumhachdach:** *powerful;* **a' coimhead air na boghachan froise a' falbh is a' tighinn:** *watching the rainbows coming and going;*
dè miann dhaoine is bheathaichean eile?: *what is the desire of other people and other animals?;*
a' comharrachadh: *marking, distinguishing;*
an tuiseal ginideach: *the genitive case;*

Saoilidh mi nach eil àm nas fheàrr anns a' bhliadhna nan t-àm a th' againn an-dràsta ann an Alba. Am Foghar. Uill, 's dòcha am foghar. Gu h-eachdraidheil, bha am foghar a' ciallachadh an àm dhen bhliadhna nuair a bhiodh daoine a' buain an arbhair. Foghar an eòrna – *the harvest of the barley*, mar eisimpleir. Ach an là an-diugh, thathar a' cleachdadh foghar mar a thathar ag ràdh ann am Beurla *autumn*, no ann an Ameireagaidh a Tuath – *the fall.*

Ach an-dràsta, dhomhsa 's e an Dàmhair, an t-àm dhen bhliadhna nuair a bhios na daimh a' bùireadh, gu dearbh, nuair a bhios iad a' dàireadh. An damh-dàir – an Dàmhair. Tuigidh sibh mar a thàinig an t-ainm gu bith. A-nise tha an Dàmhair co-ionann ri *October* ann am Beurla, ach am-bliadhna co-dhiù thòisich na dàimh air an dàireadh air a' mhìos sa chaidh – an t-Sultain.

Tha rudeigin ann mu dheidhinn a bhith a' coiseachd ann am beanntan na h-Alba a tha gam thoileachadh gu mo chridhe. Tha e do-dhèante sin a mhìneachadh do dhaoine nach eil measail air na beanntan, ach 's ann mar sin a tha e. Ann an àite iomallach, air falbh bho bhailtean is rathaidean, tha thu air do chuairteachadh, an dà chuid le bòidhchead nàdair agus le dualchas na Gàidhealtachd. Còmhla, uill, saoilidh mi gu bheil iad gu math cumhachdach.

"Chan eil miann agam a bhith ann an àite sam bith eile," shaoil mi, nuair a bha mi nam sheasamh air bruach locha, a' coimhead air na boghachan-froise a' falbh is a' tighinn, agus na beanntan dorcha air an cùlaibh. Miann. Chan eil fhios a'm cia mheud agaibh a th' air a bhith ag èisteachd ris na prògraman seo bho thòisich iad o chionn trì bliadhna gu leth ach, anns a' chiad fhear, thug mi seanfhacal dhuibh: *'S e miann na lacha an loch air nach bi i.* Agus 's e miann Ruairidh a bhith anns na beanntan. Dè miann dhaoine is bheathaichean eile, ma-thà?

Seo dhuibh rann bheag a lorg mi o chionn ghoirid mu dheidhinn an dearbh ghnothaich a tha sin: na seachd miannan a tha a' comharrachadh bheathaichean o chèile. A bharrachd air rud sam bith eile, tha i math airson an tuiseal ginideach ionnsachadh airson cuid de dh'fhaclan cumanta:

miann mnà, mac: *desire of wife, a son;* **miann fir, feachd:** *desire of man, a fighting force;* **aonach:** *upland moor;* **sneachd:** *snow;* **braon:** *moisture, drizzle;* **teas:** *heat;* **air leathad caoin, cas:** *on a dry steep slope;*

Miann mnà, mac;
Miann fir, feachd;
Miann eich, aonach;
Miann coin, sneachd;
Miann bà, braon;
Miann caorach, teas;
Miann goibhre, gaoth,
Air leathad caoin, cas.

Canaidh mi a-rithist e, gus am faigh sibh cothrom greimeachadh air na faclan gu ceart:

Miann mnà, mac; etc

gliocas: *wisdom;* **gur e miann na mnà a leigeas le fear a' mhiann aigesan a bhith air a coileanadh:** *that it is the desire of woman that allows a man to have his desire fulfilled (ie it is the sons who fight);* **còig bho chaogad cat:** *five from fifty (days), a cat;* **is ionann bean is bò:** *a woman and a cow are equal;*

Uill, tha fhios gun fhiach meòrachadh air a' ghliocas a th' anns na faclan sin. Gu h-àraidh an dàrna loidhne – miann fir, feachd. Dh'fhaodadh tu ràdh, 's dòcha, gur e miann na mnà a leigeas le fear a' mhiann aigesan a bhith air a coileanadh. Co-dhiù no co-dheth, bu toigh leam ur fàgail an t-seachdain seo le rann eile – tòimhseachan. Innsidh mi an tòimhseachan dhuibh agus feumaidh sibhse obrachadh a-mach cò air a tha e a-mach. Seo e:

Trì mìosan cù, còig bho chaogad cat,
Is ionann bean is bò, bliadhna mhòr don each.

Canaidh mi a-rithist e.

Trì mìosan cù, còig bho chaogad cat,
Is ionann bean is bò, bliadhna mhòr don each.

an ceann ceala-deug: *in a fortnight from now.*

Seadh, tha mi cinnteach gu bheil sibh a' meòrachadh air. Fàgaibh mi agaibhse e agus bidh mi air ais, chan ann an ath-sheachdain air sàilleabh prògraman a' Mhòid Nàiseanta, ach an ceann ceala-deug. **Mar sin leibh an-dràsta.** LTR

<u>**Puing-chànain na Litreach**</u>: *you will notice that all of the names in the verse are in the genitive case eg* mnà *for* bean; eich *for* each, bà *for* bò *(all being possessive ie the desire* ***<u>of</u>****...) But could you automatically rewrite each with its article ie <u>the</u> desire* ***<u>of the</u>****...? For example would it be* na mnà *(feminine) or* a' mhnà *(masculine)? Generally speaking, if the animal or person is recognisably feminine, its noun in Gaelic will also be feminine (masculinity works similarly). The best known exception to that is* boireannach, *woman, which is a masculine word.* Each *and* cù *are masculine words so we would say* an eich *(of the horse) and* a' choin *(of the dog).* Bean, bò *and* caora *are feminine so we would say* na mnà *(of the wife),* na bà *(of the cow) and* na caorach *(of the sheep).* Gobhar *is feminine or masculine in different parts of the country so the genitive singular may be* a' ghobhair or na goibhre. *But I would like to say something about* fear. *Historically it was a masculine word throughout the Gàidhealtachd and it remains so today, except for parts of Lewis where it has adopted a feminine guise in the nominative case of* an fhear, *rather than* am fear. *As a learner I would advise you to retain its traditional gender.*

<u>**Gnàths-cainnt na Litreach**</u>**: Mar sin leibh an-dràsta**: *cheerio just now.*

LITIR 175

(An Dàmhair 2002)

The corncrake has different Gaelic names in different places...

Halò a-rithist. O chionn ceala-deug, an turas mu dheireadh a bha an Litir ann, thug mi rann dhuibh, agus dh'iarr mi oirbh obrachadh a-mach cò mu dheidhinn a bha i:

Trì mìosan cù, còig bho chaogad cat,
Is ionann bean is bò, bliadhna mhòr don each.

'S e a th' ann an ùine a bhios gach beathach a' giùlain àl, an ùine a bhios an fheadhainn òga anns a' mhachlaig mus bi iad air am breith. Trì mìosan airson cù, còig bho chaogad là, sin ceathrad 's a còig là, airson cat. Tha bean is bò co-ionann aig naoi mìosan agus tha an t-each a' giùlain searrach airson bliadhna mus bi e air a bhreith.

'S e mamailean a tha sin ach feumaidh mi ràdh gur e eòin a th' air a bhith nam inntinn an t-seachdain sa. Thòisich e air an deireadh-sheachdain sa chaidh, nuair a chaidh mi a chèilidh air deagh charaidean agam aig a bheil croit air talamh àrd. Aig oir coille mhòir, faisg air a' chroit aca, **cha mhòr nach do stiùir mi mo charbad tro threud de dh'eòin bheaga** a bha nan suidhe ann am meadhan an rathaid.

Bha mu cheathrad dhiubh ann agus nan robh mi air a bhith ag iarraidh feadhainn airson na poite, bha mi air mo chas a chur air troighean an luaiths, seach air troighean a' chasgain, no troighean a' bhreig. 'S e *cearcan-tomain* a bh' annta. *Partridges*. Chuala mi às dèidh làimh **gu bheil an t-uachdaran ag àrach nan cearc beaga seo airson sealg**. Uill, 's iad na daoine a bhios a' sealg, tuigidh sibh. Bidh na cearcan-tomain dìreach .. uill .. a' feitheamh ri peilear, fhad 's a chì mise.

Co-dhiù, tha e a cheart cho math nach do mharbh mi gin aca, nach eil? Nach eil? Seadh, uill, goirid as dèidh sin, **cha mhòr nach do bhuail mi ann an easag**. Agus an uair sin easag eile. Bha mi toilichte nuair a ràinig mi

cò mu dheidhinn a bha i: *what it was about;*

an ùine a bhios gach beathach a' giùlain àl: *the time that each animal carries young;* **machlag:** *womb, uterus;* **mus bi iad air am breith:** *before they are born;*

searrach: *foal;*

mamailean: *mammals;*

nuair a chaidh mi a chèilidh air deagh charaidean: *when I went to visit good friends;* **croit:** *croft;* **treud:** *flock;* **bha mi air mo chas a chur air troighean an luaiths:** *I would have put my foot on the accelerator (speed) pedal;* **troighean a' chasgain, no troighean a' bhreig:** *two ways of saying 'brake pedal';* **cearc-thomain:** *partridge;* **chuala mi as dèidh làimh:** *I heard afterwards;* **a' feitheamh ri peilear, fhad 's a chì mise:** *waiting for a bullet, as far as I can see;* **ha e a cheart cho math nach do mharbh mi gin:** *it's just as well I didn't kill any;* **easag:** *pheasant;*

eòin: *birds;* **itean:** *feathers;* **thairis air toiseach a' charbaid:** *across the front of the vehicle;*
piseach: *progress, improvement;* **traon:** *corncrake;*

taigh mo charaidean gun eòin is itean thairis air toiseach a' charbaid!

'S e an rud eile a thug eòin gu m' inntinn an t-seachdain sa an naidheachd gu bheil piseach a' tighinn air an traon. Chan e *traon* a chanas iad ris anns a h-uile àite. Canaidh mòran ann an Siorrachd Rois *garra-gart* ris agus ann an Colasa, 's e *tearaidh-trèan* a chanas iad. Bidh cuid ag ràdh *trèan-ri-trèan*. Mura h-eil sibh eòlach air gin aca sin, 's e *corncrake* a th' air ann am Beurla.

Tiriodh: *Tiree;*
nuair a bhios tràigh mhòr ann: *when there is a low tide;*
Orasa: *Oronsay;*
deich às a' cheud: *ten percent;*
deagh naidheachd as dèidh bliadhnaichean de chrìonadh: *good news after years of decline;* **ràcadh:** *a rasping or croaking noise;*

'S iad na h-eileanan air taobh an iar na h-Alba na h-àiteachan as cudromaiche airson an traoin an là an-diugh ann am Breatainn – na h-Eileanan Siar, Tiriodh, Colla, Colasa – agus an t-eilean beag a tha ceangailte ri Colasa nuair a bhios tràigh mhòr ann – Orasa. Chuala mi o chionn ghoirid gu bheil an àireamh dhiubh air a dhol suas anns a' bhliadhna a dh'fhalbh deich às a' cheud. Deagh naidheachd as dèidh bliadhnaichean de chrìonadh.

's dòcha gu bheil e a cheart cho math nach eil iad ann fad na bliadhna: *perhaps it is just as well they are not there all year round;*

Is tha dà ainm eile ann airson an eòin seo as toigh leam, oir tha iad a' dèanamh tuairisgeul air an fhuaim a tha iad a' dèanamh. Rudeigin mar ...[fuaim]... Ann an Gàidhlig, 's e *ràcadh* a chanas sinn ri fuaim mar sin. Agus canaidh cuid *ràc an arbhair* no *ràc an fheòir* ris. 'S ann ann an arbhar no ann am feur a tha iad a' neadachadh agus 's ann ainneamh a tha iad air am faicinn. Ach, bidh daoine gan cluinntinn, ceart gu leòr – uaireannan air an oidhche faisg air taigh-croite... [fuaim]... 'S dòcha gu bheil e a cheart cho math nach eil iad ann fad na bliadhna!

<u>Puing-chànain na Litreach</u>: **gu bheil an t-uachdaran ag àrach nan cearc beaga seo airson sealg**: *that the landlord raises these small hens for hunting. Have you worked out why it is* cearc beaga *here? I have taken the traditional approach although many might say* cearcan beaga *today. The important thing is to note which case* cearc *is in here. It follows a verbal noun* (ag àrach) *so it will be in the genitive case – the genitive plural. The article will be* nan *and the accompanying adjective will be unlenited and, if short, will carry a terminal –a. If you are unsure as to the genitive plural of* cearc, *think of the Gaelic for henhouse –* taigh-chearc *(lit. 'house of hens'). This tells you that* cearc, *and not* cearcan, *is the genitive plural, at least traditionally. It is, of course, lenited without the article – ie* taigh-chearc *not* taigh-cearc.

<u>Gnàths-cainnt na Litreach</u>: **cha mhòr nach do bhuail mi ann an X**: *I almost hit X.* **Cha mhòr nach do stiùir mi mo charbad tro X:** *I almost steered my car through X.*

LITIR 176

(An t-Samhain 2002)

Some Irish sugar packets carry Gaelic proverbs …

dè an diofar a th' ann eadar X agus Y?: *what is the difference between X and Y?;* **siùcar:** *sugar;* **Baile Atha Cliath:** *Dublin;* **mhothaich mi do dh'aon diofar:** *I noticed one difference;*

pacaidean: *packets;*

nas fheàrr na tha an fheadhainn faisg air làimh: *better than the ones close at hand;* **chòrd e rium na seanfhaclan a leughadh:** *I enjoyed reading the proverbs;* **saoilidh mi gum biodh e uabhasach fhèin math:** *I reckon it would be terrific;* **nan dèanadh companaidh Albannach an dearbh rud:** *if a Scottish company would do the same thing;* **bha uaireigin tuathanach ann:** *once upon a time there was a farmer;* **bhiodh an cat a' cumail coinneal an greim eadar a spògan:** *the cat would keep hold of a candle between its paws;* **airson 's gum faiceadh an duine a shuipear:** *so that the man would see his supper;*

Dè an diofar a th' ann eadar siùcar ann an Alba is siùcar ann an Èirinn? Uill, tha iad le chèile geal agus milis agus, ann an Gàidhlig na h-Èireann, tha am facal air a shon – *siúcra* – uabhasach coltach ris an fhacal a th' againne. Ach nuair a bha mi ann am Baile Atha Cliath an t-seachdain sa chaidh, mhothaich mi do dh'aon diofar, co-dhiù mar a tha siùcar a' nochdadh air bùird ann an taighean-bìdh. Oir 's iomadh trup, ann an Èirinn, a bhios rudeigin sgrìobhte air na pacaidean ann an Gàidhlig na dùthcha.

Tha aon chompanaidh a' cur seanfhaclan Gaeilge air na pacaidean fon tiotal '*A Spoonful of Irish*'. Seo eisimpleir dhen t-seòrsa rud a th' orra: *Is glas iad na cnoic i bh'fad uainn.* Tuigidh sibh gu bheil glas a' ciallachadh ann an Èirinn, mar a bha e ann an Alba o shean, "uaine", no "gorm" ma bhios e a-mach air dath feòir. Chanamaid anns a' Ghàidhlig againn fhìn, ***is gorm na cnuic a tha fada uainn***. Is gorm na cnuic a tha fada uainn. Tuigidh sibh gu bheil sin a' ciallachadh gu bheil na rudan fad air falbh nas fheàrr na tha an fheadhainn faisg air làimh. Thug mi seanfhacal eile dhuibh air an dearbh chuspair ann an Litir 60 anns an Iuchar 2000 - *tha na h-itean as bòidhche air na h-eòin fad às.*

Ged nach gabh mi siùcar ann an tì no cofaidh, chòrd e rium na seanfhaclan a leughadh. Agus saoilidh mi gum biodh e uabhasach fhèin math nan dèanadh companaidh Albannach an dearbh rud, le bhith a' cur seanfhaclan Gàidhlig air pacaidean siùcair – agus air pacaidean de sheòrsachan eile cuideachd.

Cheannaich mi leabhar de sheanfhaclan Gaeilge nuair a bha mi ann an Èirinn agus seo fear aca: *briseann an dúchas trí shúile an chait* no, mar a chanamaid, ***brisidh dùthchas tro shùilean a' chait***. Seo mar a thàinig an seanfhacal gu bith, a rèir beul-aithris. Bha uaireigin tuathanach ann, aig an robh cat. Gach oidhche bhiodh an cat a' cumail coinneal an grèim eadar a spògan airson 's gum faiceadh an duine a shuipear nuair a bha e ga gabhail.

bha e moiteil às a' chat: *he was proud of the cat;*
an robh e air a leithid fhaicinn a-riamh roimhe: *had he ever seen the like;*
geall: *a wager, bet;*

dh' iarr X air Y fantainn gus an tilleadh e: *X asked Y to wait until he returned;*
luch, luchag: *mouse;* **cuiridh sinn deuchainn air X:** *we will test X;*
leig an sgoilear tè de na luchan ma sgaoil: *the scholar released one of the mice;*
tarsainn: *across;*
cha do ghluais e: *it didn't move;*

chaidh fèithean a' chait air chrith: *the cat's muscles quivered;*
thilg e bhuaithe a' choinneal: *he threw aside the candle;*
chaidh e an tòir air X: *he went in pursuit of X.*

Bha an duine gu math moiteil às a' chat agus, oidhche a bha seo, nuair a thàinig sgoilear don taigh aige, dh'fhaighnich an duine dheth an robh e air a leithid fhaicinn a-riamh roimhe. Thuirt an sgoilear nach robh. An uair sin, chuir an tuathanach geall gun cumadh an cat grèim air a' choinneil ge bith dè chitheadh e. Thuirt an sgoilear nach cumadh agus dh'aontaich an dithis còig notaichean a chur air a' gheall. Ach dh'iarr an sgoilear air an tuathanach fantainn gus an tilleadh e.

An ceann greis, thill e agus bha trì luchan beò aige ann am bogsa. "A-nise," thuirt e, "cuiridh sinn deuchainn air a' chat." Nuair a bha am biadh deiseil air a' bhòrd, leum an cat suas agus chuir e a' choinneal eadar a spògan gus am faiceadh na daoine an diathad. Ach, fhad 's a bha iad ag ithe, leig an sgoilear tè de na luchan ma sgaoil, agus ruith i tarsainn a' bhùird. Choimhead an cat oirre gu geur, ach cha do ghluais e.

Leig an sgoilear dàrna luch, agus chaidh fèithean a' chait air chrith, ach cha do leig e a' choinneal. Leig an sgoilear an treas luch ma sgaoil agus an turas seo, thilg an cat bhuaithe a' choinneal agus chaidh e an tòir air an luchaig. Bhuannaich an sgoilear, ma-thà. Agus dh'fhaighnich e dhen tuathanach nach cuala e a-riamh gum briseadh dùthchas tro shùilean a' chait.

<u>Puing-chànain na Litreach</u>: *Colours in Gaelic do not necessarily correspond to those in English. The spectrum is not broken up in exactly the same way as in English.* Liath, *for example, usually translated as grey, can also apply to shades of blue. Languages change through time and, for example,* glas *which retains its meaning of green in Ireland, is generally considered to be a grey today. In many places eg* an Coire Glas, *it almost certainly reflects its older use, ie 'green corrie'. Colour in Gaelic is also strongly attributive. This is also seen sometimes in English. For example people talk about 'red hair' or a 'red pillar box'. The two reds are not the same and the hearer understands that. We would say in Gaelic* ruadh *for the first and* dearg *for the second.* Gorm *is strongly attributive. We might say* feur gorm *(green grass),* adhar gorm *(blue sky),* meatailt ghorm *(polished metal) and* each gorm *(dark grey horse). Historically,* fear gorm *meant a negro man and* gorm *might also be applied to jet black shiny hair as in* Dòmhnall Gorm.

<u>Seanfhaclan na Litreach</u>: **is gorm na cnuic a tha fada uainn**: *green are the hills that are far away;* **brisidh dùthchas tro shùilean a' chait**: *heredity breaks through the eyes of the cat.*

LITIR 177

(An t-Samhain 2002)

A small island off the east coast of Ireland is called "Ireland's Eye" in English. How did such a strange name come into being …?

tha pacaid no dhà de shiùcar air fhàgail agam: *I have a packet or two of sugar left;* **a thug mi leam bho thaigh-bìdh:** *which I took with me from a restaurant;* **cuiridh mi dreach Gàidhlig na h-Alba orra:** *I will put them in Scottish Gaelic;*
bha sin air a bhith feumail dhomh: *that would have been useful to me;* **deugaire:** *teenager;*

o shean: *in olden times;*
beartach: *wealthy;*
bho chruadalachd na h-àrainneachd a tha timcheall orra: *from the hardship(s) of the environment around them;*
os cionn a' chuain: *above the open sea;* **mhothaich mi do dh'eilean:** *I noticed an island;*
air bòrd-beulaibh an itealain: *on the starboard side of the aircraft;* **air a' bhòrd-chùlaibh:** *on the port side;*
an coimeas ris an t-seachd ceud a th' againn: *in comparison to the 700 we have;*
prìseil: *valuable;*

Bha mi a-mach air seanfhaclan Èireannach an t-seachdain sa chaidh agus tha mi an dòchas gun gabh sibh mo leisgeul ma bheir mi na dhà eile dhuibh an t-seachdain-sa, oir tha pacaid no dhà de shiùcar air fhàgail agam a thug mi leam bho thaigh-bìdh ann am Baile Atha Cliath. An turas seo, cuiridh mi dreach Gàidhlig na h-Alba orra, ged nach eil mi cinnteach co-dhiù tha iad againn gu nàdarrach ann an Alba.

Seo a' chiad fhear: ***Cha do bhris facal math fiacail a-riamh***. Bha sin air a bhith feumail dhomh an là eile nuair a bha mi ag innse do dheugaire gum bu chòir dha "tha mi duilich" a ràdh ri neach eile as dèidh dha dragh a chur air. Cha do bhris facal math fiacail a-riamh. Ach is cinnteach gun deach iomadh fiacail a bhriseadh air sàilleabh droch fhaclan.

'S e am fear eile a bu mhath leam a thoirt dhuibh, seanfhacal anns a bheil tòrr gliocais, chanainn: ***Is coma le fear nam bròg càite an cuir e a chas***. Tha *fear nam bròg* a' ciallachadh – mar a bhiodh o shean – fear a bha beartach gu leòr gus am biodh brògan aige. Agus nach eil beartas a' dìon daoine gu mòr bho chruadalachd na h-àrainneachd a tha timcheall orra? Is coma le fear nam bròg càite an cuir e a chas.

Nuair a bha mi a' tighinn a-steach a Bhaile Atha Cliath anns an itealan – os cionn a' chuain – mhothaich do dh'eilean faisg air a' chladach agus, gu dearbh, faisg air a' bhaile mhòr fhèin. **Eilean beag a bh' ann**. Uill, leis an fhìrinn innse, chunnaic mi dà eilean. Bha fear na bu mhò air bòrd-beulaibh an itealain, pìos beag gu tuath air Baile Atha Cliath. Agus air a' bhòrd-chùlaibh, bha an t-eilean beag faisg air a' phrìomh bhaile.

Bha a-riamh ùidh agam ann an eileanan na h-Èireann. Chan eil mòran aca ann, co-dhiù an coimeas ris an t-seachd ceud a th' againn ann an Alba. Ach tha iad gu math brèagha agus tha feadhainn aca prìseil a thaobh cànan is cultar. Ach an fheadhainn air an robh mi, 's ann air taobh an iar na dùthcha a tha iad. Tha an dà eilean beag a chunnaic mi bhon phlèana air an taobh an ear. B' fheudar dhomh coimhead ann an leabhar airson faighinn a-mach dè na h-ainmean a th' orra.

b' fheudar dhomh coimhead ann an leabhar: *I had to look in a book;*

'S e *Lambay* a th' air an fhear as fhaide tuath. Ach, ann am Beurla, 's e *Ireland's Eye* a th' air an fhear bheag. **Ainm neònach, nach e**? *Ireland's Eye.* Cha b' urrainn dhomh obrachadh a-mach ciamar a fhuair e ainm mar sin, agus rinn mi an tuilleadh rannsachaidh. Seo na dh'ionnsaich mi mu dheidhinn is tha e gu math inntinneach. 'S e an t-ainm tùsail a bh' air ann an Gàidhlig na h-Èireann *Innis Ereinn.* Nise b' i Ereann boireannach. Bha an t-eilean leathase uaireigin.

bha an t-eilean leathase uaireigin: *she owned the island at one time;* **iar-leasachan:** *suffix;* **tro thìde:** *through time;* **rinn luchd na Beurla nàdar de dh'eadar-theangachadh air:** *English-speakers made a sort of translation of it;* **ged nach eil ceangal sam bith ann eadar an t-ainm agus Èirinn no sùil:** *although there is no connection between the name and Ireland or an eye;* **'s ann iomadh-fhillte dha-rìreabh a tha dualchas ainmean-àite air uairean:** *place name heritage is very complex sometimes.*

Ach nuair a thàinig na Lochlannaich, nuair a ghabh iad smachd air Baile Atha Cliath, dh'atharraich iad am facal Gàidhlig *innis* don iar-leasachan Lochlannach -oe, no -ey, a tha a' ciallachadh an aon rud – eilean. 'S e sin an aon iar-leasachan a th' againn fhèin ann an àiteachan mar Bharraigh is Beàrnaraigh.

Tro thìde, chaidh *Ereinn* atharrachadh gu *Èirinn* is tha sin furasta gu leòr a thuigsinn. Èirinn-ey. Mu dheireadh rinn luchd na Beurla nàdar de dh'eadar-theangachadh air, no co-dhiù air a' chiad phàirt dheth, is fhuair iad *Ireland's Eye* – ged nach eil ceangal sam bith ann eadar an t-ainm agus Èirinn no sùil. 'S ann iomadh-fhillte dha-rìreabh a tha dualchas ainmean-àite air uairean.

LTIR

<u>**Puing-chànain na Litreach**</u>: **Eilean beag a bh' ann**: *it's a small island. Do you instinctively feel there is something missing in this sentence and does it leave you feeling a bit uncomfortable? If so, good! This means you are getting a good feel for the language. If the missing element does not worry you at all, even better – you can consider yourself fluent! The missing piece, of course, is the assertive verb at the start of the sentence. In full, it should be:* 's e eilean beag a bh' ann. *But in conversation, the* 's e *is sometimes missed out – it is simply understood by both speaker and listener. In reply to* 'duine mor a th' ann', *a listener might say,* ''s e gu dearbh, duine gu math mòr', *starting his sentence with the missing* 's e. *Similarly in the Litir I said* '**ainm neònach, nach e**?', *missing off the initial* 's e. *This week it is also worth noting the Gaelic for starboard and port:* am bòrd-beulaibh *and* am bord-cùlaibh. *By comparing them with the original meaning of the English 'starboard', you might come up with an explanation for each. We'll look at them in the next Litir.*

<u>**Seanfhaclan na Litreach**</u>: **Cha do bhris facal math fiacail a-riamh**: *a good word never broke a tooth;* **Is coma le fear nam bròg càite an cuir e a chas**: *the shod man cares not where he puts his foot.*

LITIR 178

(An t-Samhain 2002)

The Gaelic for "starboard" and "port" tell us a little about seamanship in olden times …

is iomadh bòrd a th' air bòrd gach bàta: *there are many 'bòrds' on board every boat;* **Caledonian Mac a' Bhriuthainn:** *Caledonian MacBrayne;* **air am bi daoine a' cur an cuid bhracaistean:** *on which people will put their breakfasts;* **airson an cuid bhracaistean a chur a-mach:** *to vomit their breakfasts;* **garbh:** *rough;* **fiodha:** *wooden;* **ann an co-cheangal riutha:** *in connection with them;* **ma tha cuideigin air an luing:** *if somebody is on the ship;* **canaidh sinn an aon rud mu itealain:** *we say the same thing about planes;* **càite eile?:** *where else?;* **dèile:** *plank;* **slige:** *hull;*

tha amharas agam gun tàinig sin bhon Bheurla: *I suspect it came from English;* **cliathaich:** *side;* **tha e inntinneach coimeas a dhèanamh eadar X agus Y:** *it is interesting to compare X and Y;* **am bòrd-beulaibh:** *starboard side;* **am bòrd-cùlaibh:** *port side;* **nuair a tha e a' coimhead a dh'ionnsaigh toiseach an t-soithich:** *when he looks towards the bow of the vessel;* **an taobh dhen bhàta air an robh an stiùir bho shean:** *the side of the boat on which the rudder was in olden times;*

Is iomadh bòrd a th' air bòrd gach bàta. Nise, **chan eil mi a' smaoineachadh air na bùird a chithear air na bàtaichean-aiseig** aig Caledonian Mac a' Bhriuthainn, air am bi daoine a' cur an cuid bhracaistean mus ruith iad a-mach airson an cuid bhracaistean a chur a-mach, mar gum biodh. Air là garbh co-dhiù. Tha mi a' smaoineachadh air seann bhàtaichean fiodha agus mar a bhios am facal *bòrd* a' nochdadh tric ann an co-cheangal riutha.

Mar eisimpleir, canaidh sinn *bòrd-luinge* airson *the deck of a ship*. Agus, ma tha cuideigin air an luing, canaidh sinn gu bheil e "air bòrd". Bidh sibh eòlach air a sin, tha mi cinnteach, is canaidh sinn an aon rud mu itealain, a bharrachd air bàtaichean. Ach càite eile am faic sinn "bòrd" air bàta?

Uill, anns a' chiad dol a-mach, tha e a' ciallachadh pìos fada fiodha no dèile, agus bidh e a' nochdadh ann an àite no dhà air an t-slige. Mar eisimpleir, 's e an *druim* a chanas sinn ris a' phìos mhòr aig bonn an t-soithich. *The keel*, ann am Beurla. An druim. Agus 's e an ath dhèile, ri taobh na droma, am *fliuch-bhòrd*. Canaidh cuid *garboard* ris ann am Beurla. Am fliuch-bhòrd agus, gu dearbh, 's ann fliuch a bhitheas e. Bidh cuid ag ràdh *gearr-bhòrd* ris, agus tha amharas agam gun tàinig sin bhon Bheurla, *garboard*.

Is tha am facal bòrd a' nochdadh cuideachd far am faicear a' Bheurla *board* – a' ciallachadh cliathaich. Tha e inntinneach coimeas a dhèanamh eadar a' Bheurla *starboard* agus a' Ghàidhlig air a shon – *am bòrd-beulaibh*. Nise, air eagal 's nach eil eòlas math agaibh air bàtaichean, no plèanaichean, **cuiridh mi nur cuimhne** gur e sin an taobh gu deas air an t-seòladair nuair a tha e a' coimhead a dh'ionnsaigh toiseach an t-soithich.

Agus, ann am Beurla, chan eil ceangal sam bith aige ri rionnagan, oir thàinig *starboard* bho *steer-board* – an taobh dhen bhàta air an robh an stiùir bho shean

– an "stiùir-bhòrd", mar gum biodh. Chithear bàtaichean le stiùir air an taobh mar sin, seach aig an deireadh, fhathast ann an àiteachan eile air an t-saoghal, leithid anns an Ear-mheadhanach.

Ach am bòrd-beulaibh? Nach bu chòir do mharaiche sam bith a bhith a' coimhead a-mach far a bheil am bàta a' dol, chan ann don taobh dhith? Uill, 's dòcha, ach tha mi a' dèanamh dheth, nuair a bhiodh an stiùireadair a' greimeachadh air an stiùir anns an t-seann aimsir, gur ann a' coimhead a-mach air an taobh sin a bhitheadh e. Air a' bhòrd-bheulaibh.

seach aig an deireadh: *instead of at the stern;* **leithid anns an Ear-mheadhanach:** *such as in the Middle East;* **nach bu chòir do mharaiche sam bith a bhith a' coimhead a-mach?:** *shouldn't any mariner look out?;* **chan ann don taobh dhith:** *not to her side (boats are usually conceptually feminine, at least when at sea);* **a' greimeachadh:** *taking hold of;*

Agus bhiodh am bòrd-cùlaibh, no *port side*, air cùlaibh an stiùireadair. O shean ann am Beurla, 's e *larboard*, no *laddeborde*, a bh' air – a' ciallachadh *"loading sìde"* oir 's ann air an taobh sin a bhiodh an luchd air a chur air bòrd. Am bòrd-cùlaibh ann an Gàidhlig.

'S dòcha gu bheil rudeigin eile co-cheangailte ri beulaibh is cùlaibh cuideachd. Bha rudan deasa uabhasach cudromach do ar sinnsirean. Tha mi a' ciallachadh rudan air an làimh dheis. 'S ann tric a bheireadh maraichean bàta ann an cearcall gu deiseil mus biodh iad a' tòisicheadh air iasgach, no às dèidh dhaibh rudeigin fhaicinn a bha co-cheangailte ri droch fhortan. Bhiodh e nàdarrach dhaibh a bhith a' coimhead air rudan air an taobh dheas dhiubh mar rudan air thoiseach orra – air am beulaibh. Agus mar rudan air an taobh chlì mar rudan air an cùlaibh. Agus sin e bhon t-seòladair Ghàidhealach an t-seachdain sa. An ath-sheachdain bidh mi air ais air tìr. LTIR

rudeigin eile: *something else;* **droch fhortan:** *bad luck;* **seòladair:** *sailor;* **air an làimh dheis:** *on the right hand side;* **bheireadh X bàta ann an cearcall gu deiseil:** *X would take a boat clockwise (sunwise, to the right) in a circle;* **air am beulaibh:** *in front of them;* **air an cùlaibh;** *behind them;* **bidh mi air ais air tìr:** *I will be back on land.*

<u>Puing-chànain na Litreach</u>: **chan eil mi a' smaoineachadh air na bùird a chithear air na bàtaichean-aiseig**: *I'm not thinking about the tables which are seen on the ferry boats. The word* chithear *may not be readily recognisable and it may be difficult to find in a dictionary. The* chi-*part may remind you of* chì mi *(I will/can see) and, indeed, it is the same verb (*faic, *an irregular verb). The* –(e)ar *ending is also easy to interpret; it is a future (or present habitual) passive and it is usually tacked on to the root of the verb (eg* cuirear e: *it will be put;* òlar an t-uisge: *the water will be drunk). But with the ten irregular verbs of which* faic *is one, the root (which is normally equivalent to the singular imperative) is also irregular. Thus we get* gheibhear e *(it will be got);* nithear e *(it will be done/made);* ruigear e *(it will be reached);* bheirear e *(it will be given);* cluinnear e *(it will be heard). Note, however, that the dependent form may be different. This appears in the Litir in* faic *as* faicear – far am faicear a' Bheurla 'board' *(where the English 'board' is seen).*

<u>Gnàths-cainnt na Litreach</u>: **cuiridh mi nur cuimhne**: *I will remind you (pl.)*

LITIR 179

(An t-Samhain 2002)

Does an old Gaelic proverb bear upon a Gaelic bill put forward in the Scottish Parliament …?

An cuala sibh a-riamh an seanfhacal ***'Is fheàrr a' bhloigh bheag le beannachd na a' bhloigh mhòr le mollachd'***? Canaidh mi a-rithist e: Is fheàrr a' bhloigh bheag le beannachd na a' bhloigh mhòr le mollachd. 'S dòcha nach eil sibh eòlach air na faclan sin gu lèir. 'S e a th' ann am *bloigh* bìdeag de rudeigin. Bidh fios agaibh dè th' ann am *beannachd.* Agus 's e a th' ann am *mollachd* – no *mallachd* ann an cuid de sgìrean – rud a tha calg-dhìreach an aghaidh beannachd – *a curse.*

bìdeag: *a small piece, fragment;* **beannachd:** *blessing;* **mollachd, mallachd:** *curse;*

Ged is ann mar sin a chluinnear an seanfhacal mar as trice, bidh e a' nochdadh uaireannan ann an seann sgeulachdan mar: *Is fheàrr am bonnach beag leis a' bheannachd nam bonnach mòr leis a' mhollachd.* 'S e a th' ann am bonnach – nàdar de chèic bheag a bh' air a dèanamh, anns an t-seann aimsir co-dhiù, le min-choirce no min-eòrna.

Anns na seann stòiridhean, tha an seanfhacal seo mar as trice a' nochdadh an toiseach mar cheist aig màthair do ghille aice, agus e a' fàgail an taighe airson a dhol a dh'iarraidh fhortain. Uaireannan 's e an nighean aice a tha a' falbh a dh'iarraidh a fortain. Ach co-dhiù, canaidh sinn gur e gille a th' ann.

nàdar de chèic bheag a bh' air a dèanamh le min-choirce no min-eòrna: *a type of small cake that was made with oat flour or barley flour;* **airson a dhol a dh'iarraidh fhortain:** *to go and seek his fortune;* **'s e an nighean aice a tha a' falbh a dh'iarraidh a fortain:** *it's her daughter that is leaving to seek her fortune;* **bidh a' chiad ghille a dh'fhàgas an taigh ag ràdh:** *the first lad who leaves the house will say;* **eadhon ma thig e le mollachd:** *even if it comes with a curse;* **sanntach:** *greedy;* **cha tèid gnothaichean gu math dha:** *things will not go well for him;* **dè (a) b' fheàrr leat?:** *what would you prefer?;*

Bidh a mhàthair a' tabhann biadh dha, agus i ag ràdh ris, "Dè b' fheàrr leat – bonnach beag le beannachd no bonnach mòr le mollachd?" Ann an cuid de na stòiridhean, bidh a' chiad ghille a dh'fhàgas an taigh ag ràdh, "O, gabhaidh mise am bonnach mòr eadhon ma thig e le mollachd." Tha e sanntach is chan eil e glic. Agus cha tèid gnothaichean gu math dha air an t-saoghal a-muigh.

Uaireannan bidh dàrna mac ann agus **bidh an dearbh cheist ga cur airsan le mhàthair**: "Dè b' fheàrr leat – bonnach beag le beannachd no bonnach mòr le mollachd?" Freagraidh e anns an dearbh dhòigh, gum b' fheàrr leis am bonnach mòr fiù 's ged a bhios mollachd mhòr na chois. Agus, mar an ceudna, chan eil cùisean a' dol gu math dha.

fiù 's ged a bhios mollachd mhòr na chois: *even if a big curse comes along with it;*

An uair sin thig an treas mac, agus e deiseil airson an taigh fhàgail. Cuiridh a mhàthair an dearbh cheist airsan ach tha esan nas glice agus 's e an fhreagairt a th' aige gun gabh e am bonnach beag le beannachd. Agus, leis gu bheil e a' fàgail an taigh aige le beannachd, ged nach eil mòran bìdh aige, tha cùisean a' dol gu math dha.

Tuigidh sibh an smuain a th' air cùl an t-seanfhacail agus tuigidh sibh, ma-thà, mar a bha mi a' meòmhrachadh air an t-seachdain sa chaidh, nuair a dh'fhoillsich am ball pàrlamaid Albannach, Mìcheal Ruiseal, am bile aige airson còraichean a thoirt don Ghàidhlig. Tha e airson còraichean a thoirt dhi air a' Ghaidhealtachd a-mhàin anns a' chiad dol a-mach, leis gu bheil e dhen bheachd nach fhaigheadh e taic gu leòr anns a' Phàrlamaid nan robh am bile a' buntainn air Alba air fad. 'S dòcha gum biodh beannachd aige airson còraichean na Gàidhlig a sheasamh air a' Ghàidhealtachd, ach gheibheadh e mollachd airson a leithid iarraidh anns an dùthaich gu lèir.

Ach tha mòran Ghàidheal an aghaidh sgaradh a dhaingneachadh anns an dòigh sin eadar Gàidhealtachd agus Galldachd an là an-diugh. Agus b' fheàrr leothasan am bile a chur an dàrna taobh gus am bi fear ann airson Alba air fad. Dè ur beachd fhèin air a' chùis? Am b' fheàrr leibh fhèin bloigh bheag le beannachd no bloigh mhòr le mollachd? No, ann an cùisean mar sin, am b' fheàrr dhuinn dìreach na seanfhaclan fhèin a chur an dàrna taobh?

LTIR

ged nach eil mòran bìdh aige: *although he doesn't have much food;* **tuigidh sibh an smuain:** *you will understand the thought;* **a' meòmhrachadh air:** *contemplating;* **Mìcheal Ruiseal:** *Michael Russell;* **am bile aige airson còraichean a thoirt don Ghàidhlig:** *his bill to give rights to Gaelic;* **nach fhaigheadh e taic gu leòr anns a' Phàrlamaid:** *that he wouldn't get enough support in the Parliament;* **airson còraichean na Gàidhlig a sheasamh air a' Ghaidhealtachd:** *to stand up for the rights of Gaelic in the Gaidhealtachd;* **tha mòran Ghaidheal an aghaidh sgaradh a dhaingneachadh eadar X is Y:** *many Gaels are against the strengthening and confirmation of a divide between X and Y;* **am b' fheàrr dhuinn dìreach na seanfhaclan fhèin a chur an dàrna taobh?:** *would we be better just to discard the proverbs themselves?*

Puing-chànain na Litreach: **bidh an dearbh cheist ga cur airsan le mhàthair**: *the same question is asked him ('put on him') by his mother. Can you explain why, in this passive form, we say* 'ga cur' *and not* 'ga chur'? *It is because* ceist *is a feminine word and the 'ga' contains the feminine possessive pronoun which does not lenite the associated noun (eg* a cù, *her dog cf* a chù, *his dog). Here is another example:* Bha na longan gan càradh aig a' chala *(the ships were being mended at the harbour). Here the structure expresses the feeling that the activity was not instantaneous ie the mending of the ships took place over a period. A more finite activity would be expressed with* chaidh na longan a chàradh *or* bha na longan air an càradh.

Seanfhacal na Litreach: **Is fheàrr a' bhloigh bheag le beannachd na a' bhloigh mhòr le mollachd**: *the little thing with a blessing is better than the large one with a curse.*

LITIR 180

(An t-Samhain 2002)

Do you know the Gaelic names for the members of the crow family that occur in Scotland? Here they are …

ged a tha e 's dòcha beagan nas an-iochdmhoire: *although it is perhaps a little more cruel;*

eadhon ma tha isean acrach anns an nead: *even if there is a hungry chick in the nest;*

Creag an Fhithich: *Rock of the Raven;* **Creag nam Fitheach:** *Rock of the Ravens;* **gum buin an t-eun seo do na feannagan:** *that this bird belongs to the crows;* **ann an dreach agus ann an cainnt:** *in appearance and in speech;*

ann an Colasa is Orasa: *in Colonsay and Oronsay;*

ach a-mhàin air cùl a cinn agus air cùl a h-amhaich: *except on the back of her head and the back of her neck;* **tha an ròcas càirdeach dhi:** *the rook is related to her;* **timcheall a guib:** *around her beak;* **Athall:** *Atholl;*

Bidh sibh eòlach air an t-seanfhacal ann am Beurla, *'the early bird catches the worm.'* Uill, seo fear ann an Gàidhlig a tha car coltach ris, ged a tha e 's dòcha beagan nas an-iochdmhoire: ***Am fitheach a dh'èireas moch, 's ann leis a bhios sùil a' bheathaich a tha sa pholl***. Am fitheach a dh'èireas moch, 's ann leis a bhios sùil a' bheathaich a tha sa pholl.

Seadh, uill, tuigidh sibh gu bheil fithich gu math dèidheil air sùilean bheathaichean. Gu dearbh, tha seanfhacal eile ann mu dheidhinn sin: ***Cha toir am fitheach an t-sùil dha isean fhèin***. Tha e cho dèidheil air an t-sùil is gun cum e dha fhèin i eadhon ma tha isean acrach anns an nead. Cha toir am fitheach an t-sùil dha isean fhèin.

Bidh fios agaibh, tha mi cinnteach, gur e a' Bheurla a th' air fitheach – *raven*. Tha an t-eun sin gu math ainmeil air feadh na Gàidhealtachd is, gu dearbh, tha e a' nochdadh ann am mòran ainmean-àite, leithid Creag an Fhithich agus Creag nam Fitheach. Is bidh fios agaibh gum buin an t-eun seo do na feannagan – eòin mhòra dhubha. Ach an urrainn dhuibh na diofar fheannagan aithneachadh o chèile – ann an dreach agus ann an cainnt? Uill, seo iad – gu h-aithghearr co-dhiù.

A' chiad tè – sin *a' chathag dhearg-chasach*. 'S e feannag bheag a th' innte, le casan dearga agus gob dearg, agus chan eil i ri faicinn ann am mòran àiteachan ann an Alba an là an-diugh. Chunnaic mise feadhainn ann an Colasa agus Orasa. 'S e *chough* no *chough* a th' air ann am Beurla. A' chathag dhearg-chasach.

'S e eun eadar-dhealaichte a th' anns *a' chathaig* fhèin – an *jackdaw* mar a theirear rithe ann am Beurla. Tha i dubh ach a-mhàin air cùl a cinn agus air cùl a h-amhaich. Tha an *ròcas* càirdeach dhi is tha ise gu tur dubh ach a-mhàin gu bheil i bàn timcheall a guib. Ann an Athall, chanadh na seann daoine *garrag* ris an ròcas agus bha abairt aca – *cho Gaidhealach ris na garragan.*

'S e *feannag* a chanas sinn ris an eun dubh ris an canar *carrion crow* ann am Beurla agus canaidh sinn *feannag ghlas* ris an fheadhainn a tha glas agus dubh – na *hoodies* mar a theirear riutha ann am Beurla. Canaidh cuid *starrag* ris an eun seo. Agus aig deireadh na liosta tha am fitheach.

mar a theirear riutha ann am Beurla: *as they are called in English;*

Sin iad ma tha – na feannagan: a' chathag, a' chathag dhearg-chasach, an ròcas, an fheannag, an fheannag ghlas agus am fitheach. Agus a-nise bu mhath leam rann bheag innse dhuibh air a bheil *Conaltradh nan Eun* anns a bheil cuid de na feannagan a' nochdadh. Tha am facal *garrach* a' ciallachadh "isean feannaig". Seo an rann agus saoilidh mi gum biodh e glè fhreagarrach do chloinn:

conaltradh nan eun: *conversation of the birds;*

gum biodh e glè fhreagarrach do chloinn: *that it would be very suitable for children;*

"Fàg, fàg," ars' an fheannag,
"Is e mo mhac-s' an garrach donn."
"Gòrach, gòrach," ars' an ròcas,
"Is e mo mhac-s' an garrach gorm."
"Gròc, gròc," ars' am fitheach,
"Is e mo mhac-s' a chriomas uain."
"Glidheag, glidheag," ars' an fhaoileag,
"Is e mo mhac-s' an t-isean soirbh."
"Gliog, gliog," ars' an iolair',
"Is e mo mhac-s' an tighearna oirbh."

is e mo mhac-s' an garrach gorm: *my son is the blue chick;*
's e mo mhac-s' a chriomas uain: *it's my chick that picks the lambs' bones;*
soirbh: *placid, easy-going;*

's e mo mhac-s' an tighearna oirbh: *my son is the lord over all of you.*

Seo i a-rithist agus cuiridh mi na fuaimean ann gu ceart an turas seo.

"Fàg, fàg," ars' an fheannag, etc...

__Puing-chànain na Litreach__: *Some readers/listeners will know a different word for 'crows' from the ones given here. In the text I mention that* starrag *may be used for the hooded crow but it may also mean a carrion crow in some places. Whereas some people refer to a scarecrow as* bodach-ròcais, *others call it a* bodach-starraig. *The jackdaw may also be called a* cnàimh-fhitheach, coc-bhran *or* sorachag *and the rook may be called a* creumhach, garrag *and* garrag ghlas. *And the hooded crow is sometimes referred to as a* feannag chorrach. *The raven seems to be almost universally a* fitheach, *although Dwelly also gives* biadhtach. *And the young of both a carrion crow and a rook may be known as a* garrach *– although it is hardly a recommendation, as you will see if you look it up in Dwelly.*

__Seanfhaclan na Litreach__: **Am fitheach a dh'èireas moch, 's ann leis a bhios sùil a' bheathaich a tha sa pholl**: *the raven that rises early gets the eye of the beast (trapped) in the bog.* **Cha toir am fitheach an t-sùil dha isean fhèin**: *the raven won't give the eye (even) to his own chick.*

LITIR 181

(An Dùbhlachd 2002)

Have you ever wondered how makers of horror movies film flocks of bats descending on cemeteries at dusk? Ruairidh reveals the secret …

"Uugh, ialtagan!" thuirt bana-charaid rium an là eile, "tha gràin agam orra." Chan eil i leatha fhèin. Agus ann an Alba tha daoine nas teagmhaiche mun deidhinn leis gun do chaochail fear à Machair Aonghais o chionn ghoirid, as dèidh gun deach a bhìdeadh le tè. Ghabh e an fhibin, galar dha nach eil leigheas ma thèid e ro fhada. 'S dòcha gum bi sibh eòlach air mar *rabies.*

ialtag: *bat;* **bana-charaid:** *female friend;* **an là eile:** *the other day;* **tha gràin agam orra:** *I hate them;* **chan eil i leatha fhèin:** *she is not alone;* **Machair Aonghais:** *Angus (the lowland part thereof);* **as dèidh gun deach a bhìteadh le tè:** *after he got bitten by one;* **ghabh e an fhibin:** *he contracted rabies;* **leigheas:** *cure, treatment;* **ma tha an lobht agaibh làn dhiubh:** *if your loft is full of them;*

Mura robh sibh cinnteach an toiseach gu dè bh' ann an ialtag, bidh fios agaibh a-nise – mamail beag a bhios a' sgèith air an oidhche. Gu dearbh, 's e *ialtag-oidhche* a th' aig feadhainn orra. Is canaidh cuid *dialtag* an àite ialtag. Ma tha an lobht agaibh làn dhiubh, dh'fhaodadh sibh a ràdh gur e "taigh ialtagach" a th' agaibh. Seadh, nach biodh sin math – nan canadh cuideigin riut, "agus dè an seòrsa taigh a th' agadsa?" Is gum freagradh tu, "tha taigh ialtagach!" Cha chreid mi gun tigeadh iad a chèilidh ort!

ialtagach: *abounding in bats, batty;* **cha chreid mi gun tigeadh iad a chèilidh ort:** *I don't reckon they'd come and visit you;* **leis gur e creutairean na h-oidhche a th' annta:** *because they are creatures of the night;* **chan eil sinn cleachdte ri bhith a' faicinn X:** *we are not used to seeing X;* **bothan:** *bothy;* **bhiodh i na cadal os cionn mo leaba:** *she would sleep above my bed;* **nuair a rachainn innte:** *when I would go to bed;* **oiteag bheag:** *slight breeze, draught;*

Dhomh fhìn, chan eil càil ceàrr air ialtagan. Tuigidh mi gu bheil iad a' cur eagal air cuid leis gur e creutairean na h-oidhche a th' annta. Chan eil sinne ann an Alba cleachdte ri bhith a' faicinn ainmhidhean a-mach air an oidhche, agus tha an dorchadas a' cur eagal air feadhainn co-dhiù. Chuir mi seachad ùine turas ann am bothan anns an robh aon ialtag bheag a' fuireach leatha fhèin. Tron là bhiodh i na cadal os cionn mo leapa agus bhiodh i fhathast ann nuair a rachainn innte.

Ach às dèidh greis, agus i dubh dorch fuar, bhiodh an ialtag a' falbh is a' dol air sgèith – seachad air m' aodann. Bhithinn a' faireachdainn oiteag bheag agus cha bhiodh dad eile ann. Cha chuireadh an ialtag dragh sam bith orm. Bha sin thall ann an Astràilia, ge-tà, agus bidh a' chuid mhòr de mhamailean a' tighinn a-mach air an oidhche anns an dùthaich sin. Chan e rud neo-àbhaisteach a th' ann idir.

a-bhos: *over here;*

Agus chan e rud buileach neo-àbhaisteach a th' ann a-bhos ann an Alba ialtagan a bhith a' fuireach ann an lobht. Bha mi a' bruidhinn ri tè eile a dh'innis dhomh gu robh na ficheadan dhiubh aicese agus gu robh iad air an dìon fo òrdan sònraichte. Chan eil cead aig duine cron sam bith a dhèanamh orra. Bha am boireannach seo toilichte gu leòr agus cha robh i idir dhen bheachd gu bheil na beathaichean sin mì-dhreachail.

mì-dhreachail: *ugly, unpleasant to look at;*
na sionnach sgiathach mar a chanas cuid riutha: *the flying (winged) foxes as some call them;*
eucoltach ris an fheadhainn bheaga: *unlike the small ones;*
nam mìltean mòra: *in their (many) thousands;*

"Ach am faca tu a-riamh an fheadhainn mhòra?" dh'fhaighnich mi. "Na *sionnaich sgiathach*, mar a chanas cuid riutha?" Tha iad cho mòr ri cait bheaga le sgiathan orra, is tha sùilean mòra aca – eucoltach ris an fheadhainn bheaga a tha rudeigin dall. Chunnaic mi iad cuideachd ann an Astràilia ach chan ann sa cheann a deas, far an robh an tè bheag os cionn mo leapa, ach anns a' cheann a tuath. Bidh iad a' falbh air an oidhche nam mìltean mòra, a' coimhead airson biadh – measan gu h-àraidh. 'S toigh leotha rudan milis is, gu dearbh, chan òl iad fuil idir!

filmichean oillteil eagalach: *horror movies (horrible and frightening films);*
cladh: *cemetery;*
bithear a' cur silidh air na leacan-uaighe: *they put jam on the gravestones;*
bidh iad a' tighinn nan dròbhan: *they come in (their) droves.*

"Chan fhaca mi iad," thuirt mo bhana-charaid, "ach a bheil fios agad ciamar a nì iad na filmichean oillteil eagalach a tha sin, anns a bheil na h-uimhir de dh'ialtagan a' nochdadh ann an cladh?" B' fheudar dhomh aideachadh nach robh fios agam. "Uill," dh'innis i dhomh, "tha e gu math sìmplidh. **Mus tig ciaradh na h-oidhche**, bithear a' cur silidh air na leacan-uaighe. Agus nuair a thig an dorchadas, bidh na h-ialtagan a' tighinn nan dròbhan airson an silidh ithe." Nach iongantach e mar a tha sinn ag ionnsachadh rudan ùra gach là.

LTR

<u>Puing-chànain na Litreach</u>: **Ach as dèidh greis, agus i dubh dorch fuar, bhiodh an ialtag a' falbh is a' dol air sgèith**: *but after a while, when it was pitch black and cold, the bat would leave and fly (go on the wing). Critics of Gaelic often tell us that words and sentences are longer than in English and that conveying the same information takes more space on the page. This is by no means universally true and some concepts and expressions are dealt with more succinctly in Gaelic. Here is an example. With* agus i dubh dorch fuar, *we express in five words an equivalent to the seven-worded English phrase 'when it was pitch black and cold'. The savings are made in two ways. Firstly, because of the use of* agus *which has many more meanings than just 'and'; used here at the start of what in English is a subordinate clause, it obviates the use of a verb (which is simply understood). The other saving is on the conjunction 'and' placed between two adjacent adjectives. It's not required in Gaelic.*

<u>Gnàths-cainnt na Litreach</u>: **Mus tig ciaradh na h-oidhche**: *before dusk comes.* Ciar *is a dark grey-brown and carries with it a sense of gloominess.* Ciaradh *means a growing gloominess or darkness and is a perfect description of the arrival of dusk. Equivalent expressions are* ciaradh an fheasgair *or* ciaradh an anmoich.

LITIR 182 *(An Dùbhlachd 2002)*

Clachnaharry lies at the northern end of the Caledonian Canal. Erroneous versions of the Gaelic original of its name have been published on many occasions ...

tha X air m' aire: *X is on my mind;* **an rathad a tha a' dol a dh'ionnsaigh na Manachainn:** *the road that goes towards Beauly;* **nuair a bha Inbhir Nis a' fàs na bu ghallta:** *when Inverness was getting more 'gallta' – meaning less Gaelic in its character;*

làmh-sgrìobhainn: *manuscript;*
Clach na h-Aithrigh: *Clachnaharry;*
tha X air a dhol à bith: *X has disappeared;*
bha e againn o shean: *we had it in the old days;* **far am biodh peacaich a' dol:** *where sinners would go;* **airson aithreachas a ghabhail:** *to repent;* **nuair a bha làmh-an-uachdair aig an Eaglais Chaitligich:** *when the Catholic Church had the upper hand;* **drochaid:** *bridge;*
tha X air a bhith anns na naidheachdan: *X has been in the news;* **b' fheudar do mhòran slighe fhada a ghabhail:** *many (people) had to take a long route;* **chaidh nàdar de cheann-bliadhna seachad:** *a sort of a birthday went past;* **Faoighteach a' Chaledonian:** *the Caledonian Canal (also called An Canàl Cailleannach)*
innleadair: *engineer;*

Tha ainm-àite air m' aire an-dràsta. *Clachnaharry.* 'S e baile beag air leth a bh' ann uaireigin, pìos beag a-mach à baile Inbhir Nis air an taobh an iar, air an rathad a tha a' dol a dh'ionnsaigh na Manachainn. Bha e gu math Gàidhealach, fiù 's anns an naoidheamh linn deug, nuair a bha Inbhir Nis a' fàs na bu ghallta. Bha sgoil Ghàidhlig ann airson greis. A-nise, ge-tà, tha e aig fìor iomall a' bhaile mhòir.

Agus carson a tha e air m' aire? Uill, air sàilleabh 's gu bheil cuid a' dèanamh dheth gur *Clach na h-Aire* an t-ainm a th' air ann an Gàidhlig – gu robh clach ann a sin far am biodh muinntir an àite a' cumail sùil air an rathad bhon taobh an iar, **air eagal 's gum biodh daoine a' dèanamh air Inbhir Nis le droch rùn**.

Tha sin ceàrr, ge-tà. Tha seann làmh-sgrìobhainn ag innse dhuinn gur e *Clach na h-Aithrigh* a bh' air bho shean – dìreach mar a tha daoine ga ràdh ann am Beurla – *Clachnaharry,* agus gu robh sin a' ciallachadh *The Stone of Repentance* no *Stone of Penance.* Tha am facal *aithreachas* againn fhathast, ach tha *aithrigh* air a dhol à bith, ged a tha e fhathast beò ann an Gàidhlig na h-Èireann. Ach bha e againn o shean agus 's e sin a tha an t-ainm a' ciallachadh. Tha dùil gu robh clach ann far am biodh peacaich a' dol, airson aithreachas a ghabhail. Bha sin nuair a bha làmh-an-uachdair aig an Eaglais Chaitligich air a' Ghàidhealtachd.

Tha Clach na h-Aithrigh air a bhith anns na naidheachdan air sgàth 's gu robh an drochaid air an rathad mhòr anns a' bhaile dùinte airson greis. Agus b' fheudar do mhòran slighe fhada a ghabhail a-steach a dh'Inbhir Nis. Ach chaidh nàdar de cheann-bliadhna do Chlach na h-Aithrigh seachad o chionn ghoirid, an ìre mhath gun fhiosta don mhòr-shluagh. Oir, aig deireadh an Dàmhair, o chionn ceud is ceithir fichead bliadhna, chaidh Faoighteach a' Chaledonian – *an Caledonian Canal* – fhosgladh gu h-oifigeil. Agus 's e am baile a th' aig ceann a tuath na faoightich Clach na h-Aithrigh.

A bharrachd air sin, tha dà cheud bliadhna air a dhol seachad am-bliadhna bho sgrìobh an t-innleadair, Tòmas

Telford, aithris don Riaghaltas, a' moladh faoighteach a thogail – no a chladhach 's dòcha – eadar Inbhir Nis (no Clach na h-Aithrigh airson a bhith fìrinneach) agus an Gearasdan.

a' cladhach: *dig;*
fìrinneach: *truthful;*

Rugadh Tòmas Telford ann an Siorrachd Dhùn Phris anns a' bhliadhna seachd-deug, caogad 's a seachd (1757). Bha athair na chìobair, agus chaochail e nuair a bha Tòmas dìreach na leanabh òg. Fhuair Tòmas foghlam anns an sgoil ionadail, agus fhuair e trèanadh an uair sin mar chlachair, mus deach e a dh'obair ann an Dùn Èideann.

Siorrachd Dhùn Phris: *Dumfriesshire;*
bha athair na chìobair: *his father was a shepherd;*

clachair: *stonemason;*

Chuir e seachad tìde ann an Sasainn an uair sin, ann an Lunnainn, Portsmouth agus Shropshire. 'S ann nuair a bha e stèidhichte ann an Shropshire a fhuair e dreuchd airson a' chiad turas mar innleadair ag obair air faoightich, agus choisinn e cliù dha fhèin leis na rinn e, agus cuideachd le phlana airson drochaid mhòr iarainn thar Abhainn Thames ann an Lunnainn. **Cha deach an drochaid sin a thogail, ge-tà, oir bha i gu bhith ro chosgail.**

chuir e seachad tìde ann an Sasainn: *he spent time in England;*

Ach bha an Riaghaltas dhen bheachd gum b' esan an duine a' b' fheàrr airson dèiligeadh ri duilgheadas mòr air a' Ghàidhealtachd – cho truagh 's a bha na goireasan siubhail. Ann am beachd Thelford fhèin 's e a bh' ann fear de na pròiseactan "a b' uaisle a bh' air a chur mu choinneamh rìoghachd sam bith a-riamh". Bheir sinn sùil air a' phròiseact sin an ath-sheachdain. LTIR

choisinn e cliù dha fhèin: *he won himself a reputation;* **le phlana airson drochaid mhòr iarainn thar Abhainn Thames:** *with his plan for a large iron bridge over the River Thames;* **fear de na pròiseactan a b' uaisle a bh' air a chur mu choinneamh rìoghachd sam bith a-riamh:** *one of the most noble projects that was ever laid before a nation.*

Puing-chànain na Litreach: Cha deach an drochaid a thogail oir bha i gu bhith ro chosgail: *the bridge wasn't built because it was going to be too expensive.* Gu bhith *is a useful expression, involving the infinitive of the verb to be, and it is generally employed in two contexts. Firstly it can refer to something which is going to happen in the future without too much immediacy – as it is in this case.* Bha e gu bhith na fhear mòr mus tàinig tinneas air *(he was going to be a big man before he suffered illness);* mura robh na croitearan gu bhith a' faighinn rudeigin às, carson a bheireadh iad taic dha? (if the crofters were not going to benefit, why would they support it?) *It can also refer to being on the point of something – ie with an understanding of virtual immediacy eg* tha iad gu bhith *deiseil (they are almost ready);* tha an coire gu bhith a' goil *(the kettle is on the point of boiling).*

Gnàths-cainnt na Litreach: (air) eagal 's gum biodh daoine a' dèanamh air Inbhir Nis le droch rùn: *for fear that people should (would) make for Inverness with evil intentions.* Eagal *means* 'fear' *so* (air) eagal 's gu … *means 'for fear that'; it might be more appropriately translated as 'in case' or 'lest' when no actual emotion of fear is involved eg* thoir do mhiotagan leat, (air) eagal 's gum fàs i fuar feasgar *(take your gloves with you in case it gets cold this afternoon).*

LITIR 183

(An Dùbhlachd 2002)

The Caledonian Canal was a mammoth engineering project . . .

chaochail am Morair Nelson: *Lord Nelson died;* **cabhlach:** *fleet;* **a' dèanamh a' ghnothaich air:** *beating, defeating;* **pòg:** *kiss;* **a dh'fhàgadh dìleab mhòr às an dèidh:** *that would leave a great legacy behind them;* **bha na ficheadan eile anns a' Chorpaich, faisg air a' Ghearasdan:** *dozens (twenties) of others were in Corpach, close to Fort William;* **Faoighteach a' Chaledonian:** *the Caledonian Canal;* **aig gach ceann dhith:** *at each end of it (fem.);* **clachairean:** *masons;* **bha seòladairean air eathraichean a bha a' giùlain chlachan:** *there were sailors on boats that were carrying stones;* **Clach na h-Aithrigh:** *Clachnaharry;* **làmh-obraichean:** *labourers;* **obair-làimhe:** *manual work;* **nach robh càirdeach don fhear a bha os cionn a' phròiseict gu lèir:** *who was not related to the man who was in charge of (above) the entire project;* **an Dàmhair:** *October;* **bha X air a shàrachadh:** *X was tormented;* **Mata MacDhaibhidh:** *Matthew Davidson;* **nach gabhadh e suidheachan ann an nèamh:** *he wouldn't take a seat in heaven;*

Air an aonamh là fichead dhen Dàmhair, ochd deug 's a còig (1805), chaochail am Morair Nelson, agus an cabhlach aige a' dèanamh a' ghnothaich air na Spàinntich is na Frangaich aig Trafalgar. Aig an dearbh àm 's a bha Nelson a' bàsachadh, is ag iarraidh air a charaid Hardy pòg a thoirt dha, bha mòran air a' Ghàidhealtachd an sàs ann an obair a dh'fhàgadh dìleab mhòr às an dèidh.

Bha còig ceud aca timcheall Inbhir Nis, agus bha na ficheadan eile anns a' Chorpaich, faisg air a' Ghearasdan. Bha iad le chèile a' togail Faoighteach a' Chaledonian – aig gach ceann dhith. Ann an Inbhir Nis, bha clachairean ann, feadhainn aca à Sasainn is a' Chuimrigh. Bha seòladairean air eathraichean a bha a' giùlain chlachan a dh'ionnsaigh beul na faoightich aig Clach na h-Aithrigh. Agus bha làmh-obraichean ann a bha a' dèanamh obair-làimhe a bha gu math trom.

Anns a' Chorpaich, ge-tà, cha robh cùisean cho math. Bha an àireamh de làmh-obraichean a bh' aig a' mhanaidsear ann a sin, Iain Telford (nach robh càirdeach don fhear a bha os cionn a' phròiseict gu lèir, Tòmas Telford), air tuiteam gu mòr. Cha robh aige anns an Dàmhair ach an treas cuid de na bh' aige trì mìosan roimhe sin.

Agus dè bh' air tachairt don luchd-obrach? Uill, bha mòran aca air a dhol dhachaigh airson an t-arbhar a bhuain no airson iasgach an sgadain. 'S dòcha gu robh duine no dithis trang anns a' mhonadh a' dèanamh uisge-beatha! Bha Iain Telford air a shàrachadh.

Ach bha spèis aige do mhuinntir na Gàidhealtachd a dh'aindeoin sin. **Cha b' ann mar sin a bha e do Mhata MacDhaibhidh**, ge-tà. Bha esan os cionn ghnothaichean aig ceann a tuath na faoightich, agus chanadh Iain Telford mu dheidhinn nach "gabhadh e suidheachan ann an nèamh nan robh Albannach sam bith a' faighinn àite ann"! Bha sin a dh'aindeoin 's gun do rugadh e ann an ceann a deas na h-Alba fhèin!

Chan eil fhios a'm dè lorg e ann an nèamh oir chaochail

e ann an ochd-deug is a naoi-deug (1819), agus cha robh an fhaoighteach deiseil fhathast, ged a bha i fosgailte eadar Inbhir Nis agus Cille Chuimein. Ach chum e a' dol na b' fhaide na Iain Telford, a chaochail ann an ochd-deug 's a seachd (1807)

Bha Tòmas Telford dhen bheachd gun cosgadh e seachd bliadhna ann a bhith a' togail na faoightich agus gum biodh i feumail do bhàtaichean cogaidh airson a dhol bho chosta gu costa anns a' chogadh an aghaidh Napoleon. Uill, bha an cogadh an aghaidh Napoleon seachad agus bha an fhaoighteach fhathast gun a bhith deiseil. Am measg na dh'adhbharaich an dàil bha fear de na h-uachdarain leis an robh fearann trom biodh an fhaoighteach a' dol – Alasdair MacDhòmhnaill à Gleanna Garadh.

Bha am fearann aige timcheall Loch Omhaich – fear de na lochan anns a' Ghleann Mhòr trom bi bàtaichean a' dol. Ann an ochd-deug is aon-deug (1811), chaidh airgead a thabhann dha ach dhiùlt e e. Bha e ag iarraidh barrachd. Grunn tursan às dèidh sin, dh'fheuch Tòmas Telford agus an luchd-lagha aige tighinn gu aonta leis air a' phrìs. Mu dheireadh, chaidh iad gu cùirt agus chaidh deich mìle not a thoirt dha.

Cha robh MacDhòmhnaill riaraichte agus dh'adhbharaich e tòrr thrioblaidean. Air an là a dh'fhosgail an fhaoighteach mu dheireadh ann an ochd-deug is dhà air fhichead (1822), bha an t-eagal ann gun cuireadh e fhèin is luchd-obrach aige (aig an robh armachd) stad air an t-soitheach a bha làn àrd-urrachan. An àite sin, ge-tà, chaidh e air bòrd is chaidh e don chuirm anns a' Ghearasdan, far an do ghabh e deoch-slàinte còmhla ri càch. LTR

Cille Chuimein: *Fort Augustus;* **gun cosgadh e seachd bliadhna ann a bhith a' togail na faoightich:** *that it would take seven years to build (in building) the canal;* **fhathast gun a bhith deiseil:** *still not finished;* **dàil:** *delay;* **uachdaran:** *landlord;* **trom biodh an fhaoighteach a' dol:** *through which the canal would go;* **Loch Omhaich:** *Loch Oich;* **Alasdair MacDhòmhnaill à Gleann Garadh:** *Alasdair MacDonell of Glengarry;* **dh'adhbharaich e tòrr thrioblaidean:** *he made lots of trouble(s);* **àrd-urrachan:** *dignitaries;* **cuirm:** *feast;* **far an do ghabh e deoch-slàinte:** *where he made toasts;* **còmhla ri càch:** *along with the others.*

Puing-chànain na Litreach: **air an aonamh là fichead dhen Dàmhair**: *on the 21st day of October. Counting ordinal numbers between twenty and thirty is fairly straightforward. The 21st is either* an t-aonamh là fichead *or* an t-aonamh là air fhichead. *The 22nd book is* an dàrna leabhar fichead *or* an dàrna leabhar air fhichead. *The 23rd psalm is* an treas salm fichead *or* an treas salm air fhichead. *Above 23 the numbers operate in a similar way up to* an naoidheamh duine fichead *or* an naoidheamh duine air fhichead. *There is no difference between masculine and feminine nouns except with 6, 7 and 8. For example, the 26th box is* an siathamh bogsa fichead (bogsa *is masculine) but the 26th shoe is* an t-siathamh bròg fichead (bròg *is feminine). We say* an seachdamh bogsa fichead *but* an t-seachdamh bròg fichead. *With* ochdamh *there is a choice with a feminine noun. It is* an t-ochdamh bogsa fichead *but either* an t-ochdamh bròg fichead *or* an ochdamh bròg fichead.

Gnàths-cainnt na Litreach: **cha b' ann mar sin a bha e do X**: *that is not how it was for X.*

LITIR 184

(An Dùbhlachd 2002)

A story from Torridon which explains how Allt a' Ghille *got its name …*

a-bhàn: *down;* **an ìre mhath cumanta:** *relatively common;* **nuair a tha gluasad air choreigin ann:** *when there is some sort of movement;* **eadar Ceann Loch Iù agus Toirbheartan:** *between Kinlochewe and Torridon;* **tha an t-allt a' sruthadh air aodann deas na beinne:** *the burn flows on the southern face of the mountain;* **beul-aithris:** *oral tradition;* **galar:** *disease;* **bhiodh na beathaichean a' geumnaich gun sgur:** *the beasts would low ceaselessly;* **a h-uile rud a b' aithne dha:** *everything he knew;* **leigheas:** *cure;* **cha do dh'obraich gin aca:** *none of them worked;* **a rèir mar a thuigeas sinn galairean:** *according to how we understand (our understanding of) diseases;* **agus na rudan a tha gan adhbharachadh:** *and the things that cause them;* **anns an robh cridhe air a bhith:** *in which a heart had been;* **nach robh a-riamh eòlach air a phàrantan:** *who never knew his parents;* **cha leigeadh an crodh leas an t-uisge òl:** *the cattle wouldn't need to drink the water;* **nan robh an t-uisge air a chrathadh orra:** *if the water were sprinkled on them;* **coigreach:** *stranger;* **ceannaiche-siubhail:** *travelling salesman;* **taighean-**

Is dòcha nach bi sibh eòlach air an abairt *a-bhàn*, a' ciallachadh *sìos*. Chan eil i cho cumanta anns na h-eileanan 's a tha i air tìr-mòr, gu h-àraidh sa cheann a tuath far a bheil i an ìre mhath cumanta. Canaidh daoine sin nuair a tha gluasad air choreigin ann. Canaidh iad, "tha mi a' dol a-bhàn don chladach", a' ciallachadh, "tha mi a' dol sìos don chladach". Uill, tha an stòiridh beag a tha mi a' dol a dh'innse dhuibh an-dràsta a' tighinn à Siorrachd Rois, agus 's dòcha gun cluinn sibh *a-bhàn* ann turas no dhà.

Chan eil mi cinnteach dè cho sean 's a tha an stòiridh seo ach tha e co-cheangailte ri ainm-àite air Beinn Eighe, eadar Ceann Loch Iù agus Toirbheartan – *Allt a' Ghille*. Tha an t-allt a' sruthadh air aodann deas na beinne a-bhàn a dh'ionnsaigh Loch Clàr. A rèir beul-aithris, 's ann mar seo a fhuair e ainm.

Bha fear anns an sgìre, faisg air Ceann Loch Iù, aig an robh crodh, agus bha galar air a' chrodh. Nuair a bha iad tinn, bhiodh na beathaichean a' geumnaich gun sgur, a' dèanamh fuaim uabhasach. Air sgàth sin, 's e *galar na geumnaich* a chanadh daoine ris, no *galar na geumraich* anns an sgìre sin. Dh'fheuch an duine a h-uile rud a b' aithne dha mar leigheas don ghalar. Ach cha do dh'obraich gin aca, agus dh'fhàs an crodh na bu mhiosa.

Aig an àm ud, bha cuid de dhaoine a' creidsinn ann an leigheasan a bha car annasach, a rèir mar a thuigeas sinn galaran, agus na rudan a tha gan adhbharachadh, an-diugh. Airson galar na geumnaich bha iad a' creidsinn gur e an aon leigheas a dh'obraicheadh – uisge fhaighinn anns an robh cridhe air a bhith – cridhe aig duine nach robh a-riamh eòlach air a phàrantan. Cha leigeadh an crodh a leas an t-uisge òl. Gheibheadh iad leigheas nan robh an t-uisge dìreach air a chrathadh orra.

Ach càite am faigheadh an duine cridhe aig fear eile nach robh a-riamh eòlach air a phàrantan? Cha robh fios aige gu dè dhèanadh e. Là a bha seo, ge-tà, nochd coigreach anns an sgìre – ceannaiche-siubhail òg. Aig an àm ud, cha robh taighean-seinnse no taighean-òsta

seinnse: *pubs;* **taighean-òsta:** *hotels;* **fhuair am fear òg cuid oidhche:** *the young man got a night's lodging;* **an tac' an teine, a' cabadaich ri chèile:** *at the fireside, chatting to each other;*
dh'innis X gu dè chanadh daoine ris: *X told what people called him;*
an làrna-mhàireach: *the next day;*
geàrr-rathad: *short-cut;*

ann, agus fhuair am fear òg cuid-oidhche ann an taigh an duine leis an robh an crodh tinn.

Thug iad seachad ùine an tac' an teine, a' cabadaich ri chèile. "Dè an t-ainm a th' ort?" dh'fhaighnich fear an taighe dhen ghille. Dh'innis an coigreach gu dè chanadh daoine ris, ach dh'aidich e nach robh e buileach cinnteach an robh sin ceart, oir cha robh e a-riamh eòlach air a phàrantan, agus cha robh fios aige eadhon dè na h-ainmean a bh' orra. **Chlisg fear an taighe ach cha tuirt e guth**.

Air an làrna-mhàireach, thòisich an gille air an rathad a dh'ionnsaigh Thoirbheartain. Ach ghabh am fear eile agus caraidean aige geàrr-rathad anns a' mhonadh, thàinig iad a-bhàn aig allt agus mhuirt iad an gille. 'S e *Allt a' Ghille* a th' air an allt sin a-nise.

ag èigheachd aig àird an claiginn: *shouting at the top of their voices (lit. of their skulls);* **mar gur e crodh a bh' annta:** *as if they were cattle.*

Thug iad cridhe a' ghille a-mach, rinn iad an stuth-leigheis leis agus chrath iad e air a' chrodh. Dh'fhàs an crodh na b' fheàrr gu sgiobalta. Ach ... tha e coltach gun deach an galar a-null bhon chrodh do na daoine a mharbh an ceannaiche. Agus airson ginealaich às dèidh sin **bhiodh na daoine anns an teaghlach sin a' dol air chuthach, no air chaothach, bho àm gu àm**, agus iad ag èigheachd aig àird an claiginn mar gur e crodh a bh' annta, a' fulang le galar na geumnaich.

LTR

__Puing-chànain na Litreach__: **bhiodh na daoine anns an teaghlach sin a' dol air chuthach, no air chaothach, bho àm gu àm**: *the people in that family would go insane from time to time. Note the alternative pronunciation (and spelling which reflects that) of what is the same word –* cuthach *or* caothach *– meaning insanity, but also extreme anger (cf 'mad' in English which has the same connotations). This is a not uncommon variation in Gaelic, between different dialects. Another example is the Gaelic for 'thinking'. In Ross-shire, as well as other places, it is* smuaineachdainn, *obviously derived from the noun* smuain, *a thought. People say* 'tha mi a' smuaineachdainn' *(I am thinking). In many other places, however, the vowel has been narrowed from* 'ua' *to* 'ao' *and the ending of the verbal noun is* –adh *rather than* –ainn, *ie* smaoineachadh *– this is the common form in the northernmost of the Western Isles eg* bha mi a' smaoineachadh gu robh ... *(I was thinking that...) In the southern parts of the Western Isles, it is generally* smaointinn *eg* a bheil thu a' smaointinn gu bheil..? *(are you thinking that...?). You might also hear* smaointeachadh. Don't get fazed by the variation – it is all part of the rich tapestry of the language, and all the forms are instantly and mutually intelligible.

__Gnàths-cainnt na Litreach__: **chlisg fear an taighe ach cha tuirt e guth**: *the man of the house started (because of the surprise of the lad's announcement) but he said nothing.*

LITIR 185 *(Am Faoilleach 2003)*

An ancient Fenian tale from Glen Dochart ...

Gleann Dochard: *Glen Dochart;* **Braghad Albainn:** *Breadalbane;* **leannan-sìthe:** *fairy sweetheart;* **cha b' esan an aon fhear aig an robh ùidh ann an X:** *he wasn't the only man who had an interest in X;* **bu mhòr a chòrd e ris a bhith na cuideachd:** *he greatly enjoyed being in her company;* **eudach:** *jealous;* **a' bhan-sìthe:** *the fairy woman;* **farpais-lèim:** *jumping contest;* **agus a cheart cho sgiobalta:** *and just as nimbly;* **'s e mi-fhìn a bhuannaicheas:** *it is myself that will win;*
's ann a thuit e ann an uisge domhainn: *he fell in deep water;* **gheàrr Taileachd a cheann dheth:** *Taileachd cut his head off;* **le ceann Fhinn na chois:** *with Fionn's head (along with him);* **Raineach:** *Rannoch;* **ris an canadh daoine bho sin a-mach Ath Chinn:** *which people called from then on the Ford of (the) Head;* **agus e as aonais a chinn:** *and it (the body) without its head;* **Cill Fhinn:** *Killin;* **fo fhiacail ann an claigeann Fhinn:** *under a tooth in Fionn's skull (head);*
am falach ann an uamh air Beinn Eallair: *hiding in a cave on Ben Alder;* **a bheil thu a' gabhail aithreachas airson X?:** *do you repent/regret X?;*

Bha uaireigin, a rèir beul-aithris, fear ann a bha a' fuireach air eilean ann an loch no 's dòcha anns an abhainn ann an Gleann Dochard ann am Braghad Albainn, air an robh Taileachd mac Cuilgeadain mar ainm. Bha leannan-sìthe aige ach cha b' esan an aon fhear aig an robh ùidh anns a' bhoireannach bhrèagha a bha sin. Chuala Fionn mac Cumhail mu a deidhinn agus chaidh esan don àite airson coinneachadh rithe. Bu mhòr a chòrd e ris a bhith na cuideachd.

Dh'fhàs an dithis fhear eudach mu chèile agus, gus nach biodh iad a' sabaid air a son, chuir a' bhean-sìthe farpais air dòigh eatarra – farpais lèim. Leum Taileachd bhon eilean gu talamh tioram air tìr-mòr, agus rinn Fionn an dearbh rud, agus a cheart cho sgiobalta. An uair sin thuirt Taileachd, "**Leumaidh mi a-rithist ach an comhair mo chùil an turas seo**. Mura dèan thu fhèin an aon rud, 's e mi fhìn a bhuannaicheas."

Leum Taileachd an toiseach, agus **rinn e an gnothach, an comhair a chùil**. Ach nuair a leum Fionn, 's ann a thuit e ann an uisge domhainn – suas gu amhaich. Mus d' fhuair e cothrom faighinn a-mach, gheàrr Taileachd a cheann dheth. Theich Taileachd an uair sin le ceann Fhinn na chois gus an do ràinig e abhainn ann an Raineach far an do chuir e air stob e air tom faisg air àth ris an canadh daoine bho sin a-mach Ath Chinn.

Nuair a fhuair na Fianna, na gaisgich aig Fionn, lorg air a chorp, agus e as aonais a chinn, thug iad air falbh e agus thiodhlaic iad e aig ceann Loch Tatha ann an àite ris an canar an-diugh Cill Fhinn. Chaidh iad an uair sin an tòir air ceann a' ghaisgich agus lorg iad e aig Ath Chinn. Chuir fear aca corrag fo fhiacail ann an claigeann Fhinn – fiacail an eòlais – agus fhuair iad fios mar sin gu robh Taileachd am falach ann an uamh air Beinn Eallair. Chaidh iad don bheinn agus fhuair iad greim air.

"A bheil thu a' gabhail aithreachas airson Fionn a mhurt?" dh'fhaighnich iad dheth.

"Chan eil," fhreagair Taileachd, "**mura gabh Goll aithreachas airson geur-leanmhainn a dhèanamh**

chaidh a làmh cheart a ghearradh dheth: *his right hand was cut off;*

air Clann Chuilgeadain." Airson sin a ràdh, chaidh a làmh cheart a ghearradh dheth. Agus an uair sin a làmh cheàrr.

"A bheil thu a' gabhail aithreachas airson Fionn a mhurt?" dh'fhaighnich na Fianna a-rithist.

clobha: *tongs;*
phronn iad a chas eile: *they crushed his other leg;*
leacan: *slabs;*
loisg iad a shùilean le leann goileach: *they burned his eyes with boiling beer;*
chuir iad an cuid sleaghan tro X: *they put their spears through X;*
gu bheil Fionn agus a chàirdean air an tiodhlacadh acasan: *that Fionn and his friends are buried in their area (lit. at them);*
gu bheil iad dìreach nan suain: *that they are merely asleep.*

"Cha gabh mi aithreachas," fhreagair Taileachd, "mura gabh Goll aithreachas airson geur-leanmhainn a dhèanamh air Clann Chuilgeadain." Tharraing na daoine eile tè de chasan dheth an uair sin le clobha mòr iarainn agus phronn iad a chas eile le leacan cruaidh a thog iad far na beinne creagaich.

Agus chuir iad a' cheist a-rithist. "A bheil thu a' gabhail aithreachas airson na rinn thu air Fionn?" Ach fhuair iad an dearbh fhreagairt bho Thaileachd agus loisg iad a shùilean le leann goileach. Chuir iad a' cheist a-rithist agus, airson an turas mu dheireadh, dhiùlt Taileachd aithreachas a ghabhail. B' e sin e. Chuir na Fianna an uair sin an cuid shleaghan tro chridhe Thaileachd.

Agus sin mar a fhuair Fionn mac Cumhail bàs ann an Gleann Dochard is mar a fhuair a mhurtair bàs air Beinn Eallair, is mar a fhuair Cill Fhinn ainm. Uill, a rèir beul-aithris co-dhiù. Ach ann an sgìrean eile, thathar a' cumail a-mach gu bheil Fionn agus a chàirdean air an tiodhlacadh acasan. Is tha cuid ag ràdh nach eil iad marbh nas mò, ach gu bheil iad dìreach nan suain, is iad a' feitheamh cothrom èirigh a-rithist. LTIR

Puing-chànain na Litreach: **Leumaidh mi a-rithist ach an comhair mo chùil an turas seo**: *I'll jump again but backwards this time.* Comhair *is a feminine noun which means a direction or tendency. In the example above it refers to a movement in a particular direction ie literally 'in the direction of my back'. You will notice that because* comhair *is a noun, the second noun is in the genitive case: in* cùil *both the 'ù' and the 'l' are slenderised compared with the nominative* cùl. *In the second example in the Litir,* '**rinn e an gnothach, an comhair a chùil**', *he managed it, backwards, the possessive adjective is now the masculine third person singular. Compare this with* thuit i an comhair a cùil *(she fell backwards),* thuit thu an comhair do chùil *(you fell backwards). Falling forwards headfirst is* thuit mi an comhair mo chinn *(using the genitive of* ceann, *head) or* thuit mi an comhair mo bheòil, *using the genitive of* beul, *mouth. If you want to say I fell sideways you would say,* 'thuit mi an comhair mo thaoibh'.

Gnàths-cainnt na Litreach: mura gabh Goll aithreachas airson geur-leanmhainn a dhèanamh air Clann Chuilgeadain: *if Goll does not repent for his persecution of Clann Chuilgeadain (ie Taileachd's family).* Tha X a' dèanamh geur-leanmhainn air Y: *X is persecuting Y.*

LITIR 186

(Am Faoilleach 2003)

The arrival of redwings foretells the coming of the winter snows …

Thàinig deargan-sneachda don leas agam an là eile – no don ghàrradh agam, ma thogras sibh. Airson tiotan, shaoil mi gur e smeòrach a bh' ann ach cha b' e. Agus leis an fhìrinn innse, 's ann tearc a tha smeòraich anns an nàbaidheachd agam co-dhiù. An turas mu dheireadh a bha tè anns an leas, chaidh a marbhadh le cat agus lorg mi dìreach pìosan dhith. Agus, co-dhiù, bhithinn an dùil tè fhaicinn as t-samhradh, seach anns a' gheamhradh. Mar a tha an seanfhacal ag ràdh, ***cha dèan aon smeòrach samhradh***. Tha fhios gu bheil sin co-ionann ris an t-seanfhacal Bheurla: *one swallow does not a summer make*. 'S e an aon seòrsa smuain ged is e eun eadar-dhealaichte anns gach cànan. Cha dèan aon smeòrach samhradh.

deargan-sneachda: *redwing;* **leas:** *garden;* **no don ghàrradh agam, ma thogras sibh:** *or to my 'gàrradh' (another word for garden), if you like (prefer);* **'s ann tearc a tha smeòraich anns an nàbaidheachd agam:** *thrushes are rare in my neighbourhood;* **lorg mi dìreach pìosan dhith:** *I just found pieces of her;*

Ach, bha an samhradh seachad o chionn fhada, agus 's iad eòin a' gheamhraidh a tha a' nochdadh a-nise feadhainn a tha a' fuireach fad na bliadhna a-bhos an seo, agus feadhainn eile a bhios a' tadhal oirnn aig an àm seo a h-uile bliadhna. Agus 's ann aig an àm seo no beagan roimhe **a chithear an deargan-sneachda airson a' chiad turas** – goirid mus bi an sneachd ann.

's iad eòin a' gheamhraidh a tha a' nochdadh: *it is the birds of the winter that are appearing;*
a' tadhal (air): *visiting;*

'S e a' Bheurla a th' air an eun seo – *redwing.* Chì sibh gu bheil am facal *dearg* cudromach anns an dà chànan oir 's e sin an rud as mò a mhothaicheas tu nuair a chì thu an t-eun seo – gu bheil e dearg air a chliathaich agus aig bonn a sgiathan. Tha an t-ainm Beurla ag innse sin dhuinn, ach tha an t-ainm Gàidhlig ag innse barrachd. Deargan-sneachda – 's ann tric a bhios sneachd air an talamh nuair a tha e a-bhos againn.

Mura h-eil sibh eòlach air an eun seo, nì mi tuairisgeul dheth dhuibh. Air mullach a chinn agus air a dhruim, tha e donn. Tha a ghob dubh-dhonn agus tha stiall bhàn os cionn a shùilean. Tha a sgiathan donn is dearg agus tha a bhroilleach bàn le breacadh dubh-dhonn air. Mura b' e gu robh a sgiathan dearg, bhiodh e uabhasach coltach ri smeòrach. Gu dearbh, 's e ainm eile air a shon – *smeòrach an t-sneachda*.

's e sin a rud as mò a mhothaicheas tu nuair a chì thu an t-eun seo: *that is the thing you most notice when you see this bird;* **air a chliathaich agus aig bonn a sgiathan:** *on its side and at the base of its wings;* **nuair a tha e a-bhos againn:** *when it is with us;* **nì mi tuairisgeul dheth dhuibh:** *I will describe it for you;* **tha stiall bhàn os cionn a shùilean:** *there is a white streak above its eyes;* **tha a bhroilleach bàn le breacadh dubh-dhonn air:** *its (masc.) breast is white with dark brown spotting on it;*

buinidh an dà eun don aon ghnè de dh'eòin: *the two birds belong to the same group of birds;* **saidheansail:** *scientific;*

Lochlann: *Scandinavia;* **dearcagan:** *berries;* **air a' chraoibh-chaorainn agus air a' chraoibh-iubhair:** *on the rowan tree and on the yew tree;* **beathaichean beaga mar bhaoiteagan, seilcheagan is pocannan-salainn:** *small animals such as worms, snails and spiders;* **gann:** *scarce;* **bidh na h-eòin a' dèanamh air Alba:** *the birds will make for Scotland;*

gus an till aimsir bhlàth an earraich: *until the warm weather of spring returns;*

leis gu robh mi a' feitheamh cothrom na sgithean agam a chur air mo chasan: *since I was waiting for an opportunity to put my skis on my feet.*

Buinidh an dà eun don aon ghnè de dh'eòin – na smeòraich – feadhainn a bhuineas don genus *Turdus*. 'S e an t-ainm saidheansail a th' air an deargan-sneachda *Turdus iliacus*. 'S e a th' air an smeòrach *Turdus philomelos.*

Ged a bhios an deargan-sneachda a' neadachadh ann an Alba uaireannan, tha e nas cumanta ann an Lochlann is dùthchannan eile ann an ceann a tuath na Roinn Eòrpa. Bidh e ag ithe dearcagan, leithid an fheadhainn air a' chraoibh-chaorainn agus air a' chraoibh-iubhair. A bharrachd air sin, gabhaidh e beathaichean beaga mar bhaoiteagan, seilcheagan is pocannan-salainn. Agus, ann an ceann a tuath na Roinn Eòrpa anns a' gheamhradh, leis gu bheil i cho fuar, bidh am biadh sin gu math gann.

Mar sin, bidh na h-eòin a' dèanamh air Alba agus, ma dh'fhàsas i ro fhuar ann an seo, is mura h-eil biadh gu leòr ann, thèid iad gu deas airson greis, gus an till aimsir bhlàth an earraich.

Agus mar a thuirt mi, an seo air a' Ghaidhealtachd, nuair a nochdas an deargan-sneachda airson a' chiad turas anns an leas, faodaidh tu ràdh nach eil an sneachd fad' às. Mar sin, leis gu robh mi a' feitheamh cothrom na sgithean agam a chur air mo chasan am-bliadhna, bha mi air leth toilichte nuair a nochd e. Chuir mi fàilte mhòr air. Dìreach là às dèidh sin, thàinig frasan sneachda agus, nuair a dh'èirich mi anns a' mhadainn, bha an talamh geal.

Puing-chànain na Litreach: a chithear an deargan-sneachda airson a' chiad turas: *that the redwing is seen for the first time. Before a grammatically aware reader (which should be all of you!) picks up on the non-inflection of the word* turas *here, I thought I had better explain myself! By the grammatical rules, following the compound preposition airson, the noun* turas *should be in the genitive case and therefore should be slenderised to* turais. *While some Gaelic-speakers may still treat* turas *in this way, many do not. While other words dealing with time generally follow the rules eg* bha mi ann airson na bliadhna air fad, tha e an seo airson na seachdain(e), *people generally say* airson an turas agam (*not* turais). *This avoidance of the rule is not so common when the genitive is employed as an indicator of possession eg you would be more likely to hear* 's e sin adhbhar mo thurais *than* 's e sin adhbhar mo thuras. *And, of course, the established word for 'tourists' is* luchd-turais, *not* luchd-turas.

Seanfhacal na Litreach: Cha dèan aon smeòrach samhradh: *one thrush does not make a summer.*

LITIR 187

(Am Faoilleach 2003)

Midwinter shinty matches have a long heritage – and they are still held today …

tha e na chleachdadh aig a' mhòr-shluagh: *it is customary for the population;* **cur-seachad:** *pastime;* **iomain:** *shinty;* **paraiste:** *parish;* **spàirn:** *struggle;* **ann an saor-làithean na Nollaig:** *in the Christmas holidays;* **nithear buillean cruaidh:** *heavy blows are struck;* **bidh lurgann air a bhriseadh:** *a shin is broken;* **tuairisgeul:** *description;* **Lòbhat, a tha stèidhichte ann an Cill Targhlain, agus a' Mhanachainn:** *Lovat, which is based in Kiltarlity, and Beauly;* **bidh còmhstri mhòr ann eatarra:** *there is great rivalry between them;* **air an dàrna là dhen Fhaoilleach:** *on the 2nd of January;*
bha fuil a' sruthadh às a' chluais aige: *blood was running from his ear (not internally, thank goodness!);* **gu feum cluicheadair a' phàirc fhàgail:** *that a player must leave the field of play;* **eagal 's nach gabh iad galar air choreigin:** *for fear of catching some disease or other;*
rinn feadhainn cobhair air a' chluicheadair: *some people gave the player assistance;* **cha tàinig e far na pàirce:** *he did not come off the field of play;* **chaidh a shuathadh le spong mòr:** *he was rubbed with a large sponge;*

"**Air Gàidhealtachd na h-Alba**," leugh mi o chionn ghoirid, "tha e na chleachdadh aig a' mhòr-shluagh a bhith ri cur-seachad anns a' gheamhradh, air a bheil 'iomain'… Thig buidhnean mòra cruinn ann an saor-làithean na Nollaig, uaireannan le dàrna paraiste a' cluich an aghaidh tè eile. Anns an spàirn eadar na cluicheadairean, nithear buillean cruaidh, agus gu tric bidh lurgann air a briseadh, no bho àm gu àm tachraidh tubaist nas miosa na sin.'

Chaidh an tuairisgeul sin de spòrs nàiseanta nan Gàidheal a sgrìobhadh o chionn fhada – ann an ochd-deug, trithead 's a còig (1835). Agus, uill, dh'fhaodadh gu bheil e fìor gu ìre fhathast, ged a tha beagan òrdugh anns na geamannan an là an-diugh.

'S dòcha gur e an gèam as ainmeile a th' air a chluich ann am meadhan a' gheamhraidh an-diugh, am fear aig àm na Bliadhna Ùire eadar dà sgioba faisg air Inbhir Nis – Lòbhat, a tha stèidhichte ann an Cill Targhlain, agus a' Mhanachainn. Tha iad nan nàbannan do chèile agus bidh còmhstri mhòr ann eatarra. Am-bliadhna, bha an gèam air an dàrna là dhen Fhaoilleach anns a' Mhanachainn agus thàinig sluagh mòr ga choimhead.

Agus bha spàirn gu leòr ann. **Fhuair aon chluicheadair**, airson na Manachainn, **sgleog air a cheann** agus bha fuil a' sruthadh às a' chluais aige. Ach chan eil an iomain mar a tha spòrs eile. Chithear, fiù 's ann an rugbaidh, gu feum cluicheadair a' phàirc fhàgail ma bhios fuil a' sruthadh às. Is, gu dearbh, tha daoine gu math faiceallach an-diugh mun dòigh 's a bheil iad a' dèiligeadh ri fuil, eagal 's nach gabh iad galar air choreigin.

Ach tha iomain eadar-dhealaichte. Às dèidh greis, gun iarrtas sam bith bhon chluicheadair, rinn an rèitire fead agus rinn feadhainn cobhair air a' chluicheadair. Cha tàinig e far na pàirce, ge-tà. Chaidh uisge a dhòrtadh air a chluais, chaidh a shuathadh le spong mòr, agus a thiormachadh le searbhadair, agus rinn an rèitire fead a-rithist, is lean an gèam. Cha do rinn an

searbhadair: *towel;* **fead:** *whistle;*
bìog: *cheep;*

cluicheadair bìog de ghearan. Chan e sin an dòigh aig cluicheadairean iomain!

Tha e inntinneach anns an t-seann artaigil gu robh an iomain air a comharrachadh mar spòrs geamhraidh, oir 's e sin a th' ann fhathast, agus tha eachdraidh mhòr aig geamannan na Bliadhna Ùire. Ach tha beachd aig cuid ann an saoghal na h-iomain gum bu chòir dhaibh cluich as t-samhradh agus feumaidh na clubaichean beachdachadh air.

clubaichean: *clubs;*

Saoilidh mise gur e deagh rud a bhiodh ann, oir 's e spòrs a th' ann a tha nas fheàrr air pàirc thioram luath, seach air feur fliuch trom a' gheamhraidh. Uaireannan, tha na geamannan as t-samhradh, mar Chuairt Dheireannach Cupa na Camanachd, air leth math. Tha a' ghrian a' deàrrsadh, tha i blàth, agus tha na cluicheadairean is an luchd-coimhead air an dòigh. **Agus, air a' Ghàidhealtachd, chan eil spòrs mòr sam bith eile a' dol**, oir tha seusan a' bhuill-choise seachad. Chanainn gur e sin an argamaid as mò a th' ann airson iomain a chluich as t-samhradh – nach bi i ann am farpais le ball-coise. Cha robh farpais sam bith ann bho bhall-coise ann an ochd-deug, trithead 's a còig.

Cuairt Dheireannach Cupa na Camanachd: *the Camanachd Cup Final;*

seusan: *season (as in football, shinty);*

Seo pìos eile dhen artaigil, agus mar a bhuannaich aon sgioba: *Chunnaic an sgrìobhadair geam anns an do ruith fear de na cluicheadairean … mìle leis a' bhall na làimh, agus an sgioba aige fhèin agus an fheadhainn eile, an tòir air, gus an do ràinig e an ceann thall.* Chan fhaod thu tadhal a chur mar sin ann an iomain an-diugh! (LTiR)

mìle leis a' bhall na làimh: *a mile with the ball in his hand;* **an tòir air, gus an do ràinig e an ceann thall:** *in pursuit of him, until he reached the far end;* **chan fhaod thu tadhal a chur mar sin:** *you can't score a goal in that manner.*

<u>Puing-chànain na Litreach</u>: **Agus, air a' Ghàidhealtachd, chan eil spòrs mòr sam bith eile a' dol**: *and, in the Gàidhealtachd, no other major sport is taking place. There are a number of place-names in which the Gaelic equivalent of the preposition 'in', which would normally be* 'ann an/anns an', *must be disregarded, for its use would be wrong. The idiomatically correct preposition is* 'air', *meaning 'on' as in* air a' Ghàidhealtachd *and* air a' Ghalldachd *(in the Lowlands). Note also the example at the start of the Litir:* **air Gàidhealtachd na h-Alba.** *Note that we say* air a' Bhac *for 'in Back' (in Lewis) and not* anns a' Bhac. *Similarly,* air na Lochan *means 'in Lochs' (in Lewis). In Harris,* air an Tairbeart *is the equivalent for 'in Tarbert'. And in Ross-shire, we say* 'air a' Chomraich' *(literally 'on the Sanctuary') for 'in Applecross'. Sometimes it works the other way. For example 'on Skye' is* anns an Eilean Sgitheanach, *not* air an Eilean Sgitheanach. *And 'on Barra' is* ann am Barraigh.

<u>Gnàths-cainnt na Litreach</u>: **Fhuair aon chluicheadair sgleog air a cheann**: *one player received a blow on his head.* Sgleog *means a sharp blow or slap.*

LITIR 188

(Am Faoilleach 2003)

There are several different ways to say in Gaelic that a person has died, most of them euphemistic …

mìle beannachd aig an eug: *a thousand blessings on death;* **'s iomadh fear don rinn e feum:** *there is many a man for whom it was useful;* **thug e bhuam-s' a' chailleach bhreun:** *it took from me the vile old woman;*

Seo agaibh rann bheag. Chan eil e uabhasach tlachdmhor, 's dòcha, ach co-dhiù, seo i:

Mìle beannachd aig an eug,
'S iomadh fear don rinn e feum,
Thug e bhuam-s' a' chailleach bhreun,
'S èibhinn leam ***gun shiubhail i,***
Gun shiubhail i, gun shiubhail i.

'S e am fear a sgrìobh an rann bodach a bha toilichte gun d' fhuair a bhean bàs. Is duilich sin, gun teagamh, ach feumaidh nach robh iad a' faighinn air adhart le chèile. 'S ann à Loch Abar a bha e agus, anns an sgìre sin, agus ann an Earra-Ghàidheal, canaidh iad *shiubhail* airson *died*, ged a tha am facal a' ciallachadh *travelled*. Gun shiubhail i no gun do shiubhail i – *that she died.* Seo an rann a-rithist, agus tha mi airson 's gum mothaich sibh am facal *eug* a tha a' ciallachadh *bàs*:

Mìle beannachd aig an eug, etc...

Tha caochladh dhòighean ann airson a ràdh gun d' fhuair duine bàs, a bharrachd air *gun do shiubhail e*. Faodaidh sinn a ràdh *gun do dh'eug e.* Seo an t-ainmear *eug* a' nochdadh mar ghnìomhair.

cluinnear an gnìomhair 'caochladh': *the verb 'caochladh' is heard;* **chaochail Mòrag a bhon-dè:** *Morag died the day before yesterday;*

Ann an cuid de sgìrean, cluinnear an gnìomhair *caochladh*, a tha a' ciallachadh *atharrachadh. Chaochail Mòrag a bhon-dè*, mar eisimpleir. Seo an dòigh as cumanta ann an Siorrachd Rois. Ann am pàirtean de Shiorrachd Inbhir Nis, cluinnear *theirig e* no *chrìoch e.* Cluinnear cuideachd *dh'fhalbh e.*

Nise, bu chòir dhomh rudeigin a ràdh mun ghnìomhair *bàsachadh.* Ann an cuid de sgìrean air tìr-mòr, cleachdaidh daoine sin airson beathaichean a-mhàin. Canaidh iad, *bhàsaich an cù* no *bhàsaich a' bhò*. Cha chan iad uair sam bith, *chaochail a' bhò* no *chaochail a' chaora.* Ach, cha chan iad *gun do bhàsaich duine* nas mò. Bhiodh sin mì-mhodhail.

airson beathaichean a-mhàin: *for animals alone;* **cha chan iad gun 'do bhàsaich' duine nas mò:** *they don't (won't) say 'bhasaich duine' either;*

Ach ann an àiteachan eile, is gu h-àraidh anns na h-eileanan, cleachdaidh daoine *bhàsaich* airson beathaichean agus daoine. Canaidh iad, mar eisimpleir, *gun do bhàsaich Alasdair* no *gun do bhàsaich an seann rùda.*

bhàsaich an seann rùda: *the old ram died;*

Agus dè tha sgrìobhte mu bhàs anns a' Bhìoball? Uill, seo eisimpleirean à Litir an Abstoil Phòil chun nan Ròmanach. Ann an caibideil a còig, earrann a sia: *bhàsaich Crìosd airson nan daoine neo-dhiadhaidh*; agus ann an earrann a h-ochd: *dh'fhuiling Crìosd bàs air ar son.* Anns an deicheamh earrann dhen t-siathamh caibideil, tha *gun d' fhuair e bàs*, agus ann an caibideil a h-ochd, earrann trithead 's a ceithir, tha: *Is e Crìosd a fhuair bàs...'*

Litir an Abstoil Phòil chun nan Ròmanach: *Paul's Letter to the Romans;* **neo-dhiadhaidh:** *ungodly;* **dh'fhulaing:** *suffered;* **deicheamh:** *tenth;* **siathamh:** *sixth;* **ann an caibideil a h-ochd, earrann trithead 's a ceithir:** *in the eight chapter, verse 34;* **Am Bìoball:** *The Bible;* **ach chan e sin uile e:** *but that's not all (there is);* **anns an t-Seann Tiomnadh ann an Ciad Leabhar nan Rìgh:** *in the Old Testament, in the First Book of Kings;* **ann an Ciad Leabhar nan Eachdraidh:** *in the First Book of Chronicles;* **anns an aonamh earrann deug thar an dà fhichead:** *in the 51st verse;* **faiceallach:** *careful;*

'S e *fhuair bàs* mar as trice a tha a' nochdadh anns a' Bhìoball. Ach chan e sin uile e. Mar eisimpleir, anns an t-Seann Tiomnadh, ann an Ciad Leabhar nan Rìgh, (caibideil a sia-deug, earrann a h-ochd-deug) tha: *...chaidh e a-steach do lùchairt taigh an rìgh agus loisg e taigh an rìgh os a chionn fhèin le teine, agus dh'eug e.* Agus ann an Ciad Leabhar nan Eachdraidh, anns an aonamh earrann deug thar an dà fhichead dhen chiad chaibideil, tha: *Dh'eug Hadad mar an ceudna...*

Agus tha diofar dhòighean ann airson a ràdh gu bheil duine marbh. Dh'fhaodadh tu ràdh, *chan eil e maireann* no *chan eil e an làthair.* Ach bithibh faiceallach leis an fhear mu dheireadh. Ma thèid sibh gu coinneamh, a' coimhead airson cuideigin, is ma chuireas sibh a' cheist, "càite a bheil [canaidh sinn] Dòmhnall?" agus ma gheibh sibh an fhreagairt, "chan eil Dòmhnall an làthair", 's dòcha gum bi am fear eile dìreach a' ciallachadh nach eil Dòmhnall aig a' choinneimh. Dh'fhaodadh e fhathast a bhith slàn fallain ann am badeigin eile! LTIR

chan eil X an làthair: *either "X is dead" or "X is not present" (hopefully the context will tell you which!)*

Puing-chànain na Litreach: *You may be a little confused as to why the verse has* **gun shiubhail i** *instead of the 'text-book'* gun do shiubhail i. *In fact, I dare say that some of you might have interpreted it as meaning* gun siubhail i, *which would be quite different. The* do *is usual, but not mandatory in everyday speech. In some places, for example in parts of Lewis, the* do *in such constructions is either elided to the point of virtual disappearance or is dispensed with entirely. Fear not, it is still the past tense in the active voice, meaning 'that she died' or, literally, 'that she travelled' (it is a euphemism). If it had been* gun siubhail i, *without lenition, it would be the future tense and, much to the bodach's chagrin, his* 'cailleach bhreun' *would still be alive and tormenting him!*

Gnàths-cainnt na Litreach: Tha caochladh dhòighean ann airson a ràdh gun d' fhuair duine bàs: *there are various ways of saying that a person died. Following* caochladh, *a noun (eg* dòighean*) will be in the genitive plural.*

LITIR 189

(Am Faoilleach 2003)

Did the ancient Greek navigator Pytheas visit the Callanish standing stones …?

tòimhseachan: *puzzle;* **air uachdar na Talmhainn:** *on the surface of the Earth;* **cearcall a' mhathain:** *the circle of the bear;* **am bi e na chuideachadh dhuibh?:** *will it be of assistance to you?;* **Arctach:** *Arctic;* **do-fhaicsinneach:** *invisible;* **co-shìnte le crios meadhan na cruinne:** *parallel with the equator;*

as fhaide deas: *southernmost;* **grian-stad an t-samhraidh:** *summer solstice;* **dh'fhaodadh nach eil am briathrachas furasta:** *perhaps the vocabulary is not easy;*

far an gabh a' ghrian faicinn: *where the sun can be seen;*

feumaidh sinn a bhith ag amharc air X: *we must look at X;* **reul-bhad:** *constellation;* **crann-arain:** *baker's bread shovel (also the constellation known as The Plough in English);* **fuineadair:** *baker;* **airson aran a thoirt a-mach à àmhainn:** *to take bread out of an oven;* **na seachd rionnagan as soilleire:** *the 7 brightest stars;*

Seo agaibh tòimhseachan: càite, air uachdar na Talmhainn, a bheil *cearcall a' mhathain*? Tha e ann an àite fuar, gu tuath air Alba. Am bi e na chuideachadh dhuibh ma chanas mi gur e am facal a bh' aig na Greugaich o shean airson mathan – *arktos*?

'S e cearcall a' mhathain an *Cearcall Arctach*, loidhne do-fhaicsinneach a tha a' dol timcheall na Talmhainn anns an àird a tuath co-shìnte le crios meadhan na cruinne. Airson a bhith mionaideach, tha e aig seasgad 's a sia ceum agus trithead 's a dhà mionaid (66° 32') gu tuath air crios meadhan na cruinne. Ach carson *cearcall a' mhathain*?

'S e a th' ann an loidhne as fhaide deas bhon phòla mu thuath far an gabh a' ghrian faicinn là is "oidhche", gun dorchadas sam bith ann, aig àm grian-stad an t-samhraidh. Canaidh mi sin a-rithist, oir dh'fhaodadh nach eil am briathrachas furasta dhuibh. 'S e an Cearcall Arctach an loidhne as fhaide deas air an t-saoghal, co-shìnte le crios meadhan na cruinne, far an gabh a' ghrian faicinn ceithir uairean fichead san là aig grian-stad an t-samhraidh. 'S e *grian-stad an t-samhraidh* a' Ghàidhlig air *summer solstice*, an là as fhaide a th' ann. Tha am facal *solstice* a' tighinn bhon Laidinn *solstitium* a tha a' ciallachadh *grian-stad*, an dearbh abairt a th' againn ann an Gàidhlig.

Ach carson *'arktos'*? Uill, airson sin a mhìneachadh, feumaidh sinn a bhith ag amharc air na rionnagan, no na reultan. Tha mi dhen bheachd gum bi sibh eòlach air an reul-bhad air a bheil *The Plough* ann am Beurla. 'S e a' Ghàidhlig a th' air *an Crann-arain*. 'S e crann-arain an t-inneal leacach a bhios fùineadair a' cleachdadh airson aran a thoirt a-mach à àmhainn.

'S e an crann-arain anns na speuran na seachd rionnagan as soilleire anns a' reul-bhad mhòr air a bheil, ann an Laidinn, *Ursa Major* – am Mathan Mòr. Agus, gu tuath air a' Chearcall Arctach, cha bhi am Mathan Mòr, an *arktos* do na Greugaich, a' falbh uair sam bith fon fhàire. Gabhaidh e faicinn oidhche sam bith dhen bhliadhna, co-dhiù nuair a tha i dorch agus gun sgòthan.

Thathar a' smaoineachadh gur e an Greugach Hipparchus a chruthaich an siostam airson loidhnichean co-shìnte le crios meadhan na cruinne a chomharrachadh. Bha sin anns an dàrna linn ro Chrìosd. Am measg nan sgrìobhadairean a thug buaidh air, bha fear Pytheas **a bhuineadh don bhaile Ghreugach** a tha a-nise ann an ceann a deas na Frainge, is **air a bheil Marseilles an-diugh**. Bha Pytheas beò còrr is trì cheud bliadhna ro Chrìosd agus tha e ainmeil, am measg eile, leis gur iad na sgrìobhaidhean aige an fheadhainn as sine a th' againn mu Bhreatainn, oir sheòl e ann agus sgrìobh e mu dheidhinn a thurais.

Nuair a bha e ann an Alba thomhais e àirde na grèine aig meadhan-là **agus bhuaithe sin, dh'obraich Hipparchus a-mach gu robh e aig leth-cheud 's a h-ochd ceum is trì mionaidean deug (58°13') gu tuath air crios meadhan na cruinne**. Tha cuid a' dèanamh dheth gu robh sin ann an Eilean Leòdhais agus gur dòcha gur e Tursachan Chalanais a tharraing Pytheas don eilean. Bha fada aig Pytheas ri dhol à Leòdhas mus ruigeadh e an t-àite fuar a chomharraich e mar *Ultima Thule* agus, gu dearbh, *cearcall a' mhathain*, ach tha e inntinneach gur dòcha gu bheil na clachan ainmeil ann an Calanais na cheangal annasach eadar na seann Ghreugaich, an cruinn-eòlas aca agus an dùthaich againn fhèin. LTR

anns an dàrna linn ro Chrìosd: *in the second century before Christ;*

an fheadhainn as sine a th' againn mu Bhreatainn: *the oldest ones we have about Britain;*
thomhais e àirde na grèine aig meadhan-là: *he estimated (measured) the height of the sun at midday;*
Tursachan Chalanais: *Callanish Standing Stones;*
Eilean Leòdhais: *Isle of Lewis;*
sheòl e ann: *he sailed there;*
tha cuid a' dèanamh dheth: *some (people) reckon;* **bha fada aig X ri dhol:** *X had a long way to go (travel);* **cruinn-eòlas:** *geography (knowledge of the globe);*

Puing-chànain na Litreach: agus bhuaithe sin, dh'obraich Hipparchus a-mach gu robh e aig 58°13' gu tuath air crios meadhan na cruinne: *and from that Hipparchus worked out that he (Pytheas) was at 58°13' north of the equator. Do you notice a grammatical difference between the Gaelic and English sentences here? In English 'from' is the simple preposition, but in Gaelic, in a situation like this, where no noun is involved, we would normally say* 'bhuaithe sin' *which literally means 'from it that'.* Bhuaithe *is a prepositional pronoun, a grammatical construction which does not exist in English, but which is common in Gaelic (they exist for all common prepositions); it is formed as a combination of the preposition* 'bho' *and the third person singular masculine personal pronoun* 'e'. *Why do we assume the use of the masculine prepositional pronoun rather than the feminine* (bhuaipe)*? I suppose one just has to recognise that the masculine is generally the 'default' position, if gender is not a particular issue.*

Gnàths-cainnt na Litreach: a bhuineadh don bhaile Ghreugach .. air a bheil 'Marseilles' an-diugh: *who belonged to the Greek town .. which is called 'Marseilles' today.* A bhuineadh do/dha – *who belonged to (place)*

LITIR 190

(An Gearran 2003)

Marjory Kennedy-Fraser became famous for her work on Gaelic song. She even recorded the song of a seal on Barra …

tiotan: *a moment;* **'s e eilean brèagha a th' ann:** *it's a beautiful island;* **leis gu bheil an là àlainn:** *because the day is beautiful;* **gainmheach:** *sand;* **peathraichean:** *sisters;* **tha X ag iarraidh air an tè eile òran a ghabhail:** *X wants the other [female] one to sing a song;* **grunn ròn air sgeirean:** *a group of seals on sea-rocks;* **a tha gam blianadh fhèin:** *which are sunning themselves;* **bana-chompanach:** *female companion;* **a bha beò ann an riochd boireannaich:** *which was living in the form of a woman;* **faoileagan:** *seagulls;*

Tha mi airson 's gun smaoinich sibh tiotan air Eilean Bharraigh. 'S e eilean brèagha a th' ann co-dhiù, ach tha e a' coimhead nas brèagha nan àbhaist, leis gu bheil an là àlainn, agus a' ghrian a' deàrrsadh. Tha triùir bhoireannach còmhla air tràigh – tràigh mhòr le gainmheach bhàn oirre. 'S e luchd-ciùil a th' annta agus tha dithis ('s e peathraichean a th' annta) ag iarraidh air an tè eile òran a ghabhail. Chan e òran àbhaisteach, ge-tà, oir tha na boireannaich a' coimhead air grunn ròn air sgeirean faisg air a' chladach, a tha gam blianadh fhèin.

Tha iad ag iarraidh air am bana-chompanach òran eileanach a ghabhail mu dheidhinn ròn a bha beò ann an riochd boireannaich. Tha a' bhana-sheinneadair a' coimhead timcheall oirre, eagal 's gu bheil duine eile ann. Ach chan eil sgeul air duine eile. Chan eil dad beò ri fhaicinn ach iad fhèin, na ròin agus faoileagan. Tha i a' tòiseachadh air seinn. Agus dè tha sin, thall air na sgeirean? Tha na ròin a' toirt freagairt dhi. Tha iad a' seinn air ais dhi nan dòigh fhèin. Agus tha fear dhiubh uabhasach math, a' seinn cha mhòr mar a bhiodh boireannach le guth math – aig ìre *mezzo-soprano*.

tha na boireannaich eile ag aontachadh rithe: *the other women agree with her;* **gun teagamh:** *without doubt;*

Tha peansail agus pàipear aig a' bhoireannach, oir tha i air a bhith ag obair air ceòl is òrain a chlàradh ann am Barraigh, agus tha i a' cur fonn an ròin sìos air a' phàipear aice. Tha i a' dèanamh dheth, agus tha na boireannaich eile ag aontachadh rithe, gu bheil an ròn gun teagamh a' seinn.

deagh dhìleab no droch dhìleab: *a good legacy or a bad legacy;* **a rèir do sheallaidh fhèin:** *according to your own view;*

Thachair sin uaireigin as t-samhradh eadar na bliadhnaichean naoi-deug is fichead (1920) agus naoi-deug, fichead 's a seachd (1927), agus 's i am boireannach a sheinn an t-òran agus a sgrìobh fonn an ròin tè-chiùil ainmeil a dh'fhàg dìleab mhòr co-cheangailte ri òrain nan Gàidheal. Deagh dhìleab no droch dhìleab a rèir do sheallaidh fhèin. B' ise Marsaili Cheanadach-Fhriseal, *Marjory Kennedy-Fraser*, no, **mar a b' aithne do mhòran air a' Ghàidhealtachd i**, Marsaili nan Òran.

àrd-ùrlar: *stage;* **Lunnainn:** *London;*

rinn an iris aoireil Punch fealla-dhà mun chùis: *the satirical magazine Punch made fun of the matter;* **leis gum biodh e fada na bu shaoire:** *that it would be much cheaper;*

anns a' Bhàgh a Tuath: *in Northbay;* **inneal-clàraidh:** *recording device;*

thòisich i air a' chruinn-eachadh a rinn ainmeil i: *she started on the collecting that made her famous;* **gus an do chaochail i:** *until she died;* **agus 's dòcha ath-chruthachadh:** *and perhaps re-invention;* **bheir sinn sùil air a beatha:** *we will look at her life.*

Bhiodh Marsaili tric a' nochdadh air an àrd-ùrlar ann an Lunnainn, agus dh'innis i don luchd-amhairc anns a' bhaile sin turas mu dheidhinn na thachair dhi air an là sin ann am Barraigh, agus mar a sheinn ròn dhi. Rinn an iris aoireil *Punch* fealla-dhà mun chùis, agus iad a' cur adhart a' bheachd gum bu chòir don Chompanaidh Opara Nàiseanta an ròn a ghlacadh is a chur air an àrd-ùrlar an àite a' *phrima donna* a bh' aca, leis gum biodh e fada na bu shaoire dhaibh!

Bha Marsaili uabhasach measail air Barraigh agus na Barraich. Chruinnich i tòrr òran anns an eilean, leithid bho Anna Niclain ann am Bàgh a' Chaisteil agus bhon "Mrs Mackinnon" mar a bh' aice fhèin oirre, no Bean Shomhairle Bhig, mar a b' aithne do mhuinntir an àite i, anns a' Bhàgh a Tuath. Chaidh i timcheall gu taighean nan daoine, ag iarraidh orra òrain a ghabhail dhi agus, eadar peansail is pàipear, agus inneal-clàraidh air an robh *graphophone,* rinn i clàr de dh'òrain gu leòr.

Ach cha b' e Barraigh a' chiad eilean anns na h-Eileanan an Iar dhan deach Marsaili. Thòisich i air a' chruinneachadh a rinn ainmeil i ann an eilean eile beagan gu tuath air Barraigh – Eirisgeigh. Bho chaidh i an sin ann an naoi-deug 's a còig (1905) gus an do chaochail i ann an naoi-deug is trithead (1930), bha Marsaili gu mòr an sàs ann an cruinneachadh, agus 's dòcha ath-chruthachadh, òrain nan Gàidheal. Anns na litrichean romhainn bheir sinn sùil air a beatha. LTR

<u>Puing-chànain na Litreach</u>: **tha mi airson 's gun smaoinich sibh air Eilean Bharraigh**: *I want you to think about the Isle of Barra. Notice here the use of the Gaelic preposition* air *which is normally translated as "on" but is here equivalent to the English "about", which is itself often a translation of the Gaelic* mu dheidhinn. *You might have said* "tha mi airson 's gun smaoinich sibh mu dheidhinn Eilean Bharraigh". *Here is another example*: sgrìobh mi litir thuice air an dearbh ghnothach *(I wrote a letter to her about the very matter). A common example where both "on" and "about" occur in the English version is the expression* cò air a tha thu a-mach? *(what are you on about?). And, of course, the grammatical gymnasts among you will realise that 'I read a book about a bus' would* be leugh mi leabhar air bus *which might simply that you were on a bus, reading a book about (let us say) quantum physics. In this instance, you might well say* leugh mi leabhar mu dheidhinn bus, *in order to avoid ambiguity.*

<u>Gnàths-cainnt na Litreach</u>: **mar a b' aithne do mhòran air a' Ghàidhealtachd i**: *as many in the Gàidhealtachd knew (recognised) her.* Mar a b' aithne do/dha X Y*: as X knew/recognised Y.*

LITIR 191

(An Gearran 2003)

Marjory Kennedy-Fraser was in her teens when she started touring as a musician...

seinneadair: *singer;* **Daibhidh Ceanadach:** *David Kennedy;* **bhuineadh sinnsearan nan Ceanadach do Ghàidhealtachd Siorrachd Pheairt:** *the ancestors of the Kennedys belonged to the Perthshire Gaidhealtachd;*

a bhith-beò a dhèanamh le bhith a' seinn: *to make his living by singing;* **fhad 's a bha Marsaili na pàiste:** *when Marjory was a child;*

òrain Albannach a-mhàin: *only Scottish songs;* **bha e ag amas air:** *he was intending to;* **am measg sliochd nan Albannach:** *among the descendants of Scots;*

piàna: *piano;*

Inbhir Pheofharain: *Dingwall;* **slag:** *a hollow (in the landscape);* **coitheanal:** *congregation;* **rachadh còrr is trithead bliadhna seachad:** *more than 30 years would pass;* **cò aige tha fios:** *who knows;* **nach tug an là sin buaidh air choreigin oirre:** *that that day didn't have an effect of some sort on her;*

Rugadh Marsaili Cheanadach-Fhriseal, Marsaili nan Òran, ann an ochd-deug, caogad 's a seachd (1857), mar Mharsaili Cheanadach, nighean don t-seinneadair ainmeil, Daibhidh Ceanadach. Bhuineadh sinnsirean nan Ceanadach do Ghàidhealtachd Siorrachd Pheairt, ach ghluais iad gu baile Pheairt far an do thogadh Daibhidh. Nuair a bha còignear cloinne aig Daibhidh agus an dàrna bean aige, Ealasaid Fhriseal, ghluais an teaghlach a Dhùn Èideann, far an do chuir Daibhidh an gnìomh an dòchas **a bh' air a bhith aige bho bha e òg** – a bhith-beò a dhèanamh le bhith a' seinn agus a' teagasg seinn.

Airson trì bliadhna, fhad 's a bha Marsaili na pàiste, bha iad a' fuireach ann an Lunnainn, far an do choisinn Daibhidh cliù dha fhèin mar sheinneadair. Cha robh Gàidhlig aige, ach bha e measail air òrain Albannach anns a' Bheurla, agus chuir e roimhe dhol air adhart le bhith a' seinn, gu proifeasanta, òrain Albannach a-mhàin. Bha e ag amas air ùine mhòr a chur seachad thall thairis, am measg sliochd nan Albannach, agus a' seinn dhaibh.

Fhad 's a bha a pàrantan ann am Ameireagaidh a Tuath – airson mìosan – dh'fhuirich Marsaili agus triùir pheathraichean aice còmhla rin seanmhair ann am Peairt. An uair sin, chaidh iad a Dhùn Èideann far an do dh'ionnsaich Marsaili ceòl, an toiseach air a' phiàna. Dh'fhàs i sgileil gu leòr airson am piàna a chluich fhad 's a bhiodh a h-athair a' seinn, agus chaidh iad air chuairt còmhla gu ruige Sealtainn, Arcaibh, Gallaibh, Inbhir Pheofharain agus Inbhir Nis.

Nuair a bha iad ann an Siorrachd Rois, chaidh iad gu seirbheis eaglais a bh' air a cumail a-muigh ann an slag gu tuath air Inbhir Pheofharain. Bha na ceudan anns a' choitheanal, agus bha an t-seirbheis ann an Gàidhlig. Cha robh Marsaili ach trì bliadhna deug a dh'aois. Rachadh còrr is trithead bliadhna seachad mus tòisicheadh i air an obair aice leis na Gàidheil, ach cò aige tha fios nach tug an là sin buaidh air choreigin oirre.

air chuairt a dh'Astràilia: *on a tour of [to] Australia;*
a mhair trì bliadhna: *which lasted 3 years;*

gu crios nan siantan siara: *to the latitude of the westerly storms (ie the "roaring forties");*
fo chrios meadhan na cruinne: *below the equator;*
nach ruigeadh iad Astràilia: *that they wouldn't reach Australia.*
fo-aodach: *underwear;*
nèamh: *heaven;*
dìomhain: *idle;*

taobh a-muigh nam bailtean mòra: *outside the cities;*

cèidse: *cage;*
coltach ri ainmhidh fiadhaich: *like a wild animal;*

Ann an ochd-deug, seachdad 's a dhà (1872), chaidh an teaghlach air chuairt a dh'Astràilia agus New Zealand – cuairt mhòr a mhair trì bliadhna. Agus **cha robh e uile gu lèir tlachdmhor**. Chaidh iad ann am bàta-siùil agus nuair a bha iad ann an uisgeachan tropaigeach thàinig ciùineas air a' mhuir.

An uair sin, chaidh iad gu deas, gu crios nan siantan siara – a tha barrachd air ceathrad ceum fo chrios meadhan na cruinne. Bha i cho fiadhaich ann a sin 's gu robh cuid dhen luchd-siubhail dhen bheachd nach ruigeadh iad Astràilia idir. Gu dearbh, dh'aidich seann bhoireannach à Alba gun do chuir i fo-aodach ùr oirre gus am biodh i glan nuair a ruigeadh i nèamh!

Uile gu lèir bha iad trì mìosan aig muir gun a dhol air tìr, mus do ràinig iad Melbourne. Cha robh Marsaili is a teaghlach dìomhain fhad 's a bha iad a' seòladh, ge-tà. A h-uile là chumadh iad ris a' cheòl aca, oir bha iad air piàna beag a thoirt leotha air bòrd.

Ann am Melbourne fhuair iad fàilte mhòr bho na h-Albannaich is eile a chaidh a dh'èisteachd riutha. Ach taobh a-muigh nam bailtean mòra, cha robh cùisean furasta do luchd-siubhail, mar a chì sinn anns an Litir an ath-sheachdain. Chan e dìreach gu robh droch rathaidean ann ach gu robh droch dhaoine ann cuideachd. Fhad 's a bha iad ann am Melbourne chaidh iad a Phrìosan Phentonville far am faca iad fear ainmeil air a chumail ann an cèidse, mar a sgrìobh Marsaili, "coltach ri ainmhidh fiadhaich". Cò bh' ann? Cò, ach Ned Cealaidh!

LTIR

<u>Puing-chànain na Litreach</u>: **a bh' air a bhith aige bho bha e òg**: *that he had had since he was young. The* 'air' *here is the ancient preposition* iar, *meaning "after" or "behind" – think of it as meaning literally "that he was after having". It is the Gaelic equivalent to the use of 'had' in English to form the pluperfect tense. The verb in the pluperfect refers to an action which took place before the other past actions in a sentence. In the Litir, David had had (note the pluperfect) the hope since his childhood that he would make his living singing; the more recent past verbs are* ghluais *and* [far an do] chuir. *Here is another example*: bha Uilleam air am bàta a thogail gu math, agus 's e sin a chum beò iad *(William had built the boat well, and it was that which kept them alive).*

<u>Gnàths-cainnt na Litreach</u>: **cha robh e uile gu lèir tlachdmhor**: *it wasn't altogether pleasurable.* Uile gu lèir: *completely, totally, altogether.*

LITIR 192

(An Gearran 2003)

Marjory Kennedy-Fraser continues her journey towards the Hebrides – via Australia and North America …

Bha Daibhidh Ceanadach, athair Marsaili nan Òran, gu math ainmeil na là mar sheinneadair Albannach air feadh an t-saoghail, agus chuir e fhèin is a theaghlach seachad trì bliadhna ann an Astràilia is New Zealand, a' siubhal bho àite gu àite is a' nochdadh air an àrd-ùrlar anns gach fear aca.

Aig an àm sin, anns na seachdadan san naoidheamh linn deug, cha robh rathad math sam bith ann eadar Melbourne is Sydney, agus thug na Ceanadaich sia seachdainean air eich is ann an coidsichean, a' dol tro choille is tarsainn aibhnichean airson Sydney a ruigsinn. Bha an turas garbh, ach chòrd e ri Marsaili. Is bha iad trang gu leòr nuair a ràinig iad Sydney, oir sheinn iad a h-uile oidhche airson deich seachdainean.

Chaidh iad an uair sin gu tuath, gu Tìr na Bànrigh, is ochd mìosan deug às dèidh dhaibh Astràilia a ruigsinn, chaidh iad a Thasmania, far an do choinnich iad ri seann bhoireannach laghach a bha na nighinn don fhear-chiùil ainmeil Albannach, Nathaniel Gobha, agus na ban-ogha don fhìdhlear ainmeil, Niall Gobha. Às dèidh sin, chuir iad seachad ùine ann an Adelaide is an uair sin New Zealand.

Chunnaic Marsaili rudan ann an New Zealand a chuir Alba na cuimhne. Bha an t-Eilean mu Dheas car coltach ris an t-seann dùthaich agus, ann am Wellington, dh'fhairich i gaoth làidir de a leithid nach do dh'fhairich i ach ann an eileanan na h-Alba. Agus **chunnaic i rudeigin a chitheadh i tric is minig anns na bliadhnaichean roimhpe** ann an Eilean Bharraigh – boireannach (ban-Mhaori a bh' innte) a' lìonadh cliabh le coilleagan, no srùbain.

Sheòl iad a dh'Ameireagaidh as t-samhradh, ochd-deug, seachdad 's a còig (1875) agus airson a' gheamhraidh bha iad ann an Canada, uaireannan a' siubhal ann am fìor dhroch shìde ann an slaod a bh' air a tharraing le eich. Is bha an teaghlach trang a-rithist, mar bu trice a' seinn ann an sia bailtean eadar-dhealaichte gach seachdain is ann an dà eaglais

ainmeil na là mar sheinneadair Albannach: *famous in his day as a Scottish singer;*
anns gach fear aca: *in each one of them;*
anns na seachdadan: *in the seventies;*
tarsainn aibhnichean: *across rivers;* **eich:** *horses;* **coidsichean:** *coaches;*
garbh: *rough;*

Tìr na Bànrigh: *Queensland;*
ochd mìosan deug às dèidh dhaibh X a ruigsinn: *18 months after reaching X;*
laghach: *nice;* **na ban-ogha don fhìdhlear ainmeil:** *a grand-daughter of the famous fiddler;*
an t-Eilean mu Dheas: *South Island;* **a chuir Alba na cuimhne:** *which reminded her of Scotland;* **car coltach ris an t-seann dùthaich:** *rather like the old country;*
a' lìonadh cliabh le coilleagan, no srùbain: *filling a creel with cockles (coilleag and srùban are both common names for this shellfish);*
sheòl iad a dh'Ameireagaidh as t-samhradh: *they sailed to America in the summer;*
airson a' gheamhraidh: *for the winter;* **fìor dhroch shìde:** *really bad weather;*
slaod: *sleigh;*

Clèireach: *Presbyterian;*

bha i air mòran dhen t-saoghal fhaicinn: *she had seen much of the world;*

An Eadailt: *Italy;*

dh'fhulaing na Ceanadaich mulad mhòr: *the Kennedys suffered great grief;*

chaidh an triùir a mharbh-adh: *the three were killed;*

a bha na cho-ogha do a màthair: *who was a first cousin to her mother;*

banntrach: *widow;*

cliùiteach: *renowned;*

a' gabhail carbad-iarainn gu ruige an t-Òban: *taking a train to Oban;*

a chumadh greim teann oirre: *that would keep a tight grip on her.*

Chlèireach a h-uile Sàbaid. Nuair a thill Marsaili a Dhùn Èideann, bha i ochd bliadhna deug a dh'aois agus bha i air mòran dhen t-saoghal fhaicinn.

Anns na bliadhnaichean às dèidh sin, chaidh iad air chuairt a dh'Afraga a Deas, agus chuir cuid dhen teaghlach ùine seachad anns an Eadailt airson tuilleadh ionnsachadh mu cheòl. An uair sin, ann an ochd-deug, ochdad 's a h-aon (1881) dh'fhuiling na Ceanadaich mulad mhòr nuair a **chaidh fear de bhràithrean Marsaili agus dithis pheathraichean dhi còmhla gu amharclann** ann an Nice, anns an Fhraing, airson opara. Bha spreadhadh uabhasach anns an togalach agus chaidh an triùir a mharbhadh.

Thachair mòran do Mharsaili anns na h-ochdadan is toiseach nan naochadan. Thill i a dh'Astràilia is New Zealand, chaochail a h-athair, phòs i fear Ailig Friseal a bha na cho-ogha do a màthair, fhuair i dithis chloinne, agus chaill i an duine aice le droch shlàinte. Bha i na banntrach aig aois trithead 's a trì.

Chaidh còig bliadhna deug eile seachad mus do rinn Marsaili an ceangal ris na h-Eileanan Siar a bha a' dol ga dèanamh cliùiteach. Thachair i ri fear-deilbh Albannach, Iain MacDhonnchaidh, a bha measail air a' Ghàidhlig agus a mhol dhi dhol a dh'Eirisgeigh. Agus chaidh i ann ann an naoi-deug 's a còig (1905), a' gabhail carbad-iarainn gu ruige an t-Òban, agus bàt-aiseig a dh'ionnsaigh an eilein. Sgrìobh i bliadhnaichean às dèidh làimh gun do sheòl i a-steach do shaoghal a chumadh grèim teann oirre airson a' chòrr de a beatha. Bheir sinn sùil air mar a ghlac na h-eileanan, agus saoghal nan Gàidheal, i an ath-sheachdain. LTR

Puing-chànain na Litreach: **chaidh fear de bhràithrean Marsaili agus dithis pheathraichean dhi còmhla gu amharclann**: *one of Marjory's brothers and two of her sisters went together to a theatre. The element* lann *means a place in which an activity of a particular type takes place. It occurs in compounds, with the first element describing the activity. Amharclann ('viewing place') is not commonly used in Scotland (*taigh-cluiche *is more common) but you will meet with it regularly in Ireland and it has some currency here as well.* Leabharlann *('book place') means a library. Note that in both these words, there is no hyphen between the elements, but in many examples there is a hyphen, eg* obair-lann *(work-place) and* deuchainn-lann *(test-place) which might refer to a laboratory or industrial workshop.* Biadh-lann *is a refectory or canteen and* taisbean-lann *means an exhibition hall or gallery.*

Gnàths-cainnt na Litreach: **chunnaic i rudeigin a chitheadh i tric is minig anns na bliadhnaichean roimhpe**: *she saw something she would see very often in the years ahead (of her).* Tric is minig: *very often, frequently.*

LITIR 193 *(An Gearran 2003)*

Marjory Kennedy-Fraser started collecting the songs of the Western Isles in 1905...

A' chiad turas a chaidh Marsaili Cheanadach-Fhriseal a dh'Eirisgeigh, ann an naoi-deug 's a còig (1905), bha i a' faireachdainn gu robh i air seòladh air ais ann an tìm, bhon fhicheadamh linn don t-seachdamh linn deug. Mar a dh'aithris mi anns na litrichean a dh'fhalbh, bha i air a bhith air muir is air tìr ann am mòran dùthchannan, ach cha do ghabh i tlachd bho ghin aca mar a ghabh i bho a cuairt a dh'Eirisgeigh. Bha i a' cumail a-mach gu robh i car sàmhach, diùid na nàdar ach, nan canadh cuideigin am facal "Eirisgeigh" rithe, gum biodh an clab oirre.

Cha b' fhada gus an do thachair Marsaili ris an fhear a b' ainmeile anns an eilean – an sagart, an t-Athair Urramach Ailean Dòmhnallach, no "Maighstir Ailein" mar a chanadh muinntir an àite ris. Bha esan cliùiteach air feadh an t-saoghail am measg dhaoine aig an robh ùidh ann am beul-aithris is bàrdachd is cultar nan Gàidheal. Gu mì-fhortanach do Mharsaili, agus do na h-uimhir eile a bha eòlach is measail air, chaochail Maighstir Ailein dìreach trì seachdainean às dèidh do Mharsaili dhol dhachaigh – leis a' flù – aig aois ceathrad 's a trì. Ach mhair a dhìleab fada às a dhèidh. Gu dearbh, tha i againn fhathast ann an saoghal nan Gàidheal.

'S iomadh duine air an deach Marsaili a chèilidh, agus thòisich i air fuinn nan òran a sgrìobhadh air pàipear. Bha i cho dèidheil orra is gun deach i fiù 's a-mach gu eathar a bha aig acair airson iarraidh air fear de na h-iasgairean na lìn a bha e a' càradh a chur an dàrna taobh, agus òran a ghabhail dhi. Agus mhothaich i do dh'aon rud gu h-àraidh mu dheidhinn seinn nan eileanach – bha na guthan aig mòran aca uabhasach domhain.

Nuair a dh'fhalbh i, thug i leatha fuinn air pàipear ach cha robh i comasach air na faclan a sgrìobhadh – cha robh mòran Gàidhlig aice. Bha Maighstir Ailein air aontachadh taic a thoirt dhi, le bhith a' cur na faclan ga h-ionnsaigh. Ach chaochail e mus robh cothrom aige.

gu robh i air seòladh air ais ann an tìm: *that she had sailed back in time;* **don t-seachdamh linn deug:** *to the 17th Century;* **cha do ghabh i tlachd bho ghin aca:** *she didn't derive pleasure from any of them;* **gu robh i car sàmhach agus diùid na nàdar:** *that she was somewhat quiet and shy in her nature;* **gum biodh an clab oirre:** *that she would be a blabbermouth;* **sagart:** *priest;* **an t-Athair Urramach Ailean Dòmhnallach:** *the Rev. Father Allan Macdonald;* **Maighstir Ailein:** *Father Allan (the local pronunciation is reflected in the spelling, ie Ailein rather than Ailean, in that the "l" and the final vowel are slenderised as would only be the case in the genitive case in most other places);* **do na h-uimhir eile:** *to many others;* **às dèidh do Mharsaili dhol dhachaigh:** *after Marjory had gone home;* **aig aois ceathrad 's a trì:** *at the age of 43;* **mhair a dhìleab fada as a dhèidh:** *his legacy survived long after him;* **'s iomadh duine air an deach X a chèilidh:** *X visited many people;* **na lìn a bha e a' càradh a chur an dàrna taobh:** *to put aside the nets he was mending;* **domhain:** *deep;* **thug i leatha fuinn air pàipear:** *she took with her tunes on paper;* **chaochail e mus robh cothrom aige:** *he died before he had an opportunity;*

inneal-clàraidh-fuaim: *voice recording device;* **siolandair-cèire:** *wax cylinder;* **air sàilleabh sin, chanadh gillean òga Eirisgeigh "am bodach" ris:** *because of that, the young lads of Eriskay would call it "the old man";*

Ann an naoi-deug 's a seachd (1907), thill Marsaili a dh'Eirisgeigh agus thug i leatha inneal-clàraidh-fuaim air an robh *graphophone* – an seòrsa inneil a bhiodh a' cleachdadh siolandair cèire. Cha robh e idir cho math ris an fheadhainn a th' againn an là an-diugh, agus shaoileadh neach-èisteachd **gu robh an tùchadh air an t-seinneadair**. Air sàilleabh sin, chanadh gillean òga Eirisgeigh "am bodach" ris. Aig àmannan, leis gu robh an aimsir gu tric fliuch, chan obraicheadh an *graphophone* gu math.

leis nach robh fearann gu leòr dhaibh: *because they didn't have enough land;*

An turas seo, chaidh Marsaili gu ruige Uibhist a Deas cuideachd, oir bha cuid de na daoine air an robh i eòlach ann an Eirisgeigh air a dhol a dh'fhuireach ann, leis nach robh fearann gu leòr dhaibh ann an Eirisgeigh fhèin. Agus chaidh i cuideachd a Bharraigh, an toiseach gu ceann a tuath an eilein. **"Chan fhaigh sibh dad ann am Bàgh a' Chaisteil," thuirt cuideigin rithe anns an Òban**. "Tha e ro *'sophisticated'* a-nise…" Ach bha sin fada ceàrr.

Mìcheal MacNìll: *Micheal MacNeil (in other parts of the country, it is MacNèill rather than MacNìll);* **an co-bhuinn ris an Urramach Coinneach MacLeòid:** *in co-operation with the Rev. Kenneth MacLeod.*

Bha bùth aig fear Mìcheal MacNìll air a' chidhe ann am Bàgh a' Chaisteil, agus chuir e fios a-mach do ghrunn seinneadairean thighinn cruinn còmhla anns a' bhùth. B' e sin, sgrìobh Marsaili, fear de na cèilidhean a b' fheàrr a bh' aice a-riamh, far an do chruinnich i òrain. Bheir sinn sùil air agus air an obair a rinn Marsaili an co-bhuinn ris an Urramach Coinneach MacLeòid anns an Litir mu dheireadh mu a deidhinn, an ath-sheachdain. (LTR)

Puing-chànain na Litreach: "Chan fhaigh sibh dad ann am Bàgh a' Chaisteil," thuirt cuideigin rithe anns an Òban: *"you won't get anything in Castlebay," somebody said to her in Oban. Can you explain why we say* ann am Bàgh a' Chaisteil *but* anns an Òban? *It is all to do with the use of the article. In the case of Oban, there is an article in its Gaelic name* – an t-Òban – *which means we must say* anns an Òban. *In names like* Bàgh a' Chaisteil, *we never put an article in front of the phrase, because it exists between the words as* "a'" *(ie of the castle). This is the same as saying* "bha mi **ann an** dorchadas **na** coille"*, although we would say* "bha mi **anns an** dorchadas". *Another example is "in Fort William" (the Gaelic for the town is* An Gearasdan*). It is either* anns a' Ghearasdan *or, if you want to be specific about which* gearasdan *(garrison), you might say* ann an Gearasdan Loch Abair *(literally "in the Lochaber garrison" – there is also* Gearasdan Deòrsa*, Fort George, near Inverness). In the second example, the article is lost* (ann an *is an indefinite preposition) because of the genitive Loch Abair (of Lochaber).*

Gnàths-cainnt na Litreach: gu robh an tùchadh air an t-seinneadair: *that the singer was hoarse or wheezy.* Thàinig an tùchadh orm: *I grew hoarse (as with a throat infection or with too much singing or shouting).*

LITIR 194

(Am Màrt 2003)

Rev. Kenneth MacLeod co-operated with Marjory Kennedy-Fraser in collecting and publishing songs from the Western Isles …

chruinnich X grunn òran: *X collected a few songs;*

fhuair i am fonn an uair sin co-dhiù: *she got the tune then, at least;* **Anna Niclain:** *Annie Johnson;* **gum biodh cruaidh fheum aice air neach-deasachaidh:** *that she would have great need of an editor;* **Proifeasair na Ceiltis:** *the Professor of Celtic;* **dh'aontaich Mgr MacLeòid a cuideachadh:** *Mr MacLeod agreed to help her;* **nuair a chuir X faclan ga ionnsaigh***:* *when X sent him words;* **bho làithean òige:** *from the days of his youth;* **bha stòras iongantach de bheul-aithris aig piuthar athar:** *his father's sister had an amazing store of oral tradition;* **bhiodh e ag eadar-theangachadh òrain eileanach:** *he would translate island songs;* **a chuireadh an dreach mu dheireadh orra:** *who would finalise them;*

Beinn a' Bhadhla: *Benbecula;*

Ann an naoi-deug 's a seachd (1907), chruinnich Marsaili Cheanadach-Fhriseal grunn òran ann am bùth Mhìcheil MhicNìll air cidhe Bhàgh a' Chaisteil ann am Barraigh. Am measg sin, bha *Latha dhomh am Beinn a' Cheathaich* air an do chuir i an t-ainm *Kishmul's Galley*. Fhuair i am fonn an uair sin co-dhiù. 'S ann sa bhliadhna as dèidh sin, nuair a thill i a Bharraigh, a fhuair i na faclan bho Anna Niclain, tidsear anns an eilean.

Bha e follaiseach dhi, ge-tà, nan robh i a' dol a leantainn le bhith a' cruinneachadh òrain Ghàidhlig, gum biodh cruaidh fheum aice air neach-deasachaidh. Mhol an t-Ollamh MacFhionghain, Proifeasair na Ceiltis ann an Oilthigh Dhùn Èideann, an t-Urramach Coinneach MacLeòid, a rugadh is a thogadh ann an Eige, dhi, agus dh'aontaich Mgr MacLeòid a cuideachadh.

Thòisich iad ann an naoi deug 's a h-ochd (1908) nuair a chuir Marsaili faclan ga ionnsaigh a chruinnich i aig a' chèilidh ann am Bàgh a' Chaisteil. Bha Mgr MacLeòid gu math eòlach air a' chànan agus air a' chultar bho làithean òige ann an Eige. Bha stòras iongantach de bheul-aithris aig piuthar athar, Seònaid NicLeòid, às an Eilean Sgitheanach. Agus 's ann airsan a bha an t-uallach dèanamh cinnteach gu robh na faclan ceart.

Ach rinn e fad a bharrachd na sin. Bhiodh e a' sgrìobhadh òrain, no pàirtean de dh'òrain. Bhiodh e ag eadar-theangachadh òrain eileanach bho Ghàidhlig gu Beurla, ged is i Marsaili a chuireadh an dreach mu dheireadh orra. Chuir iad ri chèile cruinneachadh mòr de a leithid *"Sea Sorrow"*, *"Heartling of my Heart"*, *"The Birlinn of the White Shoulders"* agus *"The Harris Love Lament".* Uaireannan bhiodh an t-eadar-theangachadh gu math faisg air na bh' ann bho thùs. Uaireannan cha bhiodh iad coltach ri chèile idir.

Agus thachair eadar-theangachadh air an rathad eile cuideachd. Mar eisimpleir, chuala Marsaili òran aig seann bhoireannach ann am Beinn a' Bhadhla. Faisg air an taigh aice, air a' mhachair, thòisich triall bainnse là eile, agus thàinig fonn an òrain air ais do Mharsaili. Sgrìobh i faclan Beurla as ùr dha, mu dheidhinn na chunnaic i – agus chuir i an tiotal air *"Benbecula Bridal"*. 'S ann as dèidh sin, a chruthaich Coinneach MacLeòid òran, leis an aon fhonn, agus air an dearbh chuspair – *"An Triall Bainnse"*.

'S dòcha gur e an t-òran as ainmeile a rinn Coinneach MacLeòid – *"Road to the Isles"*. Bha e fhèin is Marsaili anns an taigh aice ann an naoi deug 's a còig-deug (1915) turas, cuide ri Calum MacIain à Barraigh. **Chluich Calum port dhaibh air fheadan** – a bha e air ionnsachadh bho cheàrd anns an eilean aige. **Dh'iarr Marsaili air a' mhinistear faclan a chur ris** airson nam balach Albannach a bha a' sabaid anns an Fhraing, agus nochd *"Road to the Isles"* goirid às dèidh sin.

Ged a dh'obraich iad gu dlùth ri chèile air tìr-mòr, far an robh Mgr MacLeòid na mhinistear mus robh e ann an Giogha, chaidh faisg air fichead bliadhna seachad mus deach iad a-mach gu na h-Eileanan Siar còmhla. Cha robh an uair sin ach trì bliadhna air fhàgail aig Marsaili, oir chaochail i ann an naoi-deug is deich ar fhichead (1930).

A' coimhead air ais air a beatha an-diugh, faodaidh sinn faighneachd - dè an rud a bu luachmhoire a rinn i – na h-òrain a dh'ath-chruthaich i fhèin is Coinneach MacLeòid, na clàran de mhuinntir nan eilean a' seinn, a chaidh a ghlèidheadh le Sgoil Eòlais na h-Alba, no an t-sanasachd a rinn i don t-saoghal mhòr de chultar na Gàidhealtachd? Bidh a bheachd fhèin aig gach Gàidheal air a sin. LTR

an aon fhonn: *the same tune;* **agus air an dearbh chuspair:** *and on the same topic;*

ged a dh'obraich iad gu dlùth ri chèile: *although they worked closely together;* **Giogha:** *(the Isle of) Gigha;* **chaochail i:** *she died;* **a' coimhead air ais air a beatha:** *looking back on her life;* **faodaidh sinn faighneachd:** *we may ask;* **dè an rud a bu luachmhoir a rinn i:** *what is the most valuable thing she did;* **a dh'ath-chruthaich i:** *which she re-created;* **Sgoil Eòlais na h-Alba:** *The School of Scottish Studies;* **an t-sanasachd:** *the advertising;* **bidh a bheachd fhèin aig gach Gàidheal air a sin:** *each Gael will have his own opinion on that.*

<u>Puing-chànain na Litreach</u>: **Chluich Calum port dhaibh air fheadan**: *Calum played them a tune on his chanter. If you had heard this in conversation would you have been puzzled by fheadan which sounds like "ET-un"? You might not have realised it was a word beginning with "f" followed by a vowel, which goes silent after lenition. The lenition is caused by the masculine possessive adjective "a" which effectively disappears because of the silencing of the consonant. So* feadan, *a chanter, or* am feadan, *the chanter, becomes* (a) fheadan, *his chanter (or* a feadan, *her chanter). This is a relatively common situation which is easily picked up in the written form of the language but not so easily in conversation. Here are some other examples where the "f" sound disappears under lenition in the same circumstance:* chaill e fhradharc *(he lost his sight);* chuir e fhàinne air a' bhòrd *(he put his ring on the table);* dh'fhàg e fhaclair air a' bhus *(he left his dictionary on the bus).*

<u>Gnàths-cainnt na Litreach</u>: **(Dh'iarr Marsaili air a' mhinistear) faclan a chur ris**: *(Marjory asked the minister) to put words to it.*

LITIR 195 *(Am Màrt 2003)*

There is a link between a prominent monument on a Ross-shire hill and a battle which saw the fall of the last south Indian state to hold out against the British …

cha chreid mi gun do dh'fhairich mi taibhse: *I don't reckon I sensed a ghost;* **toll-dubh:** *dungeon;* **le mo thoil fhèin:** *by my own volition;*

treòrachadh: *guiding;* **sheas e le dhruim ris a' bhalla:** *he stood with his back against the wall;* **agus na gàirdeanan aige air an sìneadh a-mach:** *with his arms extended;* **slabhraidhean:** *chains;*

mì-chalair: *unpleasant;* **tha e mar phàirt de làrach ghlèidhte:** *it is part of a reserved (conserved) site;* **mu dheireadh:** *last;*

air cùl bhallachan àrda tiugha: *behind high thick walls;* **baile ris an canar X:** *a town, settlement which is called X;* **rinn X a' chùis air Y:** *X defeated Y;* **na bu mhò na Alba:** *bigger than Scotland;* **agus athair roimhe:** *and his father before him;* **le ceannard Gàidhealach aig a ceann:** *with a Highland leader at its (fem.) head;* **Sir Eachann Rothach:** *Sir Hector Munro;* **Taigh an Fhuamhair:** *Novar (in Easter Ross);*

Cha chreid mi gun do dh'fhairich mi taibhse idir ach bha e car neònach a bhith ann an toll-dubh anns na h-Ìnnseachan o chionn ghoirid, ged a bha mi ann le mo thoil fhèin, feumaidh mi ràdh! Cha b' ann len toil fhèin, ge-tà, a bha saighdearan Breatannach, feadhainn Ghàidhealach nam measg, air an cumail ann aig deireadh an ochdamh linn deug.

"Seo a-nist," thuirt am bodach a bha gam threòrachadh, "seo an t-àite far an robh an Coirneal Baillie air a chumail." Sheas e le dhruim ris a' bhalla, agus na gàirdeanan aige air an sìneadh a-mach air gach taobh dheth mar gu robh iad ceangailte don bhalla le slabhraidhean. "Seo far an robh an Coirneal Baillie airson bliadhnaichean," thuirt e gun toileachas no bròn na ghuth.

An là an-diugh tha an toll-dubh glan is leth-fhosgailte don t-solas is don èadhar, ach cuiridh mi geall nach ann mar sin a bha e nuair a bha an Coirneal Baillie ann. Is cinnteach gu robh e teth, dorch is salach – agus gu math mì-chalair. Tha e an-diugh mar phàirt de làrach ghlèidhte co-cheangailte ris an fhear mu dheireadh de na prionnsaichean Innseanach a sheas an aghaidh cumhachd Bhreatainn ann an ceann a deas na dùthcha – Tippu Sultan. Bha Tippu gu math cumhachdach, agus cianail fhèin beartach. B' e am prìomh bhaile aige àite mòr mòr air cùl bhallachan àrda tiugha air eilean ann an abhainn faisg air Mysore – baile ris an canar Srirangapatinam.

Rinn na Breatannaich a' chùis air Tippu aig a' cheann thall, agus bha saighdearan Gàidhealach gu mòr an sàs anns na cogaidhean na aghaidh. Bha ceithir cogaidhean ann eadar na Breatannaich agus Mysore – rìoghachd na bu mhò na Alba agus, aig an toiseach, bha Tippu agus athair roimhe, soirbheachail gu leòr. Ann an seachd-deug is ochdad (1780) **sheas dà fheachd na aghaidh, a bha le chèile fo stiùir Albannaich**. A bharrachd air a' Choirneal Baillie, bha feachd eile ann le ceannard Gàidhealach aig a ceann. B' esan Sir Eachann Rothach a bhuineadh do Thaigh an Fhuamhair ann an Ros an Ear.

còd sgrìobhte: *written code;* **nuair a chuireadh iad teachdaireachdan a dh'ionnsaigh chach-a-chèile:** *when they sent (would send) messages to each other;* **co-dhiù tha sin fìor gus nach eil:** *whether that is true or not;* **cha do rinn e cus feum do X:** *it wasn't of much use to X;* **chaidh an fheachd aige a chuairteachadh:** *his force was surrounded;*

chaidh gu math leis: *he was successful;* **carragh-chuimhne:** *stone memorial;* **Cnoc Faoighreis:** *Fyrish Hill;* **air mullach cnuic:** *on the top of a hill;* **Alanais:** *Alness;* **mac-samhail:** *replica;* **gabhaidh e faicinn:** *it can be seen;* **fionnar:** *cool;* **ceangailte gu sìorraidh:** *linked for ever;*

Tha mi air a leughadh gun diùltadh an Rothach agus Baillie còd sgrìobhte a chleachdadh nuair a chuireadh iad teachdaireachdan a dh'ionnsaigh chach-a-chèile. An àite sin, **ged nach urrainn dhomh seo a dhearbhadh le cinnt**, chaidh aithris gun sgrìobhadh iad ri chèile ann an Gàidhlig. Co-dhiù tha sin fìor gus nach eil, cha do rinn e cus feum do Bhaillie, oir chaidh an fheachd aige a chuairteachadh le saighdearan Innseanach agus, ged a bha feachd an Rothaich dìreach beagan mhìltean air falbh, cha d' fhuair e taic bhuapa.

Chaidh feachd Bhaillie a sgrios agus chaidh Baillie fhèin a chur an greim. Chaidh a thoirt gu Srirangapatinam, agus don toll-dhubh anns an robh mi. Fhuair Sir Eachann Rothach air ais a Mhadras gu sàbhailte, ged a chaill e tòrr dhaoine air an rathad, agus saighdearan Mhysore a' toirt ionnsaigh orra. Lean e na dhreuchd agus chaidh gu math leis ann an seachd-deug, ochdad 's a h-aon (1781) nuair a rinn e a' chùis air na Dùitsich aig Nagapatinam air costa na dùthcha.

Agus dh'fhàg sin carragh-chuimhne car annasach againn air mullach cnuic air taobh sear na Gàidhealtachd. Air Cnoc Faoighreis, faisg air Alanais, thog Sir Eachann mac-samhail de gheatachan Nagapatinam. Tha e ann fhathast, gabhaidh e faicinn gu furasta bhon rathad mhòr, an A9, agus tha ceum-coiseachd brèagha a' dol ga ionnsaigh. Cnoc Faoighreis agus Srirangapatinam – àite fionnar Albannach is fear teth Innseanach, monadh àrd is toll fon talamh, na mìltean de mhìltean air falbh o chèile, ach ceangailte gu sìorraidh le eachdraidh fhuilteach.

LTR

<u>Puing-chànain na Litreach</u>: **sheas dà fheachd na aghaidh, a bha le chèile fo stiùir Albannaich**: *two forces stood against him, each of which was under the command of a Scotsman.* Albannaich *refers to only one person – it is the genitive singular of* Albannach, *a Scotsman. The genitive here is formed in the common manner by slenderisation of the final vowel ie* –ach *to* –aich. *If I had said* fo stiùir Albannach, *it would have meant "under the command of Scotsmen (plural)", because it would have been the genitive plural form which, in the case of a word which pluralises in its nominative form by slenderisation (Scotsmen is* Albannaich, *not* Albannachan), *is identical to the nominative singular. Be aware that I am here giving a traditional view – many speakers of Gaelic today do not apply these grammatical rules as did previous generations. In the case of doubt, some prefer to use a dative or nominative form by rearranging the sentence eg* "sheas dà fheachd na aghaidh, agus bha Albannach aig ceann gach tè dhiubh."

<u>Gnàths-cainnt na Litreach</u>: **ged nach urrainn dhomh seo a dhearbhadh le cinnt**: *although I cannot verify this (with certainty).*

LITIR 196 *(Am Màrt 2003)*

Another story from the late Nan Eachainn Fhionnlaigh *of Vatersay ...*

an-uiridh: *last year;* **a fhuaradh bho bhoireannach:** *which was obtained from a woman;* **Bhatarsaigh:** *Vatersay;* **Nan Eachainn Fhionnlaigh:** *Nan, daughter of Hector, who was himself a son of Finlay;* **cha robh dùil agam gun tillinn thuice:** *I didn't expect to return to her;* **ceala-deug:** *fortnight;* **an t-Ollamh Iain MacAonghais:** *Dr John MacInnes;* **Comunn Gàidhlig Inbhir Nis:** *The Gaelic Society of Inverness;* **laghach coibhneil:** *nice and kind;* **a bha a' buntainn ri farsaingeachd saoghal nan Gaidheal:** *which belonged to the broad world of the Gael;*

Sgoil Eòlais na h-Alba: *The School of Scottish Studies;*

ann an cruth diodsaiteach: *in a digital format;*

bha e cho brogail 's gun rachadh e don mhonadh: *he was so sprightly that he would go to the hill;*

bha e làn notaichean: *it was full of paper money;*

chaith e an sporan a smùr na mònadh: *he threw the purse in the peat dross;* **cha do leig a' chailleach oirre:** *the old woman didn't let on;* **dad às an rathad:** *anything out of the ordinary;* **chuir i am bodach dha sgoil:** *she sent the old man to school;*

An-uiridh, ann an Litir ceud, seachdad 's a trì (173), thug mi sgeulachd ghoirid dhuibh a fhuaradh bho bhoireannach ann am Bhatarsaigh – Nan NicFhionghain, Nan Eachainn Fhionnlaigh, a chaochail o chionn beagan is fichead bliadhna. Cha robh dùil agam gun tillinn thuice cho luath, ach bha mi aig òraid mu a deidhinn o chionn ceala-deug, agus bu mhòr a chòrd i rium. Tha mi air a bhith a' smaoineachadh air Nan grunn tursan bhon uair sin.

'S e an t-Ollamh Iain MacAonghais a thug an òraid aig Comunn Gàidhlig Inbhir Nis, mu dheidhinn cuid de na seanfhaclan is gnàthsan-cainnt a chlàr daoine ann an còmhraidhean le Nan. Bha Iain eòlach oirre agus chruthaich e dealbh don luchd-èisteachd de bhoireannach laghach coibhneil aig an robh stòras a bha mòr is beartach, ach a bha a' buntainn ri farsaingeachd saoghal nan Gàidheal. Ged a bha i a' fuireach air eilean iomallach, bha a cridhe aig cridhe na Gàidhealtachd.

Dh'innis Iain grunn de na seanfhaclan aice a th' air clàran ann an Sgoil Eòlais na h-Alba, ach chan eil iad air an cur ri chèile fhathast mar chruinneachadh ceart. 'S dòcha gun tachair sin uaireigin mar phàirt dhen phròiseact ris an canar Tobar an Dualchais, a tha a' cur seann stuth mar sin ann an cruth diodsaiteach.

Ach an-dràsta, bu mhath leam stòiridh beag laghach eile aig Nan aithris dhuibh, ged a tha mi air a dhèanamh beagan nas sìmplidhe. 'S ann mu dheidhinn bodach is cailleach anns an Eilean Sgitheanach a tha e. Bha am bodach a' call a chuimhne ach bha e cho brogail 's gun rachadh e don mhonadh a h-uile là. Co-dhiù, là a bha seo, agus e a' tilleadh às a' mhonadh, lorg am bodach sporan air an talamh. Bha e làn notaichean.

Nuair a ràinig e an taigh aige, chaith e an sporan a smùr na mònadh, agus cha do smaoinich e air tuilleadh, oir bha e a' call a chuimhne. Cha do leig a' chailleach oirre gun robh i a' faicinn dad às an rathad, ach dè rinn i an làrna-mhàireach ach fhuair i leabhar beag agus chuir i am bodach dha sgoil còmhla ris na gillean òga.

an ceann deannan làithean as dèidh sin: *a few days after that;*
bàillidh: *factor;*
an là a bha mi a' togail a' mhàil: *the day I was collecting the rent;*

An ceann deannan làithean as dèidh sin, cò thàinig mun cuairt ach am bàillidh. Thachair e ris a' bhodach agus thuirt e ris, "An là a bha mi a' togail a' mhàil mu dheireadh, chaill mi sporan."

"O," ars' am bodach, "fhuair mise sporan." Bha e a' tighinn gu chuimhne mar a lorg e e.

"O, an d' fhuair?" ars' am bàillidh. "Dè rinn thu leis?"

"Cha do rinn mi ach a chaitheamh ann am smùr na mònadh," ars' am bodach.

uill, ma thà, tha e an sin fhathast: *well, then, it is still there;*

"Uill, ma thà," ars' am bàillidh, "tha e an sin fhathast."

"Tha," ars' am bodach, "tha mi cinnteach gu bheil."

rùileach (dialectual form of **rùrach**): *searching with hands;*

Chaidh am bodach dhachaigh còmhla ris a' bhàillidh agus thòisich iad air rùileach smùr na mònadh. Ach, ged a bhiodh iad a' rùileach fhathast chan fhaigheadh iad an sporan. Thionndaidh am bàillidh ris a' bhodach agus thuirt e ris, "Cò là a fhuair thu an sporan?"

"An là mun deach mi dha sgoil," thuirt am bodach.

an là mun deach mi: *the day before I went;*
cha do rugadh mise an uair sin: *I wasn't born then;*
no fad' as a dhèidh: *or long after it.*

"O Mhic an Ànraidh!" ars' am bàillidh, "an là mun deach thusa dha sgoil, cha do rugadh mise an uair sin no fad' às a dhèidh."

Dh'fhalbh am bàillidh is cha d' fhuair e sporan no dad eile. Bha an sporan agus an t-airgead aig a' chaillich, **ge brith gu dè mar a chosg i e**. LTR

__Puing-chànain na Litreach__: **"O Mhic an Ànraidh!" ars' am bàillidh**: *it is difficult to give a translation of* Mhic an Ànraidh *– literally it means Son of the Tempest or Son of the Distress and is an expletive (as uttered here by the factor). But the point I want to make is a grammatical one about* mhic *(or* o mhic *or* a mhic*). This is the word* mac *(son) in the vocative case. Vocative singulars are constructed as follows:in masculine nouns, it is the same as the genitive singular case, and lenited eg* a bhalaich! *(lad!),* a Dhòmhnaill! *(Donald!). [The exclamation mark is here included to indicate the vocative]. In feminine nouns it is the same as the nominative case, and lenited (but not slenderised), eg* a chaileag! *(lass!),* a Mhòrag! *(Morag!) Adjectives follow the inflexion of the noun so we get, for example,* a bhalaich bhig! *(little lad!) and* a chaileag bheag! *(little lass!). In the case of* mac *followed by a noun (or name), the second word is in the genitive (as* ànraidh, *the genitive of* ànradh*) eg* a mhic mo bhràthar! *(son of my brother!)*

__Gnàths-cainnt na Litreach__: **ge brith gu dè mar a chosg i e**: *however she spent it.* Ge brith *is a variant of* ge bith *or* ge be, *and is common in the southernmost of the Western Isles. It means whatever or however or, with* cò, *whoever (*ge brith cò thigeadh: *whoever would come, regardless of who would come).*

LITIR 197

(Am Màrt 2003)

A new dictionary gives the points of the compass in Gaelic…

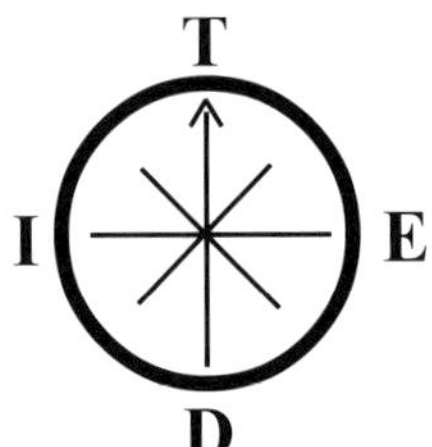

halò, a chàirdean: *hello, friends;* **halò, fhearaibh:** *hello, men;*

Halò, **a chàirdean**. Tha sibh eòlach gu leòr air sin, nach eil? *A chàirdean.* Dè chanadh sibh ri buidheann de dh'fhir no ri buidheann de bhoireannaich? Uill, ris na fir, chanadh sibh, "halò, fhearaibh." Ris na boireannaich, bhiodh sibh a' cleachdadh an fhacail *bean* anns an tuiseal ghairmeach iolra, a' cantainn "halò **a mhnathan**". Ri balaich, chanadh sibh, "**a bhalachaibh**" agus ri caileagan chanadh sibh, "**a chaileagan**." Tha na notaichean gràmair an t-seachdain seo a' mìneachadh mar a tha an tuiseal gairmeach iolra ag obair.

Tuath 's a bhith 'n Ear: *N by E;* **Tuath 's an Ear-thuath:** *NNE;* **an Ear-thuath 's a bhith Tuath:** *E by N;* **an Ear-thuath:** *NE;* **an Ear-thuath 's a bhith 'n Ear:** *NE by E;* **an Ear 's an Ear-thuath:** *ENE;* **an Ear 's a bhith Tuath:** *E by N;*

Ach gu cuspair eile. Bu mhath leam rudeigin aithris dhuibh an-dràsta agus, mus bi mi deiseil, chanainn gum bi fios agaibh dè th' ann. Seo a-nis e: Tuath, Tuath 's a bhith 'n Ear, Tuath 's an Ear-thuath, an Ear-thuath 's a bhith tuath, an Ear-thuath, an Ear-thuath 's a bhith 'n Ear, an Ear 's an Ear-thuath, an Ear 's a bhith Tuath, an Ear.

àirdean na combaist: *the points of the compass;*

Bidh sibh a' tuigsinn *Tuath* agus *an Ear – north* agus *east* – agus bidh e soilleir dhuibh, saoilidh mi, gur e a th' annta àirdean na combaist, eadar Tuath agus an Ear. Agus dh'fhaodadh sibh leantainn oirbh eadar an Ear, Deas, an Iar, is air ais gu Tuath. Chan fhaca mi àirdean na combaist ann an Gàidhlig ann an clò a-riamh, co-dhiù ann an leabhar a chaidh fhoillseachadh gu proifeasanta. Ach tha iad againn a-nise ann am faclair ùr Gàidhlig a nochd o chionn ghoirid – *The Gaelic-English Dictionary, am Faclair Gàidhlig-Beurla,* le Cailean Mark. Buinidh Cailean don Ear-thuath, ma dh'fhaodas mi àirde na combaist a chleachdadh, agus dh'ionnsaigh e a' Ghàidhlig. Sgrìobh e leabhar anns na h-ochdadan mu ghnìomhairean Gàidhlig agus tha a' chompanaidh *Routledge* a-nise air fhaclair mòr ùr snasail fhoillseachadh.

sgrìobh e leabhar anns na h-ochdadan mu ghnìomhairean Gàidhlig: *he wrote a book in the eighties about Gaelic verbs;* **snasail:** *neat;*

A bharrachd air na faclan fhèin tha earrannan anns an fhaclair a tha a' mìneachadh puingean cudromach gràmair, cunntadh is eile – agus àirdean na combaist. Seo an fheadhainn eadar Deas agus an Iar: Deas, Deas 's a bhith 'n Iar, Deas 's an Iar-dheas, an Iar-dheas 's a bhith Deas, an Iar-dheas, an Iar-dheas 's a bhith 'n Iar, an Iar 's an Iar-dheas, an Iar 's a bhith Deas, an Iar.

a bheil sibh air rudeigin a mhothachadh?: *have you noticed something?;* **an fheadhainn a laigheas eadar gach prìomh àirde:** *the ones that lie between each primary compass point;* **gu bheilear a' toirt prìomhachas do X:** *that priority is given to X;*

A bheil sibh air rudeigin a mhothachadh mu na h-àirdean ann an Gàidhlig? Seo an fheadhainn a laigheas eadar gach prìomh àirde, ann am Beurla an toiseach agus an uair sin ann an Gàidhlig: *North-east, South-east, South-west, North-west;* an Ear-thuath, an Earra-Dheas, an Iar-dheas, an Iar-thuath. Bidh sibh a' mothachadh gu bheilear a' toirt prìomhachas do Thuath agus Deas ann am Beurla, mar eisimpleir *North-east* an àite *East-north* is *South-west* an àite *West-south.* Ach ann an Gàidhlig canaidh sinn an Ear-thuath is an Iar-dheas an àite Tuath-ear no Deas-iar.

tha e a' cumail a-mach: *he reckons, maintains;* **an àirde an ear:** *the east;* **air beulaibh:** *in front of;* **air cùlaibh:** *behind;* **gur e as coireach ri sin:** *that the reason for that is;* **co-cheangailte bho thùs ri adhradh na grèine:** *linked originally to sun-worship;* **ma choimheadas tu a dh'ionnsaigh na h-àirde an ear:** *if you look eastwards;* **tha an àirde a deas air do làimh dheis:** *(the) south (point of the compass) is at your right hand.*

Tha beachd aig Cailean Mark air a sin. Tha e a' cumail a-mach gur e as coireach ri sin gu robh na h-àirdean ann an Gàidhlig co-cheangailte bho thùs ri adhradh na grèine, agus gu robh an àirde an ear fìor chudromach oir 's ann an sin a bhios a' ghrian ag èirigh. Dhèilig mi ri seo ann an Litir o chionn fhada, nuair a mhìnich mi gu bheil *an ear* a' ciallachadh *air beulaibh* a chionn 's gum biodh daoine a' coimhead a dh'ionnsaigh àirde èirigh na grèine. Tha *an iar* a' ciallachadh *air cùlaibh* air an aon dòigh.

Agus 's e sin as coireach gu bheil deas airson *south* co-ionann ri deas airson *right*, oir ma choimheadas tu a dh'ionnsaigh na h-àirde an ear, tha an àirde a deas air do làimh dheis. Co-dhiù, a chàirdean, **sin uile a cheadaicheas an ùine dhomh** an t-seachdain seo. Beannachd leibh. LTR

Puing-chànain na Litreach: *Last week we looked at the vocative singular case in Gaelic. At the beginning of this week's Litir, I gave some examples of the vocative plural,* an tuiseal gairmeach iolra. *This is formed in two ways: where the nominative plural form has an –*an *ending, the vocative plural is equivalent to the nominative plural, except that it is lenited and preceded by an "a". Thus* càirdean *becomes* "**a chàirdean**!" *and* caileagan *becomes* "**a chaileagan**!" *Where the nominative plural in some masculine nouns is formed by slenderisation of the nominative singular eg* balaich *(boys),* fir *(men),* bodaich *(old men), there is an old vocative form which still exists, and which terminates in –*aibh, *eg* "**a bhalachaibh**!", "fhearaibh!", "a bhodachaibh!". *Note that with* fhearaibh *having an initial silent consonant combination because of lenition, the "a" is dropped. Also, some dialects give a "iv" sound at the end of these forms; in others, the sound is closer to "oo". A few nouns are irregular. An example is* "**a mhnathan**!", *the vocative plural of* bean, *a wife or woman.*

Gnàths-cainnt na Litreach: sin uile a cheadaicheas an ùine dhomh: *that's all that time permits me.*

LITIR 198

(An Giblean 2003)

The dative plural case in Gaelic has disappeared – and further grammatical simplification is sure to follow …

Cuine a leigeas sinn seachad seann chleachdaidhean gràmair dha nach bi a h-uile duine a' cumail an là an-diugh? Deagh cheist, gu dearbh, is chan eil freagairt agamsa air a son, ged a tha e inntinneach meòrachadh oirre. Tha an tuiseal tabhartach iolra anns an t-suidheachadh sin. 'S e sin, mura h-eil sibh eòlach air na tuisealan ann an Gàidhlig, an *dative plural.* An àite tuiseal tabhartach, bidh cuid ag ràdh tuiseal *roimhearach* oir bidh ainmearan as dèidh roimhear sìmplidh a' dol don tuiseal sin.

cuin' a leigeas sinn seachad seann chleachdaidhean gràmair?: *when will we give up old grammatical usages?;* **dha nach bi a h-uile duine a' cumail:** *to which not everybody adheres;*

ainmear: *noun;* **roimhear:** *preposition;*

Ann an leabhraichean is bàrdachd is òrain an naoidheamh linn deug chithear rudan mar "tha na h-eòin anns na crannaibh", "guma slàn do na fearaibh", "còmhdaichte le luideagaibh". Tha na faclan mar *crannaibh*, *fearaibh* agus *luideagaibh* anns an tuiseal thabhartach iolra, mar a bha e, le *–aibh* aig an deireadh.

tha na h-eòin anns na crannaibh: *the birds are in the trees;* **guma slàn do na fearaibh:** *good health to the men;* **còmhdaichte le luideagaibh:** *covered in rags;*
chanamaid: *we would say;*

An là an-diugh airson crannaibh chanamaid *crainn* no mar as trice, leis an fhìrinn innse, *craobhan* – tha na h-eòin anns na craobhan. Chanamaid *guma slàn do na fir* agus *còmhdaichte le luideagan*. **'S e na th' air tachairt gu bheil an seann tuiseal tabhartach iolra air a dhol à bith**. Anns an t-seagh sin tha an cànan nas sìmplidhe na bha i – is bidh sibh toilichte mu dheidhinn sin, tha mi cinnteach!

Bha mi a' smaoineachadh gu robh an tuiseal sin air a dhol à bith buileach ach gu h-iongantach, thachair mi ri fear turas a bha ga chleachdadh gu nàdarrach. Agus gabhaidh sibh iongnadh nuair a dh'innseas mi ca' robh e a' fuireach. Ann an Astràilia! Bha e a' fuireach anns na Beanntan Gorma gu siar air Sydney agus ag obair mar fhear-lagha ann an Sydney fhèin. 'S dòcha gu bheil e a' dèanamh sin fhathast oir cha chuala mi guth air airson greis.

thachair mi ri fear turas: *I met a man on one occasion;* **gabhaidh sibh iongnadh:** *you will be surprised;*

Chanadh esan rudan mar *fearaibh* an àite *fir*. Agus tha cuimhne agam gun tuirt e seo turas – "Bha am Bìoball na mo làmhaibh". Ghabh mi iongnadh aig an àm agus thuirt mi sin ris. Agus mhìnich e dhomh gur e "Gàidhlig a' Bhìobaill" a bh' aige, seann Ghàidhlig, oir bha e air a h-ionnsachadh

bha am Bìoball na mo làmhaibh: *the Bible was in my hands;*

coitheanal: *congregation;* **An Eaglais Shaor:** *the Free Church;* **b' iad na daoine na choitheanal:** *the people in his congregation were;* **luchd-labhairt na Gàidhlig a rugadh ann an Astràilia:** *Gaelic-speakers who were born in Australia;*

bho Ghàidheil anns a' choitheanal aige – an Eaglais Shaor – agus le bhith a' leughadh an t-seann Bhìobaill. B' iad na daoine na choitheanal Gàidheil à Alba agus luchd-labhairt na Gàidhlig a rugadh ann an Astràilia fhèin. Tha glè bheag dhiubhsan air fhàgail a-nise.

Tha m' inntinn air a' cheist seo an-dràsta oir bha mi a' toirt sùil air an fhaclair Ghàidhlig ùr air an robh mi a-mach an t-seachdain sa chaidh – Am Faclair Gaidhlig-Beurla le Cailean Mark – agus mhothaich mi gu robh e a' cumail ris an t-seann chruth a th' air an fhacal *bean* anns an tuiseal thabhartach shingilte – *mnaoi.* Chanamaid a' Bhean-phòsta NicDhòmhnaill, ach *leis a' Mhnaoi-phòsta NicDhòmhnaill.*

tha sin a' sealltainn cho doirbh 's a tha e faclair a chruthachadh: *that shows how difficult it is to create a dictionary;* **airson adhbhar air choreigin:** *for some reason or another;* **nach robh i ga h-ùrachadh:** *it (fem.) was not being renewed;* **tha sin cho ceàrr 's a ghabhas:** *that is as wrong as can be;* **tha X a' sìor atharrachadh:** *X is continually changing.*

Uill, 's e sin a chanadh na seann ghinealaich, ach san là an-diugh? Cha chreid mi gu bheil mòran ga ràdh an-diugh. Chanadh a' chuid mhòr *leis a' Bhean-phòsta NicDhòmhnaill.* Agus tha sin a' sealltainn cho doirbh 's a tha e faclair a chruthachadh aig àm nuair a tha an cànan ag atharrachadh gu luath. Chuala mi fear aineolach air an rèidio an-uiridh, fear a tha fada an aghaidh na Gàidhlig airson adhbhar air choreigin, agus thuirt e gur e an rud a bu mhò a bha ceàrr oirre nach robh i ga h-ùrachadh mar chànan an là an-diugh.

Uill, tha sin cho ceàrr 's a ghabhas. Mar a chì sinn le *bean* is *mnaoi*, agus le mòran fhaclan eile, tha a' Ghàidhlig a' sìor atharrachadh mar a tha a h-uile cànan a tha beò ann an coimhearsnachd. LTIR

Puing-chànain na Litreach: *The thrust of this week's letter is changes in the language eg with the dative case. The old dative plural case has now disappeared from everyday usage and some of the specialized or irregular forms of dative singular for feminine nouns are also disappearing eg* mnaoi, *the dative singular of* bean, *a woman or wife. In modern Gaelic, people tend to say* bean *in the dative singular eg* leis a' bhean, *rather than* leis a' mhnaoi. *Another one which is less common than it used to be is* cloich, *the dative singular of* clach, *a stone. In many places people would still say* air a' chloich *but in other communities, they would say* air a' chlach. Bò, *cow, is another example. It has a dative singular form* boin *ie* air a' bhoin, leis a' bhoin, *but increasingly people would say today* air a' bhò, leis a' bhò.

Gnàths-cainnt na Litreach: 'S e na th' air tachairt gu bheil an seann tuiseal tabhartach iolra air a dhol à bith: *what has happened is that the old dative plural case has gone out of existence.* Tha X air a dhol à bith: *X has become extinct, gone out of existence.*

LITIR 199

(An Giblean 2003)

If you are an angler, you will need to know how to count trout...

cia mheud agaibh a tha nan iasgairean: *how many of you are fishermen;*

thairis air a' cheala-deug a dh'fhalbh: *over the past fortnight;* **ris a bheil X a' dèiligeadh:** *which X deals with;* **tha mi airson suathadh air:** *I want to touch on;* **aig deireadh fhaclair:** *at the end of his dictionary;*

anns a' chiad dol a-mach: *in the first instance;*

ma chanas cuideigin riut: *if somebody says to you;*

treas: *third;* **sreath:** *series;*

nam biodh buadhair air a shèimheachadh: *if an adjective were lenited;*

Chan eil fhios agam cia mheud agaibh a tha nan iasgairean ach tha ceist agam dhuibh co-cheangailte ri iasgach. Ciamar a chanadh sibh ann an Gàidhlig "fourteen trout"? Smaoinichibh mu dheidhinn airson tiotan. *Fourteen trout.* 'S e a' Ghàidhlig a th' air "trout" – singilte – *breac.*

Thairis air a' cheala-deug a dh'fhalbh, thug mi sùil air puingean a thog mi à faclair Gàidhlig ùr le Cailean Mark. An t-seachdain seo tha mi airson suathadh air cuspair ris a bheil Cailean a' dèiligeadh gu math aig deireadh fhaclair far a bheil e a' toirt sùil air gràmair is rudan eile – cunntadh.

An tug mi ùine gu leòr dhuibh airson na ceist a chuir mi oirbh? Dè a' Ghàidhlig a th' air "fourteen trout"? Uill, 's e a th' ann *ceithir bric dheug.* An d' fhuair sibh sin? Bu mhath leam an suidheachadh a mhìneachadh oir tha eagal orm gun tuirt cuid agaibh 's dòcha *ceithir breac deug* no *ceithir breacan deug* no *ceithir bric deug,* an àite *ceithir bric dheug* mar bu chòir.

Anns a' chiad dol a-mach, ma tha fios agaibh gur e a' Ghàidhlig a th' air "trout" *breac*, ach mura h-eil fios agaibh dè chanas sibh airson trì no ceithir dhiubh, feumaidh sibh coimhead ann am faclair. Seo na chanas Cailean fhèin anns an fhaclair aige: "breac, bric, bric, ainmear fireann, *trout*: **cho fallain ri breac**: *as healthy as a trout.*" Is toigh leam an samhladh sin. Ma chanas cuideigin riut "Ciamar a tha thu?", faodaidh tu ràdh, "tha cho fallain ri breac."

Tha an treas facal anns an t-sreath – *bric* – ag innse dhuinn de chanas sinn airson *trout (plural).* Airson *ten trout*, canaidh sinn *deich bric.* Airson eleven trout, canaidh sinn *aona bhreac deug* no *aon bhreac deug.* Nise carson is e *deug* an seo, an àite *dheug*? Uill, tha deug ag obair anns an aon dòigh 's a tha buadhair no *adjective.* Nam biodh buadhair air a shèimheachadh, bidh deug air a shèimheachadh. Mura bitheadh am buadhair air a shèimheachadh, cha bhi deug air a shèimheachadh.

Tha *breac* fireann. Canaidh sinn breac beag no breac mòr. Mar sin 's e *deug* a chanas sinn an àite *dheug*. Aona bhreac deug. Tha breac air a shèimheachadh as dèidh aon ach chan eil deug air a shèimheachadh idir. Le facal boireann mar uinneag, ge-tà, chanamaid *aon uinneag dheug.*

Le dà-dheug, tha deug an-còmhnaidh air a shèimheachadh le faclan fireann agus boireann. Mar sin, canaidh sinn dà chù dheug agus dà eaglais dheug. Agus, airson *twelve trout* – dà bhreac dheug.

Agus le trì-deug, feumaidh sinn smaoineachadh air na thachras do bhuadhair as dèidh "bric". Canaidh sinn bric mhòra agus bric bheaga, nach can? Air an aon dòigh, canaidh sinn bodaich mhòra, balaich mhòra, is Sgitheanaich mhòra. Tha am buadhair air a shèimheachadh le ainmear a th' air a dhèanamh iolra le caolachadh. Gheibh sibh mìneachadh air seo ann am Beurla anns na notaichean gràmair.

Mar sin, le *bric*, bidh deug air a shèimheachadh. Canaidh sinn *trì bric dheug.* Agus mar a thuirt mi na bu tràithe airson *fourteen trout* – ceithir bric dheug. Dè a' Ghàidhlig, ma-thà, a th' air *nineteen women* no *seventeen Scotsmen*? Innsidh mi dhuibh an ath-sheachdain. Agus tha ceist eile agam dhuibh. Dè a' Ghàidhlig a th' air *hour* is a bheil e boireann no fireann? Agus ciamar a chanas sinn *"eleven o' clock"* is carson? Bithibh faiceallach! Agus coinnichidh sinn a-rithist an ath-sheachdain.

boireann: *feminine;* **an-còmhnaidh:** *always;* **feumaidh sinn smaoineachadh air na thachras:** *we must consider what happens;* **Sgitheanaich mhòra:** *big Skyemen;* **air a dhèanamh iolra le caolachadh:** *made plural by slenderisation;* **mar a thuirt mi na bu tràithe:** *as I said earlier;* **bithibh faiceallach:** *be careful;* **coinnichidh sinn a-rithist:** *we will meet again.*

LTIR

Puing-chànain na Litreach: *The Litir this week explains why we say* ceithir bric dheug *for "fourteen trout". The rules for the teens are as follows: firstly you can work out "eleven trout" and "twelve trout" easily because they do not use the plural form of the noun. So we use a form of* breac *rather than* bric. *Next you have to work out if* deug *is lenited or not. The rule is that, with regard to lenition,* deug *works in the same way as an adjective.* Breac *is a masculine word – we say* breac mòr *in the nominative case, not* breac mhòr. *So for "eleven trout" we say* aona bhreac deug, *not* aona bhreac dheug. Breac *is lenited after* aon *but* deug *is not lenited at all. For twelve, a general rule operates –* deug *is always lenited, regardless of the gender of the noun. Thus "twelve trout" is* dà bhreac dheug (dà *lenites the noun); "twelve churches" (a feminine noun) is* dà eaglais dheug. *With thirteen, we need to use the plural form of* breac, *which is bric (dictionaries will give this). Now work out how you would say "large trout" (plural). Because* breac *is pluralised by slenderisation (of "ea" to "i"), the qualifying adjective is lenited (this is a general rule in Gaelic). Thus we say* bric mhòra, *not* bric mòra. *Now,* deug operates *in the same manner as an adjective. So for "thirteen trout" we say* trì bric dheug. *And for "fourteen trout"* – ceithir bric dheug, *and so on up to* naoi bric dheug.

Gnàths-cainnt na Litreach: cho fallain ri breac: *as healthy as a* trout - *equivalent to "as fit as a fiddle". Also* cho fallain ri fiadh *(as healthy as a deer).*

LITIR 200

(An Giblean 2003)

Adam Ferguson was a Perthshire Gael, and a significant intellectual figure in 18th Century Edinburgh…

Fàilte oirbh a-rithist. Agus fàilte shònraichte, oir 's e seo an dà cheudamh Litir bho thòisich mi air an sgrìobhadh o chionn faisg air ceithir bliadhna. Bidh sibh toilichte cluinntinn nach bi cus gràmair ann an t-seachdain-sa, ach feumaidh sinn sùil a thoirt air na ceistean a chuir mi oirbh aig deireadh na Litreach mu dheireadh.

fàilte shònraichte: *a special welcome;* **an dà cheudamh Litir bho thòisich mi air an sgrìobhadh:** *the 200th Litir since I started to write them;* **feumaidh sinn sùil a thoirt air X:** *we must look at X;*

Dè a' Ghàidhlig a th' air *nineteen women*? An d' fhuair sibh e? *Naoi boireannaich dheug.* Naoi boireannaich dheug. No mas e *bean* a chleachd sibh, chanadh sibh *naoi mnathan deug.* Agus seventeen Scotsmen? *Seachd Albannaich dheug.* Seachd Albannaich dheug.

'S e a' cheist eile a chuir mi oirbh – dè a' Ghàidhlig a th' air *eleven o' clock*? 'S e an fhreagairt a*on uair deug.* **Tha dà rud ann a dh'fheumas mi ràdh mu dheidhinn seo**. Carson nach e *aon uair dheug* oir tha uair boireann? Uill, 's e as coireach nach bi an "d" air a sèimheachadh as dèidh an "r". Bidh sin a' tachairt cuideachd le cuid de dh'fhaclan a tha a' crìochnachadh le "t", "l", "n" no "s".

nach bi an "d" air a sèimheachadh: *the "d" won't be lenited;* **a' crìochnachadh:** *finishing;*

'S e an rud eile a bu chòir dhomh ràdh gun tuirt mi *aon uair deug* le, mar gum biodh, "s" eadar an "r" agus an "d". Tha sin cumanta ann an grunn dualchainntean. Air an aon dòigh, canaidh sinn "bòrd", "bàrd" agus "càirdean". Chan eil "s" sgrìobhte ann an gin de na faclan sin.

tha sin cumanta ann an grunn dualchainntean: *that is common in several dialects;* **ann an gin de na faclan sin:** *in any of those words:*

Sin e airson gràmar an t-seachdain-sa. Bu toigh leam rudeigin a ràdh a-nise mu Ghàidheal ainmeil air an robh Adhamh Fearghasdan no 's dòcha Adhamh MacFhearghais. Chan eil mi cinnteach dè chanadh e ris fhèin ann an Gàidhlig ach 's e Adam Ferguson a bh' air ann am Beurla. Rugadh e ann an seachd-deug, fichead 's a trì (1723) aig Lag an Ràith ann an Siorrachd Pheairt.

Lag an Ràith: *Logierait;* **Siorrachd Pheairt:** *Perthshire;*

B' e Adhamh an naoidheamh leanabh, am fear a b' òige, aig an Urramach Adhamh Fearghasdan agus a bhean, Màiri Ghòrdan, agus chaidh e gu Sgoil Ghràmair Pheairt. Fhuair e foghlam aig àrd-ìre ann an Cill Rìmhinn is an uair sin ann an Dùn Èideann far an d' fhuair e trèanadh airson a bhith na mhinistear ann an Eaglais na h-Alba.

Cill Rìmhinn: *St Andrews;*

Bha e na mhinistear don Fhreiceadan Dubh, an rèisimeid

Am Freiceadan Dubh: *The Black Watch (regiment);*

’s e a’ chiad rud a dh’fhoillsich e a-riamh: *the first thing he ever published;* **eadar-theangachadh gu Beurla de shearmon:** *an English translation of a sermon;* **riaraichte:** *satisfied;* **leabharlannaiche:** *librarian;* **mar fhear-teagaisg prìobhaideach do mhic uaislean:** *as a private teacher to the sons of gentry;* **Feallsanachd Nàdarrach:** *Natural Philosophy;* **chan e sin a’ chathair a bha e a’ miannachadh:** *that is not the chair he desired;* **Feallsanachd Moralta:** *Moral Philosophy;* **cha robh e aithnichte air feadh na rìoghachd:** *he was not recognised throughout the land* **aiste:** *essay;*

ainmeil, airson naoi bliadhna agus ’s e a’ chiad rud a dh’fhoillsich e a-riamh eadar-theangachadh gu Beurla de shearmon a rinn e ann an Gàidhlig airson na rèisimeid ann am meadhan ar-a-mach nan Seumasach ann an seachd-deug, ceathrad ’s a còig (1745).

Ach cha robh e riaraichte mar mhinistear agus ann an seachd-deug, caogad ’s a h-ochd (1758) fhuair e obair mar leabharlannaiche do Roinn an Luchd-tagraidh, no Faculty of Advocates, ann an Dùn Èideann. Cha robh e an sin fada, ge-tà, mus d’ fhuair e obair mar fhear-teagaisg prìobhaideach do mhic uaislean. An uair sin, ghabh e ceum mòr air adhart nuair a fhuair e dreuchd mar Phroifeasair na Feallsanachd Nàdarraich aig an oilthigh.

Chan e sin a’ chathair a bha e a’ miannachadh, ge-tà. Bha sùil aige air tè na Feallsanachd Moralta agus **fhuair e mu dheireadh i ann an seachd-deug, seasgad ’s a ceithir (1764)**. Bha e cliùiteach mar thidsear agus sgrìobh e leabhraichean airson a chuid oileanach ann am feallsanachd, ach cha robh e fhathast aithnichte air feadh na rìoghachd. Thachair sin nuair a sgrìobh e aiste ainmeil ann an seachd-deug, seasgad ’s a seachd (1767). Innsidh mi dhuibh tuilleadh mu a deidhinn agus mu bheatha Adhaimh Fheargasdain an ath-sheachdain*. LTIR

Puing-chànain na Litreach: fhuair e mu dheireadh i ann an 1764: *he got it (fem.) finally in 1764. Are you a little confused about where to place a pronoun if it represents the object of a sentence? In a simple sentence, the answer is generally at the end eg you would be better to say* rinn e as dèidh greis e, *rather than* rinn e e as dèidh greis, *although the latter is not actually wrong. It also runs off the tongue more easily. Similarly if you were asked* “càite an d’ fhuair thu na ticeadan?”, *you might say* “cheannaich mi iad aig an stèisean”. *This would be grammatically correct, but you would be considered better-spoken if you said* “cheannaich mi aig an stèisean iad”. *You will notice that the latter shows a divergence of the word order from the English “I bought them at the station”. Returning to the sentence in the text, I might have said* fhuair e i mu dheireadh ann an 1764 *but it would not have been as “correct” to the ear. I might also have said* fhuair e mu dheireadh ann an 1764 i. *This would also be correct but the space between subject and object is now so great that comprehension could be affected.*

Gnàths-cainnt na Litreach: Tha dà rud ann a dh’fheumas mi ràdh mu dheidhinn seo: *there are two things I must say about this.*

Gheibhear Litir 201 air làrach-lìn a’ BhBC aig www.bbc.co.uk/alba/foghlam

Puingean-cànain

Each Litir contains a "puing-chànain" about a particular grammatical or linguistic issue. The numbers below refer to Litrichean, not pages.

Gnàthsan-cainnt

The following are summaries of the points about idiom to be found at the end of each Litir. The numbers refer to Litrichean, not pages.

a bhuineadh do: *who belonged to 189*
a cheadaicheas an ùine dhomh: *that time permits me 197*
a dh'aona-ghnothach: *deliberately 32*
a dh'fheumas mi ràdh mu dheidhinn: *which I must say about 200*
a dh'iarraidh bean-ghlùin: *to fetch a midwife 83*
a dhèanadh an gnothach: *which would do the job 155*
a h-uile mac màthar: *every Tom, Dick and Harry 46*
a tha gu math coltach: *which is pretty likely (to be correct) 128*
a thàinig a-mach gu h-os ìosal: *that came out covertly, that was leaked 166*
a' chiad char anns a' mhadainn: *first thing in the morning 92*
a' cumail a-mach: *maintaining, claiming 40*
a' cur crìoch air: *finishing, completing 98*
a' cur sìos air: *censuring, denouncing 52*
a' dèanamh air: *making for 148*
a' dèanamh coimeas eadar: *making comparisons 49*
a' deanamh gàirdeachas: *expressing pleasure, rejoicing 50*
a' gabhail aithreachas mu dheidhinn: *regretting it 113*
a' toirt fa-near: *considering 53*
a' toirt for air gnothaichean mar sin: *paying heed to such matters 90*
a' toirt sùil air: *looking at 29*
agus a ghabhas: *as can be/as is possible 2*
aig a' char as blàithe: *at the warmest 20*
aig a' cheann thall: *in the end 69*
air èiginn: *only just 109*
air sàilleabh an cuid gaisgeachd: *because of their bravery 135*
air sàilleabh sin: *because of that 80*
air tighinn cruinn: *had gathered 120*
airson geur-leanmhainn a dhèanamh air: *for persecuting 185*
aithreachas ann no às: *with or without regret 93*
am biodh e gu diofar ged a chithinn i?: *would you mind if I saw her? 153*
am broinn a' chaisteil: *in the castle 33*
an crochadh gu mòr: *greatly dependent 117*
an siud 's an seo: *here and there* 133
an urra ris a' ghaoith: *dependent on the wind 137*
ann am pailteas: *in abundance 131*
anns a' chiad dol a-mach: *in the first instance 67*
anns an t-seann aimsir: *in olden times 3*
bha an caothach air: *he was very angry 28*
bha cianalas mòr oirre: *she was very homesick 170*

bha e dhen bheachd: *he was of the opinion 121*
bha e na chleachdadh: *it was a custom 61*
bha gràin aig X air Y: *X hated the Y 73*
bha mo chridhe a' frith-bhualadh mar chudaig ann am mias: *my heart was palpitating like a cuddy in a basin 8*
bhathar ga chleachdadh fhathast: *it was still in use 112*
bho àm gu àm: *from time to time 162*
buailteach: *liable to 147*
bun no bàrr: *head or tail 26*
caochladh dhòighean: *various ways 188*
cha b' ann mar sin a bha e do X: *that is not how it was for X 183*
cha b' e ruith ach leum dha: *he didn't delay an instant 23*
cha b' e sin deireadh na sgeòil dha: *that wasn't the end of the story for him 158*
cha b' fhuilear dhut a bhith cho ealamh: *you needed to be [so] sprightly 159*
cha b' urrainn dhaibh faighinn cuidhteas e: *they couldn't get rid of him 105*
cha cheadaich an ùine mi: *time will not permit me 88*
cha chreid mise nach do rinn X mearachd: *I reckon X made a mistake 12*
cha do dh'èirich càil dha: *nothing (bad) happened to him 171*
cha do thuig no mise: *I didn't understand either 6*
cha leig sinn a leas: *we don't need to 4*
cha mhòr nach do: *I almost 175*
cha robh e uile gu lèir tlachdmhor: *it wasn't altogether pleasurable 191*
chaill e gu dubh: *he lost terribly 165*
chan eil gnothach sam bith aig X ri Y: *Y has nothing to do with X 22*
chan eil guth air: *there is no mention of it 16*
chan eil X is Y mòr aig a chèile: *X and Y do not like each other 42*
chan fhada gus am bi: *it is not long until 77*
chan fhaigh mi lorg air: *I won't find 138*
chan fhiach an t-saothair: *it's not worth the effort 125*
chan ionann e: *it is not the same 37*
chlisg fear an taighe: *the man of the house started 184*
cho carach ris a' mhadadh-ruadh: *as wily as the fox 41*
cho carach ris an t-sionnach: *as wily as the fox 41*
cho fallain ri breac/fiadh: *as healthy as a trout/deer 199*
cho fuar ris a' phuinnsean: *as cold as the poison 18*
choisinn e cliù dha fhèin: *he won a reputation for himself 104*
chuir e seachad bliadhnaichean: *he spent years 72*
chuir sin an ceòl air feadh na fìdhle: *that put the cat among the pigeons 135*
chuir X roimhe: *X decided to 151*
ciamar a chaidh dhut: *how did you get on? 82*
ciaradh na h-oidhche/an fheasgair: *dusk 181*
coimheadamaid a-rithist: *let us look again 134*
Cothrom na Fèinne: *a just opportunity, fair play 9*
cuiridh mi geall: *I bet 51, 118*

cuiridh mi nur cuimhne: *I will remind you (pl.) 178*
cumaibh cluas ri claisneachd: *keep your ears open 38*
cur an grèim: *to arrest, put in detention 140*
dà uair an uaireadair/dà uair a thìde: *two hours duration 114*
deagh adhbhar: *a good reason 95*
deagh shunnd: *good spirits/good humour 139*
dèan fodha!: *backwater! 76*
dh'fhaodadh tu do roghainn fhaighinn: *you could take your pick 89*
dhiùlt e a-muigh no mach: *he absolutely refused 142*
dùin do chab!: *shut your mouth! 122*
eagal 's gum biodh: *for fear that 182*
faclan a chur ris: *to put words to it 194*
fad an t-siubhail: *all the time 11*
fàgaidh mi agaibhse e: *I'll leave it with you 99*
faodaidh mi a bhith cinnteach às a sin: *I can be certain of that 142*
faodaidh tu do chasan a thoirt leat: *you may depart, leave 106*
feumaidh mi aideachadh: *I must admit 87*
fhuair iad bàs: *they died 81*
fiù 's nuair a bha cur is cathadh ann: *even when it was snowing and drifting 48*
fo chabair: *inside 141*
gabhaidh sinn anail: *we'll have a rest (lit. we'll take a breath) 75*
ge brith: *whatever, however 196*
ged a bha e a-nise gu math sean: *although he was now very old 34*
ged nach urrainn dhomh seo a dhearbhadh: *although I cannot verify this 195*
gheibheadh an duine bàs: *the man would die 21*
gheibheadh e cuid oidhche: *he would get a night's lodging 172*
gheibhear cothrom: *an opportunity will be had 146*
greasaibh oirbh! *hurry up! (pl.) 31*
gu maith an airm: *for the good of the army 126*
guma slàn dhut: *health to you 138*
gun dèan eòlas a' chùis air aineolas: *that knowledge will overcome ignorance 17*
is annasaiche leam: *I find stranger, more novel, more unusual 130*
is beag an t-iongnadh: *it is of little surprise 27*
is fhada o nach robh: *it's a long time since 173*
is mòr am beud: *it's a great pity 84*
's ann anns a' Mhàigh as fheàrr a tha e: *it is in May that it is best 14*
's ann mar sin a bha e: *that's how it was 164*
's ann mar sin a tha an cnoc: *that is how the hill is 85*
's ann ort a tha an clab: *you are a real chatterbox 44*
's e àban seann sruth: *an* àban *is an old stream (route of flow) 129*
's e an rud a thig am bàrr: *the thing that comes to the surface/becomes known is 39*
's e fìor dhroch isean a th' annad: *you are a real bad egg 136*
's e gille a' mhansa a bh' ann: *he was a son of the manse 107*
's e na th' air tachairt: *what has happened 198*

's e tìde a dh'innseas: *it's time that will tell 156*
le bhith a' bagairt cogadh orra: *by threatening them with war 152*
leabaidh a bhàis: *his death-bed 96*
leis an fhìrinn innse: *to tell the truth 47*
leis na th' ann de stuth aige: *with the amount of stuff he has 74*
letheach-slighe: *halfway 154*
lòchran nam bochd: *the light of the moon 143*
madainn chùbhraidh Chèit': *a fragrant May morning 79*
mar a b' aithne do/dha X Y: *as X knew/recognised Y 190*
mar as fheàrr a dh'aithnichear e: *as he is best known 66*
mar as moth' a gheibh an cù, 's ann as moth' a dh'iarras e: *the more the dog gets, the more he wants 18*
mar as sine am boc, 's ann as cruaidh' an adharc: *the older the buck, the harder the horn 18*
mar as teotha, 's ann as fheàrr: *the hotter the better 18*
mar bu mhiann le d' athair: *as your father would wish 136*
mar sin leibh an-dràsta: *cheerio just now 174*
mas breug bhuam e, is breug thugam e: *I'm only relating what I heard 24, 122*
mas math mo chuimhne: *if my memory serves me correctly 110*
mo chreach! *alas! 15*
mura b' e: *if it weren't 58*
na cois/na chois: *along with her/him 36*
nàire oirbh!: *shame on you! 132*
os cionn na mara: *above the sea 115*
ri croitearachd no cìobaireachd: *involved in crofting or shepherding 94*
ri linn: *of his day 145*
saoilidh mi gu bheil e rudeigin ìoranta: *I think it's somewhat ironic.127*
saoilidh mi: *I reckon, consider, think 157*
seach eun sam bith eile: *rather than any other bird 56*
sèid do shròn, 'ille: *blow your nose, lad 101*
siuthad (ma-thà): *go on (then) 13*
suarach cho math 's a bha an t-sìde: *the weather was pretty poor 64*
taigh na galla: *a Gaelic imprecation 160*
teis-meadhan: *epicentre 119*
tha an t-òlach ann an cliabh: *the fellow is a madman 125*
tha an ùine air ruith orm: *my time is up 169*
tha e a' dol leis a' bheachd agam fhìn: *it concurs with my own opinion 43*
tha mi a' dol innte: *I am going to bed 168*
thàinig an tùchadh orm: *I grew hoarse 193*
thathar a' dèanamh dheth: *it is reckoned 40*
tillidh an sgamhan an uachdar: *the lung returns to the surface 124*
tric is minig: *very often 192*
uair is uair: *time and again, repeatedly 108*

Seanfhaclan

Proverbs are to be found at the end of some Litrichean, and within the text in others. They are highlighted where they occur. Numbers refer to Litrichean, not pages.

A' chlach a thionndaidhear tric, cha tig còinneach oirre: *a rolling stone gathers no moss 100*

A' taomadh na mara le cliabh: *doing an impossible task 63*

A' toirt fiodhrach a Loch Abar: *(taking coals to Newcastle) 161*

Air an tràghadh a rugadh tu: *you were born on the ebb-tide 102*

Aithnichear duine air a chuideachd: *a man will be known by his company 62*

Am fear a bhios fad' aig an aiseag, gheibh e thairis uaireigin: *the man who waits long at the ferry will get over sometime 113*

Am feur a thig a-mach sa Mhàrt, thèid e a-staigh sa Ghiblean: *the grass which comes out in March will disappear in April 78*

Am fitheach a dh'èireas moch, 's ann leis a bhios sùil a' bheathaich a tha sa pholl: *the raven that rises early gets the eye of the beast in the bog 180*

An là a bhios sinn ri òrach, biomaid ri òrach, ach an là a bhios sinn ri maorach, biomaid ri maorach: *when we are after gold, let us be after gold; but when we are after shellfish, le us be after shellfish 144*

Bàrr no faobhar, thig air aghaidh!: *an exhortation to followers 123*

Bhiodh meas duine ghlic air nam biodh e na thost: *he would be considered a wise man if he kept quiet 55*

Brisidh dùthchas tro shùilean a' chait: *heredity breaks through the eyes of the cat 176*

Bu cheart cho math leam a bhith a' sgoltadh bhiorach: *I don't think much of this 102*

Cha chinn còinneach air clach an udalain: *a rolling stone gathers no moss 100*

Cha dèan aon smeòrach samhradh: *one thrush does not make a summer 186*

Cha do bhris facal math fiacail a-riamh: *a good word never broke a tooth 177*

Cha tig an aois leatha fhèin: *age does not come by herself 65*

Cha toir a' bhòidhchead goil air a' phoit: *beauty won't boil the pot 25*

Cha toir am fitheach an t-sùil dha isean fhèin: *the raven won't give the eye (even) to his own chick 180*

Chaidh am foghlam os cionn Mhic Cruimein: *the student has surpassed the teacher 103, 104*

Chan eil bàs duine gun ghràs duine: *no man's death is without favour 5*

Chan eil port a sheinneas an smeòrach san Fhaoilleach, nach gul i seachd uairean mus ruith an t-earrach: *for every song the thrush sings in January, she will lament seven times before the spring is over 78*

Cruaidh mar an fhraoch is buan mar a' ghiuthas: *hard as the heather, lasting as the pine 45*

Fhuair aon chluicheadair sgleog air a cheann: *one player received a blow on his head 187*

Is buidhe le amadain imrich: *fools are fond of flitting 71*

Is coma le fear nam bròg càite an cuir e a chas: *the shod man cares not where he puts his foot 177*

Is coma leis an rìgh Eoghainn, ach is coma le Eoghainn co-dhiù*: the king doesn't like Ewen, but Ewen couldn't care less 15*

Is fheàrr a' bhloigh bheag le beannachd na a' bhloigh mhòr le mollachd: *the little thing with a blessing is better than the large one with a curse 179*

Is fheàrr caraid sa chùirt na crùn san sporan: *a friend in the court is better than a crown in the purse 19*

Is gorm na cnuic a tha fada uainn: *green are the hills that are far away 176*

Is math an còcaire an t-acras: *hunger is a good cook* 113

Is math an sgàthan sùil caraid: *a friend's eye is a good mirror 25*

Is minig a thàinig comhairle ghlic à ceann amadain: *it is often that wise counsel came from a fool's head 55*

Is mios' am fear beag na Frangach: *the wee man is worse than a Frenchman 161*

Is miosa amaideachd na h-aois na amaideachd na h-òige: *the folly of age is worse than the folly of youth 65*

Is miosa seo nan t-alum!: *this tastes terrible! 163*

Is mò làn do shùla na làn do bhroinn: *your eyes are bigger than your tummy 161*

Is obair-là duine a thiodhlacadh: *it's a day's work to bury a man 161*

Is ùrachadh atharrachadh: *change is refreshing 71*

'S ann air each èasgaidh a leigear an t-uallach: *it is on the willing horse that the burden is laid 111*

'S ann dhutsa a rug an cat an cuilean: *you were incredibly lucky 136*

'S e miann na lacha an loch air nach bi i: *the desire of the [wild] duck is [to be on] the loch where it [she] is not 1*

'S fheàrr am partan-tuathal na bhith gun fhear-taighe: *better the hermit crab than to be without a husband 30*

'S iomadh nì a chailleas fear na h-imrich: *the man that flits loses much 70, 71*

'S truagh nach bu cheàird gu lèir sibh an-diugh: *it's a pity you were not all tinkers today 35*

Ma chì thu deagh bhean, beir oirre no beiridh fear eile oirre: *if you see a good woman, catch her or another man will catch her 57*

Nì an imrich thric an àirneis lom: *frequent flitting bares the furnishing 71*

Nuair a bhriseas aon bhò an gàrradh, thèid a dha-dheug a-mach air: *when one cow breaks the wall, twelve will make their escape 7*

Nuair a thèid thu air chèilidh air madadh-allaidh, thoir do chù leat: *when you go to visit a wolf, take your dog with you 54*

Nuair as teinne an taod, 's ann as dualtaiche dha bhriseadh: *when the rope is at its tightest, it is most likely to break 91*

Ruigidh an ro-ghiollachd air an ro-ghalar: *the best of nursing may overcome the worst disease 97*

Ruigidh each mall muileann, ach feumaidh fear fuireach a bhriseas a chas: *a slow horse will reach the mill, but the one that breaks his leg must stay where he is 111*

Sgamhan coin is sgamhan sagairt, is coltach iad ri chèile: *a dog's lungs and a priest's lungs, they are alike 124*

Teine caorainn is gaol ghiullan, cha do mhair iad fad' a-riamh: *rowan fire and boys' love, they never lasted long 150*

Tha a mheòir às dèidh na sgait: *a comment made of a bad piper 103*

Tha beul air coltach ri mac-làmhaich: *he has a mouth on him like a monkfish 116*

Tha caochladh clòimhe ann an clò Chaluim: *there are many aspects to the matter 57*

Tha na h-itean as bòidhche air na h-eòin fad às: *the most beautiful feathers are on the distant birds 60*

Tha saoghal a' choin bhàin aige: *he has a great life 110*

Tha sin mar smeuran dubha san Fhaoilleach: *that is like ripe bramble berries in January 78*

Thèid dualchas an aghaidh nan creag: *one's inheritance will come to the fore 149*

Thug na fir-chlis fuil à cach a chèile a-raoir: *the merry dancers shed each other's blood last night 86*

Triùir a thig gun iarraidh – gaol, eud is eagal: *three that come unbidden – love, jealousy and fear 59*

Ugh gun ìm, gun luath, gun salann, an ceann seachd bliadhna gun tig galar: *if you take an egg without butter, ash or salt, you will get a disease within seven years 149*

Briathrachas

The words and phrases in this vocabulary are drawn from those given in the sections to the left of the text in each Litir. Verbal nouns are largely given without the a'/ag and nouns are largely given without the article, unless they usually occur in speech or writing with the article (eg **Lùnastal** comes under "A" for **An Lùnastal** because it always occurs with the article). The numbers refer in all instances to Litrichean, never to pages.

A

a bhon-uiridh *the year before last* 19
a bhuineadh do *who belonged to* 121
a bhuineas do *who belongs to* 16
à bith *out of existence* 32
a chaidh a bhàthadh *who was drowned* 121
a cheart cho pailt *just as plentiful* 29
a chluinnear fhathast *which is still heard* 34
a choisinn cliù *that built up a reputation* 151
a chòrd rium glan *which I enjoyed immensely* 40
a chòrdas ri X *which X will enjoy* 149
a chuir an t-uabhas air *that horrified him* 83
a dh'aindeoin *despite* 1, 24, 67
a dh'ionnsaigh *towards* 8, 31, 41, 159
a mhair trì bliadhna *which lasted 3 years* 191
a rèir *according to* 15, 66, 78
a tha gam blianadh fhèin *which are sunning themselves* 190
a thoirt am feabhas *to improve* 120
a thug ort *that made you* 83
A' Bheilg *Belgium* 93
a' bhliadhna roimhe *the year before* 58
a' bhreac *smallpox* 103
a' chaitheamh *consumption (tuberculosis)* 87
a' chiad char *first thing* 25
A' Chomraich *Applecross* 2
A' Chorpaich *Corpach* 183
A' Chuimrigh *Wales* 26, 80, 145
a' chuing *asthma* 87
A' Ghearmailt *Germany* 115
A' Mhachair Ghallda *the Lowlands* 142
A' Mhanachainn *Beauly* 182, 187
A' Mhòigh *Moy (near Inverness)* 119, 141
abaich *ripe* 22
Abaid Phàislig *Paisley Abbey* 143
abairt *phrase* 47
àban *creek, backwater, old path of river flow* 129
àbhachd *hilarity, joking* 163
Abhainn Chluaidh *River Clyde* 137
Abhainn Ilidh *Helmsdale River* 144
abhainn-deighe *glacier* 155
àbhaisteach *normal* 18
a-bhàn *down* 184
a-bhos *here* 69, 181
ablaich *carrion 36*
acarsaid *anchorage* 146
acfhainn *implements, tools* 70
ach a-mhàin *except* 19, 55
Ach nan Seileach *Achnashellach* 91
a-chaoidh *never, forever* 4
Achd an Fhoghlaim *the Education Act* 166
acrach *hungry* 11, 163
adhar *sky* 11
adharcan *horns* 14
adhbhar *reason* 24, 67
adhbharachadh *causing* 22
adhradh na grèine *sun-worship* 197
adhradh *worship* 84
aghach *abounding in hinds* 104
aibhnichean *rivers* 73
aibidil *alphabet* 129
aibidileach *alphabetised* 27
aideachadh *admitting* 34, *confession* 98
aig a' cheann thall *eventually* 17, 93, 162
aig fois *at rest, motionless* 23
aig muir *at sea* 137
aigeann *abyss* 124
Ailig Iain MacUilleim *Alec John Williamson* 2
Ailig O Hianlaidh *Alex O' Henley* 134
ailigeutairean *alligators* 110
aillse sgamhain *lung cancer* 124
aimsir *weather* 186
aineolach *ignorant* 82, 117, 143
ainm-baistidh *first (Christened) name* 141
ainmean *names* 155
ainmean-àite *place-names* 14
ainmear *noun* 198
ainmeil *famous* 6
ainmhidh fiadhaich *wild animal* 191
ainmneach *nominative* 147
ainneamh *rare, rarely* 22
air a bheulaibh *in front of him* 31, 139
air a chùlaibh *behind him* 31, 139
air a nàrachadh *ashamed* 163
air a shèimheachadh *lenited 62*
air a thòir *in pursuit of him* 28

B

batail, batailean *battle, battles* 33, 34
bàthach *byre* 58, 130, 140
beachd *opinion* 1
beag bìodach *tiny* 23
beag-spèiseil *showing little respect* 132
bealach *mountain pass* 24
Bealach an t-Suidhe *the Pass of the Seat* 154
bean *wife* 60
bean-ghlùin *midwife* 119
beannachd *blessing* 42, 179
beannaichte *blessed* 27, 94
beanntan *mountains* 1, 133, 171
Beanntan an Rothaich *Munros* 171
Beàrnaraigh *Berneray* 102
Beàrnaraigh Bheag *Little Bernera* 170
bearraidhean *cliffs* 61
beartach *wealthy* 15, 58, 73, 121, 177
beatha *life* 190
beathaichean *animals* 147
Beinn a' Bhadhla *Benbecula* 21, 194
Beinn Eallair *Ben Alder* 185
Beinn Laoghail *Ben Loyal* 165
Beinn Mhurlaig *Ben Vorlich* 164
Beinn Nibheis *Ben Nevis* 20
bèist(e) dhubh *otter* 29
beithe *birch* 150
beò *alive* 2
beòil *mouths* 97, 150
beòthail *lively* 108
beul na h-oidhche *dusk* 20
beul-aithris *oral tradition 28, 41, 50, 67, 73, 123, 184*
bha aice ri *she had to* 153
bha an caothach orra *they were furious* 120
bha athair na shaor *his father was a carpenter* 98
bha e a' treabhadh na talmhainn aige *he was ploughing his land* 91
bha e ann an cunnart a bheatha *he was in mortal danger* 21
bha e cumanta uaireigin *it was common at one time* 67
bha e na bhàrd air leth *he was a particularly good bard* 87
bha gràin aig athair na nighinne air *the girl's father hated him* 140
bha iad air an dòigh glan *they were as happy as could be* 149
bha na boireannaich ri dibhearsain *the women were having a bit of fun* 131
bha ùidh mhòr aige *he had great interest* 90
bha X air a shàrachadh *X was tormented* 183
bha X ann am fìor chunnart a bheatha *X was in real danger of (losing) his life* 35
bha X na b' fheàrr air *X was better at* 73
bhàsaich an seann rùda *the old ram died* 188
Bhatacan *Vatican* 98
Bhatarsaigh *Vatersay* 173, 196
bheir iad na rudan sin dhachaigh leotha *they take those things home with them* 77
bhìoras *virus* 116
bho thùs *originally* 18, 74, 122
bhon uair sin *since then* 18, 162
bhòtadh *voting* 71
bhreab *kicked* 41
bhuaithe (uaithe) *from him* 138, 172
bhuamsa *from me (emphatic)* 12
biadhchar *fruitful* 104
bian *hide (skin)* 58
bìdeadh *biting* 150
bìdeag *a small piece, fragment* 179
bidh sinn beò an dòchas *we live in hope* 20
binneanach *pinnacled* 145
bìobhar *beaver* 29
biodag *dirk* 89
bìog *cheep* 187
biorach, *sharp* 36, 145
biota *churn* 18
birlinn *galley* 159, 170
bith-beò *living* 88, 191
bith-bhriathrach *interminably talkative* 44
bith-bhuan *everlasting* 45
blàr *battle* 53
Blàr Allt Èireann *Battle of Auldearn* 35
Blàr Chùil Lodair *Battle of Culloden* 6, 23, 66
Blàr na h-Eaglaise Brice *The Battle of Falkirk* 43
blas *taste* 2, 14, 65, 83
blasta *tasty* 34, 35, 153, 170
bleideagan arbhair *corn flakes* 26
bleigeard *lout* 19
bleoghainn *milking* 108
Bliadhna a' Phrionnsa *the year of the Jacobite rebellion (1745-6)* 123
Bliadhna Theàrlaich *the year of the Jacobite rebellion (1745-6)* 123
bloigh gheòidh *half a goose* 140
bò *cow* 174
bobhla *bowl* 26
bòcan *evil spirit, goblin* 21, 77
bochdainn *poverty* 120
bodach *old man* 196
bodach sìth *fairy man* 173
bodhaig *human body (living)* 124
boghachan froise *rainbows* 174
boghadair *archer, bowman* 28
boglach *bog, morass* 122, 148
bogsa *box* 166
bòidhchead *beauty* 1, 133

C

clach-uaighe *gravestone* 100
cladach *shore* 29
cladh *cemetery* 100, 181
cladhach *digging* 182
claidheamh *sword* 33, 34, 74, 159
claigeann *skull* 185
Clann 'ic a' Phì *the MacPhees* 159
Clann 'ic Coinnich *Clan Mackenzie* 135
Clann 'ic Rath *MacRae clan* 135
Clann Dòmhnaill *Clan Donald* 33, 68
Clann Ghriogair *the MacGregors* 68
clàr *recording* 105
clàr-dùthcha *map* 146
clàrsach *harp* 73
clàrsair *harpist* 88
cleachdaidhean *practices* 32
cleasan-teine *fireworks* 127
clèibhidh *clavie* 84
Clèireach *Presbyterian* 192
Clèirich *Presbyterians* 34
clì *left* 32
cliabh ghiomach *lobster creel* 125, 150
cliathaich 8, 178
cliù *reputation* 41, 73, 145
cliùiteach *renowned* 50, 65, 151, 192
cliùmhor *renowned* 118
clobha *tongs* 85, 185
clobhd *cloth (eg for washing dishes)* 105
clogaidean *helmets* 74
clòimh *wool* 41
clòimh-liath *mould* 65
closaichean *carcases* 36
cluasag *pillow* 47
cluas-mhara *abalone* 34, 35, 36
clubaichean *clubs* 187
cluicheadair *player* 187
cluinnear e/iad *is/are heard 46,* 5, 74
cnacail *a crackling sound* 8
cnàmhan *bones* 47, 66, 145
cnàmh-droma *spine,* 116
cnapan *lumps* 130
Cnoc Faoighreis *Fyrish Hill* 195
Cnòideart *Knoydart* 172
cnoimheag, cnuimheag *maggot* 99
cnothan *nuts* 77, 150
cò aige tha fios? *who knows?* 46, 165, 191
cò air bith *whosoever* 15, 66
cò ghoid i? *who stole it?* 39
cò loisg a' chiad pheilear? *who fired the first bullet?* 123
co-aimsireil *contemporary* 87
cobhair *help* 91
còcaireachd *cooking* 36
co-cheangailte (ri) *connected (to)* 31, 32
còd sgrìobhte *written code* 195
co-dhiù 's e an stròc a bu choireach *whether the stroke was responsible* 46
co-dhiù bha am fear eile ga chàineadh no ga mholadh *whether the other man was criticising or praising him* 136
co-dhiù no co-dheth *whatever* 99
co-dhiù tha sin fìor gus nach eil *whether that is true or not* 195
Cogadh nan Seumasach *Jacobite War* 23, 141
coibhneil *kind* 196
coidsichean *coaches* 192
còignear *five (people)* 139
coigreach *stranger* 184
coigrich *foreigners* 98, 162
coileach *cockerel* 26
coileanta *complete, perfect* 46
coille *wood (forest)* 164
coilleagan *cockles* 192
coille-ghiuthais *(Caledonian) pine wood* 133
coilltean *forests* 148
coilltean-giuthais *pine forests* 56, 111, 117
coilltear *forester* 28
coimearsalta *commercial* 144
coimeas *comparison* 88, 178
coimheadaibh *look* 138
coimheadamaid *let us look* 17
coimhearsnachd *community* 6
coin *dogs* 68, 94, 142
coin dubha *black dogs* 68
coineanaich *rabbits* 150
còinneach *moss* 100
Coinneach MacCoinnich *Kenneth Mackenzie* 128, 135
coinneal *candle* 176
co-ionann *equivalent* 9, 93
còir *decent, good, nice* 10, 19
coire *corrie* 1, 28
Coire a' Chlaiginn *(lit.) Corrie of the Skull* 124
coireachadh *blaming* 42
coireil *noise, as that made by sea-birds* 76
coiseachd *walking* 8
coitheanal *congregation* 191, 198
co-labhairt *conference* 119
Colasa *Colonsay* 33, 159, 180
colbh *column* 10
Colla nam Bò *Coll of the Cows* 140
coma *indifferent* 25
coma leat, a laochain *don't worry, lad* 153
comasach *capable* 145
combaist *compass* 31
comhairliche *councillors* 17
comharrachadh *marking, distinguishing* 174
comhartaich *barking* 142

D

E

fèath *calm weather* 37
fèilidhean beaga *kilts* 110
fèill-sprèidh *livestock mart* 148
fèineil *selfish* 118
feumaidh mi aideachadh *I must admit* 48, 155
feumaidh mi falbh *I must go (leave)* 169
feumaidh mi sin a chur ceart uaireigin *I will have to put that right sometime* 152
feumaidh sinn feitheamh *we must wait* 166
feumail *useful* 169
feur *grass* 64
feusag *beard* 65
feusgan, feusgain *mussel, mussels* 29, 129
fhad 's a bha an turadh ann *as long as the weather was dry* 149
fhad 's as fiosrach leamsa co-dhiù *as far as I know anyway* 86
fhearaibh! *men! (vocative)* 157
fhuair e cuidhteas *he got rid of* 157
fiabhrasan *fevers* 112
fiaclan biorach *sharp teeth* 116
fiaclan fuadain *false teeth* 150
fiadhaich *wild* 73
fialaidh *generous* 132
fidheall *fiddle* 167
fighe *knit* 168
fileantaich *fluent speakers (of Gaelic)* 101
filmichean oillteil eagalach *horror movies* 181
fiodh *wood* 125
fiodha *wooden* 178
fionn *fair* 27
Fionnairigh *Fiunary* 107
fionnar *cool* 195
Fionnghal Nic Dhòmhnaill *Flora MacDonald* 69
Fionnlagh Dubh *Black Finlay* 28
fìor *true* 122
fìor chorra uair *very occasionally* 132
fìor dhroch shìde *really bad weather* 192
fìor-leug *jewel, precious stone 39*
fiosraichte *informed* 133
fireann *masculine* 62, 63
fìrinn *truth* 89
fìrinneach *truthful* 182
fitheach *raven* 15
Flànras *Flanders* 126, 143
flat *flat* 111
fleasgach *bachelor* 81
fleasgaich *youths, bachelors* 170
flin *sleet* 20
fo achlais *under his arm* 24
fo aois trì bliadhna *under 3 years of age* 166
fo bhlàth *in bloom* 14
fo chabair *indoors* 143
fo chasaid de mhurt *charged with murder* 66
fo ìsle-mhara *below low tide mark* 36
fo uisgeachan dhamaichean *under dam water* 172
fo-aodach *underwear* 191
fodar *fodder* 128
fodhpa *below them* 24
foghar *autumn* 2, 20
foirfe *perfect* 60
fòirneart *violence* 57
fois *rest,inactivity* 48, 119
fois no fosadh *rest or cessation* 114
follaiseach *obvious* 24, 111, 162
fon fhòid (*or* **fon fhòd**) *buried* 43
fon lannsa *operated on* 13
fonn *tune* 194
fòrladh *leave (furlough)* 145
fortan *fortune* 144
fosailean *fossils* 22
fo-thiotalan *sub-titles* 105
fradharc *vision* 3, 103
Fraingis *French (language)* 98
Frangach *Frenchman* 127
frasan *showers* 130
freagarrach *suitable* 13, 180
freiceadan *guard* 141
freumhan (or **freumhaichean**) *roots* 3, 82
frith-ainm *nickname* 28, 32, 107
frith-bhualadh cridhe *palpitations of the heart* 112
fuachd *cold* 20
fuadachadh *expelling* 15
fuadaichean *clearances* 14, 71
fuaimreag *vowel* 109
fuaran *well, spring* 160
fuasgladh *solution* 10, 16, 83
fuasgladh *unwrap* 131
fuathasach *very, terribly* 48
fùdar *(gun)powder* 127
fuil *blood* 187
fuilteach *bloody* 54, 95
fuineadair *baker* 76, 189
fuirich mionaid! *wait a minute!* 62
fuirich ort! *wait a minute!* 84
fulangach *passive (gram.)* 81
fulangas *suffering* 9
fulmair *fulmar* 60
furasta *easy* 1, 141

G

gabhaibh air ur socair *take it easy* 111
gabhaibh mo leisgeul *excuse me* 74, 110
gabhaidh e dèanamh *it can be done* 166
gabhaidh e faicinn *it can be seen* 195
gabhaidh sibh iongnadh *you will be surprised* 198

grinneal *gravel* 144
gruagach *maidens* 138
grunn bhothan *a few bothies* 154
grunnd na h-aibhne *the riverbed* 144
grunnd na mara *the sea bed* 22, 116
gruth *curds* 39
gu bheil a leithid a' còrdadh ribh *that you enjoy such things* 139
gu crìch *to an end* 23
gu cunbhalach *habitually* 166
gu cùramach *carefully* 58
gu dearbh *indeed* 68
gu dòigheil *well, contented* 19, 33
gu dùmhail *thick* 76
gu foighidneach *patiently* 116
gu h-annasach *unusually* 67, 128
gu h-àraid (*or* **gu h-àraidh**) *particularly* 20
gu h-obann *suddenly* 8, 165
gu leòr *enough* 113
gu litireil *literally* 169
gu math dona *very bad* 22
gu mòran feum *of much use* 24, 51
gu ruige *to* 40, 69, 138, 159
gu sìorraidh *for ever* 195
gu sìorraidh buan *forever and ever* 45, 158
gu socair ciùin *gently and calmly* 170
gu soirbheachail *successfully* 120
guga *guga, young of gannet or solan goose* 154
guidheachdainn *swearing.* 117
guineach *stinging 130*
gul *crying* 96
gum biodh an clab oirre *that she would be a blabbermouth* 193
guma slàn do *good health to* 138, 198
gun a bhith deiseil *not finished* 183
gun deach car a thoirt às *that he was tricked* 131
gun fhiosta do X *with X completely unaware 34, 41, 173*
gun luaidh air *without mentioning* 97, 169
gun mhothachadh *unconscious* 11
gun mòran bhrìgh *without much meaning, substance* 44
gun sùilean *without eyes* 10
gun teagamh *without doubt* 51, 190

H

hàidraidean *hydrogen* 155
halò *hello* 197
Hanobhàirianaich *Hanoverians* 141
Hiomàileatha *Himalaya* 18
Hiort *St Kilda* 50, 60, 61

I

Ì *Iona* 27
Iain MacAoidh *John Mackay* 103
Iain MacCoinnich *John Mackenzie* 167
Iain Ruadh Stiùbhart *John Roy Stewart* 128
Iain Seathach *John Shaw* 153
ialtag *bat* 181
ialtagach *abounding in bats, batty* 181
Iapanach *Japanese* 22
iarainn *iron* 182
Iarla *Earl* 3, 33
Iarla Earra-Ghàidheal *Earl of Argyll* 159
Iarla Shìophoirt *Earl of Seaforth* 135
Iarla Thulaich Bhàrdainn *Earl of Tullibardine* 56
iar-leasachan *suffix* 177
iasg *fish* 116
iasgach *fishing* 115, 144
iasgairean *fishermen* 199
ifrinn *hell* 32
Ìle *Islay* 56, 61, 97, 101, 159
ille bhig *young lad,* 114
imrich *flitting* 71
Inbhir Àir *Ayr* 162
Inbhir Aora *Inveraray* 162
Inbhir Athain *Inveravon* 85
Inbhir Lòchaidh *Inverlochy* 34
Inbhir Losaidh *Lossiemouth* 121
Inbhir Nis *Inverness* 5, 127, 182
Inbhir Pheofharain *Dingwall* 191
Inbhir Theòrsa *Thurso* 17
Inbhir Ùige *Wick* 17
Inhbir Aora *Inveraray* 66
inneal-clàraidh *recording device* 190
Innis Tìle *Iceland* 22
innleadair *engineer* 182
Innseanach Ruadh *North American Indian* 90
inntinn *mind* 39
inntinneach *interesting* 30, 149
ìobairt *sacrifice* 112
ìobradh *sacrifice* 112
ìocshlaint *medicine* 112
iolaire *eagle* 11
iolra *plural* 47, 134, 147, 199
ioma-chànanach *multilingual* 151
iomadach *many* 19
iomadh turas *many times* 21
iomadh-fhillte *complex, many-faceted* 16
iomain *drive* 140
iomain *shinty* 143, 187
iomairt *campaign, game* 108
iomallach *remote, on the edge* 50, 61
iomchaidh *appropriate, fitting, suitable* 17, 56, 99
ìomhaigh *statue* 94

lionn *liquid* 23, 112
liotairean *litres* 93
Lìte *Leith* 135
lìte *porridge* 83
Litir an Abstoil Phòil chun nan Ròmanach *Paul's Letter to the Romans* 188
litreachadh *spelling* 101
liùdhag, liùdhagan *doll, dolls 3,* 160
lobht *loft* 181
Loch Abar *Lochaber* 34, 140
Loch Àlainn *Lochaline* 138
Loch Carrann *Lochcarron* 91
Loch Creurain *Loch Creran* 123
Loch Iù *Loch Ewe* 167
Loch Laomainn *Loch Lomond* 126, 164
Loch Maruibhe *Loch Maree* 10, 11, 117
Loch nam Madadh *Lochmaddy* 29, 30
Loch Nis *Loch Ness* 140
Loch Omhaich *Loch Oich* 183
Loch Sgrèasort *Loch Scresort* 110
lochan-uisge *freshwater lochs* 11
Lochlann *Scandinavia* 170, 186
Lochlannach *Viking* 16, 40, 74, 170
Lochlannais *Norse language* 74
loch-mara *sea loch* 29, 67, 132
loidig *logic* 72
Loids Àird a' Mhùlaidh *Ardvourlie Lodge* 158
loma-làn *completely full* 71
longan *ships* 137
losgadh a' chlèibhidh *the burning of the clavie* 85
luachmhor *valuable* 194
luath-bheulach *talkative, gossipy* 44
luath-bhileach *talkative, gossipy* 44
luath-chainnteach *talkative, gossipy* 44
lùb *bend* 106
lùbadh *bending* 150
luch, luchag *mouse* 176
lùchairt *palace* 15, 119
luchd nam mapaichean *the mapmakers* 32
luchd-amhairc *spectators* 138
luchd-deasachaidh *editors* 109
luchd-eachdraidh *historians* 53
luchd-fianais *witnesses* 5, 134
luchd-gràmair *grammarians* 67
luchd-leughaidh *readers* 130
luchd-rannsachaidh *researchers* 12
luchd-saidheans *scientists* 7, 56, 86, 155
luchd-siubhail *travelling people* 2, 106
luchd-smàlaidh *firemen* 57
luideach *ragged* 104
Luimneach *Limerick* 59
lùisreagach *abounding in herbs* 104
Lunnainn *London* 32, 137, 190
lurgann *shin* 187
lus *plant* 1
lus bith-bheò *perennial plant* 45
lusanach *herbaceous* 104
lus-eòlaiche *botanist* 23
luth-chleasaiche *athlete* 19

M

ma dh'fhaodas mi *if I may* 32
ma sgaoil *free, released* 176
ma thèid gu math leotha *if they succeed* 35
mac *son* 89
mac an duine *human(s)* 129
Mac Shimidh *Lord Lovat* 126
MacCoinnich *Mackenzie* 167
Machair Aonghais *plain of Angus* 23, 181
machlag *womb, uterus* 175
MacLeòid Dhùn Bheagain *MacLeod of Dunvegan* 49
mac-na-bracha *malt whisky* 65
MacNèill Bharraigh *MacNeil of Barra* 49
mac-samhail *replica, likeness* 95, 195
mac-talla *echo* 104, 170
madadh *dog, wild dog (also a large mussel)* 29
madadh-allaidh *wolf* 29, 41, 54
madadh-ruadh *fox* 29
maighdeannan *maidens* 139
maigheach *hare* 136
maigheach bhàn *white hare* 105
Maighstir Ailein *Father Allan* 193
màileid *bag, knapsack* 90
Mailisidh Earra-Ghàidheal *the Argyll Militia* 43
maireannach *long-lasting* 157
Màiri Mhòr nan Òran *Big Mary of the Songs (Mary MacPherson)* 65, 128
Màiri NicEalair *Mary MacKellar* 75, 76
mairt-fheòil *beef* 83
maistreachadh *churning* 18
malairt *trade* 151
mallachd *curse* 42, 179
mamail *mammal* 36, 136
mamailean *mammals* 175
manach, manaich *monk, monks* 4, 154
manachainn *monastery* 4, 171
mangach *abounding in fawns* 104
manntach *stuttery* 97
maoimean-mòintich *migratory bogs* 59
maoim-slèibhe *landslide* 59
maoim-sneachda *avalanche* 59
maoim-talmhainn *landslide* 59
maorach *shellfish* 34, 35, 36, 116, 144
mar a theirear *as is said* 26, 37, 39
mar a theirear riutha *as they are called* 180
mar a thuigeas sibh *as you will understand* 46

N

O

P

Pròstanaich *Protestants* 57
pùdach *young bird, chick* 11
puinnd *pounds* 93
puinnsean *poison* 116
puinnseanta (*or* **puinnseanach)** *poisonous* 24
put fuaraidh *the first sod turned by a cas-chrom at the beginning of a "sgrìob"* 91

R

rabhadh *warning* 49, 59, 66, 160
ràcadh *a rasping or croaking noise* 175
rachadh iad *they would go* 142
Raibeart Gille Chrìosd *Robert Gilchrist* 144
Raibeart MacIlleDhuinn *Robert Brown* 23
Raineach *Rannoch* 185
ràith *season* 20, 24
ràmh *oar* 159
rànaich *wailing* 153
rann *verse* 76, 99, 104
rann cunntaidh *a counting rhyme* 37, 38
rannan cloinne *children's (nursery) rhymes* 37
raointean òir *goldfields* 144
Rathad Allt a' Mhuilinn *Millburn Road* 168
rathad-iarainn *railway line* 122, 151, 152
reamhar *fat,thick* 37
reic *selling* 5
rèidhlean *flat meadow* 76
rèisimeid *regiment* 69
Rèisimeid nan Gòrdanach *Gordon Highlanders* 95
rèite *agreement* 33
reithe *ram* 83
reòiteag *ice-cream, ice lolly* 117
reothairt *Spring tides* 129
reubaltaich *rebels* 126
Reul an luchair *Sirius (the dog star)* 79
reul-bhad *constellation* 189
reusanta *reasonable* 73
ri (a) linn *in his day* 23, 40, 73, 162
ri guaillibh a chèile *along with each other* 57
ri taobh *beside* 14
riabhach *brindled* 104
riaghaltas *government* 120
riaghladair *governor, administrator* 53, 118, 161
riamh roimhe *ever before* 18
riaraichte *satisfied* 200
riasgach *peaty* 104
riatanach *necessary* 152
ribe, ribeachan *snare, snares* 150
ridire *knight* 151
Rìgh Deòrsa *King George* 43
Rìgh Seumas VII *King James VII* 126
rinn mi iomradh air *I mentioned* 71
rinn thu gu math *you did well* 82
rinn X a' chùis air Y *X defeated Y* 195
rionnagan *stars* 189
ris a' chagailt *at the hearth* 172
ris an canar *who is called* 8
robach *slovenly* 121
robairean *robbers* 96
ròcas *rook* 180
Roghadal *Rodel (Harris)* 1
roghainn *choice* 15, 52
roimhe sin *before that* 32, 119
roimhear *preposition* 113, 198
Roinn na Ceilteis *Celtic Department* 101
rola *(bread) roll* 75
ro-làimh *beforehand* 22
Romànais *Romansch* 98
ròn *seal* 136, 190
Rònaigh *Rona* 154
Ros *Ross(-shire)* 2
Ros an Ear *Easter Ross* 95
Ros an Iar *Wester Ross* 10, 148, 163
ro-shealladh na h-aimsir *weather forecast* 20, 37
ròstadh *roasting* 36
Ruadhainn *Ruthven* 126
Ruairidh MacMhathain *Rory Matheson* 172
rubha *point, promontory* 14
rudan a bhuineadh don dùthaich aca fhèin *things which belonged to their own country* 117
rudeigin something 3, 178
rudeigin air choreigin *something or other* 10
rugadh e *he was born* 7
rugadh is thogadh *was born and brought up* 30
rugbaidh *rugby* 138
Ruiseanais *Russian (language)* 98
ruith *running* 3, 51
rùnach *beloved* 43
rùp *auction* 158
rùrachadh *rummaging, searching, groping* 74

S

sa bhad *immediately* 15
sa mhionaid *immediately* 15
sa spot *immediately* 83
sabaid *fighting* 53
sàbhailte *safe* 56
sabhal *barn* 37
sagart *priest* 52, 96, 98, 124, 171, 193
sagartachd *priesthood* 98
saidheans *science* 7
saidheansail *scientific* 168, 186
saighdearan dearga *redcoats* 6
saighead *arrow* 28
Sàilich *people of Kintail* 3
sailm *psalms* 107

T

U

An t-Ùghdar

Tha Ruairidh MacIlleathain na chraoladair, sgrìobhadair is fear-naidheachd a bhuannaich duaisean nàiseanta is eadar-nàiseanta airson a chuid obrach. Tha e na Dheasaiche air *Cothrom* – an ràitheachan dà-chànanach aig Clì Gàidhlig. Tha e air Gàidhlig a theagasg do luchd-ionnsachaidh aig diofar ìrean, agus bidh e a' ruith chùrsaichean do dh'fhileantaich a tha ag obair gu proifeiseanta leis a' chànan. Tha buinteanas aige don Chomraich agus do Leòdhas, agus tha e a' fuireach ann an Inbhir Nis.